MW00989449
ХРОНИКИ
НАРНИИ

Повести из эпопеи

# Хроники Нарнии

Повести из эпопеи

# Хроники Нарнии

Племянник чародея

Лев, колдунья
и платяной шкаф

Конь и его мальчик

Принц Каспиан

«Покоритель зари»,
или Плавание на край света

Серебряное кресло

Последняя битва

*Клайв С. Льюис*

# ХРОНИКИ НАРНИИ

*Вся история Нарнии*
*в 7 повестях*

Москва
2019

УДК 821.111-312.9
ББК 84(4Вел)-44
Л91

**Допущено к распространению**
**Издательским Советом Русской Православной Церкви**
(Постановление Коллегии по научно-богословскому рецензированию
и экспертной оценке Издательского Совета Русской Православной Церкви,
протокол № 9 от 26 мая 2015 г., ИС Р15-509-0457).

The Magician's Nephew / Племянник чародея
*Перевод с английского Н. Трауберг*


The Lion, the Witch, and the Wardrobe / Лев, колдунья и платяной шкаф
*Перевод с английского Г. Островской*


The Horse and His Boy / Конь и его мальчик
*Перевод с английского Н. Трауберг*


Prince Caspian / Принц Каспиан
*Перевод с английского Е. Доброхотовой-Майковой*


The Voyage of the Dawn Treader / «Покоритель зари»,
или Плавание на край света
*Перевод с английского В. Кулагиной-Ярцевой*


The Silver Chair / Серебряное кресло
*Перевод с английского Н. Виноградовой*


The Last Battle / Последняя битва
*Перевод с английского Е. Доброхотовой-Майковой*


Адрес сайта: **www.narnia.com**

**Льюис, Клайв Стейплз.**
Л91 Хроники Нарнии : Вся история Нарнии в 7 повестях / Клайв С. Льюис ; [перевод с английского ; ил. П. Бэйнс]. — Москва : Эксмо, 2019. — 912 с. : ил.

**УДК 821.111-312.9**
**ББК 84(4Вел)-44**



**ISBN 978-5-699-92300-7**

# ПЛЕМЯННИК ЧАРОДЕЯ

*Перевод Натальи Трауберг*

## *Глава первая*

# КАК ДЕТИ ОШИБЛИСЬ ДВЕРЬЮ

Повесть эта о том, что случилось, когда твой дедушка был маленьким. Она очень важна, потому что без неё не поймёшь, как установилась связь между нашим миром и Нарнией.

В те дни Шерлок Холмс ещё жил на Бейкер-стрит, а патер Браун не расследовал преступлений. В те дни, если ты был мальчиком, тебе приходилось носить каждый день твёрдый белый воротничок, а школы большей частью были ещё хуже, чем теперь. Но еда была лучше, а что до сластей, я и говорить не стану, как они были дёшевы и вкусны, — зачем тебя зря мучить. И в те самые дни жила в Лондоне девочка Полли Пламмер.

Жила она в одном из домов, стоявших тесным рядом. Както утром она вышла в крошечный садик позади дома, и мальчик из соседнего садика подошёл к самой изгороди. Полли удивилась: до сих пор в том доме детей не было, там жили мисс и мистер Кеттерли, старая дева и старый холостяк. И вот Полли удивлённо посмотрела на мальчика. Лицо у него было грязное, словно он копался в земле, потом плакал, потом утёрся рукой. Примерно это, надо сказать, он и делал.

— Здравствуй, мальчик, — сказала Полли.

— Здравствуй, — сказал мальчик. — Как тебя зовут?

— Полли. А тебя?

— Дигори.

— Ой как смешно! — воскликнула Полли.

— Ничего смешного не вижу, — обиделся мальчик.

— А я вижу.

— А я нет!

— Я хоть умываюсь, — заметила Полли. — А тебе вот надо умыться, особенно... — И она замолчала, потому что хотела сказать: «...после того как ты плакал», — но решила, что это невежливо.

— Ну и что, ну и ревел! — вспылил Дигори, которому было так худо, что чужое мнение уже не трогало. — И сама бы ревела, если бы жила всю жизнь в саду, и у тебя был пони, и ты бы купалась в речке, а потом тебя притащили в эту дыру...

— Лондон не дыра, — возмутилась Полли, но Дигори так страдал, что не заметил её слов:

— ...и если бы твой папа уехал в Индию, и ты бы приехала к тёте и дяде, а он сумасшедший, да, самый что ни на есть, и всё потому, что за мамой надо ухаживать, она очень больна... и... и...

Лицо его перекосилось, как бывает всегда, если пытаешься не заплакать.

— Прости, я не знала, — смиренно сказала Полли и помолчала немного, но ей хотелось отвлечь Дигори и она спросила: — Неужели мистер Кеттерли сумасшедший?

— Да, — кивнул Дигори, — или ещё хуже. Он что-то делает в мансарде, тётя Летти меня туда не пускает. Странно, а? Но это ещё что! Когда он обращается ко мне за обедом — к ней он и не пробует, — она говорит: «Эндрю, не беспокой ребёнка», — или: «Дигори это ни к чему», — или: «Дигори, а не поиграть ли тебе в садике?»

— Что же он хотел сказать?

— Не знаю. Он ни разу не договорил. Но и это не всё. Один раз, то есть вчера вечером, я проходил мимо лестницы — ох и противно! — и слышал, что в мансарде кто-то кричит.

— Может быть, он там держит сумасшедшую жену?

— Да, я тоже подумал.

— А может, печатает деньги?

— А может, он пират, как в «Острове сокровищ», и прячется от прежних друзей...

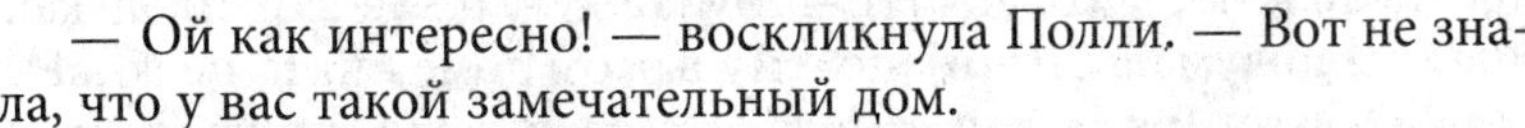

— Ой как интересно! — воскликнула Полли. — Вот не знала, что у вас такой замечательный дом.

— Тебе интересно, — буркнул Дигори, — а мне в этом доме спать. Лежишь, а он крадётся к твоей комнате... И глаза у него жуткие.

Так познакомились Полли и Дигори, и поскольку были каникулы, а к морю в тот год никто из них не ехал, они стали видеться почти каждый день.

Приключения их начались потому, что лето было на редкость дождливое. Приходилось сидеть дома, а значит — исследовать дом. Просто удивительно, сколько всего можно найти в доме или в двух соседних домах, если у тебя есть свечка. Полли знала давно, что с её чердака идёт проход вроде туннеля: с одной стороны — кирпичная стенка, с другой — покатая

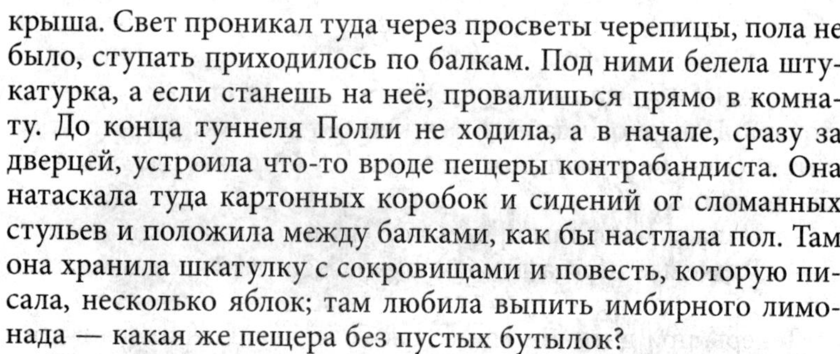

крыша. Свет проникал туда через просветы черепицы, пола не было, ступать приходилось по балкам. Под ними белела штукатурка, а если станешь на неё, провалишься прямо в комнату. До конца туннеля Полли не ходила, а в начале, сразу за дверцей, устроила что-то вроде пещеры контрабандиста. Она натаскала туда картонных коробок и сидений от сломанных стульев и положила между балками, как бы настлала пол. Там она хранила шкатулку с сокровищами и повесть, которую писала, несколько яблок; там любила выпить имбирного лимонада — какая же пещера без пустых бутылок?

Дигори пещера понравилась (повесть Полли не показала), но хотелось залезть подальше, и он спросил:

— Интересно, докуда можно дойти? Дальше твоего дома или нет?

— Дальше, — сказала Полли, — а докуда, не знаю.

— Значит, мы пройдём все дома насквозь.

— Да, — ответила Полли и вдруг ойкнула.

— Что такое?

— Мы в них залезем.

— И нас схватят как воров. Нет уж, благодарю.

— Ох какой умный! Мы залезем в пустой дом, сразу за твоим.

— А что там такое?

— Да он пустой — папа говорит, там давно никого нет.

— Посмотреть надо, — сказал Дигори.

На самом деле боялся он гораздо больше, чем можно было предположить, судя по его тону. Конечно, он подумал, как и вы бы подумали, о том, почему в этом доме никто не живёт; думала об этом и Полли. Никто не сказал слово «привидения», но оба знали, что теперь отступать стыдно.

— Идём? — спросил Дигори.

— Идём, — сказала Полли.

— Нет, если не хочешь, не ходи...

— Да уж нет, я пойду.

— А как мы узнаем, что мы в том доме?

Они решили пойти на чердак и, шагая с балки на балку, отмерять, сколько балок приходится на комнату. Потом они отведут балки четыре на промежуток между чердаком и комнатой служанки, а на саму эту комнату — столько, сколько на чердак. Проделав такое расстояние дважды, можно сказать, что миновали оба дома и дальше идёт уже тот, пустой.

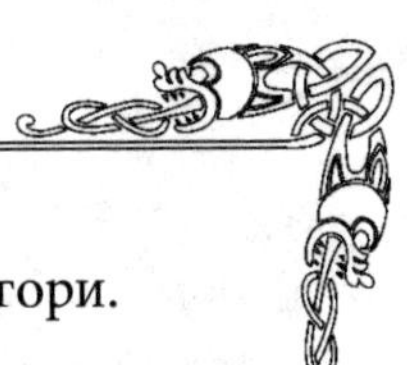

— Не думаю, что он совсем пустой, — сказал Дигори.

— А какой же?

— Кто-нибудь там скрывается, а выходит ночью, прикрыв фонарь. Наверное, шайка... жуткие злодеи... они от нас откупятся... Нет, не может дом стоять пустой столько лет. Это какая-то тайна.

— Папа думает, там протекают трубы, — сказала Полли.

— Взрослые всегда думают самое неинтересное, — сказал Дигори.

Теперь, при дневном свете, как-то меньше верилось в привидения — не то что в пещере, при свечах.

Измерив шагами чердак, они записали, что вышло, и у каждого вышло иначе. Как-то они свели результаты воедино, однако я не уверен, что и тут получилось правильно. Слишком хотелось им начать исследование.

— Ступай потише, — сказала Полли, когда они полезли в проход.

Ради такого случая каждый взял по свече (у Полли в тайнике их было много). Проход был пыльным, и тёмным, и холодным. Полли и Дигори ступали с балки на балку молча, только иногда шептали «теперь твой чердак» или «наш дом мы почти прошли». Они ни разу не споткнулись, свечи у них не погасли, и дверцы в кирпичной стене они достигли, только на ней, конечно, не было ручки, потому что никто не входил в неё снаружи, однако внутри ручка была, а снаружи торчал шпенёк (такой бывает внутри шкафа).

— Повернуть его? — спросил Дигори.

— Если ты не боишься, — сказала Полли. — А то я поверну.

Обоим стало жутковато, но отступить они не смогли бы. Дигори не без труда повернул шпенёк. Дверь распахнулась, и солнечный свет ослепил их. Потом, к большому своему удивлению, они увидели, что перед ними не пустой чердак, а простая, хотя и пустоватая, комната. Полли задула свечу и ступила туда.

Конечно, потолок здесь был скошен, но мебель стояла самая обычная. Стены не были видны из-за книжных полок, сплошь уставленных книгами, в камине горел огонь (вы помните, лето было холодное), а перед камином, спинкой к ним, стояло высокое кресло. Между креслом и Полли, посреди комнаты, стоял очень большой стол, а на нём были книги, блокноты, черниль‑

ницы, перья, сургуч и микроскоп. Но прежде всего в глаза бросался ярко-алый деревянный поднос, на котором лежали кольца. Разложены они были по два — жёлтое и зелёное, потом промежуток, потом ещё одно жёлтое и ещё одно зелёное. Размера они были обычного, но сверкали ослепительно. Вы и представить себе не можете, как дивно они сверкали. Будь Полли помладше, ей бы захотелось сунуть одно из них в рот.

В комнате было так тихо, что Полли сразу услышала тиканье часов. И всё-таки тихо было не совсем: где-то что-то гудело. Если бы тогда уже изобрели пылесос, Полли подумала бы, что это он и работает за несколько комнат и этажей отсюда. Но звук был приятней, чем у пылесоса, и очень, очень тихий.

— Иди, тут никого нет.

Грязный Дигори, моргая, вышел из прохода (грязной, конечно, была и Полли) и пробубнил:

— Стоило лезть! Совсем он не пустой. Давай уйдём, пока они не вернулись.

— Как ты думаешь, кто здесь живёт? — спросила Полли, указывая на зелёные и жёлтые кольца.

— А какое нам дело! — сказал Дигори. — Давай... — Но фразу он не закончил.

Кресло с высокой спинкой, стоявшее перед камином, задвигалось, а из-за него, как в пантомиме, вылез дядя Эндрю. Они были вовсе не в пустом доме, а в доме Дигори, да ещё и в заповедной мансарде! Дети хором охнули. Теперь обоим казалось, что иначе и быть не могло, потому что слишком мало прошли.

Дядя Эндрю был очень высокий и тощий, длиннолицый, остроносый, с необычайно блестящими глазами и седыми взъерошенными волосами. Сейчас он казался ещё страшнее, чем обычно. Дигори просто говорить не мог. Полли испугалась меньше, но и ей стало не по себе, когда дядя Эндрю молча прошёл к дверям и запер их на ключ. После этого он повернулся к детям, взглянул на них сверкающими глазами и, обнажив в улыбке острые зубы, сказал:

— Ну вот! Теперь моя дура сестрица до вас не доберётся.

Полли и не думала, что от взрослых можно такое ожидать, поэтому ужасно испугалась, и они с Дигори попятились к дверце, в которую вошли, но дядя обогнал их и запер её, а вдобавок встал перед нею, потом потёр руки, так что пальцы затрещали (пальцы у него были длинные и белые), и усмехнулся:

— Счастлив вас видеть. Двое деток — именно то, что мне нужно.

— Мистер Кеттерли, — сказала Полли, — мне пора обедать, меня ждут дома. Отпустите нас, пожалуйста!..

— Со временем, со временем, — пробормотал дядя Эндрю. — Нельзя упускать такой случай. Мне не хватало именно двух деток. Понимаете, я ставлю небывалый,

великий опыт. С морской свинкой как будто бы получилось. Но свинка ничего не расскажет. Да ей и не объяснишь, как вернуться.

— Дядя, — сказал Дигори, — обедать и правда пора, нас станут искать. Вы должны отпустить...

— Должен? — спросил дядя Эндрю.

Дигори и Полли переглянулись. Говорить они не смели, но взгляды их значили: «ужас какой!» и «надо его умаслить».

— Если вы нас выпустите, — сказала Полли, — мы придём после обеда.

— Кто вас знает? — сказал дядя Эндрю и хитро усмехнулся. Но тут же передумал: — Хорошо, надо так надо. На что таким детям старый скучный человек!.. — Он вздохнул. — Если бы вы знали, как мне бывает одиноко. Да что там... Идите обедайте. Только сперва я вам кое-что подарю. Не каждый день у меня бывают маленькие девочки, особенно — такие милые...

Полли подумала, что он не такой уж и сумасшедший.

— Хочешь колечко, душечка? — спросил её дядя Эндрю.

— Жёлтое или зелёное? Ой какая прелесть!

— Нет, не зелёное, — сказал дядя. — Мне очень жаль, но зелёное я дать не могу. А жёлтое — с удовольствием. Бери и носи на здоровье. Ну, бери!

Полли больше не боялась: дядя был совсем не сумасшедший, а кольца и впрямь прелестны, — и, шагнув к столу, сказала:

— Смотрите-ка! Гудит и гудит, как будто сами кольца.

— Какая странная мысль! — заметил дядя и засмеялся.

Смех был вполне естественный, однако Дигори не понравилось слишком бодрое, чуть ли не алчное, выражение дядиных глаз, и он крикнул:

— Полли, не бери! Не трогай!

Но было поздно. Он ещё говорил, когда Полли коснулась одного кольца и сразу же, без звука, исчезла. Дигори с дядей остались одни.

*Глава вторая*

## ДИГОРИ И ЕГО ДЯДЯ

Случилось это так неожиданно и так походило на страшный сон, что Дигори вскрикнул. Дядя Эндрю зажал ему рот рукой, прошипел:

— Не смей! — и прибавил помягче: — Не шуми, твоя мама услышит. Зачем её пугать?

Дигори говорил потом, что его просто затошнило от такой подлой уловки, но, конечно, кричать он больше не стал.

— То-то, — сказал дядя. — Ничего не поделаешь, каждый бы удивился. Я и сам удивился вчера, когда исчезла свинка.

— Это вы и кричали? — спросил Дигори.

— Ах ты слышал? Ты что, следил за мной?

— Нет, — сердито сказал Дигори. — Объясните, что с Полли!

— Поздравь меня, мой мальчик, — сказал дядя Эндрю, потирая руки. — Опыт удался. Девочка исчезла... сгинула... в этом мире её нет.

— Что вы с ней сделали?!

— Послал... э... в другое место.

— Не понимаю, — сказал Дигори.

Дядя Эндрю опустился в кресло.

— Что ж, я тебе объясню. Ты слышал когда-нибудь о мисс Лё Фэй?

— Она наша двоюродная бабушка? — припомнил Дигори.

— Не совсем, — сказал дядя Эндрю, — она моя крёстная. Вон её портрет, смотри.

Дигори посмотрел и увидел на выцветшей фотографии старую даму в чепце. Теперь он вспомнил, что такой же портрет видел ещё дома, в комоде, и спросил маму, кто это, и мама почему-то замялась. Лицо было неприятное, но кто его знает, на этих старинных фотографиях...

— Кажется... кажется, она была... не совсем хорошая?

— Ну, — ответил дядя Эндрю, — это зависит от того, что называть хорошим. Люди узки, мой друг. Да, странности у неё были. Бывали и... чудачества. Иначе её не поместили бы...

— В сумасшедший дом?

— Нет, нет, нет! — Дядя был шокирован. — Ничего подобного! В тюрьму.

— Ой! А за что?

— Бедная женщина! — со вздохом проговорил дядя. — Не хватило благоразумия... Но не будем в это вдаваться. Ко мне она всегда была добра.

— Да при чём тут это! — воскликнул Дигори. — Где Полли?

— Всё в своё время, мой друг. Мисс Лё Фэй выпустили, и после этого она почти никого не хотела видеть. Я был из тех немногих, кого она ещё принимала. Видишь ли, её стали раздражать ординарные, скучные люди. Собственно, они раздражают и меня. Кроме того, у нас с ней были общие интересы. За несколько дней до смерти она велела мне открыть тайничок в её шкафу и принести маленькую шкатулку. Как только я эту шкатулку тронул, сразу почувствовал — да, просто пальцами, — что в моих руках огромная тайна, ну а когда принёс, она отдала мне её и приказала, не открывая, сжечь сразу после её смерти с определёнными церемониями. Конечно, я этого не сделал.

— И очень плохо, — сказал Дигори.

— Плохо? — удивился дядя. — А, понимаю! По-твоему, надо выполнять обещания. Резонно, резонно, вот ты и выполняй. Но сам посуди: такие правила хороши для слуг, детей, женщин — вообще для людей, но не для великих учёных, мыслителей и мудрецов. Нет, Дигори. Те, кто причастен к тайной мудрости, свободны и от мещанских правил, и от мещанских

радостей. Судьба наша, мой мальчик, возвышенна и необычна. Удел наш высок, мы одиноки...

Он вздохнул с такой благородной, такой таинственной печалью, что Дигори целую секунду сочувствовал ему, но тут вспомнил, какими были дядины глаза, когда он предлагал Полли кольцо, и подумал: «Ага, значит, он может делать всё, что ему угодно!..»

— Конечно, шкатулку я открыл не сразу, — продолжил дядя. — Я опасался, нет ли в ней чего-нибудь... нежелательного. Моя крёстная была чрезвычайно своеобразной дамой. Собственно, она последняя из смертных, в ком текла кровь фей. Сама она ещё застала двух таких женщин — герцогиню и подёнщицу. Ты, Дигори, беседуешь с последним человеком, у которого была фея-крёстная. Будет что вспомнить в старости, мой мальчик!

«Ведьма она, а не фея!» — подумал Дигори и снова спросил:

— А где же Полли?

— Какой ты нетерпеливый! — рассердился дядя. — Разве в этом дело? Сперва, конечно, я осмотрел шкатулку. Она была очень старинная. Я сразу понял, что это не Греция, не Египет, не Вавилон и не страна хеттов, даже не Китай. Она была древнее всех этих стран. Наконец, в один поистине великий день, я догадался, что сделана она в Атлантиде, то есть на много веков раньше, чем те каменные штуковины, которые выкапывают в Европе. Да, это вам не грубый топор! Ещё на заре времён в Атлантиде были дворцы, и храмы, и учёные.

Он подождал немного, но Дигори не восхищался, ибо дядя с каждой минутой нравился ему всё меньше, и заговорил снова.

— Тем временем я изучал тайные науки (вряд ли прилично рассказывать о них ребёнку). Пришлось познакомиться с... как бы это сказать... чертовски странными людьми и пройти через довольно гнусные испытания. От всего этого я и поседел раньше времени. Стать чародеем — это тебе не шутка! Я вконец испортил здоровье — правда, теперь мне лучше, — зато *узнал*.

Подслушать их было некому, но дядя подвинулся поближе и понизил голос:

— То, что было в шкатулке, не нашего мира, и попало оно к нам, когда наш мир только-только начинался.

— Что же именно там было? — спросил Дигори, поневоле захваченный рассказом.

— Пыль, — ответил дядя Эндрю, — сухая пыль. Смотреть не на что. Но я-то посмотрел — не тронул, нет, но взглянул! Как-никак она из *другого мира*, не с другой планеты, вообще из другого, из другой природы, куда не попадёшь через пространство... только колдовством, да!

И дядя потёр руки так, что пальцы у него затрещали, словно фейерверк.

— Понятно, я знал, что пыль эта может перенести в другие миры, если слепишь из неё то, что надо. Но что же именно и как? Много опытов я проделал впустую. Морские свинки просто погибали или лопались...

— Какой ужас! — перебил его Дигори, у которого когда-то была морская свинка.

— При чём тут ужас? — удивился дядя Эндрю. — Свинки для того и созданы. Я их покупал на свои деньги. Так о чём же я? Да, наконец удалось слепить кольца, жёлтые кольца. Тут и началось самое трудное. Я был уверен, что они перенесут моих подопечных куда надо. Но как же я узнаю, что там? Как их вернуть сюда?

— Можно бы и о них подумать, — сказал Дигори. — Хорошенькое положеньице, если они там застряли!

— Ты ненаучно на всё смотришь, — нетерпеливо возразил дядя Эндрю. — Неужели не можешь понять, что ставится опыт века? Я для того туда и посылаю, чтобы узнать, что там такое.

— Почему же тогда самому не отправиться?

Дигори в жизни не видел такого искреннего удивления.

— Кому, мне?! — воскликнул дядя. — Ты с ума сошёл! В мои годы, с моим здоровьем!.. Да это же страшно опасно! Что за глупость! Ты понимаешь, что говоришь? Да в этих мирах может случиться что угодно!

— А Полли теперь там... — проговорил Дигори, багровея от гнева. — Хоть вы мне и дядя, я прямо скажу: это... это подлость. Только трус пошлёт девочку вместо себя.

— Тихо! — крикнул дядя Эндрю, хлопнув рукой по столу. — Я не позволю так говорить со мной грязному мальчишке! Пойми, я великий учёный, чародей, я посвящён в тайные знания, я ставлю опыт. Конечно, мне нужны подопытные... э...

существа. Что же, прикажешь свинку спрашивать? Наука требует жертв. Идти самому? Смешно! Не идёт же генерал в битву. Предположим, я погибну. Что будет тогда с делом моей жизни?

— Ох, хватит! — невежливо крикнул Дигори. — Как вернуть Полли?

— Я как раз собирался это объяснить, когда ты так грубо меня перебил, — ответил дядя Эндрю. — Для этого нужно зелёное кольцо.

— У Полли нет зелёного кольца, — возразил племянник.

— Вот именно, — кивнул дядя и жутко улыбнулся.

— Значит, она не вернётся! — крикнул Дигори. — Вы её убили!

— Почему же, вернуться она может, если кто-нибудь отнесёт ей это зелёное кольцо.

Тогда Дигори понял, в какую попал ловушку, и молча, очень бледный, уставился на дядю.

— Надеюсь, — достойно и громко промолвил тот, словно лучший из дядюшек давал добрый совет племяннику, — *надеюсь,* мой мальчик, ты не трус. Я был бы очень огорчён, если бы у кого-нибудь из нашей семьи было так мало рыцарства и чести, что он оставил бы... э-э... даму в беде.

— Ох, не могу! — снова крикнул Дигори. — Была бы у вас самого честь, вы бы и отнесли кольцо. Ладно, я понял. Только один-то из нашей семьи уж точно подлец. Это же всё подстроено!

— Конечно, — согласился дядя Эндрю, всё так же мерзко улыбаясь.

— Что ж, я пойду, только сперва скажу. Раньше я в сказки не верил, теперь верю. Так вот, в сказках злые чародеи добром не кончают.

Наконец-то дядю проняло — он так испугался, что, при всей его подлости, вы бы его, наверное, пожалели, — но, вымученно засмеявшись, он всё же сказал:

— Ох, дети, дети! Конечно, чего и ждать? Женское воспитание... Сказки, говоришь? Ничего, обо мне не беспокойся. Побеспокойся лучше о своей подружке. Она там давненько. Если эти миры опасны... да... Жалко было бы опоздать!

— Это вам-то? — гневно вскричал Дигори. — Ну ладно, больше не могу. Что мне делать?

— Прежде всего научись владеть собой, — назидательно сказал дядя. — Иначе станешь таким, как тётя Летти. А теперь слушай.

Он встал, надел перчатки и, подойдя к подносу, на котором лежали кольца, начал:

— Кольца действуют только в том случае, если коснутся кожи. Видишь, я беру их рукой в перчатке, и ничего не происходит. В кармане они безопасны, но коснись их случайно голой рукой — и исчезнешь. Там, в другом мире, случится то же самое, если тронешь зелёное кольцо. Оттуда ты исчезнешь, здесь появишься. Заметь, это всего лишь гипотеза, её предстоит проверить. Итак, я кладу тебе в карман два зелёных кольца — для неё и для тебя. В правый карман, не спутай. Зелёное — «зэ», правый — «пэ». Следовательно, «зэпэ», как в слове «запонка» или «запас». Жёлтое бери сам. На твоём месте я бы надел его, а то ещё потеряешь.

Дигори потянулся к кольцу, но вдруг спросил:

— А как же мама? Она спросит, где я.

— Чем скорее ты исчезнешь, — бодро ответил дядя, — тем скорее вернёшься.

— А если не вернусь? — спросил Дигори.

Дядя Эндрю пожал плечами, подошёл к двери, отпер её, распахнул и сказал:

— Что же, прекрасно. Дело твоё. Иди обедай. Твоя подружка, не моя. Ну съедят её звери, ну утонет, ну умрёт с голоду или просто останется там, если хочешь. Только уж, будь любезен, загляни до чая к миссис Пламмер и объясни, что дочку она не увидит, потому что ты испугался.

— Ах, был бы я взрослым, — вздохнул Дигори, — вы бы у меня поплясали!

Потом застегнулся получше, глубоко вздохнул, взял кольцо и подумал — как думал в подобных случаях позже, — что другого выхода нет.

## *Глава третья*

# ЛЕС МЕЖДУ МИРАМИ

Дядя Эндрю и его кабинет немедленно исчезли. На минуту все смешалось, затем Дигори ощутил, что внизу, под ним, тьма, а сверху льётся нежный зелёный свет. Сам он ни на чём не стоял, и не сидел, и не лежал; ничто не касалось его, и он подумал: «Наверное, я в воде... Нет, я под водой». Он испугался и тут же головой вперёд вынырнул на мягкую траву, окаймлявшую маленький пруд.

Поднявшись на ноги, он не задыхался и не хватал воздух ртом, что странно, если ты только что был под водой. Одежда его была суха. Пруд — небольшой, скорее лужа, не больше десяти футов в диаметре — находился в лесной чаще. Деревья стояли почти рядом, и листьев на них было столько, что неба Дигори не видел. Сюда, вниз, падал только зелёный свет, но наверху, должно быть, сверкало солнце, ибо и пройдя сквозь листву, свет оставался тёплым и радостным. Тишина тут стояла невообразимая — ни птиц, ни насекомых, ни зверьков, ни ветра, — и казалось, что ты слышишь, как растут деревья. Прудов было много — Дигори видел штук десять, не меньше, — и деревья словно пили корнями воду. Несмотря на редкостную тишину, было ясно, что лес преисполнен жизни. Рассказывая о нём позднее,

Дигори говорил: «Он был свежий, он просто дышал, ну... как пирог со сливами».

Удивительно, что, едва оглядевшись, Дигори забыл, почему он здесь. Во всяком случае, не думал ни о Полли, ни о дяде, ни даже о маме — и не боялся, не беспокоился, не испытывал любопытства. Если бы его спросили: «Откуда ты взялся?» — он сказал бы, наверное: «Я был здесь всегда». Так он и чувствовал — словно был здесь всегда и не скучал, хотя ничего не случалось. Позже, рассказывая об этом, он говорил: «Там нет никаких событий — деревья растут, и больше ничего».

Дигори долго стоял и смотрел, пока не увидел, что неподалёку на траве лежит какая-то девочка. Глаза у неё были закрыты, но не совсем, словно бы она просыпалась. Он постоял ещё, глядя на неё; наконец она открыла глаза и, посмотрев на него, проговорила всё ещё сонным голосом:

— Кажется, я тебя где-то видела.

— И мне так кажется, — сказал Дигори. — Давно ты здесь?

— Всегда, — ответила девочка. — Ну... не знаю... очень давно.

— И я тоже.

— Нет-нет, — возразила девочка. — Ты только что вылез из прудика.

— Да, правда, — удивлённо проговорил Дигори. — Я и забыл.

Они довольно долго молчали, потом девочка сказала:

— Знаешь, наверное, мы правда виделись. Что-то я такое помню... что-то вижу... какое-то место. И мальчик с девочкой, совсем как мы... они где-то жили... что-то делали... Наверное, это сон.

— Я тоже видел сон, про мальчика и девочку, которые жили в соседних домах... и полезли куда-то. У девочки было грязное лицо...

— Нет, ты напутал: это у мальчика...

— Мальчика я не видел, — сказал Дигори и вдруг вскрикнул: — Ой, что это?

— Свинка, — ответила девочка.

И впрямь: в траве возилась морская свинка, перепоясанная ленточкой, к которой было привязано сверкающее жёлтое кольцо.

— Смотри! — закричал Дигори. — Смотри, кольцо! И у тебя такое... И у меня.

Девочка очнулась и приподнялась. Они напряжённо глядели друг на друга, пытаясь припомнить что-то, и закричали наконец в два голоса:

— Мистер Кеттерли!

— Дядя Эндрю!

Теперь, когда узнали, кто они, дети стали всё вспоминать, и скоро вспомнили. Дигори рассказал, какой плохой его дядя.

— Что же нам делать? — спросила Полли. — Взять свинку и вернуться домой?

— Куда нам спешить!.. — сказал Дигори, зевая во весь рот.

— Нет, спешить надо, — сказала Полли. — Здесь слишком спокойно... сонно, понимаешь? Если мы сдадимся, то заснём и останемся тут навсегда.

— Здесь очень хорошо, — возразил Дигори.

— Да, но домой вернуться надо. — Полли встала на ноги и осторожно потянулась было к свинке, но передумала: — Лучше её не брать. Кому-кому, а ей тут хорошо. Дома твой дядя станет её мучить.

— Ещё бы, — согласился Дигори. — Что он с нами сделал, ты подумай! Кстати, а как вернуться домой?

— Нырнуть в этот пруд, — предложила Полли.

Они подошли к пруду, постояли, посмотрели на зелёную мирную воду, в которой отражались густые листья. Казалось, там и дна нет.

— Нам не в чем купаться, — сказала Полли.

— Глупости какие! — возразил Дигори. — Нырнём как есть. Ты вспомни: мы ведь не промокли.

— Ты плавать умеешь? — спросила Полли.

— Немножко. А ты?

— М-м... совсем плохо.

— Да не надо нам плавать, — успокоил её Дигори. — Только нырнём, и само пойдёт.

Нырять им не хотелось, но они не сказали об этом друг другу, а, взявшись за руки, отсчитали:

— Раз, два, три — плюх!

И прыгнули. Раздался всплеск. Они, конечно, зажмурились, но, открыв глаза, увидели, что стоят в той же мелкой луже, что и стояли. Пруд был неглубок, вода едва доходила до щиколоток. Они вышли на траву.

— В чём дело? — спросила Полли, испугавшись, но не слишком (испугаться в таком лесу невозможно).

— Знаю! — сказал Дигори. — Конечно, не получилось. На нас жёлтые кольца. Они переносят сюда, понимаешь? А домой — зелёные! Давай поменяем. Карманы у тебя есть? Так, хорошо. Положи жёлтое в левый. Зелёные — у меня. Держи, одно тебе.

Надев на палец зелёные кольца, они снова пошли к пруду, но Дигори воскликнул:

— Стоп!

— Что такое? — удивилась Полли.

— Мне пришла в голову мысль, очень хорошая. Куда ведут другие пруды?

— То есть как?

— Ну, к нам, в наш мир, мы вернулись бы через этот пруд. А через другие? Может, каждый ведёт в какой-нибудь мир?

— Я думала, мы уже в другом мире... Ты же сам говорил... и дядя Эндрю...

— Да ну его, дядю! Ни чёрта он не знает. Сам небось никуда не нырял. Ладно, ему кажется, что есть наш мир и второй, другой. А если их много?

— Значит, этот лесной — один из них?

— Нет, это вообще не мир, это... промежуточное место.

Полли не поняла, и он принялся объяснять:

— Нет, ты подумай! Наш проход не комната, но из него можно попасть в комнаты. Он и не часть дома, но можно попасть в любой дом. Так и этот лес. Он ни в каком мире, но из него можно попасть куда хочешь.

— Ну, даже если... — начала Полли, но Дигори продолжил, словно её и не слышал:

— Тогда всё ясно. Поэтому тут так тихо, сонно. Здесь ничего не случается. Как там, у нас. Люди едят в домах, и разговаривают, и что-то делают. Между стенками, над потолками, в нашем проходе событий нет, но оттуда можно попасть в любой дом. Наверное, отсюда мы попадём в любой мир. Давай нырнём в другой пруд.

— Лес между мирами, — заворожённо проговорила Полли. — Какая красота!

— Куда же мы нырнём?

— Вот что, — сказала Полли, — никуда я нырять не буду, пока мы не узнаем, можно ли вообще вернуться.

— Ещё чего! — воскликнул Дигори. — Хочешь угодить прямо к дяде? Нет уж, спасибо.

— Нырнём тогда немножко, не до конца. Только проверим! Если всё пойдёт хорошо, сменим кольца и тут же вынырнем.

— А можно повернуть, когда ты там?

— Ну не сразу же мы здесь очутились. Значит, время у нас будет.

Дигори поупирался ещё, но сдаться ему пришлось, ибо Полли наотрез отказалась нырять в другие миры, если они не поставят этот опыт. Она была такой же смелой, как он (например, не боялась ос), но не такой любопытной. Дигори же был из тех, кому надо знать всё, и стал впоследствии тем самым профессором Кёрком, который участвует в других наших хрониках.

Поспорив как следует, они решили надеть зелёные кольца («Тут они безопасные, — сказал Дигори, — помни: как зелёный свет»), взяться за руки и прыгнуть. Если им покажется, что они возвращаются к дяде или просто в свой мир, Полли крикнет: «Меняй», — и они наденут жёлтые. Кричать «меняй» хотел Дигори, но Полли не согласилась.

Они надели кольца, взялись за руки и снова крикнули:

— Раз, два, три — плюх!

Теперь получилось. Трудно описать, что они чувствовали, очень уж всё было быстро. Сперва по чёрному небу пронеслись какие-то яркие огни (Дигори до сих пор считает, что это были звёзды, и клянётся, что видел Юпитер совсем близко, даже разглядел его луны), но тут же показались крыши, и трубы, и купол Святого Павла — словом, Лондон. Как ни странно, стены были прозрачные. Дети увидели дядю Эндрю, сперва расплывчато, потом — всё чётче, словно он попал в фокус. Прежде чем он совсем определился, Полли крикнула:

— Меняй!

И они поменяли кольца, и мир наш исчез как сон, и зелёный свет появился снова, и сгустился, и, наконец, дети высунули головы из пруда. Они выбрались на берег, вокруг был лес, такой же свежий и тихий. Заняло это всё меньше минуты.

— Ну вот! — сказал Дигори. — Действует. Какой выберем пруд?

— Постой, — предложила Полли, — давай отметим сперва этот, наш.

Они посмотрели друг на друга и побледнели, уразумев, какая им только что грозила опасность. Прудов было много, все одинаковые, и деревья одинаковые — словом, если пруд не отметить, один шанс на сто, что его потом найдёшь.

Дигори открыл дрожащей рукой перочинный ножик и вырезал у пруда полоску дёрна. Земля была яркая, густо-бурая, с красноватым оттенком — очень красиво рядом с зеленью — и приятно пахла. Полли тем временем сказала:

— Хорошо хоть кто-то из нас соображает...

— Ладно, не заводись, — буркнул Дигори. — Идём посмотрим другие пруды.

И Полли что-то ответила ему, и он ответил ей, ещё похлеще, и они препирались минут десять, но читать об этом было бы скучно. Лучше поглядим, как они стоят у другого пруда, держась за руки, и отсчитывают: «Раз, два, три — плюх!»

Опять ничего не вышло. Видно, это был просто пруд. В другой мир они не попали, только намочили ноги во второй раз за это утро (если было утро — в лесу между мирами всегда всё одинаково).

— Тьфу! — воскликнул Дигори. — В чём дело? Жёлтые кольца — вот они. Он же говорил: надо жёлтые, чтобы попасть в другой мир.

А дело было в том, что дядя Эндрю ничего не знал о промежуточном месте и потому напутал с кольцами. То, из чего они сделаны, было отсюда, из леса. Жёлтые кольца переносили в лес, их тянуло домой. Зелёные тянуло из дому, они и переносили в другие миры. Понимаете, многие чародеи сами не ведают, что творят, — так и дядя Эндрю. Конечно, Дигори не знал всего этого, да и позже толком не понял, но, обсудив всё получше, дети решили надеть зелёные кольца и посмотреть, что выйдет.

— Ну, давай, — сказала Полли, в глубине души не сомневаясь, что никакие кольца ничего не изменят у нового пруда и бояться нечего, разве что водой обрызгает.

Я не совсем уверен, что Дигори думал иначе. Во всяком случае, они надели зелёные кольца, и стали у воды, и взялись за руки гораздо бодрее, совсем не так торжественно, как в первый раз.

Дигори посчитал до трёх, крикнул «плюх!», и они прыгнули.

*Глава четвёртая*

# МОЛОТ И КОЛОКОЛ

Без всяких сомнений, на сей раз колдовство сработало. Они пролетели сквозь воду, сквозь тьму и увидели непонятные очертания предметов. Стало совсем светло. Ноги их ощутили какую-то твёрдую поверхность. Потом всё стало в фокус, они смогли оглядеться, и Дигори воскликнул:

— Ну и местечко!

— Очень противное, — сказала Полли и вздрогнула.

Прежде всего они заметили, что здешний свет не похож ни на солнечный, ни на газовый, ни на свет свечей — вообще ни на что. Он был тусклый, невесёлый, багряно-бурый, очень ровный. Стояли дети на мостовой среди каких-то зданий — может быть, на мощёном дворе. Небо над ними было тёмно-синим, почти чёрным, и они не понимали, откуда идёт свет.

— То ли гроза сейчас будет, то ли затмение, — сказал Дигори. — Какая странная погода!

— Очень противная, — заметила Полли.

Говорили они почему-то шёпотом и всё ещё держались за руки.

Стены вокруг них были высокие, а в стенах зияло множество незастеклённых окон, чёрных, словно дыры. Пониже, будто входы в туннель, чернели арки. Было довольно холодно. Камень арок и стен был красновато-бурый — может, из-за странного света — и очень, очень старый; плоский камень мо-

стовой был испещрён трещинами. В одной из арок чуть не до половины громоздился мусор. Дети медленно оглядывались, страшась увидеть кого-нибудь в проёме окна.

— Как ты думаешь, живёт тут кто? — шёпотом спросил Дигори.

— Нет, — сказала Полли. — Это... ну, это... руины. Слышишь, как тихо.

— Послушаем ещё, — предложил Дигори.

Они послушали, но услышали только биение собственных сердец. Тихо тут было, как в лесу, но совсем иначе. Тишина в лесу была добрая, приветливая: казалось, что сейчас услышишь, как растут деревья, — а здесь пустая, злая, холодная. Невозможно представить себе, чтобы тут что-нибудь росло.

— Идём домой, — предложила Полли.

— Да мы же ничего не видели, — возразил Дигори. — Давай хоть оглядимся.

— Нечего тут смотреть.

— А зачем волшебные кольца, если боишься смотреть другие миры?

— Это кто боится? — Полли выпустила его руку.

— Да ты вот — смотреть не хочешь...

— Куда ты пойдёшь, туда и я.

— А не понравится — исчезнем, — сказал Дигори. — Давай снимем зелёные кольца и положим в правый карман. Только помни: жёлтые в левом. Держи руку поближе к карману, но в карман не лезь, а то тронешь — и всё!

Они переложили кольца и направились к одной из арок. Вела она в дом, и они увидели с порога, что там не особенно темно. Войдя в большой, вроде бы пустой зал, они различили в другом конце соединённые арками колонны. За ними мерцал всё тот же усталый свет. Они вышли в другой двор, побольше. Стены там, совсем обветшалые, еле держались.

— Очень уж они ветхие, — сказала Полли, показывая на то место, где стена так накренилась, что того и гляди свалится во двор. Между двумя арками не хватало ещё одной колонны, там камень едва не падал, его ничто не держало. Здесь явно не было никого сотни, а то и тысячи, лет.

— Если стояли до сих пор, — сказал Дигори, — значит, не упадут. Главное, ступать тихо, а то от звука и свалятся, — знаешь, как лавина в горах.

Они взобрались по большим ступеням и прошли анфиладу комнат, таких огромных, что просто голова кружилась. Им то и дело казалось, что вот сейчас выйдут на воздух и увидят, что за земли окружают невиданный замок, но всякий раз они оказывались ещё в одном дворе. Наверное, когда здесь жили люди, место было очень красивым.

Так шли они из двора во двор, и только в одном из них увидели фонтан, но из пасти какого-то чудовища вода не текла да и в самом водоёме давно высохла. Растения на стенах тоже высохли, и не было живых тварей: ни пауков, ни букашек — никого и ничего, даже травы или мха.

Всё было так тоскливо и так одинаково, что Дигори собрался было надеть жёлтое кольцо и вернуться в уютный, зелёный, живой лес, когда перед ними предстали две высокие и, похоже, золотые двери. Одна была приоткрыта. Конечно, дети заглянули в неё и замерли, разинув рты. Наконец они увидели то, что увидеть стоит.

Сперва им показалось, что в зале полно народу, просто сотни людей, но все тихо сидят вдоль стен: конечно, они и сами стояли тихо, — но потом наконец решили, что у стен сидят не люди. Живой человек хоть раз бы пошевельнулся. Нет, это были, наверное, очень искусно сделанные восковые фигуры.

Теперь любопытство овладело Полли, ибо фигуры эти были одеты в поразительные наряды. Если наряды и вас интересуют, вы бы тоже подошли поближе. Они были такие яркие, что комната казалась не то что весёлой, но хотя бы роскошной, что ли, после тех, пыльных и пустых. Да и окон здесь было больше, и света. Что до нарядов, описать я их толком не могу; скажу лишь, что на голове у каждой фигуры сверкала корона, одежды же были самых разных цветов — алые, серебристые, густо-лиловые, ярко-зелёные, расшитые странными цветами и причудливыми зверями. И на коронах, и на одеждах, и на каждом открытом участке тела сверкали драгоценные камни: алмазы, рубины, изумруды.

— Почему платья не истлели? — спросила Полли.

— Заколдованы, — сказал Дигори. — Разве ты не чувствуешь? Тут всё заколдовано, я сразу понял.

— И какие дорогие... — добавила Полли.

Но Дигори больше интересовали сами фигуры, сами люди — и не зря. Сидели они на каменных тронах, у стен,

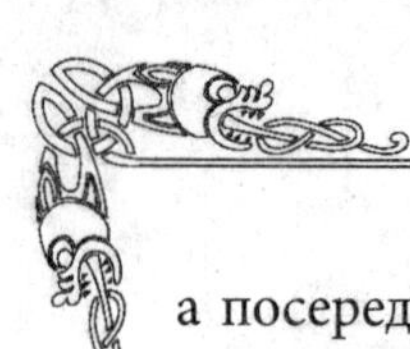



а посередине было пусто, так что каждый мог обойти и пристально осмотреть всех.

— Какие хорошие... — сказал Дигори.

Полли кивнула. И впрямь, лица были очень приятные, словно эти мужчины и женщины не только красивы, но и добры — быть может, они принадлежали к какой-то лучшей, прекрасной расе, — однако, пройдя несколько шагов, дети заметили, что лица чем дальше, тем надменнее и важнее. К середине ряда они были и сильными, и гордыми, и даже счастливыми, но какими-то злыми, потом — просто жестокими, а ещё дальше — к тому же и безрадостными, словно обладатели их сделали или испытали что-то страшное. Самая последняя — дама удивительной красоты, в невиданно богатых одеждах — глядела так злобно и так гордо, что просто дух захватывало. Она была на удивление огромна (хотя и остальные отличались высоким ростом). Много позже, в старости, Дигори говорил, что никогда не видел таких красивых женщин. Правда, подруга его прибавляла, что никак не поймёт, в чём эта красота.

Дама, как я уже сказал, сидела последней, но и за ней стояли пустые кресла, словно ждали кого-то.

— Что бы всё это значило? — сказал Дигори. — Смотри, посередине стол, а на нём что-то лежит.

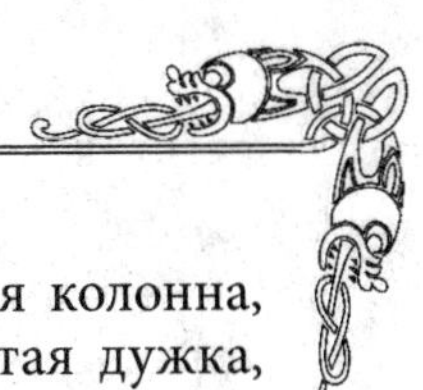

Собственно, это был не стол, а широкая низкая колонна, а на ней лежал золотой молоточек и стояла золотая дужка, с которой свисал небольшой золотой колокол.

— Вот удивительно! — воскликнул Дигори.

— Тут что-то написано, — заметила Полли, наклонившись, чтобы разглядеть получше.

— И правда, но мы всё равно не поймём.

— Почему? Поймём, наверное.

Конечно, письмена были странные, но, как это ни удивительно, становились всё понятней. Буквы не изменялись, а понятней делались. Если бы Дигори вспомнил собственные слова, то понял бы, что и здесь действует колдовство, но он ничего не помнил, его снедало любопытство и нетерпение. И скоро они узнали что хотели. На каменной колонне было написано (когда дети читали эти строчки в той комнате, они звучали как стихи):

*Выбирай, чужеземец:*
*если ты позвонишь в колокол —*
*не пеняй на то, что случится,*
*если не позвонишь — терзайся всю жизнь.*

— Не стану я звонить! — сказала Полли.

— Что ж, так и терзаться всю жизнь? — воскликнул Дигори. — Нет уж, спасибо! Теперь ничего не поделаешь. Сиди, значит, дома и гадай, что было бы. Так и с ума сойдёшь!

— Какой ты глупый! — попеняла ему Полли. — Зачем же терзаться? Нам и не важно, что бы случилось.

— Это же колдовство! — воскликнул Дигори. — Заколдуют, и будешь терзаться. Я уже терзаюсь, оно действует.

— А я нет, — довольно резко ответила Полли. — И тебе не верю. Ты притворяешься.

— Конечно, ты же девчонка, — сказал Дигори. — Девочкам ничего не интересно, кроме сплетен и всякой чепухи, кто в кого влюбился.

— Сейчас ты очень похож на своего дядю, — заметила Полли.

— При чём тут дядя? Мы говорили, что...

— Как это по-мужски! — проговорила Полли взрослым голосом и быстро прибавила: — А ты не отвечай «как это по-женски», не обезьянничай!

— Буду я называть женщиной такую малявку! — фыркнул Дигори.

— Это я малявка? — воскликнула Полли, рассердившись по-настоящему. — Что ж, не стану тебе мешать. С меня хватит. Очень гадкое место, а ты воображала и свинья!

— Стой! — закричал Дигори куда противнее, чем хотел бы, ибо увидел, что Полли вот-вот сунет руку в карман, где лежит жёлтое кольцо.

Оправдать его я не могу, могу только сказать, что потом он очень жалел о том, что сделал (жалели об этом и многие другие): крепко схватил Полли за руку, отодвинул локтем другую её руку, дотянулся до молотка и легко ударил в колокол. После этого он выпустил её, и они уставились друг на друга, не говоря ни слова и тяжело дыша. Полли собралась заплакать: не от страха и не от боли (Дигори чуть не сломал ей руку), а от злости — но не успела. Ровно через две секунды оба они забыли о своих ссорах — и вот почему.

Звон был очень нежный и не очень громкий, однако не прекращался и становился всё громче, и вскоре дети уже не могли говорить, потому что не слышали друг друга. Но они говорить не собирались, а стояли, разинув рты. Когда звон стал таким, что они не могли бы и кричать, сама мелодичность его уже казалась жуткой. И воздух в зале, и каменный пол под ногами сотрясала крупная дрожь. Тут послышался и другой звук, словно откуда-то шёл поезд, и третий — словно упало дерево. Наконец большие куски стены и четверть потолка рухнули с грохотом — то ли по колдовству, то ли потому, что именно этой ноты каменная кладка выдержать не могла. Стены пошатнулись, и колокол умолк. Облака пыли рассеялись. Стало тихо.

— Ну, доволен теперь? — проговорила Полли.

— Спасибо, хоть кончилось, — сказал Дигори.

Но ошибся.

## *Глава пятая*

# СТРАШНОЕ СЛОВО

Дети смотрели друг на друга поверх невысокой колонны, а колокол ещё подрагивал, хотя и не звонил. Вдруг в дальнем углу что-то зашумело. Они быстро обернулись и увидели, что одна из фигур, самая последняя, поднимается с места (как вы поняли, именно та, что Дигори счел красивой). Когда она встала, дети увидели, что она невиданно высока. Не только одежды и корона, но и сверкание глаз, изгиб губ говорили о том, что это великая властительница. Медленно оглядев зал, она увидела обломки, заметила детей, но удивления не выказала, а быстро, большими шагами подошла к пришельцам и спросила:

— Кто разбудил меня? Кто разрушил чары?

— Кажется, я, — ответил Дигори.

— Ты! — сказала королева и, положив ему на плечо белую красивую руку, сжала как клещами. — Ты? Да ты же простой мальчик! Сразу видно, что в тебе нет королевской крови. Как ты посмел сюда войти?

— Мы из другого мира, — объяснила Полли, — и попали к вам по волшебству.

Ей казалось, что королеве пора заметить и её.

— Правда это? — спросила королева, не удостоив Полли даже взглядом и явно обращаясь к Дигори.

— Да, — ответил он.

Королева взяла его за подбородок, подняла голову и долго глядела ему в лицо. Дигори попробовал смотреть на неё, но потупился. Наконец она отпустила его и сказала:

— Ты не волшебник. Знака чародеев на твоём лице нет. Наверное, ты слуга какого-нибудь чародея. Колдовал он, а не ты.

— Колдовал мой дядя, — ответил Дигори.

Неподалёку что-то затрещало, загрохотало, обвалилось, и пол снова дрогнул.

— Тут оставаться нельзя, — совершенно спокойно сказала королева. — Дворец скоро рухнет. Идёмте. — И протянула одну руку Дигори, другую — Полли.

Та хотела было воспротивиться, но ничего сделать не могла. Говорила королева спокойно, двигалась — быстро, и не успела Полли опомниться, как очень большая и сильная ладонь схватила её за левую руку.

«Какая она противная, — подумала Полли. — И сильная какая, может руку сломать. И ведь левую держит, теперь я не достану жёлтое кольцо. Правую руку в левый карман незаметно не сунешь. Главное, чтобы она про кольца не узнала. Хоть бы Дигори не выдал! Ах, жаль, нельзя с ним поговорить!»

Королева повела их в длинный проход, а оттуда — в настоящий лабиринт залов, лестниц и двориков. Где-то рушились куски потолка или стен, и одна арка упала сразу после того, как они под ней прошли. Приходилось бежать рысцой, хотя сама королева лишь крупно шагала в полнейшем спокойствии. «Какая она смелая! — думал Дигори. — И сильная какая. Поистине королева! Надеюсь, она расскажет, где мы».

Пока они шли, королева и впрямь кое-что объяснила:

— Вот эта дверь — в подземелье, а по этому проходу водили на пытки. Тут пиршественный зал, где мой прадед перебил семьсот вельмож, прежде чем они приступили к ужину. У них были мятежные мысли.

Наконец они дошли до особенно просторного зала, и Дигори подумал, что это, как сказали бы мы, вестибюль. И точно, в другом его конце были высокие двери то ли из чёрного дерева, то ли из чёрного металла — в нашем мире такого нет. Засовы на них располагались слишком высоко даже для королевы, и Дигори подумал, как же выйти, но она отпустила его, подняла руку и, гордо выпрямившись, что-то проговорила (звучало

это жутко). Двери дрогнули, словно шёлковые гардины, и обрушились с диким грохотом. На пороге осталась кучка пыли. Дигори присвистнул.

— Так ли могуч твой учитель и хозяин? — спросила королева и снова сжала его руку. — Ну, это я узнаю. А ты запомни: вот что я делаю с теми, кто стоит у меня на пути.

Яркий свет и холодный воздух хлынули им в лицо (именно воздух, не ветер). Дети стояли на высокой террасе, с которой открывался удивительный вид. Да и небо над ними было необычным, солнце светило как-то тускло, стояло слишком низко, было очень большое и вроде бы старше нашего, словно устало смотреть на мир и вот-вот умрёт. Слева, повыше, светила большая звезда, так что нельзя было понять, ночь это или день.

— Гляди на то, чего никто не увидит, — сказала королева. — Таким был Чарн, великий город, столица властелинов,

чудо света, быть может — чудо всех миров. Есть такие владения у твоего дяди?

— Нет, — сказал Дигори, но ничего объяснить не успел, ибо королева продолжила:

— Теперь здесь царит молчание. Но я глядела на город, когда он был полон жизни. И сразу, в единый миг, по слову одной женщины, он умер.

— Кто эта женщина? — несмело спросил Дигори, и без того зная ответ.

— Я, — ответила королева. — Я, последняя владычица мира, королева Джадис.

Дети молча стояли рядом с ней и дрожали от холода.

— Виновата моя сестра, — сказала королева. — Она довела меня, будь проклята вовеки! Я хотела её пощадить, но она не сдавалась. Всё её гордыня! Мы спорили о праве на власть, но обещали друг другу не пускать в ход колдовство. Она всё предрешила, когда попыталась навести на меня чары. Как будто не знала, что в этом я сильнее! Как будто думала, что я не воспользуюсь словом. Она всегда была слабой и глупой.

— Словом? — спросил Дигори. — Каким?

— Это тайна тайн. Прежние властелины были слишком мягки и глупы, чтобы её использовать, но я...

«Нет, какая гадина!» — подумала Полли.

— А как же люди? — спросил Дигори.

— Какие люди? — не поняла королева.

— Простые, которые здесь жили, — сказала Полли. — Они же вам ничего не сделали!

— Что за чушь! — воскликнула королева, не оборачиваясь к ней. — Они мои подданные.

— Не повезло им, однако, — тихо заметил Дигори.

— Я забыла, что ты и сам из таких. Тебе не понять государственных интересов. Запомни: то, что нельзя тебе, можно мне, ибо я великая владычица и на моих плечах судьба страны. Наш удел высок, мы одиноки.

Дигори вспомнил, что дядя произнёс те же самые слова; правда, сейчас они звучали убедительнее — должно быть, потому, что старик не так красив и величав.

— Что же вы сделали? — спросил Дигори.

— Я всех заколдовала. Ты видел: мои предки погружали в сон самих себя, когда уставали править, — вот и я, заколдо-

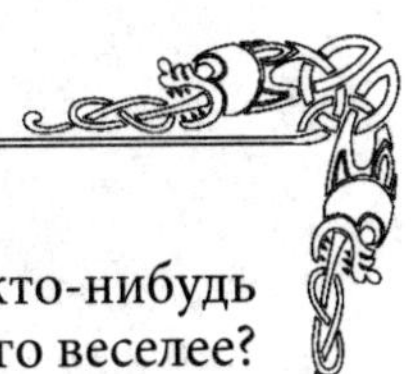

вав всех, присоединилась к ним, чтобы спать, пока кто-нибудь не позвонит в колокол. Скажи, твой мир хоть немного веселее?

— По-моему, он гораздо лучше! — сказал Дигори.

— Что же, — промолвила королева, — идём туда!

Дети в ужасе переглянулись. Полли сразу невзлюбила её, Дигори же понял теперь, что при всей её красоте на Землю её лучше не брать, и, покраснев, пробормотал:

— Собственно, там... нет ничего интересного... Вам будет очень скучно... Смотреть не на что, знаете ли...

— Ничего, скоро там будет на что посмотреть.

— Нет-нет! — поспешно заверил Дигори. — Вам не разрешат у нас колдовать!

Королева презрительно усмехнулась.

— Глупый детёныш! Твой мир будет ползать у меня в ногах. Говори свои заклинания, и поскорей!

— Какой ужас! — шепнул Дигори растерянной Полли.

— Неужели ты боишься за своего дядю? — спросила королева. — Если он выкажет мне должное почтение, я сохраню ему жизнь и власть. Я не собираюсь бороться с ним. Наверное, он великий чародей, если сумел послать тебя сюда. Он король твоего мира?

— Нет, что вы! — возразил Дигори.

— Ты лжёшь, — сказала королева. — Все чародеи — короли. Разве может презренный люд овладеть тайнами? Хорошо, молчи, я и так всё знаю. Дядя твой — великий властитель и чародей вашего мира. Пользуясь своими чарами, он увидел в зеркале или в пруду отблеск моего лица и, пленённый моей красотой, создал магическое средство. Оно едва не погубило ваш мир, но ты попал сюда, преодолев пространства между мирами, чтобы умолить меня и отвести к нему. Отвечай, я угадала?

— Н-не совсем... — пробормотал Дигори, а Полли воскликнула:

— Совсем не угадали! Какая чепуха, честное слово!

— Это ещё что? — удивилась королева и ловко схватила Полли за волосы на самом затылке, где больнее всего, и при этом, конечно, выпустила её руку.

Крикнув друг другу: «Быстрей!» — дети схватили свои кольца. Надеть их не пришлось — зачарованный мир сразу исчез, откуда-то сверху забрезжил мягкий зелёный свет.

*Глава шестая*

# КАК НАЧАЛИСЬ НЕСЧАСТЬЯ ДЯДИ ЭНДРЮ

— Пустите! Пустите! — крикнула Полли.

— Я тебя и не трогаю! — сказал Дигори, удивившись, что она обращается к нему на «вы». И головы их вынырнули из пруда в светлую тишь леса. После страшной и дряхлой страны, из которой они спаслись, он казался ещё более радостным и мирным. Если бы могли, снова забыли бы, кто они, и погрузились в сладостный полусон, слушая, как растут деревья, но им мешало немаловажное обстоятельство: выбравшись на траву, они обнаружили, что королева, или колдунья (зовите её как хотите), уцепилась за волосы Полли. Потому несчастная девочка и кричала: «Пустите!»

Дядя Эндрю не сказал им и не знал, что кольцо совсем не нужно надевать, можно даже его не трогать, а просто коснуться того, кто его надел. Получается вроде магнита: одно кольцо вытащит всё остальное, как намагниченная булавка — мелкие предметы.

Теперь, в лесу между мирами, королева изменилась — стала бледнее, настолько бледнее, что красота её поблекла. Дышала она с трудом, словно здешний воздух был ей противопоказан. Дети почти совсем не боялись её.

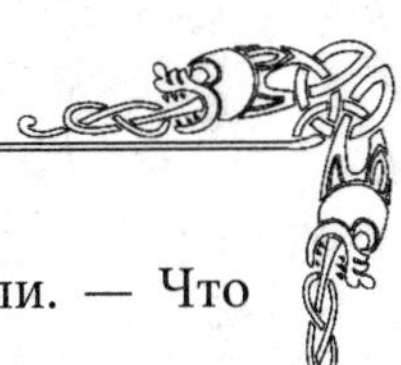

— Отпустите мои волосы! — воскликнула Полли. — Что вам нужно?

— Да, пустите её! — поддержал Дигори. — И немедленно!

Вдвоём они были сильнее, чем она (во всяком случае здесь), и им удалось вырвать волосы из её рук. Она отпрянула, задыхаясь; глаза её горели злобным страхом.

— Быстро! — сказала Полли. — Меняй кольцо и ныряй!

— Помогите! — закричала колдунья, но голос её был слаб. — Пощадите меня! Возьмите с собой! Не оставляйте в этом страшном месте! Я тут умру.

— Рады бы, — важно сказала Полли, — но государственные интересы не позволяют... Как у вас, когда вы убили тех людей. Быстрее, Дигори!

И они переменили кольца, но тут Дигори сказал:

— Ах ты, господи! Что же мы делаем? — Волей-неволей он немножко жалел королеву.

— Не дури, — ответила Полли. — Честное слово, она притворяется. Скорей!

И они ступили в пруд, ведущий домой («Хорошо, что мы его пометили», — подумала Полли), но Дигори почувствовал, что к уху его прикоснулось что-то холодное. Когда очертания нашего мира уже выплывали из мглы, он понял, что его держат за ухо двумя пальцами, и стал вырываться, брыкаться, но тщетно — по-видимому, колдунья вновь обрела свою силу. Наконец перед ними возник дядин кабинет и сам дядя, взирающий в изумлении на невиданное существо, которое Дигори доставил из другого мира.

Понять его можно. Королева вполне оправилась, и здесь, среди обычных земных вещей, вид её был поистине страшен. Дети тоже не могли оторвать от пришелицы глаз. Прежде всего поражал её рост — до сих пор дети не понимали, как она огромна. «Вроде бы и не человек», — подумал Дигори, и был прав, ибо в жилах властителей Чарна течёт и кровь великанов. Ещё сильнее поражала её красота, её гордыня и дикая ярость. Дядя кланялся, егозил, почти плясал перед ней, казался совсем ничтожным, однако Полли заметила, что они чем-то похожи. Похожи они были именно тем, чего не нашла королева в лице Дигори. Хоть одно хорошо: теперь дети не боялись дядю Эндрю, как не испугается червя тот, кто видел змею, коровы — тот, кто видел бешеного быка.

«Тоже мне чародей! — подумал Дигори. — Вот она — это я понимаю».

Дядя всё кланялся, угодливо потирая руки. Он хотел бы сказать что-нибудь учтивое, но не мог — во рту пересохло. Опыт оказался успешнее, чем ему хотелось; всё же дядя не ждал опасностей для *себя*. Столько лет колдовал, стольким вредил, но такого с ним не бывало.

Наконец колдунья заговорила негромко, но так, что задрожали стены:

— Какой чародей привёл меня в этот мир?

— Э... э... хм... мэм, — пролепетал дядя, — чрезвычайно польщён... премного обязан... почитаю за честь... э... э... э...

— Где чародей? — крикнула королева. — Отвечай, шут!

— Э... э... это я, мэ-э-эм. Надеюсь, вы простите этих мерзких детей. Поверьте, я ни сном ни духом...

— Ты чародей? — переспросила королева, сделала один огромный шаг, схватила старика за седые лохмы и откинула назад его голову.

Лицо его она изучала долго, как и лицо Дигори. Дядя моргал и нервно облизывал губы. Насмотревшись, она отпустила его, так что он стукнулся спиной о стену, и сказала:

— Так. Чародей... своего рода. Стой прямо, пёс! Помни, перед кем стоишь. Кто научил тебя колдовству? Королевской крови в тебе нет.

— Э... а... не то чтобы королевской... — забормотал дядя. — Но мы, Кеттерли, древнего рода... старый, знаете ли, род... из Дорсетшира...

— Хватит! — крикнула колдунья. — Я знаю, кто ты. Ты мелкий колдун-недоучка, и колдуешь ты по книгам. В сердце твоём и в крови нет колдовского дара. Там, у себя, я управилась с такими тысячу лет назад. Здесь — разрешу тебе служить мне.

— Пре-премного обязан... очень рад... верьте совести, — пролепетал дядя.

— Много болтаешь! Вот тебе первая служба. Вижу, тут большой город. Немедля раздобудь колесницу, или ковёр-самолёт, или объезженного дракона — словом, то, что годится для ваших королей и вельмож. Потом доставь меня туда, где я найду рабов, драгоценности и одежды, приличествующие моему сану. Завтра начну завоёвывать ваш мир.

— Я... э... а... закажу сейчас кеб, — выговорил дядя.

— Стой! — приказала колдунья, когда он направился к двери. — Не вздумай предать меня. Я вижу сквозь стены и сквозь череп. Если ты мне изменишь, я наведу такие чары, что, где бы ни присел, сядешь на раскалённое железо, где бы ни стал, станешь на лёд. Ступай!

Дядя вышел, очень похожий сейчас на поджавшую хвост побитую собаку.

Дети боялись, что королева обратит свой гнев на них, но она, по-видимому, забыла, что случилось в лесу. Я думаю (и Дигори тоже думает), что ум её просто не мог ни вместить, ни удержать такого мирного места, и, сколько вы её туда ни берите, как долго ни держите, она ничего о нём знать не будет. Сейчас она детей не замечала. Смотрите: там, у себя, она совсем не замечала Полли, потому что пользы ждала лишь от Дигори. Теперь, когда ей служил дядя Эндрю, она не замечала и мальчика. Должно быть, все колдуны такие. Им интересны только те, кого можно использовать; они очень практичны. Итак, в комнате царило молчание, и только королева сердито постукивала об пол ногой. Наконец она сказала как бы про себя:

— Что он там делает, старый дурень? Ах, кнут не захватила! — И кинулась из комнаты, не глядя на детей.

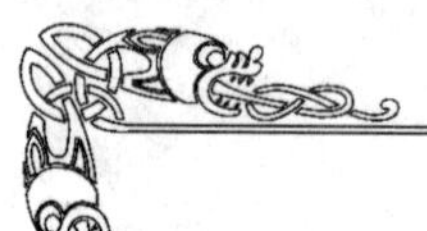


— Ой! — радостно выдохнула Полли. — Ну, я пошла, очень поздно. Может, я ещё загляну.

— Да-да, приходи скорее, — попросил Дигори. — Какой ужас, когда она тут! Надо что-то придумать.

— Пускай твой дядя думает, — сказала Полли. — Он же всё затеял.

— Только ты приходи, а? Не бросай меня, я сам не выкручусь!

— Я пойду сейчас по туннелю, — сказала Полли довольно холодно. — Так быстрее. А если ты хочешь, чтобы я вернулась, попроси прощения.

— Это как же? — удивился Дигори. — Только свяжись с девчонками... Да что я сделал?

— Ничего, — ехидно заметила Полли. — Так, чепуха, руки мне вывернул, как разбойник... и позвонил в этот колокол, как идиот... и в лесу дал ей себя схватить, когда мы ещё в пруд не прыгнули... а так — ничего!

— Вон что! — ещё сильней удивился Дигори. — Ладно, я виноват. Вообще-то я правда жалею, что позвонил в этот колокол. Слышишь, я попросил прощения. Значит, ты приходи, не бросай меня. Хорош я буду, если ты не придёшь.

— А тебе-то что? Это же мистеру Кеттерли сидеть на железе и стоять на льду.

— Да не в том дело! Мама — вот что важно. Представь себе, что *эта* к ней ворвётся! Насмерть перепугает...

— Правда, правда! — совсем иным тоном сказала Полли. — Ну хорошо. Мир, мир навсегда, и так далее. Я приду... если смогу. А сейчас мне пора.

И она нырнула в проход, который казался теперь не загадочным, а самым что ни на есть будничным.

Мы же с вами вернёмся к дяде Эндрю.

Когда он шёл вниз с чердака, сердце у него билось как сумасшедшее, то и дело приходилось отирать лицо платком. Войдя к себе в спальню, он заперся на ключ и прежде всего полез в комод, где прятал от тёти Летти бутылку и бокал. Выпив какого-то неприятного взрослого зелья, он перевёл дух.

«Нет, чёрт знает что! — повторял он про себя. — Какой кошмар! Я просто разбит! Это в мои-то годы!»

Потом он налил ещё и выпил и лишь тогда стал переодеваться.

Вы не видели таких одежд, а я их помню. Дядя надел высокий твёрдый сверкающий воротничок, в котором и головы не опустишь, белый жилет в цветных узорах, выпустив из кармашка золотую цепочку, достал свой лучший фрак, который носил только на свадьбы и похороны, и почистил лучший цилиндр. На комоде стояли цветы (их ставила тётя), и он сунул один в петлицу, а в кармашек, расположенный повыше того, с цепочкой, положил носовой платок (теперь таких не купишь), покапав на него сначала мужскими духами. Потом, вставив в глаз монокль с чёрной лентой, дядя Эндрю подошёл, наконец, к зеркалу.

У детей, как вы знаете, одна глупость, у взрослых — другая. Дядя Эндрю был глуп в самом взрослом духе. Теперь, когда

колдуньи рядом не было, он помнил не о её грозном виде, а о её красоте, и думал: «Да, скажу я вам, всем женщинам женщина! Перл природы!» Кроме того, он как-то забыл, что привели её дети, и очень гордился, что колдовством выманил такую красавицу.

— Эндрю, — сказал он своему отражению, — для своих лет ты совсем... э-э... Прекрасная внешность... Породистая...

Понимаете, он возомнил по глупости, что колдунья влюбится в него. Зелье на него повлияло или одежда, но он охорашивался всё больше. Он был тщеславен как павлин, потому и стал чародеем.

Наконец он отпер дверь, послал служанку за кебом (тогда у всех была масса слуг) и пошёл в гостиную. Там, как и следовало ожидать, тётя Летти у самого окна чинила матрас.

— Понимаешь, Летиция, душа моя, — беззаботно начал он, — мне надо выйти. Одолжи-ка мне фунтиков пять, будь добра.

— Нет, Эндрю, милый мой друг, — ответила тётя, глядя на матрас. — Я тебе много раз говорила, что денег не дам.

— Не будь такой мелочной, душенька, — сказал дядя. — Это очень важно. Без них я окажусь в глупейшем положении.

— Эндрю, мой дорогой, — сказала тётя, глядя ему в глаза, — как тебе не стыдно просить у меня денег?

За словами этими таилась скучная взрослая история. Впрочем, сообщим, что дядя «вёл дела дорогой Летти», сам не работал, тратил очень много на бренди и сигары и добился того, что она стала много беднее, чем тридцать лет назад.

— Душенька, — сказал дядя, — пойми, у меня непредвиденные расходы. Будь человеком... Мне надо принять одно... э... лицо...

— Это кого же? — спросила тётя.

— Очень важную гостью. Она, понимаешь ли, появилась... э... неожиданно...

— Что ты мелешь! — воскликнула тётя. — Никто не звонил в дверь.

Тут дверь распахнулась, и тётя не без удивления увидела огромную женщину в роскошных одеждах без рукавов. Глаза у великанши сверкали.

*Глава седьмая*

# ЧТО СЛУЧИЛОСЬ ПЕРЕД ДОМОМ

— Сколько мне ждать колесницу, раб? — прогрохотала колдунья.

Дядя Эндрю сжался. Теперь, при ней, он немедленно забыл, что думал перед зеркалом. Но тётя Летти поднялась (матрас она чинила, стоя на коленях), вышла на середину комнаты и холодно спросила:

— Разреши осведомиться, Эндрю: кто эта особа?

— Знат-т-т-тная ин-н-нострнанка, — ответил тот. — Исключ-ч-чительно...

— Какой вздор! — сказала тётя и, обернувшись к колдунье, воскликнула: — Вон из моего дома, бесстыжая тварь! Не то вызову полицию.

Колдунью она приняла за циркачку, голые руки — не любила.

— Кто это? — брезгливо спросила королева. — На колени, несчастная, не то сотру в порошок!

— Прошу обходиться в моём доме без таких выражений! — запальчиво произнесла тётя.

Королева стала ещё выше (или дяде Эндрю показалось). Глаза её горели. Она подняла руку, как тогда, в своём королевстве, и произнесла *слово*... но ничего не случилось, только тётя, тоже брезгливо, заметила:

— Так... Она ещё и пьяна... Язык не слушается.

Наверное, колдунье стало очень страшно, когда поняла, что в нашем мире заклятье не действует, но она этого не показала. Нет, она кинулась вперёд, схватила тётю буквально за шкирку (должно быть, за какую-нибудь отделку на платье), подняла как можно выше и швырнула словно куклу. Пока тётя летела, служанка (которой выпало на редкость интересное утро) заглянула в дверь и сказала:

— Простите, сэр, карета приехала.

— Веди меня, раб! — приказала колдунья.

Дядя залепетал было:

— Вынужден протестовать... да... весьма прискорбно... — но, взглянув на королеву, мгновенно онемел и затрусил вслед за ней.

Дигори сбежал сверху как раз тогда, когда хлопнула входная дверь, и сказал:

— Ну вот. Теперь она бегает по Лондону. Да ещё с дядей. Что они натворят?

— Ой! — сказала служанка, которой выпало такое дивное утро. — Ой, мистер Дигори, мисс Кеттерли ушиблась!

И они побежали к тёте.

Если бы тётя упала на пол или даже на ковёр, то, мне кажется, переломала бы все кости, но, к счастью, приземлилась она на матрас. Женщина она была стойкая (такими тогда были почти все чьи-то тёти), а потому, понюхав нашатыря, отмахнулась: «Ах, не волнуйтесь вы по пустякам», — после чего начала действовать.

— Сарра, — велела она служанке (которой ещё не доводилось так радоваться), — бегите в полицию и сообщите, что в городе беснуется умалишённая особа. Обед моей сестре я отнесу сама.

Дигори помог ей отнести обед; потом они сами пообедали; потом он стал думать.

Итак, надо было как можно скорее вытащить колдунью из нашего мира. Мама её видеть не должна ни за что на свете. По городу ей ходить нельзя — чего-нибудь натворит. Дигори не знал, что ей не удалось испепелить тётю, но зато прекрасно помнил, как она испепелила дверь. Не знал он и того, что здесь, у нас, сила её не действует, зато знал, что она хочет за-

воевать весь мир. «Сейчас, — думал он, — она, наверное, стирает с лица земли Букингемский дворец или парламент, а уж полисмены едва ли не все стали маленькими кучками пепла. И поделать ничего нельзя... Но ведь кольца вроде магнитов. Надо её только тронуть, и кольцо вытянет нас хотя бы в лес. Интересно, станет ли ей там опять плохо? Место на неё подействовало или она просто испугалась? Да, но где же её найти? Тётя меня на улицу не пустит — во всяком случае спросит, куда иду. И денег у меня нет — так, мелочь, на омнибус не хватит — а объехать надо весь город. И куда, собственно, ехать? Интересно, дядя ещё при ней?»

Оставалось сидеть дома и ждать и её, и дядю. Если они вернутся, надо побыстрее надеть кольцо и сразу же коснуться им колдуньи. Пускать её в дом нельзя — значит, надо стеречь у двери, как кот у мышиной норки.

Дигори пошёл в переднюю и, прижавшись носом к окошку, откуда были видны и крыльцо, и улица, так что пропустить никого не мог, подумал: «А где же теперь Полли?»

Думал он не меньше получаса, но вы себе голову не ломайте, я вам скажу. Полли опоздала к обеду и промочила к тому же ноги. На все расспросы она говорила, что гуляла с Дигори Кёрком, а ноги промочила в пруду. Когда её спросили, где этот пруд, она ответила: «В лесу», — когда её спросили, где лес, она сказала: «Не знаю». И мама решила, что она забрела в какой-нибудь дальний парк, где шлёпала по лужам. Естественно (для тех, конечно, времён), ей запретили гулять — особенно с «этим Кёрком», не дали сладкого и велели два часа не выходить из своей комнаты.

Значит, пока Дигори глядел на крыльцо, Полли сидела — точнее, лежала — у себя, и оба они думали о том, как медленно течёт время. Мне кажется, ей всё-таки было легче, чем ему: одно дело — ждать, пока пройдет два часа, другое — шептать: «Вот, вот!» — и узнавать снова и снова, что это не та, кого ты ждёшь, а чужой кеб или фургон булочника. Время от времени часы отбивали четверть, и большая муха жужжала в верхнем углу окошка. Дом был из тех, где после полудня очень тихо и почему-то пахнет бараниной.

Пока Дигори ждал, случилось одно происшествие, о котором я расскажу, потому что потом это будет важно. Знако-

мая дама принесла винограду для больной, и в приоткрытую дверь Дигори поневоле слышал её беседу с тётей.

— Какая прелесть! — говорила тётя. — Если бы что-нибудь могло ей помочь, этот виноград помог бы. Ах, бедная, бедная Мейбл! Боюсь, ей помогли бы теперь только плоды из Края Вечной Молодости... В нашем мире уже ничто...

И обе заговорили тише.

Раньше Дигори подумал бы, что тётя просто говорит чепуху, как все взрослые: да и сейчас чуть так не подумал, —

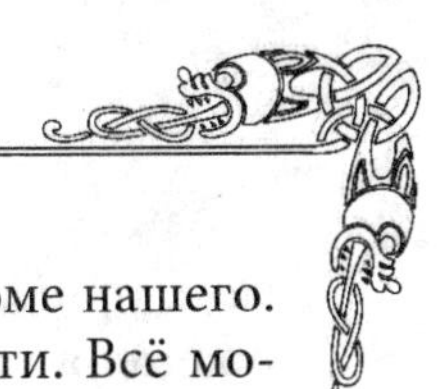

но вдруг понял, что он-то знает другие миры, кроме нашего. Быть может, где-то есть и Край Вечной Молодости. Всё может быть... И... и... Ну, вы сами знаете, как возникает почти безумная надежда и как вы боретесь с ней, чтобы не разочароваться снова. Именно это чувствовал Дигори, но боролся не так уж сильно, потому что ведь и впрямь знал другие миры. Уже случилось столько странного... Волшебное кольцо у него есть. Через лесные пруды можно попасть куда угодно. Перепробовать их все, а потом... *МАМА БУДЕТ ЗДОРОВА*. Он уже и ждать забыл, и чуть было не схватил кольцо, чтобы поскорей найти тот нужный мир, как вдруг услышал громкий цокот копыт. «Что это? Пожарные? Где же пожар? Ой, они скачут к нам! Да это она сама!» (Не буду говорить, кого он имел в виду.)

Действительно, к дому нёсся кеб. На нём — не там, где сидит кучер, а прямо на крыше, — стояла Джадис, царица цариц и ужас Чарна. Глаза её горели, зубы сверкали, волосы хвостом кометы стлались за нею. Лошадь она хлестала без милости, и та, раздувая ноздри, неслась во весь опор. Пролетев в дюйме от фонарного столба, лошадь эта остановилась, встала на дыбы, а кеб стукнулся о столб и развалился на куски. Колдунья ловко перескочила лошади на спину, шепнула ей что-то, та снова встала на дыбы и заржала, как от боли. Дигори видел лишь оскал, да горящий взгляд, да гриву. Королева и тут удержалась, как самый заправский наездник.

Дигори охнуть не успел, как из-за поворота вылетел ещё один кеб, а из него выскочил толстый джентльмен во фраке и полицейский. Сзади ехал третий кеб с двумя полицейскими и штук двадцать велосипедов; сидевшие на них мальчишки (главным образом разносчики) орали и звонили вовсю. За ними бежала толпа. В домах захлопали окна, на каждом крыльце появилось по слуге или служанке. Кто пропустит такое зрелище!

Тем временем из развалин первого кеба вылез старичок, в котором Дигори признал своего дядю, хотя лица не увидел, ибо цилиндр его закрыл. Многие кинулись на помощь, в том числе и Дигори.

— Вот она, — закричал толстяк, указывая на королеву, — держите её, констебль! Камней взяла на тысячи фунтов... пря-

мо с прилавка... Жемчуг у неё на шее... всё моё... Мало того, она меня побила!

— И точно! — обрадовался кто-то в толпе. — Ух, синячище! Ну и дамочка! Силы-то, силы!

— Приложите сырое мясо, хозяин, — посоветовал мальчик из мясной лавки.

— Ничего не пойму, — сказал самый главный полисмен.

— Да говорю же я... — снова начал толстяк, но кто-то крикнул:

— Вы старика не прозевайте! Это он её возил.

Старик, то есть дядя Эндрю, сумев наконец подняться, потирал ушибленные места.

— Извольте объяснить, что здесь творится, сэр, — сказал полицейский.

— Умфи-помфи-шомф, — сказал дядя сквозь цилиндр.

— Попрошу без шуток! — строго сказал полисмен. — Снимите шляпу!

Сделать это было нелегко, но, к счастью, появились ещё два полисмена и сдернули цилиндр, взявшись за поля.

— Спасибо, — слабым голосом сказал дядя. — Спасибо... Мне плохо... Если бы капельку бренди...

— Минутку, сэр! — сказал первый полицейский, извлекая большой блокнот и маленький карандаш. — Кто отвечает за эту особу? Вы?

— Эй, берегись! — закричали в толпе, и полисмен успел отскочить.

Лошадь чуть не лягнула его, и так сильно, что могла убить. Колдунья развернула её мордой к собравшимся и острым ножом рассекла постромки.

Дигори всё это время пытался подобраться к колдунье, но не мог — мешала толпа. Чтобы подойти с другой стороны, надо было протиснуться между копытами и перильцами палисадника. Если вы знаете лошадей, то поймёте, что мешала и лошадь. Дигори лошадей знал и выжидал, скрипя зубами.

Сквозь толпу пробился краснолицый, довольно молодой человек в котелке и обратился к полицейскому:

— Хозяин, это моя лошадка... и повозочка моя. Сейчас одни щепки останутся...

— По очереди! — сказал полисмен. — Я не могу слушать всех сразу!

— Да как же? — сказал кебмен (звали его Фрэнк). — Я свою лошадку знаю, у нее папаша в кавалерии служил. Если дамочка будет её мучить, она тут всех перебрыкает. Пустите-ка, я разберусь.

Полисмен обрадовался предлогу и отошёл от лошади подальше, а кебмен Фрэнк добродушно обратился к колдунье:

— Вот что, барышня, оставьте вы лучше лошадку! Вы же из приличных, к чему вам такой тарарам? Ступайте домой, попейте чайку, отдохните, всё и пройдёт. — Он протянул было руку к лошади, чтобы погладить: — А ты, Земляничка, постой, не рыпайся! Тише, тиш-ш... — но тут колдунья злобно выкрикнула:

— Пёс, убери руку! Перед тобой королева!

*Глава восьмая*

# БИТВА У ФОНАРЯ, И ЧТО БЫЛО ДАЛЬШЕ

— Ух ты! — восхитились в толпе. — Прямо сама королева?

— Ура её величеству! — поддержал кто-то, и все заорали «ура!» Колдунья гордо вскинула голову, щёки её вспыхнули, но, услышав смех, поняла, что над ней потешаются. Лицо её изменилось, она переложила нож в левую руку и вдруг, без предупреждения, сделала поистине жуткое дело: легко, словно срывая травинку, отломила перекладину от фонарного столба. Магическую силу она утратила, но своя, обычная, осталась при ней, и сломать столб-другой ей было не труднее, чем палочку ячменного сахара. Народ быстро расступился. Потрясая новым оружием, королева погнала лошадь вперёд.

«Сейчас или никогда!» — подумал Дигори и примерился, как бы половчей схватить колдунью за пятку. Когда он нырнул головой вперёд, раздался грохот и звон — колдунья опустила железный брусок на голову полицейскому, и тот упал как кегля.

— Быстрее! Их надо остановить! — услышал Дигори и, увидев за собой Полли (прибежала, как только истекли два часа), похвалил:

— Молодец! Держись за меня. Кольцо вынешь ты. Помни — жёлтое. Жди моей команды.

Тут свалился ещё один полисмен. Толпа зарокотала: «Да оттащите вы её!.. Нет, камнем, камнем!.. Вызовите солдат!» — но отступила подальше. Один Фрэнк — видимо, самый храбрый и самый добрый из собравшихся — по-прежнему пытался схватить лошадь, увертываясь от бруска.

Толпа гудела и ревела. Над головой Дигори просвистел камень. Колдунья звонко и вроде бы радостно выкликала:

— Подлые псы! Завоюю ваш мир, за всё ответите! Камня на камне не оставлю! Как в Чарне, как в Фелинде, как в Сораце, как в Брамандине!

Тут, изловчившись, Дигори схватил её за ногу. Она лягнула его прямо в зубы. Он разжал пальцы и закусил губу. Откуда-то доносился дрожащий дядин голос:

— Мадам... моя... э... дорогая... прошу вас... успокойтесь...

Дигори снова схватил колдунью за ногу, снова отлетел, снова схватил, вцепился крепко и крикнул:

— Полли!

Слава тебе, господи! Сердитые испуганные лица исчезли, сердитые испуганные крики умолкли (кроме дядиного). Где-то рядом, в полной темноте, дядя кричал:

— Что это, сон? Что это, смерть? Так нельзя! Это нечестно! Я, собственно, не чародей! Вы меня не поняли!.. Виновата моя крёстная!.. Протестую... При моём здоровье... Мы старого дорсетширского рода!.. — и что-то ещё.

«Тьфу! — подумал Дигори. — Его только не хватало! Да, пикничок...»

— Ты здесь, Полли? — Это он, конечно, уже сказал.

— Здесь, — ответила она, и они вынырнули в зелёное сияние леса. — Гляди-ка! И лошадь тут! И мистер Кеттерли! И кебмен! Ну и компания!..

Как только увидела лес, колдунья побледнела и склонилась лицом к лошадиной гриве. Несомненно, ей стало худо. Дядю и вовсе сотрясала мелкая дрожь. Но лошадь встряхнулась, радостно заржала и успокоилась — впервые с тех пор, как Дигори её увидел. Прижатые уши выпрямились, глаза уже не горели, а мирно сияли.

— Молодчина! — сказал Фрэнк и погладил её. — Понимаешь, что к чему! Так и держи, не горюй.

Лошадь Земляничка сделала самое разумное, что могла: ей очень хотелось пить (оно и понятно), и она направилась к ближайшей луже. Дигори ещё держал колдунью за ногу, а Полли — за руку; Фрэнк гладил лошадь; дрожащий дядя вцепился ему в рукав.

— Быстро! — скомандовала Полли и посмотрела на Дигори. — Зелёные!..

Так лошадь и не напилась, а очутившись в кромешной тьме, растерянно заржала. Дядя завизжал, и Дигори заметил:

— Однако!

— Почему так темно? — удивилась Полли. — Наверное, мы уже *там*.

— Где-нибудь мы да очутились. Во всяком случае, я на чём-то стою.

— И я, — сказала Полли. — Почему же так темно? Может, пруд не тот?

— Наверное, это Чарн, — предположил Дигори, — тут ночь.

— Это не Чарн, — сказала королева. — Это пустой мир. Здесь ничего нет.

И впрямь здесь не было ничего, даже звёзд. Стояла такая темень, что никто никого не видел, хоть вообще закрой глаза. Под ногами было что-то холодное, мокрое, вроде земли, но никак не трава. Воздух был сухой, морозный, неподвижный.

— О горе, горе! — вскричала колдунья. — Теперь мне конец. — Голос её, однако, был безжизненно спокоен.

— Не говорите так, моя дорогая!.. — залепетал дядя Эндрю. — Приободритесь. Э-э... любезный... у вас нет бутылочки?.. Мне бы капельку возбуждающего... э... средства...

— Ну-ну! — сказал ровный добрый голос. — Чего нам жаловаться? Кости целы, и то спасибо. Подумать только: как летели — и ничего, вот повезло-то! Если мы свалились в какой раскоп — может, копают станцию подземки, — придут и вытащат нас. Если мы умерли — очень даже может быть! — что ж, приходится смириться и с этим. И бояться тут нечего приличному человеку. В море оно и похуже. А пока нам что, споём-ка.

И он запел. Пел он не то деревенскую песню, не то благодарственный гимн жатве, что не совсем подходило к месту, где

вряд ли вырос хоть один колос, но больше он ничего не вспомнил. Голос у него был сильный и приятный, дети стали подпевать и приободрились. Дядя и колдунья подпевать не стали.

Пока Дигори пел, кто-то тронул его за локоть, и по запаху бренди, сигар и духов он опознал дядю. Тот осторожно пытался оттащить его от других. Когда они отошли немного, шага на два, дядя зашептал прямо в ухо:

— Скорее, дорогой мой! Надевай кольцо!

Колдунья услышала и сказала:

— Только попробуй бежать, ничтожный глупец! Разве ты забыл, что я слышу мысли? Пускай мальчишка идёт, а ты... если предашь, я отомщу так, как не мстил никто ни в одном из миров.

— Что я, свинья? — сказал Дигори. — Я в таком месте Полли не оставлю... и кебмена тоже, и лошадку.

— Ты плохой и непослушный мальчик, — сказал дядя.

— Тише! — шикнул на них кебмен, и все прислушались.

Далеко во тьме кто-то запел. Трудно было понять, где это, — казалось, пение идёт со всех сторон, даже снизу. Слов не было. Не было и мелодии. Был просто звук, невыразимо прекрасный — такой прекрасный, что Дигори едва мог его вынести. Понравился он и лошади: она заржала примерно так, как заржала бы, если бы после долгих лет нелёгкой городской работы её пустили на луг и она бы увидела, что к ней идёт знакомый и любимый человек с куском сахара в руке.

— Ох и красиво! — сказал кебмен.

И тут случилось два чуда сразу. Во-первых, голосу стало вторить несметное множество голосов — уже не густых, а звонких, серебристых, высоких. Во-вторых, темноту испещрили бесчисленные звёзды. Они появились не постепенно, как бывает летом, а сразу — только что была тьма, и вдруг засветились тысячи звёзд, созвездий и планет, намного более ярких, чем в нашем мире. Если бы чудеса эти случились при вас, вы, как Дигори, подумали бы, что поют звёзды и что к жизни их вызвал тот, кто запел первым.

— Вот это да! — удивился кебмен. — Знал бы, что такое бывает, лучше бы жил.

Первый голос звучал всё громче, всё радостней, другие голоса затихали. Начались прочие чудеса.

Далеко, у самого горизонта, небо посерело, и подул легчайший ветер. Голос всё пел, небо светлело, на нём возникали очертания холмов.

Вскоре стало так светло, что можно было увидеть друг друга. Дети и кебмен слушали разинув рты, и глаза их сияли, словно они пытались что-то вспомнить. Разинул рот и дядя, но не от радости — скорее, у него отвалилась челюсть. Колени его дрожали, плечи поникли — голос ему не нравился. Колдунья же выглядела так, словно понимает голос лучше всех, но ненавидит его. Она сжала губы, сжала кулаки; и впрямь, едва он раздался, она ощутила, что этот мир полон магии, которая сильнее её колдовства. Дядя залез бы в норку, лишь бы спрятаться от голоса; королева, напротив, уничтожила бы и этот мир, и любой другой, лишь бы голос умолк. Лошадь весело навострила уши и теперь вовсе не трудно было поверить, что отец её участвовал в битвах.

Белое небо на востоке стало розовым, потом золотым. Голос звучал всё громче, сотрясая воздух, а когда он достиг небывалой мощи, появился первый солнечный луч.

Такого солнца Дигори не видел: оно как будто смеялось от радости. Солнце Чарна казалось старше нашего, это — моложе. В ярком солнечном свете перед путниками лежала долина,

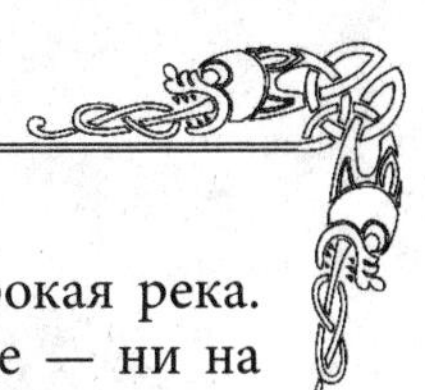

по которой к востоку, прямо к солнцу, текла широкая река. К югу от неё были горы, к северу — холмы. Нигде — ни на них, ни в долине — ничего не росло: ни травы, ни кусты, ни деревья. Земля была разных цветов, один свежее и ярче другого. Они веселили сердце — пока пришельцы не увидели того, кто пел, и не забыли обо всём прочем.

Огромный лев стоял между путниками и солнцем, и золото его гривы затмевало золото лучей.

— Какой гнусный мир! — сказала королева. — Бежим! Колдуй скорее!

— Вполне согласен, мадам. Пренеприятное место. Никакой цивилизации. Будь я помоложе и с ружьём...

— Это *его* стрелять? — удивился кебмен. — Да вы что!

— Кто же посмеет? — сказала Полли.

— Колдуй, глупец! — крикнула королева.

— Простите, мадам, — сказал дядя, — минутку! Я ведь отвечаю за детей. Дигори, надевай кольцо! (Он всё ещё хотел сбежать без неё.)

— Ах *кольцо*? — повторила королева и кинулась к Дигори, но тот отступил, схватил Полли за руку и крикнул:

— Осторожно! Если кто-нибудь из вас ко мне шагнёт, мы оба исчезнем, и выбирайтесь как знаете. Да, у меня в кармане кольцо, мы с Полли можем вернуться домой. Эй, отойдите, сейчас кольцо надену! Мне очень жаль вас, — посмотрел он на Фрэнка, — и очень жаль лошадку, но чародеям будет вместе неплохо.

— Да тише вы, — сказал Фрэнк. — Давайте послушаем!

Ибо песня стала иной.

*Глава девятая*

# КАК БЫЛА СОЗДАНА НАРНИЯ

Лев ходил взад и вперёд по новому миру и пел новую песню. Она была и мягче, и торжественнее той, которой он создал звёзды и солнце, она струилась, и из-под лап его словно струились зелёные потоки. Это росла трава. За несколько минут она покрыла подножие далёких гор, и только что созданный мир сразу стал ещё приветливей. Теперь в траве шелестел ветер. Вскоре на холмах появились пятна вереска, в долине — какие-то зелёные точки, поярче и потемнее. Когда точки эти — нет, уже палочки — возникли у ног Дигори, он разглядел на них короткие шипы, которые росли очень быстро. Сами палочки тоже тянулись вверх, и через минуту-другую Дигори узнал их — это были деревья.

Плохо было только то (говаривала позже Полли), что тебе не давали спокойно на всё смотреть. Вскрикнув: «Деревья!» — Дигори отскочил в сторону, ибо дядя Эндрю норовил залезть ему в карман, причём в правый, всё ещё полагая, что зелёные кольца переносят сюда, к нам. Но Дигори вообще не хотел, чтобы их украли.

— Стой! — крикнула королева. — Отойди. Так, ещё. Если кто-нибудь подойдёт к детям ближе чем на десять шагов, я его убью. —

И она взмахнула железкой. Почему-то никто не усомнился в том, что бросает она метко. — Не надейся, несчастный, уйти отсюда без меня! Как ты смел и помыслить?..

Дядин склочный нрав победил наконец его трусость, и он нахально поинтересовался:

— А что такого, мадам? Я в своём праве. Вы обращались со мной премерзко... просто стыдно вспомнить. Я пытался показать вам всё, что мог, и что же? Вы обокрали — да, обокрали! — почтенного ювелира... Мало того, вы меня вынудили заказать для вас до неприличия дорогие блюда, мне пришлось заложить часы (а, разрешите заметить, наша семья не привыкла к ломбардам — кроме кузена Эдварда, но он гвардеец). Пока мы ели эти кошмарные... гм... яства — мне ещё и сейчас худо, — ваши манеры и ваши речи привлекали недолжное внимание. Вы буквально опозорили меня! Теперь мне будет стыдно показаться в ресторане. Вы напали на полицейских. Вы обокрали...

— Да ладно, хозяин! — сказал Фрэнк. — Вы лучше посмотрите, какие чудеса!

Посмотреть было на что. Над ними уже шумел бук, а внизу, в прохладной свежей траве, пестрели лютики и ромашки. Подальше, у реки, склонилась ива, за рекой цвели сирень, шиповник и рододендрон. Дети и кебмен смотрели, лошадь — смотрела и жевала.

Лев ходил взад и вперёд величавой поступью; Полли немножко пугалась, что он — всё ближе, но больше радовалась, потому что начала улавливать связь между песней и новым

творением. Перед тем как на холме возникла тёмная полоска елей, прозвучали одна за другой одинаковые низкие ноты. Когда звуки стали выше, легче и быстрее, Полли увидела, что долину испещрили первоцветы. Все это было так замечательно и дивно, что у неё не хватало времени на страх. Но Дигори и кебмен волновались всё больше, по мере того как приближался лев. Что до дяди Эндрю, он стучал зубами, но у него так дрожали колени, что убежать он не мог.

Вдруг колдунья смело шагнула навстречу льву. Он подходил всё ближе, мягко и тяжело ступая, он был уже ярдах в десяти, он пел. Колдунья подняла руку и швырнула в него железный брусок.

Никто — а уж тем более она — не промахнулся бы на таком расстоянии. Брусок ударил льва прямо меж глаз и упал в траву. Лев приближался — не медленнее и не быстрее, — словно ничего и не заметил. Ступал он бесшумно, но земля дрожала от его шагов.

Колдунья вскрикнула, кинулась прочь и скрылась за деревьями. Дядя тоже попытался бежать, но сразу, споткнувшись обо что-то, упал лицом в ручей. Дети не двигались — и не могли, и, наверное, не хотели. Лев, не глядя на них, прошёл мимо, едва не коснувшись гривой; они и боялись, что он обернётся, и хотели этого. Он обернулся. И прошествовал дальше.

Откашливаясь и отряхиваясь, дядя сказал:

— Ну, Дигори, от этой женщины мы избавились, эта зверюга прошла мимо, так что бери меня за руку и надевай кольцо.

— Дядя Эндрю, — предупредил Дигори, — если вы подойдёте ко мне, мы с Полли исчезнем.

— Делай, что тебе говорят! — крикнул дядя. — Какой, однако, непослушный мальчик.

— Нет, — сказал Дигори. — Мы останемся и посмотрим. Вы же интересуетесь другими мирами. Неужели вам не нравится этот?

— Нравится?! — возопил дядя. — Да ты на меня погляди! Лучший жилет, новый сюртук... — И впрямь, вид у него был жалкий — ведь чем наряднее вы оденетесь, тем заметнее будет, если вы вывалитесь из кеба и упадёте в воду. — Спорить не буду, местность занимательная. Будь я помоложе... Да, прислать бы сюда хорошего молодого охотника... Кое-что тут сделать можно. Климат превосходный, воздух — лучше некуда.

Прекрасный курорт, он бы даже пошёл мне на пользу, если бы... не обстоятельства. Ох, ружьё бы нам!

— Какое ружьё? — сказал кебмен. — Пойду-ка я лучше выкупаю лошадку. Вроде бы она, как я погляжу, умнее людей.

И он повёл её к реке, как конюх.

— Вы думаете, его можно застрелить? — спросил Дигори. — Она же бросила в него брусок...

— При всех её недостатках, — оживился дядя и потёр руки, хрустнув суставами, — надо отдать ей должное: это было умно!

— Это было гадко! — сказала Полли. — Что он ей сделал?

— Эй, что это? — воскликнул Дигори. — Полли, посмотри!

Перед ними, неподалёку, стоял маленький фонарный столб. Точнее, он не просто стоял, а рос и утолщался на глазах.

Более того — фонарь светился, солнце затмевало его свет, но тень падала на землю.

— Удивительно, — сказал дядя. — Достойно всяческого внимания! Здесь растёт буквально всё, даже фонарные столбы. Интересно, из какого семени?..

— Да из той железки! — перебил Дигори.

— Поразительно! — добавил дядя и ещё громче захрустел суставами. — Хо-хо! Они надо мной потешались! Моя сестрица считала меня сумасшедшим. И что же? Я выше Колумба. Какой там Колумб! Я открыл страну поистине неограниченных возможностей. Привезу сюда всякого лома, и тут совершенно без затрат появятся самые разные машины. Я отправлю их в Англию и стану миллионером. А климат? Построим курорт... Один санаторий приносит тысяч двадцать в год... Конечно, придётся кого-нибудь взять в долю, но как можно меньше народу. Первым делом надо избавиться от этого чудища.

— Вы такой же, как эта колдунья, — буркнула Полли. — Вам бы только убивать.

— А что до меня самого, — продолжал в упоении дядя, — я бы здесь буквально ожил. Как-никак мне пошёл седьмой десяток, об этом стоит подумать. Тут у них и не состаришься. Поразительно! Это страна вечной молодости!

— Ой! — крикнул Дигори. — Страна молодости! Неужели правда? — Конечно, он вспомнил тётин разговор с гостьей. — Дядя Эндрю, а может, тут что-нибудь такое есть... для мамы? Чтобы она вылечилась?

— О чём ты? — сказал дядя. — Это не аптека. Так вот, я говорил...

— Вам нет до неё дела!.. А я-то думал... Мне она мать, но и вам она сестра! Что же, ладно. Спрошу самого льва. — И Дигори быстро отошёл.

Полли подождала немного и пошла за ним.

— Эй! Стоп! Ты с ума сошёл! — воскликнул дядя, но не дождался ответа и пошёл следом, ведь кольца-то были у них.

Через несколько минут Дигори остановился на опушке леса. Песня снова изменилась. Теперь, слушая её, хотелось плясать, или бегать, или лазать по деревьям, или просто кричать от радости. Она подействовала даже на дядю, и он пробормотал:

— Да, умная женщина... надо отдать ей должное... характер ужасный, но умная... да.

А сильнее всего подействовала песня на недавно созданный мир.

Можете ли вы представить себе, что покрытая травой земля пузырится, как вода в котле? Лучше не опишешь то, что происходило. Повсюду, куда ни взгляни, вспухали кочки. Размера они были разного: одни — как кротовая норка, другие — как бочка, а две — с домик величиной. Они росли и пухли, пока не лопнули, взметая землю, а из них вышли животные, точно такие, как в Англии. Вылезли кроты, выскочили собаки, отряхиваясь и лая; высунулись рогами вперёд олени (Дигори подумал сначала, что это деревья). Лягушки сразу поскакали к реке, громко квакая. Пантеры, леопарды и их сородичи присели, чтобы умыться, а потом встали на задние лапы, чтобы поточить о дерево когти. Птицы взлетели на ветви, запорхали бабочки. Пчёлы разлетелись по своим цветам, не теряя попусту ни минуты. Удивительнее всего было, когда лопнул целый холм и на свет вылезла большая мудрая голова, а потом и ноги, с которых свисали мешковатые штаны, — это был слон.

Песню льва почти заглушили мычание, кряканье, блеяние, рёв, лай, мяуканье и щебет.

Дигори уже не слышал льва, но видел. Лев был так прекрасен, что он не мог оторвать от него глаз. Звери льва не боялись. Процокав копытами, мимо пробежала за-

метно помолодевшая лошадь. Лев уже не пел, а ходил перед своими созданиями туда и сюда и время от времени трогал кого-нибудь носом. Он тронул двух бобров, и двух леопардов, и двух оленей, то есть оленя и олениху, всякий раз самца и самку, и каждая пара шла за ним. Потом он остановился, и они встали кругом, немного поодаль. Стало очень тихо. Они глядели на него не шевелясь, только по-кошачьи поводили хвостами. Сердце у Дигори сильно билось: он знал — сейчас произойдёт что-то важное. О маме он не забыл, но даже ради неё не посмел бы прервать то, что перед ним совершалось.

Лев смотрел на свои создания не мигая, и под его взглядом они менялись. Те, кто поменьше — кроты, мыши, кролики, — заметно подросли. Самые большие стали меньше. Многие поднялись на задние лапы. Почти все стояли, склонив набок голову, словно старались что-то понять. Лев открыл пасть, но не запел и ничего не сказал, только дохнул на стоявших вокруг него. Из-за дневного синего неба послышалось пение звёзд. Сверху (или от льва?) сверкнула молния, не обжигая никого, и самый дивный голос, какой только слышали дети, произнёс:

— Нарния, Нарния, Нарния, встань! Потоки, обретите душу! Деревья, ходите! Звери, говорите! И все любите друг друга.

## *Глава десятая*

# ПЕРВАЯ ШУТКА И ДРУГИЕ СОБЫТИЯ

Конечно, говорил это лев. Дети давно почувствовали, что говорить он умеет, и всё-таки испугались и обрадовались.

Из-за деревьев появились боги и богини леса, фавны, сатиры и гномы. Из реки вышел речной бог со своими дочерьми, наядами. И все они — и божества, и звери — ответили на разные голоса:

— Радуйся, Аслан! Мы слышим и повинуемся. Мы думаем. Мы говорим. Мы любим друг друга.

— Только мы мало знаем, — раздался немного гнусавый голос, и дети совсем удивились, ибо это сказала лошадь.

— Молодец, Земляничка! — сказала Полли. — Как я рада, что её выбрали.

И кебмен, стоявший теперь рядом с детьми, вскричал:

— Ну и ну! Да и то: лошадка что надо, я всегда говорил.

— Создания, обретшие речь, я поручаю вас друг другу, — продолжал могучий и радостный голос. — Я отдаю вам навеки землю Нарнии. Я отдаю вам леса, и плоды, и реки. Я отдаю вам звёзды и самого себя. Отдаю я и тех, кто остался бессловесным. Будьте добры к ним, но не поступайтесь своим даром

и не возвращайтесь на их пути. От них я взял вас, к ним вы можете вернуться. Тогда вы станете много хуже, чем они.

— Нет, Аслан! Мы не вернёмся! Что ты, что ты! — зазвучало множество голосов, а галка крикнула чуть позже всех, и слова её прозвучали в полной тишине:

— Ты не бойся!

Вы знаете сами, что бывает, когда так случится в гостях. Она растерялась и спрятала голову под крыло, словно решила поспать, а прочие стали издавать странные звуки, которых здесь никто не слышал, и пытались сдержаться, но Аслан сказал:

— Смейтесь, это большое благо. Теперь, когда вы обрели и мысль, и слово, вам не надо всегда хранить серьёзность. Шутка, как и справедливость, рождается вместе с речью.

Смех зазвучал громче, а галка так раззадорилась, что вскочила Земляничке на голову прямо между ушами и крикнула, хлопая крыльями:

— Аслан! Аслан! Неужели я первая пошутила? Неужели про это будут всегда рассказывать?

— Маленький друг, — ответил ей лев, — не слова твои, ты сама — первая шутка.

И все опять засмеялись, а галка не обиделась, и смеялась со всеми так заливисто, что лошадь, шевельнув ушами, согнала её с головы, но галка вдруг поняла, на что ей крылья, и не упала.

— Мы основали Нарнию, — сказал Аслан. — Теперь наше дело — её беречь. Сейчас я позову на совет некоторых из вас. Идите сюда, ты, гном, и ты, речной бог, и ты, дуб, и ты, филин, и вы, оба ворона, и ты, слон. Нам надо потолковать, ибо миру этому пять часов от роду, но в него уже проникло зло.

Те, кого он назвал, приблизились к нему, и он ушёл с ними к востоку, а прочие спрашивали друг друга:

— Кто сюда проник? Лазло? Кто же это? Нет, не лазло, казло!.. Может быть, козлы? Да что ты!

— Вот что, — сказал Дигори, повернувшись к Полли. — Я должен пойти за ним... за львом. Только он даст мне то, что ей поможет.

— И я пойду, — сказал Фрэнк. — Понравился он мне. Да и с лошадкой поговорить надо.

Все трое смело пошли к совету зверей, во всяком случае — настолько смело, насколько это им удалось. Звери были так заняты беседой, что не сразу заметили их и услышали дядю Эндрю, который стоял довольно далеко и надсадно звал:

— Дигори! Вернись! Немедленно иди сюда, кому говорю!

Когда люди проходили мимо зверей, те замолкли и на них уставились.

— Это ещё кто такие? — спросил бобёр.

— Простите... — начал Дигори, но кролик перебил его:

— Наверное, салатные листья.

— Нет! — поспешила сказать Полли. — Нас нельзя есть, мы невкусные.

— Смотри-ка! — сказал крот. — Говорить умеют. Салат он речью не наделял.

— Может, они вторая шутка? — предположила галка.

Пантера перестала умываться и сказала:

— Ну, первая была лучше. Кто как, а я ничего смешного не вижу! — И, зевнув, принялась умываться опять.

— Пожалуйста, пропустите нас! — взмолился Дигори. — Я очень спешу. Мне нужен лев.

Тем временем Фрэнк пытался привлечь внимание Землянички и наконец преуспел:

— Лошадка! Ты-то меня знаешь, объясни им.

— О чём это он? — спросили её звери.

— Знаю... — нерешительно произнесла лошадь. — Я мало что знаю. Наверное, все мы ещё очень мало знаем. Но где-то я вас видела... Где-то я вроде бы жила... или видела сон, прежде чем Аслан разбудил нас. В этом сне вроде бы жили вы трое...

— Ты что, — удивился кебмен, — меня не признала? А кто тебя чистил? Кто кормил, а? Кто попону надевал, когда холодно? Ну, не ждал я от тебя!

— Минутку, минутку... — проговорила лошадь. — Дайте подумать. Да, ты привязывал ко мне сзади какой-то тяжёлый ящик и гнал куда-то, и я бежала, а ящик очень грохотал...

— Зарабатывали мы с тобой, — сказал кебмен. — Жить-то надо и тебе и мне. Без работы да без кнута ни стойла бы не было, ни корма, ни сена, ни овса. Любила ты овёс, если я мог его купить, тут ничего не скажешь.

— Овёс? — переспросила лошадь, прядая ушами. — Да, что-то такое помню. И ещё... Ты сидел сзади на ящике, а я тащила и тебя, и ящик. Бегала-то я.

— Ну, летом ладно: ты тянешь, я себе сижу, — сказал Фрэнк. — А зимой? Когда ноги как ледышки? Ты бегаешь, тебе что, а я? И нос замёрзнет, и щёки, и рукой не шевельнуть, вожжи не удержишь.

— Там было плохо, — сказала лошадь. — Камни, трава не растёт.

— То-то и оно! — обрадовался Фрэнк. — Плохо там было. Одно слово — город. Мостовые. Не люблю я их. Мы с тобой из деревни. Я там, у себя, в хоре пел. А пришлось, жить-то надо.

— Пожалуйста! — взмолился Дигори. — Пустите нас! Лев уходит, а мне очень нужно с ним поговорить.

— Понимаешь, лошадка, — сказал Фрэнк, — молодой человек хочет со львом поговорить, Асланом. Может, довезёшь его? Будь так добра! А то вон куда ваш лев ушёл. Мы уж с барышней дойдём.

— Довезти? — переспросила лошадь. — Ах, помню, помню! Ко мне садились на спину... Когда-то давно один из ваших, коротенький, часто это делал. Он мне всегда давал такие твёрдые белые кубики... Очень вкусные... лучше травы.

— А, сахар, — сказал Фрэнк.

— Пожалуйста! — снова взмолился Дигори. — Очень тебя прошу!

— Довезу, о чём говорить! — согласилась лошадь. — Только по одному. Садись.

— Молодец! — сказал Фрэнк и подсадил Дигори.

Тот удобно уселся — ведь и прежде ездил на пони без седла — и сказал:

— Иди, Земляничка, пожалуйста!

— А у тебя нет сладкой белой штуки? — спросила лошадь.

— Сахару? — огорчился Дигори. — Нет, не захватил.

— Ну ничего, — сказала Земляничка, и они двинулись в путь.

Только тогда животные заметили ещё одно странное существо, тихо стоявшее в кустах в надежде, что его не увидят.

— Это кто такой? — спросил бульдог.

— Пойдём посмотрим! — крикнули другие.

И пока Земляничка бежала рысцой, а Полли и Фрэнк поспешали за нею, решив не дожидаться её возвращения, звери и птицы кинулись к кустам, лая, воя, рыча на все лады, с радостным любопытством.

Надо заметить, что дядя Эндрю воспринимал по-своему всё, что мы сейчас описали, совсем не так, как Фрэнк и дети. То, что ты видишь и слышишь, в некоторой степени зависит от того, каков ты сам.

Когда из земли появились звери, дядя чуть ли не юркнул в лес. Конечно, он за ними следил, и очень зорко, но занимало его не то, что они делают, а то, что они могут сделать ему. Как и колдунья, он был на удивление практичным. Он замечал лишь то, что его касалось, и просто не увидел, как лев отобрал и наделил речью по одной паре своих созданий. Он видел (или думал, что видит) множество диких зверей, бродивших вокруг, и удивлялся, почему это они не убегают от льва.

Когда великий миг настал и звери заговорили, он ничего не понял, и вот почему: в самом начале, когда лев запел, дядя смутно понял, что это песня, но она ему совсем не понравилась, ибо внушала мысли и чувства, которые он всегда отгонял. Потом, когда взошло солнце и он увидел, что поёт лев (просто лев, как он думал), стал изо всех сил убеждать себя, что это вообще не песня, львы не поют, а рычат — скажем, в зоологическом саду, там, в его мире. «Конечно, петь он не мог, — думал дядя. — Мне померещилось. Совсем нервы никуда... Разве кто-нибудь слышал, чтобы львы пели?» И чем дольше, чем прекраснее пел дивный лев, тем упорнее убеждал себя дядя Эндрю. Когда пытаешься стать глупее, чем ты есть, это нередко удаётся, и дядя Эндрю вскоре слышал рёв, больше ничего. Он больше и не смог бы ничего услышать. Когда лев

возгласил: «Нарния, встань!» — слов он не разобрал, а когда ответили звери, услышал только кваканье, лай — что угодно; когда же они засмеялись — сами себе представьте, что ему послышалось. Это было для дяди хуже всего. Такого жуткого, кровожадного рёва голодных и злых тварей он в жизни своей не слышал. И тут, в довершение ужаса, он увидел, как к этим зверюгам пошли люди, трое, и подумал: «Какая глупость! Звери съедят их, а заодно и кольца. Как же я вернусь? Эгоист этот Дигори, да и другие хороши... Не дорожат жизнью — их забота, но вспомнили бы обо мне! Ах что там! Кто обо мне вспомнит?»

Но тут он увидел, что звери идут к нему, и побежал во всю прыть. Должно быть, климат и впрямь омолодил его, ибо он не бегал так со школьных лет. Звери были рады новому развлечению и кричали:

— Эй, лови! Это лазло! Да, да! Ура! Хватай! Заходи спереди!

Через минуту-другую одни забежали спереди и перегородили ему путь, другие были сзади, и, поневоле остановившись, дядя озирался в ужасе. Куда ни взглянешь — звери. Над самой головой — огромные лосиные рога и слоновий хобот. Важные медведи и кабаны глядели на него, и равнодушные леопарды, и насмешливые пантеры (это ему казалось), а главное — все разинули пасти. Вообще-то они просто переводили дух, но он думал, что они хотят его сожрать.

Дядя Эндрю стоял и дрожал. Животных он никогда не любил, скорее боялся, а опыты совсем ожесточили его сердце. Сейчас он испытывал самую пылкую ненависть.

— Прости, — деловито сказал бульдог, — ты кто: камень, растение или зверь?

Но дядя Эндрю услышал: «Рр-р-ррр!..»

*Глава одиннадцатая*

## О ЗЛОКЛЮЧЕНИЯХ ДИГОРИ И ЕГО ДЯДИ

Вы скажете, животные были очень глупы, не признав в дяде Эндрю такого же существа, как Фрэнк и дети. Но вспомните: они ничего не знали об одежде. Им казалось, что платьице Полли, курточка Дигори, котелок Фрэнка то же самое, что перья или мех. Они бы и этих троих не признали одинаковыми, если бы те с ними не заговорили и если бы им не сказала об этом Земляничка. Дядя был выше детей и худосочнее кебмена. Носил он всё чёрное, кроме манишки (не слишком белой теперь), да и седое гнездо волос особенно отличало его от прочих людей. Как тут не растеряться? В довершение всего он не говорил, хотя и пытался.

Когда бульдог спросил, кто он, дядя, ничего не разобрав, льстиво пролепетал: «Собачка, собачечка...» — но звери его не поняли, как и он их. Оно и лучше, ибо какая собака, тем более говорящая, стерпит такие слова? Всё равно что называть, скажем, вас «мальчичек, мальчишечка».

Тогда дяде Эндрю стало дурно.

— Ну вот, — сказал кабан, — это дерево. Так я и думал. (Не забывайте: при них никогда никто не падал в обморок и вообще не падал.)

Бульдог обнюхал дядю, поднял голову и сказал:

— Это зверь. Точно зверь. Вроде тех троих.

— Навряд ли, — сказал один из медведей. — Звери так не падают. Мы вот не падаем! Мы стоим. — Он встал на задние лапы, сделал шаг назад и повалился на спину.

— Третья шутка, третья шутка! — закричала галка в полном восторге.

— Нет, это дерево, — сказал другой медведь, — на нём пчелиное гнездо.

— Мне кажется, — заметил барсук, — он пытался заговорить.

— Это ветер шумел, — вставил кабан.

— Неужели ты думаешь, — сказала галка барсуку, — что это говорящее животное? Он же не говорил слов!

— Нет, всё-таки, — возразила слониха (слон, её муж, ушёл, как вы помните, с Асланом), — это животное. Вон тот сероватый тычок — вроде морды, эти дырки — глаза и рот, носа нет... хм... да... не буду придирчивой, нос мало у кого есть... — И она с понятной гордостью повела хоботом.

— Решительно возражаю! — сказал бульдог.

— Она права, — сказал тапир.

— Знаете, — вмешался осёл, — наверное, это неговорящее животное, но думает, что оно говорящее.

— Нельзя ли его поставить прямо? — спросила слониха и обвила дядю хоботом, чтобы приподнять. К несчастью, она не разобрала, где у него низ, где верх, и поставила на голову, так что из карманов его посыпались два полусоверена, три кроны и один шестипенсовик. Но дядя Эндрю снова свалился.

— Ну вот! — закричали другие звери. — Какое это животное, если оно не живое?

— А вы понюхайте! — не сдался бульдог.

— Нюхать — ещё не всё, — сказала слониха.

— Чему же верить, если не чутью? — удивился бульдог.

— Мозгам, наверное, — застенчиво предположила слониха.

— Решительно возражаю! — заявил бульдог.

— Во всяком случае, — продолжила слониха, — что-то с ним делать надо. Наверное, это лазло, и мы должны показать его Аслану. Как по-вашему, животное он или дерево?

— Дерево, дерево! — закричали многие.

— Что ж, — сказала слониха, — значит, посадим его в землю.

Кроты быстро выкопали ямку, и звери стали спорить, каким концом совать туда дядю. Одни говорили, что ноги — это ветки, а серая масса — корни, переплетённые в клубок. Другие утверждали, что корни — это два отростка, потому что грязные и длинные. В общем, сунули в яму вниз ногами. Когда землю утрамбовали, она доходила дяде Эндрю до бёдер.

— Какой-то он чахлый, — сказал осёл.

— Надо бы его полить, — добавила слониха. — Не обессудьте, но мой нос очень бы...

— Решительно возражаю! — вставил бульдог.

Однако умная слониха спокойно пошла к реке, набрала воды в хобот, вернулась и стала поливать дядю. И поливала, и поливала, пока вода не потекла потоком с фалд, словно он купался одетым. Наконец он пришёл в себя. На том мы его пока и оставим. Пусть поразмыслит о своих злодеяниях (если хватит разума), а мы вернёмся к более важным событиям.

Земляничка тем временем приблизилась к совету зверей. Дигори не посмел бы прервать их беседу, но Аслан сразу дал

знак и звери расступились. Спрыгнув на землю, Дигори оказался прямо перед львом. Тот был больше и величественнее, красивее и страшнее, чем ему прежде казалось, и мальчик, не решаясь взглянуть ему в глаза, проговорил:

— Простите, мистер лев... мистер Аслан... сэр. Не дадите ли... то есть нельзя мне... что-нибудь для мамы?.. Она больна.

Он надеялся, что лев скажет: «Можно», — и в то же время боялся, что лев скажет: «Нельзя», — но тот сказал совсем иное:

— Вот он. Вот мальчик, который это сделал. — И поглядел не на него, а на своих советников.

«Что же такое я сделал?» — подумал Дигори.

— Сын Адама, — сказал лев, — расскажи добрым зверям, почему в моей стране оказалась злая колдунья.

Дигори хотелось ответить иначе: мыслей десять мелькнуло в его мозгу, — но он тихо сказал:

— Это я привёл её, Аслан.

— Зачем?

— Хотел убрать её из моего мира.

— Как она очутилась в твоём мире?

— С помощью волшебства.

Лев молчал, а Дигори, понимая, что сказал не всё, продолжил:

— Это мой дядя виноват. Он загнал нас хитростью в другой мир, дал волшебные кольца... мне пришлось туда отправиться, потому что Полли он послал первой... и в одном месте, называется Чарн, мы встретили ведьму...

— Встретили? — переспросил Аслан, и голос его сейчас больше походил на рычание.

— Она проснулась... — Дигори побледнел и сознался: — Я её разбудил: хотел узнать, что будет, если позвонишь в колокол. Полли возражала, она не виновата... мы с ней даже подрались. Я знаю, что нельзя было. Наверное, меня заколдовала надпись...

— Ты так думаешь? — тихо спросил лев.

— Нет, не думаю. Я и тогда притворялся.

Лев долго молчал, а Дигори думал: «Ничего у меня теперь не выйдет. Ничего я для мамы не получу».

Когда лев заговорил снова, то обращался уже к зверям:

— Друзья, хоть мир этот и семи часов от роду, сын Адама уже занёс в него зло. — Звери, в том числе лошадь, воззрились на Дигори, и ему захотелось провалиться сквозь землю. — Но не падайте духом. Зло это не скоро породит другое зло, и я постараюсь, чтобы самое худшее коснулось одного меня. Ещё сотни лет мир этот будет радостным и добрым. Но поскольку зло принёс сын Адама, дети Адама и помогут всё исправить. Подойдите ко мне!

Эти слова предназначались Полли и Фрэнку, подоспевшим к концу его речи. Полли держала Фрэнка за руку, не спуская глаз со льва. Кебмен же, взглянув на него, снял котелок, без которого никто его ещё не видел, и стал моложе и красивее.

— Я давно знаю тебя, сын мой, — сказал ему Аслан. — Знаешь ли ты меня?

— Нет, сэр, — ответил Фрэнк. — Встречать я вас не встречал, но что-то такое чувствую... вроде где-то видел.

— Хорошо, — сказал лев. — Ты чувствуешь вернее, чем помнишь, и узнаешь меня лучше, чем знал. Нравится тебе этот край?

— Что говорить, неплохо у вас.

— Хочешь остаться здесь навсегда?

— Понимаете, сэр, я человек женатый. Была бы тут жена — другое дело. На что нам с ней город, мы оба деревенские.

Аслан тряхнул гривой, открыл пасть, издал один долгий звук — негромкий, но могучий, — и сердце у Полли затрепетало. Она знала: тот, кого лев позвал, услышит его где угодно и придёт во что бы то ни стало, сколько бы миров и столетий ни разделяло их, поэтому не очень удивилась, когда молодая женщина с честным милым лицом возникла ниоткуда и встала рядом с нею. Полли сразу поняла, что это и есть жена Фрэнка и что перенесли её сюда не мерзкие кольца — она прилетела быстро, просто и тихо, как птица летит в своё гнездо. По-видимому, она только что стирала, ибо на ней был фартук, а на руках, обнажённых до локтей, засыхала пена. Все это к ней очень шло. Успей она приодеться (скажем, надеть свою шляпу с вишнями), было бы хуже.

Конечно, она думала, что видит сон, и потому не кинулась к мужу и не спросила, что это с ними, однако, взглянув на льва, усомнилась, сон ли это, хотя и не слишком испугалась.

Она сделала книксен — деревенские девушки ещё умели тогда это делать, — потом подошла к мужу, взяла под руку и несмело огляделась.

— Дети мои, — сказал Аслан, пристально на них глядя, — вы будете первыми королём и королевой Нарнии.

Кебмен разинул рот, жена его покраснела.

— Правьте этими созданиями, и будьте к ним справедливы, и защищайте их от врагов. А враги будут, ибо в мир этот проникла злая колдунья.

Фрэнк прокашлялся и сказал:

— Прошу прощения, сэр, и спасибо вам большое и за неё, и за меня, но я такое дело не потяну. Учился мало.

— Скажи мне, — спросил лев, — сможешь ли ты справиться с плугом, с лопатой и вырастить здесь пищу?

— Да, сэр, это смогу, вроде учили... — сказал Фрэнк.

— Ты можешь быть честным и милостивым? Можешь помнить, что они не рабы, как их немые собратья в твоём мире, а говорящие звери и свободные граждане?

— Как же, сэр, — ответил кебмен. — Что-что, а их я не обижу.

— Ты можешь воспитать своих детей и внуков так, чтобы и они не обижали? — продолжил лев.

— Попробую, сэр. Попробуем, а, Нелли?

— Ты можешь не делить ни детей, ни зверей на любимых и нелюбимых? Можешь помешать одним подчинять или мучить других?

— О чём разговор! — вскричал Фрэнк. — В жизни такого не терпел и другим не позволю! — Голос его становился всё мягче и звонче — наверное, так, как сейчас, он говорил в юности, когда ещё не перенял городской хрипловатой скороговорки.

— А если в страну придут враги (помни, они придут!), будешь ли ты первым в бою, последним — в отступлении?

— Понимаете, сэр, — очень медленно сказал Фрэнк, — этого никто не знает, пока не проверит в деле. Может, я не из смелых. В жизни ни с кем не дрался, только на кулачках. Ну, ничего, постараюсь... то бишь надеюсь, что постараюсь... сделаю что могу.

— Что же, — сказал Аслан, — ты можешь всё, что требуется от короля. Я тебя короную. Ты, и дети твои, и внуки будете счастливо править Нарнией и Орландией, которая лежит к югу отсюда, за горами. А тебе, моя маленькая дочь, — обратился он к Полли, — я тоже очень рад. Скажи, ты простила своему другу то, что он сделал в пустынном дворце страшной страны Чарн?

— Да, Аслан, простила, — сказала Полли.

— Это хорошо, — кивнул Аслан. — Ну, сын Адама...

*Глава двенадцатая*

## ПРИКЛЮЧЕНИЯ ЗЕМЛЯНИЧКИ

Дигори изо всех сил стиснул зубы. Ему стало совсем уж не по себе. Он надеялся, что в любом случае не струсит и вообще не опозорится.

— Ну, сын Адама, — сказал Аслан, — готов ли ты исправить зло, которое причинил моей милой стране в самый день её рождения?

— Что же я могу сделать? — спросил Дигори. — Королева убежала, и...

— Я спросил, готов ли ты, — повторил Аслан.

— Да, — ответил Дигори. Ему захотелось прибавить: «...если вы поможете маме», — но он вовремя понял, что со львом нельзя торговаться. Однако, отвечая «да», он думал о своей матери, и о своих надеждах, и об их крахе, и потому всё-таки прибавил, глотая слёзы, едва выговаривая слова: — Пожалуйста... вы не могли бы... как-нибудь помочь моей маме?

Тут, с горя, он в первый раз посмотрел не на тяжёлые лапы льва и не на огромные когти, а на лицо (ни он, ни мы не скажем «морда»), и несказанно удивился. Львиные глаза были полны сверкающих слёз, таких крупных, словно лев больше горюет о его маме, чем он сам.

— Сын мой, сынок, — сказал Аслан, — я знаю. Горе у нас большое. Только у тебя и у меня есть горе в этой стране. Будем же добры друг к другу. Сейчас мне приходится думать о сотнях грядущих лет. Колдунья, которую ты привёл, ещё вернется в Нарнию. Я хочу посадить здесь дерево: оно будет долго охранять страну, ибо злая королева не посмеет к нему приблизиться. Тогда утро Нарнии продлится много веков. Принеси мне зёрнышко этого дерева.

— Хорошо, — сказал Дигори, хотя и не знал, как это сделать.

Лев глубоко вздохнул, склонил голову, поцеловал мальчика и сказал:

— Дорогой мой сын, я покажу тебе, что делать. Повернись к западу и скажи, что там видишь.

— Я вижу очень большие горы. Я вижу, как река срывается вниз со скалы, за нею — лесистые склоны, а за ними — очень высокие горы, покрытые снегом, как Альпы на картинке. За ними же — небо.

— Ты хорошо видишь, — сказал Лев. — Нарния кончается там, где водопад коснулся долины, дальше на запад лежит другая, пустынная земля. Найди за горами ещё одну долину, и синее озеро, и белые горы. За озером — гора, на горе — сад, в саду — дерево. Сорви с него яблоко и принеси мне.

— Хорошо, Аслан, — сказал Дигори, хотя не понимал, как же перейдёт через горы. Говорить об этом он не хотел, чтобы лев не подумал, будто он отказывается. — Только я надеюсь, ты не очень спешишь: быстро я не управлюсь — идти далеко.

— Я помогу тебе, сын Адама, — сказал лев и повернулся к лошади, которая смирно стояла рядом, склонив набок голову, словно не всё понимала, и отгоняла хвостом мух. — Друг мой лошадь, хотела бы ты обрести крылья?

Видели бы вы, как она тряхнула гривой, и топнула копытом, и раздула ноздри!

— Если ты хочешь, Аслан... Тебе виднее, я не очень умная.

— Стань матерью крылатых коней, — прорычал Аслан так, что дрогнула земля. — Зовись отныне Стрелой!

И, как прежде звери из-под земли, за её спиной появились крылья. С каждой секундой они становились всё больше — больше, чем у орла; больше, чем у лебедя; больше, чем у ан-

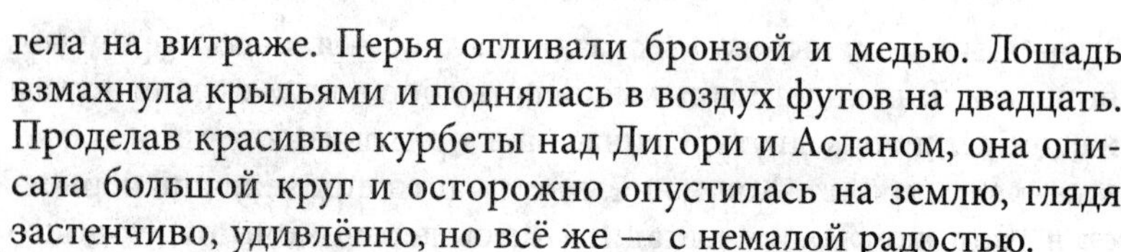



гела на витраже. Перья отливали бронзой и медью. Лошадь взмахнула крыльями и поднялась в воздух футов на двадцать. Проделав красивые курбеты над Дигори и Асланом, она описала большой круг и осторожно опустилась на землю, глядя застенчиво, удивлённо, но всё же — с немалой радостью.

— Хорошо летать, Стрела? — спросил лев.

— Очень хорошо, Аслан, — ответила лошадь.

— Донесёшь ли ты Адамова сына до дерева и сада?

— Сразу? Сейчас? — вскричала Земляничка, или Стрела, как мы теперь должны её называть. — Ура! Садись, мальчик! Я возила таких, как ты, давно, в зелёных лугах.

— О чём вы шепчетесь, дочери Евы? — спросил Аслан Полли и жену Фрэнка, которые уже успели подружиться.

— Простите, сэр, — сказала королева Елена (так мы теперь должны называть Нелли), — маленькая мисс тоже хочет поехать, если вы не возражаете.

— Не меня спрашивайте, Стрелу, — сказал лев.

— Мне что, сэр, — ответила лошадь. — Они лёгонькие. Вот если бы слон попросился...

Слон ни о чём не просил, и король Нарнии подсадил детей: Дигори — быстро и весело, Полли — нежно и бережно, словно она фарфоровая, — и сказал:

— Ну вот, Земляничка! Нет, что это я, — Стрела!

— Не лети слишком высоко, — сказал Аслан. — Не пытайся подняться выше снежных вершин. Держись таких мест, где зелено. Они есть везде. Что же, благословляю тебя!

— Ой, Стрела! — сказал Дигори и потрепал лошадь по холке. — Вот это приключение! Держись за меня крепче, Полли!

И тут же всё упало куда-то вниз и завертелось, ибо лошадь, словно тяжёлый голубь, покружилась немного над долиной, прежде чем вылететь в путь. Глядя вниз, Полли едва различала короля с королевой, и даже сам Аслан казался ярким золотым пятном на зелёном поле. Потом в лицо ей подул ветер, и лошадиные крылья стали мерно вздыматься и падать справа и слева от неё.

Многоцветный край полей и скал, вереска и деревьев лежал внизу, и река ртутной лентой вилась сквозь него. Справа, к северу, зеленели холмы, за ними тянулись болота; слева, к югу, темнели горы, покрытые хвойным лесом, а между горами в голубой дымке виднелся какой-то дальний край.

— Наверное, там и есть Орландия, — предположила Полли.

— Ты посмотри вперёд! — воскликнул Дигори.

Впереди, прямо перед ними, встали стеной скалы и засверкало солнце в водах реки, родившейся на западных плоскогорьях, а отсюда, с этих круч, срывавшейся в самую Нарнию. Лошадь летела так высоко, что грохота они не слышали, но скалы были ещё выше, чем они.

— Придётся их обогнуть, — сказала Стрела. — Держитесь крепче!

И она стала кружить, поднимаясь с каждым витком.

— Ой, обернись! Погляди назад! — воскликнула Полли.

Сзади лежала долина Нарнии, длинная, до самого моря, до восточного окоёма. Теперь, с такой высоты, виднелся только маленький гребень гор за болотами к северу, а к югу — равнины вроде песчаных площадок.

— Хорошо бы нам кто-нибудь объяснил, где что, — сказал Дигори.

— Наверное, тут никого нет, — сказала Полли. — То есть нет ни зверей, ни людей, и ничего не случается. Этот мир создан только сегодня.

— Люди тут будут, — сказал Дигори. — И у них, понимаешь, будет история.

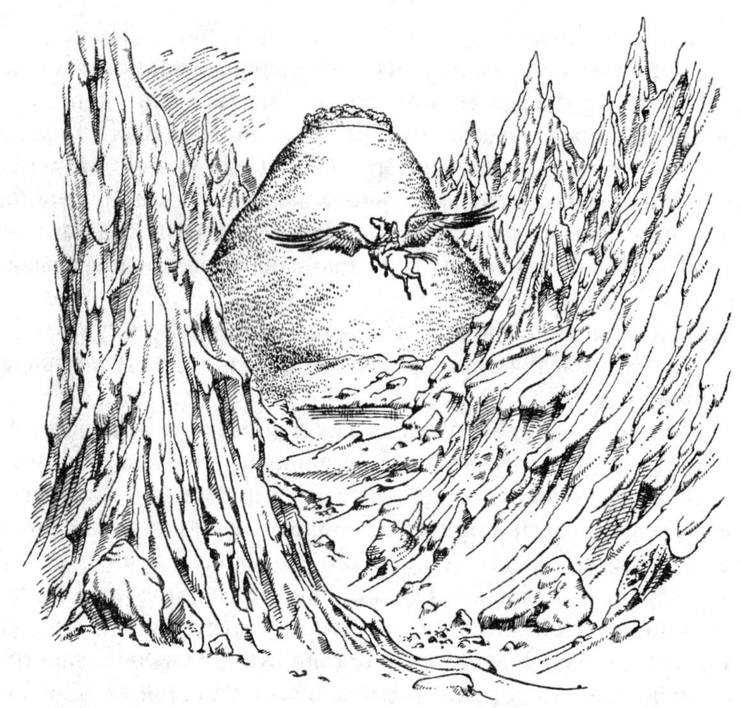

— Спасибо, хоть сейчас нету... — сказала Полли. — Зубрить не надо. Битвы и даты, всякое такое...

Обогнув справа самые высокие скалы и поднявшись совсем высоко, они уже не видели Нарнию — под ними лежали крутые склоны и тёмные леса по берегам реки. Солнце теперь слепило их, и видели они плохо, пока оно не исчезло в горниле неба, в расплавленном золоте, за острым пиком, очерченным так чётко, словно вырезанный из картона.

— Холодно тут, — заметила Полли.

— И крылья у меня болят, — добавила Стрела. — А долины всё нет, нет и озера. Не спуститься ли нам на ночь, не присмотреть ли хорошее местечко? До темноты всё равно не доберёмся туда, куда послал нас Аслан.

— Да, — согласился Дигори, — и поесть бы надо.

Стрела стала спускаться. Воздух теплел, и после часов тишины, нарушаемой лишь хлопаньем крыльев, приятно было слушать простые привычные звуки — журчание воды, стру-

ящейся меж камней, потрескивание веток. Тёплый запах прогретой земли, травы и цветов поднимался снизу. Наконец Стрела приземлилась, и Дигори, спрыгнув с неё, подал руку Полли. Оба они с удовольствием размяли ноги.

Долина лежала в самом сердце гор. Снежные вершины нависали над ними, с одной стороны — светло-алые от солнца.

— Есть хочется, — сказал Дигори.

— Ну что ж, идите ешьте, — предложила Стрела, прожевав траву, — не стесняйтесь, тут всем хватит.

— Мы траву не едим, — вздохнул Дигори.

— М-м... м-да, — проговорила лошадь, опять набив рот, так что трава свисала по обе стороны губ как усы, — прямо и не жнаю, что делать. А трава какая хорошая...

Полли и Дигори растерянно взглянули друг на друга.

— Может, кто-нибудь накормит и нас, — сказал Дигори.

— Аслан бы накормил, — кивнула лошадь, — если бы вы попросили.

— Разве он сам не знает? — спросила Полли.

— Жнает, как не жнать, — сказала Стрела, ещё не всё прожевав. — Только мне кажетша, он любит, штобы его прощили.

— Что же нам делать? — растерянно спросил Дигори.

— Не знаю, — сказала Стрела. — Разве что траву попробовать... Может, понравится.

— Не говори глупости! — топнула ногой Полли. — Люди траву не едят. Не едите же вы отбивные.

— Не говори ты про отбивные! — воскликнул Дигори. — И без того худо. Лучше надень кольцо, зайди домой и принеси чего-нибудь поесть. Я не могу: ещё задержат, — я ведь обещал Аслану.

Полли ответила, что не покинет их; Дигори сказал, что это благородно, и она вспомнила:

— У меня же тянучки остались. Всё лучше, чем голодать.

— Куда лучше! — сказал Дигори. — Только вынимай осторожно, кольца не задень.

Это ей удалось — правда, не без труда, — но ещё труднее было отодрать тянучки от фантика, или, вернее, фантик от тянучек, — так они слиплись. Кое-кто из взрослых (сами знаете, как они всё усложняют) обошёлся бы без еды, только бы не есть тянучки с бумагой. Всего конфет было девять, и Дигори

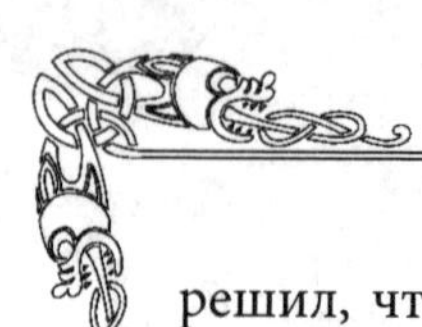


решил, что по четыре штуки можно съесть, а одну посадить в землю.

— Из фонаря же выросло дерево — значит, тут может вырасти и конфетное дерево.

И они выкопали ямку и сунули туда конфету, а другие съели, стараясь растянуть удовольствие. Что ни говори, ужин был скудный, хотя и с бумагой.

Стрела тем временем поужинала на славу и легла. Дети притулились к ней, и она укрыла их крыльями. Им стало тепло и уютно; появились новые звёзды нового мира, а дети всё говорили — о том, как надеялся Дигори вылечить маму, и о том, что его вместо этого послали за яблоком, и о признаках, по которым они узнают то самое место: синее озеро, зелёная гора, прекрасный сад. Беседа шла всё медленнее, дети уже засыпали, как вдруг Полли присела и проговорила:

— Ой, слышите?

Дигори, как ни старался, не услышал ничего и решил, что это ветер в деревьях, но лошадь тихо сказала:

— Накажи меня Аслан, а что-то там есть!

И, вскочив на ноги с шумом и грохотом, она принялась обнюхивать траву. Дети тоже встали, искали долго (Полли померещилась высокая тёмная фигура), ничего не нашли и опять притулились (если уместно такое слово) у лошади под крыльями. Они заснули сразу, а она долго прядала ушами во мраке и вздрагивала, словно сгоняя муху, потом все же заснула.

## *Глава тринадцатая*

# НЕОЖИДАННАЯ ВСТРЕЧА

Проснись, Дигори! — воскликнула Полли. — Проснись, Стрела! Выросло конфетное дерево. А погода какая!.. Низкие лучи солнца пронзали лес, трава была седой от росы, серебрилась паутина. Прямо за лошадью и детьми тёмное небольшое деревце с белёсыми шуршащими листьями гнулось под тяжестью густо-коричневых, похожих на финики плодов.

— Ура! — закричал Дигори. — Только я сперва окунусь.

И он ринулся к реке сквозь цветущие заросли. Доводилось ли вам купаться в горной речке, которая несётся через багряные, сизые и жёлтые камни, а солнце сверкает на мелких водопадах? Там хорошо, как в море, даже лучше. Конечно, вытереться или обсохнуть Дигори не мог, оделся прямо так. Когда он вернулся, к реке пошла Полли и тоже выкупалась (так она сказала, но зная, что плавать она не умеет, мы думаем, она просто вымылась как следует), а Стрела вошла в воду по колено, напилась и заржала, потряхивая гривой.

Только тогда дети принялись собирать плоды конфетного дерева. Вкус был не совсем такой, как у настоящей тянучки: всё же плоды сочнее, — но похожий и очень хороший. Стрела попробовала, похвалила, но заметила, что на завтрак предпо-

читает траву. Потом дети не без труда взобрались лошади на спину, и она поднялась в воздух.

Лететь было ещё лучше, чем вчера, — и потому, что все отдохнули, и потому, что солнце всходило сзади, а всё красивее, когда свет сзади вас. Ах, как хорошо они летели! Куда ни взгляни, сверкали высокие горы. Долины зеленели ярко, реки, сбегавшие с гор, были синие, словно под тобой, внизу, огромные изумруды и сапфиры. Вскоре дети почуяли какой-то запах и стали спрашивать друг друга:

— А что это?

— Нет, правда пахнет?

— Откуда, с какой стороны?

Запах был просто дивный: нежный, сладостный, словно где-то росли прекраснейшие в мире цветы или плоды.

— Это из долины, где озеро, — сказала лошадь.

— Да, — подтвердил и Дигори, — смотрите! За озером — горы, а вода какая синяя...

— То самое место! — воскликнули все трое.

Стрела стала спускаться большими кругами, воздух теплел, запах усиливался, и просто плакать хотелось — так он был прекрасен, и когда лошадиные копыта коснулись земли, кругом были не скалы и не горы, а густая трава. То был пологий склон. Дети прокатились немного вниз по высокой траве и встали, переводя дух.

Оказались они почти у вершины — ну на четверть пути ниже — и решили сразу взобраться на самый верх. Там, наверху, стояла живая зелёная изгородь, а за нею росли деревья. Через изгородь свисали ветви, и, когда пробегал ветер, листья на них серебрились, даже отливали голубым. Довольно долго дети шли вдоль стены, обошли чуть не всю вершину, пока, наконец, не увидели золотые ворота, обращённые на восток.

Наверное, Полли и Стрела думали тоже войти в них, но сразу же отказались от этой мысли. Так и чувствовалось, что сад этот чей-то и ходить туда без спроса нельзя. Словом, Дигори подошёл к воротам один и увидел на золоте серебряные строки:

*Ты, что пришёл к воротам золотым,*
*Сорви мой плод, отдай его другим.*
*Но если для себя его сорвёшь,*
*Страсть утолишь и муку обретёшь.*

«Отдай его другим, — повторил Дигори. — Что ж, именно для того я и прибыл. Значит, есть его мне самому нельзя. Но как открыть ворота? Не лезть же через изгородь!» Он тронул ворота рукой, и они беззвучно открылись.

В саду стояла тишина, лишь слабо журчал фонтан. Пахло так же дивно, всё было прекрасно здесь, но совсем не весело.

Дерево он узнал сразу — и потому, что оно стояло посреди сада, и потому, что яблоки ярко сверкали, бросая отсвет на затенённую землю. Подойдя к нему, он сорвал серебристый плод и, прежде чем положить в карман куртки, понюхал его.

Лучше бы он этого не делал! Больше всего на свете ему захотелось сорвать ещё один, для себя, и он подумал: «Может, надпись не приказ, а совет? И вообще: я же сорвал яблоко для других; какая разница, что я сделаю с остальными?»

Размышляя об этом, он ненароком взглянул сквозь ветви на верхушку дерева. Там, над его головой, прикорнула прекраснейшая птица. Я говорю «прикорнула», потому что она то ли спала, то ли нет: один её глаз был закрыт не совсем плотно. Казалась она побольше орла, грудка её отливала золотом, хвост — пурпуром, на голове алел хохолок.

— В таких местах, — говорил Дигори позже, рассказывая обо всём этом, — надо держать ухо востро. Мало ли кто за тобой следит!..

Однако, я думаю, он бы и сам не сорвал яблоко. Должно быть, всякие прописи (скажем, «не укради») вбивали тогда мальчикам в голову крепче, чем теперь. Хотя кто знает...

Он повернулся, чтобы идти обратно, огляделся напоследок и замер от ужаса, увидев, что здесь не один: неподалёку от него стояла колдунья. Она как раз отшвырнула сердцевину только что съеденного яблока. Губы её были выпачканы соком, почему-то очень тёмным; это было страшновато, и Дигори смутно начал понимать строку о страсти и муке — колдунья казалась ещё сильнее и надменнее, чем прежде, торжествовала, и всё же лицо её было белым как соль.

Мысли эти мелькнули в его мозгу, и он уже летел к воротам, а колдунья гналась за ним. Как только он выбежал, ворота закрылись сами собой. Но не успел он добежать до друзей и крикнуть: «Полли, Стрела, скорей!» — как колдунья, перемахнув через стену, нагнала его.

— Стой! — крикнул он, повернувшись к ней лицом. — Стой, а то мы исчезнем. Не подходи.

— Глупый мальчишка, — засмеялась она, — зачем ты от меня бежишь? Я тебе зла не желаю. Подожди, послушай меня, иначе пожалеешь. От меня ты узнаешь то, что даст тебе счастье на всю жизнь.

— Не хочу, спасибо, — сказал Дигори... и остался.

— Я знаю, что тебе нужно: слышала вчера вашу беседу, я всё слышу. Ну что ж, яблоко ты сорвал, оно у тебя в кармане. Ты не тронешь его, отнесёшь льву, он его съест и обретёт счастье

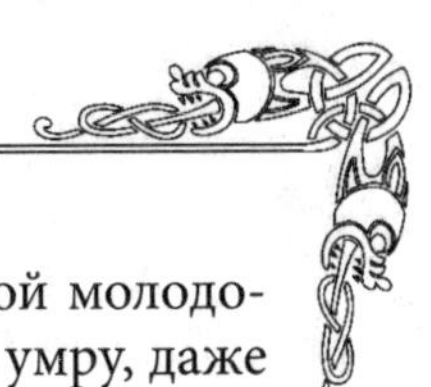

и силу. Простак ты, простак! Да это же плод вечной молодости, яблоко жизни. Я съела его, и теперь никогда не умру, даже не состарюсь. Съешь его сам, съешь сам, и мы будем жить вечно и станем править любым миром, если хочешь — твоим.

— Нет, спасибо, — сказал Дигори. — Навряд ли мне захочется жить, когда умрут все, кого я знаю. Поживу сколько надо, умру и пойду на небо.

— А как же твоя мама? Ты говорил, что очень любишь её.

— При чём тут она? — сказал Дигори.

— Да неужели ты не понимаешь, глупец, что яблоко исцелит её? Оно у тебя, мы одни, лев далеко. Вернись домой, дай матери откусить от яблока, и через пять минут она поправится. Ей станет легче, она заснёт без боли, без лекарств — подумай об этом! Наутро все удивятся, увидев её здоровой. Всё станет у вас хорошо, вернётся счастье, и сам ты будешь таким, как другие мальчики.

— Ой! — задохнулся Дигори, словно ему стало больно, и приложил ладонь ко лбу. Теперь он знал, что перед ним самый страшный выбор.

— Что сделал для тебя этот лев? — не унималась колдунья. — Почему ты служишь ему? Подумай, что сказала бы твоя мать, если бы узнала, что ты мог её спасти — и не спас. Отец твой умрёт от горя, а ты предпочитаешь служить какому-то дикому зверю в диком краю...

— Он... он не дикий зверь, — еле выговорил Дигори. — Он... я сам не знаю...

— Он хуже зверя, — сказала колдунья. — Смотри, что он сделал с тобой. Смотри, каким ты стал по его вине. Таким становится всякий, кто его слушает. Жестокий, безжалостный мальчишка! Мать умирает, а ты...

— Перестань! — еле слышно проговорил несчастный Дигори. — Что же я, не понимаю? Но... я дал слово.

— Ты сам не знал, что говоришь, — сказала колдунья.

— Мама, — с трудом проговорил Дигори, — не хотела бы, чтобы я... Она учила меня держать слово... и не красть... и вообще... Если бы она была здесь, то сама сказала бы мне, что яблоко брать не надо.

— Зачем же ей знать? — почти пропела колдунья (трудно было представить себе, что её голос может звучать так слад-

ко). — Не говори ни ей, ни папе. Никто в твоём мире ничего не узнает. И девочку с собой не бери.

Тут колдунья и сделала непоправимый промах. Конечно, Дигори знал, что Полли может вернуться сама, но колдунья этого не знала. А сама мысль, чтобы бросить Полли здесь, была такой мерзкой, что все другие слова колдуньи сразу же показались подлыми и фальшивыми. Как ни худо было Дигори, он сказал громко и чётко:

— Тебе-то что? Какое тебе дело до моей мамы? Что тебе нужно?

— Молодец, Диги! — услышал он голос Полли. — Скорей, бежим!

Понимаете, она молчала всё время, ведь это не у неё умирала мать.

— Бежим! — повторил Дигори, помогая ей влезть на спину Стреле, и вскочил туда вслед за нею.

Лошадь расправила крылья.

— Что же, бегите, глупцы! — крикнула колдунья. — Ты ещё припомнишь меня, несчастный, когда будешь умирать! Ты вспомнишь, как отверг плод вечной юности! Другого яблока тебе не даст никто.

Они едва расслышали сверху её слова, а она, не тратя попусту времени, направилась по склону горы куда-то на север.

Встали они очень рано, в саду пробыли недолго, и Полли со Стрелой решили, что будут в Нарнии засветло. На обратном пути Дигори молчал, и они не решались с ним заговорить. Он сильно мучился, порой — корил себя, но, вспомнив слёзы Аслана, понимал, что иначе поступить не мог.

Стрела летела целый день всё на восток, вдоль реки, между высокими горами, над лесистыми холмами, над водопадом, ниже, ниже, туда, где тень скалы покрыла леса Нарнии. Когда закат обагрил небо за ними, все трое увидели внизу много самых разных существ. Различив среди них ярко-золотое пятно, Стрела стала спускаться и, наконец, встав на ноги, сложила крылья. Дети спрыгнули на землю, и Дигори увидел, что звери, сатиры, нимфы, гномы расступились перед ним. Тогда, направившись прямо ко льву, он протянул ему яблоко и сказал:

— Вот оно, Аслан.

*Глава четырнадцатая*

# КАК ПОСАДИЛИ ДИВНОЕ ДЕРЕВО

— Хорошо, — сказал Аслан, и земля содрогнулась от его голоса, и Дигори понял, что жители Нарнии слышали и будут передавать их слова своим детям век за веком, быть может — всегда, но не зазнался, ибо не думал об этом, стоя перед Асланом. Теперь он мог выдержать львиный взор. О себе он забыл и ни о чём не печалился.

— Хорошо, сын Адама, — повторил лев. — Ради этого плода ты жаждал, и алкал, и плакал. Лишь ты вправе посадить дерево, которое защитит Нарнию. Брось яблоко у реки, где мягкая почва.

Дигори повиновался. Было так тихо, что вы бы услышали, как мягко упало яблоко на землю.

— И бросил ты хорошо, — сказал Аслан. — Теперь пойдём на коронацию короля Франциска Нарнийского и королевы Елены.

Тут дети заметили Фрэнка и Нелли в роскошных одеяниях. Четыре гнома держали шлейф королевской мантии, четыре нимфы — шлейф платья королевы. Он был без котелка, она — без чепчика. Королева распустила волосы (что несказанно её украсило), но не одеяния и не прическа так сильно изменили королевскую чету. Лица их стали иными, особенно у короля.

Хитрость, недоверчивость, сварливость лондонского кебмена исчезли, словно их и не было, и всем открылись его отвага и доброта. Наверное, помог сам воздух Нарнии, или беседы со львом, или что ещё.

— Ну и ну! — шепнула Полли Стрела. — Мой хозяин изменился не меньше меня самой. Теперь он и впрямь хозяин!

— Да, — сказала Полли. — Ой, ты мне ухо щекочешь!..

— Посмотрим, — сказал Аслан, — что выросло на *этих* деревьях. Напутали, теперь — распутайте.

И Дигори увидел клубок или клетку, точнее — большой, как клетка, клубок переплетённых ветвей. Два слона пустили в дело хоботы, три гнома — топорики, быстро всё расчистили, и зрителям явилось золотое деревце, серебряное и ещё какое-то, непонятное, но очень грязное.

— Ух ты! — сказал Дигори. — Да это же не дерево, а дядя!

Чтобы все объяснить, отступим немного назад. Как вы помните, звери пытались посадить дядю в землю и полить. От воды он очнулся, увидел толпу зверей и страшно взвыл; с него текли потоки, а земля, осевшая до щиколоток, хлюпала, превратившись в грязь. Вообще-то это было хорошо, потому что все, даже кабан, поняли, что он живой, и выкопали его. Но бежать он не смог, слон схватил его хоботом — помните, звери считали, что надо подержать его, пока не придёт Аслан. И вот они сплели вокруг него клубок из веток, а потом набросали туда еды.

Осёл нарвал чертополоха, но дядя его есть не пожелал. Белка стала метать ему орехи, но дядя прикрыл голову руками и радости не выказал. Птички услужливо роняли сверху отборных червей, но тщетно. Особенно постарался медведь — не съел пчелиное гнездо, которое нашёл в лесу, и благородно

отдал его дяде. Пчёлы ещё не все улетели, и, когда добрый зверь сунул клейкий ком в просвет между ветками, дядя дёрнулся, поскользнулся и сел на землю, вернее — на репьи.

— А всё-таки, — заметил барсук, — мёду он поел.

И впрямь: медведь дотянулся лапой до узника и ткнул улей ему в лицо. Звери искренне привязались к своему странному питомцу и надеялись, что лев разрешит им его держать. Самые умные утверждали, что некоторые звуки, которые он издаёт, что-то значат. Назвали его Бренди, ибо это сочетание слогов дядя повторял часто и довольно чётко.

На ночь его оставили в клетке-клубке: Аслан был занят. У дяди накопилось много орехов, яблок, груш, бананов, но всё же он провёл неприятную ночь.

— Подведите его ко мне, — сказал Аслан.

Один из слонов поднял дядю Эндрю и положил у самых лап льва. Дядя не шевелился от страха.

— Аслан, — попросила Полли, — успокой его, пожалуйста! И... и спугни, чтобы он больше сюда не являлся.

— Ты думаешь, он захочет? — спросил Аслан.

— Возможно, не сам, — сказала Полли, — пошлёт кого-нибудь. Он так обрадовался, что из железки вырос фонарь, и решил...

— Он ошибся, моя дорогая, — успокоил девочку Аслан. — Здесь всё растёт эти несколько дней, пока моя песнь висит в воздухе, но она умолкнет. Я не могу сказать ему об этом и не могу его утешить — он слишком плохой. Ему не услышать меня. Если я заговорю с ним, он услышит только рёв и рычание. О, сыны Адамовы, как умело защищаетесь вы от всего, что вам ко благу! Что ж, я дам ему то единственное, что он способен принять.

Он печально опустил большую голову, подул в испуганное лицо чародея и сказал:

— Спи, спи, отгородись на несколько часов от бед, которые ты вызвал.

И дядя Эндрю тут же закрыл глаза, дыхание его стало ровным.

— Положите его в стороне, — сказал Аслан. — А теперь, гномы, покажите, на что вы способны. Сделайте короны для короля и королевы.

Гномы бросились толпой к золотому деревцу и вмиг оборвали все листья, даже обломали ветки (не все!). Теперь Дигори и Полли увидели, что дерево и впрямь золотое, из настоящего, чистого, а значит — мягкого, золота. Конечно, оно выросло из золотых монет, выпавших из дядиных карманов, точно так же как серебряное выросло из серебряных. Невесть откуда гномы притащили хворост, молоточки, наковальню, меха — и через минуту-другую огонь ревел, меха пыхтели, золото гнулось под весёлый перестук. Гномы знали своё кузнечное дело! Два крота (любители копать) положили на траву кучу драгоценных камней. И вот под умелыми пальцами маленьких кузнецов засверкали короны — не уродливые и не тяжёлые, как у нынешних монархов, а лёгкие, тонкие, красивые, словно обруч феи. Корона короля была усыпана рубинами, корона королевы — изумрудами.

Когда их охладили в реке, король и королева опустились на колени перед львом, и он короновал их, а потом сказал:

— Встаньте, Франциск и Елена, отец и мать великих королей Нарнии, Орландии и Островов! Правьте справедливо и милостиво. Будьте отважны. Благословение моё — навсегда с вами.

Поднялся радостный крик, слоны трубили, птицы хлопали крыльями, а королевская чета стояла торжественно и смущённо, и чем смущённее были они, тем благороднее. Дигори ещё кричал «ура!», когда услышал глубокий голос:

— Глядите!

Толпа повернулась, и все издали удивлённый, радостный вздох. Немного поодаль стояло прекраснейшее в мире дерево. Оно выросло тихо и быстро, словно подняли флаг на флагштоке, пока длилась коронация. Ветки его осеняли светом, а не тенью, ибо были усыпаны сверкающими, как звёзды, серебристыми яблоками. Но прекраснее всего был запах, и, вдыхая его, никто уже не мог ни о чём другом думать.

— Сын Адама, — сказал лев, — ты хорошо сделал своё дело. А вам, обитатели Нарнии, я поручаю другое: оберегайте эту яблоню, как она оберегает вас. Колдунья бежала далеко на север. Там она будет жить, укрепляясь в тёмной силе, но пока дерево живо, она не придёт в Нарнию. Запах его, дарующий нам жизнь, здоровье и радость, для неё — ужас, отчаяние и смерть.

Все смотрели на дерево, а лев, сверкнув золотой гривой, повернулся к Дигори и Полли, заметив, что они о чём-то шепчутся, и спросил:

— Что с вами, дети?

— Ой, Аслан, прости меня!.. — начал Дигори, густо краснея. — Я забыл сказать: *она* съела яблоко... — Он замялся, и Полли договорила за него, потому что гораздо меньше боялась показаться глупой.

— Вот мы и подумали, Аслан, что тут какая-то ошибка. Колдунья не испугалась запаха.

— Почему ты так решила, дочь Евы? — спросил лев.

— Она же съела яблоко! — сказала Полли.

— Дорогая моя, потому она и боится дерева. Так бывает со всеми, кто сорвёт плод не вовремя и не вовремя вкусит. Плод хорош, но благо приносит только тогда, когда ты вправе его съесть.

— Вот как... — сказала Полли. — Значит, он ей не поможет? Она не будет жить вечно?

— Будет, — сказал лев, печально качая головой. — Она получила то, что хотела: неистощимую силу и бесконечную жизнь, как богиня. Но для злых сердцем долгота дней — лишь долгота бед, и она уже поняла это. Каждый получает то, что хочет, но не каждый этому рад.

— Я... я и сам чуть не съел яблоко, — признался Дигори. — Тогда бы и я...

— Да, сын мой, — сказал Аслан. — Яблоко непременно даёт бессмертие и силу, но оно не идёт на пользу тому, кто сорвал его по *своей* воле. Если бы кто-нибудь посадил здесь то семя не по моему велению, а сам, дерево охраняло бы Нарнию, но как? Нарния просто стала бы жестокой и сильной державой вроде Чарна, а не доброй страной, какой я её создал. Колдунья хотела, чтобы ты ещё в одном нарушил мою волю, помнишь?

— Помню, — сказал Дигори. — Она подбивала меня взять яблоко для мамы.

— Оно бы вылечило твою маму, — сказал лев, — но пришёл бы день, когда и ты, и она пожалели бы об этом.

Дигори молча плакал, утратив последнюю надежду, но знал, что лев говорит правду: на свете есть кое-что пострашнее смерти. Он плакал, пока не услышал тихий голос:

— Так было бы, сын мой, если бы ты поддался и сорвал яблоко. Теперь будет не так. В твоём мире нельзя жить вечно, но здоровым быть можно. Иди сюда. Сорви яблоко для мамы.

Дигори понял не сразу, а когда понял, медленно, словно во сне, подошёл к дереву. Король и королева закричали «ура!», а гномы и звери подхватили крик, когда он сорвал яблоко и положил в карман. Потом он вернулся ко льву и спросил, забыв сказать «спасибо»:

— Можно, я пойду домой?

## *Глава пятнадцатая*

# КАК КОНЧИЛАСЬ ЭТА ПОВЕСТЬ И С ЧЕГО НАЧАЛИСЬ ОСТАЛЬНЫЕ

— Когда я с вами, колец не надо, — сказал глубокий голос.

Дети заморгали, огляделись и поняли, что опять оказались в лесу между мирами. Дядя спал на траве, Аслан стоял над ним.

— Пора вам в ваш мир, — сказал лев. — Только сперва я покажу вам кое-что, а вы запомните.

Они посмотрели и увидели ямку в траве, сухую, без воды.

— Прошлый раз, — продолжал лев, — это был пруд, через который вы попали в Чарн, где умирало солнце. Теперь пруда нет, нет и Чарна, словно и не было. Пусть помнят об этом потомки Адама и Евы.

— Хорошо, Аслан, — сказали дети, а Полли спросила:

— Мы ведь ещё не такие плохие, как они?

— Ещё не такие, дочь Евы, — сказал лев, — но с каждым столетием всё хуже. Очень может быть, что самые плохие из вас узнают тайну, опасную, как то заклятие. Скоро, очень скоро, раньше, чем вы состаритесь, в великих странах вашего мира будут править тираны, которым так же безразличны радость, милость и правда, как злой королеве. От вас и от подобных вам зависит, долго ли они пробудут и много ли натво-

рят. Это предупреждение. А теперь — повеление: как можно скорее отнимите у дяди кольца и закопайте поглубже, чтобы никто их больше не трогал.

Дети смотрели на льва, и вдруг лицо его стало сверкающим золотым диском, или золотым морем, в которое они погрузились, ощутив при этом такое блаженство и такую силу, что им показалось, будто они ещё не знали счастья и мудрости, никогда не были хорошими и даже вообще не жили. Память об этом мгновении осталась с ними навек, и, пока они были вместе, одна мысль о дивном блаженстве смывала страх, раздражение и горечь; мало того: им казалось, что блаженство это — рядом, за дверью или за углом, и вот-вот вернётся. А сейчас, почти сразу, все трое оказались в шумном и душном Лондоне. Дядя, естественно, проснулся.

Стояли они перед домом Кеттерли, и всё было точно так же, только исчезли кебмен, лошадь и колдунья. У фонарного столба не хватало железки; на мостовой лежал разбитый кеб; толпа ещё не разошлась. Все занимались главным образом оглушённым полисменом, и то и дело слышалось: «Вроде очнулся!..» — или: «Ну как, получше?» — или: «Сейчас прибудет «Скорая помощь».

«Вот это да! — подумал Дигори. — Здесь не прошло и секунды».

Многие удивлялись, где же великанша и лошадь. Детей не заметил никто — ни тогда, ни теперь. Дядю Эндрю никто бы и не мог узнать в таких лохмотьях и в меду. К счастью, дверь была открыта, служанка стояла на пороге (вот уж день так день!), и дети быстро втащили дядю в дом, так что никто ничего и не спросил.

Дядя кинулся вверх по лестнице, и они испугались, не хочет ли он спрятать оставшиеся кольца, но беспокоиться было не о чем: он спешил подкрепиться. Из своей спальни он вышел в халате и затрусил в ванную.

— Ты добудешь все кольца, Полли? — спросил Дигори. — Я хочу сразу пойти к маме.

— Добуду, — ответила Полли. — Скоро увидимся. — И побежала на чердак.

Дигори перевёл дух и тихо вошёл в мамину спальню. Среди подушек, как и много раз прежде, белело её исхудавшее лицо,

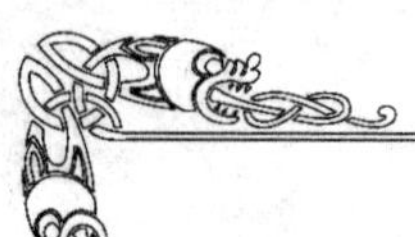



от одного взгляда на которое вы бы заплакали. Дигори вынул из кармана яблоко жизни.

Как и колдунья, здесь, в нашем мире, оно выглядело иначе, чем в том, своём. Вокруг было много красок — цветы на обоях, занавески, голубая мамина кофточка, — но сейчас всё это казалось бесцветным. Даже солнечный свет казался тусклым. Яблоко отбрасывало зайчики на потолок. Ни на что другое и смотреть не хотелось. О запахе я говорить не буду — словно открыли окно в небо.

— Какое чудо! — воскликнула мама.

— Съешь его, очень тебя прошу! — сказал Дигори.

— Не знаю, разрешит ли доктор... Нет, конечно, оно не повредит мне...

Дигори порезал яблоко на кусочки и дал их маме один за другим. Когда всё доела, она улыбнулась, и голова её снова упала на подушки. Она впервые заснула без этих гнусных таблеток, а Дигори знал, что ни о чём она не мечтала так сильно. Лицо у неё стало немножко другое. Он нежно её поцеловал и тихо вышел, а сердцевину яблока взял с собой. До самого вечера, глядя на обычные, будничные вещи, он то и дело терял надежду, но вспоминал Аслана — и обретал её.

Вечером он зарыл сердцевину яблока в саду.

Наутро пришёл доктор и после осмотра вышел с тётей Летти в гостиную.

— Мисс Кеттерли, это самый поразительный случай в моей практике. Это... это чудо какое-то! Мальчику я бы ещё не говорил: не надо возбуждать надежду слишком рано, — однако, на мой взгляд...

И Дигори перестал его слышать, а попозже вышел в сад и просвистел условный сигнал (вечером Полли прийти не смогла).

— Ну что? — спросила Полли, выглядывая из-за стены. — Как мама?

— Кажется... кажется, хорошо. Ты прости, я ещё не хочу об этом говорить. А как кольца?

— Вот они. Не бойся, я в перчатках. Давай их закопаем.

— Давай. Я отметил место, где закопал сердцевину яблока.

Полли перелезла через стену, и они пошли туда, но, оказывается, отмечать было не нужно: что-то уже росло из зем-

ли — не так быстро, как в Нарнии, но росло. Рядом, поближе, Полли и Дигори закопали все кольца, в том числе — свои.

Через неделю уже не было сомнений, что миссис Кёрк выздоравливает. Ещё через две она вышла в сад. А через месяц всё в доме изменилось: занавеси раздвинули, окна открыли настежь, тётя Летти стряпала для сестры всё, что та хотела, повсюду стояли цветы, рояль настроили, мама снова пела и так забавлялась с Дигори и Полли, что тётя сказала: «Знаешь, Мейбл, ты у нас младше всех!»

Беда не приходит одна, не приходит одна и радость. Месяца через полтора они получили письмо от папы из Индии. Умер его двоюродный дед, старый лорд Кёрк, и оставил папе приличное наследство. Теперь ему не надо было служить, он мог навсегда вернуться в Англию. Большое поместье, о котором Дигори слышал с детства: со всеми конюшнями, теплицами, парком, виноградниками, лесами и даже горами (правда, уже за оградой) — стало теперь их домом. Казалось бы, чего ещё? Но всё-таки я сообщу вам несколько необходимых сведений.

Полли проводила в поместье все праздники и каникулы, научилась доить коров, ездить верхом, плавать и лазать по горам. В Нарнии же звери жили радостно и мирно, и никто не тревожил их много сотен лет. Радостно жили и король Франциск с королевой Еленой и детьми, причём младший сын стал королём Орландии. Сыновья их женились на нимфах и дриадах, дочери выходили замуж за лесных и речных божков. Фонарь светил день и ночь, и когда много лет спустя другая девочка в снежную ночь пришла из нашего мира в Нарнию, то почти сразу увидела его. А случилось это вот почему.

Дерево, которое посадил в саду Дигори, хорошо разрослось, но здесь, на нашей земле, далеко от Аслана и от животворящего воздуха Нарнии, яблоки на нём уже не смогли бы исцелять умирающих. Они были совсем обычные, хотя и самые красивые в Англии. Однако дерево не забыло, откуда взялось. Иногда оно трепетало без ветра, потому что ветер дул в Нарнии: английское дерево вторило нарнийскому. А может быть, в нём все ещё осталась волшебная сила. Когда Дигори вырос и стал знаменитым учёным, путешественником, профессором и лондонский дом принадлежал ему, дерево сломала буря. Сжечь его как дрова он не смог и заказал из него шкаф,

который перевёз потом в поместье. Сам он не знал, что шкаф волшебный, но другие это открыли, и так начались те путешествия в Нарнию, о которых вы можете прочитать в других книжках.

Переезжая в поместье, семья Кёрк взяла дядю Эндрю с собой, потому что отец сказал: «Поможем ему, бедняге, да и Летти пора отдохнуть».

Чародейство дядя оставил и вообще очень изменился: перестал быть таким себялюбцем, — но очень любил увести гостя в бильярдную и рассказать о даме королевского рода, которой показывал некогда Лондон. «Чертовский темперамент, я вам скажу, — прибавлял он в заключение. — Но какая женщина, мой дорогой, какая женщина!»

# ЛЕВ, КОЛДУНЬЯ И ПЛАТЯНОЙ ШКАФ

ПОСВЯЩАЕТСЯ
ЛЮСИ БАРФИЛД

*Милая Люси!*

*Я написал эту историю для тебя, но когда принимался за неё, ещё не понимал, что девочки растут быстрее, чем пишутся книги.*

*И вот теперь ты уже слишком большая для сказок, а к тому времени, когда эту сказку напечатают и выпустят в свет, станешь ещё старше. Но поверь: наступит время, когда ты вновь начнёшь читать сказки. Тогда снимешь эту книжечку с верхней полки, стряхнёшь с неё пыль, а потом скажешь мне, что думаешь о ней. Возможно, к тому времени я так состарюсь, что не услышу и не пойму ни слова, но и тогда по-прежнему буду любящим тебя крёстным.*

Клайв С. Льюис

*Перевод Г. Островской*

*Глава первая*

# ЛЮСИ ЗАГЛЯДЫВАЕТ В ПЛАТЯНОЙ ШКАФ

Жили-были на свете четверо детей, братья и сёстры Певенси: Питер, Сьюзен, Эдмунд и Люси. В этой повести рассказывается о том, что приключилось с ними во время войны, когда их вывезли из Лондона, чтобы уберечь от воздушных налётов. Детей отправили к старику профессору, который жил в самом центре Англии, в десяти милях от ближайшей почты. У него никогда не было жены, и он жил в очень большом доме с экономкой по имени миссис Макриди и тремя служанками — Айви, Маргарет и Бетти (но они почти совсем не принимали участия в нашей истории). Профессор был старый-престарый, со взлохмаченными седыми волосами и взлохмаченной седой бородой чуть не до самых глаз. Вскоре ребята его полюбили, но в первый вечер, когда вышел им навстречу к парадным дверям, он показался им очень чудным. Люси (самая младшая) даже немного его испугалась, а Эдмунд (следующий за Люси по возрасту) с трудом удержался от смеха — ему пришлось сделать вид, что сморкается.

Когда они в тот вечер пожелали профессору спокойной ночи и поднялись наверх, в спальни, мальчики зашли

в комнату девочек, чтобы поболтать обо всём, что увидели за день.

— Нам здорово повезло, это факт, — сказал Питер. — Ну и заживём мы здесь! Сможем делать всё, что душе угодно. Этот дедуля и слова нам не скажет.

— По-моему, он просто прелесть, — добавила Сьюзен.

— Замолчи! — воскликнул Эдмунд, который, когда уставал, всегда был не в духе, хотя и делал вид, что нисколечко не устал. — Перестань так говорить.

— Как — так? — уточнила Сьюзен. — И вообще тебе пора спать.

— Воображаешь, что ты мама, — проворчал Эдмунд. — Кто ты такая, чтобы указывать мне? Тебе самой пора спать.

— Лучше нам всем лечь, — предложила Люси. — Если нас услышат, нам попадёт.

— Не попадёт, — сказал Питер. — Говорю вам, это такой дом, где никто не станет смотреть, чем мы заняты. Да нас и не услышат. Отсюда до столовой не меньше десяти минут ходу по всяким лестницам и коридорам.

— Что это за шум? — спросила вдруг Люси.

Она ещё никогда не бывала в таком громадном доме, и при мысли о длиннющих коридорах с рядами дверей в пустые комнаты ей стало не по себе.

— Просто птица, глупая, — буркнул Эдмунд.

— Это сова, — добавил Питер. — Тут должно водиться видимо-невидимо всяких птиц. Ну, я ложусь. Послушайте, давайте завтра пойдём на разведку. В таких местах, как здесь, можно много чего найти. Вы видели горы, когда мы ехали сюда? А лес? Тут, верно, и орлы водятся. И олени! А уж ястребы точно.

— И барсуки, — сказала Люси.

— И лисицы, — сказал Эдмунд.

— И кролики, — сказала Сьюзен.

Но когда наступило утро, оказалось, что идёт дождь, да такой сильный, что из окна не было видно ни гор, ни леса; даже ручья в саду, и того не было видно.

— Ясное дело, без дождя нам не обойтись! — сказал Эдмунд.

Они только что позавтракали вместе с профессором и под-

нялись наверх, в комнату, которую он им выделил для игр, — длинную, низкую, с двумя окнами в одной стене и двумя — в другой, напротив.

— Перестань ворчать, Эд, — сказала Сьюзен. — Спорю на что хочешь, через час прояснится. А пока тут есть приёмник и куча книг. Чем плохо?

— Ну нет, — сказал Питер, — это занятие не для меня. Я пойду на разведку по дому.

Все согласились, что лучше игры не придумаешь. Так вот и начались их приключения. Дом оказался огромным, и в нём было полно самых удивительных уголков. Вначале двери, которые они приоткрывали, вели, как и следовало ожидать, в пустые спальни для гостей, но вскоре ребята попали в длинную-предлинную, увешанную картинами комнату, где стояли рыцарские доспехи; за ней шла комната с зелёными портьерами, в углу которой они увидели арфу; потом, спустившись на три ступеньки и поднявшись на пять, они очутились в небольшом зале с дверью на балкон; за залом шла анфилада комнат, все стены которых были уставлены шкафами с книгами, очень старыми, в тяжёлых кожаных переплётах. А потом ребята заглянули в комнату, где стоял большой платяной шкаф. Вы, конечно, видели такие платяные шкафы с зеркальными дверцами. Больше в комнате ничего не было, кроме высохшей синей мухи на подоконнике.

— Пусто, — сказал Питер, и они друг за другом вышли из комнаты... все, кроме Люси.

Она решила попробовать, не откроется ли дверца шкафа, хотя была уверена, что он заперт. К её удивлению, дверца сразу же распахнулась, и оттуда выпали два шарика нафталина.

Люси заглянула внутрь. Там висело несколько длинных меховых шуб. Больше всего на свете Люси любила гладить мех. Она тут же влезла в шкаф и принялась тереться о мех лицом; дверцу она, конечно, оставила открытой — ведь она знала: нет ничего глупей, чем запереть саму себя в шкафу. Люси забралась поглубже и увидела, что за первым рядом шуб висит второй. В шкафу было темно, и, боясь удариться обо что-нибудь носом, она вытянула перед собой руки. Девочка сделала шаг, ещё один и ещё. Она ждала, что вот-вот упрётся кончиками пальцев в заднюю стенку, но пальцы по-прежнему уходили в пустоту.

«Ну и огромный шкафище! — подумала Люси, раздвигая пушистые шубы и пробираясь всё дальше и дальше. Тут под ногой у неё что-то хрустнуло. — Интересно, что это такое? Ещё один нафталиновый шарик?» Люси нагнулась и принялась шарить рукой, но вместо гладкого деревянного пола её рука коснулась чего-то мягкого, рассыпающегося и очень-очень холодного.

— Ка́к странно, — сказала она и сделала ещё два шага вперёд.

В следующую секунду она почувствовала, что её лицо и руки упираются не в мягкие складки меха, а во что-то твёрдое, шершавое и даже колючее.

— Прямо как ветки дерева! — воскликнула Люси.

И тут она заметила впереди свет, но не там, где должна быть стенка шкафа, а далеко-далеко. Сверху падало что-то мягкое и холодное. Ещё через мгновение она увидела, что стоит посреди леса, под ногами у неё снег, а с ночного неба падают снежные хлопья.

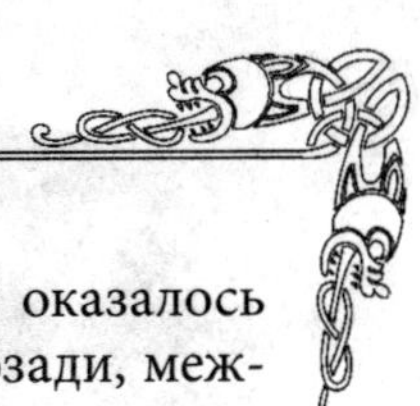

Люси немного испугалась, но любопытство оказалось сильнее, чем страх. Она оглянулась через плечо: позади, между тёмными стволами деревьев, видна была раскрытая дверца шкафа и сквозь неё — комната, из которой она попала сюда (вы, конечно, помните, что Люси оставила дверцу открытой). Там, за шкафом, по-прежнему был день.

«Я всегда смогу вернуться, если что-нибудь пойдёт не так», — подумала Люси и двинулась вперёд. «Хруп-хруп», — хрустел снег под её ногами. Минут через десять она подошла к тому месту, откуда исходил свет. Перед ней был... фонарный столб. Люси вытаращила глаза. Почему среди леса стоит фонарь? И что ей делать дальше? И тут она услышала лёгкое поскрипывание шагов. Шаги приближались. Прошло несколько секунд, и из-за деревьев показалось и вступило в круг света от фонаря очень странное существо.

Ростом оно было чуть повыше Люси и держало над головой зонтик, белый от снега. Верхняя часть его тела была человеческой, а ноги, покрытые чёрной блестящей шерстью, козлиные, с копытцами внизу. У него имелся и хвост, но Люси сперва этого не заметила, потому что он был аккуратно перекинут через руку — ту, в которой это существо держало зонт, — чтобы не волочился по снегу. Шею его закрывал толстый красный шарф, под цвет красноватой кожи. У существа было странное, но очень славное личико с короткой острой бородкой и кудрявые волосы, а по обе стороны лба из волос выглядывали рожки. В одной руке, как я уже сказал, оно держало зонтик, в другой — несколько свёртков в обёрточной бумаге. Свёртки, снег кругом — казалось, оно идёт из магазина с рождественскими покупками. Это был фавн. При виде Люси он вздрогнул от неожиданности, так что свёртки попадали на снег, и воскликнул:

— Батюшки!

*Глава вторая*

# ЧТО ЛЮСИ НАШЛА ПО ТУ СТОРОНУ ДВЕРЦЫ

— Здравствуйте, — сказала Люси, но фавн был очень занят — подбирал свои свёртки — и ничего ей не ответил. Только собрав все до единого, он поклонился Люси: — Здравствуйте, здравствуйте. Простите... Я не хочу быть чересчур любопытным... но я не ошибаюсь, вы дочь Евы?

— Меня зовут Люси, — сказала она, не совсем понимая, что фавн имеет в виду.

— Но вы... простите меня... вы... как это называется... девочка?

— Конечно, я девочка, — сказала Люси.

— Другими словами, вы настоящий человеческий человек?

— Конечно, я человек, — соглашалась Люси, по-прежнему недоумевая.

— Разумеется, разумеется, — проговорил фавн. — Как глупо с моей стороны! Но я ни разу ещё не встречал сына Адама или дочь Евы. Я в восторге. То есть... — Тут он замолк, словно чуть было не сказал нечаянно то, чего не следовало, но вовремя об этом вспомнил, а потом повторил: — В восторге, в восторге! Разрешите представиться. Меня зовут мистер Тумнус.

— Очень рада познакомиться, мистер Тумнус.

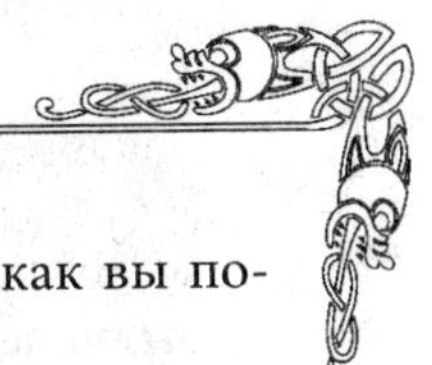

— Разрешите осведомиться, о Люси, дочь Евы, как вы попали в Нарнию?

— В Нарнию? Что это?

— Нарния — это страна, — сказал фавн, — где мы с вами сейчас находимся; все пространство между фонарным столбом и огромным замком Кэр-Параваль на Восточном море. А вы... пришли из диких Западных лесов?

— Я... я пришла через платяной шкаф из пустой комнаты...

— Ах, — сказал мистер Тумнус печально, — если бы я как следует учил географию в детстве, то, несомненно, всё знал бы об этих неведомых странах. Теперь уже поздно.

— Но это вовсе не страна, — сказала Люси, едва удерживаясь от смеха. — Это в нескольких шагах отсюда... по крайней мере... не знаю. Там сейчас лето.

— Ну а здесь, в Нарнии, зима, — сказал мистер Тумнус, — и тянется она уже целую вечность. И мы оба простудимся, если будем стоять и беседовать тут, на снегу. Дочь Евы из далёкой страны Пустаякомната, где царит вечное лето в светлом городе Платянойшкаф, не хотите ли зайти ко мне на чашечку чаю?

— Большое спасибо, мистер Тумнус, — сказала Люси, — но мне, пожалуй, пора домой.

— Я живу в двух шагах отсюда, — не отступал фавн, — и у меня очень тепло... горит камин... и есть поджаренный хлеб... и сардины... и пирог.

— Ну хорошо, только мне нельзя задерживаться надолго.

— Если вы возьмёте меня под руку, о дочь Евы, — сказал мистер Тумнус, — я смогу держать зонтик над нами обоими. Нам сюда. Ну что же, пошли.

И Люси пустилась в путь по лесу под руку с фавном, словно была знакома с ним всю жизнь.

Вскоре почва у них под ногами стала неровная, тут и там торчали большие камни; путники то поднимались на холм, то спускались с холма. На дне небольшой лощины мистер Тумнус вдруг свернул в сторону, словно собирался пройти прямо сквозь скалу, но, подойдя к ней вплотную, Люси увидела, что они стоят у входа в пещеру. Когда они вошли, Люси даже зажмурилась — так ярко пылали дрова в камине. Мистер Тумнус нагнулся и, взяв начищенными щипцами головню, зажёг лампу.

— Ну, теперь скоро, — сказал он и в тот же миг поставил на огонь чайник.

Люси не случалось ещё видеть такого уютного местечка. Они находились в маленькой, сухой, чистой пещерке со стенами из красноватого камня. На полу лежал ковер, стояли два креслица («Одно для меня, другое — для друга», — сказал мистер Тумнус), стол и кухонный буфет, над камином висел портрет старого фавна с седой бородкой. В углу была дверь («Наверно, в спальню мистера Тумнуса», — подумала Люси), рядом — полка с книгами. Пока мистер Тумнус накрывал на стол, Люси читала названия: «Жизнь и письма силена», «Нимфы и их обычаи», «Исследование распространённых легенд», «Является ли человек мифом».

— Милости просим, дочь Евы, — сказал фавн.

Чего только не было на столе! И яйца всмятку — по одному на каждого, — и поджаренный хлеб, и сардины, и масло, и мёд, и облитый сахарной глазурью пирог. А когда Люси устала есть, фавн начал рассказывать о жизни в лесу. Ну и удивительные это были истории! Он рассказывал о полуночных плясках, когда наяды, живущие в колодцах, и дриады, живущие на деревьях, выходят, чтобы танцевать с фавнами; об охоте на белого, как молоко, оленя, который исполняет все твои желания, если тебе удаётся его поймать; о пиратах и поисках сокровищ вместе с гномами в пещерах и копях глубоко под землёй; о лете, когда лес стоит зелёный и к ним приезжает

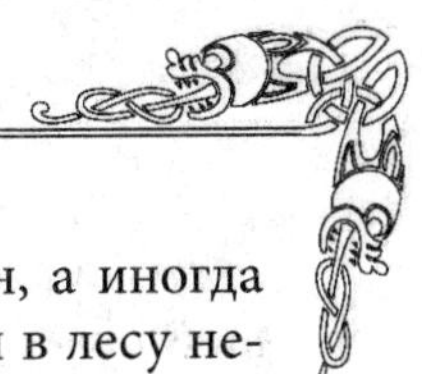

в гости на своём толстом осле какой-нибудь силен, а иногда сам Вакх, и тогда в реках вместо воды течёт вино и в лесу неделя за неделей длится праздник.

— Только теперь у нас всегда зима, — печально завершил мистер Тумнус свой рассказ.

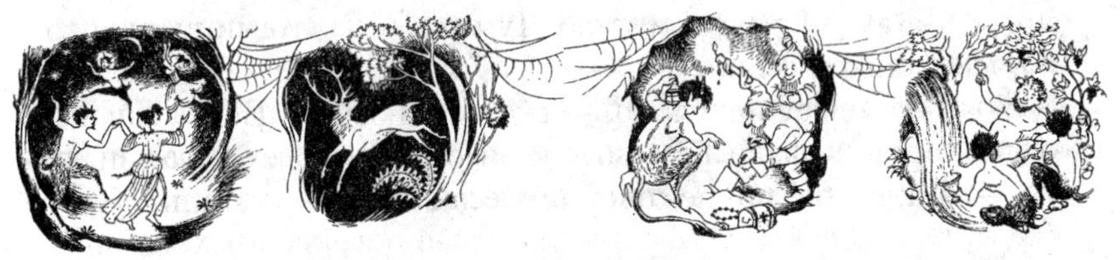

И чтобы приободриться, фавн вынул из футляра, который лежал на шкафчике, странную маленькую флейту, на вид — сделанную из соломы, и принялся играть. Люси сразу захотелось рассмеяться и заплакать, пуститься в пляс и уснуть — всё в одно и то же время.

Прошёл, видно, не один час, пока она очнулась и сказала:

— Ах, мистер Тумнус... мне так неприятно вас прерывать... и музыка ваша очень нравится... но, право же, мне пора домой. Я ведь зашла всего на несколько минут.

— Теперь поздно об этом говорить, — промолвил фавн, опуская флейту и грустно покачивая головой.

— Поздно? — переспросила Люси и вскочила с места. Ей стало страшно. — Что вы этим хотите сказать? Мне нужно немедленно идти домой. Там все, наверное, беспокоятся. — Но тут же воскликнула: — Мистер Тумнус! Что с вами?

Карие глаза фавна наполнились слезами, слёзы покатились у него по щекам, закапали с кончика носа, и, наконец, он закрыл лицо руками и заплакал в голос.

— Мистер Тумнус! Мистер Тумнус! — страшно расстроившись, воскликнула Люси. — Не надо, не плачьте! Что случилось? Вам нехорошо? Миленький мистер Тумнус, скажите, пожалуйста, скажите, что с вами?

Но фавн продолжал рыдать так, словно у него разрывалось сердце. И даже когда Люси подошла к нему, обняла и дала свой носовой платок, не успокоился — только взял и стал вытирать нос и глаза, выжимая его на пол обеими руками, когда

становился слишком мокрым. Вскоре Люси оказалась в большой луже.

— Мистер Тумнус! — громко закричала Люси прямо в ухо фавну и потрясла его. — Пожалуйста, перестаньте. Сейчас же перестаньте. Как вам не стыдно, такой большой фавн! Ну почему, почему вы плачете?

— А-а-а! — ревел мистер Тумнус. — Это потому, что я очень плохой фавн.

— Я вовсе так не думаю, — сказала Люси. — Напротив, вы очень хороший фавн. Вы самый милый фавн из всех, кого я знаю.

— А-а, вы бы так не говорили, если бы… — всхлипнул ми-

стер Тумнус. — Нет, я плохой фавн. Такого плохого фавна не было на всём белом свете.

— Да что вы такое натворили? — никак не могла уяснить Люси.

— Мой батюшка... это его портрет там, над камином... он бы ни за что так не поступил...

— Как — так?

— Как я, — сказал фавн. — Пошёл на службу к Белой колдунье — вот что я сделал. Я на жалованье у Белой колдуньи.

— Белой колдуньи? Кто она такая?

— Она? Она та самая, у кого вся Нарния под башмаком. Та самая, из-за которой у нас вечная зима. Вечная зима, а Рождества всё нет и нет. Только подумайте!

— Ужасно! — согласилась Люси. — Но вам-то она за что платит?

— Вот тут и есть самое плохое, — сказал мистер Тумнус с глубоким вздохом. — Я похищаю детей, вот за что. Взгляните на меня, дочь Евы. Можно ли поверить, что я способен, повстречав в лесу бедного ни в чём не повинного ребёнка, который не причинил мне никакого зла, притвориться, будто дружески к нему расположен, пригласить к себе в пещеру и усыпить своей флейтой — всё ради того, чтобы отдать несчастного в руки Белой колдуньи?

— Нет, — сказала Люси. — Я уверена, что вы не способны на такие поступки.

— Но я так поступаю, — горестно вздохнул фавн.

— Ну что ж, — отозвалась Люси, помедлив (ей не хотелось лгать и вместе с тем проявлять суровость), — что ж, это нехорошо с вашей стороны. Но вы, я вижу, сожалеете о своём поступке и, я уверена, больше никогда так не сделаете.

— О, дочь Евы, неужели вы не понимаете? Я не когда-то раньше так поступал. Я делаю это сейчас, в этот самый миг.

— Что вы хотите сказать?! — вскричала Люси и побелела как полотно.

— Вы тот самый ребёнок, — проговорил мистер Тумнус. — Белая колдунья мне приказала, если я вдруг увижу в лесу сына Адама или дочь Евы, поймать их и передать ей. А вы — первая, кого я встретил. Я притворился вашим другом, позвал к себе выпить чаю, и всё это время ждал, пока вы заснёте, чтобы сказать о находке ей.

— Ах, но вы же не скажете ей обо мне, мистер Тумнус! — воскликнула Люси. — Ведь правда не скажете? Не надо, пожалуйста, не надо!

— А если я ей не скажу, — подхватил фавн, вновь принимаясь плакать, — она непременно об этом узнает и велит отрубить мне хвост, отпилить рожки и выщипать бороду. Она взмахнёт волшебной палочкой — и мои хорошенькие раздвоенные копытца превратятся в копытища, как у лошади. А если она особенно разозлится, то обратит меня в камень, я сделаюсь статуей фавна и буду стоять в её страшном замке до тех пор, пока все четыре трона в Кэр-Паравале не окажутся заняты. А кто ведает, когда это случится и случится ли вообще.

— Мне очень жаль, мистер Тумнус, — сказала Люси, — но, пожалуйста, отпустите меня домой.

— Разумеется, отпущу, — пообещал фавн. — Разумеется, я должен это сделать. Теперь мне это ясно. Я не знал, что такое «люди», пока не повстречал вас. Конечно, я не могу выдать вас колдунье теперь, когда с вами познакомился. Но нам надо скорее уходить. Я провожу вас до фонарного столба. Вы ведь найдёте оттуда дорогу в свою страну?

— Конечно, найду, — сказала Люси.

— Надо идти как можно тише, — предупредил мистер Тумнус. — Лес полон её шпионов. Некоторые деревья, и те на её стороне.

Они даже не убрали со стола. Мистер Тумнус снова раскрыл зонтик, взял Люси под руку, и они вышли из пещеры наружу. Путь обратно был совсем не похож на путь в пещеру фавна: не обмениваясь ни словом, они крались под деревьями чуть не бегом. Мистер Тумнус выбирал самые тёмные местечки. Наконец они добрались до фонарного столба, и Люси вздохнула с облегчением.

— Вы знаете отсюда дорогу, о, дочь Евы? — спросил мистер Тумнус.

Люси вгляделась в темноту и увидела вдали, между стволами деревьев, светлое пятно.

— Да, я вижу открытую дверцу платяного шкафа.

— Тогда бегите скорее домой! И... вы... вы можете простить меня за то, что я собирался сделать?

— Ну конечно же, — сказала Люси, горячо, от всего сердца пожимая ему руку. — Надеюсь, у вас не будет из-за меня больших неприятностей.

— Счастливого пути, дочь Евы. Можно я оставлю ваш платок себе на память?

— Пожалуйста, — сказала Люси и со всех ног помчалась к далёкому пятну дневного света.

Вскоре она почувствовала, что руки её раздвигают не колючие ветки деревьев, а мягкие меховые шубы, что под ногами у неё не скрипучий снег, а деревянные планки, и вдруг — хлоп! — она очутилась в той самой пустой комнате, где начались её приключения. Она крепко прикрыла дверцу шкафа и оглянулась вокруг, всё ещё не в силах перевести дыхание. По-прежнему шёл дождь, в коридоре слышались голоса сестры и братьев, и Люси воскликнула:

— Это я! Я здесь. Я вернулась. Всё в порядке.

## *Глава третья*

# ЭДМУНД И ПЛАТЯНОЙ ШКАФ

Люси выбежала из пустой комнаты в коридор, где были все остальные, и повторила:

— Всё в порядке. Я вернулась.

— О чём ты говоришь? — спросила Сьюзен. — Ничего не понимаю.

— Как о чём? — удивилась Люси. — Разве вы не беспокоились, куда я пропала?

— Так ты пряталась, да? — сказал Питер. — Бедняжка Лу спряталась, и никто этого не заметил! В следующий раз прячься подольше, если хочешь, чтобы тебя начали искать.

— Но меня не было несколько часов, — сказала Люси.

Ребята вытаращили друг на друга глаза.

— Свихнулась! — проговорил Эдмунд, постукав себя пальцем по лбу. — Совсем свихнулась.

— Что ты хочешь сказать, Лу? — спросил Питер.

— То, что сказала, — ответила Люси. — Я влезла в шкаф сразу после завтрака, так что меня здесь не было. Ещё я пила чай в гостях и чуть было не попала в плен к колдунье.

— Не болтай глупости, Люси, — сказала Сьюзен. — Мы только что вышли из этой комнаты, а ты была там с нами вместе.

— Да она не болтает, — сказал Питер, — а просто придумала всё для интереса. Правда, Лу? А почему бы и нет?

— Нет, Питер, — возразила Люси. — Я ничего не сочинила. Это волшебный шкаф. Там внутри лес и идёт снег. И там есть фавн и колдунья, и страна называется Нарния. Пойди посмотри.

Ребята не знали, что и подумать, но Люси была в таком возбуждении, что они вернулись вместе с ней в пустую комнату. Она подбежала к шкафу, распахнула дверцу и крикнула:

— Скорей залезайте сюда и посмотрите своими глазами!

— Ну и глупышка! — рассмеялась Сьюзен, засовывая голову в шкаф и раздвигая шубы. — Обыкновенный платяной шкаф. Погляди, вот его задняя стенка.

И тут все остальные заглянули внутрь, и раздвинули шубы, и увидели — да Люси и сама ничего другого сейчас не видела — обыкновенный платяной шкаф. За шубами не было ни леса, ни снега — только задняя стенка и крючки на ней. Питер влез в шкаф, постучал по стене костяшками пальцев, чтобы убедиться, что она сплошная, и проговорил, вылезая:

— Хорошо ты нас разыграла, Люси. Выдумка что надо, ничего не скажешь. Мы чуть было не поверили тебе.

— Но я ничего не выдумала! — возразила девочка. — Честное слово. Минуту назад здесь всё было по-другому. Правда было, на самом деле.

— Хватит, Лу, — сказал Питер. — Не перегибай палку. Ты хорошо над нами подшутила, и хватит.

Люси вспыхнула, попыталась было что-то сказать, хотя толком не знала что, и разревелась.

Следующие несколько дней были печальными для Люси. Ей ничего не стоило помириться с остальными: надо было только согласиться, что она выдумала всё для смеха, — но Люси была очень правдивая девочка, а сейчас твёрдо знала, что права, поэтому никак не могла заставить себя отказаться от своих слов. А её сестра и братья считали, что это ложь, причём глупая ложь, и Люси было очень обидно. Двое старших хотя бы не трогали её, но Эдмунд иногда бывал порядочным злюкой, и на этот раз показал себя во всей красе. Он дразнил Люси и приставал к ней, без конца спрашивая, не открыла ли она каких-нибудь стран в других платяных шкафах. И что обиднее — если бы не ссора, она могла бы чудесно провести эти

дни. Стояла прекрасная погода, ребята весь день были на воздухе: купались, ловили рыбу, лазали по деревьям и валялись на траве, — но Люси всё было не мило. Так продолжалось до первого дождливого дня.

Когда после обеда увидели, что погода вряд ли изменится к лучшему, ребята решили играть в прятки. Водила Сьюзен, и как только все разбежались в разные стороны, Люси пошла в пустую комнату, где стоял платяной шкаф. Она не собиралась там прятаться: знала, что, если её найдут, остальные снова станут вспоминать эту злосчастную историю, — но ей очень хотелось ещё разок заглянуть в шкаф, потому что к этому времени она и сама стала думать, уж не приснилось ли ей всё это: и фавн, и Нарния.

Дом был такой большой и запутанный, в нём было столько укромных уголков, что она вполне могла глянуть одним глазком в шкаф, а потом спрятаться в другом месте. Но не успела Люси войти в комнату, как снаружи послышались шаги. Ей оставалось лишь быстренько забраться в шкаф и притворить за собой дверцу. Однако она оставила небольшую щёлочку, поскольку знала, что запереть себя в шкафу очень глупо, даже если он простой, а не волшебный.

Так вот, шаги, которые она слышала, принадлежали Эдмунду. Войдя в комнату, он успел заметить, что Люси скрылась в шкафу, и тоже решил туда залезть. Не потому, что там так уж удобно прятаться, а потому, что ему хотелось ещё раз подразнить Люси её выдуманной страной. Он распахнул дверцу. Перед ним висели меховые шубы, пахло нафталином, внутри было тихо и тепло. Где же Люси? «Она думает, что это Сьюзен и сейчас её поймает, — сказал себе Эдмунд, — вот и притаилась у задней стенки». Он прыгнул в шкаф и захлопнул за собой дверцу, забыв, что делать так очень глупо, затем принялся шарить между шубами. Он ждал, что сразу же схватит Люси, и очень удивился, не найдя её. Он решил открыть дверцу шкафа, чтобы было светлей, но и дверцу найти тоже не смог. Это ему не понравилось, да ещё как! Он заметался в разные стороны и закричал:

— Люси, Лу! Где ты? Я знаю, что ты здесь!

Но никто не ответил, и Эдмунду показалось, что голос его звучит очень странно — как на открытом воздухе, а не в шка-

фу. Он заметил также, что ему почему-то стало очень холодно, и тут увидел светлое пятно.

— Уф! — с облегчением вздохнул Эдмунд. — Верно, дверца растворилась сама собой.

Он забыл про Люси и двинулся по направлению к свету, думая, что это открытая дверца шкафа, но вместо того, чтобы выйти из шкафа и оказаться в пустой комнате, он, к своему удивлению, обнаружил, что выходит из-под густых елей на поляну среди дремучего леса.

Под ногами поскрипывал сухой снег, снег лежал и на еловых лапах. Над головой у него было светло-голубое небо — так занимается ясный зимний день. Прямо перед ним между стволами деревьев, красное и огромное, вставало солнце. Было тихо-тихо, словно он единственное здесь живое существо. На деревьях не видно было ни птиц, ни белок, во все стороны, на сколько доставал глаз, уходил тёмный лес. Эдмунда стала бить дрожь.

Тут только он вспомнил, что искал Люси. Он вспомнил также, как дразнил её «выдуманной» страной, а страна оказалась настоящей. Он подумал, что сестра где-нибудь неподалеку, и крикнул:

— Люси! Люси! Я тоже здесь. Это Эдмунд.

«Злится на меня за всё, что я ей наговорил в последние дни», — подумал Эдмунд. И пусть ему не очень-то хотелось признаваться, что был не прав, находиться одному в этом холодном, безмолвном лесу было страшновато, поэтому он снова закричал:

— Лу! Послушай, Лу... Прости, что я тебе не верил. Я вижу, что ты говорила правду. Ну выходи же. Давай мириться.

По-прежнему никакого ответа.

«Девчонка остаётся девчонкой, — сказал себе Эдмунд. — Дуется на меня и не желает слушать извинения». Он ещё раз огляделся, и ему совсем тут не понравилось. Он уже почти решил возвращаться домой, как вдруг услышал далёкий перезвон бубенчиков и прислушался. Звук приближался, и скоро на поляну выбежали два северных оленя, запряжённых в сани.

Олени были величиной с шотландских пони, с белой-пребелой, белее снега, шерстью и ветвистыми позолоченными рогами, и когда на рога попадал луч солнца, они вспыхивали, словно охваченные пламенем. На упряжи из ярко-красной кожи висело множество колокольчиков. На санях, с вожжами в руках, сидел толстый гном ростом чуть больше трёх футов. На нём была шуба из шкуры белого медведя, на голове — красный колпак с золотой кисточкой, свисавшей на длинном шнурке. Огромная борода ковром укутывала гному колени. А за ним, на высоком сиденье, восседала фигура, ничем не

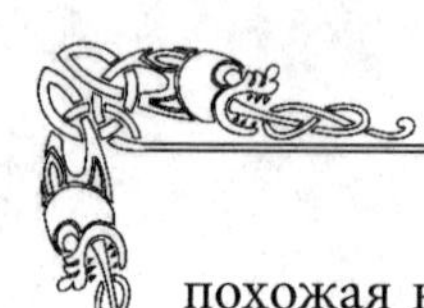



похожая на него. Это была важная дама, выше всех женщин, которых знал Эдмунд, тоже закутанная в белый мех, на голове у неё сверкала золотая корона, в руке — длинная золотая палочка. Лицо у неё тоже было белое — не просто бледное, а белое как снег, как бумага, как сахарная глазурь на пироге, а рот — ярко-красный. Красивое лицо, но надменное, холодное и суровое.

Великолепное это было зрелище, когда сани во весь опор неслись по направлению к Эдмунду: звенели колокольчики, гном щёлкал хлыстом, по обеим сторонам взлетал сверкающий снег.

— Стой! — приказала дама.

Гном так натянул вожжи, что олени чуть не присели на задние ноги, а затем стали как вкопанные, грызя удила и тяжело дыша. В морозном воздухе пар вырывался у них из ноздрей словно клубы дыма.

— А это ещё что такое? — воскликнула дама, пристально глядя на мальчика.

— Я... я... меня зовут Эдмунд, — пробормотал он, запинаясь. Ему не понравилось, как она на него смотрит.

Дама нахмурилась и сурово вопросила, сверля Эдмунда взглядом:

— Кто так обращается к королеве?

— Простите, ваше величество, — едва слышно пролепетал Эдмунд, — я не знал…

— Не знать королеву Нарнии! — возмутилась дама. — Ну ничего, скоро узнаешь! Ещё раз спрашиваю: что ты такое?

— Прошу прощения, ваше величество, но я вас не совсем понимаю. Не «что», а «кто» — школьник... учусь в школе, а сейчас у нас каникулы.

## *Глава четвёртая*

# РАХАТ-ЛУКУМ

— Какой ты породы? — снова спросила колдунья. — Ты что, переросший карлик, который обрезал бороду?

— Нет, ваше величество. У меня ещё нет бороды. Я мальчик.

— Мальчик! — воскликнула колдунья. — Хочешь сказать, что ты сын Адама?

Эдмунд стоял не двигаясь и молчал. К этому времени в голове у него был такой ералаш, что он не понял вопроса.

— Я вижу, что ты олух, кем бы ты ни был ещё, — промолвила королева. — Отвечай мне наконец, пока у меня не лопнуло терпение. Ты человек?

— Да, ваше величество, — пролепетал Эдмунд.

— А как ты, скажи на милость, попал в мои владения?

— Простите, ваше величество, я прошёл сквозь платяной шкаф.

— Платяной шкаф? Что ты имеешь в виду?

— Я... я отворил дверцу и... и очутился здесь, ваше величество.

— Ха! — сказала королева скорее самой себе, чем ему. — Дверцу! Дверь из мира людей! Я слышала о подобных вещах. Это может всё погубить. Но он всего один и с ним не трудно управиться.

С этими словами колдунья привстала с сиденья и взглянула Эдмунду прямо в лицо. Глаза её сверкали. Она подняла волшебную палочку. Эдмунд был уверен, что она собирается сделать с ним что-то ужасное, но не мог и шевельнуться.

И тут, когда мальчик окончательно решил, что пропал, она, видимо, передумала и проговорила совсем другим тоном:

— Бедное моё дитя! Ты, наверное, замёрз. Иди сюда, садись рядом со мной в сани. Я закутаю тебя в плащ, и мы потолкуем.

Эдмунду это решение пришлось не совсем по вкусу, но возражать он не решился, поэтому взобрался в сани и сел у её ног, а колдунья накинула на него полу плаща и, хорошенько подоткнув мех со всех сторон, спросила:

— Не хочешь ли выпить чего-нибудь горяченького?

— Да, пожалуйста, ваше величество, — едва выдавил Эдмунд, пытаясь унять стук зубов.

Откуда-то из складок плаща колдунья вынула небольшую бутылочку, сделанную из жёлтого металла, похожего на медь. Вытянув руку, она капнула из бутылочки одну каплю на снег возле саней. Эдмунд видел, как капля сверкнула в воздухе, подобно бриллианту, а в следующую секунду коснулась снега, послышалось шипение, и перед ним откуда ни возьмись возник покрытый драгоценными камнями кубок с неведомой жидкостью, от которой шёл пар. Карлик тут же схватил его и подал Эдмунду с поклоном и улыбочкой — не очень-то приятной, по правде говоря. Как только Эдмунд принялся отхлёбывать это сладкое, пенящееся, густое питьё, ему стало гораздо лучше: он никогда не пробовал ничего похожего, — сразу же согрелся с ног до головы.

— Скучно пить и не есть, — сказала королева. — Чего бы тебе хотелось больше всего, сын Адама?

— Рахат-лукума, если можно, ваше величество.

Королева вновь капнула на снег одну каплю из медного флакона — и в тот же миг капля превратилась в круглую коробку, перевязанную зелёной шёлковой лентой. Когда Эдмунд её открыл, она оказалась полна великолепного рахат-лукума. Каждый кусочек был насквозь прозрачный и очень сладкий. Эдмунду в жизни ещё не доводилось отведывать такого вкусного рахат-лукума. Он уже совсем согрелся и чувствовал себя превосходно.

Пока он лакомился, колдунья задавала ему вопрос за вопросом. Сперва Эдмунд старался не забывать, что невежливо говорить с полным ртом, но скоро думал только об одном: как бы запихать в рот побольше рахат-лукума, — и чем больше ел, тем больше ему хотелось, и ни разу не пришло в голову задуматься, почему колдунья расспрашивает его с таким любопытством. Она заставила его рассказать, что у него есть брат и две сестры, и что одна из сестёр уже побывала в Нарнии и встретила тут фавна, и что никто, кроме его самого, его брата и сестёр, ничего о Нарнии не знает. Особенно заинтересовало её то, что их четверо, и она снова и снова к этому возвращалась:

— Ты уверен, что вас четверо? Два сына Адама и две дочери Евы — не больше и не меньше?

И Эдмунд, набив рот рахат-лукумом, снова и снова отвечал:

— Да, я уже вам говорил.

Он забывал добавлять «ваше величество», но она, судя по всему, уже не обращала на это внимания.

Когда с рахат-лукумом было покончено, Эдмунд во все глаза уставился на пустую коробку — вдруг колдунья спросит, не хочет ли он ещё. Возможно, она догадывалась, о чём он думает, поскольку знала — а он-то нет, — что это волшебный рахат-лукум и тому, кто хоть раз его попробует, хочется

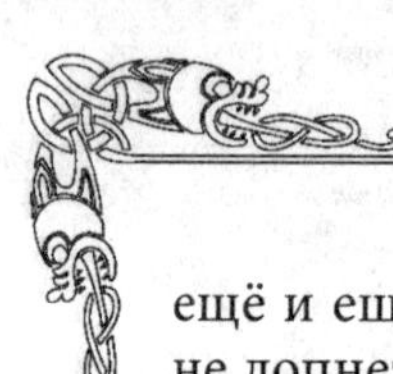



ещё и ещё, и если ему позволить, будет есть до тех пор, пока не лопнет. Но она больше не предложила, а вместо этого сказала:

— Сын Адама! Мне было бы очень приятно повидать твоего брата и сестёр. Не приведёшь ли ты их ко мне в гости?

— Попробую, — буркнул Эдмунд, все ещё не отводя глаз от пустой коробки.

— Если ты снова сюда придёшь, — конечно, вместе с ними, — я опять угощу тебя рахат-лукумом. Сейчас я не могу этого сделать, магия больше не подействует. Другое дело — у меня в замке.

— Почему бы нам не поехать сейчас к вам? — спросил Эдмунд.

Когда колдунья предлагала сесть к ней на колени, он испугался, как бы не увезла куда-нибудь далеко, в неизвестное место, откуда он не сумеет найти дорогу назад, но теперь позабыл всякий страх.

— Мой замок очень красив, — сказала колдунья. — Я уверена, что тебе там понравится. Там есть комнаты, с пола до потолка заваленные рахат-лукумом. И вот что ещё: у меня нет своих детей. Я хочу усыновить славного мальчика и сделать принцем. Когда я умру, он станет королём Нарнии. Принц будет носить золотую корону и целый день есть рахат-лукум, а ты — самый умный и самый красивый мальчик из всех, кто мне встречался, поэтому я не прочь сделать тебя принцем... потом, когда приведёшь ко мне остальных.

— А почему не сейчас? — спросил Эдмунд.

Лицо его раскраснелось, рот и руки были липкие от рахат-лукума, и он не выглядел ни красивым, ни умным, что бы там ни говорила королева.

— Если я возьму тебя с собой, то не увижу твоих сестёр и брата. А мне бы очень хотелось познакомиться с ними. Ты будешь принцем, а позже — королём, это решено, но ведь тебе нужны придворные, которым ты мог бы доверять, люди благородной крови. Я сделаю твоего брата герцогом, а сестёр — герцогинями.

— Ну, в них-то нет ничего особенного, — проворчал Эдмунд, — и в любом случае мне ничего не стоит привести их сюда в другой день.

— Да, но, попав в мой замок, ты можешь про них забыть. Тебе там так понравится, что ты не захочешь уходить ради того, чтобы привести их. Нет, сейчас ты должен вернуться к себе в страну и прийти ко мне в другой раз вместе с ними, понимаешь? Приходить одному нет толку.

— Но я не знаю дороги домой, — заскулил Эдмунд.

— Её не трудно найти, — сказала колдунья. — Видишь фонарный столб? — Она протянула волшебную палочку, и Эдмунд увидел тот самый фонарь, под которым Люси повстречалась с фавном. — Прямо за ним лежит путь в страну людей. А теперь посмотри сюда. — Она указала в противоположную сторону. — Видишь два холма за деревьями?

— Вижу.

— Мой замок стоит как раз между этими холмами. Когда ты придёшь сюда в следующий раз, подойди к фонарю и поищи оттуда эти два холма, а потом иди по лесу, пока не дойдёшь до моего замка. Но помни: ты должен привести всех остальных. Если явишься один, я могу сильно рассердиться.

— Постараюсь.

— Да, между прочим, — добавила колдунья, — лучше не рассказывай им обо мне. Пусть это останется нашей тайной. Так будет куда интереснее, правда? Устроим им сюрприз. Просто приведи к двум холмам... Такой умный мальчик, как ты, придумает способ, как это сделать. А когда вы подойдёте к моему замку, скажи: «Давайте посмотрим, кто тут живёт», — или что-нибудь другое в этом же роде. Я уверена, что так будет лучше всего. Если твоя сестра повстречалась здесь с фавном, то, возможно, наслушалась обо мне всяких небылиц... и побоится прийти ко мне в гости. Фавны способны наговорить что угодно. Ну а теперь...

— Простите меня, — прервал её вдруг Эдмунд, — но нельзя ли получить ещё один-единственный кусочек рахат-лукума на дорогу?

— Нет, придётся тебе подождать до следующего раза, — со смехом ответила королева и дала гному сигнал трогаться с места.

Когда сани были уже далеко, королева помахала Эдмунду рукой и прокричала:

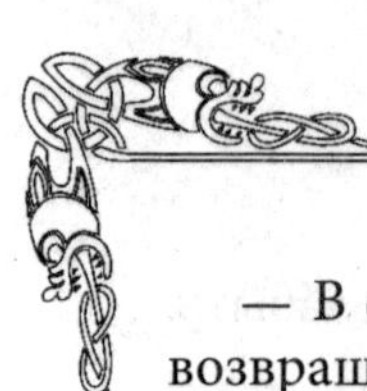



— В следующий раз! В следующий раз! Не забудь! Скорей возвращайся!

Эдмунд все ещё стоял, уставившись на то место, где скрылись сани, когда услышал, что кто-то зовёт его по имени. Оглянувшись, он увидел, что с противоположной стороны из лесу к нему спешит Люси.

— Ах, Эдмунд! Значит, ты тоже сюда попал. Ну не удивительно ли? Теперь...

— Да-да, — прервал её брат. — Я вижу теперь, что ты была права и шкаф на самом деле волшебный. Могу извиниться перед тобой, если хочешь. Но где, скажи на милость, ты была всё это время? Я тебя повсюду искал.

— Если бы я знала, что ты тоже здесь, то подождала бы тебя. — Люси была так рада и возбуждена, что не заметила, какое красное и страшное лицо у Эдмунда, как грубо он говорит. — Я завтракала с мистером Тумнусом, фавном. У него всё в порядке, Белая колдунья ничего не сделала ему за то, что он меня отпустил. Он думает, что она ничего об этом не знает и, в конце концов, всё обойдется благополучно.

— Белая колдунья? — повторил Эдмунд. — Кто это?

— О, совершенно ужасная особа! Она называет себя королевой Нарнии, хотя у неё нет на это никаких прав. И все фавны, и дриады, и наяды, и гномы, и животные — во всяком случае, все хорошие животные — прямо ненавидят её. Она может обратить кого хочешь в камень и делает другие страшные вещи — например так заколдовала Нарнию, что здесь всегда зима... Да, всегда зима, а Рождества всё нет и нет. Она ездит по лесу в санях, запряжёнными белыми оленями, с волшебной палочкой в руках и с короной на голове.

Эдмунду и так уже было не по себе, оттого что съел слишком много сладкого, а когда узнал, что дама, с которой подружился, — страшная колдунья, стало ещё хуже, но по-прежнему больше всего на свете хотелось рахат-лукума.

— Кто рассказал тебе всю эту ерунду о Белой колдунье?

— Мистер Тумнус, фавн, — ответила Люси.

— Фавнам никогда нельзя верить, — отрезал Эдмунд с таким видом, словно был куда ближе знаком с фавнами, чем Люси.

— Откуда ты знаешь?

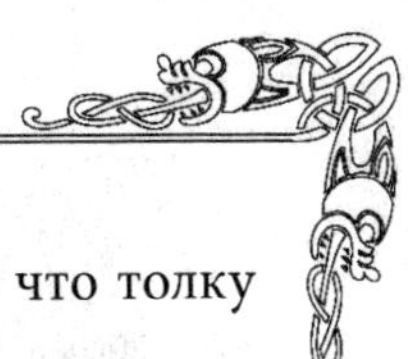

— Это всем известно! Спроси кого хочешь... Но что толку стоять здесь, в снегу? Пошли домой.

— Пошли, — откликнулась Люси. — Ах, Эдмунд, я так рада, что ты сюда попал. Теперь-то Питер и Сьюзен поверят, что Нарния есть на самом деле, раз мы оба побывали тут. Вот будет весело!

Эдмунд подумал про себя, что ему будет далеко не так весело, как ей. Ему придётся признаться перед всеми, что Люси была права, к тому же он не сомневался в том, что брат и сестра примут сторону фавнов и зверей, а он сам был на стороне колдуньи. Он не представлял, что скажет и как сможет сохранить свою тайну, если все трое начнут толковать о Нарнии.

Тем временем они прошли порядочное расстояние и внезапно почувствовали, что вокруг уже не колючие ветви елей, а мягкие шубы, и через минуту стояли в пустой комнате перед шкафом.

— Послушай, Эд, — сказала Люси, — ты хорошо себя чувствуешь? У тебя ужасный вид.

— У меня всё в порядке, — буркнул Эдмунд, но это было неправдой: его сильно мутило.

— Тогда давай поищем остальных. У нас есть что им порассказать! А какие удивительные нас ждут приключения, раз теперь все мы будем участвовать в них!

## *Глава пятая*

# ОПЯТЬ ПО ТУ СТОРОНУ ДВЕРЦЫ

Остальные ребята всё ещё играли в прятки, так что Эдмунд и Люси нашли их не скоро. Когда они наконец собрались все вместе в длинной комнате, где стояли рыцарские доспехи, Люси выпалила:

— Питер! Сьюзен! Это взаправдашняя страна! Я не выдумываю, Эдмунд тоже её видел. Через платяной шкаф на самом деле можно туда попасть. Мы оба там были. Мы встретились в лесу. Ну же, Эдмунд, расскажи им всё!

— О чём речь, Эд? — спросил Питер.

Мы подошли с вами сейчас к одному из самых позорных эпизодов во всей этой истории. Эдмунда ужасно тошнило, он дулся и был сердит на Люси за то, что та оказалась права, но всё ещё не знал, как поступить. И вот, когда Питер вдруг обратился к нему с вопросом, он неожиданно решил сделать самую подлую и низкую вещь, какую только мог придумать: предать Люси.

— Расскажи нам, Эд, — попросила Сьюзен.

Эдмунд небрежно обвёл их взглядом, словно был куда старше Люси — а на самом деле разница между ними была всего один год, — усмехнулся и сказал:

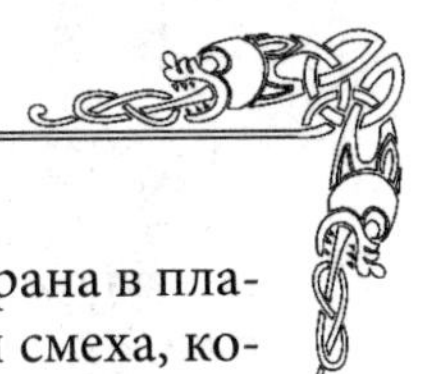

— А!.. Мы с ней играли... в её страну. Будто её страна в платяном шкафу существует на самом деле. Просто для смеха, конечно. Понятно, там ничего нет.

Бедная Люси только раз взглянула на Эдмунда и выбежала из комнаты.

А тот с каждой минутой делался всё хуже и хуже. Чтобы окончательно унизить сестру, он добавил:

— Ну вот, опять за своё. Что с ней такое? Морока с этими малышками! Вечно они...

— Слушай, ты!.. — обрушился на него Питер. — Чья бы корова мычала... С тех пор как Лу начала болтать все эти глупости насчёт платяного шкафа, ты ведёшь себя по-свински, а теперь ещё принялся играть с ней в эту страну и снова её завёл. Я уверен, ты сделал это из чистой зловредности.

— Но ведь это чепуха, — опешил Эдмунд.

— Конечно, чепуха! В том-то и дело. Когда мы уезжали из дому, Лу была девочка как девочка, но с тех пор как мы приехали сюда, она то ли сходит помаленьку с ума, то ли превращается в самую отъявленную лгунью. Но ни в том ни в другом случае ей не пойдёт на пользу, если сегодня ты смеёшься и дразнишь её, а завтра поддерживаешь её выдумки.

— Я думал... я думал... — пробормотал Эдмунд, но так и не нашёлся что сказать.

— Ничего ты не думал, — отрезал Питер, — просто любишь вредничать! Ты всегда ведёшь себя по-свински с теми, кто младше тебя, — мы уже видели это в школе.

— Пожалуйста, перестаньте, — попросила Сьюзен. — Если вы переругаетесь, это ничему не поможет. Давайте пойдём поищем Люси.

Когда они наконец нашли сестру, то увидели, что всё это время она проплакала. И неудивительно. Но что бы они ни говорили ей, она не слушала и стояла на своём.

— Мне всё равно, что вы думаете, и всё равно, что говорите! Можете рассказать обо всём профессору или написать маме. Делайте что хотите. Я знаю, что встретила там фавна, и... Лучше бы я там осталась навсегда! А вы все противные, противные...

Грустный это был вечер. Люси чувствовала себя несчастной-пренесчастной, а до Эдмунда постепенно дошло, что его

поступок привёл совсем не к тем результатам, которых он ожидал. Двое старших ребят начали всерьёз беспокоиться, не сошла ли Люси с ума. Они ещё долго перешёптывались об этом в коридоре, после того как младшие легли спать.

На следующее утро они наконец решили пойти и рассказать всё профессору.

— Он напишет отцу, если с Лу действительно что-то серьёзное, — сказал Питер. — Нам одним тут не справиться.

И вот старшие брат и сестра пошли и постучали в дверь кабинета. Профессор пригласил их войти, и поднялся с места, и принёс им стулья, и сказал, что полностью в их распоряжении! А потом он сидел, сцепив пальцы, и слушал их историю с начала и до конца, не прервав её ни единым словом. Да и после того как они закончили, он ещё долгое время сидел молча. Затем откашлялся и сказал то, что они меньше всего ожидали услышать:

— Почему вы решили, что ваша сестра всё это выдумала?

— О, но ведь... — Сьюзен попыталась возразить, но остановилась: по лицу старого профессора было видно, что он спрашивает совершенно серьёзно.

Сьюзен взяла себя в руки и продолжила:

— Но Эдмунд говорит, что они просто играли.

— Да, — согласился профессор, — это надо принять во внимание, бесспорно надо. Но — вы не обидитесь на мой вопрос? — на кого, по-вашему, больше можно положиться: на сестру или на брата? Кто из них правдивей?

— В том-то и дело, профессор, — ответил ему Питер, — что до сих пор я бы, не задумываясь, сказал: Люси.

— А по-твоему кто, моя дорогая? — спросил профессор у Сьюзен.

— Ну, вообще-то я согласна с Питером, но не может же быть всё это правдой: про лес… про фавна...

— Не знаю, не знаю, — сказал профессор, — но обвинять во лжи того, кто никогда вам не лгал, не шутка, отнюдь не шутка.

— Мы боимся, что дела обстоят гораздо хуже, — сказала Сьюзен. — Похоже, у Люси не всё в порядке...

— Вы полагаете, что она сошла с ума? — невозмутимо уточнил профессор. — Ну, на этот счёт вы можете быть со-

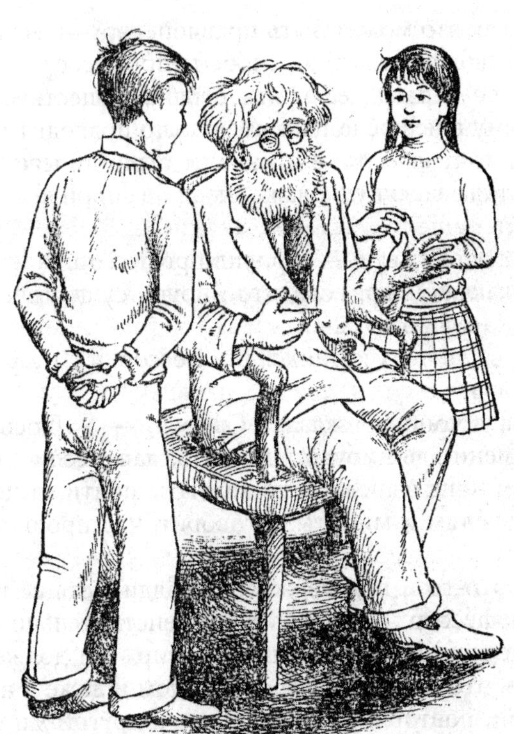

вершенно спокойны. Достаточно взглянуть на неё и переброситься парой фраз, как становится ясно: с ней всё в полном порядке.

— Но тогда... — начала было Сьюзен и опять остановилась.

Чтобы взрослый человек говорил что-то подобное! Она даже представить себе этого не могла и теперь не знала, что и подумать.

— Логика! — сказал профессор не столько им, сколько самому себе. — Почему их не учат логически мыслить в этих школах? Существует только три возможности: или ваша сестра лжёт, или сошла с ума, или говорит правду. Вы знаете, что она никогда не лжёт, и всякому видно, что она не сумасшедшая. Значит, пока у нас не появятся какие-либо новые факты, мы должны признать, что она говорит правду.

Сьюзен глядела на профессора во все глаза, однако, судя по выражению лица, тот вовсе не шутил.

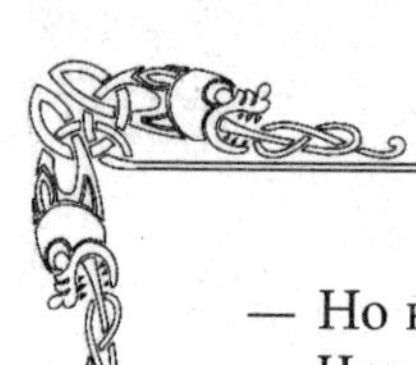


— Но как это может быть правдой, сэр? — сказал Питер.

— Что тебя смущает? — спросил профессор.

— Ну, во-первых, если эта страна существует на самом деле, почему в неё не попадают все, кто подходит к платяному шкафу? Я хочу сказать: в шкафу не было ничего, кроме шуб, когда мы туда заглянули; даже Люси не спорила с тем, что там ничего нет.

— Ну и что с того? — спросил профессор.

— Да как же, сэр: если что-нибудь существует на самом деле, то оно есть всегда.

— Всегда ли? — усомнился профессор, и Питер не нашёлся что ответить.

— Ну а время? — сказала Сьюзен. — У Люси просто не было времени где-нибудь побывать, даже если такая страна существует. Она выбежала из комнаты почти следом за нами. Не пробыла там и минуты, а говорит, что прошло несколько часов.

— Вот это-то и подтверждает правдивость её рассказа, — сказал профессор. — Если в доме действительно есть дверь, ведущая в другой, неведомый нам мир (а я должен вас предупредить, что это очень странный дом и даже я не всё о нём знаю), если, повторяю, Люси попала в другой мир, нет ничего удивительного — во всяком случае, для меня, — что в том мире своё измерение времени. И каким бы долгим вам ни показалось время, которое вы там пробыли, на это может уйти всего несколько секунд *нашего* времени. С другой стороны, вряд ли девочка её лет знает о таких явлениях физики. Если бы она притворялась, просидела бы в шкафу куда дольше, прежде чем вылезти оттуда и рассказать вам свою историю.

— Но неужели вы и вправду считаете, сэр, — сказал Питер, — что существуют другие миры... тут, рядом, в двух шагах от нас?

— В этом нет ничего невероятного, — сказал профессор, снимая очки и принимаясь их протирать, подумав при этом: «Интересно, чему же всё-таки их учат теперь в школах». — У меня есть предложение. — Профессор неожиданно бросил на них весьма проницательный взгляд. — Это никому пока ещё не пришло в голову, а было бы неплохо его осуществить.

— Какое? — спросила Сьюзен.

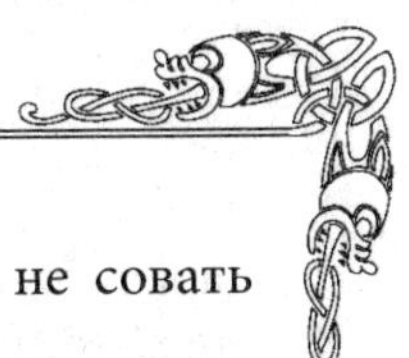

— Заниматься своими собственными делами и не совать нос в чужие!

И на этом разговор был окончен.

Теперь жизнь Люси стала куда легче. Питер следил, чтобы Эдмунд её не дразнил, и ни у неё, ни у остальных ребят не было никакой охоты разговарить про платяной шкаф — это стало довольно неприятной темой. Казалось, все приключения пришли к концу. Однако это было не так.

Дом профессора — о котором даже он знал так мало — был старинный и знаменитый, и со всех концов Англии туда приезжали люди и просили разрешения его посмотреть. О таких домах пишут в путеводителях и даже в учебниках истории, и на то есть основания, потому что о доме рассказывали всевозможные легенды — некоторые из них ещё более странные, чем та история, о которой я сейчас рассказываю вам. Когда приходили группы туристов и просили показать им дом, профессор всегда пускал их, и миссис Макриди, экономка, водила их по всем комнатам и рассказывала о картинах, рыцарских доспехах и редких книгах в библиотеке. Миссис Макриди вообще не очень-то жаловала ребят и не любила, чтобы её прерывали, в то время как она водит посетителей по дому. Чуть ли не в первое утро по их приезде она предупредила об этом Питера и Сьюзен: «Помните, пожалуйста, что вы не должны попадаться мне на глаза, когда я показываю дом». «Была охота тратить полдня, таскаясь по дому с кучей взрослых», — сказал тогда Эдмунд, и остальные трое мысленно с ним согласились.

Вот из-за этого-то предупреждения миссис Макриди приключения их начались снова.

Как-то раз утром, через несколько дней после разговора с профессором, Питер и Эдмунд рассматривали рыцарские доспехи, задаваясь одним и тем же вопросом: сумели бы они разобрать доспехи на части, — как в комнату ворвались Сьюзен и Люси и закричали:

— Прячьтесь, сюда идёт Макриди с целой толпой туристов!

— Скорей! — сказал Питер, и все четверо бросились к дальней стене.

Но когда, пробежав через Зелёную комнату, дети оказались в библиотеке, то услышали впереди голоса и поняли, что миссис Макриди ведёт туристов по чёрной лестнице, а не по

парадной, как ожидали. А затем — то ли потому, что растерялись, то ли потому, что миссис Макриди решила их поймать, то ли потому, что начали действовать волшебные чары Нарнии, — куда бы ни кинулись, посетители, казалось, следовали за ними по пятам. Наконец Сьюзен сказала:

— А ну их, этих туристов. Давайте спрячемся в комнате с платяным шкафом, пока они не пройдут. Туда-то уж точно никто не полезет.

Но не успели ребята туда войти, как в коридоре послышались голоса... кто-то стал нащупывать ручку двери, и вот на их глазах ручка повернулась.

— Живей! — крикнул Питер. — Больше деваться некуда! — И распахнул дверцу шкафа.

Все четверо втиснулись внутрь и затаились в темноте, едва переводя дух. Питер прикрыл дверцу, но не защёлкнул: как всякий разумный человек он, понятно, помнил, что ни в коем случае не следует запирать самого себя в шкафу.

## *Глава шестая*

# В ЛЕСУ

— Хоть бы Макриди поскорей увела всю эту публику, — прошептала Сьюзен. — Мне ногу свело.

— А как воняет нафталином! — сказал Эдмунд.

— Наверное, в шубах — полные карманы шариков, чтобы моль не съела, — добавила Сьюзен.

— Что это колет меня в спину? — спросил Питер.

— А холодно-то как! — воскликнула Сьюзен.

— Верно, холодно, а я и не заметил, — сказал Питер. — И мокро, чёрт подери! Что тут такое? Я сижу на чём-то мокром. И с каждой минутой делается мокрей. — Он с трудом поднялся на ноги.

— Давайте вылезем, — предложил Эдмунд. — Они вроде ушли.

— Ой-ой! — вдруг закричала Сьюзен.

— Что с тобой? Что случилось? — перепугались остальные.

— У меня за спиной дерево, — удивилась Сьюзен. — И поглядите!.. Становится светло...

— Верно, — согласился Питер. — Посмотрите сюда... и сюда... да тут кругом деревья. А под ногами снег. Да, если я не ошибаюсь, мы попали в лес Лу.

Теперь уже в этом не оставалось сомнений — все четверо стояли в лесу, зажмурившись от яркого дневного света. Позади них на крючках висели шубы, впереди были покрытые снегом деревья.

Питер быстро повернулся к Люси.

— Прости, что я тебе не верил. Мне очень стыдно. Мир?

— Конечно, — сказала Люси, и они пожали друг другу руки.

— А что мы теперь будем делать? — спросила Сьюзен.

— Делать? — сказал Питер. — Ясно что. Пойдём в лес на разведку.

— Ох и холодно же здесь! — сказала Сьюзен, притопывая ногами. — Давайте наденем эти шубы.

— Они ведь не наши, — нерешительно протянул Питер.

— Нам никто ничего не скажет, — возразила Сьюзен. — Мы же не выносим их из дому, даже из шкафа не достаём.

— Я об этом не подумал, Сью, — согласился Питер. — Конечно, если смотреть с этой точки зрения, ты права. Кто скажет, что ты стащил пальто, если даже не вынимал его из шкафа, где оно висит? А вся эта страна, видно, помещается в платяном шкафу.

Предложение Сьюзен показалось разумным, и они тут же его осуществили. Шубы были такие большие, что, когда ребята их надели, волочились по земле и походили на королевские мантии. Согревшись и глядя друг на друга, они решили, что новые наряды им к лицу и больше подходят к окружающему ландшафту.

— Мы можем играть в исследователей Арктики, — предложила Люси.

— Здесь и без того будет интересно, — сказал Питер и двинулся первым в глубь леса.

На небе тем временем собрались тяжёлые серые тучи — похоже, скоро снова пойдёт снег.

— Послушайте, — вдруг сказал Эдмунд, — нам следует забрать левее, если мы хотим выйти к фонарю.

Он на секунду забыл, что надо притворяться, будто здесь впервые. Не успел он вымолвить эти слова, как понял, что сам себя выдал. Все остановились как вкопанные и уставились на него. Питер присвистнул.

— Значит, ты всё-таки был здесь в тот раз, когда Лу говорила, что встретила тебя в лесу... А ещё уверял, что она врёт!

Наступила мёртвая тишина.

— Да, такого мерзкого типа, такой свиньи... — начал было Питер, но, пожав плечами, замолчал.

И правда, что тут скажешь?! Через минуту все четверо вновь пустились в путь. «Ничего, — подумал Эдмунд, — я вам за всё отплачу, воображалы несчастные!»

— Куда же всё-таки мы идём? — спросила Сьюзен — главным образом для того, чтобы перевести разговор на другую тему.

— Я думаю, Лу должна быть у нас главной. Она это заслужила. Куда ты поведёшь нас, Лу?

— Давайте навестим мистера Тумнуса, — предложила Люси. — Это тот симпатичный фавн, о котором я вам рассказывала.

Остальные не имели ничего против, и все быстро зашагали вперёд, громко топая. Люси оказалась хорошим проводником. Сперва она боялась, что не найдёт дороги, но вот в одном месте узнала странное изогнутое дерево, в другом — пень, и так

мало-помалу они добрались туда, где среди холмов, в маленькой лощинке, была пещера мистера Тумнуса.

Но там их ждал неприятный сюрприз. Дверь оказалась сорвана с петель и разломана на куски. Внутри пещеры было темно, холодно и сыро и пахло так, как пахнет в доме, где уже несколько дней никто не живёт. Повсюду лежал снег вперемешку с чем-то чёрным, что оказалось головешками и золой из камина. Видно, кто-то разбросал горящие дрова по всей пещере, а потом затоптал огонь. На полу валялись черепки посуды, портрет старого фавна был располосован ножом.

— Да, не повезло нам, — сказал Эдмунд. — Что толку было приходить сюда.

— Это что такое? — Питер наклонился, вдруг заметив листок бумаги, прибитый прямо сквозь ковёр к полу.

— Там что-нибудь написано? — спросила Сьюзен.

— Да, как будто, — ответил Питер. — Но не могу ничего разобрать, здесь слишком темно. Давайте выйдем на свет.

Они вышли из пещеры и окружили Питера. Вот что он им прочитал:

— *«Прежний владелец этого жилища, фавн Тумнус, находится под арестом и ожидает суда по обвинению в государственной измене и нарушении верности её императорскому величеству Джадис, королеве Нарнии, владычице замка Кэр-Параваль, императрице Одиноких островов и прочих владений, а также по обвинению в том, что он давал приют шпионам, привечал врагов её величества и братался с людьми.*

*Подписано: Могрим, капитан Секретной полиции.*

*Да здравствует королева!»*

Ребята уставились друг на друга.

— Не думаю, чтобы мне здесь так уж понравилось, — заметила Сьюзен.

— Кто эта королева, Лу? — спросил Питер. — Ты знаешь что-нибудь о ней?

— Она вовсе не королева, — а страшная ведьма, Белая колдунья. Все лесные жители ненавидят её. Она заколдовала

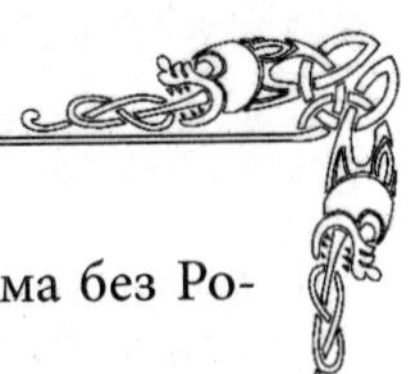

страну, и теперь здесь у них всегда зима, только зима без Рождества.

— Не знаю, стоит ли... стоит ли нам идти дальше, — усомнилась Сьюзен. — Здесь не так уж безопасно, и не похоже, что будет очень весело. С каждой минутой становится холодней, и мы не захватили никакой еды. Давайте лучше вернёмся.

— Но теперь мы не можем вернуться, — сказала Люси, — разве ты не понимаешь? Не можем просто так бросить его. Бедненький фавн попал в беду из-за меня, потому что спрятал от колдуньи и показал дорогу домой. Вот что значат слова: *«...давал приют шпионам... и братался с людьми»*. Мы должны попытаться спасти его.

— Много мы тут сделаем, — проворчал Эдмунд, — когда нам даже есть нечего.

— Придержи язык, ты!.. — прикрикнул Питер, всё ещё очень сердитый на Эдмунда. — Ты что думаешь, Сью?

— Как это ни ужасно, я чувствую, что Лу права, — сказала Сьюзен. — Мне не хочется ступать ни шагу вперёд, и я отдала бы всё на свете, чтобы мы никогда сюда не попадали. Но я думаю, мы должны помочь мистеру... как там его зовут? Я хочу сказать — фавну.

— И у меня такое же чувство, — согласился Питер. — Меня беспокоит, что у нас нет с собой еды, и я бы предложил вернуться и взять что-нибудь из кладовки, да только боюсь, мы не попадём опять в эту страну, если выберемся отсюда. Так что придётся нам идти дальше.

— Мы тоже так считаем, — сказали девочки.

— Если бы мы только знали, куда засадили беднягу! — посетовал Питер.

Несколько минут все стояли молча, раздумывая, что делать дальше. Вдруг Люси шепнула:

— Поглядите! Видите малиновку с красной грудкой? Это первая птица, которую я здесь встречаю. Интересно, они умеют говорить? У неё такой вид, словно она хочет нам что-то сказать.

Люси повернулась к малиновке и спросила:

— Простите, вы не могли бы нам сообщить, куда забрали мистера Тумнуса, фавна?

С этими словами она сделала шаг к птичке. Малиновка тотчас отлетела, но не далеко, а лишь на соседнее дерево. Там она села на ветку и пристально на них поглядела, словно понимала всё, что они говорят. Сами того не замечая, ребята приблизились к ней на несколько шагов. Тогда малиновка перелетела на другое дерево и снова пристально посмотрела. Они никогда не видели малиновку с такой красной грудкой и с такими блестящими глазками.

— Знаете, — сказала Люси, — мне кажется, она хочет, чтобы мы шли за ней.

— И мне тоже, — согласилась с ней Сьюзен. — Как ты думаешь, Питер?

— Что ж, можно попробовать.

Похоже, малиновка всё поняла: стала перелетать с дерева на дерево в нескольких шагах впереди, однако достаточно близко, чтобы ребята могли следовать за ней. Так она вела их всё дальше и дальше. Когда малиновка садилась на очередную ветку, на землю сыпались снежинки. Вскоре тучи у них над головой расступились и показалось зимнее солнце; снег стал

таким белым, что резало глаза. Так они шли около получаса — впереди девочки, за ними братья. И тут Эдмунд обернулся к Питеру:

— Если сможешь снизойти до того, чтобы выслушать, я тебе кое-что скажу.

— Говори, — откликнулся Питер.

— Ш-ш, не так громко, — прошептал Эдмунд, — незачем пугать девчонок. Ты понимаешь, что мы делаем?

— Что? — тоже шёпотом спросил Питер.

— Идём за поводырём, о котором нам ничего не известно. Откуда мы знаем, на чьей стороне эта птица? Может, она ведёт нас в западню.

— Скверное дело, если так. Но всё же малиновка... Во всех книжках, которые я читал, они добрые птицы. Я уверен, что малиновка на нашей стороне.

— Ну уж если об этом зашла речь, *которая* сторона наша? Почему ты думаешь, что фавн на той стороне, что надо, а королева — нет? Да-да, нам сказали, что королева — колдунья. Но ведь могли и соврать, мы ничего ни о ком не знаем.

— Ну, фавн спас Лу.

— Он *сказал*, что спас. Но нам это откуда известно? Ты представляешь себе, как отсюда добраться домой?

— Фу-ты! — воскликнул Питер. — Об этом я не подумал.

— А обедом даже не пахнет, — вздохнул Эдмунд.

## *Глава седьмая*

# ДЕНЬ С БОБРАМИ

Внезапно шедшие впереди девочки вскрикнули в один голос и остановились. Мальчики перестали шептаться.

— Малиновка! — воскликнула Люси. — Малиновка улетела.

Так оно и было: птица исчезла из виду.

— Теперь что делать? — спросил Эдмунд и кинул на Питера взгляд, в котором можно было ясно прочитать: «Что я тебе говорил?»

— Ш-ш... Смотрите, — шепнула Сьюзен.

— Что там такое? — еле слышно спросил Питер.

— Там, за деревьями, что-то шевелится... вон там, слева...

Ребята во все глаза уставились на деревья, всем было не по себе.

— Снова зашевелилось, — сказала через минуту Сьюзен.

— Теперь и я видел, — подтвердил Питер. — Оно и сейчас там. Оно зашло вон за то большое дерево.

— Что это? — спросила Люси, изо всех сил стараясь говорить спокойно.

— Что бы это ни было, — прошептал Питер, — оно от нас прячется: оно не хочет, чтобы мы его заметили.

— Давайте вернёмся домой, — предложила Сьюзен.

И тут, хотя никто не высказал этого вслух, девочки вдруг осознали то, о чём Эдмунд прошептал Питеру в конце предыдущей главы. Они заблудились.

— На что оно похоже? — спросила Люси.

— Это... это какой-то зверь, — сказала Сьюзен. — Глядите! Глядите! Скорее! Вот оно.

И тут все увидели покрытую густым коротким мехом усатую мордочку, выглядывавшую из-за дерева. На этот раз она спряталась не сразу. Напротив, зверёк приложил лапу ко рту, в точности как человек, когда хочет сказать: «Тише». Затем снова скрылся. Ребята затаили дыхание.

Через минуту незнакомец вышел из-за дерева, огляделся вокруг, как будто боялся, что за ним могут следить, шепнул: «Ш-ш...» — и поманил их в чащобу, где стоял, затем опять исчез.

— Я знаю, кто это, — прошептал Питер. — Я видел его хвост. Это бобёр.

— Он хочет, чтобы мы к нему подошли, — сказала Сьюзен, — но предупреждает, чтобы не шумели.

— Да, верно, — согласился Питер. — Вопрос в том, идти нам или нет. Ты как думаешь, Лу?

— Мне кажется, это симпатичный бобёр.

— Возможно, да, а возможно, нет. Мы этого не знаем, — усомнился Эдмунд.

— Давайте всё-таки рискнем, — сказала Сьюзен. — Что толку стоять здесь... и очень есть хочется.

В этот момент бобёр снова выглянул из-за дерева и настойчиво поманил их к себе.

— Пошли, — сказал Питер. — Посмотрим, что из этого выйдет. Не отходите друг от друга. Неужели мы не справимся с одним бобром, если окажется, что это враг.

И вот ребята двинулись тесной кучкой к дереву и зашли за него, и там, как они и предполагали, ждал бобёр; увидев их, он тут же пошёл в глубь чащи, сказав хриплым, гортанным голосом:

— Дальше, дальше. Вот сюда. Нам опасно оставаться на открытом месте.

И только когда завёл ребят в самую чащобу, туда, где четыре сосны росли так близко, что ветви их переплелись, а у подножия земля была усыпана хвоей, так как туда не мог проникнуть даже снег, бобёр наконец заговорил:

— Вы сыновья Адама и дочери Евы?

— Да, все четверо, — сказал Питер.

— Ш-ш-ш, — прошептал бобёр, — не так громко, пожалуйста. Даже здесь нам грозит опасность.

— Опасность? Чего вы боитесь? — спросил Питер. — Здесь нет никого, кроме нас.

— Здесь есть деревья, — сказал бобёр, — которые всегда всё слышат. Большинство из них на нашей стороне, но есть и такие, что способны выдать нас *ей*, — вы знаете, кого я имею в виду. — И он несколько раз покачал головой.

— Если уж разговор зашёл о том, кто на какой стороне, — сказал Эдмунд, — откуда мы знаем, что вы друг?

— Не сочтите это за грубость, мистер Бобёр, — добавил Питер, — но вы сами понимаете: мы здесь люди новые.

— Вполне справедливо, вполне справедливо, — сказал бобёр. — Вот мой опознавательный знак.

С этими словами он протянул им небольшой белый лоскут. Ребята взглянули на него с изумлением, но тут Люси воскликнула:

— Ах, ну конечно же! Это мой носовой платок. Тот, который я оставила бедненькому мистеру Тумнусу.

— Совершенно верно, — подтвердил бобёр. — Бедняга! До него дошли слухи, что ему грозит арест, он передал этот платок мне и сказал, что, если с ним случится беда, я должен встретить вас... и отвести... — Здесь бобёр замолк и только несколько раз кивнул с самым таинственным видом. Затем, поманив ребят ещё ближе, так что его усы буквально касались их лиц, добавил еле слышным шёпотом: — Говорят, Аслан на пути к нам — возможно, уже высадился на берег.

И тут случилось нечто странное. Ребята столько же знали об Аслане, сколько вы, но как только бобёр произнес эту фразу, каждого из них охватило особенное чувство. Быть может, с вами было такое во сне: кто-то произносит слова, которые

вам непонятны, но вы чувствуете, что в словах заключён огромный смысл. Иной раз они кажутся страшными, и сон превращается в кошмар, иной — невыразимо прекрасными, настолько прекрасными, что вы помните этот сон всю жизнь и мечтаете вновь когда-нибудь увидеть его. Вот так произошло и сейчас. При упоминании Аслана каждый из ребят почувствовал, как у него что-то дрогнуло внутри. Эдмунда охватил необъяснимый страх. Питер ощутил в себе необычайную смелость и готовность встретить любую опасность. Сьюзен почудилось, что в воздухе разлилось благоухание и раздалась чудесная музыка. А у Люси возникло такое чувство, какое бывает, когда просыпаешься утром и вспоминаешь, что сегодня — первый день каникул.

— Но что с мистером Тумнусом? — спросила Люси. — Где он?

— Ш-ш-ш, — сказал бобёр. — Погодите. Я должен отвести вас туда, где мы можем спокойно поговорить и... пообедать.

Теперь уже все, исключая Эдмунда, испытывали к бобру полное доверие, и все, включая Эдмунда, были рады услышать слово «пообедать». Поэтому ребята поспешили за новым другом, который вёл их по самым густым зарослям, да так быстро, что они едва поспевали за ним. Они шли около часа, очень устали и проголодались, но вдруг деревья перед ними стали расступаться, а дорога пошла круто вниз. Через минуту они оказались под открытым небом — солнце всё ещё светило, — и перед ними раскинулось великолепное зрелище.

Они стояли на краю узкой, круто уходящей вниз лощины, по дну которой протекала — вернее, *протекала бы*, если бы её не сковал лёд, — довольно широкая река, а прямо под ногами реку перерезала плотина. Взглянув на неё, ребята сразу вспомнили, что бобры всегда строят плотины, и подумали, что эта плотина наверняка построена мистером Бобром. Они заметили также, что на его физиономии появилось подчёркнуто скромное выражение: такое бывает на лицах людей, когда читают вам написанную ими книгу. Простая вежливость требовала, чтобы Сьюзен произнесла: «Какая прекрасная плотина!» На этот раз мистер Бобёр сказал не: «Ш-ш-ш», — а: «Ну что вы, что вы, это такой пустяк! К тому же работа ещё не закончена».

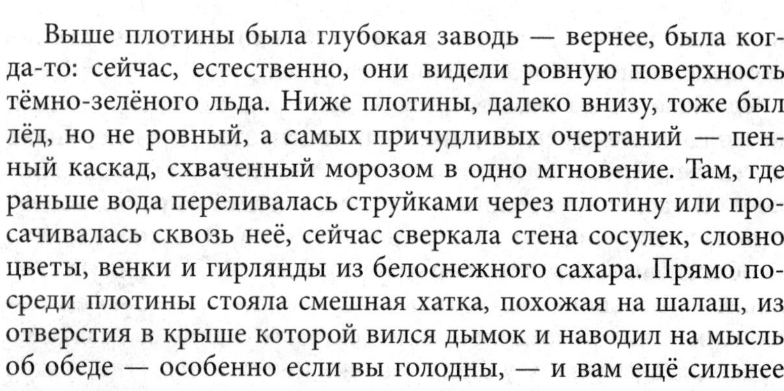



Выше плотины была глубокая заводь — вернее, была когда-то: сейчас, естественно, они видели ровную поверхность тёмно-зелёного льда. Ниже плотины, далеко внизу, тоже был лёд, но не ровный, а самых причудливых очертаний — пенный каскад, схваченный морозом в одно мгновение. Там, где раньше вода переливалась струйками через плотину или просачивалась сквозь неё, сейчас сверкала стена сосулек, словно цветы, венки и гирлянды из белоснежного сахара. Прямо посреди плотины стояла смешная хатка, похожая на шалаш, из отверстия в крыше которой вился дымок и наводил на мысль об обеде — особенно если вы голодны, — и вам ещё сильнее хотелось есть.

Вот что увидели ребята. А Эдмунд углядел ещё кое-что. Немного дальше, вниз по реке, в неё впадал приток, что мог бы течь по другой небольшой лощине. Взглянув туда, Эдмунд приметил два холма и понял, что это те самые, про которые ему говорила Белая колдунья, когда прощалась с ним у фонарного столба. «Значит, между этими холмами, всего в полумиле отсюда, стоит её замок». Он вспомнил о рахат-лукуме и о том, что станет королём. «Интересно, как это понравится Питеру?» И тут в голову ему пришли ужасные мысли.

— Ну вот и добрались, — сказал бобёр. — Похоже, что миссис Бобриха уже поджидает нас. Идите за мной. Будьте осторожны, не поскользнитесь.

Верх плотины был достаточно широк, чтобы по нему идти, но удовольствия это не доставляло, поскольку дорога шла по льду, и хотя замёрзшая заводь с одной стороны была на одном уровне с плотиной, с другой её очерчивал крутой обрыв. Так вот они и шли гуськом за бобром, пока не добрались до середины плотины, откуда можно было посмотреть далеко-далеко вверх и далеко-далеко вниз по реке. И когда добрались до середины, они оказались у дверей бобриной хатки.

— Вот мы и дома, миссис Бобриха, — сказал мистер Бобёр. — Я нашёл их. Вот они — сыновья и дочери Адама и Евы.

Когда ребята вошли в дверь, первое, что услышала Люси, было негромкое стрекотание, а первое, что увидела, — добродушную бобриху, которая сидела, прикусив зубами нитку, и что-то строчила на швейной машине. От этой-то машины и шёл стрёкот. Как только все оказались в комнате, бобриха

перестала шить, поднялась с места и воскликнула, протягивая им морщинистые старые лапы:

— Наконец-то вы появились! Подумать только: я дожила до этого дня! Картошка кипит, чайник уже запел свою песню, и... мистер Бобёр, будьте так добры, достаньте-ка нам рыбки.

— С удовольствием! — отозвался бобёр и, взяв ведро, вышел из хатки.

Питер пошёл следом. Они направились по ледяному покрову заводи к небольшой полынье, которую бобёр каждый день заново разбивал топориком. Усевшись у края полыньи — холод был ему, видно, нипочём, — он уставился на воду. Внезапно он опустил лапу, и Питер ахнуть не успел, как тот вытащил превосходную форель. Затем ещё и ещё, пока у них не набралось полное ведро рыбы.

Тем временем девочки помогали миссис Бобрихе: заварили чай, накрыли на стол, нарезали хлеб, поставили тарелки в духовку, чтобы согрелись, нацедили огромную кружку пива для мистера Бобра из бочки, стоявшей у стены, поставили на огонь сковороду и растопили сало. Люси подумала, что у бобров очень уютный домик, хотя совсем не похож на пещерку мистера Тумнуса. В комнате не было ни книг, ни картин. Вместо кроватей — встроенные в стену койки, как на корабле. С потолка свисали окорока и вязки лука, вдоль стен выстроились резиновые сапоги, висели на крючках клеёнчатые плащи, лежали топоры, лопаты, мастерок, стояли удочки и корыто для приготовления цемента, валялись сети и мешки. И скатерть на столе, хотя и безукоризненно чистая, была из грубого полотна.

В тот самый момент, как сало на сковородке начало весело скворчать, в комнату вошли Питер и мистер Бобёр с уже выпотрошенной и почищенной рыбой. Можете представить, как

вкусно пахла, жарясь, только что выловленная форель и как текли слюнки у голодных ребят, которые от всех этих приготовлений почувствовали себя ещё голоднее. Но вот наконец мистер Бобёр сказал:

— Сейчас будет готово.

Сьюзен слила картошку и поставила кастрюлю на край плиты, чтобы подсушить, а Люси помогла миссис Бобрихе подать рыбу на стол. Через минуту все придвинули табуретки к столу — в комнате, кроме личной качалки миссис Бобрихи, были только трёхногие табуретки — и приготовились наслаждаться едой. Посредине стола стоял кувшин с густым молоком для ребят — мистер Бобёр остался верен пиву — и лежал огромный кусок жёлтого сливочного масла — бери его к картофелю сколько угодно. А что на свете может быть вкуснее, думали ребята — и я вполне с ними согласен, — речной рыбы, если всего полчаса назад она была выловлена и только минуту назад сошла со сковороды. Когда они покончили с рыбой, миссис Бобриха — вот сюрприз так сюрприз! — вынула из духовки огромный, пышущий жаром рулет с повидлом и тут же подвинула к огню чайник, так что, когда они покончили с рулетом, можно было разливать чай. Получив свою чашку, каждый отодвинул от стола табурет, чтобы прислониться спиной к стене и испустить глубокий вздох удовлетворения.

— А теперь, — сказал мистер Бобёр, поставив на стол пустую кружку из-под пива и придвигая к себе чашку с чаем, — если вы подождёте, пока я зажгу трубку и дам ей как следует разгореться... Что ж, теперь можно приступить к делам. Опять пошёл снег... Тем лучше: не будет нежданных гостей, а если кто-нибудь и хотел нас поймать, то теперь наших следов не найдёт.

## *Глава восьмая*

# ЧТО БЫЛО ПОСЛЕ ОБЕДА

— Теперь, — повторила за ним Люси, — пожалуйста, будьте так добры, расскажите нам, что случилось с мистером Тумнусом.

— Ах, — вздохнул мистер Бобёр и покачал головой. — Очень печальная история. Его забрала полиция, тут нет никаких сомнений. Мне сообщила об этом птица, при которой это произошло.

— Забрали? Куда? — спросила Люси.

— Они направлялись на север, когда их видели в последний раз, а мы все знаем, что это значит.

— Вы знаете, но мы-то нет, — возразила Сьюзен.

Мистер Бобёр снова мрачно покачал головой:

— Боюсь, это значит, что его увели в *её* замок.

— А что с ним там сделают? — взволнованно спросила Люси.

— Ну, нельзя сказать наверняка... Но из тех, кого туда увели, мало кого видели снова. Статуи. Говорят, там полно статуй — во дворе, на парадной лестнице, в зале. Живые существа, которых она обратила, — здесь бобёр аж вздрогнул, — в камень.

— Ах, мистер Бобёр! — воскликнула Люси. — Не можем ли мы... я хочу сказать, мы обязательно должны спасти мистера Тумнуса. Это же ужасно... И всё из-за меня.

— Не сомневаюсь, что ты спасла бы его, милочка, если бы могла, — сказала миссис Бобриха, — но попасть в замок вопреки *её* воле и выйти оттуда целым и невредимым... на это нечего и надеяться.

— А если придумать какую-нибудь хитрость? — предложил Питер. — Я хочу сказать, переодеться в кого-нибудь, притвориться, что мы... например, бродячие торговцы или ещё кто-нибудь... или спрятаться и подождать, пока она куда-нибудь уйдёт... или... ну должен же быть какой-то выход! Этот фавн спас нашу сестру с риском для собственной жизни, мистер Бобёр. Мы просто не можем покинуть его, чтобы он... чтобы она сделала это с ним.

— Бесполезно, сын Адама, даже и пытаться не стоит, особенно вам четверым. Но теперь, когда Аслан уже в пути...

— О да! Расскажите нам об Аслане! — раздалось сразу несколько голосов, и снова ребят охватило то же странное чувство — словно в воздухе запахло весной, словно их ждала нечаянная радость.

— Кто такой Аслан? — спросила Сьюзен.

— Аслан? — повторил мистер Бобёр. — Разве вы не знаете? Властитель леса. Но он не часто бывает в Нарнии: не появлялся ни при мне, ни при моём отце. К нам пришла весточка, что он вернулся и сейчас здесь. Только лев сумеет разделаться с Белой колдуньей и спасти мистера Тумнуса.

— А его она не обратит в камень? — спросил Эдмунд.

— Наивный вопрос! — воскликнул мистер Бобёр и громко расхохотался. — Его обратить в камень! Хорошо, если она не свалится от страха и сможет выдержать его взгляд. Большего от неё и ждать нельзя. Я, во всяком случае, не жду. Аслан здесь наведёт порядок. В старинном предсказании говорится:

*Справедливость возродится —*
*стоит Аслану явиться.*
*Он издаст рычание —*
*победит отчаяние.*
*Он оскалит зубы —*
*зима пойдёт на убыль.*
*Гривой он тряхнёт —*
*нам весну вернёт.*

Вы сами всё поймёте, когда его увидите.

— А мы увидим его? — спросила Сьюзен.

— А для чего же я вас всех сюда привёл? Мне велено отвести вас туда, где вы должны с ним встретиться, — сказал мистер Бобёр.

— А он... он человек? — спросила Люси.

— Аслан человек?! — сердито вскричал мистер Бобёр. — Конечно, нет. Я же говорю вам: он Лесной царь. Разве вы не знаете, кто царь зверей? Аслан — Великий лев, именно так, с большой буквы.

— О-о-о, — протянула Сьюзен. — Я думала, он человек. А он... не опасен? Мне... мне страшно встречаться со львом.

— Конечно, страшно, милочка, как же иначе, — сказала миссис Бобриха. — Тот, у кого при виде Аслана не дрожат поджилки, или храбрее всех на свете, или просто глуп.

— Значит, он опасен? — спросила Люси.

— Опасен? — повторил мистер Бобёр. — Разве ты не слышала, что сказала миссис Бобриха? Кто говорит о безопасности? Конечно же, он опасен, но в то же время добр, хоть и царь зверей, я же тебе сказал.

— Я очень, очень хочу его увидеть! — воскликнул Питер. — Даже если у меня при этом душа уйдёт в пятки.

— Правильно, сын Адама и Евы! — Бобёр так хлопнул лапой по столу, что зазвенели все блюдца и чашки. — И ты его увидишь. Мне прислали весточку, что вам четверым *назначено* встретить его завтра у Каменного Стола.

— Где это? — спросила Люси.

— Я вам покажу, — сказал мистер Бобёр. — Вниз по реке, довольно далеко отсюда. Я вас туда отведу.

— А что же будет с бедненьким мистером Тумнусом? — спросила Люси.

— Самый верный способ ему помочь — встретиться поскорее с Асланом, — сказал мистер Бобёр. — Как только он будет с нами, мы начнём действовать. Но и без вас тоже не обойтись. Потому что существует ещё одно предсказание:

*Когда начнёт людское племя*
*В Кэр-Паравале править всеми,*
*Счастливое наступит время.*

Так что теперь, когда вы здесь и Аслан здесь, дело, видно, подходит к концу. Рассказывают, что Аслан и раньше бывал в наших краях... давным-давно, в незапамятные времена. Но дети Адама и Евы никогда ещё не бывали здесь.

— Вот этого я и не понимаю, мистер Бобёр, — сказал Питер. — Разве сама великая колдунья не человек?

— Она хотела бы, чтобы мы в это верили, и именно поэтому претендует на королевский престол. Но она не дочь Адама и Евы и произошла от вашего праотца Адама и его первой жены Лилит, которая была джиншей. Вот какие у неё предки с одной стороны, а с другой — это великаны. Нет, в колдунье мало настоящей человеческой крови.

— Потому-то она такая злая, — добавила миссис Бобриха, — от кончиков волос до кончиков ногтей.

— Истинная правда, — подтвердил мистер Бобёр. — Насчёт людей может быть два мнения — не в обиду будь сказано всем присутствующим, — но насчёт тех, кто по виду человек, а на самом деле нет, двух мнений быть не может...

— Я знавала хороших гномов, — сказала миссис Бобриха.

— Я тоже, если уж о том зашла речь, — отозвался её муж, — но только немногих, и как раз из тех, кто был меньше всего похож на людей. А вообще послушайтесь моего совета: если вы встретите кого-нибудь, кто собирается стать человеком, но ещё им не стал, или был человеком раньше, но перестал им быть, или должен был бы быть человеком, но не человек, — не спускайте с него глаз и держите под рукой боевой топорик. Вот потому-то, что колдунья получеловек, она всё время настороже: как бы в Нарнии не появились настоящие люди. Она поджидала вас все эти годы. А если бы ей стало известно, что вас четверо, вы оказались бы в ещё большей опасности.

— А при чём тут — сколько нас? — спросил Питер.

— Об этом говорится в третьем предсказании, — сказал мистер Бобёр. — Там, в Кэр-Паравале — это замок на берегу моря, у самого устья реки, который был бы столицей Нарнии, если бы всё шло так, как надо, — стоят четыре трона, а у нас с незапамятных времён существует поверье, что, когда на эти троны сядут две дочери и два сына Адама и Евы, наступит конец не только царствованию Белой колдуньи, но и самой её жизни. Потому-то нам пришлось с такой оглядкой пробирать-

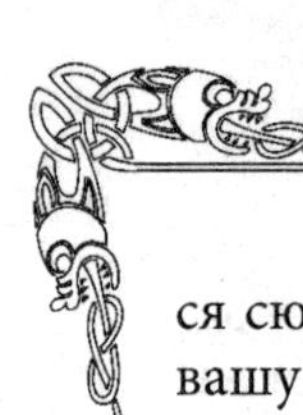



ся сюда: если бы она узнала, что вас четверо, я бы не отдал за вашу жизнь и волоска из моих усов.

Ребята были так поглощены рассказом мистера Бобра, что не замечали ничего вокруг. Когда он закончил, все погрузились в молчание, которое прервала Люси, вдруг воскликнув:

— Послушайте... где Эдмунд?

Они с ужасом поглядели друг на друга, и тут же посыпались вопросы:

— Кто видел его последним?

— Когда он исчез?

— Он, наверное, вышел?

Ребята кинулись к дверям и выглянули наружу. Все это время не переставая валил густой снег, и ледяная запруда покрылась толстым белым одеялом. С того места посредине плотины, где стояла хатка бобров, не было видно ни правого, ни левого берега. Все трое выскочили за дверь, ноги их по щиколотку погрузились в мягкий, нетронутый снег. Ребята бегали вокруг хатки, выкрикивали имя брата, пока не охрипли. Бесшумно падавший снег приглушал их голоса, и даже эхо не звучало в ответ.

— Как всё это ужасно! — сказала Сьюзен, когда наконец, отчаявшись найти брата, они вернулись в дом. — Ах, лучше бы мы никогда не попадали в эту страну!

— Не представляю, что нам теперь делать, мистер Бобёр, — сказал Питер.

— Делать? — отозвался тот, успев к этому времени надеть валенки. — Делать? Немедленно уходить отсюда. У нас нет ни секунды времени!

— Может быть, лучше разделиться на группы, — сказал Питер, — и пойти в разные стороны? Кто первым его найдёт, сразу вернётся сюда и...

— На группы, сын Адама и Евы? — удивился мистер Бобёр. — Зачем?

— Чтобы искать Эдмунда, зачем же ещё?

— Нет смысла его искать!

— Как это нет смысла?! — воскликнула Сьюзен. — Он ведь где-то недалеко, и мы должны его найти. Почему вы говорите, что нет смысла его искать?

— По той простой причине, — сказал мистер Бобёр, — что мы уже знаем, куда он ушёл!

Все с удивлением взглянули на него.

— Неужели вы не понимаете? Он ушёл к *ней*, к Белой колдунье. Он предал нас.

— О, что вы!.. Что вы... Он не мог этого сделать! — воскликнула Сьюзен.

— Вы так думаете? — с сомнением произнёс мистер Бобёр и пристально поглядел на ребят.

Слова замерли у них на губах, потому что в глубине души каждый из них вдруг почувствовал, что так именно Эдмунд и поступил.

— Но как он найдёт дорогу к ней? — сказал Питер.

— А он был уже в Нарнии? — спросил мистер Бобёр. — И один?

— Да, — чуть слышно ответила Люси. — Кажется, да.

— А вам он рассказывал, что тут делал?

— Н-нет...

— Тогда попомните мои слова: он уже встречался с Белой колдуньей, встал на её сторону, и она показала, где её замок. Я не хотел упоминать об этом раньше, ведь он вам брат и всё такое, но как только увидел его, сказал себе: «На него нельзя положиться». Сразу было видно, что он встречался с колдуньей, отведал её угощение. Если долго поживёшь в Нарнии, это нетрудно определить по глазам...

— Всё верно, — с трудом проговорил Питер. — Всё равно мы должны пойти искать его. В конце концов, он наш брат, совсем ещё ребёнок, хотя и порядочная свинья.

— Пойти в замок к Белой колдунье? — удивилась миссис Бобриха. — Неужели ты не видишь, что ваш единственный шанс спасти его и спастись самим — держаться от неё подальше?

— Я не понимаю, — проговорила Люси.

— Ну как же? Ведь она ни на минуту не забывает о четырёх тронах в Кэр-Паравале. Стоит вам оказаться у неё в замке — и ваша песенка спета. Не успеете вы и глазом моргнуть, как в её коллекции появятся четыре новые статуи. Но она не тронет вашего брата, пока в её власти только он один, — попробует использовать его как приманку, чтобы поймать остальных.

— О, неужели нам никто не поможет? — расплакалась Люси.

— Только Аслан, — сказал мистер Бобёр. — Мы должны повидаться с ним. Вся наша надежда на него.

— Мне кажется, мои хорошие, — добавила миссис Бобриха, — очень важно выяснить, когда именно ваш братец выскользнул из дому. От того, сколько он здесь услышал, зависит, что он ей расскажет. Например, был ли он здесь, когда мы заговорили об Аслане? Если нет — всё ещё может обойтись благополучно, она не узнает, что Аслан вернулся в Нарнию и мы собираемся с ним встретиться. Если да — она ещё больше будет настороже.

— Мне кажется, его не было здесь, когда мы говорили об Аслане... — начал Питер, но Люси горестно прервала его:

— Нет, был, был... Разве ты не помнишь, он ещё спросил, не может ли колдунья и Аслана обратить в камень.

— Верно, клянусь честью, — промолвил Питер, — и это так похоже на него.

— Худо дело, — вздохнул мистер Бобёр. — И ещё один вопрос: был ли он здесь, когда я сказал, что встреча с Асланом назначена у Каменного Стола?

На это никто из них не мог дать ответа.

— Если был, — продолжил мистер Бобёр, — она просто отправится туда на санях, чтобы перехватить нас по дороге, и мы окажемся отрезанными от Аслана.

— Нет, сперва она сделает другое, — возразила миссис Бобриха. — Я знаю её повадки. В ту самую минуту, когда Эдмунд ей о нас расскажет, она кинется сюда, чтобы поймать нас на месте, и если он ушёл больше получаса назад, минут через двадцать будет здесь.

— Ты совершенно права, миссис Бобриха, — сказал её муж, — нам нужно отсюда выбираться, не теряя ни секунды.

*Глава девятая*

# В ДОМЕ КОЛДУНЬИ

Вы, конечно, хотите знать, что же случилось с Эдмундом. Он пообедал вместе со всеми, но обед не пришёлся ему по вкусу, как всем остальным ребятам, ведь он всё время думал о рахат-лукуме. А что ещё может испортить вкус хорошей простой пищи, как не воспоминание о волшебном лакомстве? Он слышал рассказ мистера Бобра, и рассказ этот тоже не пришёлся ему по вкусу. Эдмунду всё время казалось, что на него нарочно не обращают внимания и неприветливо с ним разговаривают, хотя на самом деле ничего подобного не было.

Так вот, он сидел и слушал, но когда мистер Бобёр рассказал им об Аслане и о том, что они должны с ним встретиться у Каменного Стола, Эдмунд начал незаметно пробираться к двери, потому что при слове «Аслан» его, как и всех ребят, охватило непонятное чувство, но если другие почувствовали радость, Эдмунд почувствовал страх.

В ту самую минуту, когда мистер Бобёр произнёс: «Когда начнёт людское племя...» — Эдмунд тихонько повернул дверную ручку, а ещё через минуту — мистер Бобёр только начал рассказывать о том, что колдунья не человек, а наполовину джинша, наполовину великанша, — вышел из дома и осторожно прикрыл за собой дверь.

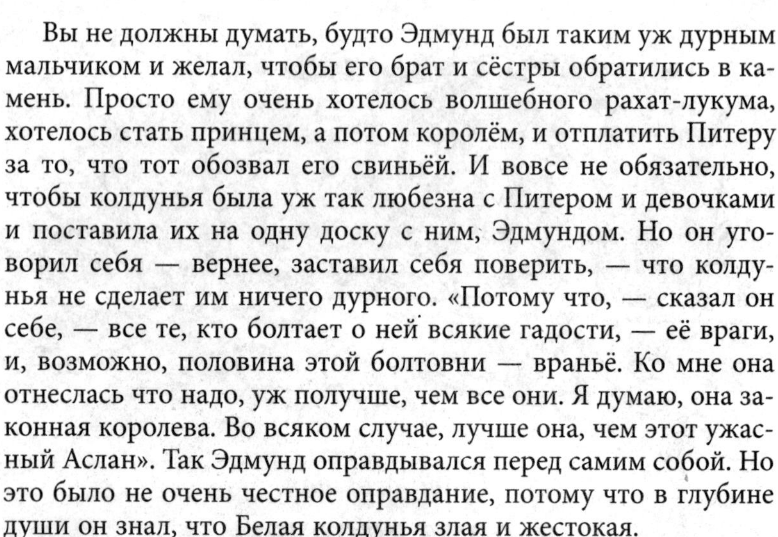

Вы не должны думать, будто Эдмунд был таким уж дурным мальчиком и желал, чтобы его брат и сёстры обратились в камень. Просто ему очень хотелось волшебного рахат-лукума, хотелось стать принцем, а потом королём, и отплатить Питеру за то, что тот обозвал его свиньёй. И вовсе не обязательно, чтобы колдунья была уж так любезна с Питером и девочками и поставила их на одну доску с ним, Эдмундом. Но он уговорил себя — вернее, заставил себя поверить, — что колдунья не сделает им ничего дурного. «Потому что, — сказал он себе, — все те, кто болтает о ней всякие гадости, — её враги, и, возможно, половина этой болтовни — враньё. Ко мне она отнеслась что надо, уж получше, чем все они. Я думаю, она законная королева. Во всяком случае, лучше она, чем этот ужасный Аслан». Так Эдмунд оправдывался перед самим собой. Но это было не очень честное оправдание, потому что в глубине души он знал, что Белая колдунья злая и жестокая.

Когда вышел за дверь, Эдмунд увидел, что идёт снег, и только тут вспомнил о шубе, которая осталась в доме. Понятно, нечего было и думать вернуться и забрать её. А ещё он увидел, что наступили сумерки: ведь они сели обедать около трёх часов дня, а зимние дни коротки. Он совсем не подумал об этом раньше, но что теперь можно было поделать? Эдмунд поднял воротник куртки и побрёл по плотине к дальнему берегу реки. К счастью, из-за выпавшего снега идти было не так скользко.

Когда он наконец добрался до берега, ему не стало легче. Напротив, с каждой минутой сумерки сгущались, глаза залепляли хлопья снега, и Эдмунд не мог ничего разглядеть на три шага вперёд. И дороги он тоже никакой не нашёл. Он увязал в высоких сугробах, скользил на замёрзших лужах, падал, зацепившись за поваленные стволы, проваливался в глубокие канавы, обдирал ноги о камни; он промок, озяб и был весь в синяках. А какая страшная стояла кругом тишина и как одиноко ему было! По правде говоря, я думаю, он вообще отказался бы от своего плана, вернулся обратно, признался во всём и помирился бы с сёстрами и братом, если бы вдруг ему не пришло в голову: «Когда я стану королём Нарнии, то первым делом велю построить приличные дороги». И, само собой, тут он размечтался, как будет королём и что ещё тогда сделает, и мечты сильно его приободрили. А к тому моменту, когда он окончательно решил, какой у него будет дворец, и сколько автомашин, и какой кинотеатр — только для него одного, — и где он проведёт железные дороги, и какие законы издаст против бобров и против плотин, когда до малейших подробностей обдумал, как помешать Питеру задирать перед ним нос, погода переменилась: перестал идти снег, поднялся ветер, и сделалось очень холодно. Небо расчистилось от туч, взошла полная луна, стало светло как днём, и только чёрные тени на белом-пребелом снегу его немного пугали.

Эдмунд ни за что не нашёл бы правильного пути, если бы не луна. Она взошла как раз тогда, когда он добрался до небольшой речушки, впадающей в бобриную реку ниже по течению... Вы помните, он приметил эту речушку и два холма за ней, когда они только пришли к бобрам. Эдмунд повернул и пошёл вдоль неё, но лощина, по которой она текла, куда круче поднималась вверх, была куда более скалистой и сильней заросла кустарником, чем та, которую только что покинул, и он вряд ли прошёл бы тут в темноте. На нём не осталось сухой нитки, потому что с низко нависших ветвей, под которыми он пробирался, на спину ему то и дело сваливались целые сугробы снега. И всякий раз, как это случалось, он всё с большей ненавистью думал о Питере, как будто Питер был во всём виноват!

Наконец подъём стал более пологим, и перед Эдмундом раскрылась широкая долина. И тут на противоположном бе-

регу реки, совсем рядом, рукой подать, посреди небольшой поляны между двумя холмами перед ним возник замок. Конечно же, это был замок Белой колдуньи. Казалось, он состоит из одних башенок, украшенных высокими остроконечными шпилями. Башенки, похожие на волшебные колпаки, которые носят чародеи, сверкали в ярком лунном свете, их длинные тени таинственно чернели на снегу. Эдмунду стало страшно.

Но возвращаться было поздно. Он пересёк замёрзшую речушку и приблизился к замку. Кругом — ни движения, ни звука. Даже его собственные шаги приглушались глубоким свежевыпавшим снегом. Эдмунд пошёл вокруг замка — угол за углом, башенка за башенкой — в поисках входа и, наконец, в самой задней стене увидел большую арку. Громадные железные ворота были распахнуты настежь.

Эдмунд подкрался к арке и заглянул во двор, и тут сердце у него ушло в пятки. Сразу же за воротами, залитый лунным светом, стоял огромный лев, припав к земле, словно для прыжка. Эдмунд ни жив ни мёртв застыл в тени возле арки, не смея двинуться с места, и простоял так долго, что, если бы уже не трясся от страха, стал бы трястись от холода. Сколько времени он так простоял, я не знаю, но для самого Эдмунда это тянулось целую вечность.

Однако мало-помалу ему стало казаться странным, почему лев не двигается с места, — всё это время Эдмунд не спускал с него глаз, и зверь ни разу не пошевельнулся. Эдмунд, всё ещё держась в тени арки, осмелился подойти к нему чуть ближе и тут понял, что лев вовсе на него не смотрит. «Ну а если всё-таки повернёт голову?» Но смотрел лев совсем на другое, а именно — на гномика, стоявшего к нему спиной шагах в трёх-четырёх. «Ага, — решил Эдмунд, — пока он прыгает на гнома, я убегу». Но лев был по-прежнему недвижим, гном тоже. Только теперь Эдмунд вспомнил слова бобра о том, что колдунья может любое существо обратить в камень. Что, если это всего-навсего каменный лев? И только он так подумал, как заметил, что на спине и голове льва лежит снег. Конечно же, это просто статуя льва! Живой зверь обязательно отряхнулся бы от снега. Медленно-медленно Эдмунд подошёл ко льву. Сердце билось у него так, что готово было выскочить из груди. Даже теперь он не отважился дотронуться до зверя, но

когда наконец решился протянуть руку... она коснулась холодного камня. Вот дурак! Испугался какой-то каменной фигуры.

Эдмунд почувствовал такое облегчение, что, несмотря на мороз, ему стало тепло, и в тот же миг пришла в голову расчудесная, как ему показалось, мысль: «А вдруг это и есть тот великий Аслан, о котором говорили бобры? Королева уже поймала его и обратила в камень. Вот чем кончились их великолепные планы! Ха, кому он теперь страшен, этот Аслан?!» Так Эдмунд стоял и радовался беде, постигшей льва, а затем позволил очень глупую и неуместную выходку: достал из кармана огрызок карандаша и нарисовал на каменной морде очки. «Ну, глупый старый Аслан, как тебе нравится быть кам-

нем? Больше не будешь воображать себя невесть кем». Но, несмотря на очки, морда огромного каменного зверя, глядевшего незрячими глазами на луну, была такой грозной, печальной и гордой, что Эдмунд, не получив никакой радости от своей проделки, отвернулся от льва и пошёл по двору.

Дойдя до середины, он увидел, что его окружают десятки статуй: они стояли там и тут вроде фигур на шахматной доске во время игры. Там были каменные сатиры и каменные волки, и медведи, и лисы, и рыси из камня. Там были изящные каменные изваяния, похожие на женщин, — духи деревьев. Там был огромный кентавр, и крылатая лошадь, и какое-то длинное существо вроде змеи. «Вероятно, дракон», — решил Эдмунд. Они стояли в ярком холодном свете луны совсем как живые, словно на секунду застыли на месте, и выглядели так фантастично, что, пока Эдмунд пересекал двор, сердце его то и дело замирало от страха. Прямо посередине двора возвышалась огромная статуя, похожая на человека, но высотой с дерево; лицо её, окаймлённое бородой, было искажено гневом, в правой руке — громадная дубина. Эдмунд знал, что великан этот тоже из камня, и всё же ему было неприятно проходить мимо.

Теперь Эдмунд заметил тусклый свет в дальнем конце двора. Приблизившись, он увидел, что свет льётся из распахнутой двери, к которой ведут несколько каменных ступеней. Эдмунд поднялся по ним. На пороге лежал большущий волк.

«А мне не страшно, вовсе не страшно, — успокаивал себя Эдмунд, — это всего-навсего статуя. Он не может мне ничего сделать», — и поднял ногу, чтобы переступить через волка. В тот же миг огромный зверь вскочил с места, шерсть у него на спине поднялась дыбом, разинул большую красную пасть и прорычал:

— Кто здесь? Кто здесь? Ни шагу вперёд, незнакомец! Отвечай: как тебя зовут?

— С вашего позволения, сэр, — пролепетал мальчик, сотрясаясь от дрожи так, что едва мог шевелить губами, — мое имя Эдмунд, я сын Адама и Евы. Её величество встретила меня на днях в лесу, и я пришёл, чтобы сообщить ей, что мои сёстры и брат тоже сейчас в Нарнии... совсем близко отсюда, у бобров. Она... она хотела их видеть...

— Я передам её величеству, — сказал волк. — А ты пока стой здесь, у порога, и не двигайся с места, если тебе дорога жизнь.

И он исчез в доме.

Эдмунд стоял и ждал; пальцы его одеревенели от холода, сердце гулко колотилось в груди. Но вот серый волк — это был Могрим, начальник Секретной полиции колдуньи, — вновь появился перед ним и сказал:

— Входи! Входи! Тебе повезло, избранник королевы... а может быть, и не очень повезло.

И Эдмунд пошёл следом за Могримом, стараясь не наступить ему на задние лапы.

Он очутился в длинном мрачном зале с множеством колонн; здесь, как и во дворе, было полно статуй. Почти у самых

дверей стояла статуя маленького фавна с очень печальным лицом. Эдмунд невольно задал себе вопрос: уж не тот ли это фавн, мистер Тумнус, друг его сестры Люси? В зале горела одна-единственная лампа, и прямо возле неё сидела Белая колдунья.

— Я пришёл, ваше величество, — сказал Эдмунд, бросаясь к ней.

— Как ты посмел прийти один?! — проговорила колдунья страшным голосом. — Разве я не велела тебе привести остальных?

— Пожалуйста, не сердитесь, ваше величество, — пролепетал Эдмунд. — Я сделал всё, что мог. Я привёл их почти к самому вашему замку. Они сейчас на плотине вверх по реке... в доме мистера Бобра и миссис Бобрихи.

На лице колдуньи появилась жестокая улыбка.

— Это всё, что ты хотел мне сообщить?

— Нет, ваше величество, — ответил Эдмунд и пересказал ей всё, что слышал в хатке бобров перед тем, как убежал.

— Что?! Аслан?! — вскричала колдунья. — Аслан? Это правда? Если я узнаю, что ты мне налгал...

— Простите... я только повторяю слова бобра, — пробормотал, заикаясь, Эдмунд.

Но колдунья, не обращая больше на него внимания, хлопнула в ладоши, и как только перед ней появился тот самый гном, которого Эдмунд уже знал, приказала:

— Приготовь мне сани, живо! Только упряжь возьми без колокольцев.

## *Глава десятая*

# ЧАРЫ НАЧИНАЮТ РАССЕИВАТЬСЯ

А теперь нам пора вернуться к мистеру Бобру и миссис Бобрихе и к остальным трём ребятам. Как только мистер Бобёр сказал: «Нам надо выбираться отсюда, не теряя ни секунды», — все стали надевать шубы — все, кроме миссис Бобрихи. Она быстро подняла с пола несколько мешков, положила на стол и сказала:

— А ну-ка, мистер Бобёр, достань-ка с потолка тот окорок. А вот пакет чая, вот сахар, вот спички. И хорошо бы ещё захватить несколько караваев хлеба — они там, в углу.

— Что вы такое делаете, миссис Бобриха? — воскликнула Сьюзен.

— Собираю каждому из нас по мешку, милочка, — преспокойно сказала миссис Бобриха. — Неужели ты думаешь, что можно отправляться в далёкий путь, не захватив с собой еды?

— Но нам нужно спешить, — сказала Сьюзен, застёгивая шубу. — *Она* может появиться здесь с минуты на минуту.

— Вот и я это говорю, — поддержал её мистер Бобёр.

— Не болтайте вздор! — прикрикнула на него жена. — Ну подумайте хорошенько, мистер Бобёр. Ей не добраться сюда быстрее чем за пятнадцать минут.

— Но разве мы не должны спешить, чтобы оказаться раньше её у Каменного Стола? — спросил Питер.

— Об этом-то вы забыли, миссис Бобриха, — сказала Сьюзен. — Как только она заглянет сюда и увидит, что нас тут нет, она что есть мочи помчится вслед за нами.

— Не спорю, — сказала миссис Бобриха. — Но нам не попасть к Каменному Столу до неё, как бы мы ни старались, ведь она едет на санях, а мы пойдём пешком.

— Значит... всё пропало? — сказала Сьюзен.

— Не тревожься. Зачем раньше времени так волноваться?.. Успокоилась? Ну вот и молодец! — сказала миссис Бобриха. — Достань лучше из ящика комода несколько чистых носовых платков... Конечно же, не всё пропало. Мы не можем попасть туда *до неё*, зато можем спрятаться в укромном месте и пробраться туда такими путями, каких она не знает. Я надеюсь, что нам это удастся.

— Всё так, миссис Бобриха, — согласился муж, — но всё же нам пора выходить.

— А ты тоже не бей тревогу раньше времени. Полно тебе... Ну вот, теперь всё в порядке. По мешку каждому из нас и мешочек для самой маленькой — для тебя, милочка Люси.

— Ах, пожалуйста, пожалуйста, давайте скорее пойдём, — сказала Люси.

— Что ж, я почти готова, — ответила миссис Бобриха, в то время как мистер Бобёр помогал ей, с её разрешения, надеть валеночки. — Пожалуй, швейную машинку будет тяжело нести?

— Ещё бы, — сказал мистер Бобёр. — Очень и очень тяжело. И неужели ты собираешься по дороге шить?

— Мне худо от одной мысли, что колдунья будет её вертеть, — сказала миссис Бобриха, — и сломает, а чего доброго и украдёт.

— Ах, пожалуйста, пожалуйста, поторопитесь! — хором попросили ребята.

И вот наконец они вышли из дому, а мистер Бобёр, запирая дверь, сказал:

— Это её немного задержит.

И беглецы отправились в путь, перекинув за спины мешочки с едой.

К этому времени снегопад прекратился и на небе появилась луна. Они шли гуськом — сперва мистер Бобёр, затем Люси, Питер и Сьюзен; замыкала шествие миссис Бобриха. Они перешли по плотине на правый берег реки, а затем мистер Бобёр повёл их по еле заметной тропинке среди деревьев, растущих у самой воды. С двух сторон, сверкая в лунном свете, вздымались высокие берега.

— Лучше идти понизу, пока это будет возможно, — сказал мистер Бобёр. — Ведь ей ехать поверху, сюда не спустишься на санях.

Перед ними открывался прекрасный вид... если бы любоваться им, сидя у окна в удобном кресле. Даже сейчас Люси им наслаждалась. Но недолго. Они шли, шли и шли; мешочек, который несла Люси, становился всё тяжелее и тяжелее, и понемногу девочке стало казаться, что ещё шаг — и она просто не выдержит. Она перестала глядеть на слепящую блеском реку, на ледяные водопады, на огромные снежные шапки на макушках деревьев, на сияющую луну и на бесчисленные звёзды. Единственное, что она теперь видела, — коротенькие ножки мистера Бобра, шагавшего — топ-топ-топ-топ — впереди неё с таким видом, словно никогда в жизни не остановится. А затем луна скрылась и снова повалил снег. Люси так устала, что двигалась как во сне. Вдруг мистер Бобёр свернул от реки направо, и они стали карабкаться по очень крутому склону прямо в густой кустарник. Девочка очнулась, и как раз вовремя, чтобы успеть заметить, как их проводник исчез в небольшой дыре, так хорошо замаскированной кустами, что увидеть её можно было, только подойдя вплотную. Но если говорить откровенно, Люси по-настоящему поняла, что происходит, когда увидела, что из норы торчит лишь короткий плоский хвост.

Люси тут же нагнулась и заползла внутрь вслед за бобром. Вскоре она услышала позади приглушённый шум, и через минуту все пятеро были опять вместе.

— Что это? Где мы? — спросил Питер усталым, тусклым голосом.

(Надеюсь, вы понимаете, что я хочу сказать, называя голос тусклым?)

— Это наше старое убежище. Бобры всегда прятались здесь в тяжёлые времена. О нём никто не знает. Не скажу, что-

бы здесь было очень удобно, но нам всем необходимо немного поспать.

— Если бы все так не суетились и не волновались, когда мы уходили из дому, я бы захватила несколько подушек, — сказала миссис Бобриха.

«Пещера-то похуже, чем у мистера Тумнуса, — подумала Люси, — просто нора в земле — правда, сухая и не глинистая». Пещера была совсем небольшая, и так как беглецы легли на землю прямо в шубах, образовав один сплошной клубок, да к тому же все разогрелись во время пути, им показалось там тепло и уютно. «Если бы только, — вздохнула Люси, — здесь не было так жёстко». Миссис Бобриха достала фляжку и дала каждому по глотку какой-то жидкости, которая обожгла горло. Ребята не могли удержаться от кашля, но зато им стало ещё теплей и приятней, и они тут же все, как один, уснули.

Когда Люси открыла глаза, ей показалось, что она спала не больше минуты, хотя с тех пор, как они уснули, прошло несколько часов. Ей было холодно, по телу пошли мурашки, и больше всего на свете хотелось принять сейчас горячую ванну. Затем она почувствовала, что лицо ей щекочут длинные усы, увидела слабый дневной свет, проникающий в пещерку сверху, и тут окончательно проснулась, как, впрочем, и все остальные. Раскрыв рты и вытаращив глаза, они сидели и слушали тот самый перезвон, которого ожидали — а порой им чудилось, что они его и слышат, — во время вчерашнего пути: перезвон бубенцов.

Мистер Бобёр мигом выскочил из пещеры. Возможно, вы полагаете, как решила вначале и Люси, что он поступил глупо. Напротив, это было очень разумно. Он знал, что может взобраться на самый верх откоса, так что его никто не заметит среди кустов и деревьев, а ему важно было выяснить, в какую сторону направляются сани Белой колдуньи. Миссис Бобриха и ребята остались в пещере — ждать и строить догадки. Они ждали целых пять минут, а затем чуть не умерли от страха, когда услышали голоса. «Ой, — подумала Люси, — его увидели. Колдунья поймала мистера Бобра!» Каково же было их удивление, когда вскоре у самого входа в пещеру раздался его голос:

— Всё в порядке! Выходи, миссис Бобриха! Выходите, сын и дочери Адама и Евы! Всё в порядке! Это не *она*! Это не *ей*-

*ные* бубенцы! — Он выражался не очень грамотно, но именно так говорят бобры, когда их что-нибудь очень взволнует; я имею в виду в Нарнии — в нашем мире они вообще не говорят.

И вот миссис Бобриха, Питер, Сьюзен и Люси кучей вывалились из пещеры, щурясь от яркого солнца, все в земле, заспанные, непричёсанные и неумытые.

— Скорее идите сюда! — воскликнул мистер Бобёр, чуть не приплясывая от радости. — Идите взгляните своими глазами! Неплохой сюрприз для колдуньи! Похоже, её власти приходит конец.

— Что вы этим хотите сказать, мистер Бобёр? — спросил Питер, еле переводя дыхание: ведь они карабкались вверх.

— Разве я вам не говорил, что из-за неё у нас всегда зима, а Рождество так и не наступает? Говорил. А теперь смотрите!

И тут они наконец очутились на верху откоса и увидели... Что же они увидели? Сани?

Да, сани и оленью упряжку. Но олени эти были куда крупнее, чем олени колдуньи, и не белой, а гнедой масти. А на санях сидел... они догадались, кто это, с первого взгляда. Высокий старик в ярко-красной шубе с меховым капюшоном; длинная седая борода пенистым водопадом спадала ему на грудь. Они сразу узнали его. Хотя увидеть подобные ему существа можно лишь в Нарнии, рассказывают о них и рисуют их на картинках даже в нашем мире — мире по эту сторону дверцы платяного шкафа. Однако когда вы видите его в Нарнии своими глазами — это совсем другое дело. На многих картинках Дед Мороз выглядит просто весёлым и даже смешным. Но, глядя на него сейчас, ребята почувствовали, что это не совсем так. Он был такой большой, такой радостный, такой настоящий, что они невольно притихли. У них тоже стало радостно и торжественно на душе.

— Наконец-то я здесь! *Она* долго меня не впускала, но я всё-таки попал сюда. Аслан в пути. Чары колдуньи теряют силу. А теперь пришёл черёд одарить всех вас подарками. Вам, миссис Бобриха, хорошая новая швейная машинка. Я по пути завезу её к вам.

— Простите, сэр, — сказала, приседая, миссис Бобриха. — У нас заперта дверь.

— Замки и задвижки для меня не помеха, — успокоил её Дед Мороз. — А вы, мистер Бобёр, когда вернётесь домой, увидите, что плотина ваша закончена и отремонтирована, все течи заделаны и поставлены новые шлюзные ворота.

Мистер Бобёр был в таком восторге, что широко-прешироко раскрыл рот и тут обнаружил, что язык не повинуется ему.

— Питер, сын Адама и Евы! — позвал Дед Мороз.

— Я, сэр, — откликнулся Питер.

— Вот твои подарки — но это не игрушки. Возможно, не за горами то время, когда тебе придётся пустить их в ход. Будь достоин их.

С этими словами Дед Мороз протянул Питеру щит и меч. Щит отливал серебром, на нём был изображён стоящий на задних лапах лев, красный, как спелая лесная земляника. Рукоятка меча была из золота, вкладывался он в ножны на перевязи и был как раз подходящего для Питера размера и веса. Питер принял подарок Деда Мороза в торжественном молчании, потому что чувствовал: это очень серьёзные дары.

— Сьюзен, дочь Адама и Евы! — продолжил Дед Мороз. — А это для тебя.

Протянув ей лук, колчан со стрелами и рог из слоновой кости, он добавил:

— Ты можешь стрелять из этого лука только при крайней надобности. Я не хочу, чтобы ты участвовала в битве. Тот, кто стреляет из этого лука, всегда попадает в цель. А если ты поднесёшь к губам этот рог и затрубишь в него, где бы ты ни была, к тебе придут на помощь.

Наконец очередь дошла и до Люси.

— Люси, дочь Адама и Евы!

Девочка выступила вперед, и Дед Мороз дал ей бутылочку — на вид самую обычную, из стекла, но люди потом говорили, что из настоящего алмаза, — и небольшой кинжал.

— В бутылочке напиток из сока огненных цветов, растущих в горах на Солнце. Если ты или кто-нибудь из твоих друзей будет ранен, нескольких капель достаточно, чтобы вас исцелить. А кинжал ты можешь пустить в ход, только чтобы защитить себя, в случае крайней нужды. Ты тоже не должна участвовать в битве.

— Почему, сэр? — удивилась Люси. — Думаю, хотя и не знаю наверняка, что не струшу.

— Не в этом дело, — сказал Дед Мороз. — Страшны те битвы, в которых принимают участие женщины. А теперь, — и лицо его повеселело, — я хочу кое-что преподнести вам всем. — И он протянул большой поднос, на котором стояло пять чашек с блюдцами, вазочка с сахаром, сливочник со сливками и большущий чайник с крутым кипятком, который шипел и плевался во все стороны.

Дед Мороз вынул всё это из мешка за спиной, хотя никто не заметил, когда это произошло, и, взмахнув кнутом, воскликнул:

— Счастливого Рождества! Да здравствуют настоящие короли!

И прежде чем они успели опомниться, и олени, и сани, и Дед Мороз исчезли из виду.

Питер только вытащил меч из ножен, чтобы показать его мистеру Бобру, как миссис Бобриха сказала:

— Хватит, хватит... Будете стоять там и болтать, пока чай не простынет. Ох уж эти мужчины! Помогите отнести поднос вниз, и будем завтракать. Как хорошо, что я захватила большой нож.

И вот они снова спустились в пещеру, и мистер Бобёр нарезал хлеба и ветчины, и миссис Бобриха сделала бутерброды и разлила чай по чашкам, и все с удовольствием принялись за еду. Но удовольствие их было недолгим, так как очень скоро мистер Бобёр сказал:

— А теперь пора идти дальше.

## *Глава одиннадцатая*

# АСЛАН ВСЁ БЛИЖЕ

Тем временем Эдмунду пришлось испытать тяжёлое разочарование. Он думал, что, когда гном пойдёт запрягать оленей, колдунья станет ласковее с ним, как было при их первой встрече, но она не проронила ни слова. Набравшись храбрости, он спросил:

— Пожалуйста, ваше величество, не дадите ли вы мне немного рахат-лукума... Вы... вы... обещали.

Но в ответ услышал:

— Замолчи, дурень.

Однако, поразмыслив, она проговорила, словно про себя:

— Да нет, так не годится, щенок ещё потеряет по дороге сознание. — И снова хлопнула в ладоши. А когда появился другой гном, приказала: — Принеси этому человеческому отродью поесть и попить!

Гном вышел и тут же вернулся. В руках у него была железная кружка с водой и железная тарелка, на которой лежал ломоть чёрствого хлеба. С отвратительной ухмылкой он поставил всё это на пол возле Эдмунда и произнёс:

— Рахат-лукум для маленького принца! Ха-ха-ха!

— Убери это, — угрюмо проворчал Эдмунд. — Я не буду есть сухой хлеб.

Но колдунья обернулась к нему, и лицо её было так ужасно, что Эдмунд тут же попросил прощения и принялся жевать хлеб, хотя он совсем зачерствел и проглотить его можно было с трудом.

— Ты не раз с благодарностью вспомнишь о хлебе, прежде чем снова удастся его отведать!

Эдмунд всё ещё жевал, когда появился первый гном и сообщил, что сани готовы. Белая колдунья встала и вышла из зала, приказав Эдмунду следовать за ней. На дворе снова шёл снег, но она не обратила на это никакого внимания и велела Эдмунду сесть рядом с ней в сани. Прежде чем они тронулись с места, колдунья позвала Могрима, а как только волк примчался огромными прыжками и, словно собака, стал возле саней, приказала:

— Возьми самых быстрых волков из твоей команды и немедленно отправляйся к дому бобров. Убивайте всех, кого там найдёте. Если они уже сбежали, поспешите к Каменному Столу, но так, чтобы вас никто не заметил. Спрячьтесь и ждите меня там. Мне придётся проехать далеко на запад, прежде чем я найду такое место, где смогу переправиться через реку. Возможно, вы настигнете беглецов до того, как они доберутся до места. Ты сам знаешь, что в этом случае делать.

— Слушаю и повинуюсь, о королева! — прорычал волк и в ту же секунду исчез в снежной тьме, так что даже лошадь, если бы скакала галопом, не смогла бы его обогнать.

Не прошло и нескольких минут, как он вместе с ещё одним волком был на плотине у хатки бобров. Конечно, они там никого не застали. Если бы не снегопад, дело кончилось бы для бобров и ребят плохо, потому что волки пошли бы по следу и наверняка перехватили бы наших друзей ещё до того, как те укрылись в пещере. Но, как вы знаете, снова шёл снег, и Могрим не мог ни учуять их, ни увидеть следов.

Тем временем гном хлестнул оленей, сани выехали со двора и помчались в холод и мрак. Поездка эта по-

казалась Эдмунду ужасной — ведь на нём не было шубы. Не прошло и четверти часа, как всю его грудь, и живот, и лицо залепило снегом; не успевал он очистить снег, как его опять засыпало, так что он совершенно выбился из сил и перестал отряхиваться. Вскоре Эдмунд промёрз до костей. Ах каким он себя чувствовал несчастным! Не похоже было, что колдунья собирается сделать его королём. Как он ни убеждал себя, что она добрая и хорошая, что право на её стороне, ему трудно было теперь этому верить. Он отдал бы всё на свете, чтобы встретиться сейчас со своими, даже с Питером. Единственным утешением ему служила мысль, что всё это, возможно, только снится и он вот-вот проснётся. Час шёл за часом, и всё происходившее действительно стало казаться дурным сном.

Сколько времени они ехали, я не мог бы вам рассказать, даже если бы исписал сотни страниц, поэтому сразу перейду к тому моменту, когда перестал идти снег, наступило утро и они мчались по берегу реки при дневном свете, всё вперёд и вперёд, в полной тишине. Единственное, что слышал Эдмунд, — визг полозьев по снегу и поскрипывание сбруи. Вдруг колдунья воскликнула:

— Что тут такое? Стой!

Эдмунд надеялся, что она вспомнила о завтраке. Но нет! Она велела остановить сани совсем по другой причине. Недалеко от дороги под деревом на круглых табуретках вокруг круглого стола сидела весёлая компания: беличье семейство, два сатира, гном и старый лис. Эдмунд не мог разглядеть, что они ели, но пахло очень вкусно, всюду были ёлочные украшения, и ему даже показалось, что на столе стоит сливовый пудинг. В тот миг, как сани остановились, лис — по-видимому, как самый старший — поднялся с бокалом в лапе, словно намеревался произнести тост, но когда сотрапезники увидели сани и ту, которая там сидела, всё их веселье пропало. Глава беличьего семейства застыл, не донеся вилки до рта; один из сатиров сунул вилку в рот и забыл её вынуть; бельчата запищали от страха.

— Что всё это значит?! — спросила колдунья.

Никто не ответил, и она приказала:

— Говорите, сброд вы этакий! Или хотите, чтобы мой кучер развязал вам языки своим бичом? Что означает всё это

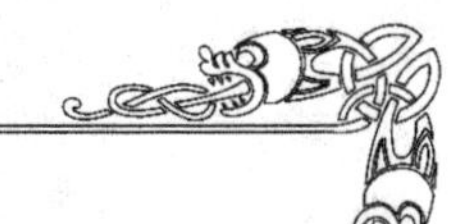

обжорство, это расточительство, это баловство?! Где вы всё это взяли?

— С вашего разрешения, ваше величество, — сказал лис, — мы не взяли, нам дали. И если вы позволите, я осмелюсь поднять этот бокал за ваше здоровье...

— Кто дал? — взвизгнула колдунья.

— Д-д-дед М-мороз, — проговорил, заикаясь, лис.

— Что?! — вскричала колдунья, соскакивая с саней, и сделала несколько огромных шагов по направлению к перепуганным зверям. — Он был здесь? Нет, это невозможно! Как вы осмелились... но нет... Скажите, что вы солгали, и, так и быть, я вас прощу.

Тут один из бельчат совсем потерял голову со страху и принялся верещать, стуча ложкой по столу:

— Был... был... был!

Эдмунд видел, что колдунья крепко прикусила губу, так что по подбородку у неё покатилась капелька крови, и подняла волшебную палочку, поэтому закричал:

— О, не надо, не надо, пожалуйста, не надо!

Но не успел он договорить, как она махнула палочкой, и в тот же миг вместо весёлой компании вокруг каменного круглого стола, где стояли каменные тарелки и каменный пудинг, на каменных табуретках оказались каменные изваяния (одно из них с каменной вилкой на полпути к каменному рту).

— А вот это пусть научит тебя, как заступаться за предателей и шпионов! — Колдунья отвесила ему ощутимую пощёчину и села в сани. — Погоняй!

В первый раз с начала этой истории Эдмунд позабыл о себе и посочувствовал чужому горю, с жалостью представив, как эти каменные фигурки будут сидеть в безмолвии дней и мраке ночей год за годом, век за веком, пока не покроются мхом, пока, наконец, сам камень не искрошится от времени.

Они снова мчались вперёд. Однако скоро Эдмунд заметил, что снег, бивший им в лицо, стал более сырой, чем ночью, и потеплело. Вокруг начал подниматься туман, который с каждой минутой становился всё гуще, а воздух — теплее. И сани шли куда хуже, чем раньше. Сперва Эдмунд подумал, что просто олени устали, но немного погодя увидел, что настоящая причина не в этом. Сани дёргались, застревали и подпрыгивали всё чаще, словно ударялись о камни. Как ни хлестал гном бедных оленей, сани двигались всё медленней и медленней. Кругом раздавался какой-то непонятный шум, однако скрип саней и крики гнома мешали Эдмунду разобрать, откуда он шёл. Но вот сани остановились, ни взад ни вперёд! На миг наступила тишина. Теперь он поймёт, что это такое. Странный мелодичный шорох и шелест — незнакомые и вместе с тем знакомые звуки; несомненно, он их уже когда-то слышал, но только не мог припомнить где. И вдруг он вспомнил. Это шу-

мела вода. Всюду, невидимые глазу, бежали ручейки — это их журчание, бормотание, бульканье, плеск и рокот раздавались кругом. Сердце подскочило у Эдмунда в груди — он и сам не знал почему, — когда он понял, что морозу пришёл конец. Совсем рядом слышалось «кап-кап-кап» — это таял снег на ветвях деревьев. Вот с еловой ветки свалилась снежная глыба, и впервые с тех пор, как попал в Нарнию, Эдмунд увидел тёмно-зелёные иглы ели. Но у него не было больше времени смотреть и слушать, потому что колдунья тут же сказала:

— Не сиди разинув рот, дурень. Вылезай и помоги.

Конечно, Эдмунду оставалось только повиноваться. Он ступил на снег — вернее, в жидкую снежную кашу — и принялся помогать гному вытаскивать сани. Наконец им удалось это сделать, и, нещадно нахлёстывая оленей, гном заставил их сдвинуться с места и пройти ещё несколько шагов. Но снег таял у них на глазах, кое-где уже показались островки зелёной травы. Если бы вы так же долго, как Эдмунд, видели вокруг один белый снег, то поняли бы, какую радость доставляла ему эта зелень. И тут сани окончательно увязли.

— Бесполезно, ваше величество, — сказал гном. — Мы не можем ехать на санях в такую оттепель.

— Значит, пойдём пешком!

— Мы никогда их не догоним, — проворчал гном. — Они слишком опередили нас.

— Ты у меня кто: советник или раб? — грозно вопросила колдунья. — Не рассуждай. Делай как приказано. Свяжи человеческому отродью руки за спиной — поведём его на верёвке. Захвати кнут. Обрежь поводья: олени сами найдут дорогу домой.

Гном выполнил её приказания, и через несколько минут Эдмунд уже шёл — вернее, чуть не бежал. Руки были скручены у него за спиной. Ноги скользили по слякоти, грязи, мокрой траве, и всякий раз, стоило ему поскользнуться, гном кричал на него, а то и стегал кнутом. Колдунья шла следом за гномом, то и дело поторапливая:

— Быстрей! Быстрей!

С каждой минутой зелёные островки делались больше, а белые — меньше, деревья одно за другим скидывали с себя снежный покров. Вскоре, куда бы вы ни поглядели, вместо

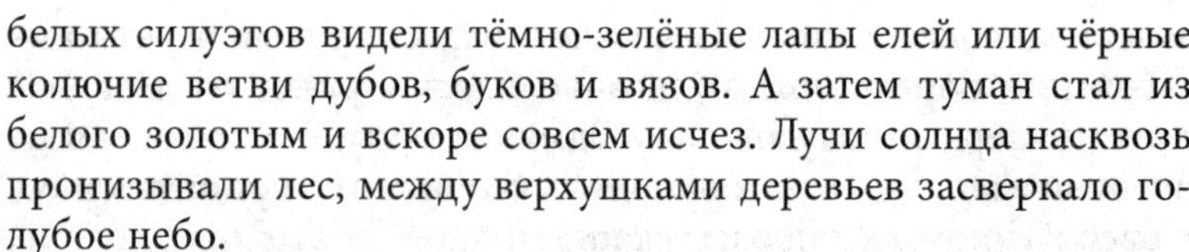

белых силуэтов видели тёмно-зелёные лапы елей или чёрные колючие ветви дубов, буков и вязов. А затем туман стал из белого золотым и вскоре совсем исчез. Лучи солнца насквозь пронизывали лес, между верхушками деревьев засверкало голубое небо.

А вскоре начались ещё более удивительные вещи. Завернув на прогалину, где росла серебристая береза, Эдмунд увидел, что вся земля усыпана жёлтыми цветочками — чистотелом. Журчание воды стало громче. Ещё несколько шагов — и им пришлось перебираться через ручей. На его дальнем берегу росли подснежники.

— Иди, иди, не оглядывайся, — проворчал гном, когда Эдмунд повернул голову, чтобы полюбоваться цветами, и злобно дёрнул верёвку.

Но, понятно, этот окрик не помешал Эдмунду увидеть всё, что происходило вокруг. Минут пять спустя он заметил крокусы: они росли вокруг старого дерева — золотые, пурпурные, белые. А затем послышался звук ещё более восхитительный, чем журчание воды, — у самой тропинки, по которой они шли, на ветке дерева вдруг чирикнула птица. В ответ ей отозвалась другая, с дерева подальше. И вот, словно это было сигналом, со всех сторон послышались щебет и свист и даже — на миг — короткая трель. Через несколько минут весь лес звенел от птичьего пения. Куда бы Эдмунд ни взглянул, везде видел птиц: они садились на ветки, порхали над головой, гонялись друг за другом, ссорились, мирились, приглаживали пёрышки клювом.

— Быстрей! Быстрей! — то и дело раздавались окрики колдуньи.

От тумана не осталось и следа. Небо становилось всё голубее и голубее, время от времени по нему проносились белые облачка. На широких полянах желтел первоцвет. Поднявшийся лёгкий ветерок покачивал ветки деревьев, и с них скатывались капли воды; до

путников донёсся дивный аромат. Лиственницы и берёзы покрылись зелёным пухом, жёлтая акация — золотым. Вот уже на берёзах распустились нежные, прозрачные листочки. Когда путники шли под деревьями, даже солнечный свет казался зелёным. Перед ними пролетела пчела.

— Это не оттепель, — остановился как вкопанный гном. — Это весна! Как нам быть? Вашей зиме пришёл конец! Это работа Аслана!

— Если кто-то из вас ещё хоть раз осмелится произнести это имя, — взвизгнула колдунья, — то немедленно будет убит!

## *Глава двенадцатая*

# ПЕРВАЯ БИТВА ПИТЕРА

А в это самое время далеко-далеко отсюда бобры и ребята уже многие часы шли словно в сказке. Они давно сбросили шубы и даже перестали говорить друг другу: «Взгляни! Зимородок!» — или: «Ой, колокольчик!» — или: «Что это так чудесно пахнет?» — или: «Только послушайте, как поёт дрозд!» Они шли теперь молча, упиваясь этой благодатью, то по тёплым солнечным полянам, то в прохладной тени зелёных зарослей, то вновь по широким мшистым прогалинам, где высоко над головой раскидывали кроны могучие вязы, то в сплошной чаще цветущей смородины и боярышника, где крепкий аромат чуть не сбивал их с ног.

Они поразились не меньше Эдмунда, увидев, что зима отступает у них на глазах и за несколько часов время промчалось от января до мая. Они не знали, что так и должно было произойти, когда в Нарнию вернётся Аслан, но всем было известно: бесконечная зима в Нарнии — дело рук Белой колдуньи, её злых чар, и раз началась весна, значит, у неё что-то разладилось. Они сообразили также, что без снега колдунья не сможет ехать на санях, поэтому уже не торопились, чаще останавливались и дольше отдыхали. Конечно, к этому времени они сильно устали, сильно, но не до смерти, просто дви-

гались медленнее, как во сне, и на душе было радостно и покойно, как на исходе долгого дня, проведённого на воздухе. Сьюзен слегка натёрла пятку.

Большая река оставалась слева от них. Чтобы добраться до Каменного Стола, следовало свернуть к югу, то есть направо. Даже если бы им не надо было сворачивать, они не могли бы идти прежним путём: река разлилась, и там, где проходила их тропинка, теперь с шумом и рёвом несся бурный жёлтый поток.

Но вот солнце стало заходить, свет его порозовел, тени удлинились, и цветы задумались, не пора ли им закрываться.

— Теперь уже недалеко, — сказал мистер Бобёр и стал подниматься по холму, поросшему высокими деревьями и покрытому толстым пружинящим мхом, по которому было так приятно ступать босыми ногами. Идти в гору после целого дня пути тяжело, и все они запыхались. Люси уже начала сомневаться, сможет ли дойти до верха, если как следует не передохнёт, как вдруг они очутились на вершине холма. И вот что открылось их глазам.

Путники стояли на зелёной открытой поляне. Под ногами у них темнел лес: он был всюду, куда достигал глаз, и только далеко на востоке, прямо перед ними, что-то сверкало и переливалось.

— Вот это да! — выдохнул Питер, обернувшись к Сьюзен. — Море!

А посреди поляны возвышался Каменный Стол — большая мрачная плита серого камня, положенная на четыре камня поменьше. Стол выглядел очень старым. На нём были высечены таинственные знаки — возможно, буквы неизвестного нам языка. Тот, кто глядел на них, испытывал какое-то странное, необъяснимое чувство. А затем ребята заметили шатёр, раскинутый в стороне. Ах, какое это было удивительное зрелище, особенно сейчас, когда на шатёр падали косые лучи заходящего солнца: полотнища из жёлтого шёлка, пурпурные шнуры, колышки из слоновой кости, а сверху, на шесте, колеблемый лёгким ветерком, который дул им в лицо с далёкого моря, реял стяг с красным львом, вставшим на задние лапы.

Внезапно справа от них раздались звуки музыки, и, обернувшись, они увидели то, ради чего пришли сюда.

Аслан стоял в центре целой группы престранных созданий, окруживших его полукольцом. Там были духи деревьев и духи источников — дриады и наяды, как их зовут в нашем мире, — с лирами в руках. Вот откуда слышалась музыка. Там было четыре больших кентавра, сверху похожих на суровых, но красивых великанов, снизу — на могучих лошадей, таких, которые работают в Англии на фермах. Был там и единорог, и бык с человечьей головой, и пеликан, и орёл, и огромный пёс.

А рядом с Асланом стояли два леопарда: один держал его корону, другой — знамя.

А как вам описать самого Аслана? Этого не могли бы ни ребята, ни бобры. Не знали они и как вести себя с ним, и что сказать. Те, кто не был в Нарнии, думают, что нельзя быть добрым

и грозным одновременно. Если Питер, Сьюзен и Люси когда-нибудь так думали, то теперь поняли свою ошибку, потому что когда попробовали прямо взглянуть на него, почувствовали, что не осмеливаются, и лишь на миг увидели золотую гриву и большие, серьёзные, проникающие в самое сердце глаза.

— Подойди к нему, — шепнул мистер Бобёр.

— Нет, — едва слышно возразил Питер. — Вы первый.

— Сначала дети Адама и Евы, потом животные.

— Сьюзен, — повернулся к сестре Питер, — тогда, может быть, ты? Дам всегда пропускают вперёд.

— Ты же старший, — возразила та.

И, конечно, чем дольше они так перешёптывались, тем более неловко себя чувствовали. Наконец Питер понял, что первым действовать придётся ему. Вытащив из ножен меч, он отдал честь Аслану, торопливо шепнул остальным:

— Идите за мной. Возьмите себя в руки, — и приблизился ко льву: — Мы пришли... Аслан.

— Добро пожаловать, Питер, сын Адама и Евы, — приветствовал их Аслан. — Добро пожаловать, Сьюзен и Люси, дочери Адама и Евы. Добро пожаловать, бобры.

Голос у льва был низкий и звучный, и почему-то ребята сразу перестали волноваться. Теперь на сердце у них было радостно и спокойно, и им вовсе не казалось неловким стоять перед Асланом молча.

— А где же четвёртый? — спросил Аслан.

— Он хотел их предать и перешёл на сторону Белой колдуньи, о Аслан, — ответил мистер Бобёр.

И тут что-то заставило Питера сказать:

— Тут есть и моя вина. Я рассердился на него, и, мне кажется, это толкнуло его на ложный путь.

Аслан ничего не ответил на эти слова, просто стоял и пристально смотрел на мальчика. И все поняли, что тут действительно не поможешь словами.

— Пожалуйста, Аслан, — попросила Люси, — нельзя ли как-нибудь спасти Эдмунда?

— Мы сделаем всё, чтобы его спасти, но это может оказаться труднее, чем вы полагаете.

И лев опять замолчал. С первой минуты Люси восхищалась его взглядом: царственным, грозным и вместе с тем миролю-

бивым, — но сейчас вдруг увидела, что он ещё и печальный. Однако выражение это сразу же изменилось, как только Аслан тряхнул гривой и хлопнул одной лапой о другую. «Страшные лапы, — подумала Люси. — Хорошо, что он умеет втягивать когти».

— Ну а пока пусть готовят пир, — распорядился лев. — Отведите дочерей Адама и Евы в шатёр и позаботьтесь о них.

Когда девочки ушли, Аслан положил лапу Питеру на плечо — ох и тяжела же она! — и сказал:

— Пойдём, сын Адама и Евы, я покажу тебе замок, где ты будешь королём.

И Питер, всё ещё с мечом в руке, последовал за львом к восточному краю поляны. Их глазам открылся великолепный вид. За спиной у них садилось солнце, и вся долина, лежащая внизу: лес, холмы, луга, извивающаяся серебряной змейкой река, — была залита вечерним солнечным светом. А далеко-далеко впереди синело море и плыли по небу розовые от закатного солнца облака.

Там, где земля встречалась с морем, у самого устья реки, подымалась невысокая гора, на которой что-то сверкало. Это был замок. Во всех его окнах, обращённых на запад, отражался закат — вот откуда исходило сверкание, — но Питеру казалось, что он видит огромную звезду, покоящуюся на морском берегу.

— Это, о, человек, — сказал Аслан, — Кэр-Параваль четырёхтронный, и на одном из тронов будешь сидеть ты. Я показываю его тебе, потому что ты самый старший из вас и будешь Верховным королём.

И вновь Питер ничего не сказал — в эту самую секунду тишину нарушил странный звук. Он был похож на пение охотничьего рожка, только более низкий.

— Это рог твоей сестры, — сказал Аслан Питеру тихо, так тихо, что казалось, будто он мурлычет, если позволительно так говорить про льва.

Питер не сразу понял его, но когда увидел, что все остальные устремились вперёд, и услышал, как Аслан, махнув лапой, крикнул: «Назад! Пусть принц сам завоюет себе рыцарские шпоры», — догадался, в чём дело, и со всех ног бросился к шатру.

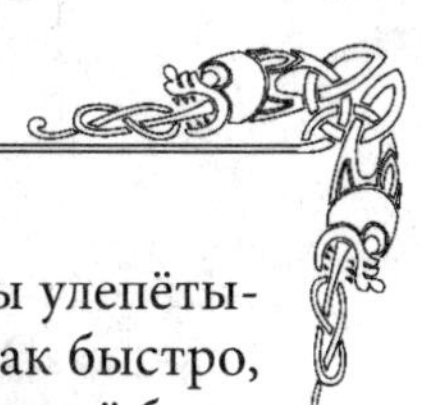

Его ждало там ужасное зрелище. Наяды и дриады улепётывали во все стороны. Навстречу ему бежала Люси так быстро, как только могли двигаться её маленькие ножки. Лицо её было белее бумаги. Только тут он заметил Сьюзен. Стрелой подлетев к дереву, она уцепилась за ветку, а за ней по пятам нёсся большой серый зверь. Сперва Питер принял его за медведя, но потом увидел, что он скорее похож на собаку, хотя значительно крупней. Внезапно его осенило: это же волк. Став на задние лапы, волк упёрся передними в ствол. Он рычал и лязгал зубами, шерсть у него на спине стояла дыбом. Сьюзен удалось забраться только на вторую ветку от земли. Одна её нога свисала вниз и была всего в нескольких дюймах от звериной пасти. Питер удивился, почему она не заберётся повыше или хотя бы не уцепится покрепче, и вдруг понял, что сестра вот-вот потеряет сознание и упадёт.

Питер вовсе не был таким уж смельчаком: напротив, ему казалось, что сейчас и сам лишится чувств от страха, — но это ничего не меняло: он знал, что ему повелевает долг. Одним броском он кинулся на чудище, подняв меч, чтобы ударить сплеча, но волк избежал этого удара и с быстротой молнии обернулся к Питеру. Глаза его сверкали от ярости, из пасти вырывалось злобное рычание, что и спасло мальчика, иначе волк тут же схватил бы его за горло. Всё дальнейшее произошло так быстро, что Питер не успел ничего осознать: увернувшись от волчьей пасти, он изо всех сил вонзил меч между передними лапами зверя, прямо в сердце.

Несколько секунд пронеслось как в страшном сне. Волк боролся со смертью, его оскаленные зубы коснулись лба Питера. Мальчику казалось, что всё кругом — лишь кровь и волчья шерсть. А ещё через мгновение чудовище лежало мёртвым у его ног. Питер с трудом вытащил у него из груди меч, выпрямился и вытер пот, заливавший ему глаза. Всё тело ломило от напряжения.

Через минуту Сьюзен слезла с дерева. От пережитого волнения дети еле стояли на ногах, и — не стану скрывать — оба не могли удержаться от слёз и поцелуев. Но в Нарнии это никому не ставят в упрёк.

— Скорей! Скорей! — раздался голос Аслана. — Кентавры! Орлы! Я вижу в чаще ещё одного волка. Вон там, за вами. Он

только что бросился прочь. В погоню! Он побежит к своей хозяйке. Это поможет нам найти колдунью и освободить четвёртого из детей Адама и Евы!

И тут же с топотом копыт и хлопаньем крыльев самые быстрые из фантастических созданий скрылись в сгущающейся тьме.

Питер, все ещё не в силах отдышаться, обернулся на голос Аслана и увидел, что тот стоит рядом с ним.

— Ты забыл вытереть меч, — сказал лев.

Так оно и было. Взглянув на блестящее лезвие и увидев на нём волчью кровь, Питер покраснел и, наклонившись, насухо вытер меч о траву, а затем — о полу своей куртки.

— Дай мне меч и стань на колени, сын Адама и Евы, — приказал Аслан, а когда Питер повиновался, коснулся повёрнутым плашмя лезвием его плеча и добавил: — Встаньте, сэр Питер, Гроза Волков. И что бы с вами ни случалось, не забывайте вытирать свой меч.

## *Глава тринадцатая*

# ТАЙНАЯ МАГИЯ ДАВНИХ ВРЕМЁН

А теперь пора вернуться к Эдмунду. Они всё шли и шли. Раньше он ни за что не поверил бы, что вообще можно так долго идти пешком. И вот наконец, когда они очутились в мрачной лощине под тенью огромных тисов и елей, колдунья объявила привал. Эдмунд тут же бросился ничком на землю. Ему было всё равно, что с ним потом случится, лишь бы сейчас ему дали спокойно полежать. Он так устал, что не чувствовал ни голода, ни жажды. Колдунья и гном негромко переговаривались где-то рядом.

— Нет, — сказал гном, — теперь это бесполезно, о королева! Они уже, наверно, дошли до Каменного Стола.

— Будем надеяться, Могрим найдёт нас и сообщит все новости, — заметила колдунья.

— Если и найдёт, вряд ли это будут хорошие новости, — буркнул гном.

— В Кэр-Паравале четыре трона. А если только три из них окажутся заняты? Ведь тогда предсказание не исполнится.

— Какая разница? Главное, что *он* здесь. — Гном всё ещё не осмеливался называть Аслана по имени при повелительнице.

— Он не обязательно останется здесь надолго. А когда уйдёт, мы нападём на тех троих в Кэре.

— И все же лучше придержать этого, — пнул он Эдмунда, — чтобы заключить с *ними* сделку.

— Ну да! И дождаться, что его освободят! — усмехнулась колдунья.

— Тогда лучше сразу же исполнить то, что следует.

— Я бы предпочла сделать это на Каменном Столе, — возразила колдунья. — Там, где положено. Где делали это испокон веку.

— Ну, теперь не скоро наступит то время, когда Каменный Стол будет использоваться по назначению.

— Верно. Что ж, вот я и начну.

В эту минуту из леса с воем выбежал волк и кинулся к ним.

— Я их видел. Все трое у Каменного Стола вместе с *ним*. Они убили Могрима, моего капитана. Один из сыновей Адама и Евы его убил. Я спрятался в чаще и всё видел. Спасайтесь! Спасайтесь!

— Зачем? — удивилась колдунья. — В этом нет никакой нужды. Отправляйся и собери всех наших. Пусть они как можно скорее прибудут сюда. Позови великанов, оборотней и духов тех деревьев, которые на моей стороне. Позови упырей, людоедов и минотавров. Позови леших, позови вурдалаков и ведьм. Мы будем сражаться. Разве нет у меня волшебной палочки?! Разве я не могу превратить их всех в камень, когда они станут на нас наступать?! Отправляйся быстрей. Мне надо покончить тут с одним небольшим дельцем.

Огромный зверь наклонил голову, повернулся и умчался прочь.

— Так, — сказала колдунья, — стола у нас здесь нет... Дай подумать... Лучше поставим его спиной к дереву.

Эдмунда пинком подняли с земли. Когда гном подвёл его к дубу и крепко-накрепко привязал, мальчик заметил, что колдунья сбрасывает плащ: в темноте мелькнули её голые, белые как снег руки. Только потому он их и увидел, что они были белые, — в тёмной лощине под тёмными деревьями было так темно, что ничего другого не разглядишь.

— Приготовь жертву! — приказала колдунья.

Гном расстегнул Эдмунду воротник рубашки, оттянул назад и схватил его за волосы, так что подбородок задрался вверх. Эдмунд услышал странный звук: «вжик-вжик-вжик...» Что бы это могло быть? И вдруг понял: это точили нож.

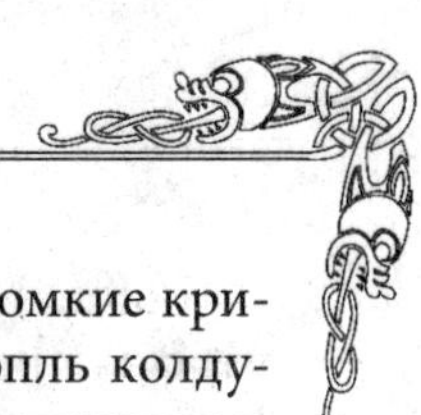

В ту же минуту послышались другие звуки — громкие крики, топот копыт, хлопанье крыльев и яростный вопль колдуньи. Поднялся шум, суматоха, а затем мальчик почувствовал, что его развязывают и поднимают чьи-то сильные руки, услышал добрые басистые голоса:

— Пусть полежит... дайте ему вина... ну-ка выпей глоточек... сейчас тебе станет лучше.

А затем они стали переговариваться между собой:

— Кто поймал колдунью?

— Я думал, ты.

— Я не видел её после того, как выбил у неё из рук нож.

— Я гнался за гномом... Неужели она сбежала?

— Не мог же я помнить обо всём сразу... А это что?

— Да ничего, просто старый пень.

Тут Эдмунд окончательно потерял сознание.

Вскоре кентавры, единороги, олени и птицы (те самые, которых Аслан отправил спасать Эдмунда) двинулись обратно к Каменному Столу, неся с собой Эдмунда. Если бы они узнали, что произошло в лощине после их ухода, то немало бы удивились.

Было совершенно тихо. Вскоре на небе взошла луна, свет её становился всё ярче и ярче. Если бы вы там оказались, то заметили бы в ярком лунном свете старый пень и довольно крупный валун, но присмотрись вы к ним внимательнее, увидели бы нечто странное — например, что валун удивительно похож на маленького толстячка, скорчившегося на земле. А если бы запаслись терпением, то увидели бы, как валун подходит к пеньку, а пенёк поднимается и начинает что-то ему говорить. Ведь на самом деле пень и валун были гном и колдунья. Одной из её колдовских штучек было так заколдовать кого угодно, да и себя тоже, чтобы нельзя было узнать. И вот, когда у неё вышибли нож из рук, она не растерялась и превратила себя и гнома в валун и пень. Волшебная палочка осталась у неё и тоже была спасена.

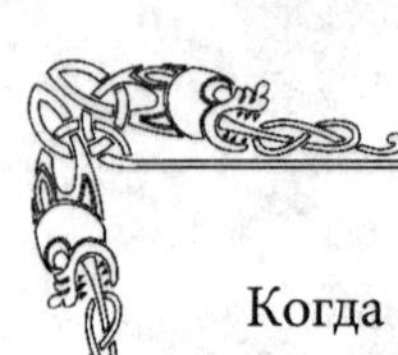



Когда Питер, Сьюзен и Люси проснулись на следующее утро — проспав всю ночь в шатре на груде подушек, — миссис Бобриха рассказала им первым делом, что накануне вечером их брата спасли из рук колдуньи и теперь он здесь, в лагере, беседует с Асланом.

Они вышли из шатра и увидели, что Аслан и Эдмунд прогуливаются рядышком по росистой траве в стороне от всех остальных. Вовсе не обязательно пересказывать вам — да никто этого и не слышал, — что именно говорил лев, но Эдмунд помнил его слова всю жизнь. Когда ребята приблизились, Аслан повернулся им навстречу.

— Вот ваш брат. И... совсем ни к чему вспоминать то, что уже позади.

Эдмунд всем по очереди пожал руки и сказал каждому: «Прости меня», — и каждый из них ответил: «Ладно, о чём толковать». А затем им захотелось произнести что-нибудь самое обыденное и простое, показать, что они снова друзья, и, конечно, никто из них — хоть режь! — ничего не мог придумать. Им уже становилось неловко, но тут появился один из леопардов и, обратившись к Аслану, проговорил:

— Ваше величество, посланец врага испрашивает у вас аудиенцию.

— Пусть приблизится, — сказал Аслан.

Леопард ушёл и вскоре вернулся с гномом.

— Что ты желаешь мне сообщить, сын Земных Недр? — спросил Аслан.

— Королева Нарнии, императрица Одиноких островов, просит ручательства в том, что может без опасности для жизни прийти сюда и поговорить с вами о деле, в котором вы заинтересованы не меньше её.

— «Королева Нарнии», как бы не так... — проворчал мистер Бобёр. — Такого нахальства я ещё...

— Спокойно, — сказал Аслан. — Скоро все титулы будут возвращены законным правителям. А пока не будем спорить. Скажи своей повелительнице, сын Земных Недр, что я ручаюсь за её безопасность, если она оставит свою волшебную палочку под тем большим дубом, прежде чем подойти сюда.

Гном согласился на это, и леопарды пошли вместе с ним, чтобы проследить, будет ли выполнено это условие.

— А вдруг она обратит леопардов в камень? — шепнула Люси Питеру.

Я думаю, эта же мысль пришла в голову и самим леопардам; во всяком случае, шерсть у них на спине встала дыбом и хвосты поднялись трубой, как у котов при виде чужой собаки.

— Всё будет в порядке, — шепнул Питер ей в ответ. — Аслан не послал бы их, если бы не был уверен в их безопасности.

Через несколько минут колдунья собственной персоной появилась на вершине холма, пересекла поляну и стала перед Асланом. При взгляде на неё у Питера, Люси и Сьюзен — ведь они не видели её раньше — побежали по спине мурашки; среди зверей раздалось тихое рычание. Хотя на небе ярко сияло солнце, всем внезапно стало холодно. Спокойно себя чувствовали, по-видимому, только Аслан и сама колдунья. Странно было видеть эти два лика — золотой и бледный как смерть — так близко друг от друга. Правда, прямо в глаза Аслану колдунья всё же посмотреть не смогла — миссис Бобриха очень внимательно наблюдала за ней.

— Среди вас есть предатель, Аслан, — сказала колдунья.

Конечно, все поняли, что она имеет в виду Эдмунда, но после всего, что произошло, и утреннего разговора сам мальчик меньше всего думал о себе и по-прежнему не отрывал взора от Аслана; казалось, для него не имеет значения, что говорит колдунья.

— Ну и что, — совершенно спокойно отреагировал Аслан. — Его предательство было совершено по отношению к другим, а не к вам.

— Вы забыли Тайную магию? — удивилась колдунья.

— Предположим, забыл, — печально ответил Аслан. — Расскажите нам о Тайной магии.

— Рассказать вам? — едва ли не взвизгнула колдунья. — Рассказать, что написано на том самом Каменном Столе, возле которого мы стоим? Рассказать, что высечено, словно ударами копья, на жертвенном камне Заповедного холма? Вы не хуже меня знаете магию, которой подвластна Нарния с давних времён. Вы знаете, что, согласно ей, каждый предатель принадлежит мне. Это моя законная добыча, за каждое предательство я имею право убить.

— А-а, — протянул мистер Бобёр, — вот почему, оказывается, вы вообразили себя королевой: потому что вас назначили палачом!

— Спокойно, — промолвил Аслан и тихо зарычал.

— Поэтому, — продолжила колдунья, — это человеческое отродье — моё. Его жизнь принадлежит мне, его кровь — моё достояние.

— Что ж, тогда возьми его! — проревел бык с головой человека.

— Дурак, — сказала колдунья, и жестокая улыбка скривила ей губы. — Неужели ты думаешь, твой повелитель может силой лишить меня моих законных прав? Он слишком хорошо знает, что такое Тайная магия, как знает и то, что, если я не получу крови, как о том сказано в Древнем законе, Нарния погибнет от огня и воды.

— Истинная правда, — сказал Аслан. — Я этого не отрицаю.

— О, Аслан, — зашептала Сьюзен льву на ухо. — Мы не можем... я хочу сказать: ты не отдашь его, да? Неужели ничего нельзя сделать против Тайной магии? Может быть, можно как-нибудь подействовать на неё?

— Подействовать на Тайную магию? — переспросил Аслан, обернувшись к девочке, и нахмурился.

И никто больше не осмелился с ним заговорить.

Всё это время Эдмунд стоял по другую сторону от Аслана и неотступно смотрел на него. У мальчика перехватило горло, он подумал, не следует ли ему что-нибудь сказать, но тут же почувствовал, что от него ждут одного: делать то, что ему скажут.

— Отойдите назад, — потребовал Аслан. — Я хочу поговорить с колдуньей с глазу на глаз.

Все повиновались. Ах как ужасно было ждать, ломая голову над тем, о чём так серьёзно беседуют вполголоса лев и ведьма!

— Ах, Эдмунд! — расплакалась вдруг Люси.

Питер стоял спиной ко всем остальным и глядел на далёкое море. Бобры взялись за лапы и свесили головы. Кентавры беспокойно переступали копытами. Но под конец все перестали шевелиться и стали слышны даже самые тихие звуки: гудение

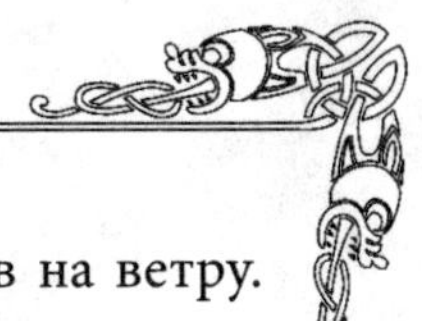

шмеля, пение птиц далеко в лесу и шелест листьев на ветру. А беседе Аслана и колдуньи всё не было видно конца.

Наконец раздался голос Аслана:

— Можете подойти. Я всё уладил. Она отказывается от притязаний на жизнь вашего брата.

И над поляной пронёсся вздох, словно всё это время они сдерживали дыхание и только теперь вздохнули полной грудью. Затем все разом заговорили.

Лицо колдуньи светилось злобным торжеством. Она пошла было прочь, но вновь остановилась и сказала:

— Откуда мне знать, что обещание не будет нарушено?

Аслан, приподнявшись на задние лапы, так взревел, что колдунья, вытаращив глаза и разинув рот, подобрала юбки и пустилась наутёк.

## *Глава четырнадцатая*

# ТРИУМФ КОЛДУНЬИ

Как только колдунья скрылась из виду, Аслан сказал:
— Нам надо перебираться отсюда: это место понадобится для других целей. Сегодня вечером мы разобьём лагерь у брода через Беруну.

Конечно, все умирали от желания узнать, как ему удалось договориться с колдуньей, но вид у льва был по-прежнему суровый, в ушах у всех ещё звучал его грозный рык, и никто не отважился ни о чём его спрашивать.

Солнце уже высушило траву, и они позавтракали прямо на лужайке под открытым небом. Затем все занялись делом: одни сворачивали шатёр, другие собирали вещи. Вскоре после полудня они снялись с места и пошли к северо-востоку: шли не спеша, ведь идти было недалеко.

По пути Аслан объяснил Питеру свой план военной кампании:

— Как только колдунья покончит с делами в этих краях, вместе со своей сворой наверняка отступит к замку и приготовится к обороне. Возможно, тебе удастся перехватить её на пути туда, но поручиться за это нельзя.

Затем Аслан нарисовал в общих чертах два плана битвы: один — если сражаться с колдуньей и её сторонниками при-

дётся в лесу, другой — если надо будет брать её замок штурмом, — а также дал Питеру множество советов, как вести военные действия: куда, например, поместить кентавров или выслать разведчиков. Наконец Питер сказал:

— Но ведь ты же будешь с нами.

— Этого я тебе обещать не могу, — ответил Аслан и продолжил давать Питеру указания.

Вторую половину пути Аслан не покидал Сьюзен и Люси, но почти ничего не говорил и казался очень печальным.

Ещё не наступил вечер, когда они вышли к широкому плёсу там, где долина расступилась в стороны, а река стала мелкой. Это были броды Беруны. Аслан отдал приказ остановиться на ближнем берегу, но Питер сказал:

— А не лучше ли разбить лагерь на том берегу? Вдруг колдунья нападёт на нас ночью?

Аслан, задумавшийся о чём-то, встрепенулся, тряхнул гривой и спросил:

— Что ты сказал?

Питер повторил свои слова.

— Нет, — ответил Аслан глухо и безучастно. — Нет, этой ночью она не станет на нас нападать. — Потом, глубоко вздохнув, добавил: — Всё равно хорошо, что ты об этом подумал. Воину так и положено. Только сегодня это не имеет значения.

И они принялись разбивать лагерь там, где он указал.

Настроение Аслана передалось остальным. Питеру к тому же было не по себе от мысли, что ему придётся на свой страх и риск сражаться с колдуньей. Он не ожидал, что Аслан покинет их, и известие об этом его потрясло. Ужин прошёл в молчании. Все чувствовали, что этот вечер сильно отличается от вчерашнего вечера и даже от сегодняшнего утра. Словно хорошие времена, не успев начаться, уже подходят к концу.

Чувство это настолько овладело Сьюзен, что, улегшись спать, она никак не могла уснуть и ворочалась с боку на бок, считая белых слонов: «Один белый слон, два белых слона, три белых слона...» — но сон всё не шёл к ней. Тут она услышала, как Люси протяжно вздохнула и заворочалась рядом с ней в темноте.

— Тоже не можешь уснуть? — спросила Сьюзен.

— Да. Я думала, ты спишь. Послушай, Сью, у меня такое ужасное чувство... словно над нами нависла беда.

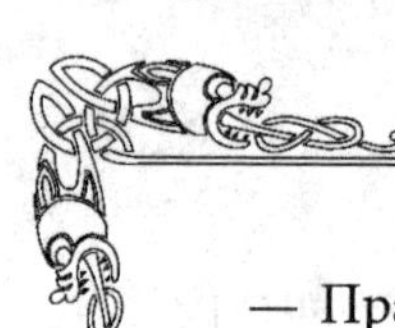



— Правда? Честно говоря, у меня тоже.

— Это связано с Асланом, — сказала Люси. — То ли с ним случится что-нибудь ужасное, то ли он сам сделает что-то ужасное.

— Да, он был сам на себя не похож весь день, — согласилась Сьюзен. — Люси, что это он говорил, будто его не будет с нами во время битвы? Как ты думаешь, он не хочет потихоньку уйти сегодня ночью и оставить нас одних?

— А где он сейчас? Здесь, в шатре?

— По-моему, нет.

— Давай выйдем и посмотрим. Может быть, увидим его.

— Давай, — согласилась Сьюзен, — всё равно нам не уснуть.

Девочки тихонько пробрались между спящими и выскользнули из шатра. Светила яркая луна, не было слышно ни звука, кроме журчания реки, бегущей по камням. Вдруг Сьюзен схватила Люси за руку и шепнула:

— Гляди!

На самом краю поляны, там, где уже начинались деревья, они увидели льва — он медленно уходил в лес. Девочки, не обменявшись ни словом, пошли следом за ним.

Он поднялся по крутому склону холма и свернул вправо. Судя по всему, он шёл тем самым путем, каким привел их сюда сегодня днём. Он шёл всё дальше и дальше, то скрываясь в густой тени, то показываясь в бледном свете луны. Ноги девочек скоро промокли от росы. Но что сделалось с Асланом? Таким они его ещё не видели. Голова его опустилась, хвост обвис, и шёл он медленно-медленно, словно очень-очень устал. И вот в тот момент, когда они пересекали открытое место, где не было ни тени и невозможно было укрыться, лев вдруг остановился и посмотрел назад. Убегать было бесполезно, и девочки подошли к нему. Когда они приблизились, он сказал:

— Ах, дети, дети, зачем вы идёте за мной?

— Мы не могли уснуть, — промолвила Люси и тут почувствовала, что не нужно больше ничего говорить, что Аслан и так знает их мысли.

— Можно нам пойти с тобой вместе... пожалуйста, куда бы ты ни шёл? — попросила Сьюзен.

— Вместе... — Аслан задумался, потом сказал: — Да, вы можете пойти со мной: я буду рад побыть с друзьями сегодня ночью, — но пообещайте, что остановитесь там, где я скажу, и не станете мне мешать.

— О, спасибо! Спасибо! Мы сделаем всё как ты велишь! — воскликнули девочки.

И вот они снова пустились в путь: лев — посредине, девочки — по бокам, — но как медленно он шёл! Его большая царственная голова опустилась так низко, что нос чуть не касался травы. Вот он споткнулся и издал тихий стон.

— Аслан! Милый Аслан! — прошептала Люси. — Что с тобой? Ну скажи нам.

— Ты не болен, милый Аслан? — спросила Сьюзен.

— Нет, просто мне грустно и одиноко. Положите руки на мою гриву, чтобы я чувствовал, что вы рядом.

И вот сёстры наконец сделали то, чего им так хотелось с первой минуты, как они увидели льва, но на что никогда не отважились бы без его разрешения: погрузили озябшие руки в его великолепную гриву и принялись её гладить. И так они шли всю оставшуюся дорогу. Вскоре девочки поняли, что поднимаются по склону холма, на котором стоял Каменный Стол. Их путь лежал по той стороне склона, где деревья доходили почти до самой вершины. Когда они поравнялись с последним деревом, Аслан остановился и сказал:

— Дети, здесь вы должны остаться. И что бы ни случилось, постарайтесь, чтобы вас никто не заметил. Прощайте.

Девочки горько расплакались, хотя сами не могли бы объяснить почему, прильнули ко льву и стали целовать его гриву, нос, лапы и большие печальные глаза. Наконец он повернулся и пошёл от них прочь, прямо на вершину холма. Люси и Сьюзен, спрятавшись в кустах, смотрели ему вслед, и вот что увидели.

Вокруг Каменного Стола собралась большая толпа. Хоть луна и светила по-прежнему ярко, многие держали в руках факелы, изрыгавшие зловещее красное пламя и чёрный дым. Кого там только не было: людоеды с огромными зубами, громадные волки, существа с туловищем человека и головой быка, уродливые ведьмы, духи злых деревьев и ядовитых растений и другие страшилища, которых я не стану описывать,

не то взрослые запретят вам читать эту книжку, — джинны, кикиморы, домовые, лешие и прочая нечисть. Одним словом, все те, кто был на стороне колдуньи и кого волк собрал здесь по её приказу. А прямо у Каменного Стола стояла сама Белая колдунья.

Увидев приближающегося к ним льва, чудища взвыли от ужаса, и даже какой-то миг сама колдунья казалась объятой страхом, но тут же оправилась, разразилась неистовым яростным хохотом и вскричала:

— Глупец! Глупец пришёл! Скорее вяжите его!

Люси и Сьюзен, затаив дыхание, ждали, что Аслан с рёвом кинется на врагов, но этого не произошло. С ухмылками и насмешками, однако не решаясь поначалу близко к нему подойти и сделать то, что им велено, к Аслану стали приближаться четыре ведьмы.

— Вяжите его, кому сказано! — повторила Белая колдунья.

Ведьмы кинулись на Аслана и торжествующе завизжали, увидев, что тот и не думает сопротивляться. Тогда все остальные бросились на помощь. Обрушившись на него всем скопом, они свалили огромного льва на спину и принялись связывать. Они издавали победные крики, словно совершили невесть какой подвиг, однако он не шевельнулся, не испустил ни звука, даже когда его враги так затянули верёвки, что они врезались ему в тело. Связав льва, они потащили его к Каменному Столу.

— Стойте! — сказала колдунья. — Сперва надо его остричь.

Под взрывы злобного гогота из толпы вышел людоед с ножницами в руках и присел на корточки возле Аслана. «Чик-чик-чик», — щёлкали ножницы, и на землю дождём сыпались золотые завитки. Когда людоед поднялся, девочки увидели из своего убежища совсем другого Аслана — голова его казалась такой маленькой без гривы! Враги тоже увидели, как изменился всемогущий лев, и один из них выкрикнул:

— Гляньте, да это просто большая кошка!

— И *его*-то мы боялись! — поддакнул ему другой.

Столпившись вокруг Аслана, они принялись насмехаться над ним:

— Кис-кис-кис! Сколько мышей поймал сегодня? Не хочешь ли молока, киска?

— Да как они *могут*... — всхлипнула Люси — слёзы ручьями катились у неё по щекам. — Скоты! Мерзкие скоты!

Когда прошло первое потрясение, Аслан, лишённый гривы, стал казаться куда отважнее и красивее прежнего.

— Наденьте на него намордник! — приказала колдунья.

Даже сейчас, когда на него натягивали намордник, одно движение его огромной пасти — и двое-трое из них остались бы без рук и лап, но Лев по-прежнему не шевелился. Казалось, это привело врагов в ещё большую ярость. Все, как один, они набросились на него. Даже те, кто боялся подойти к нему, уже связанному, теперь осмелели. Несколько минут Аслана совсем не было видно — так плотно обступил его весь этот сброд. Чудища пинали его, били, плевали на него, насмехались над ним.

Наконец это им надоело, и они поволокли связанного льва к Каменному Столу. Аслан был такой огромный, что, когда они притащили его туда, им всем вместе еле-еле удалось взгромоздить его на Стол. А затем они ещё туже затянули верёвки.

— Трусы! Трусы! — сквозь рыдания выкрикнула Сьюзен. — Они всё ещё боятся его! Даже сейчас.

Но вот Аслана привязали к плоскому камню. Теперь он казался сплошной массой верёвок. Все примолкли. Четыре ведьмы с факелами в руках стали у четырёх углов Стола. Колдунья сбросила плащ, как и в прошлую ночь, только сейчас перед ней был Аслан, а не Эдмунд. Затем принялась точить нож. Когда на него упал свет от факелов, девочки увидели, что нож этот — причудливой и зловещей формы — каменный, а не стальной.

Наконец колдунья подошла ближе и встала у головы Аслана. Лицо её исказилось от злобы, но лев по-прежнему глядел на небо, и в его глазах не было ни гнева, ни боязни — лишь печаль. Колдунья наклонилась и, перед тем как нанести удар, проговорила торжествующе:

— Ну, кто из нас выиграл? Глупец, неужели ты думал, что своей смертью спасёшь человеческое отродье? Этого предателя-мальчишку? Я убью тебя вместо него, как мы договорились: согласно Тайной магии, жертва будет принесена, — но когда ты будешь мёртв, что помешает мне убить и его? Кто тогда вырвет его из моих рук? Четвёртый трон в Кэр-Паравале останется пустым. Ты навеки отдал мне Нарнию, потерял свою жизнь и не избавил от смерти предателя. А теперь, зная это, умри!

Люси и Сьюзен не видели, как она вонзила нож — им было слишком тяжко на это смотреть, и они зажмурились, — поэтому не видели и другого: как в ответ на слова колдуньи Аслан улыбнулся и в его глазах сверкнула радость.

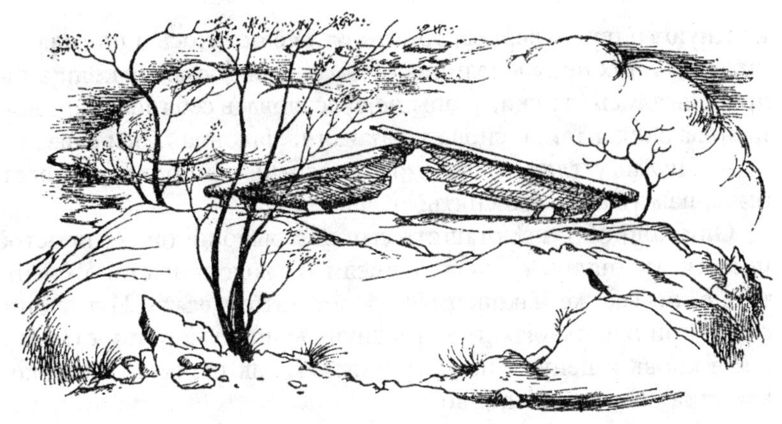

*Глава пятнадцатая*

# ТАЙНАЯ МАГИЯ СТАРОДАВНИХ ВРЕМЁН

Девочки всё ещё сидели в кустах, закрыв лицо руками, когда услышали голос колдуньи:

— Все за мной, и мы покончим с врагами. Теперь этот глупец, большой кот, умер, и мы быстро справимся с предателями и с человечьим отродьем.

Следующие несколько минут могли окончиться для сестёр печально. Под дикие крики, плач волынок и пронзительное завывание рогов вся орда злобных чудищ помчалась вниз по склону мимо того места, где притаились Люси и Сьюзен. Девочки чувствовали, как холодным ветром несутся мимо духи, как трясётся земля под тяжёлыми копытами минотавров, как хлопают над головой чёрные крылья грифов и летучих мышей. В другое время они дрожали бы от страха, но сейчас сердца их были полны скорби и они думали лишь о позорной и ужасной смерти Аслана.

Как только стихли последние звуки, Сьюзен и Люси прокрались на вершину холма. Луна уже почти зашла, лёгкие облака то и дело застилали её, но опутанный верёвками мёртвый лев всё ещё был виден на фоне неба. Люси и Сьюзен опустились на колени в сырой траве и стали целовать его и гладить прекрасную гриву — вернее, то, что от неё осталось. Они плакали, пока у них не заболели глаза. Тогда они посмотрели друг на друга, взялись за руки, чтобы не чувствовать себя так одиноко, и снова заплакали, и снова замолчали. Наконец Люси сказала:

— Не могу глядеть на этот ужасный намордник. Может быть, нам удастся его снять?

Они попробовали стащить его. Это было не так-то просто, потому что пальцы у них онемели от холода и стало очень темно, но всё же наконец им удалось это сделать. И тут они снова принялись плакать, и гладить львиную морду, и стирать с неё кровь и пену. Я не могу описать, как им было одиноко, как страшно, как тоскливо.

— Как ты думаешь, нам удастся развязать его? — сказала Сьюзен.

Но злобные чудища так затянули верёвки, что девочки не смогли распутать узлы.

Я надеюсь, что никто из ребят, читающих эту книгу, никогда в жизни не чувствовал себя таким же несчастным, как Сьюзен и Люси. Но если вы плакали когда-нибудь всю ночь, до тех пор пока не осталось ни единой слезинки, то знаете, что под конец вас охватывает какое-то оцепенение, чувство, что никогда больше ничего хорошего не случится. Во всяком случае, так казалось Люси и Сьюзен. Час проходил за часом, становилось всё холодней и холодней, а они ничего не замечали. Но вот Люси увидела, что небо на востоке стало чуть-чуть светлее, и ещё кое-что: в траве у её ног шмыгали какие-то су-

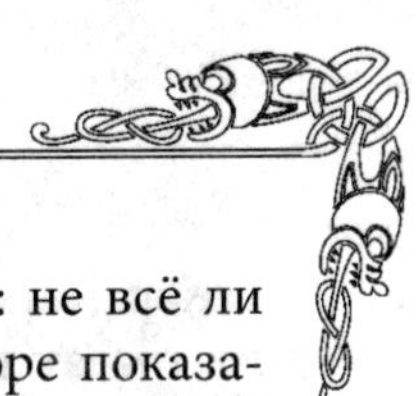

щества. Сперва она не обратила на них внимания: не всё ли равно, теперь ей всё было безразлично, — но вскоре показалось, что эти существа — кто бы они ни были — взбираются по ножкам Стола и бегают по телу Аслана. Она наклонилась и увидела каких-то серых зверушек.

— Фу! — воскликнула в этот момент Сьюзен, сидевшая по другую сторону Стола. — Какая гадость! Противные мыши! Убирайтесь отсюда!

Она подняла руку, чтобы их согнать, но Люси, всё это время не сводившая с мышей глаз, остановила сестру:

— Погоди! Ты видишь?

Девочки наклонились и стали всматриваться.

— Мне кажется... — сказала Сьюзен. — Как странно! Они грызут верёвки!

— Так я и думала! — обрадовалась Люси. — Эти мыши — друзья. Бедняжки не понимают, что он мёртвый, и пытаются освободить от пут.

Тем временем почти рассвело. Девочки уже различали лица друг друга — ну и бледные же они! — увидели и мышей, перегрызавших верёвки: сотни маленьких полевых мышек.

Небо на востоке совсем побледнело, звёзды потускнели — все, кроме одной большой звезды над горизонтом, — похолодало.

Мыши разбежались, закончив работу, и девочки сбросили с Аслана обрывки верёвок. Без них лев был больше похож на себя. С каждой минутой становилось светлее, и им всё легче было его разглядеть. В лесу, за спиной, чирикнула птица. Девочки даже вздрогнули — ведь очень долгое время тишину не нарушал ни один звук. Другая птица просвистела что-то в ответ. Скоро весь лес звенел от птичьих голосов.

Ночь кончилась: в этом не было никакого сомнения, — началось утро.

— Я так озябла, — поёжилась Люси.

— И я, — сказала Сьюзен. — Давай походим.

Они подошли к восточному склону холма и поглядели вниз. Большая звезда исчезла. Лес внизу казался чёрным, но вдали, у самого горизонта, светилась полоска моря. Небо розовело. Девочки ходили взад-вперёд, стараясь хоть немного согреться. Ах, как они устали — просто еле переставляли ноги, — поэтому на минутку остановились, чтобы взглянуть на море и Кэр-Параваль, который только сейчас смогли различить. На их глазах красная полоска между небом и морем стала золотой, и медленно-медленно из воды показался краешек солнца. В этот миг они услышали за спиной громкий треск, словно великан разбил свою великанскую чашку.

— Что это?! — вскричала Люси, хватая Сьюзен за руку.

— Я... я боюсь взглянуть, — ответила сестра. — Что там происходит? Мне страшно.

— Опять что-то... с Асланом. Что-то нехорошее. — Люси обернулась и потянула за собой Сьюзен. — Пойдём скорей.

Под лучами солнца всё выглядело совсем иначе, все цвета и оттенки изменились, и в первое мгновение они не поняли, что произошло, но увидели, что Каменный Стол рассечён глубокой трещиной на две половины, а Аслан исчез.

— Какой ужас... — расплакалась Люси. — Даже мёртвого они не могут оставить его в покое!

— Кто это сделал?! — воскликнула Сьюзен. — Что это значит? Снова магия?

— Да, — раздался громкий голос у них за спиной. — Снова магия.

Они обернулись. Перед ними, сверкая на солнце, потряхивая гривой — видно, она успела уже отрасти, сделавшись ещё больше, — стоял... лев.

— Ах, Аслан! — воскликнули обе девочки, глядя на него со смешанным чувством радости и страха. — Ты живой?

— Теперь — да.

— Ты не... не?.. — дрожащим голосом пролепетала Сьюзен, не в силах вымолвить слово «привидение».

Аслан наклонил золотистую гриву и лизнул её в лоб. В лицо ей ударило тёплое дыхание и пряный запах шерсти.

— Разве я на него похож?

— Ах, нет-нет, ты живой, ты настоящий! Ах, Аслан! — вскричала Люси, и обе девочки принялись обнимать и целовать льва.

— Но что всё это значит? — спросила Сьюзен, когда они немного успокоились.

— А вот что, — ответил Аслан. — Колдунья знает Тайную магию, уходящую в глубь времён, но если бы могла заглянуть ещё глубже, в тишину и мрак, которые были до того, как на-

чалась история Нарнии, то прочитала бы другие магические знаки и узнала бы, что, когда вместо предателя на жертвенный Стол по доброй воле взойдёт тот, кто ни в чём не виноват, кто не совершал никакого предательства, Стол сломается и сама смерть отступит перед ним. С первым лучом солнца. А теперь...

— Да-да, что теперь? — захлопала в ладоши Люси.

— Ах, дети! — воскликнул лев. — Я чувствую, ко мне возвращаются силы. Ловите меня!

Секунду он стоял на месте. Глаза его сверкали, лапы подрагивали, хвост бил по бокам. Затем он подпрыгнул высоко в воздух, перелетел через девочек и опустился по другую сторону Стола. Сама не зная почему, хохоча во всё горло, Люси вскарабкалась на Стол, пытаясь схватить Аслана, но лев снова прыгнул. Началась погоня. Аслан описывал круг за кругом, то оставляя девочек далеко позади, то чуть не даваясь им в руки, то проскальзывая между ними, то подкидывая их высоко в воздух и снова ловя своими огромными бархатными лапами, то неожиданно останавливаясь как вкопанный, так что все трое кубарем катились на траву и нельзя было разобрать, где лапы, где руки, где ноги. Да, так возиться можно только в Нарнии. Люси не могла решить, на что это было больше похоже — на игру с грозой или с котёнком. И что самое забавное: когда, запыхавшись, они свалились наконец в траву, девочки не чувствовали больше ни усталости, ни голода, ни жажды.

— А теперь, — сказал Аслан, — за дело. Я чувствую, что сейчас зарычу. Заткните уши!

Так они и поступили. Когда Аслан встал и открыл пасть, собираясь зарычать, он показался им таким грозным, что они не осмелились глядеть на него. Они увидели, как от его рыка склонились деревья — так клонится трава под порывами ветра. Затем он сказал:

— Перед нами далёкий путь. Садитесь на меня верхом.

Лев пригнулся, и девочки вскарабкались на его тёплую золотистую спину: сперва села Сьюзен и крепко ухватилась за гриву, за ней — Люси, крепко ухватившись за Сьюзен. Вот он поднялся на ноги и помчался вперёд быстрее самого резвого скакуна сначала вниз по склону, затем в чащу леса.

Ах, как это было замечательно! Пожалуй, лучшее из всего того, что произошло с ними в Нарнии. Вы скакали когда-ни-

будь галопом на лошади? Представьте себе эту скачку, только без громкого стука копыт и звяканья сбруи, ведь огромные лапы льва касались земли почти бесшумно. А вместо вороной, серой или гнедой лошадиной спины представьте себе мягкую шершавость золотистого меха и гриву, струящуюся по ветру. А затем представьте, что вы летите вперёд в два раза быстрее, чем самая быстрая скаковая лошадь. И ваш скакун не нуждается в поводьях и никогда не устаёт. Он мчится всё дальше и дальше, не оступаясь, не сворачивая в стороны, ловко лавируя между стволами деревьев, перескакивая через кусты, заросли вереска и ручейки, переходя вброд речушки, переплывая глубокие реки. И вы несётесь на нём не по дороге, не в парке, даже не по вересковым пустошам, а через всю Нарнию, весной, по тенистым буковым перелескам, по солнечным дубовым прогалинам, через белоснежные сады дикой вишни, мимо ревущих водопадов, покрытых мхом скал и гулких пещер, вверх по обвеваемым ветром склонам, покрытым огненным дроком, через поросшие вереском горные уступы, вдоль головокружительных горных кряжей, а затем — вниз, вниз, вниз, вновь в лесистые долины и усыпанные голубыми цветами необозримые луга.

Незадолго до полудня они очутились на вершине крутого холма, у подножия которого увидели замок — сверху он был похож на игрушечный, — состоявший, как казалось, из одних островерхих башен. Лев мчался так быстро, что замок становился больше с каждой секундой, и, прежде чем успели спросить себя, чей это замок, они уже были рядом с ним. Теперь замок не выглядел игрушечным. Он грозно вздымался вверх. Между зубцами стен никого не было видно, ворота стояли на запоре. Аслан, не замедляя бега, прорычал:

— Это дом Белой колдуньи! Держитесь крепче!

В следующий миг им показалось, что весь мир перевернулся вверх дном. Лев подобрался для такого прыжка, какого ещё никогда не делал, и перепрыгнул — вернее было бы сказать «перелетел» — прямо через стену замка. Девочки, еле переводя дыхание, но целые и невредимые, скатились у него со спины и увидели, что они находятся посреди широкого, вымощенного камнем двора, плотно заставленного статуями...

*Глава шестнадцатая*

# ЧТО ПРОИЗОШЛО СО СТАТУЯМИ

— Какое странное место! — воскликнула Люси. — Сколько каменных животных... и других существ! Как будто... как будто мы в музее.

— Ш-ш, — прошептала Сьюзен. — Посмотри, что делает Аслан.

Да, на это стоило посмотреть. Одним прыжком он подскочил к каменному льву и дунул на него. Тут же обернулся кругом — точь-в-точь кот, охотящийся за своим хвостом, — и дунул на каменного гнома, который, как вы помните, стоял спиной ко льву в нескольких шагах от него. Затем кинулся к высокой каменной дриаде позади гнома. Свернул в сторону, чтобы дунуть на каменного кролика, прыгнул направо к двум кентаврам. И тут Люси воскликнула:

— Ой, Сьюзен! Посмотри! Посмотри на льва!

Вы, наверное, видели, что бывает, если поднести спичку к куску газеты. В первую секунду кажется, что ничего не произошло, затем вы замечаете, как по краю газеты начинает течь тонкая струйка огня. Нечто подобное они видели теперь. После того как Аслан дунул на каменного льва, по белой мраморной спине побежала крошечная золотая струйка, потом сделалась шире, ещё шире — казалось, льва охватило золотым пламе-

нем, как огонь охватывает бумагу. Задние лапы и хвост были ещё каменные, но он тряхнул гривой и все тяжёлые каменные завитки заструились живым потоком. Лев открыл большую красную пасть и сладко зевнул, обдав девочек тёплым дыханием. Но вот и задние лапы его ожили. Лев поднял одну, почесался, затем, заметив Аслана, бросился вдогонку и принялся прыгать вокруг, повизгивая от восторга и пытаясь лизнуть его в нос.

Конечно, девочки не могли оторвать от него глаз, но когда наконец отвернулись, то увиденное заставило их забыть про льва. *Все* статуи, окружавшие их, оживали. Двор не был больше похож на музей, а скорее напоминал зоопарк. Вслед за Асланом неслась пляшущая толпа самых странных созданий, так что вскоре его почти не стало видно. Двор переливался теперь всеми цветами радуги: глянцевито-каштановые бока кентавров, синие рога единорогов, сверкающее оперение птиц, рыжий мех лисиц, красновато-коричневая шерсть собак и сатиров, жёлтые чулки и алые колпачки гномов, серебряные одеяния дев-берёзок, прозрачно-зелёные — буков, и ярко-зелёные, до желтизны, одеяния дев-лиственниц. Все эти краски сменили мёртвую мраморную белизну. А на смену мёртвой тишине пришло радостное ржание, лай, рык, щебет, писк, воркование, топот копыт, крики, возгласы, смех и пение.

— Ой, — проговорила Сьюзен изменившимся голосом, — погляди! Это... это не опасно?

Люси увидела, что Аслан дует на ноги каменного великана.

— Не бойтесь! — весело прорычал лев. — Главное — оживить ноги, а всё остальное оживёт следом.

— Я совсем не то имела в виду, — шепнула сестре Сьюзен.

Но теперь поздно было что-нибудь предпринимать, даже если бы Аслан и выслушал её до конца. Вот великан шевельнулся. Вот поднял дубинку на плечо, протёр глаза и сказал:

— О-хо-хо! Я, верно, заснул. А куда девалась эта плюгавенькая колдунья, которая бегала где-то тут, у меня под ногами?

Все остальные хором принялись объяснять ему, что здесь произошло. Он поднёс руку к уху, попросил их повторить всё с самого начала, а когда наконец всё понял, поклонился так низко, что голова его оказалась не выше, чем верхушка стога

сена, и почтительно снял шапку перед Асланом, улыбаясь во весь рот. (Великанов так мало теперь в Англии, а с хорошим характером и вовсе единицы, что — бьюсь об заклад! — вы никогда не видели улыбающегося великана. А на это стоит посмотреть!)

— Ну, пора приниматься за замок, — сказал Аслан. — Живей, друзья. Обыщите все уголки снизу доверху и спальню самой хозяйки. Кто знает, где может оказаться какой-нибудь горемыка пленник.

Они кинулись внутрь, и долгое время по всему тёмному, страшному, душному старому замку раздавался звук раскрываемых окон и перекличка голосов: «Не забудьте темницы...»; «Помоги мне открыть эту дверь...»; «А вот ещё винтовая лестница... «Ой, посмотри, здесь кенгуру, бедняжка...»; «Позовите

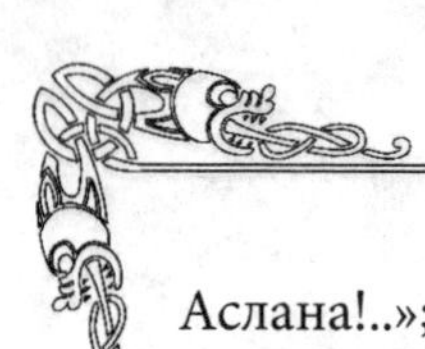



Аслана!..»; «Эй, наверху! Тут на лестничной площадке их целая куча!» А сколько было радости, когда примчалась Люси и воскликнула:

— Аслан! Аслан! Я нашла мистера Тумнуса! Ой, пожалуйста, пойдём побыстрей туда!

И уже через минуту девочка и маленький фавн, взявшись за руки, весело пустились в пляс. Мистеру Тумнусу ничуть не повредило, что его превратили в статую: он ничего об этом не помнил и, естественно, с большим интересом слушал рассказ Люси.

Наконец друзья перестали обшаривать крепость колдуньи. Замок её был пуст, двери и окна распахнуты настежь, свет и душистый весенний воздух залили все тёмные и угрюмые уголки, куда они так давно не попадали. Освобождённые Асланом пленники толпой высыпали во двор. И вот тут кто-то из них — кажется, мистер Тумнус — сказал:

— А как же мы выберемся отсюда? Ведь Аслан перескочил через стену, а ворота по-прежнему на запоре.

— Ну, это не трудно, — ответил Аслан и, поднявшись во весь рост, крикнул великану: — Эй, ты там, наверху!.. Как тебя зовут?

— Рамблбаффин, с позволения вашей милости, — ответил великан, вновь приподнимая шапку.

— Прекрасно, великан Рамблбаффин! Выпустите-ка нас отсюда.

— Конечно, ваша милость. С большим удовольствием! — сказал великан Рамблбаффин. — Брысь от ворот, малявки.

Он подошёл к воротам и — бац! бац! бац! — заработал своей огромной дубиной. От первого удара ворота заскрипели, от второго — затрещали, от третьего — развалились на куски. Тогда великан принялся за башни, и через несколько минут все они, прихватив по хорошему куску стен, с грохотом обрушились на землю и превратились в груду обломков. Как было странно, когда улеглась пыль, стоя посреди каменного, без единой травинки мрачного двора, видеть через пролом в стене зелёные луга, и трепещущие под ветром деревья, и сверкающие ручьи в лесу, а за лесом — голубые горы и небо над ними.

— Чёрт побери! Аж вспотел, — сказал великан, пыхтя как паровоз. — Нет ли у вас носового платочка, красны девицы?

— У меня есть, — сказала Люси, приподнимаясь на носки и стараясь как можно дальше протянуть руку.

— Спасибо, мисс, — сказал Рамблбаффин и наклонился.

В следующую минуту Люси с ужасом почувствовала, что взлетает в воздух, зажатая между большим и указательным пальцами великана, но, приподняв её повыше, тот вздрогнул и, бережно опустив на землю, пробормотал:

— О господи... Я подхватил саму девчушку... Простите, мисс: я думал, это *вы носовой платок.*

— Нет, я не платок, — сказала Люси и рассмеялась. — Вот он.

На этот раз великан умудрился его подцепить, но для него её платок был всё равно что для нас песчинка, поэтому, глядя, как он с серьёзным видом трёт им своё красное лицо, Люси сказала:

— Боюсь, вам от него мало проку, мистер Рамблбаффин.

— Вовсе нет, вовсе нет, — вежливо ответил великан. — Никогда не видел такого красивого платочка. Такой мягкий, такой удобный. Такой... не знаю даже, как его описать...

— Правда, симпатичный великан? — сказала Люси мистеру Тумнусу.

— О да! — ответил фавн. — Все Баффины такие. Одно из самых уважаемых великаньих семейств в Нарнии. Не очень умны, возможно — я не встречал ещё умных великанов, — но старинное семейство. С традициями. Вы понимаете, что я хочу сказать? Будь он другим, колдунья не превратила бы его в камень.

В этот момент Аслан хлопнул лапами и призвал всех к тишине.

— Мы ещё не сделали всего того, что должны были сделать сегодня, — сказал он. — И если мы хотим покончить с колдуньей до того, как наступит время ложиться спать, нужно немедленно выяснить, где идёт битва.

— И вступить в бой, надеюсь, — добавил самый большой кентавр.

— Разумеется, — сказал Аслан. — Ну, двинулись! Те, кто не может бежать быстро — дети, гномы, маленькие зверушки, — садятся верхом на тех, кто может: львов, кентавров, единорогов, лошадей, великанов и орлов. Те, у кого хороший нюх,

идут впереди с нами, львами, чтобы поскорей напасть на след врагов. Ну же, живей разбивайтесь на группы!

Поднялась суматоха, и больше всех суетился лев, которого оживил Аслан. Он перебегал от группы к группе, делая вид, что очень занят, но в действительности только чтобы спросить:

— Вы слышали, что он сказал? «С нами, львами». Это значит, с ним и со мной. «С нами, львами». Вот за что я больше всего люблю Аслана. Никакого чванства, никакой важности. «С нами, львами». Значит, с ним и со мной.

Он повторял так до тех пор, пока Аслан не посадил на него трёх гномов, дриаду, двух кроликов и ежа. Это его немного угомонило.

Когда все были готовы — по правде говоря, распределить всех по местам Аслану помогала овчарка, — они тронулись в путь через пролом в стене. Сперва львы и собаки сновали из стороны в сторону и принюхивались, но вот залаяла одна из гончих, давая понять остальным, что напала на след. После этого не было потеряно ни минуты. Львы, собаки, волки и прочие хищники помчались вперёд, опустив носы к земле, а остальные, растянувшись позади них чуть не на милю, поспевали как могли. Можно было подумать, что идёт лисья охота, только изредка к звукам рогов присоединялось рычание второго льва, а то и более низкий и куда более грозный

рык самого Аслана. След становился куда более явственным. Преследователи бежали все быстрей и быстрей. И вот, когда они приблизились к тому месту, где узкая лощина делала последний поворот, Люси услышала новые звуки — крики, вопли и лязг металла о металл.

Но тут лощина кончилась, и Люси поняла, откуда неслись эти звуки. Питер, Эдмунд и армия Аслана отчаянно сражались с ордой страшных чудищ, которых она видела прошлой ночью, только сейчас, при свете дня, они выглядели куда более страшными, уродливыми и злобными. И стало их значительно больше. Армия Питера — они подошли к ней с тыла — сильно поредела. Все поле битвы было усеяно статуями: видимо, колдунья пускала в ход волшебную палочку, но теперь, судя по всему, больше ею не пользовалась, а сражалась своим каменным ножом, причём против самого Питера. Они так ожесточённо бились, что Люси едва могла разобрать, что происходит. Нож и меч мелькали с такой быстротой, словно там было сразу три ножа и три меча. Эта пара была в центре поля. Со всех сторон, куда бы Люси ни взглянула, шёл ожесточённый бой.

— Прыгайте, дети! — крикнул Аслан, и обе девочки соскользнули с его спины.

С рёвом, от которого содрогнулась вся Нарния от фонарного столба на западе до побережья моря на востоке, огромный зверь бросился на Белую колдунью. На мгновение перед Люси мелькнуло её поднятое к Аслану лицо, полное ужаса и удивления, а затем колдунья и лев покатились клубком по земле. Тут все те, кого Аслан привёл из замка колдуньи, с воинственными криками кинулись на неприятеля. Гномы пустили в ход боевые топорики, великан — дубинку (да и ногами он передавил не один десяток врагов), кентавры — мечи и копыта, волки — зубы, единороги — рога. Усталая армия Питера кричала «ура!», враги верещали, пришельцы орали, рычали, ревели — по всему лесу от края до края разносился страшный грохот сражения.

### *Глава семнадцатая*

## ПОГОНЯ ЗА БЕЛЫМ ОЛЕНЕМ

Через несколько минут битва была закончена. Большинство врагов погибло во время первой атаки армии Аслана, а те, кто остался в живых, увидев, что колдунья мертва, или спаслись бегством, или сдались в плен. И вот уже Аслан и Питер приветствуют друг друга, крепко пожимая руки и лапы. Люси никогда ещё не видела Питера таким, как сейчас: лицо его было бледно и сурово, и выглядел брат гораздо старше своих лет.

— Мы должны поблагодарить Эдмунда, Аслан, — услышала Люси слова Питера. — Нас бы разбили, если бы не он. Колдунья размахивала своей палочкой направо и налево, и наше войско обращалось в камень. Но Эдмунда ничто не могло остановить. Добираясь до колдуньи, он сразил трёх людоедов, стоявших на его пути. И когда он настиг её — она как раз обращала в камень одного из ваших леопардов, — у Эдмунда хватило ума обрушить удар меча на волшебную палочку, а не на колдунью, не то он сам был бы превращён в статую. Остальные как раз и поплатились за эту ошибку. Когда её палочка оказалась сломанной, у нас появилась некоторая надежда... Ах, если бы мы не понесли таких больших потерь в самом начале сражения! Эдмунд тяжело ранен. Нам надо пойти к нему.

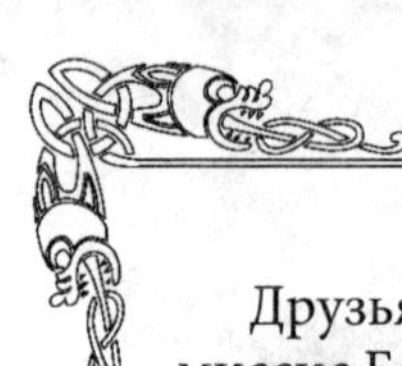


Друзья нашли Эдмунда за передовой линией на попечении миссис Бобрихи. Он был в крови, рот приоткрыт, лицо жуткого зеленоватого цвета.

— Быстрее, Люси! — воскликнул Аслан.

И тут девочка вдруг впервые вспомнила о целебном бальзаме, который получила в подарок от Деда Мороза. Руки у неё так дрожали, что она не могла вытащить пробку, но когда наконец ей это удалось, она влила несколько капель брату в рот.

— У нас много других раненых, — напомнил ей Аслан, но Люси не отрываясь смотрела на бледное лицо Эдмунда, гадая, помог ли ему бальзам.

— Я знаю, — ответила она нетерпеливо. — Погоди минутку.

— Дочь Адама и Евы, — повторил Аслан ещё суровей, — другие тоже стоят на пороге смерти. Сколько же их ещё должно умереть из-за Эдмунда?

— О, прости меня, Аслан! — Люси встала и пошла за ним.

Следующие полчаса оба были заняты делом: она возвращала жизнь раненым, он — тем, кто был обращён в камень. Когда девочка наконец освободилась и смогла вернуться к Эдмунду, тот был уже на ногах и раны его исцелились. Люси давно — пожалуй, целую вечность — не видела, чтобы он так чудесно выглядел: по правде сказать, с того самого дня, как пошёл в школу. Там-то, в этой ужасной школе, в компании дурных мальчишек, он и сбился с правильного пути. А теперь Эдмунд снова стал прежним и мог прямо смотреть людям в глаза.

И тут же, на поле боя, Аслан посвятил Эдмунда в рыцари.

— Интересно, — шепнула сестре Люси, — знает ли он, что сделал ради него Аслан? О чём на самом деле лев договорился с колдуньей?

— Ш-ш-ш... Нет. Конечно, нет.

— Как ты думаешь, рассказать ему?

— Разумеется, нет. Это было бы для него ужасно. Подумай, как бы ты чувствовала себя на его месте.

— И всё-таки ему следовало бы знать, — возразила Люси.

Но тут их разговор прервали.

В ту ночь все спали там, где каждого застали события. Как Аслан добыл еду для всех, я не знаю, но, так или иначе, около восьми часов вечера все сидели на траве и пили чай, на следующий день двинулись на восток вдоль берега большой реки,

а ещё через день, под вечер, пришли к её устью. Над ними возвышались башни замка Кэр-Параваль, стоящего на небольшом холме, перед ними были дюны, а кое-где среди песков виднелись скалы, лужицы солёной воды и водоросли. Пахло морем, на берег накатывали одна за другой бесконечные сине-зелёные волны. А как кричали чайки! Вы когда-нибудь слышали их? Помните, как они кричат?

Вечером, после ужина, четверо ребят снова спустились к морю, скинули туфли и чулки и побегали по песку босиком. Но следующий день был куда более торжественным. В этот день в Большом зале Кэр-Параваля — этом удивительном зале с потолком из слоновой кости, с дверью в восточной стене, выходящей прямо на море, и украшенной перьями западной стеной — в присутствии всех их друзей Аслан венчал ребят на царство. Под оглушительные крики: «Да здравствует король Питер! Да здравствует королева Сьюзен! Да здравствует король Эдмунд! Да здравствует королева Люси!» — он подвёл их к четырём тронам и провозгласил:

— Кто был хоть один день королём или королевой в Нарнии, навсегда останется здесь королевой или королём. Несите достойно возложенное на вас бремя, сыновья и дочери Адама и Евы!

Через широко распахнутые двери в восточной стене послышались голоса сирен и тритонов, подплывших к берегу, чтобы пропеть хвалу новым правителям Нарнии.

И вот ребята сели на троны, в руки им вложили скипетры, и они стали раздавать награды и ордена своим боевым друзьям: фавну Тумнусу и чете бобров, великану Рамблбаффину и леопардам, добрым кентаврам и добрым гномам, и льву — тому, который был обращён в камень. В ту ночь в Кэр-Паравале был большой праздник: пировали и плясали до утра. Сверкали золотые кубки, рекой лилось вино, и в ответ на музыку, звучавшую в замке, к ним доносилась удивительная — сладостная и грустная — музыка обитателей моря.

Но пока шло это веселье, Аслан потихоньку выскользнул из замка. И когда ребята это заметили, то ничего не сказали, потому что мистер Бобёр их предупредил: «Аслан будет приходить и уходить когда ему вздумается. Сегодня вы увидите его, а завтра нет. Он не любит быть привязанным к одному месту... и, понятное дело, есть немало других стран, где ему надо навести порядок. Не беспокойтесь. Он будет к вам заглядывать. Только не нужно его принуждать. Ведь он же *не ручной* лев, а всё-таки дикий».

Как вы видите, наша история почти — но ещё не совсем — подошла к концу. Два короля и две королевы хорошо управляли своей страной. Царствование их было долгим и счастливым. Сперва они потратили много времени на то, чтобы найти оставшихся в живых и уничтожить приспешников Белой колдуньи. Ещё долго в диких уголках леса таились гадкие чудища. В одном месте являлась ведьма, в другом — рассказывали о кикиморе. Но наконец всё злое племя удалось истребить. После того как ввели справедливые законы, правители поддерживали в Нарнии порядок, следили, чтобы не рубили зря добрые деревья, чтобы маленьких гномов и сатиров не перегружали занятиями в школе, наказывали тех, кто совал нос в чужие дела и вредил соседям, помогали тем, кто жил честно и спокойно и не мешал жить другим. Они прогнали дурных великанов (совсем непохожих на Рамблбаффина), когда те осмелились пересечь северную границу Нарнии. Заключали дружественные союзы с заморскими странами, наносили туда визиты на высшем уровне и устраивали торжественные приёмы у себя.

Шли годы. И сами ребята тоже менялись. Питер стал высоким широкоплечим мужчиной, отважным воином, и поддан-

ные называли своего короля Питером Великолепным. Сьюзен превратилась в красивую стройную женщину с чёрными, падающими чуть не до пят волосами, и короли заморских стран наперебой отправляли в Нарнию послов просить её руки и сердца. Её прозвали Сьюзен Великодушной. Эдмунд был более серьёзного и спокойного нрава, чем Питер, и был прозван Эдмундом Справедливым. А золотоволосая Люси всегда была весела, и все соседние принцы мечтали взять её в жены, а народ Нарнии прозвал её Люси Отважной.

Так они и жили — радостно и счастливо, и если вспоминали о своей прежней жизни по ту сторону дверцы платяного шкафа, то только как мы вспоминаем приснившийся сон. И вот однажды Тумнус — он уже стал к тому времени пожилым и начал толстеть — принёс им известие о том, что в их краях вновь появился Белый олень — тот самый, который выполняет все желания тех, кому удастся его поймать. Оба короля и обе королевы и их главные приближённые отправились на охоту в западный лес в сопровождении псарей с охотничьими собаками и егерей с охотничьими рожками. Вскоре они увидели Белого оленя и помчались за ним по пущам и дубравам, не разбирая дороги. Кони их приближённых выбились из сил, и только короли и королевы неслись следом за оленем. Но вот они увидели, что тот скрылся в такой чащобе, где коням не пройти. Тогда король Питер молвил (они теперь — после того как долго пробыли королевами и королями — говорили совсем иначе):

— Любезный брат мой, любезные сёстры мои, давайте спешимся, оставим наших скакунов и последуем за этим оленем. Ибо ни разу за всю мою жизнь мне не приходилось охотиться на такого благородного зверя.

— Государь, — ответствовали они, — да будет на то твоя воля!

И вот они слезли с коней, привязали их к деревьям и пешком двинулись в гущу леса. Не успели они туда войти, как королева Сьюзен сказала:

— Любезные друзья мои, перед нами великое чудо! Взгляните: это дерево — из железа!

— Государыня, — сказал король Эдмунд, — если вы как следует присмотритесь, то увидите, что это железный столб, на вершине которого установлен фонарь.

— Клянусь львиной гривой, весьма странно, — сказал король Питер, — ставить фонарь в таком месте, где деревья столь густо обступают его со всех сторон и кроны их вздымаются над ним столь высоко, что, будь он даже зажжён, его света бы никто не заметил.

— Государь, — сказала королева Люси, — по всей вероятности, когда ставили железный столб, деревья здесь были меньше и росли реже или вовсе не росли. Лес этот молодой, а столб старый.

И все они принялись разглядывать его. И вот король Эдмунд сказал:

— Я не ведаю почему, но этот фонарь и столб пробуждают во мне какое-то странное чувство, словно я уже видел нечто подобное во сне или во сне, приснившемся во сне.

— Государь, с нами происходит то же самое.

— Более того, — сказала королева Люси, — меня не оставляет мысль, что, если мы зайдём за этот столб с фонарем, нас ждут необычайные приключения или полная перемена судьбы.

— Государь, — сказал король Эдмунд, — подобное же предчувствие шевелится и в моей груди.

— И в моей, любезный брат, — поддержал брата король Питер.

— И в моей тоже, — добавила королева Сьюзен. — А посему я советую вернуться к нашим коням и не преследовать более Белого оленя.

— Государыня, — сказал король Питер, — дозволь тебе возразить. Ни разу с тех пор, как мы четверо стали править Нарнией, не было случая, чтобы мы взялись за какое-нибудь благородное дело — будь то сражение, рыцарский турнир, акт правосудия или ещё что-нибудь — и бросили на полдороге. Напротив: всё, за что брались, мы доводили до конца.

— Сестра, — сказала королева Люси, — мой брат король произнёс справедливые слова. Мне думается, нам будет стыдно, если из-за дурных предчувствий и опасений мы повернём обратно и упустим такую великолепную добычу.

— Я с вами согласен, — сказал король Эдмунд. — К тому же меня обуревает желание выяснить, что всё это значит. По доброй воле я не поверну обратно даже за самый крупный алмаз, какой есть в Нарнии и на всех Островах.

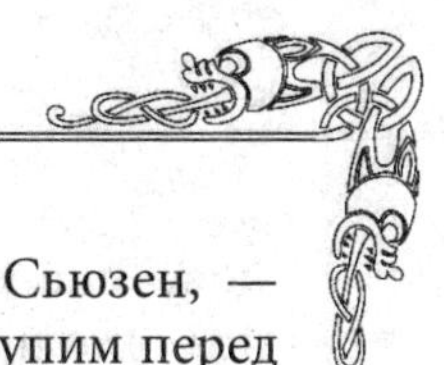

— Тогда, во имя Аслана, — сказала королева Сьюзен, — раз вы все так полагаете, пойдём дальше и не отступим перед приключениями, которые нас ожидают.

И вот королевы и короли вошли в самую чащу. Не успели они сделать десяти шагов, как вспомнили, что предмет, который они видят перед собой, называется «фонарный столб», а ещё через десять почувствовали, что пробираются не между ветвями, а между меховыми шубами. И в следующую минуту они гурьбой выскочили из дверцы платяного шкафа и очутились в пустой комнате. И были они не короли и королевы в охотничьих одеяниях, а просто Питер, Сьюзен, Эдмунд и Люси в своей обычной одежде. Был тот же самый день и тот же самый час, когда они спрятались в платяном шкафу от миссис Макриди. Она всё ещё разговаривала с туристами по ту сторону двери. К счастью, те так и не зашли в пустую комнату и не застали там ребят.

На том бы вся история и кончилась, если бы ребята не чувствовали, что должны объяснить профессору, куда делись четыре шубы из платяного шкафа. И профессор — вот уж

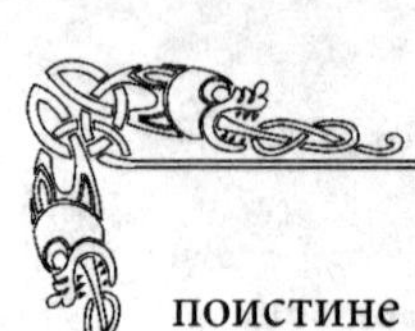



поистине удивительный человек! — не сказал им, чтобы они не болтали глупости и не сочиняли небылицы, но поверил во всё, что услышал от них, и добавил:

— Нет, думаю, нет никакого смысла пытаться пройти через платяной шкаф, чтобы забрать шубы. *Этим* путем вы в Нарнию больше не проникнете. Да и от шуб было бы теперь мало проку, даже если бы вы их достали. Что? Да, конечно, когда-нибудь вы туда попадёте. Кто был королём Нарнии, тот навсегда останется королём Нарнии. Но не пытайтесь дважды пройти одним и тем же путем. Вообще не пытайтесь туда попасть. Это случится, когда вы меньше всего будете этого ожидать. И не болтайте много о Нарнии даже между собой. И не говорите никому, пока не убедитесь, что у тех, с кем вы беседуете, были такие же приключения. Что? Как вы это узнаете? О, *узнаете*, можете не сомневаться. Странные истории, которые они будут рассказывать, даже их взгляд выдаст тайну. Держите глаза открытыми. Ну чему только их учат в нынешних школах?

Вот теперь-то мы подошли к самому-пресамому концу приключений в платяном шкафу. Но если профессор не ошибался, это было только началом приключений в Нарнии.

# КОНЬ И ЕГО МАЛЬЧИК

гора с двойной
вершиной
(Олвин)
Анвард
узкое ущелье
ПУСТЫН

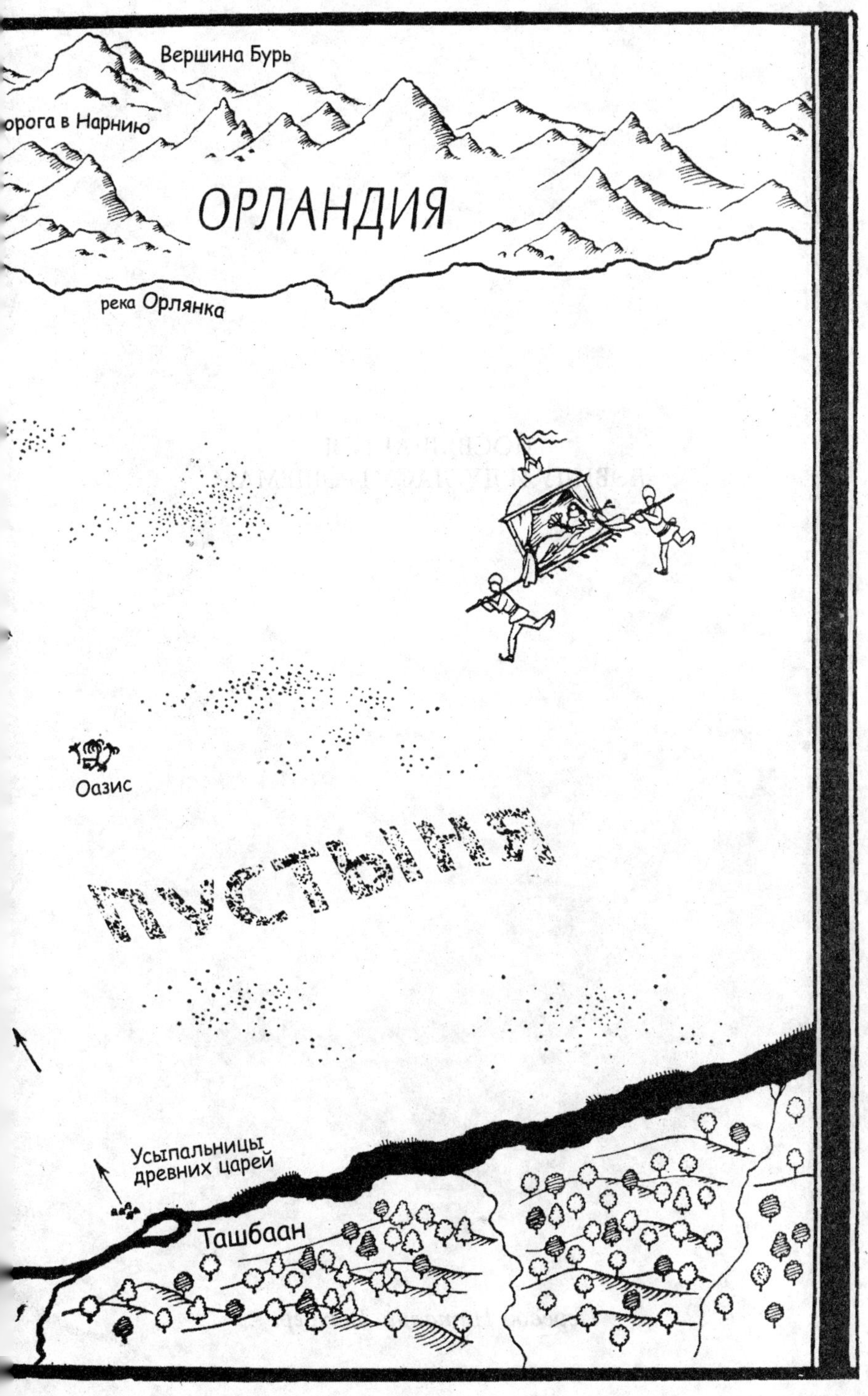
Вершина Бурь
орога в Нарнию
ОРЛАНДИЯ
река Орлянка
Оазис
ПУСТЫНЯ
Усыпальницы
древних царей
Ташбаан

ПОСВЯЩАЕТСЯ
ДЭВИДУ И ДУГЛАСУ ГРЭШЕМАМ

*Перевод Натальи Трауберг*

## *Глава первая*

# ПОБЕГ

Это повесть о событиях, случившихся в Нарнии и к югу от неё тогда, когда ею правили король Питер и его брат и две сестры. В те дни далеко на юге, у моря, жил бедный рыбак по имени Аршиш, а с ним мальчик по имени Шаста, звавший его отцом. Утром Аршиш выходил в море ловить рыбу, а днём запрягал осла, клал рыбу в повозку и ехал в ближайшую деревню торговать. Если он выручал много, то возвращался в добром духе и Шасту не трогал; если выручал мало, придирался, как только мог, и даже бил мальчика. Придраться было не трудно, потому что Шаста делал всё по дому: стряпал и убирал, а также стирал и чинил сети.

Шаста никогда не думал о том, что лежит от них к югу. С Аршишем в деревне бывал, и ему там не нравилось. Он видел точно таких людей, как его отец, — в неопрятных длинных одеждах, сандалиях и тюрбанах, с грязными длинными бородами, медленно толковавших об очень скучных делах. Зато его живо занимало всё, что лежит к северу, но туда его не пускали. Сидя на пороге и занимаясь починкой сети, мальчик с тоской глядел на север, но видел только склон холма, небо и редких птиц.

Когда Аршиш бывал дома, Шаста спрашивал: «Отец, что там, за холмом?» Если Аршиш сердился, то драл его за уши, если

же был спокоен, отвечал: «Сын мой, не думай о пустом. Как сказал мудрец, прилежание — корень успеха, а те, кто задаёт пустые вопросы, ведут корабль глупости на рифы неудачи».

Шасте казалось, что за холмом — какая-то дивная тайна, которую отец до поры скрывает от него. На самом же деле рыбак говорил так, ибо не знал, да и знать не хотел, какие земли лежат к северу. У него был практический ум.

Однажды с юга прибыл незнакомец, совсем иной, чем те, кого видел Шаста до сих пор. Он сидел на прекрасном коне, и седло его сверкало серебром. Сверкали и кольчуга, и острие шлема, торчащее над тюрбаном. На боку его висел ятаган, спину прикрывал медный щит, в руке было копьё. Незнакомец был тёмен лицом, но Шаста привык к темнолицым, а удивило его иное: борода, выкрашенная в алый цвет, вилась кольцами и лоснилась от благовоний. Аршиш понял, что это тархан, то есть вельможа, и склонился до земли, незаметно показывая Шасте, чтобы и тот преклонил колени.

Незнакомец попросил ночлега на одну ночь, и Аршиш не посмел отказать ему. Всё лучшее, что было в доме, хозяин поставил перед ним, а мальчику (так всегда бывало, когда приходили гости) дал кусок хлеба и выгнал во двор. В таких случаях Шаста спал с ослом, в стойле. Но поскольку было ещё рано и никто никогда не говорил ему, что подслушивать нельзя, он сел у самой стены.

— О, хозяин! — промолвил тархан. — Мне угодно купить у тебя этого мальчика.

— О, господин мой! — ответил рыбак, и Шаста угадал по его голосу, что глазки у него алчно блеснули. — Как же продам я, твой верный раб, своего собственного сына? Разве не сказал поэт: «Сильна, как смерть, отцовская любовь, а сыновняя дороже, чем алмазы»?

— Возможно, — сухо выговорил тархан, — но другой поэт говорил: «Кто хочет гостя обмануть — подлее, чем гиена». Не оскверняй ложью свои уста. Он тебе не сын, ибо ты тёмен лицом, а он светел и бел, как проклятые, но прекрасные нечестивцы с севера.

— Дивно сказал кто-то, — парировал рыбак, — что око мудрости острее копья! Знай же, о мой высокородный гость, что я, по бедности своей, никогда не был женат. Но в год, когда

Тисрок (да живет он вечно) начал своё великое и благословенное царствование, в ночь полнолуния, боги лишили меня сна. Я встал с постели и вышел поглядеть на луну. Вдруг послышался плеск воды, словно кто-то грёб вёслами, и слабый крик. Немного позже прилив прибил к берегу маленькую лодку, в которой лежал иссушенный голодом человек. Должно быть, он только что умер, ибо ещё не остыл, а рядом с ним был пустой сосуд и живой младенец. Вспомнив о том, что боги не оставляют без награды доброе дело, я прослезился, ибо раб твой мягкосердечен, и...

— Не хвали себя, — прервал его тархан. — Ты взял младенца, и он отработал тебе вдесятеро твою скудную пищу. Теперь скажи мне цену, ибо я устал от твоего пусторечия.

— Ты мудро заметил, господин, — сказал рыбак, — что труд его выгоден мне. Если я продам этого отрока, то должен купить или нанять другого.

— Даю тебе пятнадцать полумесяцев, — сказал тархан.

— Пятнадцать! — взвыл Аршиш. — Пятнадцать монет за усладу моих очей и опору моей старости! Не смейся надо мною, я сед. Моя цена — семьдесят полумесяцев.

Тут Шаста поднялся и тихо ушёл, потому что знал, как люди торгуются, а, стало быть, Аршиш выручит за него больше пятнадцати монет, но меньше семидесяти, и спор протянется не один час.

Не думайте, что Шаста чувствовал то же самое, что почувствовали бы вы, если бы ваши родители решили вас продать. Жизнь его была не лучше рабства, и тархан мог оказаться добрее, чем Аршиш. К тому же он очень обрадовался, узнав свою историю. Он часто сокрушался прежде, что не может любить рыбака, и когда понял, что тот ему чужой, с души его упало тяжкое бремя. «Наверное, я сын какого-нибудь тархана, — подумал мальчик, — или Тисрока (да живет он вечно), а то и божества!»

Тем временем сумерки сгущались и редкие звёзды уже сверкали на небе, хотя у заднего края оно отливало багрянцем. Конь пришельца, привязанный к столбу, мирно щипал траву. Шаста погладил его по холке, но конь никак не отреагировал на ласку, и мальчик подумал: «Кто его знает, какой он, этот тархан!»

— Хорошо, если добрый, — продолжил Шаста, не заметив, что размышляет вслух. — У некоторых тарханов рабы носят шёлковые одежды и каждый день едят мясо. Может быть, он возьмёт меня в поход, и я спасу ему жизнь, и он освободит меня, и усыновит, и подарит дворец... А вдруг он жестокий? Тогда закуёт меня в цепи. Как бы узнать? Конь-то знает, да не скажет.

Конь поднял голову, и Шаста, погладив его шёлковый нос, воскликнул:

— Ах, умел бы ты говорить!

— Я умею, — тихо, но внятно ответил конь.

Думая, что это ему снится, Шаста всё-таки крикнул:

— Быть того не может!

— Тише! — сказал конь. — На моей родине есть говорящие животные.

— Где это? — спросил Шаста.

— В Нарнии.

И когда оба они успокоились, конь рассказал:

— Меня украли. Если хочешь, взяли в плен. В бытность мою жеребёнком мать запрещала мне убегать далеко к югу, но я не слушался. И поплатился за это, видит лев! Много лет я служу злым людям, притворяясь тупым и немым, как их кони.

— Почему же ты им не признаешься?

— Не такой я дурак! Они будут показывать меня на ярмарках и сторожить пуще прежнего. Но оставим пустые беседы. Ты хочешь знать, каков мой хозяин Анрадин. Он жесток. Со мной — не очень, кони дороги, а тебе, человеку, лучше умереть, чем быть рабом в его доме.

— Тогда я убегу, — сказал Шаста, сильно побледнев.

— Да, беги, — сказал конь. — Со мною вместе.

— Ты тоже убежишь?

— Да, если убежишь ты, — кивнул конь. — Тогда мы, может быть, и спасёмся. Понимаешь, если я буду без всадника, люди увидят меня, подумают: «У него нет хозяина», — и погонятся за мной. А с всадником другое дело... Вот и помоги мне. Ты ведь далеко не уйдёшь на этих дурацких ногах (ну и ноги у вас, людей!), тебя поймают. Умеешь ездить верхом?

— Конечно, — сказал Шаста. — Я часто езжу на осле.

— На *чём*? Ха-ха-ха! — презрительно усмехнулся конь (во всяком случае, хотел усмехнуться, а вышло скорей «го-го-го!..»; у говорящих коней лошадиный акцент сильнее, когда они не в духе). — Одним словом, не умеешь. А падать хотя бы?

— Падать умеет всякий, — ответил Шаста.

— Навряд ли, — сказал конь. — Ты умеешь падать, и вставать, и, не плача, садиться в седло, и снова падать, и не бояться?

— Я... постараюсь.

— Бедный ты, бедный, — гораздо ласковей сказал конь, — всё забываю, что ты детёныш. Ну ничего, со мной научишься! Пока эти двое спорят, будем ждать, а заснут — тронемся в путь. Мой хозяин едет на север, в Ташбаан, ко двору Тисрока.

— Почему ты не прибавил «да живет он вечно»? — испугался Шаста.

— А зачем? Я свободный гражданин Нарнии. Мне не пристало говорить, как эти рабы и недоумки. Я не хочу, чтобы он вечно жил, и знаю, что он умрёт, чего бы ему ни желали. Да ведь и ты свободен, потому что с севера. Мы с тобой не бу-

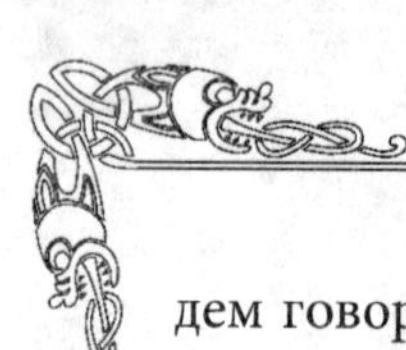



дем говорить на их манер! Ну, давай обсуждать наши планы. Я уже сказал, что мой человек едет на север, в Ташбаан.

— Значит, нам надо ехать к югу?

— Нет. Если бы я был нем и глуп, как здешние лошади, то побежал бы домой, в своё стойло. Дворец наш — на юге, в двух днях пути. Там он и будет меня искать. Ему и не догадаться, что я двинусь к северу. Скорее всего решит, что меня украли.

— Ура! — закричал Шаста. — На север! Я всегда хотел узнать, что там.

— Конечно, — сказал конь, — ты ведь оттуда и, я уверен, хорошего северного рода. Только не кричи. Скоро они заснут.

— Я лучше посмотрю, — сказал Шаста.

— Хорошо, только поосторожней.

Было совсем темно и очень тихо, одни лишь волны плескались о берег, но этого Шаста не замечал, потому что слышал их день и ночь, всю жизнь. Свет в хижине погасили. Он прислушался, ничего не услышал, подошёл к единственному окошку и различил секунды через две знакомый храп. Ему стало смешно: подумать только, если всё пойдёт как надо, он больше никогда этих звуков не услышит! Стараясь не дышать, он немножко устыдился, но радость была сильнее стыда. Тихо пошёл он по траве к стойлу, где был ослик — знал, где лежит ключ, — отпер дверь, отыскал седло и уздечку: их спрятали туда на ночь, — поцеловал ослика в нос и прошептал: «Прости, что мы тебя не берём».

— Пришёл наконец! — сказал конь, когда он вернулся. — Я уже гадал, что с тобой случилось.

— Доставал твои вещи из стойла, — ответил Шаста. — Не скажешь, как их приладить?

Потом довольно долго он возился с вещами, стараясь ничем не звякнуть, а конь давал указания: «Тут потуже. Нет, вот здесь. Подтяни ещё». Напоследок он сказал:

— Вот смотри: это поводья, — но ты их не трогай. Приспособь их посвободней к луке седла, чтобы я двигал головой как хотел. И главное, не трогай.

— Зачем же они тогда? — спросил Шаста.

— Чтобы меня направлять. Но сейчас выбирать дорогу буду я, тебе их трогать ни к чему. А ещё — не вцепляйся мне в гриву.

— За что же мне держаться? — удивился Шаста.

— Сжимай покрепче колени, — сказал конь. — Тогда и научишься хорошо ездить. Сжимай мне коленями бока сколько хочешь, а сам сиди прямо и локти не растопыривай. Что ты там делаешь со шпорами?

— Надеваю, конечно, — сказал Шаста. — Уж это я знаю.

— Сними их и положи в перемётную суму. Продадим в Ташбаане. Снял? Ну, садись в седло.

— Ох, какой ты высокий! — с трудом выговорил Шаста после первой неудачной попытки.

— Я конь, что поделаешь. А ты на меня лезешь как на стог сена. Вот так получше! Теперь *распрямись* и помни насчёт коленей. Смешно, честное слово! На мне скакали в бой великие воины, и дожил я до такого мешка! Что ж, поехали. — И он засмеялся, но не сердито.

Конь превзошёл себя — так был осторожен. Сперва он пошёл на юг, старательно оставляя следы на глине, и начал переходить вброд речку, текущую в море, но на самой её середине повернул и пошёл против течения, а потом вышел на каменистый берег, где следов не остаётся, и долго двигался шагом, пока хижина, стойло, дерево — словом, всё, что знал Шаста, — не растворилось в серой мгле июльской ночи. Тогда мальчик понял, что они уже на вершине холма, отделявшего от него мир. Он не мог толком разобрать, что впереди — как будто и впрямь весь мир, очень большой, пустой, бесконечный.

— Ах, — обрадовался конь, — самое место для галопа!

— Ой, не надо! — сказал Шаста. — Я ещё не могу... пожалуйста, конь! Да, как тебя зовут?

— И-йо-го-го-га-га-а!..

— Мне не выговорить, — сказал Шаста. — Можно я буду звать тебя Игого?

— Что ж, зови, если иначе не можешь, — согласился конь. — А тебя как называть?

— Шаста.

— Да... Вот это и впрямь не выговоришь. А насчет галопа ты не бойся: он легче рыси, не надо подниматься-опускаться. Сожми меня коленями (это называется «шенкеля») и смотри прямо между ушами. Только не гляди вниз! Если покажется, что падаешь, сожми сильнее, выпрями спину. Готов? Ну, во имя Нарнии!..

## *Глава вторая*

# ПЕРВОЕ ПРИКЛЮЧЕНИЕ

Солнце стояло высоко, когда Шаста проснулся, ибо что-то тёплое и влажное прикоснулось к его щеке. Открыв глаза и увидев длинную конскую морду, он вспомнил вчерашние события, сел и, громко застонав, еле выговорил:

— Ой, всё у меня болит. Всё как есть.

— Здравствуй, маленький друг, — сказал конь. — Ты не бойся, это не от ушибов, ты и упал-то раз десять, и всё на траву. Даже приятно... Правда, один раз отлетел далеко, но угодил в куст. Словом, это не ушибы, так всегда бывает поначалу. Я уже позавтракал, давай и ты.

— Какой там завтрак: я двинуться не могу.

Но конь не отставал: трогал несчастного и копытом, и мордой, пока тот не поднялся на ноги, а поднявшись — не огляделся. Оттуда, где они ночевали, спускался пологий склон весь в белых цветочках. Далеко внизу лежало море — так далеко, что едва доносился всплеск волн. Шаста никогда не смотрел на него сверху и не представлял, какое оно большое и разноцветное. Берег уходил направо и налево, белая пена кипела у скал, день был ясный, солнце сверкало. Особенно поразил Шасту здешний воздух. Он долго не мог понять, чего же не хвата-

ет, пока не догадался, что нет главного — запаха рыбы. (Ведь там — и в хижине, и у сетей — рыбой пахло всегда, сколько он себя помнил.) Это ему очень понравилось, и прежняя жизнь показалась давним сном. От радости он забыл о том, как болит всё тело, и спросил:

— Ты что-то сказал насчет завтрака?

— Да, — ответил конь, — посмотри в сумках. Ты их повесил на дерево ночью... нет, скорей под утро.

Он посмотрел и нашёл много хорошего: совсем свежий пирог с мясом, кусок овечьего сыра, горстку сушёных фиг, плоский сосудец с вином и кошелёк с деньгами. Столько денег — сорок полумесяцев — он никогда ещё не видел.

Потом он осторожно сел у дерева, прислонился спиной к стволу и принялся за пирог; конь тем временем пощипывал травку.

— А мы можем взять эти деньги? — спросил Шаста. — Это не воровство?

— Как тебе сказать, — ответил конь, прожёвывая траву. — Конечно, свободные говорящие звери красть не должны, но это... Мы с тобой бежали из плена, мы — в чужой земле, деньги — наша добыча. И потом, без них не прокормишься. Насколько мне известно, вы, люди, не едите травы и овса.

— Не едим.

— А ты пробовал?

— Да, бывало. Нет, не могу. И ты бы не мог на моём месте.

— Странные вы твари, — заметил конь.

Пока Шаста доедал лучший завтрак в своей жизни, его друг завалился на землю и принялся кататься, приговаривая:

— Ах, хорошо! Спину почешешь, ногами помашешь. Покатайся и ты — сразу легче станет.

Но Шаста лишь рассмеялся:

— Какой ты смешной!

— Ничего подобного! — возразил было конь, но тут же лёг на бок и испуганно спросил: — Неужели смешной?

— Да, а что?

— А вдруг говорящие лошади так не делают? — перепугался конь. — Вдруг это глупая, *здешняя* привычка? Какой ужас! Прискачу в Нарнию, и окажется, что я не умею себя вести. Как

ты думаешь, Шаста? Нет, честно. Я не обижусь. Настоящие, свободные кони... говорящие... они катаются?

— Откуда же мне знать? Да ты не бойся! Приедем — увидим. Ты знаешь дорогу?

— До Ташбаана — знаю. Потом дороги нет, там большая пустыня. Ничего, одолеем! Нам будут видны горы, ты подумай — северные горы! За ними Нарния! Только бы пройти Ташбаан! От остальных городов надо держаться подальше.

— Обойти его нельзя?

— Тогда придётся сильно кружить, боюсь заплутаться. В глубине страны — большие дороги, возделанные земли... Нет, пойдём вдоль берега. Тут никого нет, кроме овец, кроликов и чаек, разве что пастух-другой. Что ж, тронемся?

Шаста оседлал коня и с трудом забрался в седло: так болели ноги, — но Игого сжалился над ним и до самых сумерек шёл шагом. Когда уже смеркалось, они спустились по тропкам в долину и увидели селение. Шаста спешился и купил там хлеба, лука и редиски, а конь, обогнув селение, остановился дальше, в поле. Через два дня они снова так сделали, и через четыре — тоже.

Все эти дни Шаста блаженствовал. Ноги и руки болели всё меньше. Конь уверял, что в седле он сидит как мешок («Стыдно, если кто увидит!»), но учителем был терпеливым — никто не научит ездить верхом лучше, чем сама лошадь. Шаста уже не боялся рыси и не падал, когда конь останавливался с разбегу или неожиданно кидался в сторону (оказывается, так часто делают в битве). Конечно, Шаста просил, чтобы конь рассказал, как сражался вместе с тарханом, и тот рассказывал, как они переходили вброд реки, и долго шли без отдыха, и бились с вражьим войском. Боевые кони, самой лучшей крови, бьются не хуже воинов: кусаются, лягаются и умеют, когда надо, повернуться так, чтобы всадник получше ударил врага мечом или боевым топориком. Правда, рассказывал он реже, чем Шаста о том просил, чаще отнекивался: «Да ладно, чего там: сражался-то я по воле Тисрока, словно раб или немая лошадь. Вот в Нарнии, среди своих, я буду сражаться как свободный! За Нарнию! О-го-го-го-о!»

Вскоре Шаста понял, что после таких речей конь пускается в галоп.

Уже не одну неделю двигались они вдоль моря и видели больше бухточек, речек и селений, чем Шаста мог запомнить. Однажды в лунную ночь они не спали, ибо выспались днём, а в путь вышли под вечер. Оставив позади холмы, они пересекли равнину и слева, в полумиле, увидели лес. Море лежало справа, за низкой песчаной дюной. Конь то шёл шагом, то пускался рысью, но вдруг резко остановился.

— Что там? — спросил Шаста.

— Тш-ш! — Конь насторожил уши. — Ты ничего не слыхал? Слушай!

— Как будто лошадь, к лесу поближе, — сказал Шаста, послушав с минутку.

— Да, это лошадь. Ах как нехорошо!..

— Ну и что такого? Может, крестьянин едет!

— Крестьяне так не ездят, — возразил Игого, — и кони у них не такие. Это настоящий конь и настоящий тархан. Нет, не конь... слишком легко ступает... так-так... Это прекраснейшая кобыла.

— Похоже, сейчас она остановилась, — заметил Шаста.

— Верно. А почему? Потому что остановились и мы... Друг мой, кто-то выследил нас.

— Что же теперь делать? — испугался Шаста. — Как ты думаешь, они нас видят?

— Нет, слишком темно, к тому же тучи! Как только они закроют луну, можно двигаться к морю. Если что, песок скроет шаги.

Они подождали и сперва шагом, потом лёгкой рысью двинулись к берегу. Но странное дело: уже стало совсем темно, а море всё не показывалось. Только Шаста подумал: «Наверное, мы уже проехали дюны», — как вдруг сердце у него упало: оттуда, спереди, послышалось долгое, скорбное, жуткое рычание. В тот же миг конь повернул и понёсся во весь опор к лесу, от берега.

— Что это? — в ужасе выговорил Шаста.

— Львы! — на скаку бросил конь не оборачиваясь.

Пока перед ними не сверкнула вода, оба молчали. Перейдя вброд широкую мелкую речку, конь остановился. Он весь вспотел и сильно дрожал, а когда немного отдышался, сказал:

— Теперь не унюхают: вода отбивает запах. Пройдёмся немного.

Пока они шли по мелководью, Игого признался:

— Шаста, мне очень стыдно. Я перепугался, как немая тархистанская лошадь. Да, я недостоин называться говорящим конём. Я не боюсь мечей, и копий, и стрел, но *это... это...* Пройдусь-ка лучше рысью.

Только рысью шёл он недолго: уже через минуту пустился галопом, — что неудивительно, ибо совсем близко раздался глухой рёв, на сей раз — слева, из леса.

— Ещё один! — проговорил конь на бегу.

— Эй, слушай, — крикнул Шаста, — та лошадь тоже скачет!

— Ну и хо-хо-хорошо! У тархана меч... так что защитит нас.

— Да что ты заладил: львы да львы! — возмутился Шаста. — Нас могут поймать. Меня повесят за конокрадство!

Он меньше, чем конь, боялся львов, потому что никогда их не видел.

Конь только фыркнул в ответ и прянул вправо. Как ни странно, другая лошадь прянула влево, и вслед за этим кто-то зарычал — сначала справа, потом слева. Лошади кинулись друг к другу. Львы, видимо, тоже, поскольку рычали попеременно с обеих сторон, не отставая от скачущих лошадей. Наконец луна выплыла из-за туч, и в ярком свете Шаста увидел ясно, как днём, что лошади несутся морда к морде, словно на скачках. Игого потом говорил, что таких скачек в Тархистане отродясь не видывали.

Шаста уже ни на что не надеялся: думал лишь о том, как лев съедает жертву: сразу или сперва играет, как кошка с мышкой, и очень ли это больно. Думал он об этом, но видел всё (так бывает в очень страшные минуты), поэтому заметил, что другой всадник мал ростом, что кольчуга его ярко сверкает, в седле он сидит как нельзя лучше, а бороды у него нет.

Что-то блеснуло внизу перед ними, и прежде чем догадался, что это, Шаста услышал всплески и ощутил во рту вкус солёной воды. Они попали в узкий рукав, отходящий от моря. Обе лошади плыли, да и Шасте вода доходила до колен. Сзади слышалось сердитое рычание, и, оглянувшись, Шаста увидел у воды тёмную глыбу, но одну: другой лев, видимо, отстал.

Похоже, лев не собирался ради них лезть в воду. Кони наполовину переплыли узкий залив, уже был виден другой берег, а тархан не говорил ни слова. «Заговорит, — подумал Шаста. — Как только выйдем на берег. Что я ему скажу? Надо что-нибудь выдумать...»

И тут до него донеслись голоса:

— Ах, как я устала!..

— Тише, Уинни! Придержи язычок!

«Это мне нравится, — подумал Шаста. — Честное слово, лошадь заговорила!»

Вскоре обе лошади уже не плыли, шли, а потом вылезли на берег. Вода струилась с них, камешки хрустели под копытами. Маленький всадник, как это ни странно, ни о чём не спрашивал, даже не глядел на Шасту, но Игого вплотную подошёл к другой лошади и громко фыркнул.

— Стой! Я тебя слышал. Меня не обманешь. Госпожа, ты ведь говорящая лошадь, тоже из Нарнии!

— Тебе какое дело? — воскликнул странный тархан и схватился за эфес, но голос выдал его с головой.

— Да это девочка! — догадался Шаста.

— И что с того? — возмутилась незнакомка. — Зато ты мальчишка! Грубый, глупый мальчишка! Наверное, раб и конокрад.

— Нет, маленькая госпожа, — вмешался конь. — Он меня не крал. Если уж на то пошло, то это я его украл. Что же до того, моё ли это дело, посуди сама: земляки непременно приветствуют друг друга на чужбине.

— Конечно, — поддержала его лошадь.

— Уж ты-то помолчи! — прикрикнула на неё девочка. — Видишь, в какую беду я из-за тебя попала!

— Никакой беды нет, — заметил Шаста. — Можете ехать куда ехали. Мы вас не держим.

— Ещё бы держали! — воскликнула всадница.

— Как трудно с людьми! — сказал кобыле конь. — Ну просто мулы... Давай мы с тобой разберёмся. Видимо, госпожа, тебя тоже взяли в плен, когда ты была жеребёнком?

— Да, мой господин, — печально ответила та. — Меня, кстати, Уинни зовут.

— А теперь ты сбежала?

— Скажи ему, чтобы не лез, когда не просят, — вставила всадница.

— Нет, Аравита, не скажу, — воспротивилась Уинни. — Я и впрямь бежала. Не только ты, но и я. Такой благородный конь нас не выдаст. Господин, мы держим путь в Нарнию.

— И мы тоже. Всякий поймёт, что оборвыш, едва сидящий в седле, откуда-то сбежал. Но не странно ли, что молодая тархина едет ночью, без свиты, в кольчуге своего брата, и боится чужих, и просит всех не лезть не в своё дело?

— Ну хорошо, — сказала девочка. — Ты угадал, мы с Уинни сбежали из дому и едем в Нарнию. Что же дальше?

— Дальше мы будем держаться вместе. Надеюсь, госпожа, ты не откажешься от моей защиты и помощи? — обратился конь к Уинни.

— Почему ты спрашиваешь мою лошадь, а не меня? — разгневалась Аравита.

— Прости, госпожа, — сказал конь, чуть-чуть прижимая уши, — у нас в Нарнии так не говорят. Мы с Уинни — свободные лошади, а не здешние немые клячи. Если бежишь в Нарнию, помни: Уинни не твоя лошадь — скорее уж ты её девочка.

Аравита раскрыла от удивления рот, но заговорила не сразу: вероятно, раньше так не думала.

— А всё-таки зачем нам ехать вместе? Ведь так нас скорее заметят.

— Нет, — возразил Игого, а Уинни его поддержала:

— Поедем вместе, поедем! Я буду меньше бояться, да и дороги толком не знаю. Такой замечательный конь, куда умнее меня.

Шаста сказал:

— Оставь ты их! Видишь, они не хотят...

— Мы хотим! — перебила его Уинни.

— Вот что, — сказала девочка. — Против вас, господин конь, я ничего не имею, но откуда вы знаете, что этот мальчишка нас не выдаст?

— Скажи уж прямо, что я тебе не компания! — воскликнул Шаста.

— Не кипятись, — сказал ему конь. — Госпожа права.

Обернувшись к Аравите, Игого вежливо продолжил:

— Нет, не предаст: я за него ручаюсь. Он добрый товарищ, к тому же, несомненно, из Нарнии или Орландии.

— Хорошо, поедем вместе, — согласилась девочка, обращаясь к коню.

— Я очень рад! — сказал тот. — Что ж, вода позади, звери — тоже. Не расседлать ли вам нас, не отдохнуть ли и не послушать ли друг про друга?

Дети расседлали коней, и те принялись щипать траву. Аравита вынула из сумы много всяких вкусностей, но Шаста есть отказался, стараясь говорить как можно учтивей, словно настоящий вельможа, но в рыбачьей хижине этому не научишься и получалось плохо. Он это, в сущности, понимал, поэтому становился всё угрюмей, вёл себя совсем уж неловко. Кони же прекрасно поладили. Вспоминая любимые места в Нарнии, они выяснили, что приходятся друг другу троюродными братом и сестрой. Понимая, что дети никак не могут найти общего языка, мудрый Игого предложил:

— Маленькая госпожа, поведай нам свою повесть. И не спеши: за нами никто не гонится.

Аравита немедленно села, красиво скрестив ноги, и важно начала свой рассказ. Надо заметить, что в этой стране и правду, и неправду рассказывают особым слогом — этому учат с детства, как учат у нас писать сочинения. Только рассказы эти слушать можно, а сочинений, если не ошибаюсь, не читает никто и никогда.

## *Глава третья*

# У ВРАТ ТАШБААНА

— Меня зовут Аравита, — начала рассказчица. — Я прихожусь единственной дочерью могучему Кидраш-тархану, сыну Ришти-тархана, сына Кидраш-тархана, сына Ильсомбраз-тисрока, сына Ардиб-тисрока, потомка богини Таш. Отец мой, владетель Калавара, наделён правом стоять в туфлях перед Тисроком (да живёт он вечно). Мать моя ушла к богам, и отец женился снова. Один из моих братьев пал в бою с мятежниками, другой ещё мал. Случилось так, что мачеха меня невзлюбила, и солнце казалось ей чёрным, пока я жила в отчем доме. Потому она и подговорила своего супруга, а моего отца, выдать меня за Ахошту-тархана. Человек этот низок родом, но вошёл в милость к Тисроку (да живёт он вечно), ибо льстив и весьма коварен, и стал тарханом, и получил во владение города, а вскоре станет великим визирем. Годами он стар, видом гнусен, кособок и повадкою схож с обезьяной. Но мой отец, повинуясь жене и прельстившись его богатством, послал к нему гонцов, которых Ахошта принял и прислал с ними послание о том, что женится на мне нынешним летом.

Когда я это узнала, солнце померкло для меня, я легла на ложе и проплакала целые сутки, а наутро встала, умылась, велела оседлать кобылу по имени Уинни, взяла кинжал моего

брата, погибшего в западных битвах, и поскакала в зелёный дол. Там я спешилась, разорвала одежды, чтобы сразу найти сердце, и взмолилась к богам, чтобы поскорее оказаться там же, где брат. Потом я закрыла глаза, сжала зубы, но тут кобыла моя промолвила, как дочь человеческая: «О госпожа, не губи себя! Если останешься жить, то ещё будешь счастлива, а мёртвые — мертвы».

— Я выразилась не так красиво, — заметила Уинни.

— Ничего, госпожа, так надо! — сказал ей Игого, наслаждавшийся рассказом. — Это высокий тархистанский стиль. Хозяйка твоя прекрасно им владеет. Продолжай, тархина!

— Услышав такие слова, — опять заговорила Аравита, — я подумала, что разум мой помутился с горя, и устыдилась, ибо предки мои боялись смерти не больше, чем комариного жала. Снова занесла я нож, но Уинни просунула морду между ним и мною и обратилась ко мне с разумнейшей речью, ласково укоряя меня, как мать укоряла бы дочь. Удивление моё было так сильно, что я забыла и о себе, и об Ахоште. «Как ты научилась говорить, о кобыла?» — обратилась я к ней, и она поведала то, что вы уже знаете: там, в Нарнии, живут говорящие звери, и её украли оттуда, когда она была жеребёнком. Рассказы её о тёмных лесах, и светлых реках, и кораблях, и замках были столь прекрасны, что я воскликнула: «Молю тебя богиней Таш, и Азаротом, и Зардинах, владычицей мрака, отвези меня в эту дивную землю!» — «О госпожа! — отвечала мне кобыла моя Уинни. — В Нарнии ты обрела бы счастье, ибо там ни одну де-

вицу не выдают замуж насильно». Надежда вернулась ко мне, и я благодарила богов, что не успела себя убить. Мы решили вернуться домой и украсть друг друга. Выполняя задуманное, я облачилась в доме отца в лучшие свои одежды и принялась петь и плясать, притворяясь весёлой, а через несколько дней

обратилась к Кидраш-тархану с такими словами: «О услада моих очей, могучий Кидраш, разреши мне удалиться в лес на три дня с одной из моих прислужниц, дабы принести тайные жертвы Зардинах, владычице мрака и девства, как и подобает девице, выходящей замуж, ибо я вскоре уйду от неё к другим богам». И он отвечал мне: «Услада моих очей, да будет так».

Покинув отца, я немедленно отправилась к старейшему из его рабов, мудрому советнику, который был мне нянькой в раннем детстве и любил меня больше, чем воздух или ясный солнечный свет. Я велела ему написать за меня письмо. Он рыдал и молил меня остаться дома, но потом смирился и сказал: «Слушаю, о госпожа, и повинуюсь!» И я запечатала это письмо и спрятала на груди.

— А что там было написано? — спросил Шаста.

— Подожди, мой маленький друг, — сказал Игого. — Ты портишь рассказ. Мы всё узнаем во благовременье. Продолжай, тархина.

— Потом я кликнула рабыню и велела ей разбудить меня до зари, и угостила её вином, и подмешала к нему сонного зелья. Когда весь дом уснул, я надела кольчугу погибшего брата, которая хранилась в моих покоях, взяла все деньги, какие у меня были, и драгоценные камни, и еду. Я сама оседлала Уинни, и ещё до второй стражи мы с нею ушли — не в лес, как думал отец, а на север и на восток, к Ташбаану.

Я знала, что трое суток, не меньше, отец не будет искать меня, обманутый моими словами. На четвёртый же день мы были в городе Азым-Балдах, откуда идут дороги во все стороны нашего царства и особо знатные тарханы могут послать письмо с гонцами Тисрока (да живёт он вечно). Потому я пошла к начальнику этих гонцов и сказала: «О несущий весть, вот письмо от Ахошты-тархана к Кидрашу, владетелю Калавара! Возьми эти пять полумесяцев и пошли гонца». А начальник сказал мне: «Слушаю и повинуюсь».

В этом письме было написано:

*«От Ахошты к Кидраш-тархану привет и мир. Во имя великой Таш, непобедимой, непостижимой, знай, что на пути к тебе я милостью судеб встретил твою дочь, тархину Аравиту, которая приносила жертвы великой Зардинах, как и подобает девице. Узнав, кто*

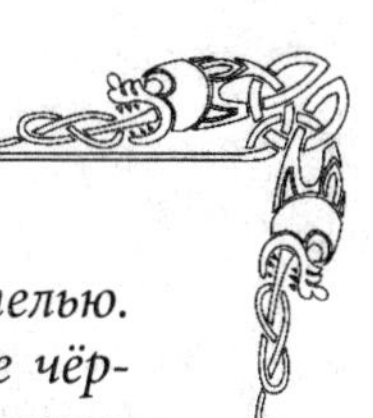

*передо мною, я был поражён её красой и добродетелью. Сердце моё воспылало, и солнце показалось бы мне чёрным, если бы я не заключил с ней немедля брачный союз. Я принёс должные жертвы, в тот же час женился и увёз прекрасную тархину в мой дом. Оба мы молим и просим тебя поспешить к нам, дабы порадовать нас ликом своим и речью и захватить с собой приданое моей жены, которое нужно мне незамедлительно, ибо я потратил немало на свадебный пир. Надеюсь и уповаю, что тебя, моего истинного брата, не разгневает поспешность, вызванная лишь тем, что я полюбил твою дочь великой любовью. Да хранят тебя боги».*

Отдав это письмо, я поспешила покинуть Азым-Балдах, дабы миновать Ташбаан к тому дню, когда отец мой прибудет туда или пришлёт гонцов. На этом пути за нами погнались львы и мы повстречались с вами.

— А что было дальше с той девочкой? — спросил Шаста.

— Её высекли, конечно, за то, что проспала. И поделом: она наушничала мачехе.

— А по-моему, это нехорошо, — возразил Шаста.

— Прости, — съязвила Аравита, — тебя не спросила!

— И ещё вот чего я не понял, — не обратил внимания на колкость мальчик. — Ты не взрослая, не старше меня, а то и моложе. Разве тебя можно выдать замуж?

Аравита не ответила, но Игого сказал:

— Шаста, не срамись! У тархистанских вельмож так заведено.

Мальчик покраснел (хотя в темноте никто этого не заметил), смутился и надолго замолчал. Игого тем временем поведал Аравите их историю, и Шасте показалось, что он слишком часто упоминает всякие падения и неудачи. Видимо, конь считал, что это забавно, хотя девочка вовсе и не смеялась. Потом все легли спать.

Наутро продолжили путь вчетвером, и Шаста подумал, что вдвоём было лучше. Теперь Игого беседовал не с ним, а с Аравитой. Благородный конь долго жил в Тархистане, среди тарханов и тархин, и знал почти всех знакомых своей неожиданной попутчицы. «Если ты был под Зулиндрехом, то должен

был видеть Алимаша, моего родича», — говорила Аравита, а он отвечал: «Ну как же! Колесница не то что мы, кони, но всё же он храбрый воин и добрый человек. После битвы, когда мы взяли Тебёф, он дал мне много сахару». А то начинал Игого: «Помню, у озера Мезраэль...», — и Аравита вставляла: «Ах, там жила моя подруга Лазорилина. Дол Тысячи Запахов... Какие сады, какие цветы, ах и ах!» Конь никак не думал оттеснить своего маленького приятеля, но когда встречаются существа одного круга, это выходит само собой.

Уинни сильно робела перед таким конем и говорила не много, а хозяйка её — или подруга — и вовсе ни разу не обратилась к Шасте.

Вскоре, однако, им пришлось подумать о другом. Они подходили к Ташбаану. Селения стали больше, дороги не так пустынны. Теперь они ехали ночью, днём где-нибудь прятались и часто спорили о том, что делать в столице. Каждый предлагал своё, и Аравита, быть может, обращалась чуть-чуть приветливее к Шасте: человек становится лучше, когда обсуждает важные вещи, а не просто болтает.

Игого считал, что самое главное — условиться поточнее, где они встретятся по ту сторону столицы, если их почему-либо разлучат. Он предлагал старое кладбище — там стояли усыпальницы древних царей, а за ними начиналась пустыня. «Эти усыпальницы нельзя не заметить, они как огромные ульи, — говорил конь. — И никто к ним не подойдёт, здесь очень боятся привидений». Аравиту немного испугали его слова, но Игого заверил, что это пустые тархистанские толки. Шаста поспешил сказать, что он не тархистанец и никаких привидений не боится. Так это было или не так, но Аравита сразу же откликнулась (хотя и немного обиделась) и, конечно, сообщила, что не боится и она. Итак, решили встретиться среди усыпальниц, когда минуют город, и успокоились, но тут Уинни тихо заметила, что надо ещё его миновать.

— Об этом, госпожа, мы потолкуем завтра, — сказал Игого. — Спать пора.

Однако назавтра, уже перед самой столицей, они столковаться не смогли. Аравита предлагала переплыть ночью огибавшую город реку и вообще в Ташбаан не заходить. Игого возразил ей, что для Уинни эта река широка, особен-

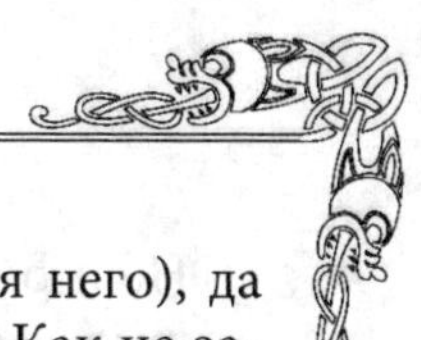

но — с всадником (умолчав, что она широка и для него), да и вообще там и днём и ночью много разных судов. Как не заметить, что плывут две лошади, и не проявить излишнего любопытства?

Шаста предложил переплыть реку в другом, более узком месте, но Игого объяснил, что там по обоим берегам дворцы и сады, а в садах ночи напролёт веселятся тарханы и тархины. Именно в этих местах кто-нибудь непременно узнает Аравиту.

— Может, нам как-нибудь переодеться? — сказал Шаста.

Уинни предложила идти прямо через город, от ворот до ворот, стараясь держаться в густой толпе, а всадникам и впрямь хорошо бы переодеться, чтобы походить на крестьян или рабов, а седла и красивую кольчугу увязать в тюки и приладить к лошадиным спинам. Тогда народ подумает, что дети ведут вьючных лошадей.

— Ну, знаешь ли! — фыркнула Аравита. — Кого-кого, а *такого* коня за крестьянскую лошадь вряд ли примут.

— Надеюсь, что так, — вставил Игого, чуть-чуть прижимая уши.

— Конечно, мой план не очень хорош, — согласилась Уинни, — но иначе нам не пройти. Нас с Игого давно не чистили, мы хуже выглядим — во всяком случае я, — так что если мы хорошенько выкатаемся в глине и будем еле волочить ноги и глядеть в землю, может, и обойдётся. Да, подстригите нам хвосты покороче и, если можно, неровно, клочками.

— Дорогая моя госпожа, — возразил Игого, — подумала ли ты, каково предстать в *таком* виде? Это же столица!

— Что поделаешь!.. — смиренно проговорила лошадь, проявив благоразумие. — Главное — через столицу пройти.

Пришлось на всё это согласиться. Шаста украл в деревне пару мешков и верёвку (Игого назвал это «позаимствовал») и честно купил старую мальчишечью рубаху для Аравиты.

Вернулся он, торжествуя, когда уже смеркалось. Все ждали его в роще, у подножия холма, радуясь, что холм этот — последний. С его вершины они уже могли видеть Ташбаан.

— Только бы город пройти... — тихо сказал Шаста, а Уинни ответила:

— Ах, правда, правда!

Ночью они взобрались по тропке на холм, и перед ними открылся огромный город, сияющий тысячью огней. Шаста, видевший это в первый раз, немного испугался, но всё же поужинал и поспал. Лошади разбудили его затемно.

Звёзды ещё сверкали, трава была влажной и очень холодной; далеко внизу, справа, над морем, едва занималась заря. Аравита отошла за дерево и вскоре вышла в мешковатой одежде, с узелком в руках. Узелок этот, и кольчугу, и ятаган, и седло сложили в мешки. Лошади уже перепачкались, как только могли, а чтобы подрезать им хвосты, пришлось снова вынуть ятаган. Хвосты подрезали долго и не очень умело.

— Ну что это! — возмутился Игого. — Ах, так бы и лягнулся, не будь я говорящим конём! Мне казалось, вы подстрижёте хвосты, а не повыдёргиваете...

Было почти темно, пальцы коченели от холода, но в конце концов с делом справились. Потом нагрузили поклажу, взяли верёвки (ими заменили уздечки и поводья) и двинулись вниз. Занимался день.

— Будем держаться вместе сколько сможем, — напомнил Игого. — Если же нас разлучат, встретимся на старом кладбище. Тот, кто придёт туда первым, будет ждать остальных.

— Что бы ни случилось, — сказал лошадям Шаста, — не говорите ни слова.

## *Глава четвёртая*

# КОРОЛЬ И КОРОЛЕВА

Сперва Шаста видел внизу только море мглы, над которым вставали купола и шпили, но когда рассвело и туман рассеялся, ему открылось больше. Широкая река обнимала двумя рукавами великую столицу, одно из чудес света. По краю острова стояла стена, укреплённая башенками, — их было так много, что Шаста скоро перестал считать. Остров был как круглый пирог — посередине выше, и склоны его густо покрывали дома; наверху же гордо высился дворец Тисрока и храм богини Таш. Между домами причудливо вились улочки, обсаженные лимонными и апельсиновыми деревьями, на крышах зеленели сады, повсюду пестрели и переливались арки, колоннады, шпили, минареты, балконы, плоские крыши. Когда серебряный купол засверкал на солнце, у Шасты сердце забилось от восторга.

— Идём же! — в который раз сказал ему конь.

Оба берега были покрыли густыми, как лес, садами, а когда спустились ниже и Шаста ощутил сладостный запах фруктов и цветов, стало видно, что из-за деревьев выглядывают белые домики. Ещё через четверть часа путники шли меж белёных стен, из-за которых свешивались густые ветви.

— Ах, какая красота! — восхищённо воскликнул Шаста.

— Скорей бы она осталась позади, — заметил Игого. — К северу, в Нарнию!

В этот миг торжественно и громко затрубили трубы, и хоть звук был красив, путники немножко испугались.

— Это сигнал, — объяснил конь. — Сейчас откроют ворота. Ну, госпожа моя Аравита, опусти плечи, ступай тяжелее. Забудь, что ты тархина. Постарайся вообразить, что тобой всю жизнь помыкали.

— Если на то пошло, — заметила Аравита, — почему бы и тебе не согнуть немного шею? Забудь, что ты боевой конь.

— Тише, — попросил Игого. — Мы пришли.

Так оно и было. Река перед ними разделялась на два рукава, и вода на утреннем солнце ярко сверкала. Справа, немного подальше, белели паруса; прямо впереди возвышался многоарочный мост, по которому неспешно брели крестьяне. Одни несли корзины на голове, другие вели осликов и мулов. Как можно незаметнее путники наши присоединились к ним.

— В чём дело? — шепнул Шаста Аравите, заметив, что девочка надулась.

— Тебе-то что! — почти прошипела та. — Что тебе Ташбаан! А меня должны нести в паланкине: впереди — солдаты, позади — слуги... И прямо во дворец, к Тисроку (да живёт он вечно). Да, тебе что...

Шаста подумал, что всё это очень глупо.

За мостом гордо высилась городская стена. Медные ворота были открыты, и по обе стороны, опираясь на копья, стояли солдаты, пятеро. Аравита невольно подумала: «Они бы мигом встали по стойке «смирно!», если бы узнали, кто мой отец!..» — а друзья её — о том, чтобы солдаты не обратили на них внимания. К счастью, так и вышло, только один из них схватил морковку из чьей-то корзины, запустил ею в Шасту и крикнул, грубо захохотав:

— Эй, парень! Худо тебе придётся, если хозяин узнает, что ты возишь поклажу на его коне!

Шаста испугался, что ни один воин или вельможа не примет Игого за вьючную лошадь, но всё же нашёл в себе силы ответить:

— Он сам так велел!

Лучше бы ему промолчать — солдат тут же ударил его по уху и сказал:

— Поговори мне ещё!

А Шаста даже не заплакал — привык к битью.

За стеной столица показалась ему не такой красивой. Улицы были узкие и грязные, стены — сплошные, без окон, народу гораздо больше, чем он думал.

Крестьяне шли на рынок, но были тут и водоносы, и торговцы сладостями, и носильщики, и нищие, и босоногие рабы, и бродячие собаки, и куры. Если бы вы оказались там, то прежде всего ощутили бы запах немытых людей, бродячих собак, лука, чеснока, мусора и помоев.

Шаста делал вид, что всех ведёт он, хотя вёл Игого, указывая, куда свернуть. Они долго шли вверх, сильно петляя, пока не оказались наконец на обсаженной деревьями улице. Воздух тут был получше. С одной стороны стояли дома, а с другой — за зеленью виднелись крыши на уступе пониже и даже река далеко внизу. Чем выше подымались наши путники, тем становилось чище и красивее. То и дело попадались статуи богов и героев (скорее величественные, чем красивые), пальмы и аркады бросали тень на раскалённые плиты мостовой. За арками ворот зеленели деревья, пестрели цветы, сверкали фонтаны, и Шаста подумал, что там очень неплохо.

Толпа, однако, была по-прежнему густой. Идти приходилось медленно, нередко — останавливаться; то и дело раздавались крики: «Дорогу, дорогу, дорогу тархану», — или: «...тархине», — или: «...пятнадцатому визирю», — или: «...посланнику». И все, кто шёл по улице, прижимались к стене, а над головами Шаста видел носилки, которые несли на обнажённых плечах шесть рабов-великанов. В Тархистане только один закон уличного движения: уступи дорогу тому, кто важнее, если не хочешь, чтобы тебя хлестнули бичом или укололи копьём.

На очень красивой улице, почти у вершины (где стоял дворец Тисрока), случилась самая неприятная из всех этих встреч.

— Дорогу светлоликому королю, гостю Тисрока (да живёт он вечно)! — провозгласил кто-то зычным голосом.

Шаста посторонился и потянул за собой Игого, но ни один конь, даже говорящий, не любит пятиться задом, а тут ещё их толкнула женщина с корзинкой, так что бедный мальчик неведомо как выпустил поводья. Толпа тем временем стала такой плотной, что отодвинуться дальше к стене он не мог и волей-неволей оказался в первом ряду.

Он не увидел никаких носилок. Посередине улицы шли пешком чрезвычайно странные люди, человек шесть. Тархистанец был один — тот, что кричал: «Дорогу!..», — остальные были светлые, белокожие, как он, а двое ещё и белокурые. Одеты они были тоже не так, как одеваются в Тархистане, — без шаровар и халатов, в чём-то вроде рубах до колена (одна зелёная, как лес, две ярко-жёлтые, две голубые). Вместо тюрбанов у некоторых были стальные или серебряные шапочки, усыпанные драгоценными камнями, а у одного даже с крылышками. Мечи у них были длинные, прямые, а не изогнутые, как ятаган. А главное — в них самих он не заметил и следа присущей здешним вельможам важности. Они улыбались, смеялись, один — насвистывал, и сразу было видно, что они рады подружиться с любым, кто с ними хорош, и просто не замечают тех, кто с ними неприветлив. Глядя на них, Шаста подумал, что в жизни не видел таких приятных людей.

Однако насладиться зрелищем он не успел, ибо тот, кто шёл впереди, схватил его за плечо и воскликнул:

— Вот он, смотрите! Как вам не стыдно, ваше высочество! Королева глаза выплакала. Где же это видано — пропасть на всю ночь?!

Шаста спрятался бы под брюхом у коня или в толпе, но не мог — светлые люди окружили его.

Конечно, можно было сказать, что он бедный сын рыбака и вельможа обознался, но тогда пришлось бы объяснить, откуда взялся конь и кто такая Аравита. Мальчик оглянулся, надеясь на помощь Игого, но тот не собирался оповещать толпу о своём особом даре. Что до Аравиты, на неё Шаста и взглянуть не смел, опасаясь выдать. Да и времени не было — глава белокожих сказал:

— Будь любезен, Перидан, возьми его высочество за руку, а я — за другую. Ну, идём. Обрадуем поскорей сестру нашу, королеву.

Потом человек этот (наверное, король, потому что все говорили ему «ваше величество») принялся расспрашивать Шасту, где он был, как выбрался из дому, куда дел одежду, не стыдно ли ему и так далее. Правда, он сказал не «стыдно», а «совестно».

Шаста молчал, ибо не мог придумать, что бы такое ответить и не попасть в беду.

— Молчишь? — сказал король. — Знаешь, принц, тебе это не пристало! Сбежать может всякий мальчик. Но наследник Орландии не станет трусить, как тархистанский раб.

Тут Шаста совсем расстроился, ибо молодой король понравился ему больше всех взрослых, которых он видел, и хотелось ему понравиться.

Удерживая за руки, незнакомцы провели его узкой улочкой, спустились по ветхим ступенькам и поднялись по красивой лестнице к широким воротам в белой стене, по обе стороны которых росли кипарисы. За воротами и дальше, за аркой, оказался двор, или, скорее, сад, в центре которого журчал прозрачный фонтан. Вокруг него, над мягкой травой, росли апельсиновые деревья; белые стены были увиты розами.

Пыль и грохот исчезли. Белокожие люди вошли в какую-то дверь, тархистанец остался. Миновав коридор, где мраморный пол приятно холодил ноги, они прошли несколько ступенек — и Шасту ослепила светлая большая комната окнами на север, так что солнце здесь не пекло. По стенам стояли низкие диваны, на которых лежали расшитые подушки, и народу было много, причём очень странного. Но Шаста не успел толком об этом подумать, потому что самая красивая девушка из всех, что ему довелось видеть, кинулась к ним и со слезами стала его целовать.

— О Корин, Корин! Как ты мог?! Что я сказала бы королю Луму? Мы же с тобой такие друзья! Орландия с Нарнией всегда в мире, а тут могли бы поссориться... Как тебе не совестно?

«Меня принимают за принца какой-то Орландии, — подумал Шаста. — А они, должно быть, из Нарнии. Где же этот Корин, хотел бы я знать?»

Но мысли эти не подсказали ему, как ответить.

— Где ты был? — спросила красавица, обнимая его, и он наконец ответил:

— Я... я н-не знаю...

— Вот видишь, Сьюзен! — воскликнул король. — Ничего не говорит, даже солгать не хочет.

— Ваши величества! Королева Сьюзен! Король Эдмунд! — послышался голос, и, обернувшись, Шаста чуть не подпрыгнул от удивления.

Говоривший (из тех странных людей, которых он заметил, войдя в комнату) был не выше его и от пояса вверх вполне по-

ходил на человека, а ноги у него были лохматые и с копытцами, сзади же торчал хвост. Кожа у него была красноватая, волосы вились, а из них торчали маленькие рожки. То был фавн — Шаста в жизни их не видел, но мы-то с вами знаем, кто они такие. Надеюсь, вам приятно узнать, что фавн тот самый, мистер Тумнус, которого Люси, сестра королевы Сьюзен, встретила в Нарнии, как только туда попала, только очень постаревший, ибо Питер, Сьюзен, Эдмунд и Люси правили здесь уже несколько лет.

— У его высочества, — продолжил фавн, — похоже, лёгкий солнечный удар. Взгляните на него! Он ничего не помнит, даже не понимает, где находится!

Тогда все перестали наконец расспрашивать и ругать Шасту, положили на мягкий диван, дали ему ледяного шербета в золотой чаше и сказали, чтобы не волновался. Такого с ним в жизни не бывало, он даже не думал, что есть такие мягкие ложа и такие вкусные напитки. Конечно, он беспокоился о друзьях, и прикидывал, как бы сбежать, и гадал, что с этим Корином, но все эти заботы как-то меркли. Думая о том, что вскоре его и покормят, он рассматривал занятнейших существ, которых тут было немало.

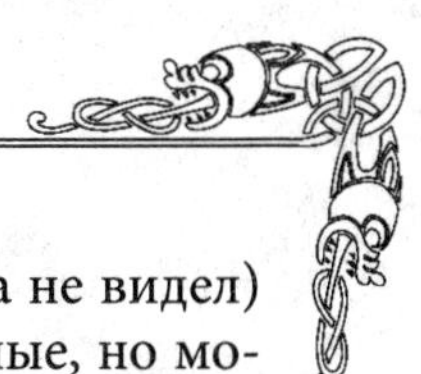

За фавном стояли два гнома (их он тоже никогда не видел) и очень большой ворон. Прочие были люди, взрослые, но молодые, с приветливыми лицами и весёлыми добрыми голосами. Шаста стал прислушиваться к их разговору.

— Ну, Сьюзен, — обратился король к той девушке, которая целовала Шасту, — мы торчим тут скоро месяц. Что же ты решила? Хочешь выйти за этого темнолицего типа?

Королева покачала головой.

— Нет, дорогой брат. Ни за какие сокровища Ташбаана.

А Шаста подумал: «Ах вот оно что! Они король и королева, но не муж и жена, а брат и сестра».

— Я очень рад, — сказал король. — Когда он гостил в Кэр-Паравале, мы все удивлялись, что ты в нём нашла.

— Прости меня, Эдмунд: я такая глупая! Но вспомни: там, у нас, он был иной. Какие давал пиры, как дрался на турнирах, как любезно и милостиво говорил! А здесь, у себя, это совершенно другой человек.

— Стар-ро как мир! — прокаркал ворон. — Недаром говорится: «В берлоге не побываешь — медведя не узнаешь».

— Вот именно, — сказал один из гномов. — И ещё: «Вместе не поживёшь — друг друга не поймёшь».

— Да, — сказал король, — теперь мы увидели его дома, а не в гостях. Здесь, у себя, он гордый, жестокий, распутный бездельник.

— Асланом тебя прошу, — сказала королева, — уедем сегодня!

— Не так всё просто, сестра, — ответил король. — Сейчас я открою, о чём думал последние дни. Перидан, будь добр, затвори дверь да погляди, нет ли кого в коридоре. Так. Теперь можно поговорить о важных и тайных делах.

Все стали серьёзны, а королева Сьюзен подбежала к брату.

— Эдмунд! Что случилось? У тебя такие страшные глаза!..

## *Глава пятая*

# ПРИНЦ КОРИН

— Дорогая сестра и королева, — сказал король Эдмунд, — пришло тебе время доказать свою отвагу. Не стану скрывать: нам грозит большая опасность.

— Какая? — спросила королева.

— Боюсь, что мы не уедем отсюда. Пока царевич ещё надеялся, мы были почётными гостями, но с той минуты, как ты ему откажешь, клянусь гривой Аслана, станем пленниками.

Один из гномов тихо свистнул, а ворон заметил:

— Я пр-р-редупреждал ваши величества. Войти легко — выйти трудно, как сказал омар, когда его варили.

— Я видел царевича утром, — продолжил король. — Как ни жаль, он не привык, чтобы ему перечили. Он требовал от меня — то есть от тебя — окончательного ответа. Я шутил как мог над женскими капризами, но всё же дал понять, что надежды у него мало. Он страшно рассердился: даже угрожал мне, — конечно, в их слащавой манере.

— Да, — сказал фавн, — когда я ужинал с великим визирем, было то же самое. Он спросил, нравится ли мне Ташбаан. Конечно, я не мог сказать, что мне тут каждый камень противен, а лгать не умею, вот и ответил, что летом, в жару, сердце моё томится по прохладным лесам и мокрым травам. Он

неприятно улыбнулся и сказал: «Никто тебя не держит, козлиное копытце: езжай, пляши в своих лесах, — а нам оставь жену для царевича».

— Ты думаешь, он сделает меня своей женой насильно? — воскликнула Сьюзен в испуге.

— Женой... Спасибо, если не рабыней.

— Как же он может? Разве царь Тисрок это потерпит?

— Не сошёл же он с ума! — сказал Перидан. — Он знает, что в Нарнии есть добрые копья.

— Мне кажется, — сказал Эдмунд, — что Тисрок очень мало боится нас. Страна у нас небольшая. Владетелям империй не нравятся маленькие страны у их границ, поэтому они стремятся их захватить и поглотить. Не затем ли он послал к нам царевича, чтобы затеять ссору? Он рад бы прибрать к рукам и Нарнию, и Орландию.

— Пускай попробует! — вскричал гном. — Между ним и нами лежит пустыня! Что скажешь, ворон?

— Я знаю её: облетел вдоль и поперек, когда был молод. (Не сомневайтесь, тут Шаста навострил уши.) Если Тисрок пойдёт через большой оазис, то Орландии не достигнет: его людям и коням не хватит воды, — но есть и другая дорога. (Шаста стал слушать ещё внимательнее.) Ведёт она от древних усыпальниц на северо-запад, и тому, кто по ней движется, всё время видна гора с двойной вершиной — Олвин. Довольно скоро, через сутки, начнётся каменистое ущелье, очень узкое, почти незаметное со стороны. Кажется, в нём нет ни травы, ни воды — ничего. Но если спуститься туда, увидишь, что по нему течёт речка. Если идти по её берегу, можно добраться до самой Орландии.

— Знают ли тархистанцы об этой дороге? — спросила королева.

— Друзья мои, — воскликнул король, — о чём мы говорим! Дело не в том, кто победит, если Тархистан нападёт на нас. Нам надо спасти честь королевы и собственную жизнь. Конечно, брат мой Питер, Верховный король, одолеет Тисрока, но мы уже будем давно мертвецами, а сестра моя, королева, — женой или рабыней царевича.

— У нас есть оружие, — напомнил гном. — Мы можем защитить этот замок.

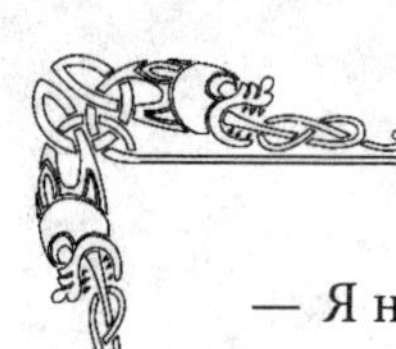



— Я не сомневаюсь, — сказал король, — что каждый из нас дорого продаст свою жизнь. Королеву они получат только через наши трупы. Но мы тут как мыши в мышеловке.

— Недар-р-ом гово-р-рится: «В доме остаться — с жизнью расстаться», — прокаркал ворон. — И еще: «В доме запрут — дом подожгут».

— Ах, всё это из-за меня! — заплакала Сьюзен. — Не надо мне было покидать Кэр-Параваль! Как было хорошо! Кроты же почти кончили перекапывать сад... а я... а я... — И она закрыла лицо руками.

— Ну что ты, Сью... — начал король Эдмунд, но вдруг увидел, что фавн, сжав руками голову, раскачивается как от боли и бормочет:

— Минутку, минутку... Я думаю, я сейчас придумаю... Подождите, сейчас, сейчас!..

Наконец мистер Тумнус с облегчением вздохнул, вытер лоб и сказал:

— Трудно одно: добраться до корабля так, чтобы нас не заметили и не схватили.

— Да, — согласился гном. — «Рад бы нищий скакать, да коня не сыскать».

— Постой, постой, — остановил его фавн. — Нужно вот что: попасть под каким-нибудь предлогом на корабль, оставить там матросов...

— Наверное, ты прав... — согласился король Эдмунд.

— Ваше величество, — опять заговорил фавн, — не пригласите ли царевича на пир? Устроим мы его на вашем корабле завтра вечером. Ради пользы дела намекните, что её величество может дать там ответ, не нанося урона своей чести. Царевич подумает, что она готова уступить.

— Пр-рекрасный совет! — одобрительно прокаркал ворон.

— Все будут думать, — взволнованно проговорил фавн, — что мы готовимся к пиру. Кого-нибудь пошлём на базар купить сластей, вина и фруктов... Пригласим шутов, и колдунов, и плясуний, и флейтистов...

— Так-так, — сказал король, потирая руки.

— А когда стемнеет, — добавил фавн, — мы уже будем на борту...

— Поставим паруса, возьмём вёсла! — воскликнул король.

— И выйдем в море! — закончил фавн и пустился в пляс.

— На север! — вскричал гном.

— В Нарнию! — крикнули все. — Ура!

— Дорогой мой Тумнус, ты меня спас! — растроганно проговорила королева и, схватив его за руки, закружилась по комнате. — Ты спас нас всех!

— Царевич пустится в погоню, — заметил вельможа, чьего имени Шаста не знал.

— Ничего, — сказал король. — У него нет хороших кораблей и быстрых галер. Царь Тисрок держит их для себя. Пускай гонятся! Мы потопим их, если они вообще нас догонят.

— Совещайся мы неделю, — добавил ворон, — лучше не придумаешь, однако недаром говорится: «Сперва — гнездо, потом — яйцо». Прежде чем приняться за дело, надо подкрепиться.

Все встали, открыли двери и пропустили первыми королеву и короля. Шаста замешкался, но фавн сказал ему:

— Отдохните, ваше высочество: я сейчас принесу вам поесть сюда. Лежите, пока не настанет пора перебираться на корабль.

Шаста опустил голову на мягкие подушки и, оставшись в комнате один, подумал: «Какой ужас!..» Ему и в голову не приходило сказать всю правду и попросить о помощи. Вы-

рос он среди жестоких, чёрствых людей и привык ничего не говорить взрослым, чтобы хуже не было. Может быть, этот король не обидит говорящих коней, они из Нарнии, но Аравита — здешняя, он продаст её в рабство или вернёт отцу. «А я, — продолжил размышлять мальчик, — даже не посмею сказать им, что вовсе не принц Корин. Я слышал их тайны. Если они узнают, что я чужак, то живым меня не отпустят — убьют. А если Корин придёт? Тогда уж наверняка...»

Понимаете, Шаста не знал, как ведут себя свободные, благородные люди.

«Что же мне делать, что делать? А вон и козлик этот идёт!..»

Фавн, слегка приплясывая, внёс в комнату огромный поднос, поставил на столик у дивана и, усевшись на ковер скрестив ноги, сказал:

— Ну, милый принц, ешь — это последний твой обед в Ташбаане.

Обед был хорош. Не знаю, понравился бы он вам, но Шасте понравился. Он жадно съел омаров, и овощи, и бекаса, фаршированного трюфелями и миндалём, и сложное блюдо из риса, изюма, орехов и цыплячьих печёнок, и дыню, и ягоды, и какие-то дивные ледяные сласти вроде нашего мороженого. Выпил он и вина, которое зовётся белым, хотя оно светло-жёлтое.

Фавн тем временем развлекал его беседой. Думая, что принц нездоров, Тумнус пытался его обрадовать и говорил о том, как они вернутся домой, и о добром короле Луме, и о небольшом замке на склоне горы.

— Не забывай, — добавил фавн, — что ко дню рождения тебе обещали кольчугу и коня, а года через два сам король Питер посвятит тебя в рыцари. Пока что мы часто будем ездить к вам, вы — к нам, через горы. Ты помнишь, конечно, что обещал приехать ко мне на летний праздник, где будут костры и ночные пляски с дриадами, а может — кто знает? — нас посетит сам Аслан.

Когда Шаста съел всё подчистую, фавн предложил:

— А теперь поспи. Не бойся, я за тобой зайду, когда будем перебираться на корабль. А потом — домой, на север!

Шасте так понравился и обед, и рассказы фавна, что он уже не мог думать о неприятном. Он надеялся, что принц Корин не придёт, опоздает, и его самого увезут на север. Боюсь, он не подумал, что станется с принцем, если тот будет один в Ташбаане. Об Аравите и о лошадях он чуть-чуть беспокоился, но сказал себе: «Что поделаешь? И вообще Аравите самой так лучше — очень я ей нужен», — ощущая при этом, что куда приятней плыть по морю, чем одолевать пустыню.

Подумав так, он заснул, как заснули бы и вы, если бы встали затемно, долго шли, а потом, лежа на мягком диване, столько съели.

Разбудил его громкий звон. Испуганно привстав, он увидел, что и тени, и свет сместились, а на полу лежат осколки драгоценной вазы. Но главное было не это: в подоконник вцепились чьи-то руки, причём так крепко, что побелели костяшки пальцев, потом появились голова и плечи, а через секунду какой-то мальчик перемахнул через подоконник и сел, свесив одну ногу.

Шаста никогда не гляделся в зеркало, а если бы и гляделся, не понял бы, что незнакомец очень похож на него, ибо тот был сейчас ни на кого не похож. Под глазом у него красовался огромный синяк, под носом запеклась кровь, одного зуба не было, одежда, некогда очень красивая, висела лохмотьями.

— Ты кто такой? — шёпотом спросил мальчик.

— А ты принц Корин? — в свою очередь спросил Шаста.

— Конечно. А ты-то кто?

— Никто, наверное. Король Эдмунд увидел меня на улице и решил, что это ты. Можно как-то отсюда выбраться?

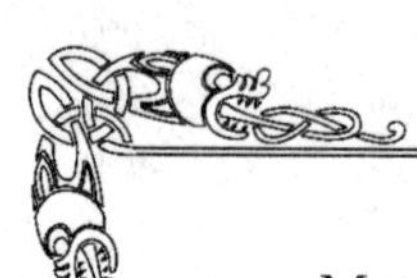



— Можно, если хорошо лазаешь. Только куда спешить? Мы так похожи — давай ещё кого-нибудь разыграем!

— Нет-нет, — заторопился Шаста. — Мне нельзя оставаться. Вдруг фавн придёт и увидит нас вместе? Мне пришлось притвориться, что я — это ты. Вы сегодня отплываете. А где ты был всё время?

— Один мальчишка сказал гадость про королеву Сьюзен, — ответил принц. — Я его побил. Он заорал и побежал за братом. Тогда я побил брата. За мной погнались такие люди с копьями, называются «стража». Я подрался и с ними. Тут стало темнеть. Они меня куда-то увели. По дороге я предложил им выпить вина. Они напились и заснули, а я тихо выбрался и пошёл дальше, но встретил опять того мальчишку. Ну, мы подрались. Я его побил ещё раз, влез по водосточной трубе на крышу и стал ждал, когда рассветёт. А потом искал дорогу. Попить нету?

— Нет, я всё выпил, — сказал Шаста. — Покажешь, как вылезти? Надо поскорей уходить. А ты ложись на диван. Ах, они же не поверят, что это я... то есть ты... у тебя такой синяк... Придётся тебе сказать им правду.

— Как же иначе? — сердито буркнул принц. — А всё-таки, кто ты такой?

— Некогда объяснять, — быстро прошептал Шаста. — Я не здешний, с севера, но вырос здесь, а теперь бегу домой, через пустыню, с говорящим конём. Ну, как мне лезть?

— Вот смотри: тут плоская крыша. Иди очень тихо, на цыпочках, а то кто-нибудь услышит! Сверни налево, потом залезь, если умеешь лазать, на стену, пройди по ней до угла и спрыгни на кучу мусора.

— Спасибо, — сказал Шаста уже с подоконника.

Мальчики посмотрели друг на друга, и обоим показалось, что теперь они друзья.

— До свидания, — сказал Корин. — Доброго тебе пути.

— До свидания, — попрощался и Шаста. — Ну и храбрый же ты!

— Куда мне до тебя! Ну, прыгай! Да, доберёшься до Орландии, скажи моему отцу, королю Луму, что ты мой друг! Скорее, кто-то идёт!

## *Глава шестая*

# ШАСТА СРЕДИ УСЫПАЛЬНИЦ

Шаста неслышно пробежал по крыше, такой горячей, что чуть не обжёг босые ноги, взлетел вверх по стене, добрался до угла и мягко спрыгнул на кучу мусора в узкой грязной улочке. Прежде чем спрыгнуть, мальчик огляделся — по-видимому, он оказался на самой вершине горы, на которой стоит Ташбаан. Вокруг всё уходило вниз, плоские крыши спускались уступами до городской стены и сторожевых башен. За ними, с севера, текла река, за которой цвели сады, а уж за ними лежало странное, голое и желтоватое, пространство, уходившее за горизонт словно неподвижное море. Где-то в небе, очень далеко, синели какие-то глыбы с белым верхом. «Пустыня и горы», — догадался Шаста.

Спрыгнув со стены, он поспешил вниз по узкой улочке и вышел на широкую. Там был народ, но никто не обращал внимания на босоногого оборвыша, однако он всё-таки боялся, пока перед ним из-за какого-то угла не возникли городские ворота. Вышел он в густой толпе, которая по мосту двигалась медленно, как очередь. Здесь, над водой, было приятно вздохнуть после жары и запахов Ташбаана.

За мостом толпа стала таfive: народ расходился — кто налево, кто направо, — Шаста же пошёл прямо вперёд, между какими-

то садами. Дойдя до того места, где трава сменялась песком, он очутился совсем один и в удивлении остановился, словно увидел не край пустыни, а край света. Трава кончалась сразу; дальше, прямо в бесконечность, уходило что-то вроде морского берега, только пожёстче, ибо здесь песок не смачивала вода. Впереди, как будто ещё дальше, маячили горы. Минут через пять он увидел слева высокие камни вроде ульев, но поуже. Шаста знал от коня, что это и есть усыпальницы древних царей. За ними садилось солнце, и они мрачно темнели на сверкающем фоне.

Свернув на запад, Шаста направился к ним. Солнце слепило его, но всё же он ясно видел, что ни лошадей, ни девочки на кладбище нет. «Наверное, они за последней усыпальницей, — подумал мальчик. — Чтобы отсюда не заметили».

Усыпальниц было штук двенадцать, стояли они как попало. В каждой чернел низенький вход. Шаста обошёл кругом каждую из них и никого не нашёл. Когда он опустился на песок, солнце уже село.

В ту же минуту раздался очень страшный звук. Шаста чуть не закричал, но вспомнил: это трубы оповещают Ташбаан, что ворота закрылись, — и сказал себе: «Не трусь. Ты слышал этот звук утром». Мальчик прекрасно понимал, что одно дело — слышать такие звуки при свете, среди друзей, и совсем другое — одному и в темноте. «Теперь не придут до утра. Они там заперты. Нет, Аравита увела их раньше, без меня. С неё станется! Что это я? Игого никогда на это не согласится!»

К Аравите он был несправедлив. Она могла проявить и чёрствость, и гордость, но верности не изменяла и ни за что не бросила бы спутника, нравится он ей или нет.

Как бы то ни было, ночевать ему предстояло тут, а место это с каждой минутой привлекало его всё меньше. Большие молчаливые глыбы всё-таки пугали его. Шаста изо всех сил старался не думать о привидениях и уже немного успокоился, когда что-то коснулось его ноги.

— Помоги-и-те! — вырвался из его горла крик, адресованный неведомо кому.

Бежать он не смел: всё-таки совсем уж плохо, когда бежишь среди могил, не смея взглянуть, кто за тобой гонится, — поэтому, собрав всё своё мужество, сделал самое разумное, что мог, — обернулся и увидел... кота.

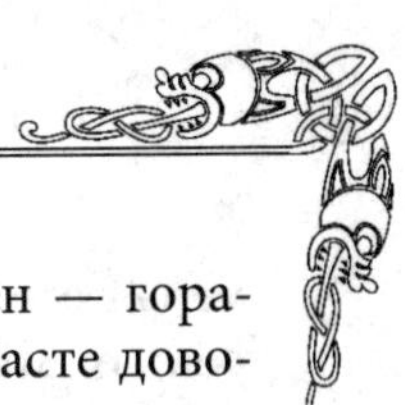

Кот, очень тёмный в темноте, был велик и важен — гораздо важнее и больше тех его собратьев, которых Шасте доводилось встречать. Глаза его таинственно сверкали, и казалось, что он много знает — но не скажет.

— Кис-кис-кис, — неуверенно позвал Шаста. — Ты говорить не умеешь?

Кот сурово поглядел на него и медленно пошёл куда-то, и Шаста, конечно, пошёл за ним. Через некоторое время они миновали усыпальницы. Тогда кот уселся на песок, обернув хвост вокруг передних лап. Смотрел он на север — туда, где лежала Нарния, — и был так неподвижен, что Шаста спокойно лёг спиной к нему, лицом к могилам, словно чувствовал, что кот охраняет его от врагов. Когда тебе страшно, самое лучшее — повернуться лицом к опасности и почувствовать что-то тёплое и надёжное за спиной. Песок показался бы вам не очень удобным, но Шаста и прежде спал на земле, так что скоро заснул, даже во сне гадая, где сейчас Игого, Уинни и Аравита.

Разбудил мальчика странный и страшный звук, и он подумал: «Наверное, мне всё приснилось». И тут же ощутил, что кота за спиной нет, и очень огорчился, но лежал тихо, не решаясь даже открыть глаза, как лежим иногда мы с вами, закрыв простынёй голову. Звук раздался снова — пронзительный вой или вопль, — и тут глаза у Шасты открылись сами, он даже сел на песке.

Ярко светила луна; усыпальницы стали как будто больше, но казались не чёрными, а серыми, и очень уж походили на чёрных людей, закрывших голову и лицо серым покрывалом. Что и говорить, это не радует. Однако звук шёл не от них, а сзади, из пустыни. Сам того не желая, Шаста обернулся и, посмотрев в ту сторону, подумал: «Хоть бы не львы!..»

Звук и впрямь не походил на рычание льва, но Шаста этого не знал. Выли шакалы (это тоже не слишком приятно). «Их много, — подумал Шаста, сам не зная о ком. — Они всё ближе...» Мне кажется, будь он поумнее, вернулся бы к реке, где стояли дома, но его пугали усыпальницы, мимо которых предстояло пройти. Кто его знает, что вылезет из чёрных отверстий? Глупо это или не глупо, Шаста предпочёл диких зверей, но крики приближались и он изменил мнение...

Мальчик уже собирался бежать, когда увидел на фоне луны огромного зверя. Тот шёл медленно и степенно, как бы не за-

мечая его, потом остановился, издал низкий, оглушительный рёв, эхом отдавшийся в камне усыпальниц, и прежние вопли стихли. Зашуршал песок, словно какие-то существа бросились врассыпную. Тогда огромный зверь обернулся к Шасте, и тот подумал: «Это лев. Вот и всё. Очень будет больно или нет?.. Ох, поскорей бы!.. А что бывает потом, когда умрёшь? Ой-ой-ой-ой!!!»

Мальчик закрыл глаза, сжал зубы, но ничего не случилось, а когда решился открыть, что-то тёплое лежало у его ног. «Да он не такой уж большой! — удивленно подумал Шаста. — Вполовину меньше, чем мне показалось. Нет, вчетверо... Ой, это кот! Значит, лев просто приснился!»

Действительно, у его ног лежал большой кот и смотрел на него зелёными немигающими глазами. Таких огромных котов Шасте видеть ещё не приходилось.

— Как хорошо, что это ты! — воскликнул мальчик и, прижавшись к коту, почувствовал, как и прежде, его животворящее тепло. — Мне снился страшный сон.

«Больше никогда не буду обижать кошек», — сказал он себе и добавил, уже коту:

— Знаешь, я однажды бросил камнем в старую голодную кошку... Эй, ты что!

Как раз в этот миг кот его царапнул. «Ну-ну! Будто понимает...»

Наутро, когда Шаста проснулся, кота не было, ярко светило солнце, песок уже нагрелся. Очень хотелось пить. Пустыня сверкала белизной. Из города доносился смутный шум, но здесь было очень тихо. Повернувшись так, чтобы солнце не слепило, он увидел вдали — чуть левее, к западу — горы, такие чёткие, что казалось, будто они совсем близко (одна из них имела две вершины), и, подумав: «Вот туда и надо идти», — провёл ногой по песку ровную полосу, чтобы не терять времени, когда все придут, а потом решил чего-нибудь поесть и направился к реке.

Усыпальницы оказались совсем не страшными, и теперь Шаста удивился, отчего они его так пугали. Народ здесь был, ворота открылись давно, толпа уже вошла в город, и оказалось не трудно, как сказал бы Игого, что-нибудь «позаимствовать». Он перелез через стену и сорвал в саду три апельсина,

пару смокв и гранат. После того как перекусил, мальчик подошёл к реке у самого моста и напился. Вода так понравилась, что он ещё и выкупался — ведь при жизни на берегу плавать и ходить он научился одновременно. Потом он лёг на траву и стал смотреть на Ташбаан, гордый, большой и прекрасный. Вспомнил он и о том, как опасно там было, и вдруг заподозрил, что, пока купался, Аравита и лошади, наверное, добрались до кладбища, не нашли его и ушли. Быстро одевшись, Шаста побежал обратно и так запыхался и вспотел, словно и не купался, но среди усыпальниц никого не было.

Солнце медленно ползло вверх по небу, потом медленно опускалось, но никто не пришёл и ничего не случилось, и мальчику стало совсем не по себе. Теперь он понял, что они решили здесь встретиться и ждать друг друга, но не договорились, как долго. Не до старости же! Скоро стемнеет, опять начнётся ночь... Десятки планов сменялись в его мозгу, пока он не выбрал самый худший: подождать до темноты, вернуться к реке, украсть столько дынь, сколько сможет, и пойти к той горе одному.

Если бы Шаста, как ты, читал книги о путешествиях через пустыню, то понял бы, что это очень глупо, но он не читал.

Прежде чем солнце село, кое-что всё-таки произошло. Когда тени усыпальниц стали совсем длинными, а Шаста давно съел все свои припасы, сердце у него подпрыгнуло: вдали показались две лошади. Вне всякого сомнения, это были Уинни и Игого, прекрасные и гордые, как прежде, но теперь под дорогими сёдлами, и вёл их человек в кольчуге, похожий на слугу из знатного дома. «Аравиту поймали, — в ужасе решил Шаста. — Она всё рассказала, и этого человека послали за мной. Они хотят, чтобы я кинулся к Игого и заговорил! А если не кинусь — тогда я точно остался один... Что же теперь делать?» И он юркнул за усыпальницу, чтобы подумать, как поступить.

*Глава седьмая*

## ВСТРЕЧА СТАРЫХ ПОДРУГ

А на самом деле случилось вот что. Когда Аравита увидела, что Шасту куда-то тащат, и осталась одна с лошадьми, которые весьма разумно молчали, то ни на миг не растерялась. Сердце у неё сильно билось, но она ничем это не выказала. Как только белокожие господа прошли мимо, она попыталась двинуться дальше, однако снова раздался крик: «Дорогу! Дорогу тархине!» — и появились четыре вооружённых раба, а за ними четыре носильщика, на плечах у которых едва покачивался роскошный паланкин. За ним, в облаке ароматов, следовали рабыни, гонцы, пажи и ещё какие-то слуги. И тут Аравита совершила первую свою ошибку.

Она прекрасно знала ту, что лениво покоилась на носилках. Это была Лазорилина, недавно вышедшая замуж за одного из самых богатых и могущественных тарханов. Девочки часто встречались в гостях, а это почти то же самое, что учиться в одной школе. Ну как тут было не посмотреть, какой стала старая подруга, после того как вышла замуж и обрела большую власть? Вот Аравита и посмотрела, а подруга — на неё...

— Аравита! Что ты здесь делаешь? А твой отец...

Отпустив лошадей, беглянка ловко вскочила в паланкин и быстро прошептала:

— Тише! Спрячь меня. Скажи своим людям...

— Нет, это ты мне скажи... — громко перебила её Лазорилина, как всегда, привлекая к себе внимание.

— Скорее! — прошипела Аравита. — Это очень важно!.. Прикажи своим людям, чтобы вели за нами вон тех лошадей, и задёрни полог. Ах, поскорее!

— Хорошо, хорошо, — томно ответила тархина. — Эй, вы, возьмите лошадей! А зачем задёргивать занавески в такую жару, не понимаю?..

Но Аравита уже задёрнула их сама, и обе тархины оказались в некоем подобии палатки, душной, сладко благоухающей.

— Отец не знает, что я здесь: сбежала из дому, — призналась Аравита.

— Какой ужас... — протянула Лазорилина. — Расскажи же всё поскорей... Ах, ты сидишь на моём покрывале! Слезь, пожалуйста. Вот так. Оно тебе нравится? Представляешь, я его...

— Потом, потом, — перебила её Аравита. — Где ты можешь меня спрятать?

— У себя во дворце, конечно. Муж уехал, никто тебя не увидит. Ах как жаль, кстати, что никто не видит сейчас моего нового покрывала! Так нравится оно тебе?

— И вот ещё что, — продолжала о своём Аравита. — С этими лошадьми надо обращаться особенно. Они говорящие, из Нарнии, понимаешь?

— Не может быть... — протянула Лазорилина. — Как интересно... Кстати, ты видела эту дикарку, королеву? Не понимаю, что в ней находят!.. Говорят, Рабадаш от неё без ума. Вот мужчины у них — красавцы. Какие теперь балы, какие пиры, охота!.. Позавчера пировали у реки, и на мне было...

— А твои люди не пустят слух, что у тебя гостит какая-то нищая в отрепьях? Дойдёт до отца...

— Ах, не беспокойся ты по пустякам! Мы тебя переоденем. Ну вот мы и на месте.

Носильщики остановились и опустили паланкин на землю. Раздвинув занавески, Аравита увидела, что они в красивом саду, примерно таком же, как тот, куда привели и Шасту некоторое время назад. Лазорилина пошла было в дом, но беглянка шёпотом напомнила ей, что надо предупредить слуг.

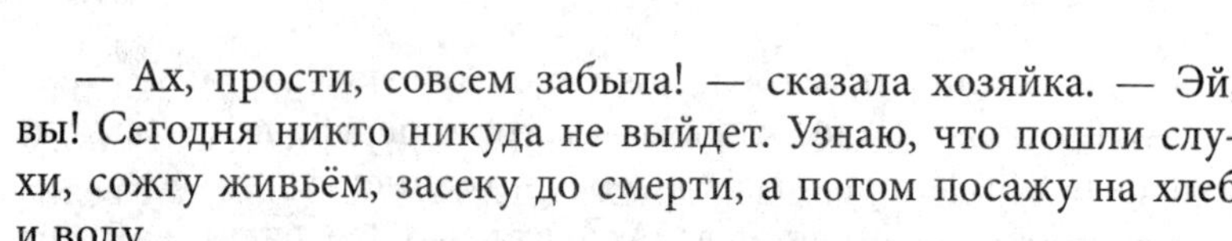



— Ах, прости, совсем забыла! — сказала хозяйка. — Эй, вы! Сегодня никто никуда не выйдет. Узнаю, что пошли слухи, сожгу живьём, засеку до смерти, а потом посажу на хлеб и воду.

Хоть Лазорилина и сказала, что желала бы услышать историю Аравиты, но всё время говорила сама. Она настояла, чтобы подруга искупалась (в Тархистане купаются долго и очень роскошно), потом предложила ей лучшие одежды, которые выбирала так долго, что Аравита чуть с ума не сошла. Теперь она вспомнила, что Лазорилина всегда любила наряды и сплетни, в то время как сама предпочитала собак, лошадей и охоту. Не трудно догадаться, что каждой из них другая казалась глупой. Наконец они поели (главным образом сладостей: взбитых сливок, и желе, и фруктов, и мороженого), расположились в красивой комнате (которая понравилась бы гостье ещё больше, если бы ручная обезьянка не лазила всё время по колоннам), и Лазорилина спросила, почему же подруга убежала из дому, а когда Аравита закончила свой рассказ, вскричала:

— Ах, непременно выходи за Ахошту-тархана! У нас тут все от него без ума. Мой муж говорит, что он будет великим человеком. Теперь, когда старый Ашарта умер, он стал великим визирем, ты знаешь?

— Не знаю и знать не хочу! — отрезала Аравита.

— Нет, ты подумай! Три дворца, один — тот, красивый, у озера Илкина, горы жемчуга... Купается в ослином молоке... А кроме того, мы сможем часто видеться!

— Не нужны мне его дворцы и жемчуга.

— Ты всегда была чудачкой, — сухо сказала Лазорилина. — Не пойму, что тебе нужно.

Помочь она всё же согласилась, решив, что это само по себе занятно. Молодые тархины подумали, что слуга из богатого дома с двумя породистыми лошадьми не вызовет никаких подозрений. Выйти же из города Аравите было много труднее: никто и никогда не выносил закрытые паланкины за ворота.

Наконец Лазорилина захлопала в ладоши и воскликнула:

— Ах, я придумала! Мы пройдём к реке садом Тисрока (да живёт он вечно). Там есть дверца. Только вот придворные... Знаешь, тебе повезло, что ты пришла ко мне! Мы ведь и сами почти придворные. Тисрок такой добрый (да живёт он вечно). Нас приглашают во дворец каждый день, мы буквально живём там. Я просто *обожаю* царевича Рабадаша. Значит, я проведу тебя в темноте. Если нас поймают...

— Тогда всё погибло, — закончила Аравита.

— Милочка, не перебивай! Говорю тебе: меня все знают, при дворе привыкли к моим выходкам. Вот послушай, вчера...

— Я хочу сказать, всё погибло *для меня*, — пояснила Аравита.

— А, ну да, конечно... Но что тут ещё можно придумать?

— Ничего, так что придётся рискнуть. Когда же мы пойдём?

— Только не сегодня! — воскликнула Лазорилина. — Сегодня пир… Когда же я сделаю причёску? Столько народу будет! Давай завтра вечером.

Аравита огорчилась, но решила потерпеть. Когда Лазорилина ушла, девочка вздохнула с облегчением: очень уж ей надоели рассказы о нарядах, свадьбах, пирах и нескромных происшествиях.

Следующий день тянулся бесконечно. Лазорилина не раз принималась отговаривать гостью, непрестанно повторяя, что в Нарнии снег, и лед, и демоны, и колдуны, да ещё какой-то деревенский мальчишка в попутчиках! Это же неприлично...

Аравита и сама порой так думала, но теперь, когда смертельно устала от глупости, ей пришло в голову, что путешествовать с Шастой куда веселее, чем вести светскую жизнь в столице, поэтому сказала:

— Там, в Нарнии, я буду просто девочкой. И потом, я обещала.

Лазорилина чуть не заплакала.

— Что же это такое? Будь ты поумней, стала бы женой *визиря*!

Аравита предпочла поговорить с лошадьми.

— Как только на землю спустятся сумерки, ступайте к могилам, но без поклажи. Вас снова оседлают, только у тебя, Уинни, будут сумы с провизией, а у тебя, Игого, — бурдюки с водой. Слуге приказано напоить вас как следует за мостом, у реки.

— А потом — на север, в Нарнию! — возликовал Игого. — Послушай, вдруг Шаста не добрался до кладбища?

— Тогда подождите его — как же иначе. Надеюсь, вам тут было хорошо?

— Куда уж лучше! Но если муж твоей болтуньи думает, что конюх покупает самый лучший овёс, то ошибается.

Через два часа, поужинав в красивой комнате, Аравита и Лазорилина вышли из дому. Аравита закрыла лицо чадрой и оделась так, чтобы её приняли за рабыню из богатого дома. Они решили: если кто-нибудь спросит, Лазорилина скажет, что собралась подарить её одной из царевен.

Шли они пешком, и вскоре оказались у ворот дворца. Конечно, тут была стража, но начальник узнал госпожу и отдал ей честь. Девочки прошли чёрный мраморный зал, где было много народу (но это и к лучшему: никто не обратил на них внимания), потом был колонный зал, за ним — два ряда статуй и колоннада, из которой можно попасть в тронный зал, медные двери которого были сейчас закрыты.

Наконец девочки вышли в сад, уступами спускавшийся к реке. Подальше в саду стоял Старый дворец. Когда они до

него добрались, уже стемнело и в лабиринте коридоров на стенах зажгли редкие факелы.

— Иди, не трусь! — шепнула Аравита, хотя сердце у неё билось так, словно из-за угла вот-вот появится отец.

— Куда же свернуть? — услышала она размышления подруги. — Всё-таки налево... Как смешно!

И тут оказалось, что Лазорилина толком не помнит, куда свернуть: направо или налево.

Они свернули налево и очутились в длинном коридоре. Не успела Лазорилина сказать: «Ну вот! Я помню эти ступеньки», — как в дальнем конце показались две тени, пятившиеся задом, — так ходят только перед царем. Лазорилина вцепилась в руку подруги, и та удивилась, чего она боится, если Тисрок друг её мужа. Тем временем Лазорилина втащила её в какую-то комнату, бесшумно закрыла дверь, и они очутились в полной темноте.

— Охрани нас Таш! — услышала Аравита её шёпот. — Только бы они не вошли!.. Ползи под диван.

Они спрятались под диваном, но всё место заняла Лазорилина. Если бы в комнату внесли свечи, то все увидели бы голову Аравиты. Правда, девочка была в чадре, так что ничего, кроме глаз да лба не увидишь, но всё-таки... Словом, она старалась отвоевать побольше места, но Лазорилина ущипнула её за ногу.

На том борьба и кончилась. Обе тяжело дышали, и это были единственные звуки.

— Тут нас не схватят? — спросила Аравита как можно тише.

— На-надеюсь, — пролепетала Лазорилина. — Ах как я измучилась!..

И тут раздался страшный звук — открылась дверь. Аравита втянула голову сколько могла, но видела всё.

Первыми вошли рабы со свечами в руках (девочка догадалась, что они глухонемые) и встали слева и справа от дивана. Это было хорошо: они прикрыли беглянку, а она всё видела. Потом появился невероятно толстый человек в странной островерхой шапочке. Самый маленький из драгоценных камней, украшавших его одежды, стоил больше, чем всё, что было у людей из Нарнии. Аравита подумала, что нарнийская

мода — во всяком случае мужская — как-то приятнее. За ним вошёл высокий юноша в тюрбане с длинным пером и ятаганом в ножнах слоновой кости. Он очень волновался, зубы у него злобно сверкали. Последним появился горбун, в котором она с ужасом узнала своего жениха.

Дверь закрылась. Тисрок сел на диван, вздохнув с облегчением. Царевич встал перед ним, а великий визирь опустился на четвереньки и припал лицом к ковру.

*Глава восьмая*

## ЗАГОВОР ТИСРОКА, ЦАРЕВИЧА РАБАДАША И ВИЗИРЯ АХОШТЫ

— Отец мой и услада моих очей! — начал молодой человек очень быстро и очень злобно. — Живите вечно, но меня вы погубили. Если б вы дали мне ещё на рассвете самый лучший корабль, я бы нагнал этих варваров. Теперь мы потеряли целый день, а эта ведьма, эта лгунья, эта... эта...

И он прибавил несколько слов, которые я не рискну повторять. Молодой человек был царевич Рабадаш, а ведьма и лгунья — королева Сьюзен.

— Успокойся, о сын мой! — сказал Тисрок. — Расставание с гостем ранит сердце, но разум исцеляет.

— Она мне *нужна*! — воскликнул царевич. — Я умру без этой гнусной, гордой, неверной собаки! Я не сплю, и не ем, и ничего не вижу из-за её красоты.

— Прекрасно сказал поэт: «Водой здравомыслия гасится пламень любви», — вставил визирь, приподняв несколько запылённое лицо.

Царевич дико взревел и ловко пнул визиря в приподнятый зад.

— Пёс! Ещё стихи читает!

Боюсь, что Аравита не испытала при этом жалости.

— Сын мой, — спокойно и отрешённо промолвил Тисрок, — учись сдерживать себя, когда хочется пнуть достопочтенного и просвещённого визиря. Изумруд ценен и в мусорной куче, а старость и скромность — в подлейшем из наших подданных. Поведай лучше, что собираешься делать.

— Я собираюсь, отец мой, — сказал Рабадаш, — призвать твоё непобедимое войско, захватить трижды проклятую Нарнию, присоединить к твоей великой державе и перебить всех поголовно, кроме королевы Сьюзен. Она будет моей женой, хотя её надо проучить.

— Пойми, о сын мой: никакие твои речи не побудят меня воевать с Нарнией, — возразил Тисрок.

— Если бы ты не был мне отцом, о услада моих очей, — сказал царевич, скрипнув зубами, — я бы назвал тебя трусом.

— Если бы ты не был мне сыном, о пылкий Рабадаш, — парировал Тисрок, — жизнь твоя была бы короткой, а смерть — долгой.

(Приятный спокойный его голос совсем перепугал Аравиту.)

— Почему же, отец мой, ты не накажешь Нарнию? Мы вешаем нерадивого раба, бросаем псам старую лошадь. Нарния меньше самой малой из наших округ. Тысяча копий справятся с ней за месяц.

— Несомненно, — согласился Тисрок, — эти варварские страны, которые называют себя свободными, а на самом деле просто не знают порядка, гнусны и богам, и достойным людям.

— Чего ж мы их терпим? — вскричал Рабадаш.

— Знай, о достойный царевич, — подхватил визирь, повинуясь знаку царя, — что в тот самый год, когда твой великий отец (да живёт он вечно) начал своё благословенное царствование, гнусной Нарнией правила могущественная колдунья.

— Я слышал это сотни раз, о многоречивый визирь, — ответил царевич, — как слышал и то, что она повержена. Снега и льды растаяли, и Нарния прекрасна, как сад.

— О многознающий царевич! — воскликнул визирь. — Случилось всё потому, что те, кто правит Нарнией сейчас, — злые колдуны.

— А я думаю, — сказал Рабадаш, — что тут виной звёзды и прочие естественные причины.

— Учёным людям стоит об этом поспорить, — заметил Тисрок. — Никогда не поверю, что старую чародейку можно было убить без могучих чар. Чего и ждать от страны, где обитают демоны в обличье зверей, говорящих, как люди, и страшные чудища с копытами, но с человеческой головой. Мне доносят, что тамошнему королю (да уничтожат его боги) помогает мерзейший и сильнейший демон, принимающий обличье льва. Поэтому я на эту страну нападать не стану.

— Сколь благословенны жители нашей страны, — вставил визирь, — ибо всемогущие боги одарили её правителя великой мудростью! Премудрый Тисрок (да живёт он вечно) изрёк: «Как нельзя есть из грязного блюда, так нельзя трогать Нарнию». Недаром поэт сказал...

Царевич приподнял ногу, и он умолк.

— Всё это весьма печально, — сказал Тисрок. — Солнце меня не радует, сон не освежает при одной только мысли, что Нарния свободна.

— Отец, — воскликнул Рабадаш, — сию же минуту я соберу двести воинов! Никто и не услышит, что ты об этом знал. Назавтра мы будем у королевского замка в Орландии. Они с нами в мире, так что опомниться не успеют, как я возьму замок. Оттуда мы поскачем в Кэр-Параваль. Верховный король

сейчас на севере. Когда я у них был, он собирался попугать великанов. Ворота его замка, наверное, открыты. Я дождусь их корабля, схвачу королеву Сьюзен, а люди мои расправятся со всеми остальными.

— Не боишься ли ты, сын мой, что король Эдмунд убьёт тебя?

— Их мало, так что десятка моих людей хватит, чтобы связать его и обезоружить. Я не стану его убивать, и тебе не придётся воевать с Верховным королём.

— А что, если корабль тебя опередит?

— Отец мой, навряд ли, при таком ветре...

— И, мой хитроумный сын, — сказал Тисрок, — объясни мне наконец, как поможет всё это уничтожить Нарнию.

— Разве ты не понял, отец мой? Мои люди захватят по пути Орландию, а значит, мы останемся у самой нарнийской границы и будем понемногу пополнять гарнизон.

— Что ж, это разумно и мудро, — одобрил Тисрок. — А что, если ты не преуспеешь и Верховный король потребует от меня ответа?

— Ты скажешь, что ничего не знал: я действовал сам, гонимый любовью и молодостью.

— А если он потребует, чтобы я вернул эту дикарку?

— Поверь, этого не будет. Король человек разумный и на многое закроет глаза ради того, чтобы увидеть своих племянников на тархистанском престоле.

— Как он их увидит, если я буду жить вечно? — суховато спросил Тисрок.

— А кроме того, отец мой и услада моих очей, — проговорил царевич после неловкого молчания, — мы напишем письмо от имени королевы, в котором будет сказано, что она меня обожает и возвращаться не хочет. Всем известно, что женское сердце изменчиво.

— О многомудрый визирь, — сказал Тисрок, — просвети нас. Что ты думаешь об этих удивительных замыслах?

— О вечный Тисрок! Я слышал, что сын для отца дороже алмаза. Посмею ли я открыть мои мысли, когда речь идёт о замысле, который опасен для царевича?

— Посмеешь, — разрешил Тисрок. — Ибо тебе известно, что молчать для тебя ещё опасней.

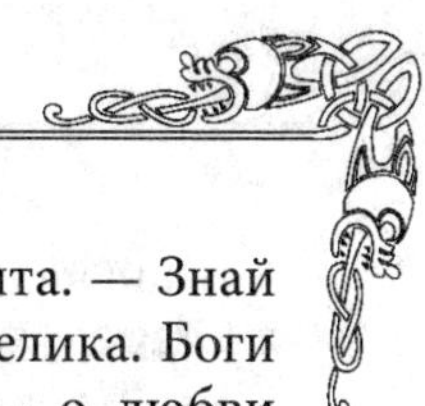

— Слушаюсь и повинуюсь! — сказал злой Ахошта. — Знай же, о кладезь мудрости, что опасность не так уж велика. Боги скрыли от варваров свет разумения, стихи их — о любви и битвах — ничему не учат, поэтому им кажется, что этот поход прекрасен и благороден, а не безумен...

При этом слове царевич опять его пнул, и визирь охнул.

— Держи себя в руках, сын мой! — чуть повысил голос Тисрок. — А ты, достойный визирь, говори, смирится король или нет. Людям достойным и разумным пристало терпеть малые невзгоды.

— Слушаю и повинуюсь, — проговорил визирь, чуть отодвинувшись. — Итак, им понравится этот... э-э... диковинный замысел, особенно потому, что причиной тому — любовь к женщине. Если царевича схватят, то не убьют... Более того: отвага и сила страсти могут тронуть сердце королевы.

— Неглупо, старый болтун, — сказал Рабадаш, явно довольный. — Даже умно. Как ты только додумался...

— Похвала владык — услада моих ушей, — раболепно вымолвил Ахошта. — А ещё, о Тисрок, живущий вечно, если силой богов мы возьмём Анвард, то сможем схватить Нарнию за горло.

Надолго воцарилась тишина, и девочки затаили дыхание. Наконец Тисрок молвил:

— Иди, мой сын, делай как задумал, но помощи от меня не жди. Я не стану мстить, если ты погибнешь, и не пришлю выкуп, если попадёшь в плен. Если же втянешь меня в ссору с Нарнией, наследником будешь не ты, а твой младший брат. Итак, иди. Действуй быстро, тайно, успешно. Да хранит тебя великая Таш.

Рабадаш преклонил колени и поспешно вышел из комнаты. К неудовольствию Аравиты, Тисрок и визирь остались.

— Уверен ли ты, что ни одна душа не слышала нашей беседы?

— О владыка! — сказал Ахошта. — Кто же мог услышать? Потому

я и предложил, а ты согласился, чтобы мы беседовали здесь, в Старом дворце, куда не заходят слуги.

— Прекрасно, — сказал Тисрок. — Если кто что узнает, то умрёт через час, не позже. И ты, благоразумный визирь, забудь всё! Сотрём из наших сердец память о замыслах царевича. Он ничего мне не говорил — молодость пылка, опрометчива и строптива. Когда он возьмёт Анвард, мы очень удивимся.

— Слушаю... — начал было Ахошта, но Тисрок продолжил:

— Вот почему тебе и в голову не придёт, что я, жестокий отец, посылаю сына на верную смерть, как ни желанна тебе эта мысль, ибо ты не любишь царевича.

— О просветленный Тисрок! — воскликнул визирь. — Перед любовью к тебе ничтожны мои чувства и к царевичу, и к себе самому.

— Похвально. Для меня тоже всё ничтожно перед любовью к могуществу. Если царевич преуспеет, мы обретём Орландию, а там — и Нарнию, ну а если погибнет... Старшие сыновья опасны, а у меня ещё восемнадцать детей. Пять моих предшественников погибли по той причине, что старшие их сыновья устали ждать. Пускай охладит свою кровь на севере. Теперь же, о многоумный визирь, меня клонит ко сну. Как-никак я отец, беспокоюсь. Вели послать музыкантов в мою опочивальню. Да, и прикажи наказать третьего повара — что-то живот побаливает...

— Слушаю и повинуюсь!

Визирь дополз задом до порога, приподнялся, коснулся головой пола и исчез за дверью. Охая и вздыхая, Тисрок медленно встал, дал знак рабам, и все покинули помещение.

Наконец-то девочки смогли перевести дух.

## *Глава девятая*

# ПУСТЫНЯ

— Какой ужас! Какой жуткий ужас! — захныкала Лазорилина. — Я с ума сойду... умру... Видишь — вся дрожу, потрогай мою руку!

— Они ушли, — сказала Аравита, хотя и саму её била дрожь. — Когда мы выберемся из этой комнаты, нам ничто не будет угрожать. Сколько времени потеряли! Веди меня поскорее к этой твоей калитке.

— Как ты можешь? — возопила Лазорилина. — Я без сил, совершенно разбита! Полежим и пойдём обратно.

— Да ты что! — воскликнула Аравита.

— Какая ты злая! — разрыдалась подруга. — Совсем меня не жалеешь!

Аравита в тот миг не была склонна к жалости, поэтому крикнула, хорошенько её встряхнув:

— Вот что! Если ты меня не поведёшь, я закричу, и нас найдут.

— И у-у-бьют! — прорыдала Лазорилина. — Ты слышала, что сказал Тисрок (да живёт он вечно)?

— Лучше умереть, чем выйти замуж за Ахошту, — ответила Аравита. — Идём.

— Какая ты жестокая! — продолжила причитать Лазорилина, но всё же повела Аравиту по длинным коридорам в дворцовый сад, спускавшийся уступами к городской стене.

Ярко светила луна. Как это ни прискорбно, в самые красивые места мы попадаем, когда нам не до них, и Аравита смутно вспоминала потом серую траву, какие-то фонтаны и чёрные тени кипарисов.

Открывать калитку пришлось ей самой — Лазорилину просто трясло. Они увидели реку, отражавшую лунный свет, и маленькую пристань, и несколько лодок.

— Прощай, — сказала беглянка. — Спасибо, и прости, что я вела себя как свинья.

— Может, передумаешь? — с надеждой спросила подруга. — Ты же видела, какой он большой человек!

— Он гнусный холуй, — возразила Аравита. — Я скорее выйду за конюха, чем за него. Ну, бывай. Да, наряды у тебя очень хорошие. И дворец лучше некуда. И жить ты будешь счастливо — но я так не хочу. Закрой калитку потише.

Уклонившись от пылких объятий, она прыгнула в лодку. Где-то ухала сова. «Как хорошо!» Аравита никогда не жила в городе, и он ей не понравился.

На другом берегу было совсем темно. Чутьём или чудом она нашла тропинку — ту самую, на которую набрёл Шаста, — и тоже пошла налево, и разглядела во мраке глыбы усыпальниц. Тут, хоть она и была очень смелой, ей стало жутко. И всё же девочка упрямо вскинула подбородок, прикусила кончик языка и направилась вперёд, а в следующий миг увидела лошадей и слугу.

— Иди к своей хозяйке, — сказала она ему, забыв, что ворота заперты. — Вот тебе за труды.

— Слушаю и повинуюсь, — с готовностью отозвался слуга и помчался к берегу. Кто-кто, а он привидений боялся.

— Слава льву, вон и Шаста! — воскликнул Игого.

Аравита повернулась и впрямь увидела мальчишку, который, как только слуга удалился, вышел из-за усыпальницы.

Девочка быстро поведала друзьям о том, что узнала во дворце, и конь, встряхивая гривой и цокая копытом, заржал:

— Рыцари так не поступают! Подлые псы! Но мы опередим его и предупредим северных королей!

— А мы успеем? — спросила Аравита, взлетая в седло так, что Шаста позавидовал ей.

— О-го-го!.. — ответил ей конь. — Успеем ли мы! Ещё бы! В седло, Шаста!

— Он говорил, что выступит сразу, — напомнила Аравита.

— Люди всегда так говорят, — объяснил конь. — Двести коней и воинов сразу не соберёшь. Вот мы тронемся сразу. Каков наш путь, Шаста? Прямо на север?

— Нет. Я нарисовал, смотри. Потом объясню. Значит, сперва налево.

— И вот ещё что, — добавил конь. — В книжках пишут: «Они скакали день и ночь», — но этого не бывает. Надо менять шаг на рысь. Когда мы будем идти шагом, вы можете идти рядом с нами. Ну всё. Ты готова, госпожа моя Уинни? Тогда — в Нарнию!

Сперва всё было прекрасно. За долгую ночь песок остыл, и воздух был прохладным, прозрачным и свежим. В лунном свете казалось, что перед ними вода на серебряном подносе. Тишина стояла полная, только мягко ступали лошади, и Шаста, чтобы не уснуть, иногда шёл пешком.

Потом — очень не скоро — луна исчезла, и долго царила тьма. Наконец Шаста увидел холку Игого, а потом мало-помалу стал различать и серые пески. Они были мёртвыми, словно путники вступили в мёртвый мир. Похолодало. Хотелось пить. Копыта звучали глухо — не «цок-цок-цок», а вроде бы «хох-хох-хох».

Должно быть, прошло ещё немало часов, прежде чем далеко справа появилась бледная полоса, а потом порозовела.

Наступало утро, но его приход не приветствовала ни одна птица. Воздух стал не теплее, а ещё холоднее.

Вдруг появилось солнце, и всё изменилось. Песок мгновенно пожелтел и засверкал, словно усыпанный алмазами. Длинные-предлинные тени легли слева от лошадей. Далеко впереди ослепительно засияла двойная вершина, и Шаста, заметив, что они немного сбились с курса, обернулся и сказал Игого:

— Чуть-чуть левее.

Ташбаан казался ничтожным и тёмным, усыпальницы исчезли, словно их поглотил город Тисрока. От этого всем стало легче, но ненадолго: вскоре Шасту начал мучить солнечный свет. Песок сверкал так, что глаза болели, но закрыть их мальчик не мог — глядел на двойную вершину, — а когда спешился, чтобы немного передохнуть, ощутил, как мучителен зной. Когда же спешился во второй раз, жарой дохнуло как из печи. В третий раз он вскрикнул, коснувшись песка босой ступней, и мигом взлетел в седло, сказав коню:

— Ты уж прости. Не могу, ноги обжигает.

Потом повернулся к Аравите, которая шла за своей лошадью:

— Тебе-то хорошо в туфлях.

После этого бесконечно длилось одно и то же: жара, жжение в глазах, головная боль, запах своего и конского пота. Город далеко позади не исчезал никак, даже не уменьшался, горы впереди не становились ближе. Каждый старался не думать ни о прохладной воде, ни о ледяном шербете, ни о холодном молоке, густом, нежирном, но чем больше они старались, тем хуже это удавалось.

Когда все совсем измучились, появилась скала ярдов пятьдесят шириной и тридцать — высотой. Тень была короткой (солнце стояло высоко), но всё же была. Дети поели и выпили воды. Лошадей напоили из фляжки — это очень трудно, но Игого и Уинни старались как могли. Никто не сказал ни слова. Лошади, покрытые пеной, тяжело дышали. Шаста и Аравита были очень бледны.

Потом они снова двинулись в путь, и время едва ползло, пока солнце не стало медленно спускаться по ослепительному небу. Когда оно скрылось, угас мучительный блеск песка, но жара

держалась ещё долго. Ни малейших признаков ущелья, о котором говорили гном и ворон, не было и в помине. Опять тянулись часы — а может, долгие минуты, — взошла луна, и вдруг Шаста крикнул (или прохрипел — так пересохло в горле):

— Глядите!

Впереди, немного справа, начиналось ущелье. Лошади ринулись туда, ничего не ответив от усталости, но поначалу там было хуже, чем в пустыне: слишком уж душно и темно. Дальше стали попадаться растения вроде кустов и трава, которой вы порезали бы пальцы. Копыта стучали уже «цок-цок-цок», но весьма уныло, ибо воды всё не было. Много раз сворачивала тропка то вправо, то влево (ущелье оказалось чрезвычайно извилистым), пока трава не стала мягче и зеленее. Наконец Шаста — не то задремавший, не то сомлевший — вздрогнул и очнулся: Игого остановился как вкопанный. Перед ними в маленькое озерцо, скорее похожее на лужу, низвергался водопадом источник. Лошади припали к воде, а Шаста спрыгнул и полез в лужу, хотя та и оказалась ему по колено. Наверное, то была лучшая минута его жизни.

Минут через десять повеселевшие лошади и мокрые дети огляделись и увидели сочную траву, кусты, деревья. Должно быть, кусты цвели: аромат разливался несказанно прекрасный, — но ещё прекраснее были звуки, которых Шаста никогда не слышал. Это пел соловей.

Лошади легли на землю, не дожидаясь, пока их расседлают. Легли и дети. Все молчали, только минут через пятнадцать Уинни проговорила:

— Спать нельзя... Надо опередить этого Рабадаша.

— Нельзя, нельзя... — сонно повторил Игого. — Отдохнём немного...

Шаста подумал, что надо что-нибудь сделать, иначе все заснут, даже *решил* встать — но не сейчас... чуточку позже...

И через минуту луна освещала детей и лошадей, крепко спавших под пение соловья.

Первой проснулась Аравита и, увидев в небе солнце, рассердилась на себя: «Это всё я! Лошади очень устали, а он... куда ему, он ведь совсем не воспитан!.. Вот мне стыдно — ведь я тархина».

И девочка принялась будить остальных.

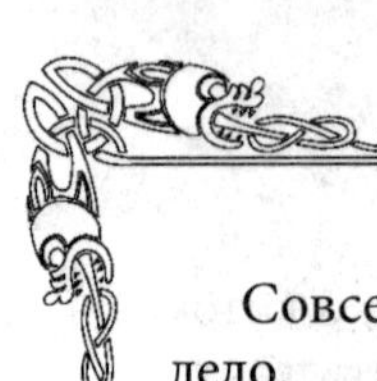



Совсем отупевшие со сна, они поначалу не понимали, в чём дело.

— Ай-ай-ай! — посетовал Игого. — Заснуть нерассёдланным!.. Нехорошо и неудобно.

— Да вставай ты, мы и так потеряли пол-утра! — разозлилась Аравита.

— Дай хоть позавтракать-то, — попросил конь.

— Боюсь, ждать нам нельзя, — возразила девочка, но Игого укоризненно пробормотал:

— Что за спешка? Пустыню мы прошли как-никак.

— Мы не в Орландии! А вдруг Рабадаш нас обгонит?

— Ну, он ещё далеко, — успокоил её конь. — Твой ворон говорил, что эта дорога короче, да, Шаста?

— Нет, что она *лучше*. Очень может быть, что короче — прямо на север.

— Как хочешь, но я идти не могу, пока не перекушу. Убери-ка уздечку.

— Простите, — застенчиво сказала Уинни, — мы, лошади, часто делаем то, чего не можем. Так надо людям... Неужели мы сейчас не постараемся ради Нарнии?

— Госпожа моя, — рассердился Игого, — мне кажется, я знаю больше, чем ты, что может лошадь в походе, а чего — не может.

И она замолчала, потому что, как все породистые кобылы, легко смущалась и смирялась. А права-то была она. Если бы на нём ехал тархан, Игого как-то смог бы идти дальше. Что поделаешь! Когда ты долго был рабом, трудно бороться со своими желаниями.

Словом, все ждали, пока Игого наестся и напьётся вволю, и, конечно, подкрепились сами. Тронулись в путь часам к одиннадцати. Впереди шла Уинни.

Долина была так прекрасна — и трава, и мох, и цветы, и кусты, и прохладная речка, — что все двигались медленно.

## *Глава десятая*

# ОТШЕЛЬНИК

После нескольких часов пути долина стала шире, ручей превратился в реку, а та влилась в другую реку, большую и бурную, которая текла слева направо. За второй рекой открывались взору зелёные холмы, восходящие уступами к северным горам. Теперь горы были так близко и вершины их так сверкали, что Шаста не мог различить, какая из них двойная. Но прямо перед нашими путниками (хотя и выше, конечно) темнел перевал — должно быть, то и был путь из Орландии в Нарнию.

— Север, север, се-вер! — воскликнул Игого.

И впрямь, дети никогда не видели, даже вообразить не могли, таких зелёных, светлых холмов. Реку, что несла свои воды на восток, переплыть было невозможно, но, хорошенько поискав, наши путники нашли брод. Рёв воды, холодный ветер и стремительные стрекозы привели Шасту в полный восторг.

— Друзья, мы в Орландии! — гордо сказал Игого, выходя на северный берег. — Кажется, эта река называется Орлянка.

— Надеюсь, мы не опоздали, — тихо прибавила Уинни.

Они стали медленно подниматься, петляя, ибо склоны были круты. Деревья росли редко, не образуя леса, но Шаста, выросший в пустынных краях, никогда не видел их столько сразу. Вы бы, в отличие от него, узнали дубы, буки, клёны, берёзы и каш-

таны. Под ними сновали кролики, вдалеке даже мелькнуло стадо оленей.

— Какая красота! — воскликнула Аравита.

На первом уступе Шаста обернулся и увидел одну лишь пустыню — Ташбаан исчез. Радость могла быть полной, если бы его взору при этом не предстало что-то вроде облака.

— Что это?

— Наверное, песчаный смерч, — сказал Игого.

— Ветер для этого слишком слаб, — возразила Аравита.

— Смотрите! — воскликнула Уинни. — Там что-то блестит. Ой, это шлемы... и кольчуги!

— Клянусь великой Таш, — согласилась с ней Аравита, — это они, тархистанцы.

— Скорее! Опередим их! — И Уинни понеслась стрелой вверх, по крутым холмам.

Игого опустил голову и поскакал за нею.

Скакать было трудно: за каждым уступом лежала долинка. Они знали, что не сбились с дороги, но не знали, далеко ли до Анварда. Со второго уступа Шаста оглянулся опять и увидел уже не облако, а тучу или полчище муравьев у самой реки. Без сомнения, армия Рабадаша искала брод.

— Они у реки!

— Скорей, скорей! — воскликнула Аравита. — Скачи, Игого! Вспомни, ты боевой конь.

Шаста же подумал: «И так бедняга скачет изо всех сил».

На самом же деле лошади скорее *полагали,* что быстрее скакать не могут, а это не совсем одно и то же. Когда Игого поравнялся с Уинни, та хрипела. И в эту минуту сзади раздался странный звук — не звон оружия, и не цокот копыт, и не боевые крики, а рёв, который Шаста слышал той ночью, когда встретил Уинни и Аравиту. Игого узнал этот рёв, глаза его налились кровью, и он неожиданно понял, что бежал до сих пор совсем не изо всех сил. Через несколько секунд он оставил Уинни далеко позади.

«Ну что это такое! — подумал Шаста. — И тут львы!»

Оглянувшись через плечо, он увидел огромного льва, который нёсся, стелясь по земле, как кошка, убегающая от собаки. Взглянув вперёд, Шаста тоже не увидел ничего хорошего: дорогу перегораживала зелёная стена высотой футов десять.

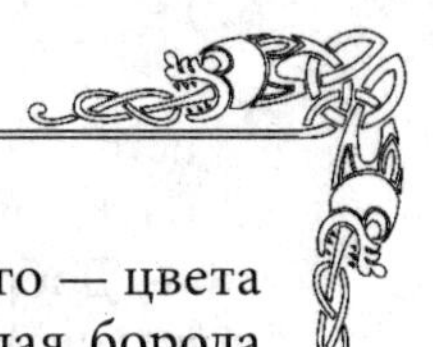

В ней были воротца, и там стоял человек. Одежды его — цвета осенних листьев — ниспадали к босым ногам, белая борода доходила до колен.

Шаста обернулся — лев уже почти схватил Уинни — и крикнул Игого:

— Назад! Надо им помочь!

Всегда, всю свою жизнь, Игого утверждал, что не понял его или не расслышал. Всем известна его правдивость, и мы поверим ему.

Шаста спрыгнул с коня на полном скаку (а это очень трудно и, главное, страшно). Боли он не ощутил, ибо кинулся на помощь Аравите. Никогда в жизни он так не поступал и не знал, почему делает это сейчас.

Уинни закричала: это был очень страшный и жалобный звук, — и Аравита, прижавшись к её холке, попыталась вынуть кинжал. Все трое — лошадь, Аравита и лев — нависли над Шастой, но лев тронул не его, а, поднявшись на задние лапы, ударил правой передней Аравиту. Шаста увидел его страшные когти и тут же услышал дикий крик. Аравита покачнулась в седле. У Шасты не было ни меча, ни палки, ни даже камня. Он с криком кинулся было на страшного зверя, на долю секунды заглянув в разверстую алую пасть, но, к великому его удивлению, лев перекувырнулся и не спеша удалился.

Шаста решил, что зверь вот-вот вернётся, и кинулся к зелёной стене, о которой только теперь вспомнил. Уинни, содрогаясь всем телом, вбежала тем временем в ворота. Аравита сидела прямо, но по спине у неё струилась кровь.

— Добро пожаловать, дочь моя, — сказал старик. — Добро пожаловать, сын мой. — И ворота закрылись за едва дышавшим Шастой.

Беглецы оказались в большом, совершенном круглом дворе, окружённом стеной из торфа. В самом его центре поблескивал водой небольшой пруд, возле которого, осеняя его ветвями, росло самое большое и самое красивое дерево из всех, какие Шасте доводилось видеть. В глубине двора стоял невысокий домик, крытый черепицей, и рядом с ним, на лужайке, поросшей зелёной сочной травой, паслись козы.

— Вы... вы... Лум, король Орландии? — выговорил Шаста.

Старик покачал головой.

— Нет, я отшельник. Не трать время на вопросы, а слушай меня, сын мой. Девица ранена, лошади измучены. Рабадаш только что отыскал брод. Беги, и тогда успеешь предупредить короля Лума.

Сердце у Шасты упало — он знал, что бежать не может, и подивился жестокости старика, ибо ещё не ведал, что стоит нам сделать что-нибудь хорошее, как мы должны в награду сделать то, что ещё лучше и ещё труднее.

— Где король? — спросил он почему-то.

Отшельник обернулся и указал посохом на север.

— Гляди — вон другие ворота. Открой их и беги прямо, вверх и вниз, по воде и посуху, не сворачивая. Там найдёшь короля. Беги!

Шаста кивнул и скрылся за северными воротами. Тогда отшельник, всё это время поддерживавший Аравиту левой рукой, медленно повёл её к дому. Вышел он не скоро.

— Двоюродный брат мой, двоюродная сестра, — обратился он к лошадям, — теперь ваша очередь.

Не дожидаясь ответа, он расседлал их, почистил скребницей лучше самого королевского конюха, а потом сказал:

— Пейте воду, ешьте траву и отдыхайте. Когда подою своих двоюродных сестер, коз, принесу вам ещё поесть.

— Господин мой, — подала голос Уинни, — выживет ли тархина?

— Я знаю много о настоящем, — проговорил старец, — мало — о будущем. Никто не может сказать, доживёт ли человек или зверь до сегодняшней ночи. Но не отчаивайся. Девица здорова, и, думаю, проживёт столько, сколько любая её лет.

Очнувшись, Аравита обнаружила, что покоится на мягчайшем ложе в прохладной белёной комнате, но не могла понять, почему лежит ничком. И только когда попыталась повернуться, вскрикнула от боли и вспомнила всё. Из чего сделано ложе, она не знала и знать не могла. А то был вереск — спать на нём мягче всего.

Открылась дверь, вошёл отшельник с деревянной миской в руке и, осторожно поставив её, спросил:

— Лучше ли тебе, дочь моя?

— Спина болит, отец мой, а так ничего.

Он опустился на колени, потрогал её лоб и пощупал пульс.

— Жара нет. Завтра встанешь, а сейчас выпей это.

Пригубив молока, Аравита поморщилась — козье молоко противно с непривычки, — но выпила: очень уж мучила жажда.

— Спи сколько хочешь, дочь моя, — сказал отшельник. — Я промыл и смазал бальзамом твои раны. Они не глубже удара бича. Какой удивительный лев! Не стянул с седла, не вонзил в тебя зубы, только поцарапал. Десять полосок... Больно, но не опасно.

— Просто повезло, — пожала плечами Аравита.

— Дочь моя, я прожил сто девять зим, и ни разу не видел, чтобы кому-нибудь повезло, — возразил отшельник. — Везенья нет, есть что-то иное. Я не знаю что, но если будет надо, мне откроется и это.

— А где Рабадаш и его люди? — спросила Аравита.

— Думаю, здесь они не пойдут — возьмут правее. Они хотят попасть прямо в Анвард.

— Бедный Шаста! — воскликнула Аравита. — Далеко он убежал? Успеет?

— Надеюсь.

Аравита осторожно легла, теперь — на бок, и спросила:

— А долго я спала? Уже темнеет.

Отшельник посмотрел в окно, выходящее на север.

— Это не вечер, это тучи, и они ползут с пика Бурь — непогода в наших местах всегда идёт оттуда. Ночью будет туман.

Назавтра спина ещё болела, но Аравита совсем оправилась и после завтрака (овсянки и сливок) отшельник разрешил ей встать. Конечно, она сразу же побежала к лошадям. Погода переменилась. Зелёная чаша двора была полна до краёв сияющим светом. Здесь было очень укромно, хорошо и тихо.

— Где Игого? — спросила беглянка, когда они справились друг у друга о здоровье.

— Вон там, — ответила Уинни. — Поговори с ним, а то он молчит, когда я с ним заговариваю.

Игого лежал у задней стены отвернувшись и ни на что не реагировал.

— Доброе утро, Игого, — сказала Аравита, — как ты себя чувствуешь?

Конь что-то пробурчал.

— Отшельник думает, что Шаста успел предупредить короля, — продолжила девочка. — Беды наши кончились: скоро будем в Нарнии.

— Я там не буду, — со вздохом сказал Игого.

— Тебе нехорошо? — всполошились лошадь и девочка.

Он обернулся и проговорил:

— Я вернусь в Тархистан.

— Как? — воскликнула Аравита. — Туда, в рабство?

— Я лучшего не стою. Как покажусь благородным нарнийским лошадям, я, оставивший двух дам и мальчика на съедение льву?

— Мы все убежали, — возразила Уинни.

— Мы, но не *он*! — вскричал Игого. — Он побежал спасать вас. Ах какой стыд! Я кичился перед ним, а он ребёнок, в бою не бывал, и пример ему брать не с кого...

— Да, — согласилась Аравита. — И мне стыдно. Он молодец. Я вела себя не лучше, чем ты, Игого: смотрела на него сверху вниз, — тогда как он самый благородный из нас. Но я хочу просить у него прощения, а не возвращаться в Тархистан.

— Как знаешь, — сказал Игого. — Ты осрамилась, не больше, а я потерял всё.

— Добрый мой конь, — заговорил отшельник, незаметно подойдя к ним, — ты не потерял ничего, кроме гордыни. Не тряси гривой. Если ты и впрямь так сильно казнишься, выслушай меня. Когда ты жил среди бедных немых коней, слишком много о себе возомнил. Конечно, ты был храбрее и умнее их — это не трудно, — но в Нарнии немало таких, как ты. Помни, что ты один из многих, а станешь одним из лучших. А теперь, брат мой и сестра, пойдёмте, вас ждёт угощение.

## *Глава одиннадцатая*

# СТРАННЫЙ СПУТНИК

Миновав ворота, Шаста побежал дальше: сперва — по траве, потом — по вереску. Он ни о чём не думал и ничего не загадывал, только бежал. Ноги у него подкашивались, в боку сильно кололо, пот заливал лицо, мешая смотреть, а в довершение бед он чуть не вывихнул лодыжку, споткнувшись о камень.

Деревья росли всё гуще. Прохладней не стало — был один из тех душных пасмурных дней, когда мух вдвое больше, чем обычно. Мухи эти непрестанно садились ему на лоб и на нос, но он их не отгонял.

Вдруг он услышал звук охотничьего рога — не грозный, как в Ташбаане, а радостный и весёлый, — и почти сразу увидел пёструю весёлую толпу.

На самом деле то была не толпа, а всего человек двадцать в ярко-зелёных камзолах. Одни сидели в седле, другие стояли возле коней и держали их под уздцы.

В самом центре высокий оруженосец придерживал стремя для своего господина — на диво приветливого круглолицего ясноглазого короля.

Завидев Шасту, король не стал садиться на коня. Лицо его просветлело. Он громко и радостно закричал, протягивая к мальчику руки:

— Корин, сынок! Почему ты бежишь, почему в лохмотьях?

— Я не принц Корин, — еле выговорил Шаста. — Я... я его видел в Ташбаане... он шлёт вам привет.

Король пристальнее пригляделся к нему.

— Вы король Лум? — задыхаясь, спросил Шаста и продолжил, не дожидаясь ответа: — Бегите... в Анвард... заприте ворота... сюда идёт Рабадаш.... с ним двести воинов.

— Ты уверен в том, что говоришь? — спросил один из придворных.

— Я видел их, — ответил Шаста, — своими глазами, потому что проделал тот же путь.

— Пешком? — удивился придворный.

— Верхом. Лошади сейчас у отшельника.

— Не расспрашивай его, Дарин, — сказал король. — Он не лжёт. Подведите ему коня. Ты умеешь скакать во весь опор, сынок?

Шаста, не отвечая, взлетел в седло, и был несказанно рад, когда Дарин сказал королю:

— Какая выправка, ваше величество! Несомненно, этот мальчик знатного рода.

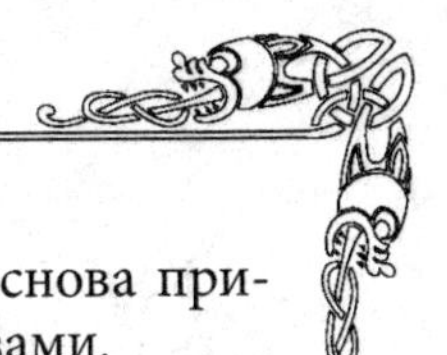

— Ах, Дарин, об этом я и думаю! — И король снова пристально посмотрел на Шасту добрыми серыми глазами.

Тот и впрямь прекрасно сидел в седле, но совершенно не знал, что делать с поводьями, поэтому внимательно, хотя и украдкой, наблюдал, что делают другие (как поступаем мы в гостях, когда не знаем, какую взять вилку), и всё же надеялся, что конь сам разберёт, куда идти. Конь был не говорящий, но умный: понимал, что мальчик без шпор ему не хозяин, — поэтому Шаста вскоре оказался в хвосте отряда.

Впервые с тех пор, как вошёл в Ташбаан, у него полегчало на сердце, и он посмотрел вверх, чтобы определить, насколько приблизилась вершина, однако увидел лишь какие-то серые комья. Он никогда не бывал в горах, и ему показалось очень занятным проехать сквозь тучу. «Тут мы и впрямь в небе. Посмотрю, что в туче, внутри. Мне давно хотелось...»

Далеко слева садилось солнце.

Дорога теперь была нелёгкая, но двигались они быстро. Шаста всё ещё ехал последним. Раза два, когда тропа сворачивала, он на мгновение терял других из виду — их скрывал густой лес.

Потом они нырнули в туман, или, если хотите, туман поглотил их. Всё стало серым. Шаста не подозревал, как холодно и мокро внутри тучи и как темно. Серое слишком уж быстро становилось чёрным.

Кто-то впереди отряда иногда трубил в рог, и звук этот всё отдалялся. Шаста опять никого не видел, но думал, что увидит за очередным поворотом. Но нет — и за поворотом никого не было. Конь шёл шагом.

— Скорей, ну скорей! — сказал ему Шаста.

Вдалеке протрубил рог. Игого вечно твердил, что его бока пяткой и коснуться нельзя, и Шаста думал, что, если коснётся, произойдёт что-то страшное, но сейчас задумался.

— Вот что, конь: если будешь так тащиться, я тебя... ну... пришпорю. Да-да!

Конь не обратил на его слова внимания, и тогда Шаста сел покрепче в седло, сжал зубы и выполнил свою угрозу. Но что толку? Конь шагов пять протрусил рысью, не больше. Совсем стемнело, рог умолк, только ветки похрустывали справа и слева, и Шаста подумал: «Куда-нибудь да выйдем. Хорошо бы не к Рабадашу!..»

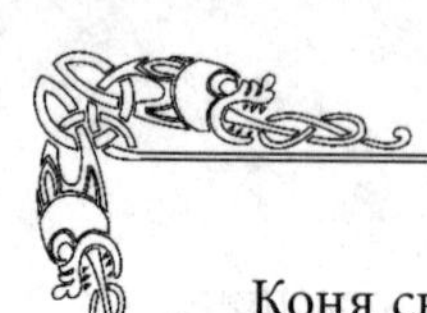


Коня своего он почти ненавидел, к тому же очень хотелось есть.

Наконец он доехал до развилки, и когда прикидывал, какая же дорога ведет в Анвард, сзади послышался цокот копыт. «Рабадаш! По какой же дороге он пойдёт? Если я пойду по одной, он *может* пойти по другой, а если буду тут стоять — схватит наверняка». Шаста спешился и поспешил с конём по правой дороге.

Цокот копыт приближался, и минуты через две воины были у развилки. Шаста затаил дыхание. Тут раздался голос:

— Помните мой приказ! Завтра, в Нарнии, каждая капля их крови будет ценней, чем галлон вашей. Я сказал: «Завтра». Боги пошлют нам лучшие дни, и мы не оставим живым никого между Кэр-Паравалем и Западной степью. Но мы ещё не в Нарнии. Здесь, в Орландии, в замке Лума, важно одно: действовать побыстрей. Возьмите его за час. Вся добыча — ваша. Убивайте всех мужчин, даже новорождённых младенцев, а женщин, золото, камни, оружие, вино делите как хотите. Если кто уклонится от битвы, сожгу живьём. А теперь — во имя великой Таш — вперёд!

Звеня оружием, отряд двинулся по *другой* дороге. Шаста много раз за эти дни повторял слова «двести лошадей», но до сих пор не понимал, как долго проходит мимо такое войско. Наконец последний звук угас в тумане, и Шаста вздохнул с облегчением. Теперь он знал, какая из дорог ведёт в Анвард, но двинуться по ней не мог. Пока он думал, как быть, конь шагал по другой дороге.

«Ну, ничего: куда-нибудь всё равно приеду», — попытался утешить себя Шаста. Дорога и впрямь куда-то вела: лес становился всё гуще, воздух — холоднее. Резкий ветер словно бы пытался и не мог развеять туман. Если бы Шаста бывал в горах, то понял бы, что это значит: они с конём уже очень высоко.

«Какой я несчастный!.. — думал Шаста. — Всем хорошо, мне одному плохо. Король и королева Нарнии вместе со свитой бежали из Ташбаана, а я остался. Аравита, Уинни и Игого сидят у отшельника и горя не знают, а меня, конечно, послали сюда. Король Лум и его люди, наверно, уже в замке и успели закрыть ворота, а я... Да что тут говорить!..»

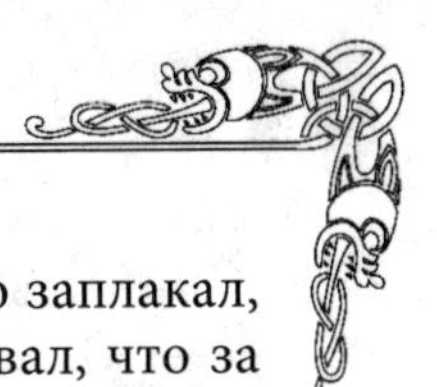

От голода, усталости и жалости к себе он горько заплакал, но как только слёзы потекли по щекам, почувствовал, что за ним кто-то идёт. Он ничего не видел, только слышал дыхание, и ему казалось, что неведомое существо — очень большое. Он вспомнил, что в этих краях живут великаны, и теперь ему было о чём плакать — только слёзы сразу высохли.

*Что-то* (или *кто-то*) шло так тихо, что Шаста подумал, не померещилось ли ему, и успокоился, но тут услышал очень глубокий вздох и почувствовал на левой щеке горячее дыхание.

Будь бы конь получше — или если бы мальчик знал, как с ним справиться, — то пустился бы вскачь, но, увы, сейчас это невозможно.

Конь шёл неспешно, а существо шло почти рядом. Шаста терпел сколько мог, наконец спросил:

— Кто ты такой? — И услышал негромкий, но очень глубокий голос:

— Тот, кто долго тебя ждал.

— Ты... великан?

— Можешь звать меня и так, но я не из тех созданий.

— Я тебя не вижу. — Шаста вдруг страшно испугался. — А ты... ты не мёртвый? Уйди, уйди, пожалуйста! Что я тебе сделал! Нет, почему мне хуже всех?

Тёплое дыхание коснулось его руки и лица, и голос спросил:

— Ну как, живой я или мёртвый? Поделись лучше со мной своими печалями.

И Шаста рассказал ему всё — что не знает своих родителей, что жил у рыбака, что сбежал, что за ним гнались львы, что настрадался от страха среди усыпальниц, а в пустыне были звери, и было жарко, и хотелось пить, а у самой цели ещё один лев погнался за ними и ранил Аравиту. Ещё сказал, что давно ничего не ел.

— Я не назвал бы тебя несчастным, — проговорил голос.

— Да как же! И львы за мной гнались, и...

— Лев был только один, — возразил голос.

— Да нет, в первую ночь их было два, а то и больше, и ещё...

— Лев был один, — повторил голос. — Просто быстро бежал.

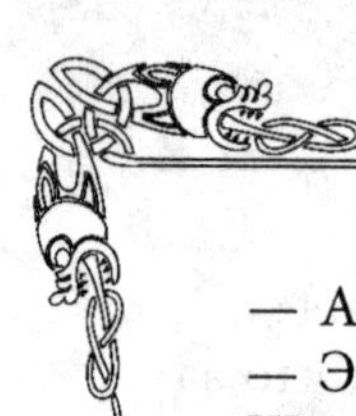



— А ты откуда знаешь? — удивился Шаста.

— Это я и был.

Шаста онемел от удивления, а голос продолжил:

— Это я заставил тебя ехать вместе с Аравитой. Это я согревал и охранял тебя среди усыпальниц. Это я — уже львом, а не котом, — отогнал от тебя шакалов. Это я придал лошадям новые силы в самом конце пути, чтобы ты успел предупредить короля Лума. Это я, хоть ты того и не помнишь, пригнал своим дыханием к берегу лодку, в которой лежал умирающий ребёнок.

— И Аравиту ранил ты?

— Да, я.

— Зачем же?

— Сын мой, мы сейчас говорим о тебе, не о ней. Я рассказываю каждому только его историю.

— Кто ты такой?

— Я — это я, — произнёс голос так, что задрожали камни, и повторил, чётко и ясно: — Я — это я, — а потом едва слышно, словно листва, обладатель голоса прошелестел: — Я — это я...

Шаста уже не боялся, что его съедят, не боялся, что кто-то — мёртвый, но всё равно *боялся* — и радовался.

Туман стал серым, потом белым, потом сияющим. Где-то впереди запели птицы. Золотой свет падал сбоку на голову лошади. «Солнце встаёт», — подумал Шаста и, поглядев в сторону, увидел огромнейшего льва. Лошадь его не боялась или не видела, хотя светился именно он — солнце ещё не встало. Лев был одновременно устрашающий и невыразимо прекрасный.

Шаста жил до сих пор так далеко, что ни разу не слышал тархистанских толков о страшном демоне, который ходит по Нарнии в обличье льва, и уж тем более не слышал правды об Аслане, Великом льве и Лесном царе, но, лишь взглянув на него, соскользнул на землю и низко поклонился. Он ничего не сказал, и сказать не мог, и знал, что говорить не нужно.

Царь зверей коснулся носом его лба. Шаста посмотрел на него, и глаза их встретились. Тогда прозрачное сияние воздуха и золотое сияние льва слились воедино и ослепили Шасту, а когда он прозрел, на зелёном склоне, под синим небом, никого не было: только он, да конь, да птицы на деревьях.

## *Глава двенадцатая*

# ШАСТА В НАРНИИ

«Снилось мне это или нет?» — думал Шаста, когда увидел на дороге глубокий след львиной лапы (это была правая лапа, передняя). Ему стало страшно при мысли о том, какой надо обладать силой, чтобы оставить столь огромный и глубокий след. Но тут же он заметил ещё более удивительную вещь: след у него на глазах наполнился водой, она перелилась через край, и резвый ручеёк побежал вниз по склону, петляя по траве.

Шаста слез с коня, напился вволю, окунул в ручей лицо и побрызгал водой на голову. Вода была очень холодная и чистая как стекло. Потом, поднявшись с колен, вытряхнув воду из ушей, мальчик убрал со лба мокрые волосы и огляделся.

По-видимому, было очень рано: солнце едва взошло; далеко внизу, справа, зеленел лес. Впереди и слева лежала страна, каких он до сих пор не видел: зелёные долины, редкие деревья, мерцание серебристой реки. По ту сторону долины виднелись горы, невысокие, но совсем непохожие на те, которые Шаста только что одолел. И тут он внезапно понял, что это за страна.

«Вон что! Я перевалил через хребет, отделяющий Орландию от Нарнии. И ночью... Как мне повезло, однако! Нет, при чём тут «повезло», это всё *он*! Теперь я в Нарнии».

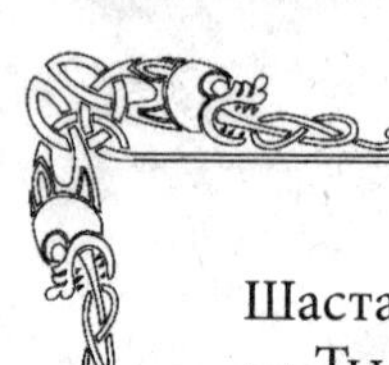



Шаста расседлал коня, и тот тут же принялся щипать траву.

— Ты *очень* плохой конь, — сказал ему Шаста, но тот и ухом не повёл, поскольку тоже был о нём невысокого мнения.

«Ах если бы я мог есть траву! — подумал Шаста. — В Анвард идти нельзя, он осаждён. Надо спуститься в долину — может, кто-нибудь меня накормит».

И он побежал вниз по холодной мокрой траве, а добежав до рощи, услышал низкий, глуховатый голос:

— Доброе утро, сосед.

Шаста огляделся и увидел небольшое существо, которое вылезло из-за деревьев. То есть оно было небольшим для человека, но для ежа — просто огромным.

— Доброе утро, — ответил мальчик. — Только я не сосед, я нездешний.

— Да? Откуда же ты?

— Вчера я был в Орландии, а ещё раньше...

— Орландия — это далеко, — перебил его ёж. — Я там не бывал.

— Понимаешь, злые тархистанцы хотят захватить Анвард, — сказал Шаста. — Надо предупредить вашего короля.

— Ну что ты! — воскликнул ёж. — Эти тархистанцы очень далеко, на краю света, за песчаным морем.

— Не так они и далеко, — возразил Шаста. — Что-то надо делать.

— Да, делать надо, — согласился ёж. — Но сейчас я занят, иду спать. Здравствуй, сосед!

Слова эти относились к огромному желтоватому кролику, которому ёж немедленно рассказал новость. Кролик согласился, что делать что-то надо, и так пошло: каждые несколько минут то с ветки, то из норы появлялось какое-нибудь существо, пока, наконец, не собрался отрядец из пяти кроликов, белки, двух галок, козлоногого фавна и мыши, причём все они говорили одновременно, соглашаясь с ежом. В то золотое время, когда, победив колдунью, Нарнией правил король Питер с братом и двумя сёстрами, мелкие лесные твари жили так счастливо, что распустились.

Вскоре пришли два существа поразумней: гном по имени Даффл и прекрасный олень с такими тонкими красивыми ногами, что их, казалось, можно переломить двумя пальцами.

— Клянусь Асланом! — проревел гном, услышав новость. — Что же мы стоим и болтаем? Враг в Орландии! Скорее в Кэр-Параваль! Нарния поможет доброму королю Луму.

— Ф-фух! — сказал ёж. — Король Питер не в Кэр-Паравале, а на севере, где великаны. Кстати о великанах, я вспомнил...

— Кто же туда побежит? — перебил его Даффл. — Я не умею быстро бегать.

— А я умею, — сказал олень. — Что передать? Сколько там тархистанцев?

— Двести, — едва успел ответить Шаста, а олень уже нёсся стрелой к Кэр-Паравалю.

— Куда это он? — удивился кролик. — Короля Питера там нет...

— Королева Люси в замке, — сказал гном. — Человечек, что это с тобой? Ты совсем зелёный. Когда ты ел в последний раз?

— Вчера утром, — вздохнул Шаста.

Гном сразу же обнял его своей крошечной ручкой и воскликнул:

— Идём же, идём! Ах, друзья мои, как стыдно! Сейчас мы тебя накормим. А то стоим, болтаем...

Даффл быстро повёл путника в небольшой лесок. Шаста едва мог сделать и несколько шагов: ноги дрожали, — но тут

они вышли на лужайку, где стоял домик, из трубы которого шёл дым, а дверь была открыта.

— Братцы, а у нас гость! — крикнул Даффл.

В тот же миг Шаста почуял дивный запах, неведомый ему, но хорошо известный нам с вами, яичницы с ветчиной и жарящихся грибов.

— Смотри не ушибись, — предупредил гном, но поздно: Шаста стукнулся головой о притолоку. — Теперь садись к столу. Он низковат, но и стул маленький. Вот так.

Перед Шастой поставили миску овсянки и кружку сливок. Мальчик ещё не доел кашу, а братья Даффл, Роджин и Брикл уже несли сковороду с яичницей, грибы и кофейник.

Шаста в жизни не ел и не пил ничего подобного, даже не знал, что за ноздреватые прямоугольники лежат в особой корзинке и почему карлики покрывают их чем-то мягким и жёлтым (в Тархистане есть только оливковое масло).

Домик был совершенно не похож ни на тёмную, пропахшую рыбой хижину, ни на роскошный дворец в Ташбаане. Здесь всё ему нравилось — и низкий потолок, и деревянная мебель, и часы с кукушкой, и букет полевых цветов, и скатерть в красную клетку, и белые занавески. Одно было плохо: посуда оказалась слишком маленькой, — но справились и с этим — и миску, и чашку вновь и вновь наполняли, приговаривая: «Кофейку?», «Грибочков?», «Может, ещё яичницы?». Когда пришла пора мыть посуду, братья бросили жребий. Роджин остался убирать, а Даффл и Брикл вышли из домика, сели на скамейку и, с облегчением вздохнув, закурили трубки. Роса уже высохла, солнце припекало, и, если бы не ветерок, было бы жарко.

— Чужеземец, — сказал Даффл, — смотри, вот наша Нарния. Отсюда видно всё до южной границы, и мы этим очень гордимся. По правую руку — Западные горы. Именно там — Каменный Стол. За ними...

И тут раздался лёгкий храп — сытый и усталый Шаста заснул. Добрые гномы стали общаться жестами и говорить шёпотом, но так суетились, что он проснулся бы, если бы мог.

Ближе к ужину мальчик всё же проснулся, ещё раз поел и лёг в удобную постель, которую соорудили для него на полу из вереска, потому что в их деревянные кроватки он бы не влез. Шаста спал как убитый — даже сны не снились, — а утром лесок огласили звуки труб.

Гномы и Шаста выбежали из домика. Трубы затрубили снова — не грозные, как в Ташбаане, и не весёлые, как в Орландии, а чистые, звонкие и смелые. Вскоре зацокали копыта и из лесу выехал отряд.

Первым ехал лорд Перидан на гнедом коне, и в руке у него было знамя — алый лев на зелёном поле. Шаста сразу узнал этого льва. За ним следовал король Эдмунд и светловолосая девушка с очень весёлым лицом; на плече у неё был лук, на голове — шлем, у пояса — колчан, полный стрел («Королева Люси», — прошептал Даффл). Дальше на пони ехал принц Корин, а потом — и весь отряд, в котором, кроме людей и говорящих коней, были говорящие псы, кентавры, медведи и шестеро великанов. Да, в Нарнии есть и добрые великаны, только их меньше, чем злых. Шаста понял, что они не враги, но смотреть на них не решился, тут надо привыкнуть.

Поравнявшись с домиком (гномы стали кланяться), король крикнул:

— Друзья, не пора ли нам отдохнуть и подкрепиться?

Все шумно спешились, а принц Корин стрелой кинулся к Шасте, обнял его и воскликнул:

— Вот здорово! Ты здесь! А мы только высадились в Паравале, как прибежал Черво, олень, и всё нам рассказал. Как ты думаешь...

— Не представишь ли нам своего друга? — предложил король Эдмунд.

— Вы разве не помните, ваше величество? — удивился Корин. — Это же его вы приняли за меня в Ташбаане.

— Как они похожи! — вскричала королева. — Просто близнецы! Вот чудеса-то!

— Ваше величество, — сказал Шаста, — я вас не предал, не думайте. Хоть я и всё слышал, но никому не сказал!

— Я знаю, что ты не предатель, друг мой, — сказал король Эдмунд и положил ему руку на голову. — А вообще-то лучше не слушать то, что не предназначено для твоих ушей. Постарайся уж!

Тут поднялся невообразимый шум и звон — ведь все были в кольчугах, — и Шаста минут на пять потерял из виду и Корина, и Эдмунда, и Люси. Но принц был не из тех, кого можно не заметить, и вскоре он в этом убедился.

— Ну что это, клянусь львом?! — раздался громкий голос короля. — С тобой, принц, больше хлопот, чем со всем войском.

Шаста пробился через толпу и увидел, что король разгневан, Корин немножко смущён, а незнакомый гном сидит на земле и чуть не плачет. Два фавна помогали ему снять кольчугу.

— Ах, будь у меня с собой лекарство! — посетовала королева Люси. — Король Питер строго-настрого запретил мне брать его в сражения.

А случилось вот что. Когда Корин поговорил с Шастой, его гном Торн взял принца за локоть и, отводя в сторонку, сказал:

— Ваше высочество, надеюсь, к ночи мы прибудем в замок вашего отца. Возможно, тогда и будет битва.

— Знаю. Вот здорово!

— Это дело вкуса, — уклончиво ответил гном. — Дело в том, что король Эдмунд наказал мне не пускать ваше высочество в битву. Вы можете смотреть — и на том спасибо, в ваши-то годы!

— Какая чепуха! — рассердился Корин. — Я обязательно буду сражаться! Королева Люси возглавит лучников, а я...

— Её величество вольны решать сами, — оборвал его Торн, — но вас его величество поручил мне. Дайте слово, что ваш пони не отойдёт от моего, или, по приказу короля, нас обоих свяжут.

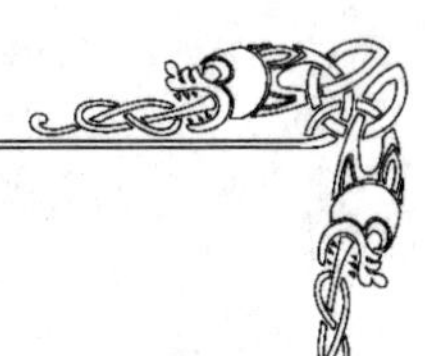

— Да я им!.. — возмутился Корин.

— Хотел бы я на это взглянуть.

Вот этого Корин уже вынести не мог. Принц был выше, Торн — крепче и старше, и неизвестно, чем кончилась бы драка, если бы началась, но гном поскользнулся (вот почему не стоит драться на склоне), упал и сильно ушиб ногу — так сильно, что провалялся в постели две недели.

— Смотри, принц, что ты натворил! — попенял ему король Эдмунд. — Один из лучших наших воинов выбыл из строя.

— Я его заменю, сир!

— Ты храбр, сомнений нет, но в битве мальчик может ненароком нанести урон своим.

Тут короля кто-то позвал, и Корин, очень учтиво попросив прощения у гнома, зашептал Шасте на ухо:

— Скорее садись на его пони, бери его щит!

— Зачем?

— Да чтобы сражаться вместе со мной! — воскликнул Корин. — Ты что, не хочешь?

— Ах да, конечно... — растерянно пробормотал Шаста, в то время как Корин уже натягивал на него кольчугу (с гнома её сняли, прежде чем внести его в домик), комментируя свои действия:

— Так. Через голову. Теперь меч. Поедем в хвосте, тихо, как мыши. Когда начнётся сражение, всем будет не до нас.

## *Глава тринадцатая*

# БИТВА

Часам к одиннадцати отряд двинулся к западу (горы были от него слева). Корин и Шаста ехали сзади, прямо за великанами. Люси, Эдмунд и Перидан были заняты предстоящей битвой, и хотя Люси спросила: «А где этот зверюга принц?» — Эдмунд ответил: «Впереди его нет, и на том спасибо».

Шаста тем временем рассказывал принцу, что научился ездить верхом у коня и не умеет пользоваться уздечкой. Корин показал ему, потом описал, как они отплывали из Ташбаана.

— Где королева Сьюзен? — спросил Шаста.

— В Кэр-Паравале, — ответил Корин. — Люси у нас не хуже мужчины, то есть мальчика, а Сьюзен больше похожа на взрослую. Правда, Люси здорово стреляет из лука.

Тропа стала уже, и справа открылась пропасть. Теперь они ехали гуськом, по одному. «А я тут ехал, — подумал Шаста и вздрогнул. — Вот почему лев был по левую руку — шёл между мной и пропастью».

Тропа свернула влево, к югу, по сторонам теперь стоял густой лес. Отряд поднимался всё выше. Если бы здесь была поляна, вид открылся бы прекрасный, а так — иногда над деревьями мелькали скалы, в небе летали орлы.

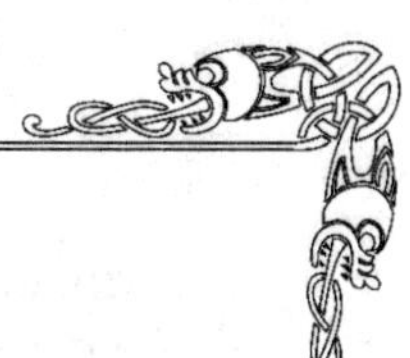

— Чуют добычу, — сказал Корин.

Шасте это не понравилось.

Когда одолели перевал, спустились пониже и лес стал пореже, перед ними открылась Орландия в голубой дымке, а за нею, вдалеке, — жёлтая полоска пустыни. Отряд — который мы можем назвать и войском — остановился ненадолго, и Шаста только теперь увидел, сколько в нём говорящих зверей, большей частью похожих на огромных кошек. Они расположились слева, великаны — справа. Шаста обратил внимание, что они все время несли на спине, а сейчас надели огромные сапоги, высокие, до самых колен, потом положили на плечи тяжёлые дубинки и вернулись на своё место. В арьергарде были лучники, среди них — королева Люси. Стоял звон — все рыцари надевали шлемы, обнажали мечи, поправляли кольчуги, сбросив плащи на землю. Никто не разговаривал. Это было очень торжественно и страшно, и Шаста подумал: «Ну я и попался...» Издалека донеслись какие-то тяжкие удары.

— Таран, — сказал принц. — Таранят ворота. Почему король Эдмунд так тянет? Поскорей бы уже! И холодно...

Шаста кивнул, надеясь, что не очень заметно, как он испуган.

И тут пропели трубы! Отряд тронулся рысью, и очень скоро показался небольшой замок с множеством башен. Ворота были закрыты, мост поднят. Над стенами, словно белые точки, виднелись лица орландцев. Человек пятьдесят били стену большим бревном. Завидев отряд, они мгновенно вскочили в сёдла (клеветать не буду, тархистанцы прекрасно обучены).

Нарнийцы понеслись вскачь. Все выхватили мечи, все прикрылись щитами, все сжали зубы, все помолились льву. Два воинства сближались. Шаста себя не помнил от страха, но вдруг подумал: «Если струсишь теперь, будешь трусить всю жизнь».

Когда отряды встретились, он перестал понимать что бы то ни было. Всё смешалось, стоял страшный грохот. Меч у него очень скоро выбили, а уздечку он сам выпустил из рук. Увидев, что в него летит копьё, он наклонился вбок, и соскользнул с коня, и ударился о чей-то доспех, и... Но мы расскажем не о том, что видел Шаста, а о том, что видел в пруду отшельник, рядом с которым стояли лошади и Аравита.

Именно в этом пруду он видел как в зеркале, что творится много южнее Ташбаана, какие корабли входят в Алую гавань на

далёких островах, какие разбойники или звери рыщут в лесах Тельмара. Сегодня он от пруда не отходил, даже не ел, ибо знал, что происходит в Орландии. Аравита и лошади тоже смотрели. Они понимали, что пруд волшебный — в нём отражались не деревья и не облака, а странные туманные картины. Отшельник видел лучше, чётче и пересказывал им. Незадолго до того как Шаста принял участие в своей первой битве, он сказал:

— Я вижу орла... двух орлов... трёх... над пиком Бурь. Самый большой из них — самый старый из всех здешних орлов. Они чуют битву. А, вот почему люди Рабадаша так трудились весь день!.. Они тащат огромное дерево. Вчерашняя неудача чему-то их да научила. Лучше бы им сделать лестницы, но это долго, а Рабадаш нетерпелив. Какой, однако, глупец!.. Он должен был вчера уйти подобру-поздорову. Не удалась атака — и всё, ведь он мог рассчитывать только на внезапность. Нацелили бревно... Орландцы осыпают их стрелами... Они закрывают головы щитами... Рабадаш что-то кричит. Рядом с ним его приближённые. Вот Корадин из Тормунга, вот Азрох, Кламаш, Илгамут и какой-то тархан с красной бородой...

— Мой хозяин! — вскричал Игого. — Клянусь львом, это Анрадин.

— Тише!.. — сказала Аравита.

— Таранят ворота. Ну и грохот, я думаю! Таранят... ещё... ещё... ни одни ворота не выдержат. Кто же это скачет с горы? Спугнули орлов... Сколько воинов! А, вижу знамя с алым львом! Это Нарния. Вот и король Эдмунд. И королева Люси, и лучники... и коты!

— Коты? — переспросила Аравита.

— Да, боевые коты. Леопарды, барсы, пантеры. Они сейчас нападут на коней... Так! Тархистанские кони мечутся. Коты вцепились в них. Рабадаш посылает в бой ещё сотню всадников. Между отрядами сто ярдов... пятьдесят.. Вот король Эдмунд, вот лорд Перидан... И какие-то дети... Как же это король разрешил им сражаться? Десять ярдов... Встретились. Великаны творят чудеса... один упал... В середине ничего не разберёшь, слева яснее. Вот опять эти мальчики... Аслан милостивый! Это принц Корин и ваш друг Шаста. Они похожи как две капли воды. Корин сражается как истинный рыцарь... вот убил тархистанца. Теперь я вижу и середину... Король и царевич вот-вот встретятся... Нет, их разделили...

— А как там Шаста? — спросила Аравита.

— О бедный, глупый, храбрый мальчик! — воскликнул старец. — Он ничего не умеет, не знает, что делать со щитом. А уж с мечом... Нет, вспомнил! Размахивает во все стороны... чуть не отрубил голову своей лошадке... Ну, меч выбили. Как же его пустили в битву?! Он и пяти минут не продержится. Ах ты, бедняга! Упал.

— Убит? — хором воскликнули все трое.

— Не знаю. Коты своё дело сделали. Коней у тархистанцев теперь нет — кто погиб, кто убежал. А коты опять бросаются в бой! Вот прыгнули на спину этим, с тараном. Таран лежит на земле... Ах, хорошо! Ворота открываются, сейчас выйдут орландцы. Вот и король Лум! Слева от него — Дар, справа — Дарин. За ними Тари, и Зар, и Коль, и брат его Колин. Десять... двадцать... тридцать рыцарей. Тархистанцы кинулись на них. Король Эдмунд бьётся на славу. Отрубил Корадину голову. Тархистанцы бросают оружие, бегут в лес... А вот этим бежать некуда — слева коты, справа великаны, сзади Лум, твой тархан упал... Лум и Азрох бьются врукопашную... Лум побеждает... так-так... победил. Азрох — на земле. О, Эдмунд упал! Нет, поднялся. Бьется с Рабадашем в воротах замка. Тархистанцы сдаются, Дарин убил Илгамута. Не вижу, что с Рабадашем. Наверное, убит. Кламаш и Эдмунд дерутся, но битва кончилась. Кламаш сдался. Ну, теперь всё.

Как раз в эту минуту Шаста приподнялся и сел. Ударился он не очень сильно, но лежал тихо и лошади его не растоптали, потому что, как это ни странно, ступают осторожно даже в битве. Итак, он приподнялся и, хотя понимал мало, догадался, что битва кончилась и победили Орландия и Нарния. Ворота стояли широко открытыми, тархистанцы — их осталось немного — явно были пленными, король Эдмунд и король Лум пожимали друг другу руки поверх упавшего тарана. Лорды взволнованно и радостно беседовали о чём-то, и вдруг все засмеялись.

Шаста вскочил, хотя рука у него сильно болела, и побежал посмотреть, что их рассмешило. Увидел он нечто весьма странное: царевич Рабадаш висел на стене замка, яростно дрыгая ногами. Кольчуга закрывала ему половину лица, и казалось, что он с трудом надевает тесную рубаху. На самом деле случилось вот что: в самый разгар битвы один из великанов наступил на Рабадаша, но не раздавил (к чему стремил-

ся), а разорвал на нём кольчугу шипами своего сапога. Таким образом, когда Рабадаш встретился с Эдмундом в воротах, на спине в кольчуге у злосчастного царевича была дыра. Эдмунд теснил его к стене, и он вспрыгнул на выступы, чтобы поразить врага сверху. Рабадашу казалось, что он грозен и велик, так казалось и другим — но лишь одно мгновение. Он крикнул: «Таш разит метко!» — тут же отпрыгнул в сторону, испугавшись летящих в него стрел, и повис на крюке, который за много лет до того вбили в стену, чтобы привязывать лошадей.

— Вели меня снять, Эдмунд! — ревел Рабадаш, болтавшийся на крюке словно вещь, которую вывесили на просушку. — Сразись со мной как мужчина и король, а если ты слишком труслив, вели меня прикончить!

Король Эдмунд шагнул было к стене, чтобы снять его, но король Лум встал между ними и обратился к Рабадашу:

— Если бы вы, ваше высочество, бросили этот вызов неделю назад, ни в Нарнии, ни в Орландии не отказался бы никто, от короля Питера до говорящей мыши. Но вы доказали, что вам

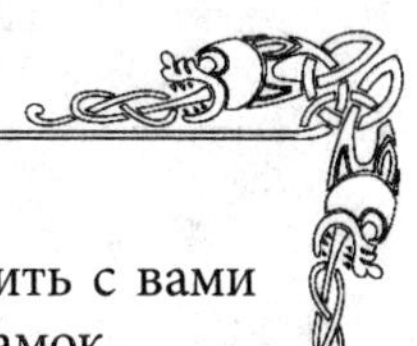

неведомы законы чести, и рыцарь не может скрестить с вами меч. Друзья мои, снимите его, свяжите и унесите в замок.

Не буду описывать, как бранился, кричал и даже плакал царевич Рабадаш. Он не боялся пытки, но боялся смеха. До сих пор ни один человек не смеялся над ним.

Корин тем временем подтащил к королю Луму упирающегося Шасту и сказал:

— Вот и он, отец.

— А, и ты здесь? — воскликнул король, обернувшись к принцу Корину. — Кто тебе разрешил сражаться? Ну что у меня за сын!

Но все, в том числе Корин, восприняли эти слова скорее как похвалу, чем жалобу, а лорд Дарин сказал:

— Не браните его, государь. Он просто похож на вас. Да вы и сами бы огорчились, если бы принц...

— Ладно, ладно, — проворчал Лум, — на сей раз прощаю. А теперь...

И тут, к вящему удивлению Шасты, король Лум склонился к нему, крепко, по-медвежьи, обнял, расцеловал и, поставив рядом с Корином, крикнул своим рыцарям:

— Смотрите, друзья мои! Кто из вас ещё сомневается?

Но Шаста и теперь не понимал, почему все так пристально смотрят на них и так радостно кричат:

— Да здравствует наследный принц!

*Глава четырнадцатая*

# О ТОМ, КАК ИГОГО СТАЛ УМНЕЕ

Теперь мы должны вернуться к лошадям и Аравите. Отшельник сказал им, что Шаста жив и даже не очень серьёзно ранен, поскольку поднялся, а король Лум с необычайной радостью обнял его. Но отшельник только видел, а не слышал, потому не мог знать, о чём говорили у замка.

Наутро лошади и Аравита заспорили, что делать дальше.

— Я больше так не могу, — сказала Уинни. — Я растолстела, как домашняя лошадка, потому что всё время ем и не двигаюсь. Идёмте в Нарнию.

— Только не сейчас, госпожа моя, — возразил Игого. — Спешить никогда не стоит.

— Самое главное, — сказала Аравита, — попросить прощения у Шасты.

— Вот именно! — обрадовался Игого. — Я как раз хотел это сказать.

— Ну конечно, — поддержала Уинни. — А он в Анварде. Это ведь по дороге. Почему бы нам не выйти сейчас? Мы же шли из Тархистана в Нарнию!

— Да... — медленно проговорила Аравита, думая о том, что же она будет делать в чужой стране.

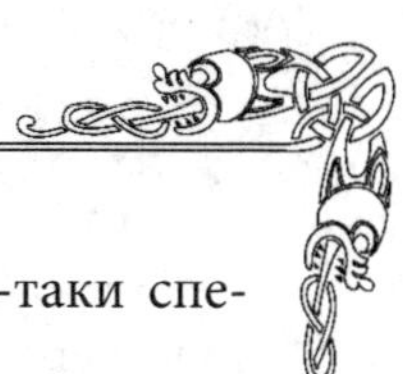

— Конечно, конечно, — сказал Игого. — И всё-таки спешить нам некуда, если вы меня понимаете.

— Я не понимаю, — сказала Уинни.

— Как бы это объяснить? — замялся конь. — Когда возвращаешься на родину... в обществе... в лучшее общество... надо бы поприличней выглядеть...

— Ах, это из-за хвоста! — воскликнула Уинни. — Ты хочешь, чтобы он отрос. Честное слово, ты тщеславен, как ташбаанская тархина.

— И глуп, — прибавила Аравита.

— Лев свидетель, это не так! — вскричал Игого. — Просто я уважаю и себя, и своих собратьев.

— Скажи, Игого, — спросила Аравита, — почему ты часто поминаешь льва? Я думала, ты их не любишь.

— Да, не люблю, но поминаю не каких-то львов, а самого Аслана, освободившего Нарнию от злой колдуньи. Здесь все так клянутся.

— А он лев? — спросила Аравита.

— Конечно, нет, — возмутился Игого.

— В Ташбаане говорят, что лев, — упорствовала девочка. — Но если не лев, почему ты зовёшь его львом?

— Тебе ещё этого не понять, да и сам я был жеребёнком, когда покинул Нарнию, поэтому тоже не совсем хорошо понимаю.

Пока они говорили, Игого стоял задом к зелёной стене, а Уинни и Аравита — лицом. Для пущей важности он прикрыл глаза, поэтому не заметил, как изменились вдруг и девочка, и лошадь: просто окаменели и разинули рты, — потому что на стене появился преогромный ослепительно золотистый лев и, мягко спрыгнув на траву, стал приближаться сзади к коню, беззвучно ступая. Уинни и Аравита не могли издать ни звука от ужаса и удивления.

— Несомненно, — продолжал тем временем вещать Игого, — называя его львом, хотят сказать, что он силён, как лев, или жесток, как лев, — конечно, к своим врагам. Даже в твои годы, Аравита, можно понять, как нелепо считать его *настоящим* львом. Более того, это непочтительно. Ведь, будь он львом, то есть животным, как мы, у него было бы четыре лапы, и хвост, и усы...

И вдруг конь ойкнул от неожиданности: это ус Аслана коснулся его уха. Игого отскочил в сторону и обернулся. Примерно с секунду все четверо стояли неподвижно. Потом Уинни робкой рысью подбежала ко льву.

— Дорогая моя дочь, — сказал Аслан, касаясь носом её бархатистой морды. — Я знал, что тебя мне ждать недолго. Радуйся.

Он поднял голову и заговорил громче.

— А ты, Игого, бедный и гордый конь, подойди ближе. Потрогай меня. Понюхай. Вот мои лапы, вот хвост, вот усы. Я, как и ты, животное.

— Аслан, — потупился Игого, — прости мне мою глупость.

— Счастлив тот зверь, который может сознаться в глупости, пока ещё молод, как, впрочем, и человек. Подойди, дочь моя Аравита. Я втянул когти, не бойся: на сей раз не поцарапаю.

— На сей раз?..

— Это я тебя ударил, — сказал Аслан. — Только меня ты и встречала, больше львов не было. Да, поцарапал тебя я. А знаешь почему?

— Нет, мой господин, — ответила девочка.

— Я нанёс тебе ровно столько ран, сколько мачеха твоя нанесла бедной служанке, которую ты опоила сонным зельем, чтобы ты узнала, каково ей было.

— Скажи, пожалуйста... — начала Аравита, но замолкла.

— Говори, дорогая дочь, — сказал Аслан.

— Ей больше ничего из-за меня не будет?

— Я рассказываю каждому только его историю.

Тряхнув головой, лев произнес чётко и громко:

— Радуйтесь, дети мои: скоро мы встретимся снова, — но раньше к вам придёт другой.

Одним прыжком он взлетел на стену и исчез за нею.

Как это ни странно, все долго молчали, медленно гуляя по зелёной траве. Примерно через полчаса отшельник позвал лошадей к заднему крыльцу, намереваясь покормить, и они ушли, и тут у ворот раздались звуки труб.

— Кто там? — спросила Аравита.

— Его королевское высочество принц Кор Орландский, — объявил глашатай.

Аравита открыла ворота и посторонилась, попуская двух воинов с алебардами, герольда и трубача.

— Его королевское высочество принц Кор Орландский просит аудиенции у высокородной Аравиты, — объявил герольд и склонился в поклоне.

Солдаты подняли алебарды. Когда принц вошёл, остальные шагнули обратно за ворота и закрыли их за собой.

Принц поклонился (довольно неуклюже для высокой особы), Аравита тоже склонилась перед ним (очень изящно, хотя и на тархистанский манер) и только потом взглянула на него.

Мальчик как мальчик, без шляпы и без короны, только очень тонкий золотой обруч обхватывал голову. Сквозь короткую белую тунику не толще носового платка пламенел алый камзол. Левая рука, лежавшая на эфесе шпаги, была перевязана.

— Ой, да это же Шаста! — присмотревшись повнимательнее, воскликнула Аравита.

Мальчик сильно покраснел и быстро заговорил:

— Ты не думай, я не хотел перед тобой выставляться!.. У меня нет другой одежды, прежнюю сожгли, а отец сказал...

— Отец? — переспросила Аравита.

— Король Лум. Я мог бы и раньше догадаться. Понимаешь, мы с Корином близнецы. Да, я не Шаста, а Кор!

— Очень красивое имя, — сказала Аравита.

— У нас в Орландии, — пояснил Кор (теперь мы будем звать его только так), — близнецов называют Дар и Дарин, Коль и Колин и тому подобное.

— Шаста... то есть Кор, позволь сказать. Мне очень стыдно за своё поведение, я изменилась, хотя и не знала, что ты принц. Честное слово! Это произошло, когда ты вернулся, чтобы спасти нас от льва.

— Он не собирался вас убивать, — сказал Кор.

— Я знаю, — кивнула Аравита, и они помолчали, поняв, что оба беседовали с Асланом.

Наконец Аравита вспомнила, что у Кора перевязана рука, и воскликнула:

— Ах, я и забыла! Ты был в бою, и тебя ранили?

— Так, царапина, — произнёс Кор с той самой интонацией, с какой говорят вельможи, но тут же фыркнул: — Да нет, это не рана, а ссадина.

— И всё-таки ты сражался! Наверное, это очень интересно.

— Всё совсем не так, как я думал, — покачал головой Кор.

— Ах, Ша... Кор! Расскажи, как король узнал, кто ты.

— Давай присядем. Это долгая история. Кстати, отец у меня — лучше некуда. Я бы любил его точно так же... почти так же, если бы он не был королём. Конечно, меня будут учить и всё прочее, но ничего, потерплю. А история самая простая. Когда нам с Корином исполнилась неделя, нас повезли к старому доброму кентавру — благословить или что-то в этом роде. Он был пророк, кентавры часто бывают пророками. Ты их не видела? Ну и дяди! Если честно, я их немножко боюсь. Тут ко многому надо привыкнуть...

— Да уж... — согласилась Аравита. — Но давай же рассказывай, рассказывай!

— Так вот, когда ему нас показали, он взглянул на меня и сказал: «Этот мальчик спасёт Орландию от великой опасности». Его услышал один придворный, лорд Бар, который

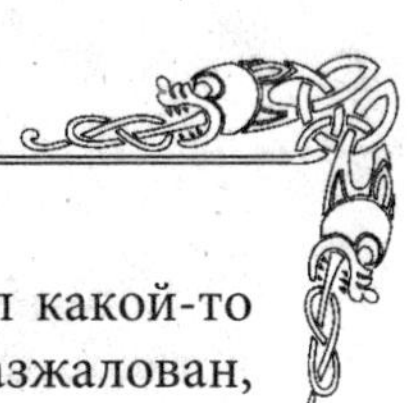

раньше служил у отца лорд-канцлером и совершил какой-то проступок (не знаю, в чём там дело), за что был разжалован, хотя придворным остался. Вообще он был предателем — потом оказалось, что за деньги он посылал секретные сведения в Ташбаан. Так вот: услышав это предсказание, он решил меня уничтожить и похитил — не знаю как. Когда лорд Бар уже вышел в море на корабле, отец за ним погнался, на седьмой день нагнал, и у них был морской бой с десяти часов утра до самой ночи. Предателя убили, но он успел спустить на воду шлюпку, посадив туда одного рыцаря и меня. Лодка эта пропала. Как недавно выяснилось, это Аслан пригнал её к берегу, туда, где жил Аршиш. Хотел бы я знать, как звали того рыцаря! Он меня кормил, а сам умер от голода.

— Аслан сказал бы тебе лишь то, что ты должен знать о себе, — заметила Аравита.

— Да, ты права, я забыл, — согласился Кор.

— Интересно, как именно ты спасёшь Орландию.

— Я уже спас, — скромно сказал Кор.

Аравита всплеснула руками.

— Ах, конечно! Какая же я глупая! Рабадаш уничтожил бы её, если бы не ты. Где же ты будешь теперь жить? В Анварде?

— Ой, чуть не забыл, зачем пришёл к тебе. Отец хочет, чтобы ты жила с нами. У нас при дворе (они говорят «двор» — не знаю уж почему). Так вот, у нас нет хозяйки с той поры, как умерла моя мать. Пожалуйста, согласись. Тебе понравятся отец... и Корин. Они не такие, как я, они воспитанные...

— Прекрати! — воскликнула Аравита. — Конечно, я согласна.

— Тогда пойдём к лошадям.

Кор обнял Игого и Уинни, всё им рассказал, а потом все четверо простились с отшельником, пообещав не забывать. Дети не сели в сёдла — Кор объяснил, что ни в Орландии, ни в Нарнии никто не ездит верхом на говорящих лошадях, разве что в бою.

Услышав это, бедный конь вспомнил снова, как мало знает о здешних обычаях и как много ошибок может сделать. И если Уинни предалась сладостным мечтам, то он становился мрачнее и беспокойнее с каждым шагом.

— Ну что ты, — попытался успокоить его Кор. — Подумай, каково мне: меня будут *воспитывать*, учить грамоте, и танцам, и музыке, и геральдике, — а ты знай скачи по холмам сколько хочешь.

— В том-то и дело, — вздохнул Игого, — скачут ли говорящие лошади, а главное — катаются ли по земле...

— Как бы то ни было, я кататься буду, — сказала Уинни. — Думаю, они и внимания не обратят.

— Замок ещё далеко? — спросил конь у принца.

— За тем холмом.

— Тогда я покатаюсь, пусть даже и в последний раз!

Покатавшись минут пять, он угрюмо сказал:

— Что же, пойдём. Веди нас, Кор Орландский.

Но вид у него был такой, словно он везёт погребальную колесницу, а не возвращается домой, к свободе, после долгого плена.

## *Глава пятнадцатая*

# РАБАДАШ ВИСЛОУХИЙ

Когда они наконец вышли из-под деревьев, то увидели зелёный луг, прикрытый с севера лесистой грядой, и королевский замок, очень старый, сложенный из тёмно-розового камня.

Король уже шёл им навстречу по высокой траве. Аравита совсем не так представляла себе королей — на нём был потёртый камзол, ибо он только что обходил псарню и едва успел вымыть руки, но поклонился с такой учтивостью и таким величием, каких не увидишь в Ташбаане.

— Добро пожаловать, маленькая госпожа! Будь моя дорогая супруга королева жива, тебе было бы здесь лучше, но мы сделаем для тебя всё, что можем. Сын мой Кор рассказал о твоих злоключениях и твоём мужестве.

— Это он был мужественным, государь, — возразила Аравита. — Кинулся на льва, чтобы спасти нас с Уинни.

Король просиял:

— Вот как? Этого я не слышал.

Аравита поведала историю, а Кор, который очень хотел, чтобы отец об этом узнал, совсем не обрадовался, как думал прежде: скорее, ему было неловко, — зато король прямо светился от гордости за сына и раз за разом пересказывал придворным эту историю, отчего принц совсем уж смутился.

С Игого и Уинни король тоже был учтив и подолгу беседовал. Лошади отвечали нескладно, поскольку ещё не привыкли говорить со взрослыми людьми. К их облегчению, из замка вышла королева Люси, и король сказал Аравите:

— Дорогая моя, вот наш большой друг, королева Нарнии. Не хочешь ли с нею отдохнуть?

Люси поцеловала Аравиту, они сразу прониклись симпатией друг к другу и отправились в замок, весело болтая о том о сём.

Завтрак подали на террасе (холодную дичь, пирог, вино и сыр), и когда все ещё ели, король Лум, нахмурившись, сказал:

— Ох-ох-ох! Нам надо ещё что-то сделать с беднягой Рабадашем.

Люси сидела по правую руку от короля, Аравита — по левую. Во главе стола сидел король Эдмунд, напротив него — лорды Дарин, Дар, Перидан. Корин и Кор заняли места напротив дам и короля Лума.

— Отрубите ему голову, ваше величество, — сказал Перидан. — Кто он, как не убийца?

— Спору нет, он негодяй, — сказал Эдмунд. — Но и негодяй может исправиться. Я знал такой случай...

— Если мы убьём Рабадаша, на нас нападет Тисрок, — сказал Дарин.

— Ну что ты! — возразил король Орландии. — Сила его в многочисленном войске, а такому огромному войску не перейти пустыню. Но я не люблю убивать беззащитных. В бою — дело другое, а так, хладнокровно...

— Возьми с него слово, что он больше не будет, — предложила Люси. — Может, он его и сдержит.

— Скорее, обезьяна сдержит, — заметил Эдмунд. — И ладно бы он проявил своё вероломство в таком месте, где возможен честный бой.

— Попробуем, — принял наконец решение король Лум. — Приведите пленника, друзья мои.

Рабадаш выглядел так, словно его морили голодом: и действительно за эти сутки от злости и ярости он не притронулся ни к пище, ни к питью, — хотя жаловаться ему было не на что.

— Вы знаете сами, ваше высочество, — сказал король, — что и по справедливости, и по закону мы вправе лишить вас

жизни. Однако, снисходя к вашей молодости, а также к тому, что вы выросли, не ведая ни милости, ни чести, среди рабов и тиранов, мы решили отпустить вас на следующих условиях: во-первых...

— Нечестивый пёс! — выкрикнул Рабадаш. — Легко болтать со связанным пленником! Дай мне меч, и я тебе покажу, каковы *мои* условия!

Мужчины вскочили, а Корин воскликнул, сжимая кулаки:

— Отец! Дозволь, я его поколочу!

— Друзья мои, успокойтесь, — сказал король Лум. — Сядь, Корин, или я тебя выгоню из-за стола. Итак, ваше высочество, условия мои...

— Я не обсуждаю ничего с дикарями и чародеями! — опять оборвал его Рабадаш. — Если вы оскорбите меня, отец мой Тисрок потопит ваши страны в крови. Убейте — и костры, казни, пытки тысячу лет не забудут в этих землях. Берегитесь! Богиня Таш всё видит...

— Куда же она смотрела, когда ты висел на крюке? — усмехнулся Корин.

— Стыдись! — попенял ему король. — Нехорошо издеваться над теми, кто слабее.

— Ах, Рабадаш! — вздохнула Люси. — Какой же ты глупый!..

Не успела она закончить фразу, как — к удивлению Кора — его отец, дамы и двое мужчин молча поднялись со своих мест, повернув головы в одну сторону. Встал и он и увидел, как между столом и пленником, мягко ступая, прошёл огромный лев.

— Рабадаш, — раздался в тишине голос Аслана, — поспеши. Судьба твоя ещё не решена. Забудь о своей гордыне — чем тебе гордиться? — злобе — кто тебя обидел? — и прими по собственной воле милость добрых людей.

Рабадаш выкатил глаза, жутко ухмыльнулся и (что совсем не трудно) зашевелил ушами. На тархистанцев всё это действовало безотказно: самые смелые просто тряслись, а кто послабей — падали в обморок. Он не знал, однако, что дело тут было не столько в самих гримасах, сколько в том, что по его слову любого могли немедленно сварить живьём в кипящем масле. Здесь же это эффекта не возымело — только сердобольная Люси испугалась, что ему плохо.

— Прочь! — закричал Рабадаш. — Я тебя знаю! Ты гнусный демон, мерзкий северный бес, враг богов. Узнай, низменный призрак, что я потомок великой богини, Таш неумолимой! Она разит метко. Проклятие её — на тебе. Тебя поразит молния... искусают скорпионы... здешние горы обратятся в прах...

— Тише, Рабадаш, — сказал лев совершенно спокойно. — Судьба твоя вот-вот свершится, она у дверей, сейчас их откроет.

— Ну и пусть! — выкрикнул Рабадаш. — Пусть упадут небеса, разверзнется земля! Пусть кровь зальёт эти страны, поглотит огонь — я не сдамся, пока не притащу к себе во дворец за косы эту дочь гнусных псов, эту...

— Час пробил, — проговорил лев, и Рабадаш, к своему ужасу, увидел, что все смеются.

Да и как удержаться от смеха, если уши у пленника, которыми он всё ещё шевелил, стали расти и покрываться серой шёрсткой. Пока все думали, где видели такие уши, Рабадаш уже обзавёлся копытами — и на ногах, и на руках, — а затем хвостом. Глаза стали больше, лицо превратилось в нечто наподобие носа. Он опустился на четвереньки, одежда исчезла, а смешнее (и страшнее) всего было то, что последним его покинул дар речи и он успел лишь отчаянно прокричать:

— Только не в осла! Хоть в коня... в коня-а-э-а-ио-о-о!

— Слушай меня, Рабадаш, — проговорил Аслан. — Справедливость смягчится милостью. Ты не всегда будешь ослом.

Осел задвигал ушами, и все, как ни старались сдержаться, захохотали снова.

— Ты поминал богиню Таш, — продолжил лев. — В её храме и обретёшь человеческий облик. На осеннем празднике в этом году ты встанешь перед её алтарем, и при всём народе с тебя спадёт ослиное обличье, но если когда-нибудь удалишься от храма дальше чем на десять миль, то опять станешь ослом, уже навсегда.

И, тихо ступая, Аслан удалился. Все будто бы очнулись, но сияние зелени, и свежесть воздуха, и радость в сердце доказывали, что это был не сон. Кроме того, осёл стоял перед ними.

Король Лум по доброте своей, увидев врага в столь плачевном положении, сразу позабыл про гнев и сказал:

— Ваше высочество, мне очень жаль, что дошло до этого. Вы сами знаете, что мы тут ни при чём. Не сомневайтесь, мы переправим вас в Ташбаан, чтобы вас там... э-э... вылечили. Сейчас вам дадут самых свежих репейников и морковки...

Неблагодарный осёл дико взревел, лягнул одного из лордов...

На этом можно было закончить рассказ о царевиче Рабадаше, но мне хочется добавить, что его со всей почтительностью отвезли в Ташбаан и привели в храм богини на осенний праздник, где он снова обрёл человеческий облик. Множество народу — тысяч пять — видело это, но что поделаешь... А когда умер Тисрок, в стране наступила вполне сносная жизнь. Произошло это по двум причинам: Рабадаш не вёл никаких войн, потому что сам возглавить войско не мог, а полководцы нередко свергают царей. Кроме того, народ помнил, что он некогда был ослом. В лицо его называли Рабадашем Миротворцем, а за глаза — Рабадашем Вислоухим. И если вы заглянете в историю его страны (спросите её в городской библиотеке), он значится там именно так. Даже теперь в тархистанских школах говорят про глупого ученика: «Второй Рабадаш!»

Когда осла увезли, в замке Лума начался пир. Вино лилось рекой, сверкали огни, звенел смех, а потом наступила тишина и на середину луга вышел певец с двумя музыкантами. Кор и Аравита приготовились скучать, ибо не знали других стихов, кроме тархистанских, но певец запел о том, как светловолосый Олвин победил двухголового великана, и обратил его в гору, и взял в жены прекрасную Лили, и песня эта — или сказка — им очень понравилась. Игого петь не умел, но рассказал о битве при Зулиндрехе, а королева Люси — о злой колдунье, льве и платяном шкафе (историю эту знали все, кроме наших четырёх героев).

Наконец король Лум послал младших спать и прибавил на прощание:

— А завтра, Кор, мы осмотрим с тобой замок и земли, которые, когда я умру, будут твоими.

— Отец, — возразил Кор, — править будет Корин.

— Нет, — твёрдо сказал Лум, — мой наследник — ты!

— Но я не хочу! Мне бы лучше...

— Дело не в том, кто чего хочет, — таков закон.

— Но мы ведь близнецы!

Король засмеялся:

— Ты старше его на двадцать минут и, надеюсь, лучше, хотя это не обязательно.

Странно, но младший сын нимало не обиделся.

— Разве ты не можешь сам назначить наследника? — удивился Кор.

— Нет. Мы, короли, подчиняемся закону, так что я не свободнее, чем часовой на посту.

— Это мне совсем не нравится. А Корин... я и не знал, что подкладываю ему такую свинью.

— Ура! — воскликнул братец. — Я не буду королём и навсегда останусь принцем, что куда веселее.

— Ты даже не представляешь, Кор, как твой брат прав, — заметил король Лум. — Быть королём — это значит в самый страшный бой идти первым, а отступать последним; в годы неурожая облачаться в праздничные одежды и принимать за пир самую скудную трапезу.

Подходя к опочивальне, Кор ещё раз спросил, нельзя ли всё изменить, и Корин сказал:

— Вот стукну, тогда узнаешь!

Я был бы рад завершить повесть словами, что больше братья никогда не спорили, но мне не хочется лгать. Они ссорились и дрались ровно столько, сколько ссорятся и дерутся все мальчишки их лет, и побеждал обычно Корин. Когда же они выросли, Кор лучше владел мечом, но Корин дрался врукопашную лучше всех в обоих королевствах, потому его и прозвали Железным Кулаком и потому он победил страшного медведя, который был говорящим, но сбежал к немым, а это очень плохо. Корин пошёл на него один зимой и победил на тридцать третьем раунде, после чего медведь исправился.

Аравита тоже часто ссорилась с Кором (боюсь — иногда и дралась), но всегда мирилась, а когда они выросли и поженились, всё это было им не в новинку. После смерти своего короля они долго и мирно правили Орландией, а их сменил сын — Рам Великий. Игого и Уинни в Нарнии прожили очень долго, но не поженились: каждый завёл собственную семью. Почти каждый месяц они преодолевали рысью перевал, чтобы навестить в Анварде своих венценосных друзей.

# ПРИНЦ КАСПИАН

ДИ
Замок
Мираза
Бобровая плотина
Фонарная
Пустошь
Великая река
Карта
Нарнии
и прилегающих
земель
НАРН
холм Аслана
Танцевальный
луг
пещера
семи братьев
из Дремучего леса
Дом трёх
толстых медведей
ОРЛАНДИЯ

КИЕ ЗЕМЛИ СЕВЕРА
ИЯ
Великие леса
БЕРУНА
ыстрая река
Кэр-Параваль
Зеркальный залив

*Перевод Натальи Доброхотовой-Майковой*

## *Глава первая*

# ОСТРОВ

Жили некогда четверо детей — Питер, Сьюзен, Эдмунд и Люси; об их замечательных приключениях вы читали в книге «Лев, колдунья и платяной шкаф». Они открыли дверцу волшебного шкафа и оказались в другом мире, совсем непохожем на наш, и в этом непохожем мире стали королями и королевами страны, которая звалась Нарнией. Там, в Нарнии, они царствовали долгие годы, когда же вернулись в Англию, то обнаружили, что здесь, в нашем мире, не прошло и минуты. Во всяком случае, никто не заметил, что дети исчезали, а сами они не рассказывали о своём приключении никому, кроме одного очень мудрого взрослого.

Это случилось год назад, а сейчас все четверо сидели на перроне среди чемоданов и спортивных сумок. Возвращаясь с летних каникул, дети вместе доехали до пересадочной станции, откуда расходились две железнодорожные ветки: через несколько минут должен был прийти поезд, на котором уедут девочки, а ещё через полчаса — тот, что заберёт мальчиков. Первая часть пути, пока они были вместе, казалась продолжением каникул, но теперь, когда предстояло вот-вот проститься и разъехаться в разные стороны, каждый вновь почувство-

вал себя школьником, и все приуныли. Никто не знал, о чем говорить. Люси отправлялась в школу впервые.

На пустом сонном полустанке никого, кроме них, не было. Внезапно Люси тоненько вскрикнула, словно её укусила оса.

— Ты что, Лу? — спросил Эдмунд, но тут же ойкнул сам.

— Что такое?.. — встревожился Питер, но тоже сказал не то, что собирался: — Сьюзен, прекрати! Ты чего? Куда ты меня тянешь?

— Я тебя не трогаю, — в недоумении отозвалась сестра. — Меня саму кто-то тащит. Да прекратите же!

Каждый видел, как все другие побледнели.

— И меня... — испуганно произнёс Эдмунд. — Со страшной силой... Ой! Вот опять...

— Ой, не могу больше! — воскликнула Люси.

— Осторожно! — крикнул Эдмунд. — Хватайтесь за руки, держимся друг за друга! Это волшебство — я чувствую! Быстрее!

— Да, — подхватила Сьюзен, — держимся за руки. Скорее бы это кончилось! Ой!

В следующий миг багаж, скамейки, платформа и вся станция исчезли. Дети стояли в лесу, да в таком густом, что ветки кололись, не давая им шевельнуться. Они расцепили руки, протёрли глаза и дружно вздохнули.

— Ой, Питер! — воскликнула Люси. — Как по-твоему — может, мы вернулись в Нарнию?

— Вполне возможно. Тут такие заросли, что я на два шага вперёд не вижу. Давайте выберемся на открытое место, если тут такое есть.

С трудом, обжигаясь крапивой и царапаясь о колючки, дети пошли через заросли. Вскоре лес поредел, стало гораздо светлее, и через несколько шагов ребята очутились на опушке перед песчаным пляжем. В нескольких ярдах впереди крохотными неслышными волнами набегало на песок море. Не было видно ни земли на горизонте, ни облачка в небе. Солнце стояло примерно там, где ему положено стоять часов в десять утра, море ослепительно голубело. Они замерли, вдыхая запах соли.

— Ну и дела! — воскликнул Питер. — Это уже неплохо.

Через пять минут все, разувшись, бродили в прохладной чистой воде.

— Да уж лучше, чем в душном вагоне мчаться к латыни, французскому и алгебре! — заметил Эдмунд.

Потом довольно долго они больше не говорили — только шлёпали по воде и выискивали креветок и крабов.

— А всё-таки, — сказала вдруг Сьюзен, — надо что-то решать. Мы скоро проголодаемся.

— У нас есть сэндвичи, которые мама дала в дорогу, — напомнил Эдмунд. — У меня, по крайней мере.

— Мои остались в сумке, — отозвалась Люси.

— И мои, — добавила Сьюзен.

— Мои при мне, в кармане плаща, — сказал Питер. — Выходит, два завтрака на четверых. Уже кое-что.

— Пока, — сказала Люси, — я больше хочу не есть, а пить.

Пить хотели все, как бывает, если бродишь в солёной воде под горячим солнцем.

— Это как с робинзонами, — заметил Эдмунд. — В книгах на острове всегда отыскивается источник чистой родниковой воды. Пойдёмте посмотрим.

— Это что же, опять лезть в те заросли? — огорчилась Сьюзен.

— Да зачем? — сказал Питер. — Если здесь есть ручьи, то они непременно бегут в море, и мы на них наткнёмся, если пойдём вдоль берега.

Дети вышли из воды и сначала брели по ровному влажному песку, а потом по сухому сыпучему, который забивался между пальцами ног, так что пришлось надеть носки и ботинки. Правда, Эдмунд и Люси хотели идти босиком, а обувь где-нибудь пока оставить, но Сьюзен возразила:

— Вдруг потом не найдём! А ночью, если мы всё ещё будем здесь, без обуви станет холодно.

Все обулись и пошли вдоль берега: море было слева, а лес — справа. Берег был совершенно пустой, разве что изредка над водой проносилась чайка. В лесу ничего не разглядишь за спутанными ветвями — ни птицы, ни букашки, даже малейшего движения.

Ракушки, водоросли, анемоны, крошечные крабики между камнями — это замечательно, но вскоре утомляет, когда все твои мысли только о питье. После холодной воды ноги казались горячими и тяжёлыми. Сьюзен и Люси перенеслись сюда в плащах. Эдмунд сбросил куртку как раз перед тем, как их настигло волшебство, и теперь мальчики по очереди несли плащ Питера.

Вскоре берег начал плавно изгибаться вправо. Ещё через полчаса ребята перевалили каменистую гряду, оканчивающуюся мысом. Здесь берег делал крутой поворот. Теперь та часть моря, к которой дети вышли из леса, оказалась у них за спиной, а впереди, за узкой полоской воды, расстилался другой берег, тоже густо заросший деревьями.

— Интересно, мы на острове или туда можно перейти? — спросила Люси.

— Не знаю, — пожал плечами Питер, и все побрели дальше в молчании.

С каждой сотней шагов противоположный берег приближался, и ребята за очередным выступом ожидали найти перемычку, однако не тут-то было. Наконец им попалась довольно высокая груда камней.

— Тьфу ты, пропасть! — воскликнул Эдмунд, взобравшись на неё и поглядев вперёд. — Нам никогда туда не перебраться! Мы на острове!

Это действительно было так. Пролив здесь был всего ярдов тридцать-сорок, но ребята видели, что это самое узкое место. Дальше берег вновь поворачивал вправо, и от материка его отделяло открытое море. Стало понятно и другое — они обошли больше половины острова.

— Смотрите! — воскликнула вдруг Люси, указывая на что-то длинное и серебристое, змеившееся по берегу. — Что это?

— Ручей! Ручей! — закричали остальные и, несмотря на усталость, не теряя времени, потопали по камням к воде.

Зная, что выше по течению вода лучше, дети направились туда, где ручей вытекал из леса. Деревья здесь росли так же густо, как и везде, но ручей прорыл себе глубокое русло между высокими замшелыми берегами, так что, вступив в него, они оказывались в некоем подобии лиственного туннеля. Ребята бросились на колени у первой же тёмной, покрытой рябью заводи и принялись пить, и пили, и окунали лица в воду, а затем погрузили по локоть руки.

— Ну, — напомнил Эдмунд, — так как насчёт сэндвичей?

— Может, лучше побережём их на потом? — предложила Сьюзен. — Когда ещё больше захочется.

— Вот бы теперь, когда мы напились, вместе с жаждой прошёл и голод, — заметила Люси.

— Так всё-таки как насчёт сэндвичей? — повторил Эдмунд. — Чего их беречь? Ведь испортятся: здесь жарче, чем в Англии, а мы столько времени таскаем их в карманах.

Достали оба пакета и разделили на четвертых: не наелись, но всё же это лучше, чем ничего, — затем стали обсуждать, как добыть еду на следующий раз. Люси предлагала пойти к морю и наловить креветок, но кто-то заметил, что у них нет сачка. Эдмунд посоветовал поискать чаячьи яйца среди камней, но никто не помнил, чтобы им попадались птичьи гнезда, да и непонятно было, как эти яйца приготовить, если они все же отыщутся. Питер подумал, что очень скоро они будут рады и сырым яйцам, но вслух говорить не стал. Сьюзен пожалела, что они так быстро съели сэндвичи. Пару раз дело чуть не дошло до ссоры. Наконец, Эдмунд сказал:

— Значит, остаётся только одно: исследовать лес. Отшельники, и странствующие рыцари, и все такие всегда как-то устраиваются в лесу. Ну, коренья находят, ягоды, ещё что-нибудь.

— Какие коренья? — спросила Сьюзен.

— Я всегда думала, что речь идёт о корнях деревьев, — призналась Люси.

— Пошли, — предложил Питер. — Эд прав: надо что-то делать. И всё лучше, чем идти назад, на солнцепёк.

Они двинулись вверх по ручью. Это было очень непросто — приходилось то продираться сквозь заросли, то перебираться через поваленные деревья. Скоро они изорвали одежду и промочили ноги, но по-прежнему слышали лишь журчание воды да хруст веток под ногами. Ребята уже порядком выдохлись, когда их ноздри уловили чудный аромат и что-то яркое блеснуло над правым берегом.

— Ура! — воскликнула Люси. — По-моему, это яблоня.

Так и оказалось. Пыхтя, они взобрались на крутой берег, пролезли сквозь ежевичник и очутились возле старого дерева, усыпанного большими золотисто-жёлтыми яблоками, такими спелыми и сочными, каких только можно пожелать.

— Да она тут не одна! — заметил Эдмунд с полным ртом.

— Здесь их уйма! — воскликнула Сьюзен, отбрасывая огрызок и принимаясь за следующее яблоко. — Наверное, здесь был фруктовый сад — давным-давно, прежде чем это место одичало и вокруг вырос лес.

— Значит, это когда-то был обитаемый остров, — сказал Питер.

— А это что? — спросила Люси, указывая вперёд.

— Вот это да! Стена! — воскликнул Питер. — Старая каменная стена.

Раздвигая поникшие от тяжести плодов ветви, дети добрались до стены. Очень старая, местами обвалившаяся, заросшая мхом и камнеломками, она была тем не менее выше самых высоких деревьев. Подойдя ближе, дети обнаружили огромную арку, которая раньше, должно быть, закрывалась воротами. Теперь на их месте росла самая высокая яблоня. Чтобы пролезть внутрь, пришлось обламывать ветки, и внезапно их просто ослепил солнечный свет. Дети стояли на просторной, окружённой стеной площадке. Здесь не было деревьев, только ровная трава, и маргаритки, и плющ, и серые камни. Это было светлое, скрытное, тихое место, почти печальное, и все четверо вышли на середину, радуясь, что можно наконец-то распрямить спину и двигаться без помех.

## *Глава вторая*

# ДРЕВНЯЯ СОКРОВИЩНИЦА

— Это не сад, — предположила Сьюзен. — Похоже на замок, а здесь — внутренний двор.

— Я понимаю, о чём ты, — отозвался Питер. — Да, похоже на крепость. Вот и лестница на стену. А ещё гляньте на те ступени, широкие и низкие, которые уходят в дверной проём: они наверняка вели в большой зал.

— Столетия назад, судя по виду, — заметил Эдмунд.

— Да, ты прав, — подхватил Питер. — Надеюсь, мы разузнаем, кто жил в этом замке и как давно.

— У меня такое странное чувство... — начала Люси.

— Правда? — Питер обернулся и пристально поглядел на неё. — Знаете, у меня тоже. Это самое странное за весь этот странный день. Хотел бы я знать, где мы и что всё это значит.

За разговором они пересекли двор и прошли через дверную арку туда, где был когда-то зал. Здесь всё было в точности так же, как во дворе, потому что кровля давным-давно истлела. Они стояли среди травы и маргариток, только стены были выше и сходились теснее. В дальнем конце возвышалось что-то вроде террасы.

— Вы думаете, это правда был зал? — спросила Сьюзен. — Что там за уступ?

— Ну же, глупая, — сказал Питер, приходя в странное волнение, — разве не видишь? Это было возвышение, на котором восседали король и великие лорды. Можно подумать, ты забыла: ведь мы сами, когда были королями и королевами, сидели на таком же в тронном зале...

— ...в нашем замке Кэр-Параваль, — протянула Сьюзен мечтательно, — в устье Великой реки. Как могла я забыть!

— Всё так ясно припомнилось! — воскликнула Люси. — Можно представить, что мы сейчас в Кэр-Паравале. Этот зал похож на большой пиршественный.

— К сожалению, без пиршества, — добавил Эдмунд. — Однако вечереет. Смотрите, какие длинные тени. И уже не так жарко, заметили?

— Раз придётся здесь ночевать, то надо разжечь костёр, — сказал Питер. — У меня есть спички. Давайте соберём хворост.

Все согласились, что это разумно, и отправились на поиски. В саду, сквозь который они прошли, хвороста не оказалось. Дети пошли в другую сторону, выбрались через боковую дверцу в лабиринт каменных гряд и углублений, где когда-то, наверное, были коридоры и комнатки, а теперь росла лишь крапива и дикие розы, и за ними обнаружили широкий пролом в крепостной стене. Через него вышли в чащу, где было темнее, а деревья стояли едва ли не сплошной стеной — и выше, и толще. Тут было полно и сухих веток, и подгнивших сучьев, и опавших листьев, и еловых шишек. Дети носили их охапками, пока на возвышении не собралась огромная куча. Во время пятой вылазки они наткнулись на скрытый в зарослях колодец, как раз напротив зала. Когда траву повыдергивали, выяснилось, что он глубокий, с прозрачной ключевой водой. Кое-где его огибала едва заметная мощёная дорога.

Потом девочки пошли ещё за яблоками, а мальчики развели костёр на возвышении, ближе к углу, где, как они решили, будет самое уютное и тёплое место. Они изрядно помучились и извели много спичек, но в конце концов хворост запылал и все четверо уселись спиной к стене и лицом к огню. Они попытались испечь яблоки на прутиках, но печёные яблоки без сахара не так хороши и к тому же обжигают руки, а если их остудить, то становятся совсем невкусными. Пришлось довольствоваться сырыми яблоками, которые, как заметил Эд-

мунд, заставляют осознать, что школьные завтраки были не так уж плохи:

— Я бы не отказался сейчас от хорошего толстого бутерброда.

Однако дух приключений уже овладел детьми, и никто не хотел обратно в школу. Вскоре все яблоки были съедены, и Сьюзен пошла к колодцу попить, а когда вернулась, сказала чуть дрожащим голосом, протянув к костру руку:

— Посмотрите. Я нашла это возле колодца.

Она передала Питеру какую-то маленькую вещицу и села. Казалось, девочка вот-вот расплачется. Эдмунд и Люси нетерпеливо подались вперёд посмотреть, что там у Питера в ладони — маленькое, яркое, блеснувшее в свете костра.

— Чтоб мне провалиться! — воскликнул Питер каким-то странным голосом и передал вещицу Люси и Эдмунду.

Это был маленький шахматный конь, с виду обычный, но очень тяжёлый, отлитый из чистого золота, с двумя маленькими рубинами вместо глаз — вернее, с одним, потому что другой выпал.

— Ой! — воскликнула Люси. — Он в точности как те золотые шахматные фигурки, которыми мы играли, когда были королями и королевами в Кэр-Паравале.

Сьюзен наконец не выдержала и разрыдалась, а когда Питер попытался её успокоить, сквозь слёзы едва выдавила:

— Не могу. Всё как будто встало перед глазами — эти прекрасные времена, когда мы играли с фавнами и добрыми великанами, когда пели в море сирены... Вспомнила и мою славную лошадку и... и...

Вдруг изменившимся голосом Питер сказал:

— Обо всём этом нам пора всерьёз подумать.

— А что? — встревожился Эдмунд.

— Никто не догадывается, где мы? — сказал Питер.

— Говори, говори, — подхватила Люси. — Я давно чувствую, что здесь что-то ужасно таинственное.

— Валяй, Питер, — поддержал брата Эдмунд. — Мы слушаем.

— Мы в развалинах Кэр-Параваля.

— Да ну? — удивился Эдмунд. — С чего ты взял? Эта крепость веками лежит в руинах. Посмотри, какое огромное де-

рево выросло прямо в воротах. Посмотри на камни. Каждый скажет, что тут сотни лет уже никто не живёт!

— Вижу. В этом и загвоздка. Но давайте отвлечёмся и рассмотрим по пунктам. Во-первых, этот зал в точности такой же длины и ширины, как в Кэр-Паравале. Представьте только над ним крышу, мозаичный пол вместо травы и ковры на стенах — и вот он, наш королевский пиршественный зал.

Все молчали.

— Во-вторых, — продолжил Питер, — колодец точно там же, где и у нас был, немного южнее большого зала, и точно такого же размера.

Опять никакого ответа.

— В-третьих, Сьюзен только что нашла одну из наших шахматных фигурок — или похожую на неё как две капли воды.

По-прежнему тишина.

— В-четвёртых. Помните — как раз за день до того, как прибыло посольство из Тархистана, — сажали сад за северными воротами Кэр-Параваля? Величайшая из лесных существ, сама Помона явилась во всемогуществе добрых чар. Тогда славные ребята кроты здорово покопали. Разве вы забыли смешного старого Белоручку, главного крота? Как он опёрся на лопату и сказал: «Попомните мои слова, ваше величество: придёт день, когда вы порадуетесь плодам этих деревьев». И он оказался прав, клянусь честью!

— Помню, помню! — воскликнула Люси, хлопая в ладоши.

— Но послушай, Питер, — возразил Эдмунд, — это же всё вздор. Начать с того, что мы не натыкали бы саженцев прямо против ворот: уж такой глупости не сделали бы.

— Разумеется, — согласился Питер. — Деревья разрослись уже потом.

— И ещё, — добавил Эдмунд. — Кэр-Параваль не на острове.

— Да, я уже об этом думал. Но это был — вспомните! — полуостров. Разве он не мог за это время сделаться островом? Например, вырыли канал.

— Погоди минуточку! — воскликнул Эдмунд. — Вот ты сам говоришь: «за это время». Но мы только год как вернулись из Нарнии. Ты же не хочешь сказать, что за год рухнули стены, выросли дремучие леса, крохотные саженцы превратились в огромный старый сад и ещё незнамо во что. Такого быть не может.

— Вот что, — сказала Люси. — Если это Кэр-Параваль, здесь должна быть дверца, в самом конце помоста. Собственно, если так, то сейчас мы сидим к ней спиной. Ну, помните, дверь в сокровищницу.

— Полагаю, здесь нет никакой двери, — заявил Питер, поднимаясь с места.

Стену за ними покрывал сплошной ковер плюща.

— Скоро узнаем.

Эдмунд взял палку из кучи хвороста, приготовленной для костра, и принялся простукивать заросшую стену. «Тук-тук», и снова «тук-тук», а затем вдруг «бум-бум» — совсем другой звук, глухой, деревянный.

— Ух ты! — воскликнул Эдмунд.

— Надо ободрать плющ, — предложил Питер.

— Давайте не будем, — взмолилась Сьюзен. — Давайте лучше утром. Если придётся здесь ночевать, мне не хотелось бы лежать спиной к открытой двери, к большой чёрной дыре, откуда что угодно может вылезти, не говоря уже о сырости и сквозняке. И потом, скоро стемнеет.

— Сьюзен, как тебе не стыдно! — укорила сестру Люси.

Мальчики уже не слышали их, потому что с энтузиазмом обдирали плющ руками и карманным ножиком Питера, пока тот не сломался. Тогда Эдмунд отыскал свой. Вскоре всё вокруг оказалось засыпано плющом, но дверь они всё-таки отыскали.

— Заперта, конечно, — сказал Питер.

— Да дерево-то всё сгнило, — отозвался Эдмунд, — так что мы его в момент разломаем. Ещё и топливо будет. Давай.

Дверь оказалась прочнее, чем можно было ожидать, и, прежде чем мальчики её выломали, большой зал погрузился во тьму и в небе зажглись первые звёзды. Не одну Сьюзен пробрала лёгкая дрожь, когда братья оказались посреди кучи обломков дерева, вытирая грязные руки и вглядываясь в холодную тёмную дыру.

— Теперь нужен факел, — сказал Питер.

— А стоит ли? — вмешалась Сьюзен. — Эдмунд говорил...

— Ничего такого я больше не говорю, — перебил Эдмунд. — Мне ещё не всё понятно, но, уверен, разберёмся. Идём, Питер?

— Идём. Веселей! А ты, Сьюзен, не грусти: не дело вести себя как маленькие, раз мы снова в Нарнии. Ты здесь королева. Кстати, нам всё равно не заснуть с такой загадкой.

Они попытались взять вместо факелов длинные палки, но ничего не вышло. Если держать их зажжённым концом вверх, они гаснут, а если наоборот — обжигают руки и дым попадает в глаза. В конце концов решили обойтись карманным фонариком Эдмунда — к счастью, его подарили на день рождения меньше недели назад и батарейки были ещё целые. Эдмунд с фонариком шёл впереди, потом Люси, за ней Сьюзен, а Питер шагал замыкающим.

— Тут лестница, — сказал Эдмунд.

— Сосчитай ступени, — велел Питер.

— Раз, два, три... — И так до шестнадцати. — Это последняя, — крикнул Эдмунд, оборачиваясь.

— Тогда это правда Кэр-Параваль, — промолвила Люси. — Их и было шестнадцать.

Потом все молчали, пока не сбились в кучку футах в полутора от лестницы. Тогда Эдмунд посветил фонариком вокруг.

— О-о-о-ой! — воскликнули дети в один голос.

Теперь ни у кого не оставалось сомнений, что это старинная сокровищница в Кэр-Паравале, где они некогда правили. Посередине шло что-то вроде дорожки (как в оранжерее), по обе стороны на равных расстояниях стояли роскошные доспехи, словно рыцари, охраняющие сокровища. Между ними помещались полки, заваленные редкостными вещами: ожерельями, браслетами и кольцами, золотыми чашами и блюдами, длинными рогами из слоновой кости, застёжками, цепями и диадемами из золота, множеством неоправленных камней, насыпанных как картошка, — алмазов, рубинов, яхонтов, изумрудов, топазов и аметистов. Под полками стояли окованные скрепами и запертые на тяжёлые замки большие железные сундуки. Здесь было ужасно холодно и так тихо, что каждый слышал дыхание стоящего рядом. Сокровища покрывал толстый слой пыли: если бы ребята не знали, где что находится, и не вспомнили большинство вещей, то с трудом угадали бы, что это за драгоценности. Было в этом месте что-то печальное и немного страшное из-за того, наверное, что оно выглядело таким заброшенным. Вот почему первые минуты все стояли в молчании.

Потом, конечно, все разбрелись по хранилищу и стали рассматривать вещицы, словно встретились с добрыми старыми друзьями. Окажись там кто-то из вас, могли бы услышать, как дети говорят друг другу: «Смотри, наши коронационные перстни — помнишь, как мы их впервые надели?» — «Ой, та самая пряжка! Мы все думали, что она потерялась». — «А это, кажется, доспехи, которые ты надевал во время великого турнира на Одиноких островах?» — «Помнишь гнома, который это для меня выковал?» — «Помнишь, как пили из этого рога?» — «Помнишь?.. Ты помнишь?..»

Внезапно Эдмунд сказал:

— Слушайте, хватит расходовать батарейки: они ещё понадобятся. Может, возьмём что нужно и уйдём отсюда?

— Надо взять дары, — предложил Питер.

Когда-то на Рождество в Нарнии им со Сьюзен и Люси преподнесли особые дары, которые они ценили больше, чем все свои владения. Эдмунду дара не досталось, потому что его тогда с ними не было (по его собственной вине, как вы помните). Все согласились с Питером и пошли по дорожке до стены в дальнем конце сокровищницы. Здесь, как и следовало ожидать, были развешаны их дары. У Люси был самый маленький — крохотный флакончик, однако не из стекла, а из алмаза, — больше чем до середины наполненный волшебным снадобьем, способным вылечить почти любую рану или болезнь. Люси не сказала ни слова — лишь окинула всех очень торжественным взглядом, когда сняла свой дар со стены, пе-

рекинула цепочку через плечо и почувствовала флакончик у себя на боку, как в прежние дни. Дарами Сьюзен были лук со стрелами и рог. Лук висел здесь, как и колчан, полный прекрасно оперённых стрел.

— Ой, Сьюзен, — воскликнула Люси, — а где же рог?

— Ах вот оно что! — ответила Сьюзен, подумав минуту. — Теперь вспоминаю. Я взяла его с собой в тот самый последний день, в день охоты на Белого оленя. Наверное, рог исчез, когда мы попали обратно — я хочу сказать, в Англию.

Эдмунд присвистнул. Всех огорчила утрата, ведь рог был волшебный: когда в него ни подуешь — непременно приходила помощь.

— Как бы он нам сейчас пригодился! — заметил Эдмунд.

— Ничего, — сказала Сьюзен. — Зато у меня есть лук.

И она сняла его со стены.

— Разве тетива не истлела, Сью? — спросил Питер.

То ли благодаря волшебному воздуху сокровищницы, то ли ещё почему, но лук оказался в полном порядке. Стрелять из лука и плавать Сьюзен умела здорово. В одно мгновение она натянула тетиву и чуть тронула пальцем, отчего та зазвенела. Всё кругом откликнулось поющему звону, и от этого слабого звука сильнее, чем от всего остального, в сознание детей нахлынуло прошлое. Сразу вспомнились все битвы, охоты и пиры, и, чтобы не расплакаться, она вновь спустила тетиву и повесила колчан на бок.

Наконец взял свои дары — щит с изображением большого красного льва и королевский меч — и Питер, подул на них и слегка постучал по полу, чтобы стряхнуть пыль. Щит он надел на руку, а меч прицепил на бок. Сперва он боялся, что меч заржавел и застрянет в ножнах, но всё обошлось. Одним лёгким движением он выхватил меч, так что тот сверкнул в свете фонарика, и воскликнул:

— Это мой меч Риндон! Им я убил волка.

Его голос теперь прозвучал по-новому, и всем стало ясно, что перед ними опять Верховный король Питер. Затем, после маленький паузы, все вспомнили, что надо беречь батарейки.

Ребята прошли по лестнице, развели большой костёр и улеглись, прижавшись для тепла друг к другу. Лежать на земле было жёстко и неуютно, но в конце концов все заснули.

## *Глава третья*

# ГНОМ

Спать на земле тем плохо, что ужасно рано просыпаешься, а как только проснёшься, сразу приходится вставать, потому что земля такая жёсткая и на ней очень неудобно. И уж совсем плохо, если на завтрак одни яблоки, особенно если и вчера на ужин были одни яблоки. Когда Люси (совершенно справедливо) заметила, что утро чудесное, никто не откликнулся. Эдмунд сказал то, что чувствовали все:

— Пора смываться с этого острова.

Все напились из колодца и умылись, потом прошли обратно по ручью к проливу, отделявшему их от материка.

— Можно перебраться вплавь, — предложил Эдмунд.

— Сьюзен доплывёт, — сказал Питер, — а вот как остальные, не знаю.

Под «остальными» он разумел Эдмунда, который не мог дважды проплыть школьный бассейн, и Люси, которая вообще не умела плавать.

— А кроме того, — добавила Сьюзен, — здесь может быть течение. Папа говорил, что нельзя купаться в незнакомом месте.

— Погоди, Питер, — возразила Люси. — Конечно, дома — то есть в Англии — я плавать не умею, но разве мы не плавали

в те давние времена — если они давние, — когда были королями и королевами в Нарнии? Мы тогда умели ездить верхом и ещё много всего такого. Как по-твоему?

— Да, но мы были тогда вроде как взрослые, — сказал Питер. — Царствовали много лет и всему учились. Мы же не стали опять такими же.

— Ой! — произнес Эдмунд таким голосом, что все разом смолкли. — Я только что всё понял.

— Что понял? — спросил Питер.

— Ну, всё. Помните, вчера вечером мы удивлялись, как могло быть, что мы лишь год назад покинули Нарнию, а здесь всё такое, словно в Кэр-Паравале не жили многие сотни лет? Ну смотрите: мы тогда столько пробыли в Нарнии, а когда прошли обратно через платяной шкаф, оказалось, что время нисколько не сдвинулось?

— Продолжай, — попросила Сьюзен. — Кажется, я начинаю понимать.

— И это значит, — вновь заговорил Эдмунд, — что за пределами Нарнии вы не можете знать, как там идёт время. Может, пока в Англии прошёл год, в Нарнии миновали столетия?

— Точно, — согласился Питер. — Думаю, ты прав. Похоже, мы и вправду жили в Кэр-Паравале сотни лет назад, а теперь вернулись в Нарнию, всё равно как если бы крестоносцы, или англосаксы, или древние бритты какие-нибудь вернулись в современную Англию!

— Как же нам удивятся... — начала было Люси, но её прервали удивлённые возгласы: «Эй! Смотрите!» — потому что произошли кое-какие изменения.

На материке немного справа от них темнел лесистый мыс, и дети теперь не сомневались, что сразу за ним — устье реки. Теперь из-за этого мыса показалась лодка, обогнула лесистый выступ и, развернувшись, двинулась через пролив прямо на них. На борту было двое: один грёб, другой сидел на корме, придерживая свёрток, который дёргался и извивался как живой. Оба походили на воинов — бородатые и суровые, в стальных шлемах и лёгких кольчугах. Дети спрятались в лесу и, затаив дыхание, наблюдали.

— Пора, — сказал солдат на корме, когда лодка проходила почти напротив ребят.

— Привязать ему, что ли, камень к ногам? — спросил другой, опуская весла.

— На кой? Мы и не брали с собой камней. И так отлично утонет, связанный-то.

С этими словами он привстал и поднял свёрток. Питер теперь ясно видел, что никакой это не свёрток, а гном, связанный по рукам и ногам, но брыкающийся из последних сил, а в следующий миг услышал звон тетивы. Солдат вскинул руки, уронив гнома на дно лодки, упал в воду и, барахтаясь, поплыл к дальнему берегу. Питер понял, что выпущенная Сьюзен стрела попала ему в шлем, а обернувшись, увидел, что она очень бледна, но уже накладывает на тетиву вторую стрелу. Однако нового выстрела не потребовалось. Едва увидев, что его спутник упал, второй солдат с громким криком сам выпрыгнул из лодки и тоже бросился к берегу (там явно было неглубоко). Вскоре и он скрылся в лесу.

— Быстрее! Пока её не снесло! — крикнул Питер.

Они со Сьюзен как были одетые бултыхнулись в воду и, прежде чем она дошла им до плеч, уже держались за борта лодки. В несколько секунд они вытащили её на берег, вынули гнома, и Эдмунд принялся разрезать верёвки перочинным ножиком (меч Питера был острее, но ножом как-то сподручнее). Когда путы упали на землю, гном сел, потёр руки и ноги и заявил:

— Ну, что бы там ни говорили, на призраков вы не похожи.

Как большинство гномов, он был коренастый и широкоплечий, футов трёх росту, если бы встал. Рыжие борода и усы почти скрывали лицо, так что из них лишь блестели чёрные глаза да торчал крючковатый нос.

— Призраки или нет, но вы спасли мне жизнь, за что я вам чрезвычайно обязан.

— А почему мы вдруг должны быть призраками? — удивилась Люси.

— Мне всю жизнь твердили, что в этих лесах призраков больше, чем деревьев. И вот почему, когда от кого-нибудь хотят избавиться, его привозят сюда (как меня) и говорят, будто оставили призракам. Я-то и прежде думал, что его или топят, или перерезают ему глотку. В призраков я никогда особенно не верил. Но эти два труса, которых вы подстрелили, верили. Им было страшнее предавать меня смерти, чем мне — идти на смерть!

— А, — рассмеялась Сьюзен, — так вот почему они удрали!

— То есть как удрали? — переспросил гном.

— Сбежали, — уточнил Эдмунд, — на материк.

— Я не собиралась никого убивать, — пояснила Сьюзен. Ей не хотелось, чтобы кто-нибудь решил, будто она промахнулась с такого расстояния.

— Хм, — засопел гном. — Это нехорошо. Могут быть неприятности. Разве что они попридержат язык ради собственной безопасности.

— За что же вас собирались утопить? — спросил Питер.

— О! Я опасный преступник, — рассмеялся гном. — Только это долгая история. Может, сначала пригласите меня позавтракать? Вы не поверите, какой аппетит приходит во время казни.

— Здесь только яблоки, — со вздохом сказала Люси.

— Лучше, чем ничего, но всё же свежая рыбка предпочтительнее, — отозвался гном. — Получается, что это я приглашаю вас на завтрак? Ой, я вижу в лодке кое-какие рыболовные снасти. В любом случае надо отвести лодку на ту сторону острова, пока её не увидели с материка.

— Я сам должен был об этом подумать, — сказал Питер.

Четверо детей и гном подошли к краю воды, не без труда оттолкнули лодку и вскарабкались в неё. Гном сразу же взял на себя управление. Вёсла, конечно, были слишком для него велики, так что грёб Питер, а гном направлял их на север,

вдоль пролива, и дальше на восток, вдоль оконечности острова. Теперь ребята видели реку, все заливы и выступы берега вдали. Некоторые казались знакомыми, но леса, которые разрослись за прошедшие годы, очень все изменили.

Когда они вышли в открытое море к востоку от острова, гном приступил к рыбной ловле. Улов был превосходный, а вкус павлинок, прекрасных радужных рыб, они помнили ещё по старым дням в Кэр-Паравале. Наловив достаточно, они загнали лодку в бухточку и привязали к дереву. Гном оказался мастером на все руки. (А как же иначе? Хоть порой и случается встретить дурного гнома, я никогда не слышал про гнома-неумеху.) Выпотрошив и почистив рыбу, гном сказал:

— Ну вот, теперь нам не хватает лишь топлива для костра.

— Мы собрали немного в замке, — успокоил его Эдмунд.

Гном протяжно свистнул и воскликнул:

— Бородки-сковородки! Так здесь, оказывается, всё-таки есть замок?

— Скорее развалины, — ответила Люси, глубоко вздохнув.

Гном с очень странным выражением оглядел каждого по очереди и начал было:

— И кто, ради всего... Ладно. Сначала завтрак. Но вот что, прежде чем мы пойдём дальше. Можете ли вы, положа руку

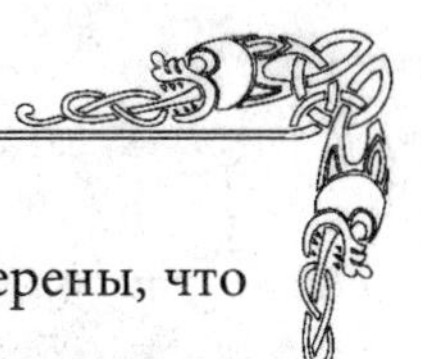

на сердце, сказать, что я действительно жив? Вы уверены, что меня не утопили и мы все вместе не призраки?

После того как его разуверили, возник вопрос, как перенести рыбу. Не на что было её нанизать, не было и корзинки. В конце концов приспособили шапку Эдмунда, потому что ни у кого больше не было шапки. Он, конечно, возмущался бы много громче, если бы сам не был к этому времени голоден как волк.

Сначала гном чувствовал себя в замке не очень уютно: оглядевшись, принюхался и сказал:

— Хм. Выглядит несколько призрачно. И дух тоже нездешний.

Приободрился он, когда развели костёр: стал показывать, как жарить свежих павлинок на углях. Есть горячую рыбу без вилок, с одним карманным ножом на пятерых, не очень-то удобно, и до конца трапезы все не по разу обожгли себе пальцы, однако, поскольку было уже девять, а встали около пяти, никто особенно не обращал внимания на ожоги. Завтрак закончили водой из колодца и яблоком-другим, после чего гном достал из кармана трубку размером чуть не с собственный кулак, набил её, зажёг, выпустил облако ароматного дыма и сказал:

— Ну, давайте.

— Нет, сначала вы, — возразил Питер, — а потом уж и мы.

— Ладно, — не стал спорить гном. — Вы спасли мне жизнь, так что вам и решать. Только не знаю, с чего начинать. Прежде всего я посланец короля Каспиана.

— Кто это? — спросили четыре голоса сразу.

— Каспиан Десятый, король Нарнии, да продлится его правление! Точнее, должен быть королём Нарнии, и мы надеемся, что будет, но пока он король только у нас, старых нарнийцев...

— Простите, а кто такие старые нарнийцы? — спросила Люси.

— Ну, это мы, — сказал гном. — Мы вроде как подняли мятеж.

— Понятно, — произнес Питер. — И Каспиан — глава старых нарнийцев.

— Ну, в некотором роде да. Но сам он вообще-то новый нарниец, тельмарин, понятно?

— Непонятно, — сказал Эдмунд.

— Хуже, чем Война Алой и Белой розы, — заметила Люси.

— О-хо-хо! — огорчился гном. — Как-то нескладно получается. Давайте так: я начну с самого начала и расскажу, как Каспиан бежал из дядиного дворца и как оказался на нашей стороне. Только это долгая история.

— Тем лучше! — обрадовалась Люси. — Мы любим истории.

Тогда гном устроился поудобнее и начал свою повесть. Я не буду передавать её вам его словами, включая все вопросы и восклицания детей, потому что так вышло бы слишком долго и путано, к тому же пришлось бы пропустить кое-что из того, о чём они узнали позже, однако суть всё же изложу.

*Глава четвёртая*

# РАССКАЗ ГНОМА О ПРИНЦЕ КАСПИАНЕ

Принц Каспиан жил в большом замке в самом центре Нарнии вместе со своим дядей Миразом, королём Нарнии, и тётей, рыжеволосой королевой Прунапризмией. Отец с матерью у него умерли, и больше всех остальных Каспиан любил свою няню. Хотя его великолепные игрушки (он же был принц) умели почти всё, разве что не разговаривали, ему больше всего нравился поздний час, когда игрушки уже убраны в шкаф и няня рассказывает сказку.

К дяде и тёте его особо не тянуло, но раза два в неделю дядя посылал за ним и они гуляли вместе по террасе с южной стороны дворца. Однажды, когда они так прогуливались, король спросил Каспиана:

— Ну, малыш, скоро мы начнём учить тебя ездить верхом и владеть мечом. Ты знаешь, у нас с твоей тётей нет детей, и, похоже, тебе быть королём, когда меня не станет. Как тебе это нравится, а?

— Не знаю, дядя, — ответил Каспиан.

— Не знаешь? — повторил Мираз. — Неужто чего-то другого может хотеться больше?

— А мне всё-таки хочется, — сказал Каспиан.

— И чего же именно? — спросил король.

— Мне бы хотелось... мне бы хотелось... жить в прежние дни, — выпалил Каспиан (он был тогда совсем маленький мальчик).

До сих пор король Мираз разговаривал, как многие взрослые с детьми, с таким скучающим видом, который сразу показывает, что их ничуть не интересует ответ, но сейчас вдруг пристально взглянул на Каспиана и переспросил:

— А? Что? Какие такие прежние дни?

— Разве ты не знаешь? — удивился Каспиан. — Тогда всё было совсем другое. Тогда все звери умели говорить, а в ручьях и деревьях жили такие милые девушки — наяды и дриады. И ещё были гномы. И хорошенькие маленькие фавны в каждом лесу, с ножками, как у козликов. И...

— Чепуха всё это, для детишек, — строго сказал король. — Только и годится для малышей, слышишь? Ты уже из этого вырос. В твои годы нужно думать о битвах и приключениях, не о волшебных сказках.

— Да, но в те дни как раз были битвы и приключения, — возразил Каспиан. — Удивительные приключения. Однажды Белая колдунья захватила власть над всей страной и сделала так, чтобы всё время была зима. Тогда откуда-то появились два мальчика и две девочки, убили колдунью и стали королями и королевами Нарнии. Их звали Питер, Сьюзен, Эдмунд и Люси. Они царствовали долго-долго, и все радовались, и это было потому, что Аслан...

— Кто это? — спросил Мираз.

Каспиан, если бы был чуть постарше, догадался бы по дядиному тону, что разумнее замолчать, однако продолжил:

— Разве ты не знаешь? Аслан — Великий лев, который приходит из-за моря.

— Кто наговорил тебе этой чепухи? — произнёс король громовым голосом.

Каспиан испугался и ничего не ответил.

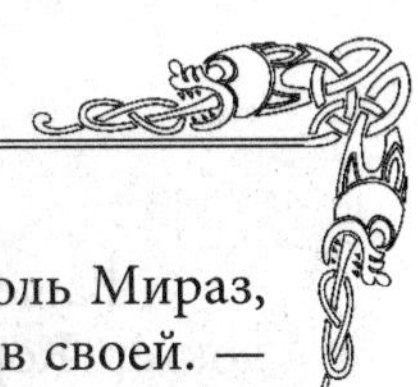

— Ваше королевское высочество, — сказал король Мираз, отпуская руку Каспиана, которую до этого держал в своей. — Я решительно требую ответа. Посмотрите мне в лицо! Кто рассказал вам этот вздор?

— Н-няня, — выдавил Каспиан и залился слезами.

— Прекратите рёв! — сказал дядя, хватая его за плечи и встряхивая. — Прекратите. И чтобы я больше не слышал, что вы говорите — или даже думаете — об этих дурацких сказках. Никогда не было этих королей и королев. Как могут быть сразу два короля? Никогда не было никакого Аслана. И вообще никаких львов нет. И не было такого времени, когда звери говорили. Вы слышите?

— Да, дядя, — всхлипнул Каспиан.

— Тогда довольно об этом, — сказал король и, кликнув одного из придворных, стоявших в дальнем конце террасы, холодно распорядился: — Проводите его королевское высочество в его апартаменты и пошлите его королевского высочества няню ко мне немедленно.

На следующий день Каспиан узнал, что натворил, потому что няню выслали, не позволив им даже проститься, а принцу объявили, что у него будет наставник.

Каспиан, очень скучая по няне, пролил много слёз, а из-за того, что так тосковал, думал о сказках про Нарнию ещё больше прежнего. Он грезил о наядах и дриадах каждую ночь и старался разговорить дворцовых кошек и собак, но бедные собаки только махали хвостами, а кошки только мурлыкали.

Каспиан был уверен, что возненавидит нового наставника, однако, когда через неделю тот появился, оказалось, что его невозможно не полюбить. Он был ниже и толще всех, кого Каспиан до сих пор встречал. Длинная серебристая борода ниспадала до пояса, а лицо, смуглое и покрытое морщинами, было и умным, и безобразным, и добрым. Голос у наставника был важный, а глаза — весёлые, так что, если не знать его достаточно хорошо, порой не угадаешь, шутит он или говорит всерьёз. Звался он доктор Корнелиус.

Из всех уроков доктора Корнелиуса Каспиан больше всего любил историю. До сих пор, если не считать нянюшкиных сказок, он ничего об истории Нарнии не знал, поэтому с удивлением услышал, что их королевский род в этой стране чужой.

— Вашего высочества предок, Каспиан Первый, — поведал доктор Корнелиус, — завоевал Нарнию и объявил её своим королевством. Он и привёл в эту страну весь свой народ. Вы вовсе не природные нарнийцы, а тельмарины. Это значит, что вы пришли из страны Тельмар, далеко за горами на западе. Вот почему Каспиан Первый зовётся Каспианом Завоевателем.

— Скажите, пожалуйста, доктор, — спросил однажды Каспиан, — кто жил в Нарнии, прежде чем мы пришли сюда из Тельмара?

— Не люди, — ответил доктор Корнелиус, — вернее, очень мало людей жило в Нарнии до того, как её захватили тельмарины.

— Тогда кому же мой пред-пред-предок завоевал?

— «Кого», а не «кому», ваше высочество, — сказал доктор Корнелиус. — Видимо, самое время обратиться от истории к грамматике.

— Ой, не надо, пожалуйста, — взмолился Каспиан. — Я хотел спросить, было ли сражение. Почему он зовётся Каспианом Завоевателем, если здесь не с кем было сражаться?

— Я сказал, что в Нарнии было очень мало людей, — повторил доктор, очень странно глядя на мальчика сквозь большие очки.

Сначала Каспиан удивился, но вдруг сердце его подпрыгнуло:

— Вы думаете, здесь жил кто-то ещё? Вы думаете, было как в сказках? Здесь были...

— Ш-ш-ш! — произнёс доктор Корнелиус, наклоняясь поближе к Каспиану. — Ни слова больше. Разве вы не знаете, что вашу няню выслали именно за это — за рассказы о старой Нарнии? Королю это не нравится. Если он проведает, что я открываю вам тайны, вас высекут, а мне отрубят голову.

— Но почему? — спросил Каспиан.

— Теперь самое время обратиться к грамматике, — громко сказал доктор Корнелиус. — Будьте так любезны, ваше королевское высочество,

открыть Пульверулентуса Сиккуса на четвёртой странице его «Грамматического сада, или Павильона основ увеселительных, открытого для юных умов».

После этого начались глаголы и существительные, и продолжалось это до обеда, но я не думаю, что Каспиан много усвоил: слишком был взволнован. Он был уверен, что доктор Корнелиус не сказал бы так много, если бы не собирался рано или поздно сказать больше.

И он не разочаровался. Через несколько дней его наставник сказал:

— В эту ночь я собираюсь дать вам урок астрономии. На исходе ночи две благородные планеты, Тарва и Аламбиль, пройдут на расстоянии одного градуса друг от друга. Такое противостояние не повторялось двести лет, и ваше высочество не доживёт до следующего. Хорошо бы вам лечь чуть раньше обычного. Когда время противостояния подойдёт, я приду и разбужу вас.

Это не обещало раскрыть тайны про старую Нарнию, о которой Каспиану только и хотелось слышать, но встать среди ночи всегда интересно, так что он был рад. Когда в этот вечер он улёгся в постель, то думал сначала, что не сможет сомкнуть глаз, но вскоре заснул. Казалось, прошло всего несколько минут, когда он почувствовал, что его кто-то ласково тормошит.

Он сел в постели и увидел, что комната наполнена лунным светом. Доктор Корнелиус в плаще с капюшоном, с маленьким светильником в руке стоял у постели. Каспиан сразу вспомнил, куда они собрались, поэтому встал и оделся. Ночь была хоть и летняя, но прохладная, и доктор закутал его в такой же плащ, как у него самого, и принёс тёплые мягкие туфли. Минутой позже, закутанные так, что их едва ли удалось бы различить в тёмных коридорах, обутые в бесшумные туфли, учитель и ученик покинули комнату.

Каспиан вслед за доктором прошёл несколько коридоров, поднялся по нескольким лестницам, и, наконец, через дверь в башенке они выбрались на плоскую площадку. С одной стороны были каменные зубцы, с другой — скат крыши, под ними — дворцовый сад, мерцающий и тенистый, над ними — луна и звёзды. Они сразу же подошли к другой двери, которая вела в большую центральную башню. Доктор Корнелиус отпер её, и они начали подниматься по тёмной винтовой лестнице.

Каспиан очень волновался: ему раньше никогда не разрешали сюда ходить.

Лестница была длинная и крутая, но когда они вышли на крышу, Каспиан, отдышавшись, понял, что потрудиться стоило. Справа он, хоть и смутно, различал Западные горы, слева светилась Великая река, и так тихо было кругом, что доносился шум водопадов у Бобровой плотины, в миле отсюда. Нетрудно было отличить две звезды, ради которых они сюда поднялись. Они висели низко на южной стороне неба, яркие, как две луны, и очень близко друг к другу.

— Они столкнутся? — в благоговейном страхе прошептал Каспиан.

— О нет, дорогой принц, — ответил доктор тоже шёпотом. — Для этого великие повелители небесных сфер слишком хорошо знают фигуры своего танца. Присмотритесь к ним хорошенько. Их встреча, предопределенная судьбой, сулит много доброго несчастным землям Нарнии. Тарва, господин Победы, приветствует Аламбиль, госпожу Мира. Сейчас они предельно сблизились.

— Жаль, что их загораживают деревья, — сказал Каспиан. — Мы бы их лучше видели с западной башни, хотя она не такая высокая.

Доктор Корнелиус ничего не отвечал несколько минут, только тихо стоял, устремив свой взгляд на Тарву и Аламбиль, затем глубоко вздохнул и обернулся к Каспиану.

— Итак, вы видите то, чего не видел никто из ныне живущих и никто не увидит вновь. И вы правы: с маленькой башни было бы видно лучше. Я привёл вас сюда по другой причине.

Каспиан взглянул на учителя, но лицо его почти скрывал капюшон.

— Достоинство этой башни в том, — продолжил доктор, — что за нами шесть пустых комнат и длинная лестница, а дверь в самом начале лестницы заперта. Нас не могут подслушать.

— Вы хотите сказать мне что-то такое, о чём не могли поведать в другое время? — догадался Каспиан.

— Да, — кивнул доктор. — Но помните: мы с вами не должны говорить об этом нигде, кроме этого места — самой вершины большой башни.

— Хорошо. Даю слово. Но продолжайте, пожалуйста.

— Знайте же: всё, что вы слышали о старой Нарнии, — правда. Это не земля людей. Это страна Аслана, страна живых деревьев и зримых наяд, фавнов и сатиров, гномов и великанов, кентавров и говорящих зверей. Это против них сражался Каспиан Первый. Это вы, тельмарины, заставили замолчать животных, деревья и источники, убили и изгнали гномов и фавнов, а теперь пытаетесь истребить и память о них. Король не разрешает о них даже говорить.

— Мне очень жаль, что мы так поступили, — сказал Каспиан, — но я рад, что всё оказалось правдой, пусть даже теперь никого из них не осталось.

— Многие из вашей породы тоже втайне жалеют, — промолвил доктор Корнелиус.

— Но, доктор, — удивился Каспиан, — почему вы говорите «вашей породы»? Разве вы не тельмарин?

— Я?

— Ну вы же всё-таки человек?

— Я? — повторил доктор низким голосом и тут же отбросил капюшон, так что можно было ясно увидеть в лунном свете его лицо.

Каспиан одновременно понял правду и подумал, что должен был догадаться гораздо раньше. Доктор Корнелиус был так мал и так толст, у него была такая длинная борода... Две мысли пришло в голову Каспиану в следующую минуту. Сперва ужас: «Он не настоящий человек, вообще не человек, а гном, и привёл меня сюда, чтобы убить». Затем радостное восхищение: «Есть ещё настоящие гномы, и одного из них я сейчас вижу».

— Так вы догадались наконец, — сказал доктор Корнелиус. — Или почти угадали. Я не вполне гном. Во мне есть и человеческая кровь. Многие гномы бежали во время великой битвы: скрылись, сбрили бороды, надели башмаки на высоких каблуках и постарались притвориться людьми. Они смешивались с вами, тельмаринами. Я один из них, всего лишь полугном, и если кто-нибудь из моих родичей, настоящих гномов, ещё живёт в мире, то, несомненно, должен презирать меня и считать за предателя. Но никогда за всё это время мы не забывали нашего народа и других счастливых созданий, а также утраченных дней свободы.

— Я... я очень сожалею, доктор, — сказал Каспиан. — Вы знаете, это не моя вина.

— Я говорю не в укор вам, мой дорогой принц, — заметил доктор. — Вы можете спросить, зачем я вообще рассказываю вам об этом. На то есть две причины. Во-первых, моё бедное сердце так долго хранило эти тайны, что всё изболелось и разорвётся, если я не прошепчу их вам. Во-вторых, вот зачем: когда станете королём Нарнии, вы сможете помочь нам, потому что вы хоть и тельмарин, но любите старую Нарнию.

— Да, но чем именно?

— Вы можете быть добры к бедным последышам гномов, таким, как я. Можете собрать учёных магов и попытаться пробудить деревья. Можете исследовать все глухие закоулки и дикие области страны, посмотреть, не осталось ли где-нибудь в укрытиях живых фавнов, говорящих зверей и гномов.

— Вы думаете, они ещё остались? — жадно спросил Каспиан.

— Не знаю, не знаю, — произнёс доктор с глубоким вздохом. — Иногда я боюсь, что уже никого нет. Я искал их следы всю мою жизнь. Порой в горах мне слышалась барабанная дробь, и я думал, что это гномы. Порой по ночам в лесах чудились промелькнувшие фавны или сатиры, танцующие вдали, но когда я подходил ближе, там никого не было. Я нередко отчаивался, но всегда случалось что-то, что пробуждало надежду. Не знаю... А прежде всего вы можете попробовать стать таким королём, как Верховный король Питер, а не как ваш дядя.

— Так это тоже правда: о королях и королевах, о Белой колдунье?

— Конечно, правда. Их царствование было золотым веком Нарнии; страна никогда не забудет их.

— Они жили в этом замке, доктор?

— О нет, мой дорогой. Этот замок — произведение наших дней. Его выстроил ваш прапрадед. Когда два сына Адама и две дочери Евы стали королями и королевами Нарнии по воле самого Аслана, они жили в замке Кэр-Параваль. Никто из ныне живущих людей не видел этого священного места, и, возможно, даже руины его исчезли с лица земли. Однако мы считаем, что он стоял далеко отсюда, возле устья Великой реки, на самом берегу моря.

— Вы хотите сказать — в Чёрных лесах? — с дрожью в голосе спросил Каспиан. — Где живут эти... эти... ну, вы знаете, призраки?

— Ваше высочество повторяет то, что вам внушили, — произнёс доктор. — Но это всё ложь. Там нет призраков. Это россказни тельмаринов. Ваши короли смертельно боятся моря, потому что не могут забыть, что во всех историях Аслан приходил из-за моря. Они не хотят приближаться к морю сами и не хотят, чтобы к нему приближался кто-то другой, поэтому позволили разрастись огромным лесам, которые отрезали их подданных от берега. Но поскольку с деревьями они враждуют, боятся и лесов. А раз боятся лесов, то воображают, что там полно призраков. Короли и вельможи, которые равно ненавидят море и лес, отчасти верят в эти басни, отчасти поддерживают их. Им спокойнее, когда никто в Нарнии не смеет приближаться к берегу и смотреть на море — в сторону земли Аслана, рассвета и восточного края мира.

На несколько минут наступило глубокое молчание, затем доктор Корнелиус сказал:

— Пойдёмте. Мы пробыли здесь слишком долго. Пора вернуться в постель.

— Разве? — удивился Каспиан. — Я готов говорить об этом часами, ещё и ещё.

— Если мы задержимся, нас могут хватиться.

## *Глава пятая*

# ПРИКЛЮЧЕНИЯ КАСПИАНА В ГОРАХ

С той поры Каспиан и его наставник часто вели тайные беседы на вершине главной башни, и всякий раз принц всё больше узнавал о старой Нарнии. Он грезил о старых днях, и страстное желание, чтобы они вернулись, заполняло все его свободные часы. Впрочем, часов этих было не так уж много, потому что за его обучение взялись всерьёз. Он учился фехтовать и ездить верхом, плавать и нырять, играть на флейте и лютне, охотиться на оленя и разделывать убитого зверя, и это не считая космогонии, риторики, геральдики, стихосложения и, разумеется, истории с небольшим добавлением юриспруденции, физики, алхимии и астрономии. Из магии они изучали только теорию, потому что доктор Корнелиус сказал, что практическая магия — неподходящее занятие для принцев, и добавил: «Да я и сам ещё очень несовершенный маг: мне по силам лишь самые простые эксперименты». Навигацию («которая есть благороднейшее и героическое искусство», по словам доктора) Каспиан не изучал вовсе, потому что король Мираз не одобрял корабли и море.

Каспиан также узнавал многое, чему могли научить собственные глаза и уши. Маленьким он часто удивлялся, почему не любит свою тётку, королеву Прунапризмию, а теперь пони-

мал — это из-за того, что она сама его не любит. Он начинал видеть также, что Нарния — несчастная страна. Налоги были высоки, законы суровы, а Мираз — жесток.

Через несколько лет королева как-то занемогла, в замке начались волнения и хлопоты, визиты врачей, шёпот придворных. Это было ранним утром, а ночью, когда дневная суета улеглась, Каспиана, едва успевшего проспать пару часов, разбудил доктор Корнелиус.

— Что, пойдём заниматься астрономией, доктор?

— Ш-ш-ш! Слушайте меня и делайте так, как я скажу. Одевайтесь. Вам предстоит долгое путешествие.

Каспиан очень удивился, но поскольку привык во всём доверять наставнику, послушался. Когда он оделся, доктор сказал:

— У меня есть для вас сумка. Мы пройдём в соседнюю комнату и наполним её остатками от вечерней трапезы вашего высочества.

— Там придворные, — возразил Каспиан.

— Они долго не проснутся, — успокоил его доктор Корнелиус. — Я хоть и слабый маг, но наслать сонные чары могу.

Они вышли в соседний зал, и здесь действительно храпели в креслах двое придворных. Доктор Корнелиус быстро отрезал кусок холодного цыплёнка, несколько кусков оленины и положил вместе с хлебом, яблоками и всякой всячиной, а также маленькой фляжкой доброго вина, в сумку, которую затем передал Каспиану. Тот повесил её на ремне через плечо на манер школьного ранца, в котором носят книги.

— Ваш меч при вас? — спросил доктор.

— Да.

— Тогда накиньте сверху вот этот плащ, чтобы скрыть меч и сумку. Вот так. А теперь нам надо подняться на главную башню и поговорить.

Когда они поднялись на вершину (была облачная ночь, не такая, как та, когда они наблюдали встречу Тарвы и Аламбиль), доктор Корнелиус сказал:

— Дорогой принц, вы должны немедленно покинуть замок и отправиться на поиски счастья в большой мир. Здесь ваша жизнь в опасности.

— Почему? — удивился Каспиан.

— Потому что вы истинный король Нарнии, Каспиан Десятый, законный сын и наследник Каспиана Девятого. Долгих лет жизни вашему величеству! — И внезапно, к величайшему удивлению Каспиана, маленький человечек опустился на одно колено и поцеловал ему руку.

— Что всё это значит? Не понимаю! — воскликнул Каспиан.

— Удивительно, что вы никогда не спрашивали меня прежде, почему, будучи сыном короля Каспиана, сами не король Каспиан. Кроме вашего величества, все знают, что Мираз — узурпатор. В самом начале своего правления он даже не претендовал на королевское звание и называл себя «лорд-протектор». Затем умерла ваша царственная матушка, добрая королева, единственная из всех тельмаринов, кто был добр ко мне. А потом один за другим все великие лорды, знавшие вашего отца, исчезли или погибли. Не случайно, конечно. Их убивал Мираз. Велизара и Увилаза пронзили стрелами во время охоты: якобы несчастный случай. Весь великий род Пассаридов он отправил сражаться с великанами на северных рубежах, пока они не пали один за другим. Двух братьев из Биверсдама он заточил как безумцев. И, наконец, убедил семерых благородных лордов, которые одни из всех тельмаринов не боялись моря, отправиться в плавание, чтобы отыскать новые земли на просторах Восточного океана. Как он и ожидал, ни один из них не вернулся. И когда здесь не осталось никого, кто мог бы замолвить за вас слово, льстецы (которых он сам и подговорил) умолили его взойти на престол. И он, разумеется, согласился.

— Вы думаете, теперь он хочет убить и меня? — спросил Каспиан.

— Почти уверен, — ответил доктор Корнелиус.

— Но почему теперь? Я имею в виду, почему, если хотел, не сделал этого раньше? Чем я ему вдруг помешал?

— Он изменил свое намерение относительно вас, потому что всего два часа назад кое-что произошло: королева родила сына.

— Не понимаю, что от этого меняется, — сказал Каспиан.

— Не понимаете! — воскликнул доктор. — Разве мои уроки политики и истории учили вас чему-нибудь, кроме этого?

Слушайте. Пока у него не было собственных детей, он желал всё же, чтобы вы стали королём после его смерти. Не то чтобы он пёкся о вас, просто предпочитал, чтобы трон заняли вы, а не кто-то чужой. Теперь, когда у него есть собственный сын, он захочет сделать его наследником. Вы у него на пути, и он вас устранит.

— Неужто он и правда такой плохой? Возьмёт и убьёт меня?

— Он убил вашего отца, — произнёс доктор Корнелиус.

Каспиан почувствовал, что у него кружится голова, и ничего не сказал.

— Я мог бы рассказать вам всё, — продолжил доктор, — но не теперь: нет времени. Вы должны исчезнуть.

— Вы пойдёте со мной?

— Нет. Это было бы куда опаснее для вас. Двоих гораздо проще выследить. Дорогой принц, дорогой король Каспиан, вы должны быть очень храбрым. Вы должны уйти один и сейчас же. Попытайтесь пробраться через южную границу ко двору орландского короля Нейна. Он будет добр к вам.

— И я вас никогда больше не увижу? — дрожащим голосом выговорил Каспиан.

— Надеюсь, что мы ещё встретимся, дорогой король. Во всем мире вы, ваше величество, мой единственный друг. И я немного знаю магию. Однако сейчас важнее всего поспешить. Вот два дара, прежде чем вы уйдёте. Маленький кошелёк с золотом... увы, и это при том, что все сокровища в замке ваши по праву!.. А здесь кое-что получше.

Он что-то вложил в руку Каспиана, на ощупь похожее на рог.

— Это, — сказал доктор Корнелиус, — самое великое и священное сокровище Нарнии. Много ужасов я претерпел, много прочёл заклинаний, разыскивая его в свои молодые годы. Это волшебный рог самой королевы Сьюзен, который она потеряла, когда покидала Нарнию в конце золотого века. О нём сказано, что, кто бы ни протрубил в него, получит чудесную помощь, — правда, никто не знает, насколько чудесную. Может, он имеет власть вызвать из прошлого королеву Люси и короля Эдмунда, королеву Сьюзен и Верховного короля Питера, и они восстановят правду, а может, способен вызвать самого

Аслана. Возьмите его, король Каспиан, но используйте только в крайней нужде. А теперь скорее, скорее, скорее. Маленькая дверка в самом низу башни — дверь в сад — открыта. Мы должны расстаться.

— Можно я возьму Ретивого?

— Он уже осёдлан и ждёт за углом, возле сада.

Покуда они спускались по длинной винтовой лестнице, Корнелиус нашёптывал множество указаний и советов. Сердце Каспиана сжималось, но он сдерживался. Затем — свежий воздух сада, горячее рукопожатие доктора, бег через лужайку, приветственное ржание Ретивого, и вот, наконец, король Каспиан Десятый покинул замок своих отцов. Оглядываясь, он видел, как взлетает над башнями фейерверк, знаменуя рождение нового принца.

Всю ночь он ехал на юг, выбирая окольные пути и просёлочные лесные дороги, пока был в знакомой местности, но потом свернул на большак. Ретивого, как и его хозяина, взбудоражила необычная ночная прогулка. Хотя при прощании с доктором у Каспиана и выступили на глазах слёзы, сейчас он чувствовал себя храбрым и в какой-то мере счастливым. Ещё бы, ведь он, король Каспиан, скачет на поиски приключений с мечом на левом бедре и рогом королевы Сьюзен — на правом.

Но когда наступил день, и пошёл моросящий дождь, и со всех сторон его обступили незнакомые леса, дикие склоны и голубые горы, Каспиан подумал, как велик и странен мир, и показался самому себе маленьким и испуганным. Как только совсем рассвело, он свернул с дороги и отыскал среди леса заросшую травой поляну, где можно было отдохнуть. Тут молодой король расседлал Ретивого и пустил пастись, съел кусочек холодного цыплёнка, выпил вина и сразу заснул. Проснулся он уже поздним вечером и, немного перекусив, снова двинулся в путь, по-прежнему на юг, по нехоженым тропам. Он был теперь в холмистой местности, ему приходилось подниматься и спускаться, но подниматься гораздо чаще. С каждого гребня он видел впереди горы, которые становились всё выше и темнее, и когда наступил вечер, уже въехал в предгорья. Ретивый начал беспокоиться: где-то гремел гром, поднялся ветер. Вскоре дождь хлынул потоком. Теперь они въехали в казавший-

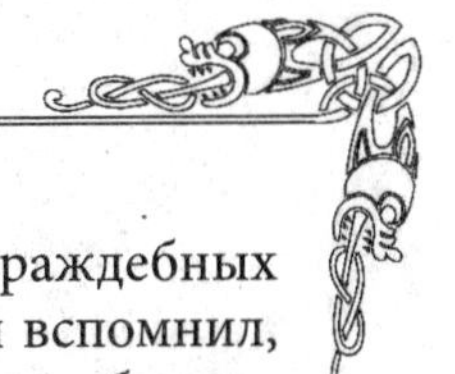

ся бесконечным сосновый лес, и все рассказы о враждебных людям деревьях всплыли у Каспиана в памяти. Он вспомнил, что сам прежде всего тельмарин, один из тех, кто вырубал деревья повсюду, где только можно, кто воевал с дикими существами. Пусть он не такой, как другие тельмарины, но трудно ожидать, чтобы про это знали деревья. Они и не знали. Ветер превратился в бурю, деревья гудели и скрипели вокруг. Затем раздался треск, и прямо на дорогу перед ним рухнуло дерево.

— Тихо, Ретивый, тихо! — погладил Каспиан коня по шее, но и сам дрожал, зная, что едва избежал смерти.

Сверкнула молния, и гром расколол небо прямо над головой. Ретивый закусил удила и понёс. Каспиан был хороший наездник, но и у него не хватило сил остановить коня. Он держался в седле, но знал, что в этой дикой скачке жизнь его висит на волоске. Дерево за деревом возникало перед ними из мрака, конь и всадник едва успевали увернуться. Затем, так внезапно, что, казалось, нельзя было и почувствовать боль (однако он всё же почувствовал), что-то ударило Каспиана в лоб, и больше он ничего не помнил.

Когда пришёл в себя, он понял, что лежит в каком-то освещённом месте. Всё тело болело, голова гудела. Совсем рядом слышались чьи-то тихие голоса.

— А теперь, — сказал один, — пока оно не очнулось, надо решить, что с ним делать.

— Убить, — сказал другой. — Мы не можем оставить его в живых. Оно нас выдаст.

— Надо было убить сразу или оставить там, — произнёс третий. — Теперь уже нельзя. Мы принесли его сюда, перевязали голову и вообще. Это всё равно что убить гостя.

— Господа, — сказал Каспиан слабым голосом, — как бы вы ни поступили со мной, надеюсь, вы будете добры к моему бедному коню.

— Твой конь удрал задолго до того, как тебя нашли, — произнёс первый голос, хриплый, даже какой-то земляной, как заметил теперь Каспиан.

— Ну-ка не заговаривай нам зубы! — прикрикнул второй, самый кровожадный. — Повторяю...

— Рожки-осьминожки! — воскликнул третий. — Конечно, мы его не убьём. Стыдись, Никабрик. Что ты сказал, Боровик? Что нам с ним делать?

— Я бы дал ему попить, — сказал первый голос — должно быть, Боровика.

Над постелью возникла тень, и Каспиан почувствовал, как мягкая рука — если это была рука — приподнимает его за плечи. Тень была какая-то не такая. В лице, склонившемся над ним, тоже что-то было не так. Оно казалось очень волосатым и очень носатым, со странными белыми полосами на щеках. «Это маска или что-то вроде, — подумал Каспиан. — Или я в лихорадке и всё это мне мерещится». Чаша с чем-то сладким и горячим коснулась его губ, и он отпил. В тот же миг кто-то из двоих оставшихся поправил огонь. Пламя вспыхнуло, склонённое над Каспианом лицо осветилось, и он чуть не вскрикнул. Это было вовсе не человечье лицо, а морда барсука, хотя и гораздо больше, дружелюбнее и умнее, чем у тех, которых он видел раньше. И этот барсук был явно говорящий. Он увидел также, что лежит на ложе из вереска, в пещере. У огня сидели два человечка, настолько нелепых, приземистых, волосатых и грузных, что Каспиан сразу признал в них настоящих, древних гномов без капли человеческой крови в жилах и понял, что нашёл наконец старых нарнийцев. Потом голова у него снова закружилась.

В следующие несколько дней он научился различать их по именам. Барсука звали Боровик — из всех троих он был самый старый и самый добрый. Убить Каспиана хотел сердитый чёрный гном (волосы и борода у него были чёрные, густые

и жёсткие, как лошадиная грива) по имени Никабрик. Другого гнома — рыжего, с волосами как лисий хвост — звали Трам.

— А теперь, — объявил Никабрик в первый же вечер, когда Каспиан смог сидеть и говорить, — мы опять-таки должны решить, что делать с этим человеком. Вы оба воображаете, будто проявили большую доброту, когда не дали его прикончить. Но я подозреваю, что тогда нам придётся держать его в плену всю жизнь. Я, конечно, не допущу, чтобы он ушёл живым — вернулся к себе подобным и предал нас всех.

— Крючки-половички! Никабрик! — воскликнул Трам. — Зачем ты говоришь такие гадости? Не вина этого создания, что оно разбило голову о дерево рядом с нашей норой. И мне кажется, что оно не похоже на предателя.

— Я вижу, — сказал Каспиан, — вы думаете, что я хочу вернуться. Вовсе нет. Я хочу остаться с вами — если позволите. Я всю жизнь мечтал увидеть таких, как вы.

— Хорошенькая история, — проворчал Никабрик. — Ты тельмарин и человек, разве нет? Конечно, ты хочешь вернуться к своим.

— Я не мог бы вернуться, если бы даже хотел, потому что бежал, спасая свою жизнь. Король собирался меня убить, так что, если меня прикончите, вы доставите ему большое удовольствие.

— Ну-ну, — сказал Боровик, — не надо так говорить.

— Это ещё что? — удивился Трам. — Что ты натворил, человек, в твои-то годы, чтобы разозлить Мираза?

— Просто он мой дядя.

Никабрик вскочил, сжимая кинжал, и выкрикнул:

— Вот ты кто! Не только тельмарин, но и ближайший родственник и наследник нашего злейшего врага. Вы всё ещё настолько безумны, что хотите сохранить ему жизнь?

Он заколол бы Каспиана на месте, если бы барсук и Трам не преградили ему путь и силой не вернули на место.

— Ну-ка скажи раз и навсегда, Никабрик: ты сам угомонишься или мы с Боровиком должны сесть тебе на голову? — спросил Трам.

Никабрик хмуро пообещал вести себя хорошо, и двое других попросили Каспиана рассказать его историю. Когда он закончил, все долго молчали, а потом Трам заметил:

— Ничего более странного в своей жизни не слышал.

— Мне это не нравится, — заметил Никабрик. — Я не знал, что о нас всё ещё говорят среди людей. Чем меньше они знают, тем лучше для нас. Эта старая няня, скажем. Она бы лучше держала язык за зубами. И тут ещё замешался этот наставник, гном-отступник. Я ненавижу их. Я ненавижу их больше, чем людей. Запомните мои слова — ничем хорошим это не кончится.

— Не говори о том, чего не понимаешь! — прикрикнул Боровик. — Вы, гномы, такие же забывчивые и изменчивые, как люди. Я же — потому что зверь, тем более барсук — не меняюсь. Мы остаёмся теми же. И я говорю, что это к лучшему. Вот он, истинный король Нарнии, тут, у нас. Истинный король вернулся в истинную Нарнию. И мы, звери, помним, хоть гномы и забыли, что в Нарнии не было порядка, пока трон не занял сын Адама.

— Дудки-самокрутки! — изумился Трам. — Ты что, хочешь, чтобы мы отдали всю страну людям?

— Я ничего такого не говорил, — возразил барсук. — Это не страна людей (кто может знать это лучше меня?), но страна, в которой королём должен быть человек. У нас, барсуков, долгая память, и мы помним. Разве, ради всего святого, Верховный король Питер был не человек?

— Ты веришь в эти старые сказки? — спросил Трам.

— Говорю вам: мы, звери, не меняемся, — повторил Боровик. — Мы не забываем. Я верю в Верховного короля Питера и других, которые царствовали в Кэр-Паравале, так же твёрдо, как верю в самого Аслана.

— Ах во-от как, — протянул Трам. — Но кто же в наши дни верит в Аслана?

— Я, — сказал Каспиан. — Если бы даже я не верил раньше, поверил бы теперь. Далеко отсюда, среди людей, те, кто смеётся над Асланом, смеются над рассказами о говорящих зверях и гномах. Иногда я сомневался в том, что он существует, как сомневался и в вас, но вы есть.

— Это правда, — сказал Боровик. — Вы правы, король Каспиан. И пока сохраняете верность старой Нарнии, вы будете моим королём, что бы они ни говорили. Долгих дней жизни вашему величеству.

— Ты меня с ума сведёшь, барсук, — проворчал Никабрик. — Верховный король Питер и остальные, может, и были люди, но из другой породы. Этот же — из проклятых тельмаринов. Они охотятся на зверей для развлечения. — И добавил, круто повернувшись к Каспиану: — Скажешь, ты этого не делал?

— Ну, правду сказать, я тоже охотился, — признался Каспиан, — но не на говорящих зверей.

— Это то же самое, — сказал Никабрик.

— Нет, нет, нет, — возразил Боровик. — Ты сам знаешь, что нет. Ты отлично знаешь, что звери в Нарнии нынче совсем другие, всего лишь жалкие, бессловесные, неразумные создания, как в Тархистане или Тельмаре. И они куда меньше ростом. Они гораздо сильнее отличаются от нас, чем гномы-полукровки от вас.

Говорили ещё долго, но в конце концов порешили, что Каспиан останется. Обещали даже, что, как только сможет ходить, его возьмут взглянуть на тех, кого Трам назвал «остальными», поскольку, видимо, в этих диких краях тайно жили все виды созданий из старых дней Нарнии.

## *Глава шестая*

# ПОТАЁННЫЙ НАРОД

И вот наступило самое счастливое время, какое знал Каспиан. Прекрасным летним утром, по росе, он отправился вместе с барсуком и двумя гномами через лес к высокому перевалу в горах и оттуда вниз, к солнечным южным склонам, откуда можно было одним взором окинуть зелёные плоскогорья Орландии.

— Сперва мы навестим трёх толстых медведей, — сказал Трам.

Они весело подошли к старому, заросшему мхом дуплистому дубу, и Боровик трижды ударил по стволу лапой, но не получил ответа. Он постучал снова, и сонный голос изнутри сказал:

— Ступайте, ступайте. Вставать ещё не пора.

Барсук постучал в третий раз. Изнутри раздался шум, похожий на лёгкое землетрясение, открылось что-то вроде двери и вышли три бурых медведя, действительно невероятно толстых, с блестящими маленькими глазками. Когда им всё объяснили (что заняло немало времени, поскольку просыпались они с трудом), они, как и Боровик, сказали, что королём Нарнии должен быть сын Адама, расцеловали Каспиана — с брызганьем слюной и причмокиванием — и предложили ему мёда.

Тот не очень хотел мёда, без хлеба и таким ранним утром, но счёл, что будет вежливей согласиться. От этого угощения он весь словно склеился.

Потом они шли, пока не добрались до высокого бука, и Боровик позвал:

— Тараторка! Тараторка!

Почти сразу, прыгая с ветки на ветку, появилась рыжая белка, красивее всех, что Каспиан видел в своей жизни. Она была куда больше, чем обычные бессловесные белки, скакавшие в дворцовом саду, — ростом, пожалуй, с терьера. Одного взгляда на эту мордочку хватало, чтобы понять — перед вами говорящее существо. Труднее было другое — прервать разговор, потому что, как все белки, существо это было не просто говорящее, а болтливое. Тараторка приветствовала Каспиана и спросила, любит ли тот орехи. Каспиан ответил: спасибо, да. Тараторка поскакала за орехами, но тут Боровик шепнул на ухо Каспиану:

— Не смотрите. Отвернитесь в другую сторону. У белок считается дурным тоном следить за тем, кто отправился к себе в кладовую. Могут подумать, что вы хотите узнать, где у них что припасено.

Тараторка вернулась с орехами, а когда Каспиан их съел, спросила, не нужно ли кому-нибудь отправить друзьям послание.

— Потому что я могу добраться куда угодно, даже не касаясь земли!

Боровик и гномы нашли, что это прекрасная мысль, и вручили Тараторке приглашения разным существам со странно звучащими именами на праздник и совет на Танцевальный луг, в полночь третьих суток месяца.

— Надо бы и трём толстым медведям сказать, — добавил Трам. — Мы их не предупредили.

Следующий визит был к семи братьям из Дремучего леса. Трам повёл своих спутников обратно к перевалу, затем они спустились по северному склону горы на восток и пришли в очень мрачное место среди утёсов и елей. Шли очень тихо, и Каспиан вдруг почувствовал, что земля под ногами содрогается, словно кто-то колотит снизу. Трам влез на плоский камень величиной с крышку от бочки и топнул по нему ногой. Прошло порядочно времени, и камень приподнялся — кто-то или что-то сдвинуло его изнутри. Открылась чёрная круглая дыра, пахнуло жаром и паром, и в середине норы показалась голова гнома, очень похожего на Трама. Завязался продолжительный разговор. Гном отнёсся к Каспиану с куда большим подозрением, чем Тараторка или толстые медведи, но в конце концов всю компанию пригласили внутрь. В темноте обнаружилась лестница, по которой Каспиан спустился вниз, а там снова увидел свет. Это были отблески кузнечного горна, а всё помещение оказалось кузницей. Вдоль одной из стен протекал подземный ручей. Два гнома раздували мехи, ещё один клещами держал на наковальне кусок раскалённого металла, четвёртый бил по нему молотом. Ещё двое, вытерев маленькие мозолистые ручки о грязную одежду, вышли встретить гостей. Понадобилось много времени, чтобы убедить их, что Каспиан друг, не враг, а убедившись, они хором воскликнули:

— Да здравствует король!

И дары их были щедры — кольчуги, мечи и шлемы для Каспиана, Трама и Никабрика. Барсук тоже мог бы всё это получить, если бы не отказался: видите ли, зверю достаточно когтей и зубов, чтобы защитить свою шкуру, а если нет, то не стоит её и защищать. Отделано оружие было превосходно, и Каспиан с радостью принял от гномов меч взамен старого, который казался теперь хрупким, как игрушка, и тупым, как палка. Семеро братьев (все, как один, рыжие гномы) обещали прийти на праздник на Танцевальный луг.

Чуть позже в сухом каменистом ущелье они отыскали пещеру пяти чёрных гномов. Те тоже отнеслись к Каспиану с подозрением, но в конце концов старший объявил:

— Если он против Мираза, мы берём его в короли.

Следующий по старшинству сказал:

— Хотите, мы сходим дальше, туда, в скалы? Там есть пара людоедов и ведьма, можем привести их сюда, к вам.

— Нет-нет! Спасибо, не надо, — поспешил ответить Каспиан.

— Разумеется, не стоит, — согласился с ним и Боровик, — нам не нужны такие союзники.

Никабрик был недоволен, но Трам поддержал барсука и они оказались в большинстве. Для Каспиана это было по-

трясением — осознать, что ужасные создания из старых сказок, вместе с симпатичными, всё ещё обитают в Нарнии.

— Мы потеряем дружбу Аслана, если пригласим такую мразь, — сказал Боровик, когда они вышли из пещеры чёрных гномов.

— Ах, Аслана! — весело, но пренебрежительно передразнил Трам. — Гораздо важнее, что вы потеряете мою дружбу.

— Но ты-то веришь в Аслана? — спросил Каспиан Никабрика.

— Я поверю в кого угодно и во что угодно, — ответил гном, — лишь бы оно разгромило проклятых тельмаринских варваров и вышвырнуло вон из Нарнии. В кого и во что угодно, будь то Аслан или Белая колдунья, понимаете?

— Тише, тише, — сказал Боровик, — ты не знаешь, что говоришь. Это враг пострашнее Мираза и его племени.

— Только не для гномов, — заметил Никабрик.

Их следующий визит оказался куда приятнее. Они спустились ниже, и в горах открылось большое ущелье с лесистой долиной, по дну которой протекала быстрая речка. Берега её заросли колокольчиками и дикими розами, воздух гудел от пчёл. Здесь Боровик позвал:

— Громобой! Громобой!

Вскоре тишину долины нарушил стук копыт, и становился он всё громче. Вот вся долина содрогнулась, и, раздирая и попирая заросли, явились благороднейшие из созданий, каких Каспиан когда-либо видел, — великий кентавр Громобой с тремя сыновьями. Его тёмно-гнедые бока лоснились, загорелые щёки покрывала золотисто-рыжая борода. Будучи прорицателем и звездочётом, он знал, зачем они пришли.

— Да здравствует король! — воскликнул кентавр. — Мы с сыновьями готовы к войне. Когда битва?

До сих пор ни Каспиан, ни другие по-настоящему о войне не задумывались, лишь смутно представляли себе набеги на хутора или нападения на отряды охотников, если те заберутся слишком далеко в южную глушь. В основном же они думали только о том, как самим прожить в лесах и пещерах и постараться здесь, в укрытии, воссоздать старую Нарнию. После слов Громобоя каждый почувствовал, что дело гораздо серьёзнее.

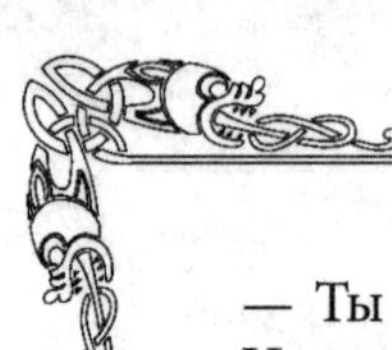



— Ты думаешь о настоящей войне, чтобы изгнать Мираза из Нарнии? — спросил Каспиан.

— О чём же ещё? Ради чего же ваше величество облачились в кольчугу и опоясались мечом?

— А это нам по силам, Громобой? — спросил барсук.

— Время настало. Я наблюдал звёзды, барсук, потому что наблюдать — это моё дело, как твоё — помнить. Тарва и Аламбиль встретились в небесных чертогах, и на земле восстал сын Адама, чтобы править и нарекать имена. Час пробил. Наш совет на Танцевальном лугу должен быть военным.

Он произнёс это таким голосом, что ни Каспиан, ни остальные больше не колебались, поверив, что вполне могут выиграть войну, а уж начать её должны в любом случае.

Поскольку был уже полдень, они остались с кентаврами и отведали их пищи: лепёшек из овсяной муки, яблок, зелени, вина и сыра.

Следующее место, куда они сегодня собирались, было почти рядом, но пришлось сделать большой крюк, чтобы обойти человеческое жильё. Уже совсем смеркалось, когда они очутились среди ровных полей, возделанных и разгороженных. Боровик наклонился к норке в зелёной насыпи, позвал кого-то, и оттуда выскочило существо, увидеть которое Каспиан ожидал меньше всего, — говорящая мышь. Была она, разумеется, гораздо больше обычной: с добрый фут, если стояла на задних лапах, — с ушами почти такой же длины, как у кролика, только гораздо шире. Звали мышь Рипичип, и была она весёлой и очень воинственной. Она носила на боку тоненькую маленькую шпагу и подкручивала свои усишки, словно это были взаправдашние усы.

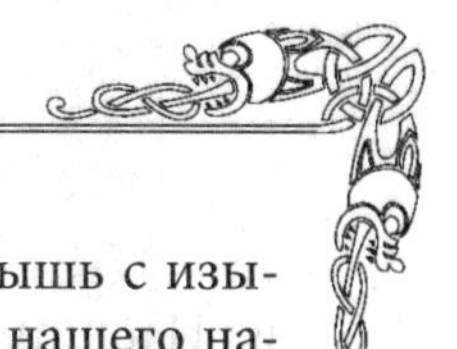

— Здесь нас двенадцать, государь, — сказала мышь с изысканным поклоном, — и я предоставляю все силы нашего народа в распоряжение вашего величества.

Каспиан изо всех сил (и успешно) пытался подавить смех, но не мог отделаться от мысли, что Рипичипа со всем его народом легко уместить в корзине и унести домой на спине.

Слишком долго описывать всех, с кем Каспиан встретился в этот день, но среди многих был крот по имени Землекоп, трое Кусачей-барсуков, заяц Камилло и ёж Ёршик. Наконец, они остановились у источника на краю широкого и ровного круга травы, окаймлённого вязами, которые отбрасывали длинные тени, потому что солнце садилось, маргаритки закрывались и грачи полетели домой спать. Здесь они закусили тем, что принесли с собой, и Трам закурил трубку (Никабрик был некурящий).

— Теперь, — сказал барсук, — если бы сумели пробудить духов этих деревьев и родника, то могли бы им сказать, что неплохо сегодня поработали.

— А это возможно? — спросил Каспиан.

— Нет, — ответил Боровик. — У нас нет над ними власти. Когда люди пришли в нашу страну, вырубили леса и осквернили источники, дриады и наяды впали в глубокий сон. Кто знает, пробудятся ли они вновь? И это большая для нас потеря. Тельмарины ужасно боятся лесов, и стоит деревьям в гневе

тронуться с места, наши враги обезумеют от страха и удерут из Нарнии, только их и видели.

— Ну и фантазия у вас, зверей! — хохотнул Трам, который ни во что такое не верил. — Тогда почему только деревья и вода? Пусть уж и камни начнут сами бросаться в старого Мираза.

Барсук только хрюкнул. Наступило такое долгое молчание, что Каспиан почти погрузился в сон, когда ему показалось, что из леса за его спиной доносится тихая музыка. Потом он подумал, что это ему снится, и прилёг опять, но едва коснулся ухом земли, как услышал (или почувствовал — трудно сказать) лёгкие удары или барабанную дробь и поднял голову. Звуки ударов стали тише, но возвращалась музыка и теперь звучала куда яснее. Похоже было на флейты. В свете луны — Каспиан проспал больше, чем думал, — он увидел Боровика, почему-то сидевшего неподвижно и не сводившего глаз с леса. Музыка, какая-то странная, завораживающая, слышалась всё ближе и ближе, как и топот множества ног, пока наконец из лесной чащи на лунный свет не выбежали танцующие тени, точно такие, о каких Каспиан грезил всю жизнь. Они были не намного больше гномов, но гораздо тоньше и грациознее. Их кудрявые головки украшали маленькие рожки, верхняя часть тела поблёскивала, а бёдра и ноги были как у козлов.

— Фавны! — воскликнул Каспиан, аж подпрыгнув.

В тот же миг они его окружили и сразу же признали, так что не пришлось долго объяснять ситуацию. Ещё не успев понять, что делает, он уже нёсся в танце. Трам тоже притоптывал, неуклюже и резко размахивая руками, и даже Боровик подскакивал как мог. Только Никабрик остался сидеть, молча наблюдая за происходящим. Фавны плясали вокруг Каспиана, наигрывая на свирелях. Их странные лица, одновременно мрачные и весёлые, заглядывали в его лицо, десятки фавнов были здесь: Ментиус, Обентиус, Думнус, Волунс, Вольтинус, Гирбиус, Нимьенус, Навсус Оскунс... Тараторка созвала всех.

Проснувшись на следующее утро, Каспиан едва мог поверить, что это не сон, однако трава вокруг была вытоптана, а земля покрыта маленькими следами раздвоенных копыт.

## *Глава седьмая*

# СТАРАЯ НАРНИЯ В ОПАСНОСТИ

Место, где они встретились с фавнами, конечно, и было тем самым Танцевальным лугом. Здесь Каспиан с друзьями остался до ночи великого совета. Спать под звёздами, пить одну только родниковую воду, питаться орехами и плодами — всё это было нелёгким испытанием для Каспиана после шёлковых простыней, завешанных коврами дворцовых покоев, ужина на золотых и серебряных блюдах и готовых выполнить любой приказ слуг, однако никогда он не был так счастлив. Никогда сон так не освежал, никогда пища не была такой вкусной! Он начинал привыкать к трудностям, и лицо его приобретало королевское выражение.

Когда наступила великая ночь, его разнообразные и странные подданные собрались на лугу по одному, по двое, по трое, а то и по шесть-семь — луна светила почти как в полнолуние, — и он увидел, как же их много, сердце его переполнилось радостью. Здесь были все, с кем он успел познакомиться: толстые медведи, рыжие и чёрные гномы, кроты и барсуки, ежи и зайцы, — а также многие другие, кого он прежде не видел. Пришли пять сатиров, рыжие, как лисы, говорящие мыши в полном составе, вооружённые до зубов и пронзительно дудевшие в трубы, несколько сов, старый ворон с Во-

роньих скал. Последним (у Каспиана перехватило дыхание) пришёл с кентавром великан Ветролом с Покойницкого холма и принёс на спине целую корзину с гномами, которых так укачало, что они сто раз пожалели о великаньей доброте и уже не чаяли выбраться наружу.

Толстые медведи решительно намеревались сначала попировать, а совет отложить на потом, хотя бы на завтра. Рипичип и его мыши сказали, что и совет, и пир могут подождать, и предложили штурмовать замок Мираза этой же ночью. Тараторка и другие белки объявили, что могут говорить и есть одновременно, — так почему бы не устроить сразу и совет, и пир? Кроты предложили первым делом выкопать вокруг луга ров. Фавны считали, что лучше начать с торжественно-

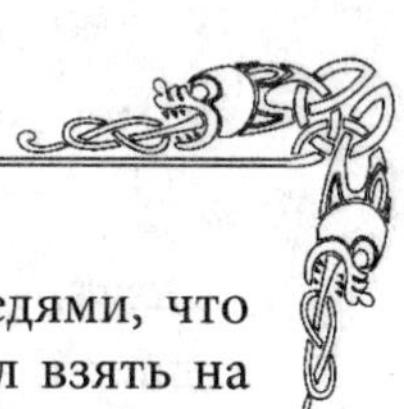

го танца. Старый ворон, вполне согласный с медведями, что совет слишком затянет время до ужина, предложил взять на себя произнесение краткого приветственного слова. Однако Каспиан, кентавры и гномы пресекли все эти разногласия и настояли, чтобы военный совет состоялся немедленно. Когда наконец удалось усадить всех в круг на землю и успокоить, а главное — утихомирить Тараторку, которая носилась туда-сюда с криком: «Тише! Тише вы все, король говорит!» — Каспиан поднялся, чувствуя лёгкую дрожь, и начал:

— Нарнийцы!..

В тот же миг заверещал заяц Камилло:

— Ш-ш-ш! Здесь что, человек?!

Это были дикие создания, привыкшие, что на них охотятся, поэтому все замерли как статуи и повернули носы в ту сторону, куда указывал Камилло.

— Дух вроде человечий, а вроде и нет, — прошептал Боровик.

— Он приближается, — заметил Камилло.

— Два барсука и вы, три гнома с луками, ступайте тихо ему навстречу, — приказал Каспиан.

— Сейчас мы его уложим, — пообещал чёрный угрюмый гном, натягивая тетиву лука.

— Если он один, не стреляйте, — предупредил Каспиан, — а приведите сюда.

— Зачем? — удивился гном.

— Делай что говорят! — повысил голос Громобой.

Все ожидали в молчании, пока три гнома и два барсука крадучись пробирались между деревьями с северо-западной стороны луга. Затем донёсся резкий окрик гнома: «Стой! Кто идёт?» — и шум внезапного прыжка. В следующий миг Каспиан услышал, как хорошо знакомый голос произнёс: «Тихо, тихо, я безоружен. Если хотите, держите меня за рукава, барсуки, только не прокусите. Мне нужно поговорить с королём».

— Доктор Корнелиус! — радостно воскликнул Каспиан и бросился обнимать старого наставника.

Остальные их окружили, а Никабрик фыркнул:

— Гном-отступник. Полукровка! Можно я проткну ему глотку мечом?

— Успокойся! — сказал Трам. — Это существо не выбирало себе предков.

— Это мой величайший друг, он спас мне жизнь, — сказал Каспиан. — Каждый, кому не нравится его общество, может покинуть моё войско — немедленно. Милый мой доктор, как я рад снова вас видеть. Как вы нас разыскали?

— Чуточку самой простой магии, ваше величество, — всё ещё пыхтя и отдуваясь после слишком быстрой ходьбы, сказал доктор Корнелиус. — Но сейчас не время об этом. Мы должны немедленно исчезнуть. Вас предали, и Мираз действует. Вы будете окружены ещё до завтрашнего полудня.

— Предали! — воскликнул Каспиан. — Но кто?

— Другой гном из отступников, не сомневаюсь, — сказал Никабрик.

— Ваш Ретивый, — ответил доктор. — Бедная скотинка, что он понимал? Когда вы упали, он, конечно, побежал назад в конюшню. Так узнали про ваше бегство. Я и сам поспешил удалиться, не желая подвергнуться допросу в камере пыток. В своём магическом кристалле я примерно увидел, где вас можно найти, однако весь день — это было позавчера — натыкался в лесах на отряды Мираза. Вчера я узнал, что вся армия выступила. Похоже, кое-кто из ваших... м-м... чистокровных гномов не так хорошо умеет ходить по лесу, как можно было бы ожидать. Вы везде оставили следы. Большая неосторожность. Во всяком случае, Мираз предупреждён, что старая Нарния не погибла, как он надеялся, и теперь действует.

— Ура! — запищал голосок у доктора под ногами. — Пусть только придут! Всё, о чём я мечтаю, это чтобы король поставил меня с моим народом в первые ряды.

— Что это? — удивился доктор Корнелиус. — Ваше величество держит в своём войске кузнечиков... или комаров?

Однако, отступив на шаг и внимательно вглядевшись через очки, он перестал смеяться и воскликнул:

— Во имя Аслана! Это никак мышь! Сеньор Рипичип, приношу вам свои извинения. Я польщен встречей со столь доблестным зверем.

— Располагайте моей дружбой, учёный человек! — пискнул Рипичип. — И всякий гном — или великан — во всём войске, который не будет с вами любезен, познакомится с моим мечом.

— Разве сейчас время для таких глупостей? — возмутился Никабрик. — Какие у нас планы? Сражаемся или бежим?

— Сражаемся, если нужно, — сказал Трам. — Но к битве мы не готовы, а здесь будет трудно обороняться.

— Мне что-то не нравится само слово «бежать», — заметил Каспиан.

— Верно, верно! — закричали толстые медведи. — Что угодно, только не бегать. Особенно перед ужином... да и потом тоже.

— Кто бежит первым, не всегда убегает последним, — добавил кентавр. — Зачем предоставлять выбор врагу, когда можно самим отыскать позицию? Давайте поищем надёжное место.

— Это мудрое замечание, ваше величество, весьма, — сказал Боровик.

— Но куда же идти? — раздалось сразу несколько голосов.

— Ваше величество, — заговорил доктор Корнелиус, — и вы, всевозможные создания! Мне кажется, надо бежать к востоку и вниз по реке, в Великие леса. Тельмарины их ненавидят. Они всегда боялись моря и тех, кто может из него выйти. Вот почему они позволили разрастись диким лесам. Если предание гласит правду, древний Кэр-Параваль стоял в устье реки. Те края дружественны нам и враждебны нашим врагам. Мы должны идти к холму Аслана.

— К холму Аслана? — переспросили несколько существ. — Мы не знаем, что это.

— Огромный курган на краю Великих лесов. Нарнийцы возвели его в древние-предревние времена вокруг самого магического места, где стоял — и, возможно, стоит до сих пор — самый магический символ. Курган внутри весь пронизан проходами и пещерами, вот в средней и стоит Камень. В кургане найдётся место для всех наших припасов, а те из нас, кто больше нуждается в укрытии или привыкли жить под землёй, могут поселиться в пещерах. Остальные расположатся в лесу. В крайнем случае мы все (кроме достойнейшего великана) спрячемся в кургане, где можно избежать почти любой опасности, кроме голода.

— Как хорошо, что среди нас есть образованный человек! — заметил Боровик, но Трам сказал себе: «Суп и сельдерей! Лучше бы наши вожди меньше думали о бабьих россказнях и больше — о провианте и боеприпасах!»

Однако все одобрили предложение Корнелиуса и в ту же ночь, получасом позже, двинулись в путь. До рассвета они до-

стигли холма Аслана. Выглядел он и впрямь внушительно — круглый зелёный холм на вершине другого холма, давным-давно заросшего деревьями. Внутрь вёл маленький низкий вход. Туннели, вымощенные и облицованные гладкими камнями, составляли настоящий лабиринт. Вглядываясь в полумрак, Каспиан различил на камнях странные письмена, загадочные знаки и рисунки, в которых вновь и вновь повторялось изображение льва. Казалось, всё это принадлежит ещё более древней Нарнии, чем та, о которой ему рассказывала няня.

С того дня как они расположились вокруг и возле холма, удача от них отвернулась. Разведчики короля Мираза вскоре обнаружили их новое убежище, и тот со своей армией появился на опушке леса. Как часто случается, враг оказался сильнее, нежели предполагали. Каспиан с замиранием сердца следил, как приближаются отряд за отрядом. Да, люди Мираза боялись деревьев, но его самого они боялись ещё больше. Ведомые им, они прорывались глубоко в лес, временами почти на самый холм. Каспиан и другие военачальники, конечно, предпринимали вылазки на открытую равнину. Стычки происходили и днём, и даже ночью, но сторонники Каспиана по большей части проигрывали.

Наконец наступила ночь, когда всё стало так плохо, что хуже некуда. Сильный дождь, шедший весь день, прекратился в сумерки лишь для того, чтобы смениться промозглым холодом. На следующее утро Каспиан готовился дать решающее сражение, на которое возлагал последние надежды. Сам он с большинством гномов должен был ударить на рассвете в правое крыло Миразовых войск, затем, в самый разгар битвы, великан Ветролом напал бы вместе с кентаврами и самыми сильными зверями с другой стороны, чтобы отрезать правый миразовский фланг от остальной армии, однако всё провалилось. Никто не предупредил Каспиана (потому что никто уже не помнил), что великаны не отличаются умом. Бедняга Ветролом, хоть и храбрый, как лев, был в этом смысле истинный великан: напал не тогда и не там, — так что оба отряда (его и Каспиана) сильно пострадали, а врагу почти не нанесли ущерба. Лучший из медведей вышел из строя, один кентавр был страшно изранен, и мало кто в отряде Каспиана не потерял крови. Печальное общество собралось под деревьями за скудным ужином, ёжась от холода и сырости.

Печальнее всех был великан Ветролом, потому что знал: всё из-за него. Он сидел молча, роняя крупные слёзы, которые потихоньку скапливались на кончике его носа, а потом с громким всплеском сорвались прямо на бивак мышей, которые только-только согрелись и задремали. Мыши повскакивали, принялись стряхивать воду с ушей, выжимать свои одеяльца и тонкими, но вполне громкими голосами спрашивать великана, не считает ли он, что они и так довольно промокли. Затем проснулись и другие, стали пенять мышам, что их задача — разведка, а не развлечения, и вообще — нельзя ли вести себя чуть-чуть потише. Ветролом потопал прочь отыскивать местечко, где можно пострадать спокойно, и наступил кому-то на хвост, и кто-то (потом говорили, что лис) укусил его за ногу. И так все перессорились.

А в тайной магической комнате в самом сердце холма король Каспиан с Корнелиусом, барсуком, Никабриком и Трамом держали совет. Мощные колонны, изготовленные старинными мастерами, поддерживали потолок. В центре стоял Камень, Каменный Стол, расколотый посередине. Некогда его покрывали таинственные письмена, но за долгие столетия ветер, дождь и снег стёрли их почти окончательно — это было в те древние времена, когда Стол стоял на вершине холма и над ним ещё не возвели курган. Сели они не вокруг Стола — слишком он был величественный, чтобы обходиться с ним как с обычным, — а на чурбаках немного в стороне, за неструганым деревянным столом, на котором стоял грубый глиняный светильник. Пламя освещало их бледные лица и отбрасывало на стены длинные тени.

— Если ваше величество собирается протрубить в волшебный рог, — сказал Боровик, — думаю, сейчас самое время.

(Каспиан, конечно, рассказал о своём сокровище несколько дней назад.)

— Спору нет: мы в великой нужде, — однако кто поручится, что не будет ещё хуже? Представьте себе, что придёт день ещё черней и ужасней, а мы уже употребили последнее средство?

— Если так рассуждать, — заметил Никабрик, — то ваше величество не подует в рог, покуда не будет уже поздно.

— Согласен, — сказал доктор Корнелиус.

— А ты что думаешь, Трам? — спросил Каспиан.

— Что до меня, — ответил рыжий гном, слушавший с полным безразличием, — ваше величество знает, что, по моему мнению, рог, да и этот кусок разбитого камня, и ваш великий король Питер, и ваш Аслан — бредни и чепуха. Мне всё равно, когда ваше величество протрубит в рог. Я требую только, чтобы войску ничего об этом не говорили. Не стоит возбуждать надежды на волшебную помощь, которым, уверен, не суждено сбыться.

— Тогда, во имя Аслана, мы подуем в рог королевы Сьюзен, — объявил Каспиан.

— Вот что ещё, государь, — добавил доктор Корнелиус, — может быть, стоит сделать сначала. Мы не знаем, какой будет эта помощь: возможно, рог вызовет из-за моря самого Аслана, — однако мне кажется более правдоподобным, что он призовёт Питера, Верховного короля, и его спутников из глубокого прошлого. В любом случае нет уверенности, что помощь прибудет на это самое место...

— Вернее не скажешь, — вставил Трам.

— Думаю, — продолжил учёный, — что они — или он — вернутся в одно из исторических мест Нарнии. Здесь, где мы сидим, древнейшее и священнейшее из всех, и сюда, полагаю, скорее всего придёт ответ. Однако есть ещё два. Одно — Фонарная пустошь, в верховьях реки к западу от Бобровой плотины, где, как повествуют летописи, впервые явились в Нарнию царственные дети. Второе — в устье реки, где некогда стоял их замок Кэр-Параваль. Если же Аслан придёт сам, его лучше встретить там же, раз во всех историях говорится, что он сын великого заморского императора и приходит из-за моря. Я очень хотел бы послать гонцов и туда и туда — на Фонарную пустошь и в устье реки, чтобы достойно принять их, или его, или что нам будет ниспослано.

— Как я понял, — пробормотал Трам, — ничего из этой глупости не выйдет, но для начала мы лишимся двух бойцов.

— Кого бы вы хотели послать, доктор Корнелиус? — спросил Каспиан.

— Белки лучше других сумеют пробраться незамеченными сквозь вражескую страну, — сказал Боровик.

— Все наши белки (у нас их не так много), — заметил Никабрик, — слегка легкомысленны. Единственная, кому я доверил бы это дело, — Тараторка.

— Хорошо, пусть будет она, — согласился Каспиан. — А кто пойдёт вторым? Знаю, Боровик пошёл бы, но он не очень быстрый, да и вы, доктор Корнелиус, тоже.

— Я-то точно не пойду, — буркнул Никабрик. — Тут столько людей и зверей, что кому-то просто необходимо присматривать, чтобы гномов не притесняли.

— Стаканы-ураганы! — вскричал Трам в ярости. — Вот как ты разговариваешь с королём? Пошлите меня, государь, я пойду.

— Я думал, ты не веришь в рог, — удивился Каспиан.

— Не верю, ваше величество. Но что поделаешь? Я мог погибнуть во время охоты на гусей, могу погибнуть здесь. Вы — мой король. Я знаю, что это не одно и то же — давать советы и получать приказы. Совет я вам дал, теперь время приказов.

— Я этого никогда не забуду, Трам, — растрогался Каспиан. — Кто-нибудь, позовите Тараторку. А когда мне трубить в рог?

— Я бы подождал рассвета, ваше величество, — посоветовал доктор Корнелиус. — Это благоприятное время для Белой магии.

Через несколько минут явилась Тараторка и, получив задание, тут же загорелась бежать, поскольку, как большинство белок, была чрезвычайно храброй, порывистой, полной энергии и озорства (не говоря уже о самодовольстве). Ясно было, что до Фонарной пустоши она доберётся за то же время, что понадобится Траму для преодоления более короткого расстояния до устья реки.

Наскоро перекусив, оба пустились в путь, сопровождаемые выражением горячей благодарности и добрыми пожеланиями короля Каспиана.

*Глава восьмая*

# КАК ПОКИНУЛИ ОСТРОВ

— И вот, — сказал Трам (потому что, если вы помните, именно он поведал четверым детям эту историю, сидя на траве в разрушенном замке Кэр-Параваль), — я сунул в карман пару горбушек, оставил друзьям всё оружие, кроме кинжала, и в предрассветной тьме отправился в леса. Я оттопал несколько часов, когда раздался звук, подобного которому в жизни не слышал. Ух, этого я никогда не забуду. Он заполнил всё, оглушительный, как гром, но гораздо протяжнее, спокойный и нежный, как музыка над водой, но такой сильный, что лес заколебался. И я сказал себе: «Если это не рог, зовите меня кроликом», — а чуть позже удивился, почему он не прозвучал на рассвете...

— Сколько времени было? — спросил Эдмунд.

— Между девятью и десятью, — ответил Трам.

— Как раз когда мы были на станции! — воскликнули дети, глядя друг на друга горящими глазами.

— Пожалуйста, продолжайте, — сказала гному Люси.

— Ну, повторюсь, я удивился, но всё равно торопился как только мог, а когда немного рассвело, рискнул на открытом месте — словно я не умнее великана! — пуститься бегом. Хотел срезать большую петлю реки, ну и попался. И даже не

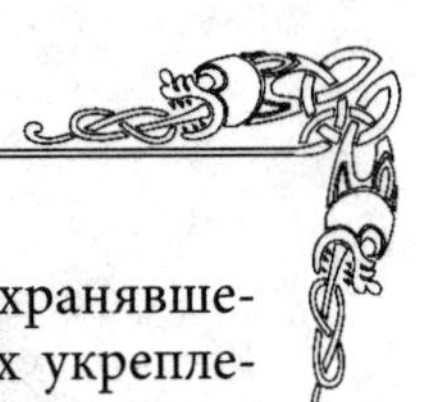

вражеской армии, а надутому старому дураку, охранявшему маленький замок, последний в ряду Миразовых укреплений со стороны берега. Не нужно говорить, что правды они от меня не узнали: я ведь гном, а этим всё сказано, однако, креветки-конфетки, очень здорово, что сенешаль оказался надутым дураком. Любой другой прикончил бы меня на месте, но этому понадобилась самая страшная казнь — отправить меня к «призракам» со всеми подобающими церемониями. И вот тут эта юная леди, — кивнул он в сторону Сьюзен, — очень вовремя решила пострелять из лука.

Он выколотил пепел и вновь набил трубку.

— Обалдеть можно! — воскликнул Питер. — Так это твой рог — тот самый рог, Сью! — сдёрнул нас вчера утром с платформы! Мне трудно поверить. Как-то всё это в голове не укладывается.

— А мне непонятно, почему ты удивляешься, если веришь в магию, — сказала Люси. — Мы же столько читали, как людей волшебством переносит из одного места в другое или даже из одного мира в другой. Я хочу сказать, когда волшебник в «Тысяче и одной ночи» вызывает джинна, джинн не выбирает, явиться ему или нет. Вот и с нами случилось что-то похожее.

— Да, — добавил Питер. — Наверное, всё кажется таким странным из-за того, что в сказках тот, кто вызывает, всегда из нашего мира. Никто никогда не думал, откуда приходит джинн.

— А теперь мы знаем, что этот джинн чувствует, — хохотнул Эдмунд. — Ничего себе! Не очень-то приятно знать, что тебе могут этак свистнуть — и беги. Это даже хуже, чем, как говорит отец, «жить по милости телефона».

— Но ведь мы рады, что оказались здесь, правда? — сказала Люси. — Если Аслан так хочет?

— Ладно, — произнёс гном. — Так что же нам всё-таки делать? Полагаю, мне стоит вернуться к Каспиану и сказать, чтобы не рассчитывал на помощь.

— Как это не рассчитывал? — удивилась Сьюзен. — Но ведь всё получилось — мы здесь.

— М-м-м-да, конечно. Ясное дело, — пробубнил гном, у которого, кажется, засорилась трубка (во всяком случае, он очень старательно её ковырял). — Да... но... мне кажется...

— Разве вы не видите, кто мы? — воскликнула Люси. — Какой глупый...

— Я полагаю, что вы те самые четверо детей из старой сказки, — сказал Трам. — И я, конечно, счастлив вас видеть. Это всё, несомненно, очень интересно, но... Вы не обидитесь?

— Да говорите же наконец, что вы мнётесь! — воскликнул Эдмунд.

— Ладно, только чтоб без обид, — сказал Трам. — Дело в том, что король, Боровик и доктор Корнелиус ожидали... ну как бы это сказать... помощи. Другими словами, они, наверное, представляют вас великими воителями. Как бы это... мы, конечно, обожаем детей и всё такое, но сейчас, в разгар войны... ну, вы, конечно, понимаете...

— Вы считаете, что мы не годимся, — заключил Эдмунд.

— Прошу вас, не обижайтесь! — поспешил сказать гном. — Уверяю вас, мои дорогие маленькие друзья...

— Услышать от вас «маленькие» — это и правда немного слишком! — не выдержал Эдмунд, вскакивая. — Вы, значит, не верите, что мы выиграли битву при Беруне? Ну, обо мне можете говорить что хотите, только я знаю...

— Не злись! — оборвал его Питер. — Дадим ему оружие и вооружимся сами в нашей сокровищнице, тогда и поговорим.

— Не понимаю, чего ради... — начал было Эдмунд, но Люси шепнула ему на ухо:

— Не лучше ли сделать так, как говорит Питер? В конце концов он Верховный король. И, по-моему, он что-то придумал.

Эдмунд согласился, и при свете фонарика все, включая Трама, снова спустились в тёмный холодный мрак и пыльное великолепие хранилища драгоценностей.

Глаза у гнома сверкнули при виде богатств, наваленных на полках (хотя для этого ему пришлось встать на цыпочки), и он сказал себе: «Это ни в коем случае нельзя показывать Никабрику».

Ребята легко нашли для него кольчугу, меч, шлем, щит, лук и колчан со стрелами. Шлем был медный, украшенный рубинами, на рукояти меча блестело золото. Трам в жизни не видел, а уж тем более не носил, таких ценностей. Дети также

надели кольчуги и шлемы, сыскались меч и щит для Эдмунда, лук для Люси; Питер и Сьюзен, конечно, не расставались со своими дарами. Пока поднимались по лестнице, звеня кольчугами, всё больше ощущая себя нарнийцами и всё меньше — школьниками, мальчики держались рядом, явно разрабатывая какой-то план. Люси слышала, как Эдмунд сказал:

— Нет, дай я. Для него будет полный провал, если я выиграю, а нам меньше стыда, если проиграю.

— Хорошо, Эд, — согласился Питер.

Когда они вышли на дневной свет, Эдмунд очень вежливо обратился к гному:

— У меня к вам просьба. Детишкам вроде нас нечасто выпадает счастье встретить такого великого воина. Не согласились бы вы на коротенький фехтовальный поединок? Уж будьте добры, окажите нам такую любезность!

— Но, парень, — засомневался Трам, — мечи-то острые...

— Знаю, — кивнул Эдмунд, — но я вряд ли смогу вас достать, а вы, конечно, легко меня обезоружите, не причинив вреда.

— Это опасная игра, но раз ты так настаиваешь... пожалуй, сделаю выпад-другой.

Оба меча сверкнули разом, Питер и девочки спрыгнули с помоста и остановились. А посмотреть стоило. Это было совсем не то дурацкое сражение широкими мечами, которое вы видите на сцене. Это было даже не фехтование на рапирах, которое, если вы видели, больше похоже на дело. Это была настоящая рубка. Главное при этом — рубить противника по ногам, потому что они не защищены. А когда бьёт противник, нужно подпрыгнуть, чтобы удар пришёлся под ногами. Это давало гному преимущество, потому что более высокий Эдмунд должен был всё время нагибаться. Я не думаю, что мальчик имел бы хоть малейший шанс, если бы сражался с Трамом двадцать четыре часа назад. Однако нарнийский воздух действовал на него с их появления на острове, в нём проснулись воспоминания о прежних битвах, рука и пальцы вновь обрели искусство. Он снова был король Эдмунд. Сражающиеся проходили круг за кругом, наносили удар за ударом, и Сьюзен, так и не полюбив ратную потеху, то и дело восклицала: «Ой, только осторожнее!» Внезапно, так быстро, что никто (если

не ожидал этого, как Питер) не понял, что случилось, Эдмунд резко, особым движением, повернул свой меч. Меч вылетел из крепко сжатых пальцев гнома, и Трам обхватил пустой кулак, как вы бы сделали после «финта» в крикете.

— Надеюсь, вам не больно, мой дорогой маленький друг? — съязвил Эдмунд, вкладывая меч в ножны и стараясь восстановить дыхание.

— Понятно, — сухо ответил Трам. — Вы знаете приём, которому я никогда не учился.

— Совершенно верно, — вставил Питер. — Лучшего бойца в мире можно обезоружить незнакомым приёмом. Думаю, из учтивости надо дать Траму шанс в чём-то другом. Не угодно ли состязание в стрельбе с моей сестрой? Здесь, как вы знаете, приёмов нет.

— А вы, оказывается, шутники, как я погляжу, — улыбнулся гном. — Будто я не знаю, как она стреляет, после утреннего-то. Но... всё-таки попробую.

Пусть и сказано это было так, будто между прочим, глаза у него загорелись, потому что он был прославленный лучник среди своего народа.

Все пятеро вышли во двор, и Питер спросил:

— Что будет мишенью?

— Думаю, сгодится яблоко на ветке за стеной, — сказала Сьюзен.

— Это будет славно, детка, — согласился Трам. — Может быть, вон то, жёлтое, почти посредине арки?

— Нет, не то, а красное, что повыше — над зубцом.

У гнома вытянулось лицо. «Больше похоже отсюда на вишню, чем на яблоко», — сказал он себе, но вслух этого не произнёс.

Они разыграли первый выстрел, чем страшно заинтересовали Трама, который никогда раньше не видел, как бросают монетку, и Сьюзен проиграла. Стрелять должны были с верхней ступеньки лестницы, ведущей из зала во двор. Глядя, как гном занимает место и прицеливается, каждый сказал бы, что он своё дело знает.

«Тванг», — пропела тетива. Выстрел был превосходный. Крошечное яблочко вздрогнуло, едва не задетое стрелой, и листок, кружась, опустился на землю. Затем на верхнюю ступеньку поднялась Сьюзен и вскинула лук. Она и вполовину так не радовалась состязанию, как Эдмунд, не потому, что сомневалась в своем искусстве: просто ей, по мягкосердечию, было стыдно побеждать того, кто и без того побеждён. Гном добродушно наблюдал, как она оттягивает стрелу до уха, а уже в следующий миг яблоко смачно шмякнулось о землю.

— Молодец, Сью! — закричали остальные дети.

— Вообще-то выстрел не лучше вашего, — сказала Сьюзен гному. — Мне кажется, когда вы стреляли, подул слабый ветерок.

— Ничего подобного, — возразил Трам. — Не надо меня утешать. Я знаю, что побеждён честно, и даже не скажу, что рубец от последней раны помешал мне как следует отвести руку назад...

— Ой, вы ранены? — воскликнула Люси. — Позвольте посмотреть.

— Это неподходящее для маленьких девочек... — начал было Трам, но тут же поправился: — Кажется, я опять говорю глупости. Должно быть, вы и впрямь великая целительница, как ваш брат — великий боец, а сестра — великая лучница.

Он присел на ступеньку, снял кольчугу и сбросил рубаху, обнажив руку не больше детской, но волосатую и мускулистую, как у моряка. Плечо было перевязано кое-как, и Люси начала разматывать не первой свежести бинт. Под ним обнаружилась рубленая рана в очень плохом состоянии, сильно опухшая. «Ой, бедный Трам, — сказала себе Люси. — Какой ужас», — и осторожно капнула одну-единственную капельку из своего флакона.

— Эй, постойте-ка. Что это вы делаете? — возмутился было Трам, но сколько ни вертел головой, сколько ни косился и ни оттягивал бороду туда-сюда, разглядеть своё плечо не мог.

Тогда он ощупал его, насколько смог, делая совершенно немыслимые движения, как вы сами, когда пытаетесь почесать место, до которого не можете дотянуться, потом взмахнул рукой, поднял её, напрягая мышцы, и, наконец, вскочил на ноги.

— Тюльпаны-великаны! Вылечилось! Как новое! Ну и глупостей я наделал — столько ни одному гному не удалось бы.

Надеюсь, никто не в обиде? Мое нижайшее почтение всем вашим величествам. И спасибо за спасение жизни, за лечение, за завтрак — и за урок.

Дети хором уверили его, что всё в порядке и говорить больше не о чем.

— И теперь, — сказал Питер, — если вы действительно решили в нас поверить...

— О да, — вставил гном.

— Совершенно ясно, что надо делать. Мы должны немедленно соединиться с Каспианом.

— Чем скорее, тем лучше, — подхватил Трам. — Из-за моей глупости почти час потеряли.

— Если идти так, как шли вы, это займёт два дня, — сказал Питер. — Я говорю о нас. Мы не можем идти день и ночь, как вы, гномы. — И добавил, обернувшись к остальным: — То, что Трам называет холмом Аслана, несомненно, Каменный Стол. Как вы помните, оттуда до бродов у Беруны ходу полдня или чуть меньше...

— Мы называем это место мостом у Беруны, — заметил Трам.

— В наше время там не было моста, — сказал Питер. — Дойти от Беруны сюда — ещё день с небольшим. Мы приходили домой к ужину на второй день, если идти не спеша. Если же поторопиться, то можно проделать весь путь за полтора дня.

— Не забывайте: там теперь леса, — сказал Трам, — и враги, от которых надо скрываться.

— Послушайте, — вмешался Эдмунд, — зачем же нам идти тем же путём, что и дорогой маленький друг?

— Не надо ёрничать, ваше величество, если хоть немного меня уважаете, — сказал гном.

— Хорошо-хорошо, — рассмеялся Эдмунд. — Можно я буду звать вас просто «дэемдэ»?

— Эдмунд, перестань наконец его дразнить! — рассердилась Сьюзен.

— Ничего, детка... то есть ваше величество, — произнес Трам со смешком. — Шутка синяков не набьёт.

(Впоследствии дети часто так его называли, так что почти забыли, что это значит.)

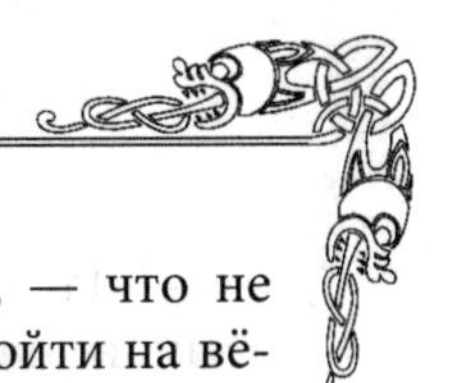

— Так вот я и говорю, — продолжил Эдмунд, — что не нужно добираться тем же путём. Почему бы не пройти на вёслах немного южнее, до Зеркального залива и по нему? Мы окажемся ближе к холму, а в море будем в безопасности. Если выйдем прямо сейчас, то сможем пройти залив до темноты, поспать немного, и завтра с утра пораньше будем у Каспиана.

— Вот что значит хорошо ориентироваться на побережье, — заметил Трам. — Никто из нас никогда не слышал о Зеркальном заливе.

— Как насчёт еды? — спросила Сьюзен.

— Обойдёмся яблоками, — сказала Люси. — Давайте поторопимся. Мы здесь уже два дня, а ещё ничего не сделали.

— В любом случае, — добавил Эдмунд, — я больше не позволю превращать мою шляпу в корзинку для рыбы.

Они набрали в куртки побольше яблок, затем как следует напились из колодца (зная, что пресной воды взять будет негде, пока не высадятся на берегу залива) и отправились к лодке. Детям жалко было покидать Кэр-Параваль, который, даже в руинах, снова начал казаться родным домом.

— Дээмдэ лучше быть рулевым, — сказал Питер. — Мы с Эдом возьмём по веслу. Хотя минуточку. Давайте снимем кольчуги, а то испечёмся, пока доберёмся до места. Девочки сядут на носу и будут показывать направление дээмдэ, потому что он не знает пути. Стоит выйти подальше в море, чтобы обойти остров.

Вскоре зелёный лесистый берег острова отдалился, его бухточки и выступы начали сливаться, лодка поднималась и опускалась на маленьких волнах. Море вокруг ширилось, голубое вдали, зелёное и пенистое вокруг лодки. Пахло солью, не было слышно иных звуков, кроме шипения воды, ударов волны о борт и скрипа уключин. Солнце начало припекать. Люси и Сьюзен блаженствовали на носу, перегибаясь через край и стараясь окунуть руки в море, до которого никак нельзя было дотянуться. Дно, почти всё чистое, светлопесчаное с редкими пятнами пурпурных водорослей, было хорошо видно.

— Как в старые времена, — проговорила Люси. — Помнишь наше путешествие в Теревинфию, и в Гальму, к Семи островам, и к Одиноким островам?

— Да, — ответила Сьюзен, — и наш огромный корабль «Блистательный» — с лебединой шеей и резными лебедиными крыльями почти до середины палубы...

— И шёлковые паруса, и большие кормовые фонари...

— И пиры на корме, и музыкантов.

— Помнишь, как флейтисты играли, взобравшись на ванты, и казалось, что музыка звучит с небес?

Тут Сьюзен забрала у Эдмунда весло, и он пересел к Люси. Они уже обошли остров и направились к берегу — лесистому и пустынному, который вполне можно было назвать живописным, если бы дети не помнили, каким он был в прежние времена: открытым, оживлённым, полным весёлых друзей.

— Ф-фу! Здорово нудная работёнка, — заметил Питер.

— Можно я немного погребу? — спросила Люси.

— Вёсла для тебя велики! — отрезал Питер, и не потому, что сердился, а потому, что у него не осталось сил на разговоры.

## *Глава девятая*

# ЧТО ВИДЕЛА ЛЮСИ

Сьюзен и мальчики страшно устали ещё до того, как обогнули последний мыс и двинулись через залив. От долгих часов на солнце и блеска воды у Люси тоже разболелась голова. Даже Трам мечтал, чтобы путешествие поскорее закончилось. Скамейка у руля, на которой он сидел, была рассчитана на человека, а не на гнома, и ноги его не доставали дна, а всякий знает, что так непросто высидеть и десять минут. Чем больше они уставали, тем больше падали духом. До сих пор дети думали лишь о том, как добраться до Каспиана. Теперь их тревожило, что делать после и каким образом горстка гномов и лесных тварей сможет разбить армию взрослых людей.

Сумерки наступили, когда они медленно проходили на вёслах излучину Зеркального залива. По мере того как берега смыкались и нависающие деревья уже соприкасались вершинами, темнота сгущалась. Стало совсем тихо, как только шум моря затих вдали и можно было слышать даже журчание крошечных ручейков, сбегавших сквозь лес в залив. Наконец путешественники высадились на берег, слишком усталые, чтобы возиться с костром. Даже яблоки, на которые, как думалось, им уже никогда не захочется даже смотреть, казались лучше, чем мысль отправиться на охоту или рыбалку. Перекусив немного в полной тишине, они повалились на мох и сухие листья между четырьмя огромными буками.

Все, кроме Люси, мгновенно заснули, потому что ей никак не удавалось удобно устроиться. Кроме того, она успела забыть, что все гномы храпят, поэтому просто прекратила попытки заснуть, открыв глаза. Сквозь просветы в папоротниках и ветвях она могла видеть только воду залива и небо над ним, где загорались звёзды Нарнии. Когда-то она знала их лучше, чем звёзды своего мира, потому что в бытность королевой Нарнии ложилась спать гораздо позже, чем английские девочки. И вот наконец они — три летних созвездия, видимых оттуда, где она лежала: Корабль, Молот и Леопард. «Милый старый Леопард», — с умилением подумала Люси.

Вместо того чтобы нагнать на себя дремоту, она совсем проснулась, но пробуждение это было странное, похожее на сон. Залив блестел ярче. Люси понимала, что он освещён луной, хотя саму луну и не видела. Девочка начинала чувствовать, что весь лес тоже просыпается. С трудом сознавая, что делает, она встала и немного отошла от бивака. Было прохладно и свежо; отовсюду доносились чудесные запахи. Где-то совсем близко послышалась трель: соловей запел, умолк и начал снова. Впереди было чуть светлее, и она направилась туда. Там было меньше деревьев, но лунный свет так мешался с тенями, что трудно было разобрать, где тут что. В тот же миг соловей, нашедший наконец верный тон, распелся во всю силу.

Глаза Люси начали привыкать к свету, и она отчетливее увидела ближайшие деревья. С великой тоской и любовью вспомнились ей старые времена, когда деревья в Нарнии умели говорить. Она совершенно точно знала, как заговорило бы любое из них, если бы только их удалось разбудить, и на какого человека бы походило. Она посмотрела на серебристую берёзу — у той был слабый, струящийся голос, она походила на стройную девушку со спадающими на лицо волосами, которая обожала танцы. Она посмотрела на дуб: он был мудрым, но добрым стариком с кудрявой бородой, с бородавками, из которых торчали жёсткие волосы, на лице и руках. Она посмотрела на бук, под которым стояла. Ах! Он был лучше всех — грациозное юное божество, спокойный и величавый лесной принц.

— О деревья, деревья, деревья, — проговорила Люси, хотя вовсе не собиралась. — О деревья, проснитесь, проснитесь, проснитесь. Разве вы не помните то время? Разве вы не помните меня? Дриады и гамадриады, выходите, идите ко мне.

Хотя не было ни ветерка, деревья вокруг заколыхались. Шелест листьев был почти как слова. Соловей перестал петь, словно тоже прислушивался. Люси показалось: вот ещё миг, и она поймёт, что пытаются сказать деревья. Но миг этот так и не наступил. Шелест замер. Соловей возобновил песню. Даже в лунном сиянии лес выглядел теперь вполне обычным. И всё же у Люси осталось впечатление (какое бывает, когда пытаешься вспомнить имя или число и уже почти вспомнишь, но оно всё-таки ускользнёт из памяти), будто она что-то упустила: словно заговорила с деревьями на долю секунды раньше или на долю секунды позже, чем нужно, или сказала все нужные слова, кроме одного, или сказала лишнее слово.

Неожиданно она почувствовала себя страшно усталой, вернулась к биваку, втиснулась между Сьюзен и Питером и через несколько минут уже спала.

Безрадостным и холодным было их пробуждение на следующее утро в сером полумраке леса (солнце ещё не взошло), в сырости и грязи.

— Яблоки, хей-хо, — произнёс Трам с печальной гримасой. — Должен сказать, что вы, древние короли и королевы, не перекармливаете своих придворных!

Они встали, дрожа и оглядываясь. Деревья росли густо, дальше чем на несколько ярдов в любую сторону ничего было не разглядеть.

— Я полагаю, ваши величества хорошо знают дорогу? — спросил гном.

— Я-то нет, — ответила Сьюзен. — В жизни не видела этих лесов. Вообще-то я с самого начала считала, что нужно идти вдоль реки.

— Тогда, я думаю, ты должна была сказать это вовремя, — с простительной резкостью заметил Питер.

— Да не обращай ты на неё внимания, — сказал Эдмунд. — Она вечно ноет. Ты захватил свой карманный компас? Ну, тогда всё в полном порядке. Нужно только держаться на северо-запад, перейти эту речушку — как её там? — да, Стремнинку...

— Помню, — сказал Питер, — это та, которая впадает в большую реку возле бродов у Беруны, или моста у Беруны, как говорит дээмдэ.

— Точно, через неё, потом прямиком в гору, и мы будем у Каменного Стола (я имею в виду холм Аслана) часов в восемь-девять. Надеюсь, король Каспиан угостит нас хорошим завтраком!

— Хорошо, если ты прав, — заметила Сьюзен. — Я ничего такого не помню.

— Беда всех девчонок, — сказал Эдмунд Питеру и гному, — что они никогда не могут удержать в голове карту.

— Это потому, что у нас головы не пустые, — отозвалась Люси.

Сначала всё, казалось, шло хорошо: они даже как будто нашли старую тропинку, — но если вы что-то знаете о лесах, вам известно, что там всегда оказываются воображаемые дороги. Они исчезают минут через пять, и тогда кажется, что вы нашли другую тропу, хотя надеетесь, что это не другая, а продолжение той же самой, и она тоже теряется, а когда вы уже

здорово сбились с нужного направления, начинаете понимать, что ни одна из них не была тропой. Мальчики и гном, впрочем, были привычны к лесам, а если порой и обманывались, то через секунду видели свою ошибку.

Они брели около получаса, причём у троих все мышцы ныли после вчерашней гребли, когда Трам внезапно шепнул:

— Стой. Кто-то нас преследует — вернее, крадётся за нами: вон там, слева.

Все остановились, вглядываясь и вслушиваясь, пока глаза и уши не заболели.

— Нам с вами надо бы приготовить луки и стрелы, — сказала Сьюзен Траму.

Тот кивнул, и когда оба лука были готовы, отряд снова двинулся вперёд.

Несколько десятков ярдов путь лежал через прелестный светлый лесок, а дальше начиналась чаща, подлесок сгущался. Как только они её прошли, что-то зарычало среди кустов и выскочило как молния, ломая по пути ветки. Люси толкнули и сбили с ног, и, уже падая, она услышала звон тетивы, а когда пришла в себя, увидела тушу страшного серого медведя со стрелой Трама в боку.

— Дээмдэ победил тебя в этом состязании, Сью, — улыбнулся через силу Питер, совершенно потрясённый.

— Я... я выстрелила слишком поздно, — с трудом выговорила Сьюзен. — Очень боялась, что это, может быть, ну, понимаете... кто-то из наших друзей — говорящий медведь например.

— В этом и беда, — вздохнул Трам. — Большинство зверей стали враждебными и бессловесными, но и те, другие, тоже пока есть. Никогда не знаешь, кто есть кто, а ждать и разглядывать — некогда.

— Бедный старый мишка, — сказала Сьюзен. — Вы не думаете, что он был...

— Не думаю! — отрезал гном. — Я видел морду и слышал рычание. Он всего лишь хотел заполучить маленькую девочку на завтрак. И раз уж речь зашла о завтраке, я не хотел огорчать ваши величества, когда вы мечтали, что король Каспиан хорошенько вас угостит, но мясо в лагере — большая редкость, так что медвежатина придётся весьма кстати. Да и займёт это не

более получаса. Надеюсь, вы, ребятки — я хотел сказать «короли», — умеете свежевать медведя?

— Пойдём отсюда куда-нибудь подальше, — предложила Сьюзен Люси. — Я знаю, какая это противная грязная работа.

Люси передёрнуло, а когда они отошли и сели, она сказала:

— Знаешь, Сью, мне сейчас в голову пришла ужасная мысль... Представляешь, как было бы ужасно, если бы в один прекрасный день в нашем собственном мире, дома, люди начали становиться дикими внутри, как здесь звери, а выглядели бы ещё как люди, и невозможно было бы отличить, кто из них кто...

— Нам сейчас хватает хлопот и здесь, в Нарнии, — ответила практичная Сьюзен, — так что нечего выдумывать всякую ерунду.

Когда они вернулись к мальчикам и гному, те уже срезали лучшие куски мяса сколько можно унести. Конечно, мало удовольствия класть сырое мясо в карман, но они старательно завернули его в свежие листья. Все на собственном опыте знали, что совсем иначе посмотрят на эти неаппетитные куски, когда пройдут побольше и по-настоящему проголодаются.

Отряд снова тронулся в путь. У первого же ручья мальчики и гном остановились помыть руки, и дальше шагали без остановки. Солнце поднялось, птицы запели, мухи (больше, чем хотелось бы) зажужжали в чаще. Ломота после вчерашней гребли начала проходить, и все воспряли духом, а когда солнце стало припекать, сняли шлемы и понесли в руках.

— Надеюсь, мы идём правильно? — спросил Эдмунд часом позже.

— Не представляю, как можно идти неправильно. Главное — не забирать влево, — сказал Питер. — Если мы слишком забрали вправо, то в худшем случае потеряем немного времени — выйдем к Великой реке раньше и не срежем угол.

И дальше они шли молча, только топот да звон кольчуг нарушали тишину.

— Куда делась эта треклятая Стремнинка? — спросил Эдмунд порядочно времени спустя.

— Я и сам думаю, что пора уж на неё наткнуться, — сказал Питер. — Но нам ничего не остаётся, кроме как продолжать путь.

Оба чувствовали на себе встревоженные взгляды гнома, однако их спутник ничего не сказал.

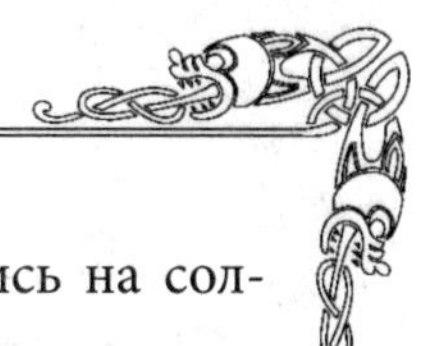

И они потащились дальше. Кольчуги разогрелись на солнце и всё тяжелее давили на плечи.

— А это ещё что? — вдруг воскликнул Питер.

Сами того не заметив, они оказались почти на краю невысокого обрыва. Заглянув вниз, ребята и гном увидели ущелье и речку на дне. На другой стороне обрыв был гораздо выше. Из всего отряда никто, кроме Эдмунда (и, возможно, Трама), не умел лазить по скалам.

— Простите, — сказал Питер. — Это я вас сюда завёл. Мы заблудились. Я вижу это место впервые в жизни.

Гном присвистнул сквозь зубы.

— Давайте скорее вернёмся и пойдём другим путём, — сказала Сьюзен. — Я с самого начала знала, что в этих лесах мы потеряемся.

— Сьюзен! — укоризненно воскликнула Люси. — Не придирайся к Питеру, это гадко, ведь он сделал всё, что мог.

— А ты тоже не одергивай Сьюзен, — сказал Эдмунд. — Я лично думаю, она совершенно права.

— Чашки-черепашки! — воскликнул Трам. — Коли мы заплутали по дороге сюда, какой у нас шанс не сбиться на обратном пути? А насчёт того, чтобы вернуться к острову (если это удастся) и начать всё сначала, с тем же успехом можно сразу отказаться от мысли помочь нашим. Мираз покончит с Каспианом, покуда мы будем таскаться туда-обратно.

— Думаете, надо идти вперёд? — спросила Люси.

— Я не уверен, что Верховный король сбился с пути, — сказал гном. — Почему бы этой речушке не быть той самой Стремнинкой?

— Потому что Стремнинка течёт не в ущелье, — ответил Питер, с трудом сдерживая раздражение.

— Ваше величество сказали «течёт», — возразил гном, — но не правильнее ли сказать «текла»? Вы знали эту страну сотни, а может быть, и тысячи лет назад. Разве она не могла измениться? Обвал мог снести половину того холма, обнажив голые скалы, и вот вам утёсы по ту сторону ущелья. Затем Стремнинка могла год за годом углублять русло, пока не получился уступ с нашей стороны. Или здесь могло случиться землетрясение, или ещё что-нибудь.

— Я об этом не подумал, — признался Питер.

— Во всяком случае, — продолжил Трам, — даже если это не Стремнинка, она течёт примерно на север и там, так или иначе, должна впадать в Великую реку. Возможно, ниже, чем мы надеялись, но всё равно это не хуже, чем если бы мы шли моим путём.

— Трам, ты молоток! — сказал Питер. — Тогда пошли, вдоль этого края ущелья.

— Смотрите! Смотрите! — закричала Люси.

— Где? Что? — зашумели все остальные.

— Лев, сам Аслан. Разве не видите?

Её лицо совершенно изменилось, глаза сияли.

— Ты что, правда?.. — начал Питер.

— Где, тебе кажется, ты его видела? — спросила Сьюзен.

— Не говори как взрослые! — топнула ногой Люси. — Мне ничего не кажется — я его видела.

— Где, Лу? — спросил Питер.

— Прямо между теми рябинами. Нет, по эту сторону ущелья. И выше, не вниз, как раз в обратную сторону, чем мы собирались идти. Он хотел нам показать, чтобы шли туда, вверх.

— Откуда ты это можешь знать? — скептически поинтересовался Эдмунд.

— Он... я... я... просто знаю, и всё.

Все остальные переглядывались в недоумённом молчании.

— Её величество вполне могла видеть льва, — вставил Трам. — Мне говорили, в этих лесах они водятся. Однако он может быть таким же диким и бессловесным, как тот медведь.

— Ой, не будьте таким глупым! — воскликнула Люси. — Вы думаете, я не узнаю Аслана?

— Если он из ваших прежних знакомцев, то должен быть весьма престарелым львом, — заметил Трам. — А если он и тот самый, что помешало ему одичать вместе с другими?

Люси густо покраснела и, думаю, бросилась бы на Трама, если бы Питер не удержал её за руку.

— Дээмдэ не понимает. Да и откуда ему? Ты должен усвоить, Трам, что мы действительно кое-что знаем об Аслане, пусть даже самую малость. И тебе не следует больше так говорить о нём. Во-первых, это не доведёт до добра, а во-вторых, всё равно окажется глупостью. Единственный вопрос: действительно ли здесь был Аслан?

— Я знаю: это был он, — сказала Люси, и глаза её наполнились слезами.

— Да, Лу, но мы-то не знаем, сама понимаешь, — проговорил Питер.

— Ничего не остаётся, кроме голосования, — предложил Эдмунд.

— Отлично, — согласился Питер. — Вы старший из нас, дэмдэ. За что голосуете? Вверх или вниз?

— Вниз, — сказал гном. — Я ничего не знаю об Аслане, но зато знаю, что если мы повернём вверх и пойдём по ущелью, то можем идти весь день, прежде чем найдём, где через него перебраться. Если же мы повернём вправо и пойдём вниз, то через пару часов будем у Великой реки. И если здесь и впрямь где-то есть львы, надо уходить от них, а не идти к ним.

— Что ты скажешь, Сьюзен?

— Не сердись, Лу, но я думаю, надо идти вниз. Я устала до смерти. И никто из нас, кроме тебя, ровным счётом ничего не видел.

— Эдмунд? — спросил Питер.

— Ну вот что, — произнёс тот скороговоркой, слегка покраснев. — Год назад — или тысячу лет назад, не важно, — ведь это Люси открыла Нарнию, но никто из нас ей не поверил. Знаю, я был хуже всех. И всё-таки она оказалась права. Не лучше ли и на этот раз ей поверить? Я за то, чтобы идти вверх.

— Ой, Эд! — воскликнула Люси и схватила брата за руку.

— Теперь твоя очередь, Питер, — сказала Сьюзен. — Надеюсь...

— Ой, молчи, молчи, дай мне подумать, — перебил её Питер. — Я предпочёл бы не голосовать.

— Вы Верховный король, — строго сказал Трам.

— Вниз, — произнес Питер после долгого молчания. — Я знаю: может быть, потом окажется, что Люси права, — но ничего не могу поделать. Мы должны выбрать что-то одно.

И они двинулись вдоль обрыва направо, вниз по течению. Люси шла последней и горько плакала.

*Глава десятая*

# ВОЗВРАЩЕНИЕ ЛЬВА

Держаться края ущелья оказалось не так просто, как представлялось. Не пройдя и нескольких ярдов, они наткнулись на молодой ельник, которым порос самый край обрыва, и минут десять продирались через него, то и дело застревая, потом поняли, что так на каждые полмили потребуется час. Тогда они вернулись и пошли в обход. Это увело их куда дальше, чем хотелось бы, они потеряли из виду обрыв и уже не слышали шума бегущей воды, так что даже испугались, что не смогут снова отыскать речку. Никто не знал, который час, но приближалось самое жаркое время дня.

Когда они выбрались-таки к ущелью (почти в миле от того места, с которого начали обходить ельник), то обнаружили, что на их стороне обрыв стал гораздо ниже и не такой отвесный. Вскоре им удалось спуститься и продолжить путь вдоль самой реки. Впрочем, сначала они отдыхали и долго пили. Никто уже не говорил о завтраке или даже обеде с Каспианом.

Наверное, это было разумно — идти вдоль реки, а не над обрывом. По крайней мере, они не сомневались, что идут в нужную сторону. Особенно после ельника все боялись слишком сильно сбиться с курса и потеряться в этом лесу, таком старом, непроходимом, что невозможно было придерживаться сколь-

ко-нибудь прямого пути. Непролазные заросли ежевики, поваленные деревья и густой подлесок то и дело преграждали дорогу. Однако по ущелью Стремнинки идти было тоже не сахар. Я хочу сказать, это было не лучшее место, когда торопишься. Для вечерней прогулки с пикником оно бы подошло как нельзя лучше. Здесь было всё, что можно пожелать для такого случая: гремящие водопады, серебряные каскады, янтарного цвета заводи, замшелые камни и глубокий мох на берегах, в котором можно утонуть по щиколотку, всевозможные папоротники, стрекозы, сверкающие как самоцветы, иногда ястреб над головой, а однажды, как показалось Питеру и Траму, даже орёл. Но, конечно, что дети и гном желали увидеть как можно скорее, так это Великую реку внизу, Беруну и путь к холму Аслана.

С каждым шагом русло Стремнинки становилось круче и круче. Путешествие всё больше превращалось в альпинистский поход, причём лезть приходилось по скользким камням, неприятно нависшим над тёмной бездной, в которой сердито ревела река.

Можете не сомневаться: они внимательно разглядывали противоположный обрыв, пытаясь отыскать трещину или чуть более пологое место, по которому можно было бы выбраться наверх, но тот берег оставался недоступным. Их это выводило из себя, потому что все знали — стоит выбраться на ту сторону, и перед ними окажется ровный склон и короткий прямой путь до расположения Каспиана.

Мальчики и гном теперь склонялись к тому, чтобы развести костёр и приготовить медвежатину. Сьюзен хотела лишь одного: идти дальше, чтобы поскорее выбраться из этого ужасного, как она выразилась, леса. Люси так устала и выглядела такой несчастной, что ей было всё равно. Однако, поскольку нигде не было сухих дров, не имело значения, кто что думает. Мальчики начали сомневаться, действительно ли сырое мясо такое противное, как им всегда говорили, но Трам заверил, что лучше не пробовать.

Конечно, если бы дети предприняли подобный поход несколько дней назад в Англии, то давно бы свалились. Кажется, я уже объяснял, как действовала на них Нарния. Даже Люси была теперь, так сказать, лишь на треть маленькой девочкой, которая впервые ехала в школу, а на две трети — королевой Нарнии.

— Наконец-то! — вдруг послышался возглас Сьюзен.

— Ур-р-ра! — вторил ей Питер.

Речное ущелье вдруг повернуло, и перед ними открылась широкая панорама. Впереди до самого горизонта лежала ровная местность, а на ней — широкая серебристая лента Великой реки. Видели они и особенно широкое, мелководное место, где когда-то был брод у Беруны, а теперь возвышался длинный многоарочный мост. На дальнем берегу виднелся городок.

— Чтоб мне! — воскликнул Эдмунд. — Мы выиграли битву при Беруне как раз там, где сейчас город!

Мальчики сразу приободрились. Нельзя не почувствовать себя сильным, когда смотришь на место, где одержал славную победу и получил королевство сотни лет назад. Питер и Эдмунд вскоре так увлеклись воспоминаниями о битве, что забыли про стёртые ноги и тяжёлое бремя кольчуг на своих плечах. Гном тоже заинтересовался.

Все, не сговариваясь, прибавили шагу. Идти становилось легче. Хотя слева всё ещё тянулись отвесные скалы, справа склон понижался. Вскоре это было уже не ущелье, а скорее долина. Водопады исчезли, и дети снова оказались в довольно густом лесу.

Затем — одновременно — раздалось «вз-з-з» и звук, похожий на дробь дятла. Дети ещё недоумевали, где (века назад) слышали эти звуки и почему они им так не нравятся, когда раздался крик Трама: «Ложись!» — и Люси, которая была к нему ближе всех, полетела от его толчка в заросли. Питер, оглянувшись посмотреть, не белка ли это, понял наконец, в чём дело:

страшная длинная стрела впилась в ствол дерева прямо над его головой, — и, швырнув на землю Сьюзен, упал сам. В следующий миг вторая стрела пролетела над его плечом.

— Быстро! Назад! Ползком! — прохрипел Трам.

Они повернулись и поползли, извиваясь, вверх по склону, под прикрытием чащи, окружённые роем противно жужжащих мух. Стрелы свистели вокруг. Одна с резким стуком ударила в шлем Сьюзен и отскочила. Пришлось увеличить скорость, так что пот лил со всех ручьями. Потом они вскочили и побежали, согнувшись почти вдвое. Мечи мальчики держали в руках, потому что боялись о них споткнуться.

Это было ужасно тяжело — всё время вверх, обратно тем же путём, которым сюда пришли. Когда почувствовали, что не могут дальше бежать, даже ради спасения собственной жизни, дети и гном бросились в сырой мох у водопада за большим валуном. Пытаясь отдышаться, они с удивлением увидели, как далеко забрались, и, как ни вслушивались, шума погони не услышали.

— И то хорошо, что лес не обшаривают, — заметил Трам, испустив глубокий вздох. — Просто дозорные, я полагаю. Но это значит, что Мираз держит здесь сторожевой пост. Фляжки-коряжки! Чуть не попались.

— Я готов себе голову оторвать за то, что повёл вас этим путём, — сказал Питер.

— Ну, это не вы, а ваш царственный брат, король Эдмунд, — возразил гном, — первый посоветовал двинуться через Зеркальный залив.

— Боюсь, дэмдэ прав, — согласился Эдмунд, который совершенно искренне об этом не помнил с тех пор, как события приняли скверный оборот.

— С другой стороны, — продолжил Трам, — если бы мы пошли моим путём, то точно так же вышли бы на

этот новый аванпост, ну или обходили бы его с таким же трудом. Думаю, этот маршрут через Зеркальный залив всё же был лучшим вариантом.

— Нет худа без добра, — заметила Сьюзен.

— Пока одно лишь худо, — возразил Эдмунд.

— Я думаю, нам надо снова идти по самому ущелью, — сказала Люси.

— Лу, ты оказалась права, — произнес Питер, — так что имеешь полное право сказать «я же вам говорила». Пошли.

— А как только мы зайдём достаточно глубоко в лес, — добавил Трам, — что бы кто ни говорил, я разведу костёр и приготовлю ужин. Однако сначала нужно убраться отсюда подальше.

Не нужно описывать, как они потащились обратно по ущелью. Это было очень тяжело, но, как ни странно, ребята чувствовали себя бодрее. Пришло второе дыхание, а слово «ужин» всех окрылило.

Они ещё засветло добрались до ельника, доставившего им столько трудностей, и расположились в соседней лощине. Утомительно было собирать хворост, но все расслабились, когда загорелся костёр и запахло жареной медвежатиной, которая показалась бы неприглядной всякому, кто провёл день в городской квартире. Гном готовил великолепно. Каждое яблоко (у них ещё оставалось несколько штук) заворачивали

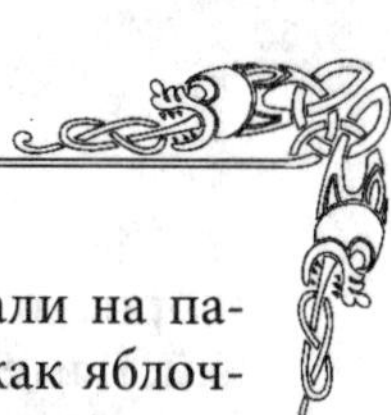

в ломоть медвежатины — как в тесто, — нанизывали на палочку и жарили. Сок от яблока пропитывал мясо, как яблочный соус — жареную свинину. У медведя, что питается живностью, мясо не очень вкусное; другое дело медведи, которые предпочитают фрукты и мёд, — этот оказался именно таким. Ужин был поистине великолепен. И, разумеется, посуду мыть не пришлось — все просто лежали на спине, глядя на дым из трубки Трама, вытянув ноги и болтая о том о сём. Они почти не сомневались, что найдут короля Каспиана завтра и разобьют Мираза в несколько дней. Может быть, для этой уверенности не было никаких оснований, но так им тогда казалось.

Они заснули один за другим, но все очень быстро.

Люси пробудилась от самого глубокого сна, какой только можно себе представить, с ощущением, что её позвал по имени голос, который она любит больше всего в мире. Сначала она подумала, что это голос отца, потом поняла, что нет. Тогда она подумала, что голос принадлежал Питеру, но решила, что нет, не ему. Вставать не хотелось — не потому, что чувствовала себя усталой: наоборот, удивительно отдохнула, всё, что болело, прошло, — но потому, что ей было так необычайно хорошо и уютно. Они расположились на относительно открытом месте, и Люси видела прямо над собой нарнийскую луну, которая больше нашей, и звёздное небо.

«Люси», — снова послышался зов, но голос не принадлежал ни отцу, ни Питеру. Она села, дрожа от радости, а не от страха. Луна так сияла, что лес вокруг был виден почти как днём, хотя казался ещё более диким. Позади неё был ельник, дальше вправо выступали вершины скал на той стороне ущелья, прямо перед ней лежала открытая поляна, за которой на расстоянии полёта стрелы росли деревья. Изо всех сил вглядываясь в них, Люси сказала себе: «Похоже, они шевелятся, почти идут».

Девочка встала, чувствуя, как сильно колотится сердце, и пошла им навстречу. На опушке действительно было шумно, как при сильном ветре, хотя ветра в ту ночь не было. И всё же шум был не совсем обычный. Люси ощущала мелодию, но не могла её уловить, как не могла понять слова, которые деревья едва не произнесли прошлой ночью. Во всяком случае, она различала ритм, а подойдя, почувствовала, что ноги сами так

и просятся танцевать. Теперь не было сомнений, что деревья действительно движутся — сходятся и снова расходятся, как в сложных фигурах сельского танца. (Люси подумала, что это должен быть очень сельский танец, если танцуют деревья.) Она была среди них.

Первое дерево, на которое она взглянула, показалось ей вовсе не деревом, а огромным человеком с косматой бородой и целой копной волос. Она не испугалась, потому что видела такое и раньше, а когда взглянула ещё раз, человек снова стал деревом, хотя по-прежнему двигался. Вы, конечно, не увидели бы, где у него ноги или корни, ведь деревья, когда движутся, не выходят из земли, а продвигаются в ней, как мы в воде. То же самое происходило с каждым деревом, на которое она смотрела. В один миг они были дружелюбными, милыми великанами и великаншами, в которые превращается древесный народ, когда добрая магия призывает его к жизни, в следующий — вновь казались деревьями. Но даже когда они казались деревьями, это были странные, человечные деревья, а когда людьми — это были странные — ветвистые и лиственные — люди, и всё время слышался тот же странный, ритмичный, шелестящий, свежий, весёлый шум.

«Они почти проснулись», — сказала себе Люси, сознавая, что и сама вполне проснулась, полнее, чем обычно бывает.

Она бесстрашно шла между ними, пританцовывая и поминутно уступая дорогу исполинским партнёрам. Но это лишь наполовину занимало её. Она стремилась дальше, туда, откуда позвал её дорогой голос.

Вскоре Люси миновала деревья, так и не решив, что же делает: разводит руками ветки или в большом хороводе держится за руки, которые протягивают ей, наклоняясь, огромные танцоры, — и за их кольцом действительно обнаружила большую открытую поляну, где и остановилась.

Посредине прелестного, волнующего смешения света и тени её глазам предстал, окружённый танцующими деревьями, круг травы, гладкий, словно садовая лужайка. И о радость! Здесь был он, огромный лев, сияющий белизной в лунном свете и отбрасывающий огромную тень.

Если бы не движения хвоста, его можно было бы принять за каменное изваяние, но Люси и на секунду такого не по-

думала. Не пытаясь понять, дружелюбный это лев или дикий, она бросилась к нему, чувствуя, что сердце её разобьётся, если промедлит. Потом она осознала, что прижимается к шелковистой гриве, стараясь обхватить его шею, зарывает в неё лицо.

— Аслан, дорогой Аслан, — разрыдалась Люси. — Наконец-то ты вернулся.

Огромный зверь перекатился на бок, так что девочка оказалась между его передними лапами, и чуть коснулся языком её носа. Она же не могла оторвать взгляда от этого большого, мудрого и такого родного лица.

— Здравствуй, дитя, — сказал лев.

— Аслан, — проговорила Люси, — а ты стал ещё больше.

— Это потому, что и ты становишься старше, малютка.

— А не потому, что ты?

— Я — нет. Но с каждым годом, подрастая, ты будешь видеть меня всё бóльшим.

Она была так счастлива, что не хотела ни о чём говорить, но заговорил Аслан:

— Люси, у тебя очень мало времени, а дело не ждёт.

— Ну разве не обидно? — воскликнула Люси. — Я ведь ясно тебя видела, а они не поверили. Они такие...

Где-то в глубине тела огромного зверя прокатилось чуть слышное рычание.

— Прости: я не собиралась ни на кого наговаривать, — но ведь всё равно нет моей вины, правда?

Лев посмотрел ей прямо в глаза, и Люси поняла, что рассердила его.

— Ах, Аслан, ты думаешь, я виновата? А что мне оставалось? Я же не могла оставить всех и пойти за тобой одна? Не смотри на меня так... Ну да, наверное, могла. Да, и я была бы не одна, с тобой. Но разве это было бы хорошо?

Аслан не ответил.

— Значит, — выговорила Люси совсем тихо, — всё оказалось бы хорошо — как-нибудь? Но как? Пожалуйста, Аслан! Мне нельзя знать?

— Знать, что могло бы произойти, дитя? Нет. Этого никто никогда не узнает.

— Вот жалость, — огорчилась Люси.

— Но каждый может узнать, что произойдёт, — продолжил Аслан. — Если ты сейчас пойдёшь обратно, разбудишь остальных и скажешь им, что снова видела меня, что вы должны все сейчас же встать и следовать за мной, — что тогда произойдёт? Есть только один способ это узнать.

— Значит, ты хочешь, чтобы я это сделала? — прошептала Люси.

— Да, малютка.

— Другие тебя тоже увидят? — спросила Люси.

— Поначалу определённо нет, — сказал Аслан. — Позже, смотря по обстоятельствам.

— Но они же мне не поверят! — воскликнула Люси.

— Это не важно.

— Ой-ой, — запричитала Люси. — А я так радовалась, что тебя нашла: думала, ты позволишь мне остаться. Думала, ты зарычишь, и все враги ужаснутся — как раньше. А теперь всё так страшно.

— Тебе трудно это понять, малютка, — сказал Аслан, — но ничто никогда не происходит так, как уже было.

Люси зарылась головой в его гриву, чтобы избежать взгляда, однако было что-то магическое в этой гриве. Она почувствовала, как в неё вливается сила, и внезапно поднялась.

— Прости, Аслан. Теперь я готова.

— Ты теперь львица. И вся Нарния с тобой восстанет обновлённой. Ну, иди. У нас нет больше времени.

Он встал и величаво, бесшумно вступил в круг танцующих деревьев, через которые только что прошла Люси. Она шла рядом, положив чуть дрожащую руку на его гриву. Деревья расступались перед ними, на миг принимая человеческий облик. Перед Люси возникали высокие и прекрасные древесные боги и богини, которые кланялись льву, а в следующую секунду вновь становились деревьями, но продолжали кланяться, так грациозно раскачивая ветви и стволы, что их поклоны тоже были как танец.

— Ну, дитя, — сказал Аслан, когда деревья остались позади, — я подожду здесь. Иди разбуди остальных и скажи, чтобы шли за мной. Если не пойдут, тогда ты должна это сделать одна.

Это ужасно — будить старших и к тому же смертельно уставших, чтобы сообщить нечто такое, чему они скорее всего не поверят, и понуждать к тому, чего они, разумеется, не хотят. «Я должна об этом не думать, а делать что велено», — сказала себе Люси и сначала подошла к Питеру.

— Эй, проснись! — хорошенько встряхнув брата, прошептала ему на ухо. — Аслан сказал, что мы должны сейчас же следовать за ним.

— Конечно, Лу. Куда хочешь, — неожиданно согласился Питер.

Это обнадёживало, но, увы, Питер тут же перевернулся на другой бок и опять заснул. Люси попыталась разбудить Сьюзен. Та действительно проснулась, но только для того, чтобы сказать самым противным, взрослым голосом:

— Тебе всё приснилось, Лу. Спи лучше.

Она принялась за Эдмунда. Очень трудно было разбудить его, но когда в конце концов удалось, он сказал недовольным голосом:

— А? О чём это ты?

Люси повторила. Это было самое трудное, потому что с каждым разом получалось всё менее убедительно.

— Аслан! — воскликнул вдруг Эдмунд вскакивая. — Ура! Где?

Люси обернулась в ту сторону, где терпеливо ждал, глядя на неё, лев.

— Здесь.

— Где? — переспросил Эдмунд.

— Здесь же. Ты что, не видишь? Вот с этой стороны дерева.

Эдмунд как ни вглядывался, ничего не увидел.

— Нет там никого. Это всё лунный свет. Так бывает, знаешь. Мне тоже сперва что-то показалось. Это всё оптический... как его там...

— Я всё время его вижу, — возразила Люси. — Он смотрит прямо на нас.

— Тогда почему я его не вижу?

— Он сказал, ты не сможешь.

— Почему?

— Не знаю.

— Ну ладно, — наконец согласился Эдмунд. — Хоть мне всё это и не нравится, но, наверное, мы должны разбудить остальных.

## *Глава одиннадцатая*

# ЛЕВ РЫЧИТ

Когда всех наконец разбудили, Люси пересказала свою историю в четвёртый раз. Полнейшее молчание, которым были встречены её слова, казалось, отнимало последнюю надежду.

— Я ничего не вижу, — сказал наконец Питер, до боли напрягая глаза. — А ты, Сьюзен?

— Ну конечно же нет, — отрезала Сьюзен. — Потому что там нечего видеть. Она грезит. Ложись обратно, и давай спать, Люси.

— Я надеюсь, — сказала Люси дрожащим голосом, — что вы все пойдёте со мной. Потому что... потому что я должна идти с ним, даже если никто не пойдёт.

— Не говори глупости, Люси! — рассердилась Сьюзен. — Конечно, ты никуда одна не пойдёшь. Не пускай её, Питер. Она нарочно капризничает.

— Если она пойдёт, то я пойду с ней, — заявил Эдмунд. — Тогда, год назад, права была она.

— Да, — согласился Питер. — Может быть, она была права и сегодня утром. Нам, конечно, не стоило идти вниз по ущелью. Только всё-таки — почему посреди ночи? И почему Аслан для нас невидим? Раньше такого не случалось. Это на него не похоже. Что скажет дэмдэ?

— О, я-то вовсе ничего не скажу, — ответил гном. — Если вы идёте, то я, конечно, иду с вами, а если отряд разделится, остаюсь с Верховным королём. Это мой долг перед ним и королём Каспианом. Однако если вас интересует моё частное мнение, то я обыкновенный гном, который не думает, что есть шанс ночью найти дорогу там, где не нашли её днём. И мне не по душе говорящие львы, которые не говорят, дружелюбные львы, которые не делают нам ничего хорошего, и огромные львы, которых никто не видит. Это всё стручки и лодочки, насколько я понимаю.

— Он бьёт лапой по земле, потому что сердится на нас, — сказала Люси. — Мы должны идти сейчас же. По крайней мере, я.

— Ты не имеешь права на нас давить. Нас четверо против тебя одной, и ты младше, — сказала Сьюзен.

— Да ладно, пошли, — проворчал Эдмунд. — Идти надо. Не будет покоя, пока не пойдём.

Он готов был во всём поддержать Люси, но злился, потому что не выспался, и оттого на всех дулся.

— Тогда вперёд! — скомандовал Питер, устало продевая руку в ремни щита и надевая шлем. В другое время он сказал бы что-нибудь ласковое Люси, своей любимой сестре, поскольку видел, как она расстроена, и понимал, что её вины здесь нет, но сейчас поневоле немного на неё досадовал.

Хуже всех вела себя Сьюзен.

— Предположим, я возьму пример с Люси и заявлю, что останусь здесь, как бы ни поступили остальные. И что?

— Повинуйтесь Верховному королю, ваше величество, — сказал Трам, — и давайте трогаться. Если мне больше не дают спать, лучше уж идти, чем сидеть здесь и препираться.

Итак, наконец они двинулись. Люси шла первая, кусая губы и стараясь не высказать Сьюзен всё, что думает, однако тут же забыла о ней, когда взглянула на Аслана, который медленно шёл ярдах в тридцати впереди. Остальные должны были полагаться на указания Люси, потому что Аслан был не только невидим для них, но и неслышим. Его большие кошачьи лапы ступали по траве совершенно беззвучно.

Он вёл их прямо к танцующим деревьям (танцуют ли те, ещё никто не видел, потому что Люси не отводила глаз от Ас-

лана, а остальные — от неё) и ближе к краю ущелья. «Мушки-колотушки! — думал Трам. — Даже у сумасшествия должен быть предел. Надеюсь, мы не полезем спускаться при лунном свете, а то ведь и шею сломать недолго!»

Сначала Аслан вёл их по верхней кромке обрыва, затем, когда дошли до места, где низкие деревья разрослись по самому краю, повернулся и исчез. Люси затаила дыхание, потому что это выглядело так, словно он спрыгнул со скалы, но, опасаясь упустить его из виду, она не могла остановиться и подумать, поэтому просто ускорила шаг и скоро сама оказалась среди деревьев. Заглянув вниз, она различила крутую узкую тропинку, косо уходившую в ущелье, и Аслана на ней. Люси обрадовалась, захлопала в ладоши и начала спускаться, не обращая внимания на тревожные голоса сверху:

— Эй, Люси! Оглянись, ради всего святого. Ты на самом краю обрыва. Вернись!

— Нет, она права: здесь есть спуск, — послышался чуть позже голос Эдмунда.

Посередине тропинки брат догнал её и воскликнул в величайшем волнении:

— Посмотри! Что это за тень движется перед нами?

— Это *его* тень.

— Да, ты права, Лу. Не понимаю, почему я раньше её не видел. Но где же он сам?

— Там же, где его тень. Разве ты не видишь?

— Ну, мне почти кажется, что вижу... иногда. Свет такой странный.

— Вперёд, король Эдмунд, вперёд, — донёсся голос Трама сзади и сверху, а затем издалека, с обрыва, голос Питера:

— Ну, смелей, Сьюзен. Дай руку. Здесь и ребёнок спустится. И перестань ворчать.

Через несколько минут они были внизу, где их оглушил рёв воды. Двигаясь осторожно, как кошка, переходя с камня на камень, Аслан показывал путь через поток. Посредине лев остановился, нагнулся, чтобы напиться, а когда поднял свою огромную голову, стряхивая капли воды, обернулся, и тогда Эдмунд увидел его, бросился было вперёд, но лев махнул хвостом и начал мягко взбираться на дальний обрыв Стремнинки.

— Питер, Питер! — закричал Эдмунд. — Ты видишь?

— Что-то вижу, — послышалось сзади, — но всё так призрачно в лунном свете. Идём же, и да здравствует Люси! Я теперь почти не чувствую усталости.

Аслан без колебаний вёл их влево, вверх по ущелью. Всё путешествие было странным, как во сне: ревущий поток, мокрые от росы серые травы, мерцающие под луной скалы, — и величественный, неслышно шествующий впереди лев. Все, кроме Сьюзен и гнома, теперь видели его.

Вскоре они подошли к другой тропе, на склоне дальнего обрыва. Здесь уступ был гораздо круче, чем тот, по которому они только что спустились, и подниматься пришлось длинными утомительными зигзагами. К счастью, луна сияла прямо над ущельем, так что оба склона были освещены.

Люси совсем выдохлась, но тут хвост и задние лапы Аслана исчезли за краем обрыва. Из последних сил она вскарабкалась следом и, с дрожащими коленями, трясущимися руками, вышла на холм, к которому они стремились с тех пор, как покинули Зеркальный залив. Длинный пологий склон (вереск, трава и несколько очень больших камней, сиявших в лунном свете) тянулся вверх и скрывался среди мерцающих рощ, в полумиле отсюда. Люси узнала его. Это был Каменный Стол.

Звеня кольчугами, все остальные вскарабкались вслед за ней. Аслан плавно скользил впереди.

— Люси, — шёпотом позвала Сьюзен.

— Да?

— Я его теперь вижу. Мне стыдно.

— Это очень хорошо.

— Но всё гораздо хуже, чем ты думаешь. Я же поверила вчера, что это он предупреждал нас не ходить в ельник. И ночью, когда ты нас будила, тоже поверила. Я всё понимала, глубоко внутри. Или поняла бы, если бы позволила себе. Но мне хотелось лишь одного — выбраться из леса и... ой, не знаю. И что же я ему скажу?

— Может, и не надо ничего говорить, — задумчиво ответила Люси.

Вскоре они достигли деревьев, и сквозь них дети увидели курган, холм Аслана, воздвигнутый вокруг Стола, когда их уже не было в Нарнии.

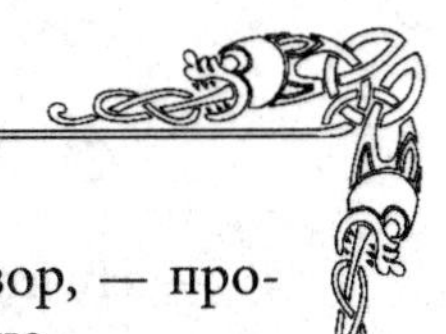

— Наша сторона не очень-то хорошо несёт дозор, — прошептал Трам. — Нас должны были заметить раньше...

Остальные четверо на него зашикали, потому что в этот момент Аслан остановился и обернулся, глядя столь величаво, что все обрадовались, насколько может радоваться тот, кто очень напуган, и в то же время испугались, как может бояться тот, кто очень обрадован. Мальчики шагнули вперёд, Люси за ними, Сьюзен и гном отпрянули.

— О Аслан! — воскликнул король Питер, опускаясь на одно колено и поднимая тяжёлую лапу льва к своему лицу. — Я так рад и так виноват! Я вёл их не туда с самого начала, и особенно вчера утром.

— Мой дорогой сын... — только и сказал ему Аслан, затем повернулся и приветствовал Эдмунда: — Молодец. — Потом, помолчав, произнёс глубоким низким голосом: — Сьюзен.

Та ничего не ответила — только, похоже, заплакала.

— Ты слушалась страхов, дитя, — произнёс Аслан. — Подойди, дай мне дохнуть на тебя. Забудь обо всём. Стала ли ты снова храброй?

— Немножко, Аслан, — ответила Сьюзен.

— А теперь, — произнес Аслан гораздо громче, почти прорычал, хлестнув себя по бокам хвостом, — я хочу видеть этого маленького гнома, этого прославленного меченосца и лучника, который не верит во львов! Поди сюда, сын земли, поди СЮДА!

— Видения и наводнения! — едва слышно простонал Трам.

Дети, которые знали Аслана и видели, что гном ему нравится, не тревожились. Иное дело сам Трам, который никогда не видел львов вообще, а этого и подавно. Однако поступил он весьма разумно — вместо того чтобы кинуться наутёк, неверным шагом двинулся к Аслану, и тот прыгнул на него.

Вы когда-нибудь видели, как мама-кошка держит в зубах своего маленького котёнка? Это было очень похоже. Гном, сжавшийся в жалкий комочек, свисал из пасти льва. Аслан встряхнул его, так что кольчуга задребезжала, как связка ключей, а затем — алле-гоп! — гном взлетел в воздух. Он был в такой же безопасности, как в собственной постели, но не знал этого. Огромные бархатные лапы подхватили его нежно, как материнские руки, и поставили на землю.

— Ну что, сын земли, будем друзьями? — спросил Аслан.

— Д-д-да, — прохрипел гном, все ещё не в силах отдышаться.

— Ну вот и хорошо, А теперь обернитесь: луна заходит, брезжит рассвет. Нам нельзя терять время. Вы трое, сыны Адама и сын земли, ступайте в курган и разберитесь с тем, что там обнаружите.

Гном всё ещё не обрёл голос, а мальчики не осмелились попросить Аслана пойти с ними. Все трое выхватили мечи, отсалютовали, затем повернулись и, звеня кольчугами, ушли во мрак. Люси не заметила в их лицах и тени слабости, оба — и Верховный король, и король Эдмунд — казались скорее мужчинами, чем мальчиками, и девочки, стоявшие подле Аслана, проводили их уважительными взглядами.

Освещение изменилось. На востоке над горизонтом, как маленькая луна, сияла Аравир, утренняя звезда Нарнии. Аслан, который, казалось, стал ещё больше, поднял голову, тряхнул гривой и зарычал. Звук, глубокий и пульсирующий вначале, как орган, начинавшийся с низкой ноты, взмыл и стал громче, и ещё, и ещё громче, пока от него не задрожали земля и воздух. Он поднимался с холма и плыл над всей Нарнией. Внизу, в лагере Мираза, люди просыпались, бледнели, уставившись друг на друга, и хватались за оружие. Ещё ниже, на Великой реке, особенно холодной в этот предутренний час, из воды поднялись головки нимф и большая косматая голова речного бога. Дальше, в каждом поле и лесу, кролики выставляли из норок настороженные ушки, птички сонно вытаскивали клювики из-под крыльев, совы ухали, лисицы тявкали, ежи хрюкали, деревья раскачивались. В городах и деревнях

матери крепче прижимали детей к груди, а мужчины вставали, чтобы зажечь свет. Далеко на северной границе великаны выглядывали в тёмные двери своих замков.

Люси и Сьюзен увидели, как что-то тёмное стекается к ним со всех сторон. Сначала это напоминало чёрный туман, стелющийся по земле, потом — чёрные штормовые волны, которые, надвигаясь, вздымаются всё выше, и, наконец, стало тем, чем было на самом деле, — движущимися лесами. Все деревья мира спешили предстать перед Асланом, однако, приближаясь, всё меньше походили на деревья, и когда вся толпа, кланяясь, приседая и приветственно размахивая руками, собралась вокруг Люси, то девочка увидела, что все они приняли человеческое обличье. Бледные девушки-берёзы встряхивали головами, женщины-ивы отбрасывали волосы с задумчивых лиц, чтобы взглянуть на Аслана, царственные буки застыли недвижно, благоговея перед ним, огромные мужественные дубы, тонкие и меланхоличные вязы, пышноволосые остролисты (сами тёмные, зато жёны их сверкали, украшенные яркими ягодами) и весёлые рябины — все склонялись и вновь выпрямлялись, приветствуя Аслана на все голоса: кто хрипло, кто скрипуче, кто певуче.

Танцующая толпа вокруг Аслана — танец начался снова — стала такой тесной, а хоровод таким быстрым, что Люси растерялась и не смогла бы ответить, когда заметила между деревьями скачущих людей. Один был юный, в одной лишь оленьей шкуре, с венком из виноградных листьев на голове. Лицо его казалось бы чересчур смазливым для юноши, не будь таким диким. Эдмунд, увидев его через несколько дней, сказал: «Этот парень способен на что угодно — абсолютно на что угодно». У него было, похоже, много имен. Бромий, Briсарей, Овен — три из них. За ним следовала толпа девушек, таких же диких, как он сам. Появился даже, как ни странно, некто на ослике. И все смеялись, и все кричали: «Эван, эван, эвоэ-э-э».

— Это игра, Аслан? — воскликнул юноша.

И тотчас игра началась. Однако, похоже, каждый имел своё представление о том, во что играет. Может быть, это были салки, но Люси так и не поняла, кто водит. Отчасти это походило на жмурки, только каждый вёл себя так, словно именно

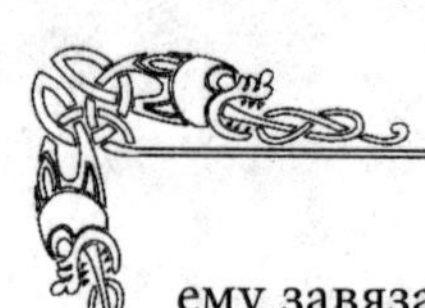



ему завязали глаза. Это могли быть прятки, только никто никого не нашёл. Вдобавок ко всему человек на ослике, старый и неимоверно толстый, провозгласил:

— Освежающее! Самое время освежиться!

Он упал с ослика, а остальные принялись взваливать его обратно, отчего у ослика создалось впечатление, что всё это цирк, и он тоже попытался показать номер, пройдя на задних ногах. И с каждой минутой всюду всё больше и больше разрастались виноградные листья! Вскоре это были не одни листья, но целые лозы, которые поднимались, оплетали ноги древесных людей и сбивали им шаг. Люси подняла руку — отбросить волосы с лица — и обнаружила, что это не волосы вовсе, а виноградная лоза. Ослик превратился в сплетение лоз. Его хвост совершенно запутался, что-то тёмное повисло между ушами. Люси присмотрелась и увидела, что это виноградная гроздь. Везде было множество гроздьев: над головой, под ногами — повсюду.

— Освежающее! Освежающее! — проревел старик, и все начали есть виноград.

Даже если у вас на родине превосходные оранжереи, такого винограда вы никогда не пробовали. Ягоды были чудесные, твёрдые и тугие на ощупь, а во рту взрывались свежей сладостью. Девочкам никогда прежде не доводилось наесться винограда вволю, а тут его было сколько угодно, и никто не требовал, чтобы они ели прилично. Кругом мелькали липкие, измазанные соком пальцы, и хотя рты у всех были набиты,

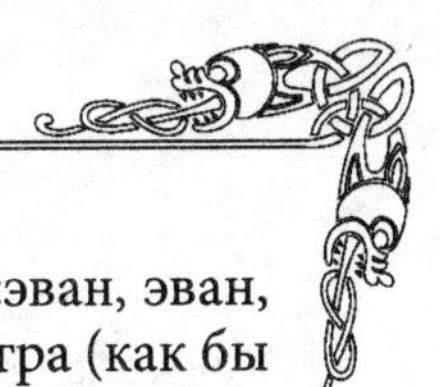

смех не умолкал, повсюду разносилось гортанное «эван, эван, эвоэ», покуда все внезапно не почувствовали, что игра (как бы она ни называлась) и праздник закончились. Тогда все бросились на землю и обратили лица к Аслану, ожидая, что он скажет.

В эту самую минуту взошло солнце. Люси кое-что вспомнила и прошептала Сьюзен:

— Сью, я знаю, кто они.

— Кто?

— Мальчик с диким лицом — это Вакх, а старик на осле — силен. Помнишь, мистер Тумнус говорил нам о них, давным-давно?

— Да, конечно. Только знаешь, Люси...

— Что?

— Я бы не чувствовала себя в безопасности с Вакхом и его дикой свитой: силенами и сатирами, — если бы встретила их без Аслана.

— Я тоже думаю, что нет, — поддержала сестру Люси.

### *Глава двенадцатая*

## КОЛДОВСТВО И ВНЕЗАПНОЕ ОТМЩЕНИЕ

Тем временем Трам и мальчики подошли к тёмному низкому сводчатому проходу, который вёл внутрь кургана, и два часовых-барсука (белые полосы на их щеках — вот всё, что Эдмунд мог разглядеть) поднялись, обнажив зубы, и ворчливо спросили:

— Кто идёт?

— Трам, — ответил гном, — и с ним Верховный король Питер из далёкого прошлого.

Барсуки, обнюхав руки мальчиков, хором сказали:

— Наконец-то!

— Дайте нам света, друзья, — попросил Трам.

Барсуки нашли факел сразу за аркой, Питер взял его и передал Траму.

— Пусть предводительствует дэмдэ. Мы не знаем дороги.

Трам взял факел и первым вошёл в тёмный туннель, откуда пахнуло холодом и плесенью. С потолка свисала паутина, а порой в свете факела проносилась летучая мышь. Мальчикам, которые с самого утра на железнодорожной станции находились на открытом воздухе, показалось, что они попали в ловушку или тюрьму.

— Слушай, Питер, — прошептал Эдмунд. — Посмотри на эти закорючки по стенам. Им ведь уйма лет. А всё-таки мы старше. В наше время их ещё не было.

— Да, — согласился Питер, — тут призадумаешься.

Гном шёл впереди, и остальные повернули направо, потом налево, спустились на несколько ступенек и опять пошли налево. Наконец впереди забрезжил свет. Они оказались у двери центрального помещения и услышали голоса — громкие и сердитые. За дверью было так шумно, что приближение мальчиков и гнома прошло незамеченным.

— Не нравится мне это, — шепнул Трам Питеру. — Давайте послушаем минутку, о чём они так спорят.

Все трое безмолвно застыли у дверей.

— Вы прекрасно знаете, — раздался голос («Это король», — прошептал Трам), — почему в рог не протрубили на рассвете в то утро. Разве вы забыли, что Мираз напал чуть ли не раньше, чем ушёл Трам? И мы сражались за свою жизнь часа три-четыре, если не больше. Я затрубил при первой же передышке.

— Вряд ли я это забуду, — донёсся другой голос, сердитый, — когда главный удар приняли мои гномы и каждый пятый из них был сражён. («Это Никабрик», — известил друзей Трам.)

— Стыдись, гном, — прозвучал низкий бас. («Боровик».) — Мы все сделали столько же, сколько гномы, но меньше, чем король.

— Болтай что хочешь, мне всё равно, — ответил Никабрик. — Или в рог затрубили слишком поздно, или он не волшебный, но, так или иначе, помощь не пришла. Вы, вы, великий учёный, магистр магии, вы, всезнайка, — вы всё ещё предлагаете возложить надежды на Аслана, и короля Питера, и всех остальных?

— Должен знать... не могу отрицать, что глубоко разочарован результатами предпринятой операции. («Это доктор Корнелиус».)

— Короче, — сказал Никабрик, — ваша котомка пуста, ваши яйца разбиты, ваша рыба не поймана, ваши обещания не сбылись. Тогда отойдите в сторону и не мешайте другим. Вот почему...

— Помощь придёт, — перебил его Боровик. — Я за Аслана. Имейте терпение, как мы, звери. Помощь придёт. Может быть, она уже у дверей.

— Пф-ф! — фыркнул Никабрик. — Вы, барсуки, уговорите нас ждать, пока небо упадёт и мы все сможем ловить жаворонков. Говорю вам: мы не можем больше ждать. Продовольствие на исходе, в каждой стычке мы несём слишком большие потери, наши сторонники разбегаются.

— А почему? — спросил Боровик. — Я отвечу. Потому что между ними ходят слухи, что мы вызвали королей из далёкого прошлого, а те не откликнулись. Последнее, что сказал Трам, уходя (скорее всего навстречу смерти), было: «Если вы протрубите в рог, пусть войско не знает, зачем это и на что вы надеетесь». Однако, похоже, все узнали в то же самое утро.

— Лучше сунь своё серое рыло в осиное гнездо, чем намекать, будто это я проболтался! — вспылил Никабрик. — Возьми свои слова обратно или...

— Прекратите же, вы оба, — сказал король Каспиан. — Я хочу знать, к чему Никабрик клонит. Что такое мы должны сделать? Но прежде хочу знать, кто эти двое посторонних, которых он привёл на совет и которые стоят здесь, открыв уши и закрыв рты.

— Это мои друзья, — ответил Никабрик. — А какое право у вас самого находиться здесь, кроме того, что вы друг Трама и барсука? А этот старый дурак в сером балахоне — какое право у него? Только то, что он ваш друг. Почему же мне одному нельзя привести своих друзей?

— Это его величество король, которому ты обязан верностью, — сурово произнёс Боровик.

— Придворные манеры, ага, — ухмыльнулся Никабрик. — Однако в этой норе мы должны говорить начистоту. Вы знаете — и он знает, — что этот мальчишка-тельмарин не будет королём нигде и ни над кем, если мы не поможем ему выбраться из ловушки, в которую он попал.

— Может быть, — сказал доктор Корнелиус, — ваши друзья хотят высказаться сами? Отвечайте: кто вы и что вы?

— Превосходительный господин доктор, — донёсся тонкий, жалобный голос. — С вашего разрешения, я только бедная старуха и очень обязана его превосходительному гномст-

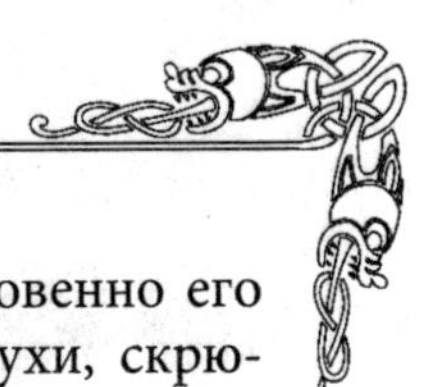

ву за дружбу, уверяю вас. Его величество, благословенно его прекрасное лицо, не должен бояться бедной старухи, скрюченной от ревматизма и не имеющей пары поленьев, чтобы подложить под котелок. Я владею маленьким жалким искусством — не таким, конечно, как ваше, господин доктор: так, немножечко чар и заклинаний, — которое с радостью применю против ваших врагов, если на то будет общее согласие. Потому что я их ненавижу. О да. Никто не умеет ненавидеть, как я.

— Это всё очень интересно и... э... удовлетворительно, — сказал доктор Корнелиус. — Кажется, я теперь знаю, кто вы, мадам. Может быть, ваш другой друг, Никабрик, тоже расскажет о себе?

Серый тусклый голос, от которого у Питера мороз пробежал по коже, ответил:

— Я алчу. Я жажду. Укусив, я вцепляюсь насмерть, и даже после моей смерти захваченное вырезают из тела моего врага и погребают вместе со мной. Я могу голодать сотни лет — и не умру. Я могу лежать сотни лет на льду — и не замерзну. Я могу выпить реку крови — и не лопну. Укажите мне ваших врагов.

— И в присутствии этих двоих ты хочешь открыть свой план? — спросил король.

— Да, — ответил Никабрик. — И с их помощью собираюсь его осуществить.

Прошла минута или две. Трам и мальчики слышали, как Каспиан и двое его друзей переговариваются тихими голосами, но слов различить не могли. Затем Каспиан громко сказал:

— Хорошо, Никабрик. Мы готовы тебя выслушать.

Наступила пауза, такая долгая, что мальчики засомневались, собирается ли Никабрик вообще говорить, а когда всё-таки начал, то голос его звучал так тихо, словно ему самому неприятно было это произносить.

— В конце концов, никто из нас не знает правды о древних временах Нарнии. Трам и вовсе не верил в эти рассказы. Я готов был поверить. Мы испытали рог, и ничего не вышло. Если даже и был Верховный король Питер, и королева Сьюзен, и король Эдмунд, и королева Люси, то они не услышали нас, или не смогли прийти, или не друзья нам...

— Или они в пути, — вставил Боровик.

— Ты можешь твердить это, пока Мираз не скормит нас всех собакам. Как я сказал, мы потянули за одно звено в цепочке древних легенд, и ничего не вышло. Ладно. Когда у вас ломается меч, вы хватаетесь за кинжал. Истории рассказывают о других силах, правивших прежде королей и королев. Что, если мы вызовем их?

— Если ты про Аслана, — сказал Боровик, — так это всё равно что вызвать королей. Если он не пришлёт их (а я убеждён, что пришлёт), что толку звать его самого?

— Тут ты прав, — согласился Никабрик. — Стало быть, или Аслан умер, или против нас. А может, его не пускает кто-то более могущественный. Даже если он и придёт — где уверенность, что станет на нашу сторону? Судя по тому, что мне говорили, нас, гномов, он временами не жаловал. Да и не только нас. Спросите волков. Во всяком случае, как я слышал, он был в Нарнии только однажды, и то недолго. Можете сбросить Аслана со счетов. Я говорил кое о ком ином.

Ответа не было. Несколько минут стояла такая тишина, что Эдмунд слышал тяжёлое и шумное дыхание барсука.

— О ком же? — спросил наконец Каспиан.

— О силе, которая настолько превосходит Аслана, что заколдовала Нарнию на долгие годы, если легенды не врут.

— Белая колдунья! — раздалось сразу несколько голосов, и по шуму Питер догадался, что король, барсук и Корнелиус вскочили на ноги.

— Да, — ответил Никабрик очень тихо и отчётливо, — колдунья. Не пугайтесь, вы же не дети. Нам нужна сила — могущественная сила, которая встанет на нашу сторону. Что до могущества — разве в легендах не говорится, что колдунья победила Аслана, связала и убила на этом самом камне, который стоит тут рядом, за кругом света от факела?

— Но в них же утверждается, что он возвратился к жизни, — возразил барсук.

— Да, ты прав, — согласился Никабрик, — но замечал ли, как мало говорится о том, что он делал потом? Он словно выпадает из истории. Как ты это объяснишь, если он действительно ожил? Не проще ли предположить, что никто не оживал, поэтому и рассказывать нечего?

— Он возвёл на престол королей и королев, — возразил Каспиан.

— Король, который только что выиграл великую битву, может взойти на престол и без помощи дрессированного льва, — не согласился с ним Никабрик.

Кто-то — наверное, Боровик — свирепо зарычал.

— И вообще, — продолжил Никабрик, — что сталось с королями и их царством? Тоже исчезли. Иное дело — колдунья. Говорят, она правила сто лет — сто лет зимы. Вот это сила, если хотите. Это нечто практическое.

— Небо и земля! — воскликнул король. — Разве не говорили нам всегда, что она была самым худшим врагом? В десять раз хуже Мираза?

— Возможно, — холодно ответил Никабрик, — для вас, людей, если кто-то из вас существовал здесь в те дни. Возможно, для кого-то из зверей тоже. Слышал, что она истребляла бобров — во всяком случае, сейчас их в Нарнии нет. Однако она всегда хорошо относилась к нам, гномам. Я гном и стою за свой народ. Мы не боимся колдуньи.

— Но вы присоединились к нам, — сказал Боровик.

— Да, и много ли добра принесло это моему народу! — огрызнулся Никабрик. — Кого посылают в самые опасные вылазки? Гномов. Кому достаётся меньше всего еды, когда начинают урезать рацион? Гномам. Кто...

— Ложь! Всё ложь! — воскликнул барсук.

— И потому, — продолжил Никабрик, срываясь на пронзительный крик, — если вы не в состоянии помочь моему народу, я пойду к тому, кто поможет.

— Это открытое предательство, гном? — спросил король.

— Спрячь меч в ножны, Каспиан, — сказал Никабрик. — Убийство на совете, да? Вот какие ваши игры? Попробуйте на свою голову! Уж не думаете ли вы, что я вас боюсь? Вас трое против нас троих.

— Что ж, попытайтесь подойти! — прорычал Боровик.

— Стоп, стоп, стоп, — сказал доктор Корнелиус. — Не торопитесь. Колдунья мертва. Все хроники в этом единодушны. Как это Никабрик собрался её вызвать?

И тут серый ужасный голос, который прежде прозвучал только раз, произнес:

— Мертва ли?

Затем тонкий слезливый голосок начал:

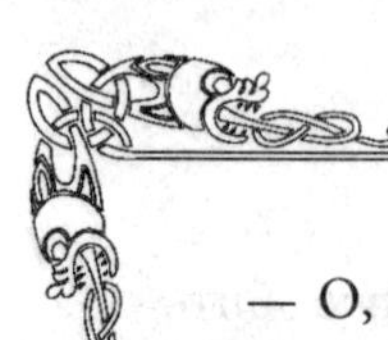



— О, благословенно его сердце, его дорогое маленькое величество может не беспокоиться. Белая госпожа — так мы её называем — не умерла. Превосходительный доктор просто шутит над бедной старушкой. Любезнейший господин доктор, учёнейший господин доктор, кто и когда слышал, чтоб хоть одна колдунья действительно умерла? Её всегда можно вернуть.

— Так вызовите её, — потребовал серый голос. — Мы все готовы. Очертите круг. Разожгите синий огонь.

Заглушая нарастающее рычание барсука и резкое «что-о?» Корнелиуса, прогремел голос Каспиана:

— Так вот каков твой план, Никабрик! Чёрным колдовством призвать проклятый призрак. И я вижу, кто твои спутники: ведьма и волк-оборотень!

В следующее мгновение всё смешалось. Слышалось рычание и лязг зубов. Мальчики и Трам ворвались внутрь. Питер успел увидеть ужасное, серое, тощее существо, получеловека-полуволка, в тот миг, когда оно прыгнуло на мальчика примерно его лет, а Эдмунд — барсука и гнома, которые катались по полу, как дерущиеся коты. Трам оказался лицом к лицу с ведьмой. Её нос и подбородок смыкались, как клещи, грязные серые космы развевались, пальцы держали доктора Корнелиуса за горло. Трам взмахнул мечом, и её голова покатилась по полу. Тут свеча погасла, сбитая на землю, и с минуту

в темноте мелькали только мечи, зубы, когти, кулаки и ботинки. Потом наступила тишина.

— Ты в порядке, Эд?

— На-наверное, — пропыхтел Эдмунд. — Я поймал этого гада Никабрика, но он ещё жив.

— Гирьки-графинчики! — раздался сердитый голос. — Это вы на мне сидите. Слезайте. Вы прямо слонёнок.

— Простите, дэмдэ, — сказал Эдмунд. — Так лучше?

— М-м-м! Нет! — промычал Трам. — Вы заехали мне в рот ботинком. Отойдите.

— Здесь ли король Каспиан? — спросил Питер.

— Я здесь, — произнёс совсем слабый голос. — Меня кто-то укусил.

Все услышали, как кто-то чиркнул спичкой, а потом слабый огонёк осветил бледное грязное лицо Эдмунда. Он огляделся, нашёл подсвечник (они тут больше не пользовались лампами, потому что кончилось масло), поставил на стол и зажёг. Когда пламя разгорелось, остальные устало поднялись на ноги. Шесть лиц уставились друг на друга в свете свечи.

— Кажется, никто из врагов не уцелел. Вот ведьма, мёртвая, — сказал Питер и торопливо отвёл глаза. — И Никабрик, тоже мёртвый. А вот и волк-оборотень. Давненько я их не видел. Волчья голова на человеческом теле. Значит, его убили в момент превращения. А вы, я полагаю, король Каспиан?

— Да, — кивнул другой мальчик. — Но я не могу догадаться, кто вы.

— Это Верховный король Питер, — сказал Трам.

— Искренние приветствия вашему величеству! — произнёс Каспиан.

— А также вашему, — ответил Питер. — Я пришёл не для того, чтобы занять твой трон, а чтобы помочь тебе на него вступить.

— Ваше величество, — произнёс другой голос у Питера под локтем.

Мальчик обернулся и, оказавшись едва ли не нос к носу с барсуком, обнял зверя и чмокнул в меховую голову, и это было вовсе не по-девчачьи, а очень даже по-королевски.

— Лучший из барсуков! Что бы там ни было, ты в нас не усомнился.

— Не хвалите меня, ваше величество, — застеснялся Боровик. — Я ведь зверь: мы не меняемся, — и более того — барсук, а мы очень упрямы.

— Мне жаль Никабрика, — сказал Каспиан, — хоть он и возненавидел меня с первого взгляда. Он озлобился из-за долгих лишений. Если бы мы победили быстро, он, быть может, в дни мира стал бы хорошим гномом. Не знаю, кто из нас его убил, и рад, что не знаю.

— Вы в крови, — заметил Питер.

— Да, меня укусило вот это, эта серая мерзость.

Промывание и перевязывание раны заняло много времени, а когда всё было закончено, Трам сказал:

— Ну вот и всё. А теперь неплохо было бы позавтракать.

— Только не здесь! — быстро сказал Питер.

— Да, — содрогнулся Каспиан. — И надо прислать когонибудь, чтобы убрали трупы.

— Пусть эту пакость свалят в яму, — распорядился Питер, — но гнома отдадим его братьям, чтобы похоронили по своим обычаям.

Позавтракали все в другом помещении внутри холма. Это был не совсем тот завтрак, какого они могли пожелать: Каспиан и Корнелиус мечтали о пироге с олениной, Питер и Эдмунд — о яичнице и горячем кофе, а получили все по маленькому куску медвежатины (у мальчиков из карманов), ломтику засохшего сыра, луковице и кружке воды, — однако набросились на еду так, будто вкуснее ничего в жизни не ели.

*Глава тринадцатая*

# ВЕРХОВНЫЙ КОРОЛЬ ПРИНИМАЕТ КОМАНДОВАНИЕ

— Так вот, — сказал Питер после завтрака. — Аслан и девочки, то есть королева Сьюзен и королева Люси, где-то недалеко. Мы не знаем, когда он начнёт действовать и как, но сейчас ждёт, чтобы мы сделали всё, что зависит от нас. Ты говорил, что у вас мало сил для встречи с Миразом в решающей битве.

— Боюсь, что так, Верховный король, — ответил Каспиан.

Принц сразу полюбил Питера, но чувствовал себя ещё немного скованно. Его гораздо больше поразила встреча с великими королями из старых сказок, чем их — встреча с ним.

— Ну что ж, — сказал Питер, — раз так, я пошлю ему вызов на поединок.

Никому прежде это не приходило в голову.

— А можно это сделаю я? — попросил Каспиан. — Хочу отомстить за отца.

— Ты ранен, — возразил Питер. — Да и вообще, он просто посмеётся над твоим вызовом. Я хочу сказать, что мы-то видим: ты король и воин, — но он-то считает тебя ребёнком.

— Однако, государь, — заметил барсук, который уселся поближе к Питеру и не спускал с него глаз, — примет ли он вызов даже от вас? Он знает, что его войско сильнее.

— Очень может быть, что не примет, — согласился Питер, — но попробовать всё-таки стоит. Даже если не примет, мы выиграем время, посылая герольдов туда-обратно. Возможно, Аслан что-нибудь успеет сделать. И наконец, я смогу посмотреть армию и укрепить позиции. Так что вызов пошлю — собственно, прямо сейчас напишу. У вас есть перо и чернила, господин доктор?

— Учёный с ними никогда не расстаётся, ваше величество.

— Очень хорошо. Я готов диктовать.

Пока доктор разворачивал пергамент, откупоривал рожок с чернилами и чинил перо, Питер откинулся назад, прикрыл глаза и восстановил в памяти язык, на котором составлял подобные послания давным-давно, в золотой век Нарнии.

— Что ж, пишите, дорогой Корнелиус:

*«Питер — милостью Аслана, по избранию, по обычаю и по праву завоевания король над всеми королями Нарнии, император Одиноких островов и владетель Кэр-Параваля, рыцарь благороднейшего ордена льва — Мираза, сына Каспиана VIII, некогда лорда-протектора Нарнии, ныне именующего себя королём Нарнии, приветствует».*

Написали?

— Нарнии, запятая, приветствует, — пробормотал доктор. — Да, государь.

— Тогда начните с новой строчки:

*«Для пресечения кровопролития и во избежание прочих беспокойств, могущих возникнуть вследствие войны, ныне угрожающей нашему владению Нарнии, мы соизволяем подвергнуть нашу королевскую особу превратностям поединка в интересах нашего преданного и возлюбленного Каспиана, дабы доказать победой над вашей светлостью, что названный Каспиан есть законный король Нарнии под нашим началом, как нашей милостью, так и по законам тельмаринов, а ваша светлость дважды повинны*

*в вероломстве: как в похищении владения Нарнией от вышеупомянутого Каспиана, так и в бесчеловечнейшем — не забудьте, что оно пишется через «эс», доктор, — кровавом и противоестественном убийстве вашего доброго господина и брата короля Каспиана, Каспиана IX. Посему мы со всей настойчивостью приглашаем, вызываем и требуем вашу светлость на сказанный поединок и вручаем это послание в руки нашего возлюбленного и царственного брата Эдмунда, некогда короля под нашим началом в Нарнии, герцога Фонарной пустоши и графа Западного пограничья, рыцаря благородного ордена Стола, которому мы даём все полномочия устанавливать с вашей светлостью порядок сказанного единоборства. Дано в нашем расположении в холме Аслана сего 12-го дня месяца листьев в первый год Каспиана X Нарнийского».*

Закончив диктовать, Питер перевёл дыхание и сказал:

— Вроде годится. С Эдмундом нужно послать ещё двоих. Думаю, одним должен быть великан.

— Он... он, знаете ли, не шибко умён, — заметил Каспиан.

— Разумеется, знаю, но все великаны, если только молчат, выглядят представительно. А кто второй?

— Если хотите, чтобы убивал взглядом, то Рипичип, — предложил Трам.

— Верно, судя по рассказам, — рассмеялся Питер. — Только больно уж маленький: его и не заметят, пока не подойдёт вплотную.

— Пошлите Громобоя, государь, — посоветовал Боровик. — Никто ещё не осмеливался смеяться над кентавром.

Часом позже два главных военачальника Мираза, лорды Глозель и Сопеспиан, прогуливаясь вдоль рядов и ковыряя в зубах после завтрака, увидели выходивших из лесу кентавра и великана Ветролома, которых уже встречали в бою, а вот того, кто шёл между ними, узнать не могли. Впрочем, и одноклассники не узнали бы Эдмунда, если б увидели в этот миг: благодаря дыханию Аслана на нём лежал отблеск величия.

— Что это? — спросил лорд Глозель. — Атака?

— Скорее переговоры, — предположил Сопеспиан. — Видите, они несут зелёные ветви. Похоже, пришли просить пощады.

— Тот, кто идёт между кентавром и великаном, что-то не похож на просителя, — сказал Глозель. — Кто это может быть? Не мальчишка Каспиан, точно.

— Нет, конечно, — согласился Сопеспиан. — Это непобедимый воин, уверяю вас, где бы эти мятежники его ни добыли. Он (на ушко вашей светлости) гораздо царственнее самого Мираза. И что за кольчуга на нём! Никто из наших кузнецов такую не сделает.

— Ставлю мою пегую Памелу, он несёт вызов, а не капитуляцию, — сказал Глозель.

— Что с того? Мы зажали их в кулак. Мираз не сошёл с ума, чтобы терять все преимущества, соглашаясь на поединок.

— Значит, надо его подтолкнуть, — сказал Глозель, понижая голос.

— Тс-с, — произнес Сопеспиан. — Отойдём отсюда, подальше от ушей наших часовых. Вот сюда. Правильно ли я понял вашу светлость?

— Если король отважится на поединок, — прошептал Глозель, — то или убьёт, или будет убит.

— Так, — кивнул Сопеспиан.

— Если он убьёт, мы выиграем войну.

— Конечно. А если нет?

— Ну, мы вполне способны победить и без его королевской милости. Вашей светлости можно не напоминать, что Мираз не такой и великий военачальник. А тогда мы окажемся сразу и с победой, и без короля.

— И вы считаете, милорд, что мы с вами можем с таким же успехом править страной без короля?

Лицо Глозеля помрачнело.

— Не забывайте, что это мы возвели его на престол. И за все годы, что он правит, много мы видели благодарности?

— Ни слова больше! — предостерёг Сопеспиан. — Но взгляните — сюда идут, чтобы позвать нас в королевский шатёр.

Возле шатра они увидели Эдмунда и двух его спутников — те угощались вином и печеньем, поскольку уже передали послание и теперь ждали, пока король его обсудит. Увидев посланцев вблизи, оба тельмаринских лорда посчитали их очень грозными.

В шатре Мираз, без оружия, заканчивал завтракать. Лицо у него было красное, лоб нахмурен.

— Вот! — рявкнул его королевская светлость, бросая через стол пергамент. — Посмотрите, что за мешанину из детских сказок прислал этот нахал, наш племянничек.

— Клянусь вашей жизнью, государь, — произнес Глозель, — если молодой воин, которого мы видели у входа, и есть упомянутый в послании король Эдмунд, я не назвал бы его персонажем из детской сказки.

— Король Эдмунд, пф! — фыркнул Мираз. — Ваша светлость верит этим бабьим россказням о Питере, Эдмунде и остальных?

— Я верю своим глазам, ваше величество, — заметил Глозель.

— Ладно, дело не в этом. Но уж относительно вызова, полагаю, может быть только одно мнение?

— Думаю, что так, государь, — сказал Глозель.

— И какое же? — спросил король.

— Безусловно отказать! — заявил Глозель. — Меня никогда не называли трусом, но я не желал бы встретить этого юношу в бою. И если (что весьма вероятно) его брат, Верховный король, ещё опаснее, то ради вашей жизни, мой повелитель, следует всячески уклоняться от встречи с ним.

— Чума вас возьми! — вскричал Мираз. — Это совсем не тот совет, которого я просил. Думаете, я обратился бы к вам, если бы боялся этого Питера (если он вообще существует)? Думаете, я его испугался? Я ждал вашего совета по существу дела: стоит ли, имея все преимущества, рисковать ими в поединке?

— На это я могу ответить вашему величеству, — добавил Глозель, — что вызов следует отвергнуть по всем соображениям. Лицо этого странного рыцаря сулит гибель...

— Вот опять! — рассердился Мираз. — Вы пытаетесь представить дело так, что я ещё трусливей, чем ваша светлость?

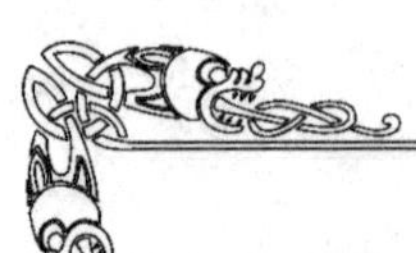



— Ваше величество вольны говорить что угодно, — надулся Глозель.

— Ты причитаешь, как старуха, Глозель, — сказал король. — Что посоветуете вы, милорд Сопеспиан?

— Не соглашайтесь, государь. И то, что ваше величество сказали о сущности дела, весьма кстати. Это даёт вашему величеству повод для отказа, не затрагивающий вопроса о чести и храбрости вашего величества.

— Великие небеса! — аж подскочит Мираз. — Вы что, оба белены объелись? Думаете, я ищу повод для отказа? Тогда уж прямо в лицо назовите меня трусом.

Разговор шёл в точности так, как желали оба лорда, поэтому они ничего не сказали.

— Я всё понимаю, — продолжил Мираз, уставившись на своих советников. Глаза его, казалось, вот-вот выпрыгнут из орбит. — Вы сами трусливы как зайцы, и имеете наглость воображать, будто и я такой же! Повод для отказа, как же! Извинения, что не сражаюсь! Разве вы воины? Разве вы тельмарины? Разве вы мужи? И если я откажусь (как требует моё положение и военная целесообразность), вы будете думать и внушите другим, что я испугался. Так ведь?

— Ни один человек в возрасте вашего величества, — возразил Глозель, — не прослывёт трусом среди разумных солдат, если откажется от поединка с великим воином в расцвете сил.

— Я, значит, мало что трус, так ещё и старикашка, из которого песок сыплется! — проревел Мираз. — Вот что я вам скажу, милорды. Своими бабьими советами, не имеющими отношения к делу, то есть к военной стратегии, вы добились совсем не того, чего хотели. Я собирался отказать, но теперь приму вызов. Слышите, приму! Я не хочу терпеть позор из-за того, что колдовство или предательство заморозило вашу кровь.

— Мы умоляем ваше величество... — начал было Глозель, но Мираз выскочил из шатра и лорды услышали, как он выкрикивает своё согласие на поединок.

Глозель, вполне довольный исходом дела, заметил:

— Я знал, что он так и поступит, если его должным образом направить, однако он назвал меня трусом и за это заплатит.

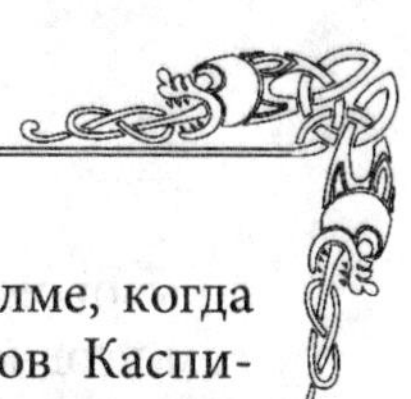

Страшная суматоха поднялась на Аслановом холме, когда эта новость распространилась среди сподвижников Каспиана. Эдмунд с одним из советников Мираза размечал место для поединка, обозначая его кольями и верёвками. Два тельмарина уже стояли по углам, а третий — посередине одной из сторон, как маршалы турнира. Три других маршала должны были представлять Верховного короля. Питер как раз объяснял Каспиану, что тот не может быть одним из них, поскольку его право на престол и стало предметом спора, когда густой, сонный голос произнёс:

— Позвольте, ваше величество.

Питер обернулся и увидел старшего из толстых медведей.

— Всегда было правом медведей выставлять одного из маршалов турнира, так что если дозволите...

— Не соглашайтесь! — шепнул Трам Питеру. — Он славное создание, но опозорит нас: заснёт и будет сосать лапу, даже перед лицом врага.

— Ничего не могу поделать, — возразил Питер. — Он совершенно прав: у медведей есть такая привилегия. Ума не приложу, как о ней помнили все эти годы, когда столько всего другого было забыто.

— Пожалуйста, ваше величество, поверьте: не подведу, — пробасил медведь.

— Это ваше право, — сказал Питер. — Ты будешь одним из маршалов, но запомни: сосать лапу нельзя.

— Я и не собирался, — обиделся медведь.

— Да, но сейчас-то сосёшь, — пробубнил Трам.

Медведь выдернул лапу из пасти и притворился, будто ничего не слышал.

— Государь! — раздался тоненький голосок откуда-то снизу.

— А, Рипичип! — догадался Питер, поискав глазами вверху, внизу и вокруг, как это обычно делают люди, когда к ним кто-то обращается.

— Государь, моя жизнь в вашем распоряжении, но честь принадлежит мне. Единственный трубач в воинстве вашего величества — из моего народа. Я полагал, что

с вызовом пошлют нас, и мой народ обижен. Возможно, если вам угодно будет назначить меня маршалом турнира, это его успокоит...

Договорить ему не дал дикий хохот: это великан Ветролом не справился с эмоциями, поскольку не отличался умом, но быстро совладал с собой и к тому времени, как Рипичип поднял глаза, выясняя, откуда шум, стоял уже серьёзный как репа.

— Боюсь, это невозможно, — произнёс Питер без тени улыбки. — Некоторые люди боятся мышей...

— Я замечал это, государь, — сказал Рипичип.

— ...и будет нечестно по отношению к Миразу, если он увидит перед собой то, что может хоть немного ослабить его храбрость.

— Ваше величество — зерцало чести, — произнёс Рипичип с изысканным поклоном. — Я всецело с вами согласен... Мне показалось, что я только что слышал чей-то смех. Если кто-то из присутствующих хочет испытать на мне своё остроумие, я весь к его услугам — как и моя шпага.

Ответом было глубокое молчание, которое нарушил Питер:

— Великан Ветролом и кентавр Громобой будут нашими маршалами. Поединок состоится в два часа пополудни. Обед ровно в полдень.

— Надеюсь, всё будет нормально? — спросил Эдмунд, когда они уходили. — Я хочу сказать, ты ведь его побьёшь?

— Вот я и дерусь, чтобы это узнать, — ответил Питер.

*Глава четырнадцатая*

## КАК ВСЕ БЫЛИ ОЧЕНЬ ЗАНЯТЫ

Незадолго до двух часов Трам и барсук уселись среди остальных нарнийцев на краю леса, напротив сверкающей армии Мираза, которая была от них на расстоянии двух полётов стрелы. Между противоборствующими войсками располагался участок ровной травы, отгороженный для поединка. В дальних углах стояли Сопеспиан и Глозель с обнажёнными мечами, в ближних — Ветролом и старший из медведей, который, несмотря на все предупреждения, сосал лапу и выглядел, надо сказать, чрезвычайно глупо. Зато Громобой на правой стороне поля, стоявший неподвижно, как статуя, лишь изредка ударяя копытом, выглядел гораздо внушительней, чем барон-тельмарин на левой. Питер, только что обменявшись рукопожатиями с Эдмундом и доктором, подходил к арене. Всё замерло, как на ипподроме перед выстрелом к решающей скачке, только сейчас было куда страшнее.

— Я надеялся, Аслан вернётся раньше, чем до этого дойдёт, — сказал Трам Боровику.

— Я тоже. Но оглянись назад.

— Крышки-кастрюльки! — пробормотал гном. — Кто все эти огромные прекрасные люди — как боги, богини и великаны! Сотни, тысячи, совсем рядом, сразу за нами. Кто они?

— Дриады, гамадриады и сильваны, — сказал Боровик. — Аслан пробудил их.

— Это будет очень кстати, если враги замыслили какое-нибудь вероломство, — заметил гном, — однако не поможет Верховному королю, если Мираз окажется искусным бойцом.

Барсук ничего не ответил, потому что Питер и Мираз уже вошли на арену с противоположных сторон, оба пешие, в кольчугах, шлемах и со щитами. Они шли вперёд, пока не встретились. Оба поклонились и, кажется, обменялись несколькими словами, но невозможно было слышать, какими именно. В следующее мгновение два меча сверкнули на солнце. Лишь несколько секунд слышался звон стали, потом его заглушили крики: воины обеих армий уподобились болельщикам на футбольном матче.

— Молодец, Питер, молодец! — выкрикнул Эдмунд, увидев, что Мираз отступил на целых полтора шага. — Так его! Тесни!

Питер наступал, и несколько минут казалось, что сражение выиграно, однако вскоре Мираз собрался с силами и начал использовать своё преимущество в росте и весе.

— Мираз! Мираз! Король! Король! — донёсся рёв тельмаринов, и Каспиан с Эдмундом побелели от мучительной тревоги.

— Питер получает ужасные удары, — сказал Эдмунд.

— Эй! — воскликнул Каспиан. — Что это значит?

— Расходятся вроде, — ответил Эдмунд. — Передохнуть, наверное. Смотри. А, вот опять начинают, на этот раз более обдуманно. Обходят круг за кругом, прощупывают друг у друга защиту.

— Боюсь, этот Мираз своё дело знает... — прошептал доктор, но договорить не успел.

Со стороны старой Нарнии полетели вверх шляпы и раздались такие вопли и рукоплескания, что можно было оглохнуть.

— Что это было? Мои старые глаза всё проглядели, — посетовал Корнелиус.

— Верховный король нанёс первый удар, под мышкой, — ответил Каспиан, продолжая аплодировать. — Как раз где у кольчуги разрез. Первая кровь.

— Теперь, кажется, опять плохо! — воскликнул Эдмунд. — Питер не закрывается щитом как надо. Должно быть, у него повреждена левая рука.

Так оно и было: все видели, что щит больше не защищает Питера. Крики тельмаринов возобновились.

— Ты видел больше сражений, чем я, — сказал Каспиан. — Есть ли хоть какой-нибудь шанс на победу?

— Очень незначительный, — вздохнул Эдмунд. — Если очень повезёт.

— Ох, зачем мы на это согласились? — посетовал Каспиан.

Внезапно крики обеих сторон стихли. Эдмунд сначала удивился, потом сказал:

— А, понял. Оба согласились на передышку. Идёмте, доктор. Может, сумеем чем-то помочь Верховному королю.

Они подбежали к арене. Питер вышел к ним за верёвки, лицо у него было красное и потное, грудь тяжело вздымалась.

— Ты ранен в левую руку? — спросил Эдмунд.

— Не то чтобы ранен, просто принял на щит всю тяжесть удара — словно вагон кирпича, — и краем задел запястье. Не думаю, что это перелом, скорее растяжение. Если перевяжете потуже, то, надеюсь, справлюсь.

Пока они возились с бинтом, Эдмунд спросил тревожно:

— Что ты о нём думаешь, Питер?

— Трудно, очень трудно. У меня есть шанс, если заставлю его прыгать. Тогда его вес обернётся против него и он начнёт задыхаться — на такой-то жаре. Правду сказать, это моя единственная надежда. Передай мой привет всем — там, дома, Эд, — если... Ну всё: вот он уже идёт на арену. Пока, старик. До свидания, доктор. И ещё, Эд, скажи что-нибудь особенно хорошее Траму. Он был молодчина.

Эдмунд не смог ничего ответить, поэтому пошёл за доктором обратно к своим; под ложечкой противно ныло.

Однако новая схватка началась неплохо. Питер, кажется, теперь мог пользоваться щитом, и уж, конечно, отлично пользовался ногами. Он почти играл с Миразом в салки, держась на расстоянии, то и дело меняя позицию, вынуждая врага двигаться.

— Трус! — раздавались издевательские выкрики тельмаринов. — Почему не сходишься с ним? Не нравится, а? Ты сражаться пришёл или танцевать? Фьють!

— Надеюсь, он их не слушает, — сказал Каспиан.

— Он — нет, — успокоил его Эдмунд. — Ты его не знаешь... Ой!

Мираз нанёс-таки удар Питеру по шлему, да такой силы, что тот покачнулся и рухнул на колено. Рёв тельмаринов уподобился грохоту бури.

— Ну, Мираз! Давай! Прикончи его наконец!

Но подстрекать узурпатора было незачем: он уже возвышался над противником. Эдмунд до крови закусил губу, когда

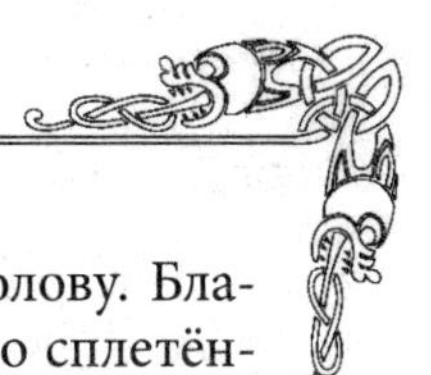

меч обрушился на Питера и, казалось, разрубил голову. Благие небеса! Лезвие соскользнуло на правое плечо, но сплетённая гномами кольчуга звякнула и выдержала.

— Молодец! — выкрикнул Эдмунд. — Он опять встал. Питер, ну же, Питер!

— Я не понял, что произошло, — сказал доктор. — Как он это сумел?

— Успел ухватить Мираза за руку, — объяснил Трам, приплясывая от восторга. — Вот человек! Использовать руку врага как перила! Верховный король! Ваше величество! Держись, старая Нарния!

— Глядите, Мираз злится, — заметил Боровик. — Это хорошо.

Противники и впрямь рубились с остервенением. Невозможно было поверить, что в этом шквале ударов никто ещё не убит. Возбуждение нарастало, крики почти стихли. Зрители затаили дыхание. Это было разом и жутко, и величественно.

И снова раздались крики из рядов старой Нарнии. Мираз упал — не от удара, а ничком, споткнувшись о кустик травы. Питер отступил, ожидая, когда тот поднимется.

«Ну надо же, какие мы благородные... — подумал Эдмунд. — Впрочем, так, наверное, правильно, раз он рыцарь и Верховный король. Аслану это бы понравилось. Только ведь этот скот через минуту встанет...»

Но «этот скот» больше не встал. У Сопеспиана и Глозеля наготове был свой план. Как только увидели, что их король упал, с криками: «Измена! Измена! Нарнийский предатель ударил короля в спину, пока тот лежал беспомощный! К оружию! К оружию, Тельмар!» — они бросились на арену.

Питер плохо соображал, что происходит, — лишь видел двух воинов, бегущих к нему с мечами наготове. Когда следом за ними под верёвкой проскочил третий тельмарин, Питер будто опомнился и успел выкрикнуть:

— К оружию, Нарния! Измена!

Если бы все трое добежали до него сразу, он бы никогда больше ничего не сказал, однако Глозель задержался, чтобы заколоть собственного короля там, где тот лежал.

— Это вам за оскорбление! — прошептал он, когда клинок вошёл в тело.

Питер обернулся к Сопеспиану, подрубил ему ноги и вторым таким же ударом снёс голову. Эдмунд уже стоял рядом и кричал:

— Нарния! Нарния! За льва!

Всё воинство тельмаринов устремилось на них, но великан уже шагнул вперёд, вращая свою дубину. Проскакали кентавры. «Тванг-тванг» позади и «вз-з, вз-з» над головой — гномы начали стрелять. Трам сражался справа от Питера. Битва разгоралась.

— Назад, Рипичип, ты, маленький ослёнок! — закричал вдруг Питер. — Тебя же убьют! Здесь не место для мышей!

Однако смешное маленькое создание плясало там и тут под ногами обеих армий, размахивая своей шпагой. Многие воины-тельмарины в тот день чувствовали внезапный укол в ноге, словно от дюжины иголок, подпрыгивали от боли, а частенько и падали. Если падали, мыши приканчивали их; если нет, это делал кто-нибудь другой.

Но ещё прежде, чем развоевались по-настоящему, старые нарнийцы обнаружили, что враг отступает. Мужественные бойцы бледнели, глядя в ужасе не на старых нарнийцев, а на что-то позади них, и с воплями: «Лес! Лес! Конец света!» — бросали оружие.

Вскоре ни криков, ни звона оружия нельзя было расслышать, потому что они потонули, как в море, в рокоте разбуженных деревьев, которые рванулись сквозь ряды армии Питера и дальше, преследуя тельмаринов. Вы когда-нибудь стояли на опушке большого леса на вершине холма осенним вечером, когда дикий юго-западный ветер всей тяжестью обрушивается на него? Вообразите этот шум. А теперь вообразите, что лес, вместо того чтобы стоять где стоял, устремляется на вас и нет больше деревьев, только огромные люди, похожие на деревья, потому что их длинные руки взмахивают, как ветви, головы качаются, листья струятся водопадом. Вот это и увидели тельмарины. Даже нарнийцы немного перепугались. Через несколько минут сторонники Мираза неслись к Великой реке в надежде перебраться по мосту в Беруну и там спрятаться за крепостными валами и запертыми воротами.

Они добежали до реки, но моста больше не было: исчез ещё накануне. Полная паника и ужас овладели воинами, и все они сдались.

Но что случилось с мостом?

Рано утром, пробудившись после короткого сна, девочки увидели стоящего над ними Делана и услышали его голос: «Мы устроим праздник». Они протёрли глаза и огляделись. Деревья ушли, но было видно, как они тёмной массой движутся к холму Аслана. Вакх, менады — его неистовые сумасбродные девушки — и силен остались с Асланом. Люси, совершенно отдохнувшая, вскочила. Все просыпались, все смеялись, играли флейты, бряцали кимвалы. Звери — обычные, неговорящие звери — сбегались со всех сторон.

— Что это, Аслан? — спросила Люси, глаза которой смеялись, а ноги так и просились в пляс.

— Пойдёмте, дети, — сказал лев. — Садитесь ко мне на спину.

— Ой как здорово! — воскликнула Люси, и обе девочки вскарабкались на тёплую золотистую спину, как когда-то, неведомо сколько лет назад.

Вся компания двинулась — Аслан возглавлял, Вакх и его менады носились, метались, кувыркались, зверюшки рыскали вокруг, а силен на своем ослике замыкал шествие.

Они свернули немного вправо, пробежали вниз по склону холма и увидели перед собой длинный мост у Беруны. Однако не успели они на него вступить, как из воды поднялась огромная мокрая бородатая голова, много больше человеческой, увенчанная тростником. Голова взглянула на Аслана и пробасила:

— Приветствую тебя, повелитель. Избавь меня от оков.

— А это ещё кто? — прошептала Сьюзен.

— Думаю, речное божество, только ш-ш-ш, — ответила Люси.

— Вакх, — сказал Аслан, — освободи его.

«Оковы — это, наверное, мост», — подумала Люси. Так оно и оказалось. Вакх и менады бросились в неглубокую воду, и минутой позже начало твориться что-то в высшей степени необыкновенное. Длинные сильные плети хмеля обвили устои моста, и росли они так же быстро, как разгорается пламя, опутывая камни, расщепляя, раздробляя, разделяя. Перила моста превратились в живую изгородь, пёструю от ягод, но лишь на миг, а затем исчезли, как и всё остальное, с грохотом рухнув в бурлящую воду. Толкаясь, с криками и смехом, буйная компания перешла, или переплыла, или перетанцевала через брод («Ура! Это снова брод у Беруны!» — обрадовались девочки) на противоположный берег, прямо в город.

На улицах все бросались от них врассыпную. Первый дом, к которому они подошли, оказался школой — женской школой, в которой множество нарнийских девочек с туго заплетёнными косами, в безобразных тесных воротничках и толстых колючих чулках сидели на уроке истории. История, которую учили в Нарнии при Миразе, была скучнее любой подлинной истории, которую вам доводилось читать, и лживее любого вымышленного рассказа.

— Если ты будешь отвлекаться, Гвендолен, — сказала учительница, — и не перестанешь смотреть в окно, я запишу тебе замечание.

— Но простите, мисс Приззл... — начала Гвендолен.

— Ты слышала, что я сказала? — прервала её учительница.

— Простите, мисс Приззл, — повторила Гвендолен, — но там лев!

— Два замечания за то, что говоришь глупости! А теперь...

Договорить ей не позволило рычание. Хмель завился в окне класса. Стены покрылись мерцающей зеленью, арки из ветвей перекинулись там, где был потолок. Мисс Приззл обнаружила, что стоит в траве, на лесной прогалине, и вцепилась в доску, чтобы устоять, но это оказалась не доска, а розовый куст. Дикие люди, каких она никогда не видела, толпились вокруг, а затем увидела льва. С воплями дама бросилась бежать, а с ней и её ученицы — коренастые чопорные девочки с толстыми ногами. И только Гвендолен колебалась.

— Ты хочешь остаться, радость моя? — спросил Аслан.

— А можно? Спасибо, большое спасибо! — обрадовалась девочка.

Тут же она оказалась рука об руку с двумя менадами, которые закружили её в весёлом танце и помогли избавиться от ненужной и неудобной одежды.

Куда бы они ни шли в городке, везде было то же самое: большинство убегали, немногие присоединялись к ним, — а когда покидали город, их компания значительно увеличилась, стала веселей.

Странное общество пронеслось по полям северного, или левого, берега реки, и на каждой ферме к нему приставали животные. Печальный старый ослик, никогда не знавший радости, вдруг снова помолодел, цепные псы обрывали цепи, лошади разбивали копытами телеги и трусили следом — «цок-цок», — разбрасывая грязь и издавая радостное ржание.

Во дворике за стеной они увидели, как взрослый человек бьёт мальчика, и внезапно палка в его руках превратилась в цветок. Человек попытался его отбросить, но он прирос к руке. Рука превратилась в ветку, тело — в ствол дерева, а ноги стали корнями. Мальчик, который только что плакал, расхохотался и побежал догонять танцующих.

В маленьком городке на полпути к Бобровой плотине, где сливаются две реки, они подошли к другой школе, где усталого вида девушка учила арифметике множество мальчиков,

ужасно похожих на поросят. Она выглянула в окно, увидела божественных гуляк, поющих на улице, и радостная боль пронзила её сердце. Аслан остановился прямо напротив окна и посмотрел на неё.

— О нет, нет! — воскликнула девушка. — Мне бы очень хотелось с вами, но нельзя. Я обязана продолжать работу. И дети испугаются, если увидят вас.

— Испугаются? — спросил самый похожий на поросёнка мальчик. — С кем это она там разговаривает? Давайте скажем директору, что она разговаривает со всякими там за окном, хотя должна учить нас.

— Посмотрим, кто это, — предложил другой мальчик, и все столпились у окна.

Но как только их недовольные мордочки высунулись наружу, Вакх пронзительно закричал «эван, эвоэ-э-э». Мальчики заревели от страха и, отталкивая друг друга, бросились в двери и окна. Потом говорили (неизвестно, правда ли это), что этих самых мальчиков никогда больше не видели, но в той части страны развелось много хорошеньких поросят, которых здесь раньше не было.

— Ну вот ты и свободна, моя радость, — сказал Аслан учительнице, и та выбежала на улицу и тоже присоединилась к процессии.

По Бобровой плотине они перешли реку и двинулись на восток вдоль южного берега. На крыльце одного из ветхих домишек стоял и плакал маленький мальчик, и Аслан спросил его:

— Почему ты плачешь, мой хороший?

Мальчик, который не видел львов даже на картинке, совсем не испугался.

— Тётечка очень больна, умирает.

Аслан хотел войти в домик, но дверь оказалась слишком мала и он смог просунуть внутрь лишь голову, нажал плечами (Люси и Сьюзен при этом свалились) и поднял всё сооружение, так что оно опрокинулось и развалилось. А там, всё ещё в постели, хотя постель теперь стояла на открытом воздухе, лежала старушка, такая маленькая, словно в ней текла кровь гномов. Она была на пороге смерти, но, открыв глаза и увидев светлую косматую голову льва, не закричала и не лишилась чувств, а воскликнула:

— О, Аслан! Я знала, что это правда. Я ждала этого всю жизнь. Ты пришёл забрать меня?

— Да, милая, но всего лишь на маленькую прогулку.

И пока он произносил эти несколько слов, подобно тому, как розовый свет озаряет облака, краска возвращалась на бледное лицо, глаза обретали блеск. Наконец больная села и сказала:

— Похоже, я чувствую себя значительно лучше и, думаю, не отказалась бы от лёгкого завтрака.

— Вот, матушка, испей, — сказал Вакх, поднося ей кувшин, который перед этим наполнил в колодце, но теперь в нём была не вода, а роскошное вино: яркое, как желе из красной смородины; густое, как масло; согревающее, как чай; холодное, как роса.

— Э, да ты что-то сделал с нашим колодцем! — воскликнула старушка и соскочила с постели. — Мне так даже больше нравится.

— Садись ко мне на спину, — предложил ей Аслан и прибавил, обращаясь к Люси и Сьюзен: — Вам, королевы, придётся теперь побегать.

— Нам это даже приятно, — весело отозвалась Сьюзен, и они двинулись дальше.

И так, с танцами и песнями, музыкой, смехом и рёвом, лаем и ржанием, они пришли наконец туда, где воины Мираза стояли, бросив мечи и подняв руки, а соратники Питера, всё ещё сжимавшие оружие и тяжело дышавшие, их охраняли. И не успел никто ничего сказать, как старушка соскочила со спины льва, подбежала к Каспиану, и они обнялись — это была его старая няня.

*Глава пятнадцатая*

# АСЛАН ОТКРЫВАЕТ ДВЕРЬ В ВОЗДУХЕ

При виде Аслана лица у тельмаринов застыли, колени застучали, и многие пали перед ним ниц. Они не верили в говорящих львов, и потому испугались ещё больше. Даже рыжие гномы, которые знали, что он придёт как друг, стояли разинув рты и не смели говорить. Несколько чёрных гномов, сторонников Никабрика, начали бочком отходить в сторонку. Все говорящие звери тут же окружили Аслана, принялись мурлыкать, хрюкать, пищать и повизгивать от восторга, вилять хвостами, почтительно тыкаться в него носами и бегать туда-сюда под ним и возле его ног. Если вы когда-нибудь видели, как котёнок выражает любовь большой собаке, которую знает и не боится, то очень хорошо это себе представите.

Питер с Каспианом с трудом протиснулся через толпу животных и представил спутника Аслану. Каспиан преклонил колени и поцеловал льву лапу.

— Добро пожаловать, принц, — сказал Аслан. — Чувствуешь ли ты себя достойным принять власть над Нарнией?

— Не думаю, сир, — ответил Каспиан, — ведь я всего лишь мальчик.

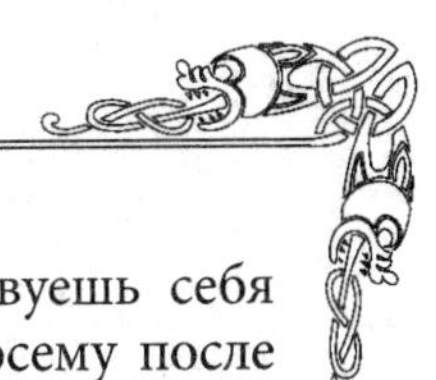

— Это хорошо. Если бы ты сказал, что чувствуешь себя достойным, это доказывало бы, что недостоин. Посему после нас и Верховного короля ты — король Нарнии, владетель Кэр-Параваля, император Одиноких островов, как и твои потомки, пока продлится твой род. Коронация... Но что это у нас тут?

Перед ним предстала забавная маленькая процессия из одиннадцати мышей — шесть из них несли носилки размером с географический атлас. Никто никогда не видел более удручённых мышей. Все были покрыты грязью, а некоторые — и кровью, уши были опущены, усы висели, хвосты волочились по земле, а впереди шагал трубач и играл на соломинке печальную мелодию. То, что лежало на носилках, походило на мокрый комок шерсти — всё, что осталось от Рипичипа, который хоть ещё и дышал, но был уже почти мёртв: покрытый бесчисленными ранами, с раздробленной лапой и забинтованным обрубком вместо хвоста.

— Ну, Люси, похоже, для тебя есть работа, — сказал Аслан.

В один миг девочка достала алмазную бутылочку. Хоть на каждую рану Рипичипу нужно было всего по капле, ран этих было так много, что долгое тревожное молчание стояло до тех пор, пока она не закончила и раненый не спрыгнул с носилок. Одной лапой он немедленно схватился за рукоять шпаги, другой расправил усы, потом поклонился.

— Приветствую тебя, Аслан! — прозвучал его тонкий голосок. — Я имею честь...

Тут он осёкся. Дело в том, что у него не было хвоста — то ли Люси забыла о нём, то ли лекарство, способное заживлять раны, не могло заново отращивать части тела. Рипичип начал осознавать свою потерю, когда кланялся, — возможно из-за того, что это нарушило его равновесие. Он посмотрел через правое плечо, но не увидел хвоста, поэтому вытягивал шею всё дальше, пока не повернул плечи, а следом за ними всё тело. Однако при этом повернулось и то место, из которого должен был расти хвост, так что он снова ничего не увидел. Тогда он снова вытянул шею, заглядывая через плечо, с таким же результатом. Только трижды обернувшись вокруг себя, он осознал ужасную истину.

— Я крайне смущён, — сказал Рипичип Аслану, — и в полном замешательстве. Умоляю простить меня за появление в столь неподобающем виде.

— Ты замечательно выглядишь, маленькое существо, — сказал Аслан.

— Всё равно, — возразил Рипичип. — Если что-то можно исправить... Может быть, её величество?..

Он поклонился Люси, а лев спросил:

— Но зачем тебе хвост?

— Сир, есть, спать и защищать моего короля я могу и без него, но хвост — это честь и слава мыши.

— Я иногда удивляюсь, друг, — сказал Аслан, — почему ты так много думаешь о своей чести.

— Высочайший из всех высоких королей, — промолвил Рипичип, — позвольте напомнить вам, что мы, мыши, наделены столь малыми размерами, что, если бы не защищали своё достоинство, кто-нибудь (кто измеряет его в дюймах) мог бы позволить себе неуместное развлечение на наш счёт. Вот почему я с таким усердием довожу до общего сведения, чтобы никто — если только не желает ощутить эту шпагу так близко от своего сердца, как я смогу дотянуться, — не смел говорить в моём присутствии о мышеловках, сырных корках и свечных огарках — никто, сир, будь то самый высокий дурак в Нарнии!

Здесь он бросил многозначительный взгляд на Ветролома. Впрочем, до того всегда доходило в последнюю очередь, поэтому великан даже не разобрал, о чём говорят у него под ногами, и пропустил намёк.

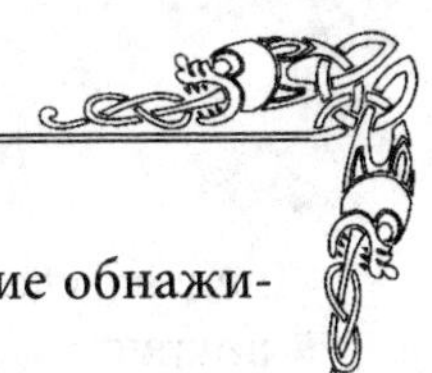

— Позволь узнать: почему твои сопровождающие обнажили мечи? — спросил Аслан.

— С позволения вашего высокого величества, — произнесла мышь по имени Пичичик, — мы все готовы отрубить себе хвосты, если наш предводитель останется без своего. Позор нам будет носить знаки отличия, которых лишился Верховный главнокомандующий.

— Ах, — прорычал Аслан, — ваша самоотверженность меня покорила. Не ради твоего достоинства, Рипичип, но ради любви к тебе твоего народа и ради услуги, оказанной мне твоим народом давным-давно, когда вы перегрызли верёвки, которыми я был привязан к Каменному Столу (с тех самых пор, хоть вы давно забыли об этом, вы и стали говорящими), ты получишь обратно свой хвост.

Аслан ещё не закончил говорить, а новый хвост был уже на месте. Затем, по приказу Аслана, Питер посвятил Каспиана в рыцари ордена льва, а следом уже сам Каспиан возвёл в рыцарский сан Боровика, Трама и Рипичипа, назначил доктора Корнелиуса своим лордом-канцлером и утвердил толстых медведей в их наследственном звании маршалов турнира. И все рукоплескали.

После этого тельмаринских воинов под охраной, но без тычков и насмешек, провели вброд через реку, посадили под замок в Беруне и дали им мяса и пива. Правда, на переправе они подняли шум, потому что ненавидели текущую воду так же, как зверей и деревья, однако вскоре с неприятным делом было покончено и началась лучшая часть дня.

Люси, которая уютно устроилась рядом с Асланом, не сразу поняла, что затеяли деревья, и подумала, что это танец: они и впрямь медленно двигались двумя кругами: в одном справа налево, в другом — слева направо, — а потом заметила, что они что-то сбрасывают в центр обоих кругов. Порой ей казалось, что они отрезают длинные пряди своих волос, в другой раз это выглядело, словно они отламывают кусочки пальцев, — но если так, то пальцев у них было множество, и это не причиняло им боли. Но что бы они там ни бросали, это, упав на землю, оказывалось хворостом и сухими палками. Затем три или четыре рыжих гнома вышли вперёд с огнивами и подожгли кучу, а когда она затрещала, вспыхнула и, нако-

нец, загудела, как лесной костёр в Иванову ночь, все расселись вокруг.

Потом Вакх, силен и менады начали танец, куда более неистовый, чем танец деревьев, — не просто пляску радости и красоты (хотя и это тоже), но волшебную пляску изобилия. Всё, к чему прикасались их руки, на что ступали их ноги, превращалось в яства — груды жареного мяса, наполнявшие рощу восхитительным запахом, пироги пшеничные и овсяные, мёд и разноцветный сахар, сливки, густые, как каша, и недвижные, как стоячая вода; персики, абрикосы, гранаты, груши, виноград, землянику, малину — пирамиды, каскады фруктов. Затем появились вина в больших деревянных чашах — тёмные, густые, как вишнёвый сок, и светло-алые, как текучее желе, и жёлтые вина, и зелёные вина, и жёлто-зелёные, и зелёно-жёлтые.

Для древесного народа приготовили другую пищу. Когда Люси увидела, как Землекоп и другие кроты отдирают дёрн в разных местах, которые им указывал Вакх, и поняла, что деревья собираются есть землю, её слегка передёрнуло, но когда увидела ту землю, которую им подносили, испытала совсем другие чувства. Деревья начали с роскошного чернозёма, так напоминавшего шоколад, что Эдмунд даже попробовал кусочек, однако ему не понравилось. Утолив первый голод, они перешли к земле, какую можно видеть в Сомерсете, — почти розовой. Деревья утверждали, что она легче и слаще. Вместо сыра они ели известковую почву, а на десерт — мелкий гравий, припудренный тончайшим серебристым песком. Потом они выпили чуть-чуть вина, отчего остролисты сделались

ужасно разговорчивы, ведь обычно они утоляют жажду большими глотками дождя и росы, благоухающей лесными цветами и с легчайшим привкусом облаков.

Так Аслан угощал нарнийцев ещё долго после того, как солнце село и появились звёзды. Большой костёр, горевший теперь хоть и жарко, но не так шумно, сиял в тёмном лесу как маяк. Испуганные тельмарины видели его издали и дивились, что он означает. Самое лучшее в этом празднике было то, что никуда не надо идти: просто разговоры постепенно затихли, гости начали клевать носом и вскоре заснули, ногами к огню, бок о бок с добрыми друзьями. Тогда воцарилось молчание и вновь стало слышно, как журчит вода у брода возле Беруны. Только Аслан и луна смотрели на всех радостными немигающими глазами.

На другой день посланцы (в основном белки и птицы) отправились с призывом к рассеянным по всей стране тельмаринам — включая, разумеется, запертых в Беруне пленников. Им было сказано, что Каспиан теперь король и Нарния отныне принадлежит не только людям, но и говорящим зверям, гномам, дриадам, фавнам и прочим созданиям. Все, кто хочет остаться на этих новых условиях, могут остаться; тем же, кому такой порядок не по душе, Аслан приготовит другой дом. Этим последним следует явиться к нему и королям, расположившимся у бродов близ Беруны, в полдень на пятый день.

Можно себе представить, скольких тельмаринов это заставило чесать в затылке. Кое-кто, особенно молодые, слышали, подобно Каспиану, рассказы о старых днях и радовались их возвращению. Они уже сдружились с волшебными созданиями и решили остаться в Нарнии. Однако большинство старших, особенно те, кто занимал при Миразе важные посты, надулись и не пожелали оставаться в стране, где уже не смогут всем заправлять. «Жить здесь, среди толпы дрессированных зверей!» — говорили одни. «И призраков, — добавляли с содроганием другие. — Вот кто такие эти дриады — самые настоящие призраки». Они не ждали для себя ничего хорошего и заявляли: «Не доверяю я этому ужасному льву. Попомните мои слова: он ещё покажет свои когти». Однако и обещание нового дома их настораживало: «Как пить дать затащит нас в своё логово и слопает одного за другим». И чем больше они так говорили, тем мрачнее и подозрительнее становились, однако в назначенный день больше половины пришли на место.

В одном конце поляны Аслан приказал поставить два древесных ствола выше человеческого роста, футах в трёх один от другого. Третий, более лёгкий, положили сверху в качестве перекладины, так что получилась вроде как дверь ниоткуда в никуда. Перед ней стоял сам Аслан, справа от него — Питер, слева — Каспиан. Их окружали Сьюзен и Люси, Трам и Боровик, лорд-канцлер Корнелиус, Громобой, Рипичип и другие. Дети и гномы воспользовались королевской гардеробной в бывшем замке Мираза, который теперь принадлежал Каспиану, и так сверкали шелками и золотом, белоснежными рубашками, выглядывавшими в прорези рукавов, серебряными кольчугами, парадным оружием, позолоченными шлемами и роскошными шляпами, что больно было смотреть. Даже звери нацепили на себя дорогие цепи. И всё-таки никто не смотрел ни на них, ни на детей: живое и ласковое золото львиной гривы затмевало их блеск. Остальные старые нарнийцы расположились по обе стороны поляны, а в дальнем конце собрались тельмарины. Солнце сияло, знамёна развевались на лёгком ветру.

— Люди Тельмара, — заговорил Аслан, — вы, кто взыскует новой земли, слушайте мои слова. Я отправлю вас в родную страну, которая мне ведома, а вам — нет.

— Мы не помним Тельмара, даже не знаем, где это, нам неизвестно, как там живётся, — подняли ропот тельмарины.

— Вы пришли в Нарнию из Тельмара, — объяснил Аслан, — но в Тельмар попали из другого места. Вы не принадлежите к этому миру, а много поколений назад явились из того же самого, что и король Питер.

Тут половина тельмаринов захныкали:

— Так мы и знали. Он хочет отправить нас в иной мир, попросту сжить со свету.

Другие начали выпячивать грудь, хлопать друг друга по спине и шептать:

— Вот оно что. Можно было раньше догадаться, что мы не отсюда и не имеем ничего общего со всеми этими противоестественными тварями. Вот увидите, мы королевской крови.

Даже Каспиан, Корнелиус и дети в изумлении уставились на Аслана.

— Тихо! — рыкнул Аслан, и от этого, казалось, вздрогнула земля и всё живое в лесу замерло. — Вы, сэр Каспиан, знаете, вероятно, что не могли бы стать истинным королём Нарнии, если бы, подобно великим королям древности, не были сыном Адама и не пришли из мира, где они живут. Много лет назад в том мире, в глубоком море, которое зовётся Южным, буря выбросила на остров пиратский корабль. Пираты повели себя как обычно — убили туземцев, взяли в жёны туземок, стали готовить пальмовое вино, напиваться, валяться на берегу, а проснувшись, ссориться, порой и убивать друг друга. В одной из таких стычек шестеро оказались против всех остальных. Они бежали со своими жёнами в глубь острова, в горы, и надеялись спрятаться в пещере. Однако это оказалась не просто пещера, а одна из щелей — или дыр — между тем миром и этим. Таких между мирами в прежние времена было много, теперь всё меньше. Эта — одна из последних, хотя и не последняя. И так они упали, или вознеслись, или забрели, или провалились в этот мир, в землю Тельмар, которая была в то время безлюдна. Почему она была безлюдна, это другая история — сейчас я не буду её рассказывать. В Тельмаре их потомки расплодились, стали сильным и гордым народом. Спустя многие поколения в Тельмаре случился голод, и они вторглись в Нарнию, которая тогда была в некотором беспорядке (но это тоже иная и долгая история), и завоевали её, и правили в ней. Ты всё хорошо запомнил, король Каспиан?

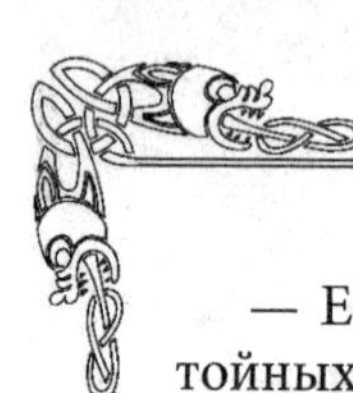



— Ещё бы, сир! Хотя и надеялся, что веду род от более достойных предков.

— Ты ведёшь род от господина Адама и госпожи Евы, — жёстко произнёс Аслан. — Это честь, способная возвысить главу беднейшего бедняка, и позор, способный пригнуть плечи величайшего императора. Будь доволен.

Каспиан поклонился, и Аслан продолжил:

— А теперь, хотите ли вы, мужчины и женщины Тельмара, вернуться на остров ваших отцов? Это неплохое место. Потомки населявших его пиратов вымерли, и остров почти необитаем. Там есть чистые родники, плодородная почва, лес для построек и рыба в лагунах. Другие люди из этого мира ещё не отыскали его. Проход открыт, но должен предупредить: как только вы пройдёте, закроется навсегда. Больше не будет сообщения между мирами через эту дверь.

Наступила тишина, но потом крепкий, приятного вида тельмарин из числа воинов протолкнулся вперёд:

— Ладно, я рискну.

— Это правильное решение, — одобрил Аслан. — И поскольку ты вызвался первым, тебе в помощь добрая магия: твоя судьба в том мире будет хорошей. Иди.

Воин, слегка побледнев, шагнул к пустой дверной раме, и Аслан со свитой посторонились, открывая проход.

— Пройди же в неё, сын мой, — сказал Аслан, подходя и касаясь носом его носа.

Как только дыхание льва овеяло его, новое выражение мелькнуло в глазах тельмарина — удивлённое, но не испуганное, словно он пытался что-то вспомнить. Затем он расправил плечи и вошёл в дверь.

Сотни глаз следили за ним: видели три столба, а за ними — деревья, траву и небо Нарнии; видели человека между дверными косяками, а в следующую секунду он пропал, как не было.

На другом конце поляны тельмарины запричитали:

— Что с ним? Ты хочешь нас убить? Мы туда не желаем.

Потом один из них, поумнее, сказал:

— Мы не видим за этими палками никакого другого мира. Если хотите, чтобы мы поверили, почему не пошлёте туда кого-нибудь из своих? Все ваши друзья держатся подальше от этих палок.

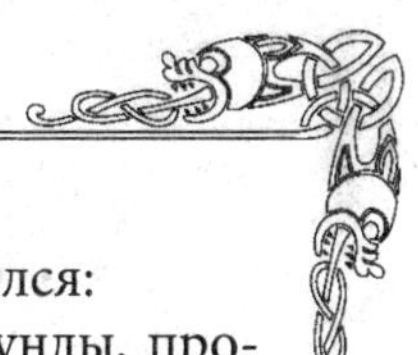

Рипичип мгновенно выступил вперёд и поклонился:

— Если годится мой пример, я, не медля ни секунды, проведу в эту арку одиннадцать мышей.

— О нет, маленькое существо, — сказал Аслан, осторожно опуская бархатную лапу на голову Рипичипа. — В том мире с вами поступят ужасным образом: будут показывать для забавы, — так что пойти должны другие.

— Идёмте, — сказал вдруг Питер Эдмунду и Люси. — Пора.

— Куда? — спросил Эдмунд.

— Туда, — ответила Сьюзен, которая, похоже, всё уже знала. — За деревья. Нужно переодеться.

— Во что? — удивилась Люси.

— В нашу одежду, конечно. Хороши мы будем на платформе, на английской станции, вот в этом.

— Но все наши вещи в замке у Каспиана, — возразил Эдмунд.

— Да нет же, — сказал Питер, увлекая их в самую чащу леса. — Всё здесь: принесли в узлах сегодня утром. Всё готово.

— Так вот о чём Аслан разговаривал с тобой и Сьюзен? — догадалась Люси.

— Об этом и о многом другом, — загадочно произнёс Питер, и лицо у него при этом было торжественное. — Я не могу рассказать вам всё. Он хотел кое-что объяснить Сью и мне, потому что мы не вернёмся в Нарнию.

— Никогда? — в отчаянии вскричали Эдмунд и Люси.

— Вы-то ещё вернётесь: во всяком случае, я так понял с его слов, — а мы со Сью никогда. Он сказал, что мы уже слишком большие.

— Ой, Питер, — всхлипнула Люси, — какое горе! Сможешь ли ты это вынести?

— Думаю, да. Это совсем не так, как я полагал. Ты это поймёшь, когда придёт твой последний раз. Ладно, быстрей, вот наши вещи.

Странно было и не очень приятно снять королевские одежды и предстать перед великим собранием в школьной форме (притом не очень чистой). Кто-то из самых злобных тельмаринов засмеялся, но все прочие создания приветствовали детей и встали, чтобы почтить Питера, Верховного короля, Сьюзен, королеву волшебного рога, короля Эдмунда и королеву Люси. Это было волнующее и (со стороны Люси) слёзное прощание со старыми друзьями — поцелуи зверюшек, жаркие объятия толстых медведей, крепкое, до боли, рукопожатие Трама, щекочущие усы Боровика. И, конечно, Каспиан уговаривал Сьюзен взять рог с собой, и, конечно, Сьюзен убедила его оставить рог у себя. А затем было чудесное и одновременно горестное прощание с самим Асланом, и Питер стал у двери, Сьюзен положила руки ему на плечи, Эдмунд — на плечи ей, Люси — ему, первый тельмарин — Люси, и так, длинной вереницей, они двинулись в проход. Тут наступил миг, который трудно описать, потому что дети увидели три места одновременно: устье пещеры, открывающееся в ослепительную зелень и синеву тихоокеанского островка, на котором должны были оказаться тельмарины; поляну в Нарнии, лица гномов и зверей, внимательные глаза Аслана и белые полоски на щеках барсука; серое, мрачное пространство пригородной платформы, скамейку с разбросанным на ней багажом, на которой ребята сидели, словно и не трогались никуда. Это последнее — довольно скучное и тоскливое на первый взгляд, однако неожиданно и по-своему приятное: с его привычными железнодорожными запахами, английским небом и начавшимся учебным годом — быстро заслоняло остальные.

— Ух! — воскликнул Питер. — Ну и времечко у нас было.

— Тьфу ты, пропасть! — отозвался Эдмунд. — Я забыл в Нарнии свой новый фонарик.

# «ПОКОРИТЕЛЬ ЗАРИ»,
*или*
# ПЛАВАНИЕ НА КРАЙ СВЕТА

ДИКИЕ СЕВЕРНЫЕ ЗЕМЛИ

СЕМ

Мьюл

Алая Гавань

Брен

НАРНИЯ

ТАРХИСТАНСКИ

ЗАЛИВ

ГАЛЬМА

Кэр-Параваль

ТЕРЕВИНФИЯ

ОРЛАНДИЯ

ТАРХИСТАН

ВЕЛИКИ

ОСТРОВОВ
Первая часть ПУТЕШЕСТВИЯ
Примерно здесь Люси, Эдмунд и Юстас попали на корабль
ОДИНОКИЕ ОСТРОВА
Фелимат
Авра
Дорн
ВОСТОЧНЫЙ ОКЕАН

ПОСВЯЩАЕТСЯ
ДЖЕФФРИ БАРФИЛДУ

*Перевод Валентины Кулагиной-Ярцевой*

## *Глава первая*

# КАРТИНА В ДЕТСКОЙ

Жил-был мальчик, которого звали Юстас Кларенс Вред, и фамилия подходила ему как нельзя лучше. Родители называли его Юстасом Кларенсом, а учителя — Вредом. Не могу сказать, как обращались к нему друзья, потому что друзей у него не было. Он звал своих родителей не «папа» и «мама», а по имени, Гарольд и Альберта. Они были чрезвычайно современными и передовыми людьми: ели вегетарианскую пищу, не курили, не пили, носили экологически чистое бельё. В их доме почти отсутствовала мебель, кровати в спальне были жёсткими, а окна всегда стояли нараспашку. Юстасу Кларенсу нравились животные, особенно насекомые: мёртвые, насаженные на булавку жуки, — а ещё книги, в которых содержались точные сведения и фотографии элеваторов или толстеньких иностранных детей, занимающихся физическими упражнениями в образцовых школах.

Юстас Кларенс недолюбливал своих родственников, четверых детей семейства Певенси: Питера, Сьюзен, Эдмунда и Люси, — но обрадовался, узнав, что Эдмунд и Люси какое-то время поживут у них. В глубине души он любил командовать, обожал кого-нибудь поддразнивать, и хотя был маленьким и слабым, а если бы дело дошло до драки, не сумел бы

справиться даже с Люси, не говоря уже об Эдмунде, ему были известны десятки способов испортить жизнь кому угодно, если он был у себя дома, а эти кто угодно у них гостили.

Эдмунда и Люси вовсе не радовала перспектива пожить у дяди Гарольда и тети Альберты, но ничего не поделаешь: их отца пригласили на четыре месяца в Америку читать цикл лекций, и маме пришлось поехать с ним, потому что она десять лет не отдыхала по-настоящему. Питеру предстояло провести каникулы у старого профессора Кёрка, под руководством которого он усердно готовился к экзаменам. Именно в доме профессора эти четверо детей пережили чудесные приключения несколько лет назад, во время войны. Если бы он по-прежнему жил в том же доме, они все могли бы остаться у него, но с тех пор профессор обеднел и жил теперь в небольшом коттедже, где была всего одна гостевая спальня. Взять остальных детей в Америку было слишком дорого, поэтому с родителями поехала только Сьюзен.

Она считалась самой красивой из детей Певенси и при этом не блистала успехами в школе, хотя во многих отношениях была совершенно взрослой, и мама решила, что ей поездка в Америку даст гораздо больше, чем младшим. Эдмунд и Люси старались не завидовать Сьюзен, но перспектива провести летние каникулы у тётушки наводила на них тоску.

— У тебя хоть своя комната будет, — посетовал Эдмунд, — а мне придётся делить спальню с этим противным Юстасом.

Эта история началась ближе к вечеру, когда Эдмунд и Люси улучили несколько драгоценных минут, чтобы побыть вдвоём.

И конечно, говорили они о Нарнии — своей собственной тайной стране. Думаю, у большинства из нас есть своя тайная страна, но только воображаемая. В этом отношении Эдмунду и Люси повезло больше, чем другим: их тайная страна существовала на самом деле, им даже удалось дважды её посетить — не в игре, не во сне, а наяву. Разумеется, они попадали туда волшебным образом, иначе до Нарнии не добраться, и главное —

получили обещание, или почти обещание, что когда-нибудь туда вернутся, поэтому неудивительно, что они беспрестанно говорили об этом, как только выпадала возможность.

Сидя на краешке кровати в комнате Люси, они разглядывали картину на противоположной стене, единственную во всём доме, которая им нравилась. А тёте Альберте она совсем не нравилась, поэтому её и повесили в небольшой задней комнате на верхнем этаже, но избавиться от неё не представлялось возможным: это был свадебный подарок от человека, которого ей не хотелось обидеть.

На картине был изображён корабль, который плыл прямо на вас. Его позолоченный нос был выгнут в виде морды дракона с широко открытой пастью. Корабль был одномачтовый, с квадратным парусом роскошного пурпурного цвета. Борта корабля — насколько можно было разглядеть их цвет там, где кончались золочёные крылья дракона, — были зелёными. Корабль вздымался на гребне чудесной синей волны, а ближайшая волна обрушивалась на вас, переливаясь синевой и пенясь. Корабль, несомненно, летел вперёд, а весёлый ветерок дул с левого борта. Солнечные лучи заливали корабль, и вода у борта отливала зелёным и пурпурным, а с другого борта была тёмно-синей от тени корабля.

— Вопрос в том, — заметил Эдмунд, — не становится ли хуже, когда глядишь на нарнийский корабль, а попасть на него не можешь.

— Глядеть всё-таки лучше, — отозвалась Люси. — А корабль совершенно нарнийский.

— Опять старые игры? — с ухмылкой спросил Юстас Кларенс, который подслушивал под дверью, а теперь вошёл в комнату. Прошлым летом, когда гостил в семействе Певенси, он слышал эти разговоры о Нарнии, и ему нравилось поддразнивать кузенов. Разумеется, он считал, что всё это выдумки, а поскольку сам был слишком глуп, чтобы что-то придумать, то ему это не нравилось.

— Тебя сюда не звали! — отрезал Эдмунд.

— Я сочиняю лимерик, — сказал Юстас. — Что-то вроде:

*Ребята, болтая про Нарнию,*
*Становятся придурковатыми...*

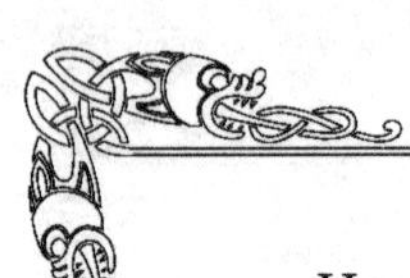


— Ну, прежде всего, «Нарнию» и «придурковатыми» не рифмуются, — заметила Люси.

— Это ассонанс, — возразил Юстас.

— Только не спрашивай его, что такое «ассо-что-то-там», — вмешался Эдмунд. — Он только и ждёт, чтобы ему задали вопрос. Ничего не говори — может, он уйдёт.

Большинство ребят на месте Юстаса либо тут же ушли бы, либо рассердились, но он остался, продолжая ухмыляться, и снова завёл разговор:

— Вам нравится эта картина?

— Бога ради, не давай ему заговорить о живописи, — поспешно предупредил Эдмунд, но Люси, исключительно правдивая девочка, уже ответила:

— Да, очень нравится.

— Картина дрянь! — заявил Юстас.

— Если ты уйдёшь, то не будешь её видеть, — буркнул Эдмунд.

— Чем она тебе нравится? — обратился Юстас к Люси.

— Ну, прежде всего тем, что корабль будто в самом деле движется. И вода кажется настоящей, и волны словно действительно вздымаются и опадают.

Конечно, Юстас мог бы возразить, но ничего не сказал, потому что в эту самую минуту взглянул на волны и тоже увидел, что они и в самом деле поднимаются и опускаются. Он всего лишь раз плавал на корабле (совсем недалеко, на остров Уайт) и ужасно страдал от морской болезни, поэтому от вида волн на картине ему снова стало нехорошо. Он хоть и позеленел, но решился взглянуть на картину ещё раз. И тут все трое застыли с открытыми ртами.

В то, что они увидели, трудно поверить, даже когда читаешь об этом. Вдруг всё, что было изображено на картине, пришло в движение, но совсем не так, как в кино: цвета были чище и реальнее, чувствовалось движение воздуха. Нос корабля пошёл вниз и взрезал волну, так что взлетели брызги. Затем позади корабля поднялась новая волна, и в первый раз стали видны корма и палуба, но потом исчезли, и судно словно отвесило поклон. В ту же минуту тетрадь, лежавшая на кровати возле Эдмунда, поднялась, зашелестела страницами и поплыла по воздуху к стене, а Люси почувствовала, что от ветра раз-

веваются волосы. И действительно поднялся ветер — только дул он на них с картины. Вместе с ветром донеслись и другие звуки: шуршание волн, плеск воды о борта корабля, скрип и перекрывавший всё остальное гул воздуха и воды. Но именно запах — сильный запах соли — окончательно убедил Люси в том, что это не сон.

— Прекратите! — крикнул Юстас писклявым от испуга и злости голосом. — Вы придумали эту дурацкую игру. Перестаньте, а то пожалуюсь Альберте. О-о!

Люси и Эдмунд привыкли к приключениям, но и они могли только, как Юстас, воскликнуть «о-о!», потому что из рамы на них выплеснулась большая холодная солёная волна и окатила с головы до ног.

— Сейчас я выкину эту дрянь! — завопил Юстас, и тут произошло сразу несколько событий.

Юстас кинулся к картине. Эдмунд, который кое-что понимал в волшебстве, бросился за ним с криком, чтобы тот был осторожнее и не валял дурака. Люси ухватилась за него с другой стороны, и её потащило вперёд. К этому времени либо они сделались гораздо меньше, либо картина увеличилась в размерах. Юстас прыгнул, чтобы сорвать её со стены, очутился на раме, и перед ним было не стекло, а настоящее море, и волны набегали на раму, как набегали бы на скалы. Крик Юстаса слышался не больше секунды, и как раз когда ребята немного успокоились, на них обрушилась огромная волна, сбила с ног и потащила в море. Отчаянный крик вдруг оборвался — видимо, в рот Юстасу попала вода.

Люси поблагодарила судьбу за то, что за лето хорошо научилась плавать. Правда, неплохо бы плыть помедленнее, да и вода оказалась намного холоднее, чем можно было подумать, глядя на картину. Всё же голову она держала над водой и даже ухитрилась сбросить туфли, что следовало сделать в первую очередь, если оказался в воде в одежде. Рот у неё был закрыт, а глаза открыты. Они всё ещё находились возле корабля, ей был виден возвышавшийся над ними зелёный борт и люди, смотревшие на неё с палубы. Затем, что было вполне ожидаемо, Юстас в панике уцепился за неё, и оба пошли ко дну.

Вынырнув, Люси успела заметить, как с борта корабля в воду прыгнула белая фигура. Эдмунд подплыл, оторвал от

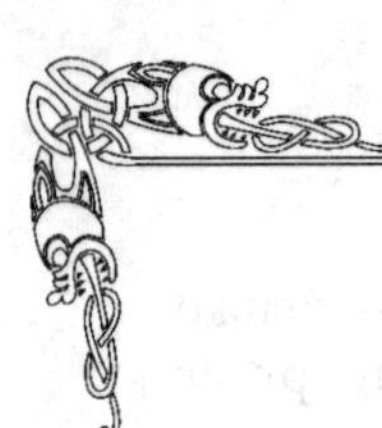

неё завывавшего Юстаса, затем кто-то смутно знакомый подхватил её под руку с другой стороны. С корабля доносились крики, над фальшбортом виднелись головы, потом с борта сбросили канаты, и Эдмунд с незнакомцем обвязали её. После этого всё происходило как в замедленной съёмке, так что лицо у неё успело посинеть, а зубы начали выбивать дробь. В действительности же люди наверху просто выжидали момент, чтобы её можно было втащить на палубу, не ударив о борт. Но когда Люси в конце концов оказалась там, несмотря на все старания, на коленке у неё красовался огромный синяк. Её била дрожь, а с одежды стекала вода. Потом на палубу вытащили Эдмунда, а следом за ним — несчастного Юстаса. Последним появился тот самый юноша, что показался ей знакомым: золотоволосый, немногим старше её.

— Ка… Каспиан! — воскликнула Люси, как только смогла дышать.

Да, это был он, нарнийский мальчик-король, которому они в своё время помогли взойти на трон. И Эдмунд тоже сразу узнал его. Они обменялись рукопожатиями и с удовольствием похлопали друг друга по спине.

— А это ваш друг? — сразу же поинтересовался Каспиан, поворачиваясь к Юстасу с ободряющей улыбкой.

Тот так рыдал, как не позволил бы себе любой другой мальчик его возраста из-за того, что всего-навсего промок:

— Отпустите меня! Я хочу уйти. Мне здесь не нравится…

— Уйти? — переспросил Каспиан. — Но куда?

Юстас бросился к борту, словно ожидал увидеть нависшую над морем раму картины или комнату Люси, но его взору предстали лишь синие волны с гребешками пены и голубое небо, простирающееся до самого горизонта. Наверное, не стоит винить его в том, что сердце у него ушло в пятки, а желудок подскочил к горлу.

— Эй, Ринельф! — окликнул Каспиан одного из моряков. — Принеси вина с пряностями для их величеств — им надо согреться после этого купания.

Каспиан по-прежнему называл Эдмунда и Люси величествами, потому что вместе со Сьюзен и Питером они правили в Нарнии задолго до него. Время в Нарнии идёт совсем не так, как у нас: пробыв там сто лет, вы вернётесь в наш мир в тот самый день и час, когда его покинули, — но если через неделю снова окажетесь в Нарнии, то обнаружите, что там прошло несколько сотен лет, или всего один день, или вовсе нисколько. Этого не узнаешь, пока туда не попадёшь. Когда четверо детей Певенси оказались в Нарнии во второй раз, для её жителей это было, как если бы король Артур возвратился в Британию — ведь некоторые считают, что он вернётся. А я бы даже добавил: чем раньше это произойдёт, тем лучше.

Ринельф вернулся с кувшином глинтвейна, над которым поднимался пар, и четырьмя серебряными кубками. Напиток оказался божественным: с каждым глотком Люси и Эдмунд ощущали, как по телу разливается тепло и возвращаются силы. Юстас же скорчил мину, поперхнулся, выплюнул глинтвейн, и его опять начало мутить. Он снова принялся плакать и просить чего-нибудь успокаивающего и витаминизированного, а кроме того, требовать, чтобы его высадили на ближайшей пристани.

— Весёленького товарища ты приобрёл, братец, — хмыкнув, прошептал Каспиан Эдмунду, и не успел тот что-нибудь сказать, как раздался душераздирающий вопль Юстаса:

— Что это? Уберите эту мерзость!

По правде говоря, на этот раз было чему удивиться. Из каюты на корме появилось очень странное существо и неторопливо направилось к ним. Это была мышь, но весьма необычного вида: ходила на задних лапах и рост имела примерно два фута. На голове у неё была тонкая золотая повязка, прохо-

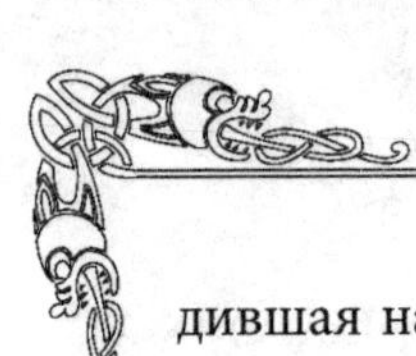


дившая над одним ухом и под другим, из-под которой торчало длинное алое перо и на очень тёмном, почти чёрном, мехе выглядело довольно эффектно. Левая лапа мыши лежала на рукояти шпаги, почти такой же длинной, как хвост. Зверь выглядел совершенно невозмутимым и серьёзным, а его манеры не лишены были изысканности. Люси и Эдмунд моментально узнали его — это был Рипичип, самый храбрый из говорящих зверей Нарнии, Верховный главнокомандующий, покрывший себя неувядаемой славой в битве под Беруной. Люси, как всегда, захотелось схватить Рипичипа на руки и крепко обнять, но этого, как она прекрасно понимала, никогда не случится: такое обращение глубоко обидело бы его. Тогда девочка опустилась на колено, а Рипичип, как истинный джентльмен, выставил вперёд левую ногу, отвёл назад правую, поклонился, поцеловал ей руку, выпрямился, подкрутил усы и сказал высоким резким голосом:

— Нижайшее почтение вашему величеству и его величеству королю Эдмунду. Присутствие столь высокопоставленных особ, несомненно, украсит это славное путешествие.

— О, уберите его! — запричитал Юстас. — Ненавижу мышей, а тем более дрессированных: они глупы, вульгарны и… и вызывают отвращение.

— Как я понял, — обратился Рипичип к Люси, смерив Юстаса долгим взглядом, — этот совершенно невоспитанный субъект пользуется покровительством ваших величеств? Если нет, то…

Продолжить ему не дали Люси и Эдмунд, одновременно чихнув.

— Какой же я идиот: держу вас здесь в промокшей одежде! — воскликнул Каспиан. — Давайте спустимся вниз, и вы переоденетесь. Ты можешь занять мою каюту, Люси, но, боюсь, на корабле не найдётся женской одежды, так что придётся воспользоваться моей. Веди нас, доблестный Рипичип!

— Ради дамы, — отозвался Рипичип и сурово посмотрел на Юстаса, — даже вопрос чести может быть отложен — во всяком случае, на время.

Каспиан, не желая развития конфликта, подтолкнул гостей вперёд, и через несколько минут Люси уже входила в каюту на корме. Здесь ей сразу всё понравилось: три квадратных окна, за которыми плескалась синяя вода, низкие лавки с подушками с трёх сторон стола, висячая серебряная лампа над головой (она сразу узнала тонкую, изысканную работу гномов) и золотой лев на стене над дверью.

— Это твоя каюта, Люси, — открыв дверь, сказал Каспиан. — Я только возьму кое-что из одежды и уйду. Свою мо-

крую одежду оставь за дверью — её отнесут на камбуз и приведут в порядок.

Люси почувствовала себя как дома, словно жила в каюте Каспиана уже давно. Покачивание корабля её не беспокоило, ведь в те давние дни, когда была королевой Нарнии, ей приходилось много путешествовать. Каюта была хоть и крошечная, но светлая, безупречно чистая, со стенами, расписанными птицами и зверями, алыми драконами и виноградными лозами. Одежда Каспиана была ей велика, но ничего не поделаешь: где-то подвязала, что-то подогнула, — зато ботинки, сандалии и сапоги оказались такими огромными, что Люси решила ходить босиком. Переодевшись, она посмотрела в окно, на убегающую вдаль воду, и вдохнула полной грудью: приключения начинаются. Люси была уверена, что они замечательно проведут здесь время.

## *Глава вторая*

# НА БОРТУ «ПОКОРИТЕЛЯ ЗАРИ»

— А вот и ты, Люси! — приветствовал её Каспиан. — Мы ждали тебя. Знакомься: мой капитан лорд Дриниан.

Темноволосый мужчина опустился на колено и поцеловал ей руку.

Заметив рядом только Рипичипа и Эдмунда, Люси спросила:

— А где Юстас?

— В постели, — ответил Эдмунд. — И не думаю, что мы в состоянии ему помочь: он становится совершенно неуправляемым, если проявить к нему внимание.

— Между тем, — заметил Каспиан, — нам троим надо поговорить.

— Ну конечно же! — воскликнул Эдмунд. — Прежде всего о времени. По-нашему прошёл год с тех пор, как мы покинули тебя, как раз накануне коронации. А сколько прошло в Нарнии?

— Ровно три года, — ответил Каспиан.

— Как твои дела? Всё хорошо? — спросил Эдмунд.

— Ты ведь не думаешь, что я смог бы покинуть королевство и пуститься в плавание, если бы что-то было неблагополучно. Всё хорошо, лучше и быть не может. Никаких разногласий между тельмаринами, гномами, говорящими зверями,

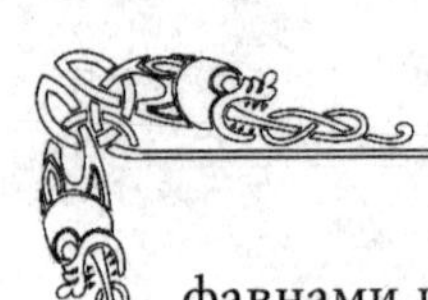



фавнами и остальными. А прошлым летом мы сразились ещё и с великанами, так что они теперь платят нам дань. И у меня был замечательный кандидат на роль правителя в мое отсутствие — гном Трам. Помните его?

— Милый Трам! — сказала Люси. — Конечно, я его помню. Лучшего и не найти.

— Предан, как барсук, госпожа, и силён, как… как мышь, — добавил капитан Дриниан, хотя собирался произнести «как лев», но заметил пристальный взгляд Рипичипа.

— Куда мы направляемся? — обратился Эдмунд к Каспиану.

— Ну, это довольно длинная история. Может, ты помнишь, что, когда я был ребёнком, мой дядя Мираз, захвативший власть, избавился от семи друзей моего отца, чтобы те не могли встать на мою сторону, послав их исследовать неизвестные Восточные моря, лежащие за Одинокими островами.

— Да, — продолжила Люси, — и ни один из них не вернулся.

— Верно. Ну и в день моей коронации, с одобрения Аслана, я дал клятву: как только добьюсь мира в Нарнии, сам поплыву на восток на год и один день, чтобы или разыскать друзей моего отца, или, если они погибли, отомстить за них. Это

лорды Ревелиан, Берн, Аргоз, Мавроморн, Октезиан, Рестимар и… никак не могу запомнить это имя.

— Лорд Руп, сир, — подсказал Дриниан.

— Руп, конечно, Руп, — повторил Каспиан. — Это моя главная цель. Но Рипичип лелеет ещё более смелые надежды.

Тут все посмотрели на Верховного главнокомандующего, и тот подтвердил:

— Смелые, словно мой дух, но, может, и малые, как мой рост. Почему бы нам не отправиться к самому восточному краю света? Может, там мы обнаружим страну Аслана. Великие львы всегда приходили к нам с востока, из-за моря.

— Мне кажется, это *мысль*, — произнёс Эдмунд с благоговением в голосе.

— Ты думаешь, — с сомнением произнесла Люси, — что страна Аслана из таких, куда можно *хоть когда-нибудь* доплыть?

— Не знаю, госпожа, — сказал Рипичип. — Но вот ещё что. Когда я был совсем маленьким и лежал в колыбели, дриада пела мне такую песню:

*Там, где небо сойдётся с землёй,*
*Станет пресной в море вода,*
*Там найдёшь, мой смелый дружок,*
*То, что ищешь, — далёкий восток.*

Сам не знаю, что это значит, но на всю жизнь очарован этими словами.

После недолгой паузы Люси спросила:

— Где мы сейчас находимся, Каспиан?

— Лучше спросить капитана.

Дриниан достал карту и, разложив на столе, указал пальцем:

— Мы находимся здесь, или были здесь сегодня в полдень. Со стороны Кэр-Параваля мы шли с попутным ветром и держали курс на Гальму, куда прибыли на следующий день, но простояли в порту неделю, потому что герцог устроил большой турнир в честь его величества, на котором он многих рыцарей выбил из седла…

— Да и сам несколько раз был выбит: вон синяки до сих пор остались, — вставил Каспиан.

Капитан широко улыбнулся и продолжил:

— Мы думали, герцог был бы рад, если бы наш король женился на его дочери, но ничего из этого не вышло…

— Косит и вся в веснушках, — пояснил Каспиан.

— Бедняжка! — отозвалась Люси

— Тогда мы отплыли из Гальмы, — продолжил Дриниан, — и попали в штиль почти на два дня, так что пришлось взяться за вёсла, но затем ветер подул снова, и на четвёртый день мы добрались до Теревинфии. Только высадиться на берег не смогли: король выслал гонцов с предупреждением, что в городе эпидемия. Пришлось обогнуть мыс и встать на рейде в небольшой бухте, где пришлось ждать три дня, пока не подул юго-восточный ветер, чтобы можно было двинуться к Семи островам. На третий день нас догнал пиратский корабль: судя по оснастке, теревинфийский, — но, обнаружив, что мы хорошо вооружены, удалился, после того как мы обменялись несколькими стрелами.

— А надо было догнать их, взять на абордаж и перевешать всех до одного! — вставил Рипичип.

Улыбнувшись, капитан продолжил:

— Через пять дней мы увидели Мьюл, самый западный, как вам известно, из Семи островов, прошли на вёслах узкий пролив и к закату были в Алой гавани на острове Брен, где нас прекрасно приняли и дали вдоволь провианта и воды. Из Алой гавани мы вышли через шесть дней, шли на отличной скорости, так что, я надеюсь, послезавтра увидим Одинокие острова. Всего же мы в море около тридцати дней и прошли за это время более четырёхсот лиг.

— А что после Одиноких островов? — спросила Люси.

— Никто не знает, ваше величество, — ответил Дриниан. — Разве что сами островитяне нам расскажут.

— В наше время они этого не могли, — заметил Эдмунд.

— Значит, — заключил Рипичип, — за Одинокими островами и начнётся настоящее приключение.

Каспиан спросил, не хотят ли гости ещё до ужина осмотреть корабль, но Люси, испытывая угрызения совести, сказала:

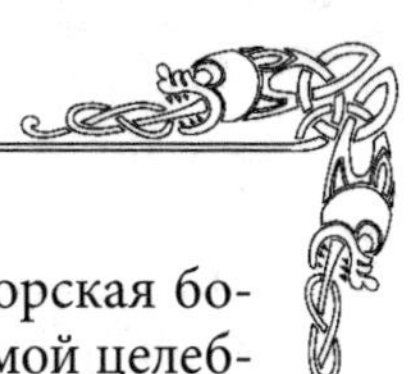

— Думаю, мне надо пойти проведать Юстаса. Морская болезнь — ужасная вещь, вы же знаете. Будь со мной мой целебный бальзам, я бы его моментально поставила на ноги.

— Так он здесь, — сказал Каспиан. — Когда ты его оставила, я подумал, что это одно из королевских сокровищ, и взял. Если ты думаешь, что его стоит тратить на такую ерунду как морская болезнь…

— Я возьму всего каплю, — пообещала Люси.

Каспиан открыл ларь под одной из лавок и достал оттуда красивую алмазную бутылочку, так хорошо знакомую Люси.

— Возьми, королева, это твоё.

Затем они вышли из каюты и оказались на залитой солнечным светом палубе. Там было два больших длинных люка, перед мачтой и за ней, сейчас открытых, как всегда в хорошую погоду, чтобы впускать свет и воздух в чрево корабля.

Каспиан повёл их вниз по трапу в люк за мачтой. Они очутились в помещении, где от одного борта до другого шли скамьи для гребцов, а свет проходил сквозь отверстия для вёсел и плясал на потолке. Разумеется, корабль Каспиана не был галерой, которую приводили в движение гребцы: здесь применяли весла, только когда не было ветра или для того, чтобы войти в гавань или выйти из неё, и каждый (кроме Рипичипа, слишком маленького для этого) грёб по очереди. Под скамьями оставалось пространство для ног гребцов, а в центре имелось некое подобие ямы, которая доходила до самого киля и была наполнена всякой всячиной: мешками с мукой, бочонками воды и пива, бочками с солониной, кувшинами мёда, мехами с вином, яблоками, орехами, сырами, галетами, репой, вяленым мясом. С потолка, то есть с нижней стороны палубы, свисали окорока и связки лука, там же отдыхали в гамаках свободные от вахты члены команды. Каспиан вёл Люси и Эдмунда по направлению к корме, шагая по скамьям, и Люси приходилось то и дело едва ли не прыгать, а Рипичип прямо перескакивал с одной скамьи на другую. Таким образом они добрались до помещения, в котором имелась дверь, и Каспиан, открыв её, впустил их в каюту под палубой. Конечно, здесь было не так уютно: низкий потолок, стены книзу сужаются, так что пола почти нет, а окна с толстым стеклом нельзя открыть, потому что они находятся ниже уровня воды.

Но как раз в этот момент корабль качало, и окна попеременно были то золотыми от солнечного света, то тускло-зелёными, цве́та моря.

— Мы с тобой устроимся здесь, Эдмунд, — сказал Каспиан. — Оставим твоему родственнику койку, а себе повесим гамаки.

— Прошу ваше величество… — начал было Дриниан, но Каспиан его перебил:

— Нет-нет, дружище, мы уже всё обсудили. Вы с Ринсом (так звали помощника капитана), ведёте корабль, часто будете работать по ночам, в то время как мы — распевать каччу или развлекать друг друга разными историями, поэтому займите каюту наверху, слева по борту. Нам с королем Эдмундом вполне удобно здесь, внизу. Так как дела у нашего нового знакомого?

Юстас, бледный до синевы и хмурый как туча, спросил, скоро ли кончится шторм, и Каспиан удивился:

— Какой шторм?

Дриниан и вовсе расхохотался:

— Шторм! Да о такой погоде можно только мечтать!

— Кто это? — раздражённо спросил Юстас. — Пусть он уйдет. От его крика у меня заложило уши.

— Я кое-что тебе принесла. Сейчас станет лучше, — сказала Люси.

— Уйди, оставь меня! — заныл было Юстас, но всё же глотнул капельку из её бутылочки.

И хотя он назвал бальзам отвратительным (запах, распространившийся по каюте, когда Люси открыла флакон, был изумительный), щёки его уже через несколько минут приобрели нормальный цвет, он явно почувствовал себя лучше, потому что, перестав жаловаться на бурю и головную боль, стал требовать, чтобы его высадили на берег, пригрозив, что в первом же порту «изложит диспозицию» британскому консулу относительно всех присутствующих. Но когда Рипичип спросил, какую диспозицию и как её изложить, решив, что это какой-то новый способ устроить поединок, Юстас только пробормотал что-то вроде: «Странно этого не знать».

В конце концов им удалось его убедить, что они плывут к берегу как только могут быстро и что не в их власти как вернуть его в Кембридж — где жил дядя Гарольд, — так и от-

править на Луну. После этого он мрачно согласился надеть принесённую ему чистую одежду и выйти на палубу.

Каспиан устроил для них экскурсию по кораблю, хотя его бо́льшую часть они уже видели. Они поднялись на полубак, где на небольшом уступе, вделанном в позолоченную шею дракона, стоял вперёдсмотрящий и сквозь его открытую пасть наблюдал за окрестностями. Внутри полубака располагался камбуз (корабельная кухня) и помещения для боцмана, плотника, кока и командира лучников. Если вам кажется странным, что камбуз увешан луками, или вы представляете себе, как дым из труб стелется по палубе, то это потому, что вы думаете о пароходах, у которых ветер всегда встречный. На парусных кораблях ветер дует сзади, и все запахи уносит далеко вперёд. Новоприбывших провели на марс, и сначала им показалось страшновато раскачиваться взад-вперёд и видеть палубу далеко внизу. Было понятно, что если вдруг почему-то упадёшь, то ещё неизвестно, куда свалишься: на палубу или в воду.

Посетили гости и полуют, где на вахте у румпеля стояли Ринс и один из матросов, затем пошли дальше, туда, где поднимался позолоченный хвост дракона, а внутри стояла небольшая скамья. Корабль назывался «Покоритель зари» и был совсем небольшим по сравнению с каким-либо нашим кораблём или даже баркасами, парусными галерами и галеонами, которыми располагала Нарния, когда здесь правили Люси и Эдмунд под главенством Верховного короля Питера, потому что во времена предшественников Каспиана мореплавание едва не угасло. Когда его дядя Мираз, захвативший власть, отправил семь лордов в плавание, пришлось покупать корабль в Гальме и там же набирать команду. Но Каспиан сумел возродить мореплавание в Нарнии, и «Покоритель зари» был самым красивым из уже построенных при нём кораблей, хотя и настолько маленьким, что перед мачтой на палубе едва оставалось место между центральным люком и корабельной шлюпкой с одной стороны и клеткой для кур — с другой. И всё же корабль был красавец, «благородный», как говорили моряки, прекрасных очертаний, чистых тонов, где каждый брус и каждый канат или уключину делали с любовью.

Юстасу, разумеется, ничего не нравилось: он всё нахваливал лайнеры и катера, аэропланы и подводные лодки («Как

будто что-то в них понимает», — возмущался Эдмунд), но остальные были от «Покорителя зари» в восторге. А когда все прошли в каюту на корме, и поужинали, и увидели западную часть неба, озарённую огромным алым закатом, и ощутили подрагивание корабля, и почувствовали соль на губах, и подумали о неизвестных землях на восточном краю мира, Люси ощутила себя по-настоящему счастливой.

А то, что думал Юстас, можно пересказать его собственными словами. Как только на следующее утро получил свою высушенную одежду, он вытащил из кармана небольшую чёрную записную книжку и карандаш и начал вести дневник. Он всегда носил эту книжку с собой и записывал в неё свои оценки, потому что, хотя ни один предмет его особенно не интересовал, он был озабочен оценками других и часто спрашивал одноклассников, кто что получил. Но поскольку на «Покорителе зари» оценок не ставили, он взялся вести дневник. Вот первая запись:

«*7 августа*

Вот уже целые сутки я нахожусь на этом жутком корабле, если только это не сон. Все время свирепствует шторм (как хорошо, что я не подвержен морской болезни!). Через носовую часть перекатываются огромные волны, и корабль несколько раз чуть не погрузился в воду. Все остальные делают вид, что не замечают этого, либо из притворства, либо потому, что, как говорит Гарольд, трусость простых людей состоит в том, чтобы не видеть фактов. Безумие выходить в море на такой хлипкой посудине. Сам корабль не больше спасательной шлюпки. И, разумеется, внутри всё устроено самым примитивным образом: ни ресторана, ни радио, ни ванн, ни шезлонгов на палубе. Вчера меня протащили по всему кораблю, и можно было умереть от скуки, слушая, как Каспиан расхваливает свою игрушечную посудину, словно это «Куин Мэри». Я попытался рассказать ему, на что похожи настоящие корабли, но он слишком глуп. Э. и Л., *разумеется*, меня не поддержали. Думаю, такой младенец, как Л., не осознаёт опасности, а Э. подлизывается к К., как и все остальные. Они называют его королем. После моего заявления, что я республиканец, он спросил, что это значит! Он ничего об этом не знает. *Не сто-*

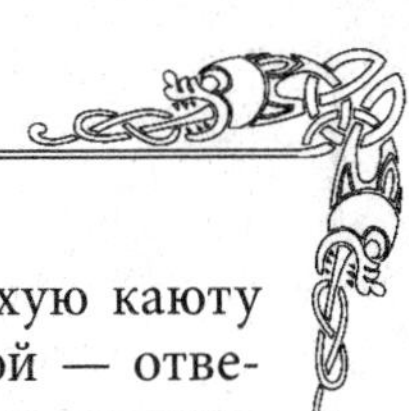

*ит и говорить*, что меня поместили в самую плохую каюту на корабле, в настоящую темницу, а Люси — одной — отвели целую каюту (можно сказать, прекрасную по сравнению со всем остальным здесь). К. говорит — это потому, что она девочка. Я попытался разъяснить ему, что по этому поводу говорит Альберта: подобные вещи унижают девочек, — но он слишком глуп. Кроме того, он мог бы и понять, что я заболею, если меня и дальше держать в этой *норе*. Э. говорит, что нечего ворчать, ведь сам К. делит с нами эту каюту, освободив свою для Лу. Как будто от этого здесь не становится больше народу, и от этого ещё хуже. Я чуть не забыл сказать, что здесь ещё есть удивительно нахальная мышь по кличке Рипичип. Остальные делают вид, что им нравится, когда он дерзит, но если будет цепляться ко мне, я быстро накручу ему хвост. Еда тоже отвратная».

Скандал с Юстасом и Рипичипом произошёл гораздо скорее, чем можно было ожидать. На следующий день перед обедом, когда все остальные сидели вокруг стола (пребывание на море пробуждает великолепный аппетит), вдруг с криком, заламывая руки, вбежал Юстас.

— Эта тварь чуть не убила меня! Я настаиваю, чтобы её посадили под замок, иначе намерен возбудить против тебя, Каспиан, дело или даже приказать тебе его уничтожить.

В этот момент появился Рипичип: со шпагой наголо, свирепо топорщившимися усами, но, как всегда, безукоризненно вежливый.

— Прошу у вас всех прощения, а у её величества особо. Если бы я знал, что он будет искать убежища здесь, то дождался бы более подходящего момента, чтобы наказать его.

— Да в чём дело-то? — спросил Эдмунд.

Оказалось, произошло вот что. Рипичип, которому всегда казалось, что судно движется недостаточно быстро, любил сидеть на фальшборту на носу корабля, рядом с головой дракона, смотреть на восток и тихонько петь своим высоким голоском ту самую колыбельную, которую пела ему дриада. Он ни за что не держался, хотя корабль качало, и с удивительной лёгкостью сохранял равновесие — возможно, благодаря своему длинному хвосту, свисавшему до палубы. На корабле

все знали об этом его обыкновении, и матросам нравилось, что он сидит там, потому что вперёдсмотрящему было с кем поговорить. Зачем Юстас, спотыкаясь и покачиваясь (ещё не научился ходить по палубе во время качки), побрёл на полубак, я так и не узнал: возможно, надеялся увидеть землю, а возможно, собирался зайти на камбуз и выпросить еды. Так или иначе, увидев свисающий длинный хвост — возможно, это оказалось большим искушением, — он подумал, как было бы заманчиво схватить его и пару раз повращать Рипичипа вверх ногами, захохотать и убежать. Поначалу казалось, что всё удалось: мышь не была многим тяжелее большой кошки, и Юстас мгновенно стащил её с фальшборта. Выглядела она при этом совершенно по-дурацки — с раскоряченными лапами и разинутым ртом. Только проказник не знал, что Рипичип, которому не раз приходилось сражаться, никогда ни на минуту не терял самообладания, как и сноровки. Не так легко вытащить шпагу, когда тебя вращают в воздухе за хвост, но он сумел. Юстас ощутил два болезненных укола в руку, что заставило его выпустить хвост, затем Рипичип вскочил, словно был и не мышь вовсе, а мячик, и оказался перед обидчиком. Нечто ужасно длинное, блестящее, острое, как вертел, закачалось перед ним на расстоянии дюйма от живота. (Это не считалось «ниже пояса», ведь трудно было ждать, что мыши в Нарнии дотянутся выше.)

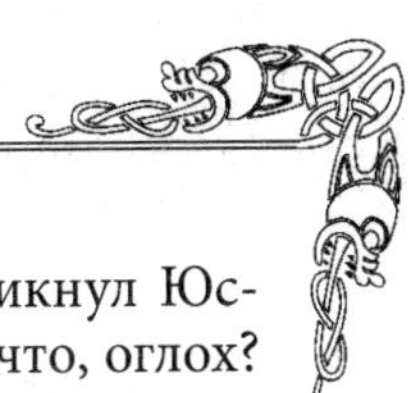

— Прекрати! — смертельно испугавшись, выкрикнул Юстас. —Убери эту штуку и убирайся. Это опасно. Ты что, оглох? Сейчас я пожалуюсь Каспиану, и тебя свяжут и наденут намордник.

— Почему ты не обнажишь свою шпагу, трус? — пропищал Рипичип. — Вынимай её и сражайся!

— У меня нет шпаги, — заявил Юстас. — Я пацифист и против поединков.

— Верно ли я понял, — сурово произнес Рипичип, на секунду отведя шпагу, — что ты не собираешься драться?

— Не понимаю, о чём ты, — пробубнил Юстас, поглаживая раненую руку. — Если ты шуток не понимаешь — твоя проблема.

— Тогда вот тебе! — сказал Рипичип и нанёс ему весьма ощутимый удар шпагой плашмя. — И вот ещё... чтобы научить тебя хорошим манерам... и уважению к рыцарям... и мышам... и мышиным хвостам.

После каждого назидания следовал удар, а стальная шпага, выкованная руками гномов, была тонкая, крепкая, гибкая и действовала не хуже розги.

Юстас, разумеется, учился в школе, где не было телесных наказаний, но это не помешало ему быстро сообразить, что нужно спасаться. Поэтому, несмотря на то что не привык ходить по палубе, он меньше чем за минуту пробежал по палубе от полубака и ворвался в дверь каюты, а следом за ним — разъярённый Рипичип.

Разобраться с этим делом оказалось вовсе не трудно. Как только Юстас осознал, что все относятся к идее поединка совершенно серьёзно, и услышал, что Каспиан готов одолжить ему шпагу, а Дриниан и Эдмунд обсуждают, не нужно ли каким-то образом уравновесить шансы дуэлянтов, раз он намного выше своего противника, он угрюмо извинился и ушёл вместе с Люси, чтобы та обработала и перевязала ему руку, а потом отправился на свою койку и осторожно лёг на бок.

## *Глава третья*

# ОДИНОКИЕ ОСТРОВА

— Земля на горизонте! — послышался голос вперёдсмотрящего.

Люси, беседовавшая с Ринсом на полуюте, сбежала вниз по трапу и бросилась вперёд. За ней последовал Эдмунд. Каспиан, Дриниан и Рипичип оказались уже на полубаке. Прохладным утром небо было бледное, а море тёмно-синее с небольшими белыми гребешками пены, и там, немного с правого борта, виднелся ближайший из Одиноких островов, Фелимат, возвышаясь зелёным холмом над морем, а за ним, подальше, виднелись серые склоны Дорна.

— Вот же он, Фелимат! Вот Дорн! — воскликнула Люси, хлопая в ладоши. — О, Эдмунд, как же давно мы с тобой видели их в последний раз!

— Я никогда не понимал, почему они принадлежат Нарнии, — заметил Каспиан. — Их завоевал Верховный король Питер?

— Нет, — ответил Эдмунд. — Они были нарнийскими ещё до нас, во времена Белой колдуньи.

(Кстати, я никогда не слышал, каким образом эти отдалённые острова стали принадлежать королевству Нарнии, и если когда-нибудь узнаю, а история окажется интересной, расскажу её в другой книге.)

— Мы будем заходить туда, сир? — спросил Дриниан.

— Думаю, не стоит высаживаться на Фелимат, — сказал Эдмунд. — Он был, можно сказать, необитаемым в наше время, и, похоже, таким и остался. Народ живёт по большей части на Дорне и немного на Авре, это третий остров, его ещё не видно. А на Фелимате пасли овец.

— Тогда мы обогнём этот мыс, я думаю, — сказал Дриниан, — и пристанем к Дорну. Значит, придётся идти на веслах.

— Жаль, что мы не высадимся на Фелимате, — посетовала Люси. — Мне бы хотелось снова погулять там. Там так уединённо и так славно, кругом только трава и клевер, и лёгкий ветерок с моря.

— Я бы тоже с удовольствием размял ноги, — сказал Каспиан. — Вот что я вам скажу. Почему бы нам не поплыть к берегу на шлюпке и затем отослать её обратно? Мы могли бы пересечь Фелимат, а «Покоритель зари» подберёт нас на той стороне острова.

Обладай Каспиан тем опытом, какой накопился у него к концу путешествия, никогда не предложил бы этого, но в тот момент предложение казалось замечательным.

— О, давайте! — воскликнула Люси.

— Ты ведь пойдёшь? — спросил Каспиан у Юстаса, когда тот появился на палубе с перевязанной рукой.

— Всё, что угодно, только бы уйти с этого жуткого корабля!

— Жуткого? — переспросил Дриниан. — Что ты хочешь сказать?

— В цивилизованных странах вроде той, где я живу, корабли так велики, что внутри них совсем не чувствуешь, что находишься в море.

— В таком случае можно просто остаться на берегу, — предложил Каспиан. — Распорядишься, чтобы спустили шлюпку, Дриниан?

Король, Рипичип, брат и сестра Певенси и Юстас сели в шлюпку, и их отвезли на берег Фелимата. Когда шлюпка начала удаляться от берега, все повернулись и посмотрели на «Покорителя зари». Удивительно, каким маленьким показался им корабль.

Люси, разумеется, шла босиком, потому что туфли сбросила, когда плыла, но идти по мягкому дёрну было легко. Какое счастье снова очутиться на суше, вдохнуть аромат земли и травы, даже если сначала казалось, что земля то поднимается, то опускается, словно палуба, как обычно бывает после пребывания в море. Здесь было гораздо теплее, чем на корабле, и Люси с удовольствием прошлась по песку. Слышалось пение жаворонка.

Продвигаясь в глубь острова, они поднялись на крутой, хотя и невысокий холм, и на вершине, конечно, обернулись посмотреть на корабль. «Покоритель зари» сиял, словно большая яркая бабочка, и медленно двигался на вёслах к северозападу, но как только они стали спускаться по склону, исчез из виду.

Теперь перед ними лежал Дорн, отделённый от Фелимата проливом шириной в милю, а за ним слева виднелся остров Авра. На Дорне легко было разглядеть небольшой белый городок — Узкую Гавань.

— О! А это кто такие? — вдруг воскликнул Эдмунд.

В зелёной долине, куда они спускались, под деревом сидели шесть-семь грубоватых на вид вооружённых мужчин.

— Не говорите им, кто мы, — предупредил Каспиан.

— Но почему же, ваше величество? — удивился Рипичип, которого — с его согласия — Люси несла на плече.

— Мне кажется, — сказал Каспиан, — что здесь давно уже никто не слышал о Нарнии. Возможно, они ещё не признали нашего правления. В этом случае может быть опасно, если во мне узнают короля.

— Мы при шпагах, сир, — напомнил Рипичип.

— Да, Рип, я знаю. Но если речь идёт о том, чтобы заново завоевать эти три острова, я предпочёл бы появиться здесь с более многочисленной армией.

Они уже почти дошли до незнакомцев, когда вдруг один из них, черноволосый крепыш, поднялся.

— Доброе утро!

— И вам доброго утра, — ответил на приветствие Каспиан. — Здесь ли ещё губернатор Одиноких островов?

— Будьте уверены, здесь. Губернатор Гумп. Он в Узкой Гавани. А вы останьтесь и выпейте с нами.

Каспиан поблагодарил, и хотя никому из его друзей не понравились эти странные люди, они всё же сели на землю. В тот же миг, не успели они поднести кружки ко рту, черноволосый мигнул приятелям, и они набросились на своих гостей. Те отчаянно сопротивлялись, но все преимущества были не на их стороне, так что вскоре оказались обезоруженными, со свя-

занными руками — все, кроме Рипичипа, который извивался в руках его державшего и что есть сил кусался.

— Осторожнее с этой тварью, Такс! — предупредил главарь. — Не покалечь его. Думаю, за него дадут самую большую цену.

— Трус! Негодяй! — пропищал Рипичип. — Верни мне шпагу и развяжи лапы, если осмелишься.

— Ну и ну! — присвистнул работорговец (а это был именно один из них). — Он ещё и говорит! Никогда ничего подобного не видел. Провалиться мне на этом месте, если за него не дадут двухсот полумесяцев!

Тархистанский полумесяц, основная монета в этих краях, равнялась примерно трети фунта.

— Вот, значит, ты кто, — проговорил Каспиан. — Похититель детей и работорговец. Есть чем гордиться.

— Ну-ну, не груби. Чем легче к этому относишься, тем приятнее, верно? Я занимаюсь этим не для развлечения: зарабатываю на жизнь, как любой другой.

— Куда вы нас поведёте? — выдавила Люси.

— В Узкую Гавань, — ответил работорговец. — Завтра как раз базарный день.

— Здесь есть британский консул? — вступил в диалог Юстас.

— Кто? — не понял черноволосый.

Юстас принялся подробно объяснять, но работорговец не пожелал его слушать.

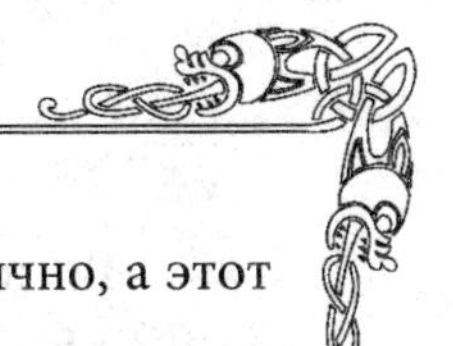

— Хватит болтать! Говорящая мышь — это отлично, а этот несёт какую-то чушь. Двинулись, ребята.

Четверых узников связали вместе, не жёстко, но надежно, и повели вниз по склону. Рипичипа несли. Ему пригрозили завязать рот, поэтому кусаться он перестал, но ругаться не прекратил, и Люси удивлялась, как это работорговец терпит оскорбления. Но тот, похоже, не возражал, а, напротив, когда Рипичип замолкал, чтобы перевести дух, говорил:

— Давай дальше. — И добавлял: — Отличная забава! — Или: — Вот это да! Прямо начинаешь верить, что он всё понимает! Это кто-то из вас его выучил?

Это так злило Рипичипа, что он в конце концов чуть не задохнулся и умолк.

Выйдя на берег, обращённый к Дорну, они увидели небольшую деревушку, баркас, который вытащили на песок, а чуть подальше видавшее виды судно.

— Ну, ребятишки, — сказал работорговец, — давайте не ссориться, и вам не о чем будет жалеть. Все на борт.

В этот момент из одного дома — похоже, таверны — вышел какой-то красивый бородач и спросил:

— Что, Мопс, опять с товаром?

Работорговец, которого, как оказалось, звали Мопс, низко поклонился и сказал льстивым тоном:

— Да, если ваша светлость так считает.

— Сколько ты хочешь за этого мальчика? — спросил бородач, указывая на Каспиана.

— Ах этого… Ваша светлость всегда выбирает всё самое лучшее. Только этот мальчик мне самому пришёлся по сердцу. Понравился. Я ведь человек мягкий и не всегда занимался этим делом. Но такому покупателю, как ваша светлость…

— Назови свою цену, подлец! Неужели ты думаешь, я стану слушать, как ты расписываешь своё грязное ремесло?

— Триста полумесяцев, милорд, только для вашей светлости, а кому-нибудь другому…

— Я дам тебе полтораста.

— Пожалуйста, прошу, — вмешалась Люси, — не разделяйте нас. Вы не знаете…

Она прикусила язык, заметив, что Каспиан не желает, чтобы знали, кто он, а мужчина сказал:

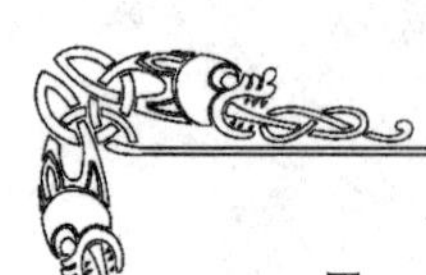



— Так значит, полтораста. Девочка, мне жаль, но я не могу купить вас всех. Отвяжи моего мальчика, Мопс. И смотри обращайся с остальными хорошо, пока они в твоих руках, или тебе плохо будет.

— Ну а как же! Разве кто-нибудь может сказать, что джентльмен, промышляющий тем же, чем я, обращается со своим товаром лучше меня? Да я отношусь к ним как к собственным детям.

— Похоже на то, — мрачно сказал мужчина.

И вот настал ужасный момент. Каспиана развязали, и новый хозяин приказал ему:

— Иди туда, паренёк.

Люси расплакалась, Эдмунд побледнел, но Каспиан обернулся и через плечо сказал им:

— Держитесь! Я уверен, что в конце концов всё наладится. Пока.

— Эй, барышня, — сказал Мопс, — ну-ка перестаньте! Хотите на завтрашнем базаре быть некрасивой? Будете себя хорошо вести, и вам не придётся плакать, поняли?

Лодка с пленниками подошла на вёслах к посудине работорговца, и всех их спустили вниз, в длинный, тёмный и довольно грязный трюм, где обнаружилось множество товарищей по несчастью. Разумеется, Мопс был пиратом и только что вернулся из рейса между островами, где захватил кого только удалось. Дети не знали никого из пленников, которые были по большей части из Гальмы и Теревинфии. Усевшись на солому, они гадали, как там Каспиан, и пытались остановить Юстаса, который винил в произошедшем всех, кроме себя.

Тем временем с Каспианом происходили куда более интересные события. Они вышли на лужайку позади деревни, и купивший его мужчина вдруг обернулся и, посмотрев на мальчика, сказал:

— Не бойся, я буду обращаться с тобой хорошо. Да и купил я тебя потому, что твоё лицо кое-кого мне напомнило.

— Могу я спросить, кого, милорд?

— Ты очень похож на моего господина Каспиана, короля Нарнии.

И Каспиан решил рискнуть:

— Милорд, я и есть ваш господин Каспиан, король Нарнии.

— Да ты не робок, как я погляжу. А как я узнаю, что это правда?

— Прежде всего по моему лицу, — сказал Каспиан. — А ещё потому, что я догадался, кто вы: один из семи лордов, которых мой дядя Мираз отправил в плавание и которых я разыскиваю: Аргоз, Берн, Октезиан, Рестимар, Мавроморн и… и… не помню, как зовут остальных. И, наконец, если ваша светлость даст мне шпагу, я докажу в честной битве с любым противником, что я Каспиан, сын Каспиана, законный король Нарнии, правитель Кэр-Параваля, властитель Одиноких островов.

— Боже! — воскликнул человек. — Это же голос его отца и его же манера говорить! Господин мой, ваше величество…

Он опустился на колено и поцеловал королю руку.

— Деньги, что вы заплатили за меня, вам вернут из моей казны, — пообещал Каспиан. — А теперь назовите ваше имя.

— Лорд Берн, сир. А деньги Мопсу я ещё не отдавал и, надеюсь, не отдам. Сколько раз я говорил губернатору, что нужно прекратить эту отвратительную торговлю людьми.

— Милорд Берн, мы обязательно поговорим о положении этих островов, но сначала расскажите вашу собственную историю.

— Она очень короткая, сир. Я прибыл сюда с моими шестью спутниками, полюбил девушку с островов и почувствовал, что с меня довольно моря. Предложения вернуться в Нарнию не было, у власти стоял ваш дядя. И я женился и стал жить здесь.

— А что представляет собой здешний губернатор? Он всё ещё признаёт своим господином короля Нарнии?

— На словах да: все делается именем короля, — но вряд ли он обрадуется, обнаружив, что к нему явился настоящий, живой король Нарнии. И если ваше величество предстанет перед ним без сопровождения, безоружным — он не станет отрицать своей верности королю, но притворится, что не верит вам. Жизнь вашего величества окажется в опасности. Что вы делаете в этих водах?

— Мой корабль сейчас огибает этот мыс. И если дело дойдёт до схватки, у нас около трёх десятков шпаг. Может, нам стоит напасть на Мопса и освободить моих друзей, которых он захватил?

— Я бы не советовал, — сказал Берн. — Если будет схватка, из Узкой Гавани выйдут два-три корабля спасать Мопса. Ваше величество должны действовать, как будто у вас больше сил, чем на самом деле, и наводить ужас именем короля. До открытого сражения дело не должно дойти. Гумп трус, так что перепугается насмерть.

После недолгой беседы Каспиан и Берн спустились к берегу чуть западнее деревни, и здесь Каспиан протрубил в свой рог. (Это был не тот рог, огромный волшебный рог Нарнии, что принадлежал королеве Сьюзен и был оставлен правителю Траму, чтобы он мог использовать его в отсутствие короля в случае возможного бедствия.) Дриниан, ожидавший сигнала, мгновенно узнал звук королевского рога, и «Покоритель зари» напра-

вился к берегу. Затем была спущена шлюпка, и через несколько минут Каспиан и лорд Берн оказались на палубе и объяснили Дриниану ситуацию. Он, как и Каспиан, захотел, чтобы «Покоритель зари» взял рабовладельческий корабль на абордаж, но Берн представил те же самые возражения и добавил:

— Идите прямо по этому проливу, капитан, затем поверните к Авре: там находится моё имение, — но сначала поднимите королевский штандарт, выставьте все ваши щиты и пошлите на палубу столько народу, сколько сможете. И когда окажетесь на расстоянии пяти полетов стрелы, подайте с левого борта несколько сигналов.

— Сигналов? Кому? — удивился Дриниан.

— Ну, всем кораблям, которые у нас якобы есть, — это для Гумпа.

— А, я понял, — сказал Дриниан, потирая руки. — И они прочитают наши сигналы. Что же сообщить? «Всем кораблям обогнуть с юга Авру и собраться у...»

— Бернстеда, — подсказал лорд Берн. — Это должно подействовать. Все передвижения кораблей — если бы они там были — из Узкой Гавани не видны.

Каспиана огорчало, что его друзья томятся на корабле Мопса, но всё складывалось как нельзя лучше. Позже, ближе к вечеру (весь день пришлось идти на вёслах), обогнув северо-восточную оконечность Дорна и один из мысов Авры, они вошли в удобную гавань на южном берегу Авры, где до самой кромки воды спускались владения Берна. На полях работали люди, причём вовсе не рабы, и было видно, что поместье процветает. Все сошли на берег и были приняты в невысоком доме с колоннами по-королевски. Сам хозяин, его красавица жена и весёлые дочери не давали гостям скучать ни минуты, а когда спустились сумерки, Берн послал человека на лодке на Дорн, чтобы совершить некие приготовления (какие именно, он не сказал) к завтрашнему дню.

*Глава четвёртая*

# ЧЕМ ЗАНИМАЛСЯ КАСПИАН НА ОСТРОВЕ

На следующее утро лорд Берн разбудил гостей на рассвете, а после завтрака предложил Каспиану отдать приказ своим людям полностью вооружиться и добавил:

— И самое главное, пусть всё будет подготовлено так тщательно, как будто сегодня первая битва в великой войне между благородными королями на глазах у всего мира.

Это предложение было принято, и на трёх полностью загруженных шлюпках Каспиан со своими людьми и Берн с частью своих направились в сторону Узкой Гавани. На корме шлюпки Каспиана развевался королевский штандарт, при нём же находился и трубач.

Когда шлюпки достигли пристани в Узкой Гавани и Каспиан увидел толпу встречавших, Берн сказал:

— Вот с каким поручением я посылал вчера человека. Все эти люди мои друзья.

Как только Каспиан ступил на берег, толпа разразилась криками «ура!» и восклицаниями: «Нарния! Нарния! Да здравствует король!» В этот момент — тоже благодаря посланцу Берна — из разных частей города раздался колоколь-

ный звон. Каспиан приказал, чтобы первым шёл знаменосец, за ним — трубач, а все его люди обнажили шпаги и смотрели весело и решительно. Вверх по улице они прошли так, что под ними дрожала мостовая, а оружие сияло так (утро выдалось солнечным), что было больно глазам.

Сначала Каспиана приветствовали только те, кого предупредил посланец Берна: кто знал, что произошло, и радовался этому, — но затем к ним присоединились все ребятишки — им просто нравилась процессия, да и видеть таких не доводилось. Не остались в стороне и школьники, и не только потому, что им тоже нравилась процессия: они понимали, что чем больше шума и суматохи, тем меньше вероятность, что придётся сидеть этим утром на уроках. Следом высунулись из дверей и окон старухи и принялись переговариваться, радуясь появлению короля, — ведь что такое губернатор по сравнению с его величеством? По той же причине присоединились к толпе молодые женщины и девушки. Не последнюю роль сыграло и то, что Каспиан и Дриниан, да и все остальные, были хороши собой. Их примеру последовали и молодые люди: подошли поближе, чтобы посмотреть, на кого это они любуются. Таким образом, к тому моменту, когда Каспиан дошёл до ворот замка, приветствовать его собрались почти все горожане. Сидевший в замке Гумп, с трудом разбираясь со счетами, бланками, приказами и уставами, вдруг услышал шум.

У ворот замка звук трубы сменился голосом глашатая Каспиана:

— Открывай ворота королю Нарнии, выходи встречать его, верный и любящий слуга, губернатор Одиноких островов.

В те времена жизнь на островах текла медленно, неторопливо, поэтому сначала открылась лишь небольшая дверца, вышел взъерошенный парень в видавшей виды грязной шляпе вместо шлема, со ржавым копьём в руке, и удивлённо заморгал, увидев перед воротами огромную толпу.

Не разобрав, что к чему, горе-стражник заученно забормотал:

— Губернатор не принимает. Никаких встреч без записи, кроме как с девяти до десяти во вторую субботу каждого месяца!

— Шляпу долой перед королём, пёс! — громовым голосом скомандовал лорд Берн и так ударил его по плечу латной рукавицей, что шляпа слетела сама.

— Что это вы себе… — начал было привратник, но никто не обратил на него внимания.

Двое солдат Каспиана прошли в дверцу и, повозившись со ржавыми засовами и задвижками, настежь распахнули обе створки ворот. Король с сопровождающими вступил во двор, где праздно шатались несколько стражников губернатора, а потом ещё несколько (по большей части утирая рты) выскочили из разных дверей. Вооружение их было в плачевном состоянии, но сражаться они бы смогли, если бы имели предводителя и понимали, что происходит. Момент был опасный, но Каспиан не дал им времени на размышления:

— Где ваш командир?

— Это я… в некотором роде, если вы понимаете, что я имею в виду, — томно отозвался щеголеватый молодой человек, совершенно безоружный.

— Мы очень надеемся, — сказал Каспиан, — что наш королевский визит в эту часть Одиноких островов станет радостным, а не ужасным событием для наших подданных. Если бы не это, я бы сказал вам несколько слов о состоянии вооружения ваших людей. Но сейчас вы прощены. Прикажите открыть бочку вина, чтобы ваши люди могли выпить за наше здоровье, а завтра в полдень я желаю видеть их всех в этом дворе, и чтобы выглядели не как бродяги. Проследите за этим, иначе мы разгневаемся.

Командир раскрыл от удивления рот, но Берн тут же скомандовал:

— Троекратное «ура!» королю!

И солдаты, которые, возможно, поняли только про бочку вина, поддержали его. Каспиан приказал большей части своего отряда остаться во дворе, а сам вместе с Берном, Дринианом и четырьмя солдатами вошёл в зал.

За столом в дальнем конце зала в окружении секретарей сидел губернатор Одиноких островов Гумп, когда-то, очевидно, рыжеволосый, но теперь почти седой. Выглядел он весьма раздражённым. Посмотрев на вошедших , потом на разложенные бумаги, он машинально произнёс:

— Никаких встреч без записи, кроме как с девяти до десяти во вторую субботу каждого месяца!

Каспиан кивнул Берну и отошёл в сторону, а Берн и Дриниан шагнули вперёд, ухватились, каждый со своей стороны, за стол и отшвырнули его к стене, где он перевернулся и с него потоком посыпались письма, папки, ручки, чернильницы, сургуч и документы. Затем, не грубо, но твёрдо, словно железными клещами, они вытащили Гумпа и поставили футах в четырёх перед креслом, в котором уже сидел Каспиан, положив на колени обнажённую шпагу.

— Милорд, вы не оказали нам гостеприимства, которого мы ожидали. Я король Нарнии, — заявил Каспиан, устремив на Гумпа жёсткий взгляд.

— Об этом не было никаких сообщений. Ни малейшего упоминания. Я бы не пропустил такой новости. Почта работает нерегулярно. С удовольствием рассмотрю ваше обращение…

— Мы приехали проверить, как вы, губернатор, справляетесь со своими обязанностями, — оборвал его Каспиан. — Я требую объяснений по двум вопросам. Во-первых, мои люди не обнаружили документов, которые свидетельствовали бы о том, что эти острова последние сто пятьдесят лет платили дань королю Нарнии.

— Этот вопрос будет рассмотрен на заседании совета в следующем месяце, — сказал секретарь Грампас. — Если предложение пройдёт, мы создадим комиссию, и она даст отчёт о финансовой истории островов на первом же в следующем году заседании, и тогда…

— А также хочу напомнить, что в наших законах совершенно ясно написано, — продолжил Каспиан, — что, если дань не выплачена, весь долг должен уплатить губернатор Одиноких островов из своей собственной казны.

Тут Гумп вскинул брови и заявил:

— Об этом не может быть и речи! Это невозможно в силу экономических… э… причин. Ваше величество, должно быть, шутит.

Всё это время он думал, есть ли какой-нибудь способ избавиться от нежданных гостей. Если бы Гумп знал, что в распоряжении Каспиана всего один корабль и несколько матросов, то сейчас проявил бы необычайную любезность, а ночью окружил бы его и всех перебил. Но по проливу плыл корабль и подавал сигналы, как решил губернатор, своему сопровождению. Поначалу он не понял, что это королевский корабль, потому что стоял полный штиль, штандарт не развевался на ветру и золотого льва видно не было. Губернатор стал ждать дальнейших событий, потому что теперь воображал, что Каспиан привёл с собой в Бернстед целый флот. Он даже предположить не мог, что кому-то придёт в голову явиться в Узкую Гавань и взять власть на островах с горсткой солдат. Сам он никогда бы на такое не решился.

— Во-вторых, — продолжил Каспиан, — я хочу знать, почему вы попустительствуете такому отвратительному и жестокому занятию, как работорговля. Это противоречит нашим древним традициям и обычаям.

— Но без этого невозможно, — возразил губернатор. — Это основа экономического развития островов, уверяю вас, и гарант их процветания.

— Зачем вам нужны рабы?

— На экспорт, ваше величество. Мы продаём их по большей части тархистанцам, но есть и другие покупатели. Здесь крупный центр этой торговли.

— Другими словами, вы без них не обойдётесь. А для какой ещё цели они служат, кроме как набивать карманы таких, как Мопс?

— Ваше величество молоды, — произнес Гумп, пытаясь изобразить отеческую улыбку, — и вам трудно понять, с какими экономическими проблемами это связано. У меня есть статистика, диаграммы…

— Согласен, я молод, — сказал Каспиан, — но, столкнувшись с работорговлей изнутри, думаю, что понимаю в ней не меньше, чем вы. И не вижу, чтобы она приносила островам мясо или хлеб, пиво или вино, древесину, книги или музыкальные инструменты, лошадей, оружие или что-то ещё сто́ящее. Но приносит или нет, работорговля должна быть прекращена.

— Нельзя же повернуть стрелки часов назад, — попытался спорить губернатор. — Разве вы не признаёте прогресса, развития?

— Я видел их начало, — стоял на своём Каспиан. — У нас в Нарнии говорят о таких вещах «разложение». Эту торговлю, повторяю, следует прекратить.

— Я не могу взять на себя ответственность за такие меры.

— Что ж, хорошо. В таком случае своей властью мы освобождаем вас от занимаемой должности. Милорд Берн, подойдите ко мне.

И прежде чем Гумп до конца понял, что происходит, Берн опустился на одно колено, и, взяв руки короля в свои, дал клятву править Одинокими островами в соответствии с традициями, законами и обычаями Нарнии. И Каспиан сказал:

— Думаю, хватит нам губернаторов: лорд Берн станет герцогом Одиноких островов, — и обратился к Гумпу: — Что касается вас, милорд, я прощаю вам долги, но до завтрашнего полудня вы и ваши люди должны освободить замок — теперь это резиденция герцога.

— Послушайте, — вмешался один из секретарей Гумпа, — давайте прекратим разыгрывать сцены и поговорим по-деловому. Вопрос, который перед нами стоит…

— Вопрос в том, — прервал его новый глава островов, — уберётесь ли вы отсюда со своим сбродом без порки или предпочтёте её дождаться. Выбирайте.

Когда всё разрешилось, Каспиан приказал подать лошадей. В замке их было немного, и смотрели за ними плохо — это сразу было заметно. Каспиан вместе с Берном, Дринианом и ещё несколькими людьми поскакал в город, прямо к рынку, где торговали рабами. Это было длинное низкое здание неподалёку от гавани, и то, что они застали, напоминало любые другие торги, то есть там собралась толпа, а Мопс, взобравшись на помост, сипло выкрикивал:

— Вот, господа, номер двадцать три. Крестьянин из Теревинфии. Может работать и в шахтах, и на галерах. Около двадцати пяти лет. Посмотрите, все зубы здоровые. А какие мускулы! Сними с него рубашку, Такс, пусть все посмотрят. Вот это мускулы! Вот это плечи! Десять полумесяцев от господина в углу. Вы, наверное, шутите, сэр. Пятнадцать! Восемнадцать! Восемнадцать за двадцать третий номер. Кто больше? Двадцать один. Благодарю вас, сэр. Двадцать один полумесяц за номер…

Тут Мопс замолчал и застыл в изумлении, увидев вооружённых людей, продвигавшихся к помосту.

— Все на колени перед королём Нарнии! — приказал герцог.

Присутствующие слышали стук копыт и топот у входа в здание, а многие уже знали о появлении корабля и событиях в замке. Большинство повиновались приказу, а тем, кто не подчинился, помогли стоявшие рядом. Некоторые выкрикивали приветствия.

— Ты мог бы лишиться головы, Мопс, за то, что вчера твоя рука коснулась короля, — сказал Каспиан, — но прощён, потому что не подозревал об этом. Работорговля запрещена во всех наших владениях четверть часа назад, поэтому я объявляю всех рабов свободными.

Чтобы призвать к тишине выкрикивавших приветствия рабов, его величеству пришлось поднять руку.

— Где мои друзья? — спросил Каспиан у Мопса.

— Эта миленькая девочка и приятный молодой человек? — заискивающе улыбнулся тот. — Ну, их купили сразу же.

— Мы здесь, здесь, Каспиан, — крикнули в один голос Люси и Эдмунд, а из другого угла пискнул Рипичип:

— К вашим услугам, сир.

Все они были проданы, но те, кто их купил, собирались приобрести ещё рабов, поэтому никуда не ушли. Толпа расступилась, пропуская троицу, и друзья радостно обнялись с Каспианом. Подошли два тархистанских купца. У местных жителей были смуглые лица и длинные бороды. Они носили развевающиеся одежды и оранжевые тюрбаны и были мудрым, богатым, любезным, жестоким и древним народом. Купцы низко поклонились Каспиану и наговорили ему цветистых комплиментов, предрекая благоденствие в садах рассу-

дительности и добродетели и тому подобное, но, разумеется, им хотелось получить назад свои деньги.

— Это вполне справедливо, господа, — согласился с ними Каспиан. — Каждый, кто купил сегодня раба, получит свои деньги назад. Мопс, отдай им свою выручку.

— Ваше величество, вы хотите разорить меня? — заныл тот.

— Ты всю жизнь наживался и калечил судьбы, так что, если даже и разоришься, нищим быть лучше, чем рабом. — Тут Каспиан вспомнил про Юстаса. — А где ещё один мой приятель?

— А, *этот*? О, заберите его, сделайте милость. Рад буду сбыть его с рук. Даже в самые худшие свои дни я не видел такого неходового товара. За пять полумесяцев его и то никто не взял. Предлагал его в придачу к другим, но все опять отказывались: не хотели ни брать, ни смотреть на него. Такс, приведи этого зануду.

Именно таким Юстас и был, каким выглядел, — занудой. Оказаться проданным в рабство никому не хочется, но, возможно, ещё хуже, когда тебя даже купить никто не хочет.

Как обычно, едва завидев Каспиана, он начал с претензий:

— Ты где-то развлекаешься, в то время как остальные сидят в тюрьме! Наверняка даже не пытался выяснить, есть ли здесь британский консул.

В этот вечер в замке Узкой Гавани было устроено пышное празднество.

— Настоящие приключения начнутся завтра, — сказал Рипичип, кланяясь всем присутствующим и отправляясь спать.

Но ни на следующий день, ни через неделю ничего не произошло, потому что теперь, когда они собирались отправиться в неизвестные земли и моря, нужно было как следует подготовиться. «Покорителя зари» вытащили на берег на катках с помощью восьмёрки лошадей, и корабельные плотники тщательнейшим образом обследовали каждый его уголок. Затем корабль снова спустили на воду, погрузили на него столько провизии и воды, сколько он мог взять, то есть примерно на двадцать восемь дней. Получается, с неудовольствием заметил Эдмунд, что они могут плыть на восток только две недели, а потом надо возвращаться.

Пока корабль приводили в порядок, Каспиан не упустил возможности расспросить всех старых капитанов, кого только сумел найти в Узкой Гавани, не известно ли им о каких-нибудь землях, лежащих дальше к востоку. Не один кувшин пива из подвалов замка ушёл на угощение этих морских волков с обветренными лицами, аккуратными седыми бородками и ясными синими глазами, зато Каспиан услышал множество историй, одна интереснее другой. Но даже те, что казались самыми правдивыми, ничего не могли рассказать о землях, лежащих за Одинокими островами. Кое-кто из моряков и вовсе думал, что, если заплыть слишком далеко на восток, попадёшь в волны моря, где нет островов, в волны, которые непрерывно образуют водовороты на краю земли.

— Как раз там, я думаю, друзья вашего величества и пошли ко дну, — заявил один из рассказчиков.

Остальные рассказывали совсем уж дикие истории об островах, где живут безголовые люди, о водяных смерчах и огне, который горит посреди волн. Лишь один, к удовольствию Рипичипа, сказал:

— А дальше лежит страна Аслана, но это за краем света, и вы не сумеете туда попасть.

Рассказчика спросили, откуда ему это известно, и он сказал, что слышал от своего отца.

Берн мог сказать лишь то, что шестеро его спутников отплыли на восток и больше он о них ничего не слышал. В этот момент они с Каспианом стояли на самой высокой точке Авры и смотрели вниз, на Восточный океан.

— Я часто приходил сюда по утрам, — добавил герцог, — чтобы увидеть, как солнце поднимается из моря, и иногда казалось, что до него каких-нибудь пара миль. Здесь я вспоминал своих друзей и думал о том, что же находится за горизонтом. Скорее всего, ничего, но мне всегда было стыдно, что я остался здесь. Должен признаться, мне бы очень хотелось, чтобы ваше величество не уезжали. Возможно, нам понадобится помощь. Прекращение работорговли вскоре изменит местный уклад, и я предвижу возможную войну с Тархистаном. Господин мой, подумайте ещё.

— Я дал клятву, герцог, — ответил Каспиан. — И потом, что бы я сказал Рипичипу?

*Глава пятая*

# ШТОРМ И ЕГО ПОСЛЕДСТВИЯ

Прошло около трёх недель с тех пор, как «Повелитель зари» причалил к Узкой Гавани, прежде чем снова вышел в море. Прощание получилось торжественным: на берегу собралась огромная толпа, чтобы присутствовать при отплытии. Когда Каспиан произносил речь, обращённую к жителям Одиноких островов, и прощался с герцогом и его семьёй, слышались возгласы сожаления, люди утирали слёзы, но едва корабль, пурпурный парус которого всё ещё лениво хлопал о мачту, стал удаляться, а звук трубы с кормы слышался всё слабее, наступила тишина. Тут корабль поймал ветер. Парус надулся, буксир был отцеплен и отправлен обратно. Первая настоящая волна подняла нос «Повелителя зари», и корабль снова ожил. Матросы спустились вниз, Дриниан встал на первую вахту, и судно направилось на восток, обогнув Авру с юга.

Следующие несколько дней прошли замечательно. Люси считала себя самой счастливой девочкой в мире, просыпаясь утром и наблюдая игру отражений освещённой солнцем воды на потолке каюты, глядя на новые вещи, подаренные жителями Одиноких островов: непромокаемые сапоги, высокие ботинки со шнуровкой, плащ, куртку и шарф. Затем она шла на

палубу, смотрела с полубака на море, которое по утрам было ярко-синим, и дышала морским воздухом, который с каждым днём становился всё теплее. После этого завтракала с таким аппетитом, какой бывает только на море.

Ещё Люси пристрастилась играть с Рипичипом в шахматы. Они устраивались на скамейке на корме, и её всегда забавляло, как он поднимает фигуры, которые были для него великоваты, двумя лапками и поднимается на цыпочки, если нужно сделать ход в центре доски. Верховный главнокомандующий был хорошим шахматистом и, если помнил свои ходы, как правило, выигрывал, но время от времени везло и Люси. Это случалось, когда Рипичип совершал какие-то смешные ходы, подставляя коня под совместную угрозу ферзя и ладьи. Так выходило потому, что он мог забыть, что играет в шахматы, и, будто в настоящей битве, заставлял коня действовать так, как поступил бы сам на его месте; потому что в мыслях его жили отчаянные надежды, смертельные атаки и последние рубежи обороны.

Это прекрасное время длилось недолго. В один из вечеров Люси, как обычно, стояла на корме и разглядывала длинную борозду — оставленный судном пенный след позади, как вдруг заметила на западе громоздившиеся друг на друга тучи, которые с удивительной быстротой неслись по небу. Потом в них образовалась брешь, и сквозь неё ядовито засветился жёлтый закат. Волны за кораблём приобрели какую-то необычную форму, и море сделалось то ли желтоватое, то ли жёлто-коричневое, похожее на грязный холст. Стало холодно. Казалось, что корабль движется с трудом, словно ощущает подступающую опасность. Парус то повисал, то мгновенно надувался. Глядя на все эти мрачные перемены под шум ветра, размышляя, что бы это значило, Люси вдруг услышала крик Дриниана:

— Свистать всех наверх!

Тут же на судне начался настоящий тарарам: задраивали люки, гасили огонь в печи на камбузе, матросы лезли наверх взять риф. Не успели они закончить, как налетел шторм. Люси казалось, что перед самым носом корабля разверзлась какая-то огромная водяная впадина и они плывут прямо туда, в самую глубину. Высокая серая масса воды, поднявшаяся гораздо

выше мачты, неслась им навстречу, и казалось, что их ждёт верная смерть, но судно вынесло на самый верх волны и закружило на месте. На палубу хлынул поток, полубак и полуют были словно два островка в свирепом море. Наверху матросы перемещались по реям, пытаясь справиться с парусом. Лопнувший канат, прямой как палка, относило ветром в сторону.

— Спускайтесь вниз, ваше величество! — крикнул Дриниан, и Люси, понимая, что пассажиры только помеха для команды, не посмела ослушаться.

Оказалось, что выполнить требование капитана не так-то просто. «Покоритель зари» страшно накренился на правый борт, а палуба поднялась кверху, словно крыша дома, так что пришлось вскарабкаться до трапа, держась за леер, затем остановиться, чтобы пропустить спешивших наверх матросов, и только потом наконец удалось спуститься. Хорошо ещё, что Люси крепко держалась: у самого подножия трапа очередная волна прокатилась по палубе, вымочив её с головы до ног. Хоть она уже порядком промокла, этот душ оказался ледяным. Люси бросилась к каюте, влетела внутрь и поспешила захлопнуть дверь, поэтому не видела, как с ужасающей скоростью корабль ринулся во тьму, но жуткий скрежет, треск, рёв и стон услышала — эти звуки вызывали здесь ещё большую тревогу, чем на палубе.

Шторм продолжался целых двенадцать суток, и всем уже казалось, что так будет всегда. На румпеле всё время матросы стояли по трое, иначе не смогли бы удержать корабль на курсе. Постоянно приходилось помпой откачивать воду, не было возможности ни отдохнуть, ни поесть, ни обсушиться. Одного из матросов смыло за борт.

Когда шторм утих, Юстас взялся за свой дневник:

*«3 сентября*

Прошла вечность с тех пор, как я сделал последнюю запись. Ураган мотал нас тринадцать дней и ночей: я уверен в этом, потому что считал самым тщательным образом, — хотя все остальные говорят, что только двенадцать. Ничего себе удовольствие отправиться в опасное путешествие с людьми, которые даже считать как следует не умеют! Для меня это было ужасное время: громадные волны вздымались и опадали раз за разом, все промокли до нитки, и никто даже не подумал накормить нас по-настоящему. Излишне говорить, что здесь нет ни радио, ни даже сигнальной ракеты, поэтому не было никакой возможности попросить о помощи. Значит, я был прав, когда пытался их убедить, что плыть в этом маленьком корыте — безумие. Это опасно, даже будь рядом приличные люди, а не изверги в человеческом облике. Каспиан и Эдмунд со мной недопустимо грубы. В ту ночь, когда мы потеряли мачту (от неё остался какой-то обрубок), хотя я *плохо себя чувствовал*, они выгнали меня на палубу и заставили работать, как невольника. Люси ворочала веслом, потому что Рипичип слишком мал ростом, хотя и пытался грести. Интересно, неужели она не понимает, что это существо готово на что угодно — лишь бы *покрасоваться*. Даже в её возрасте можно было бы сообразить. Сегодня эта посудина наконец-то идёт ровно, и солнце появляется, и нам надо решить, что делать. Еды у нас, по большей части противной, хватит, чтобы продержаться шестнадцать дней. (Всех кур смыло за борт. А если бы и не смыло, из-за шторма они перестали бы нестись.) Но с чем беда, так это с водой. Две бочки, очевидно, от удара, протекли и теперь пустые. (Вот она, хваленая предприимчивость Нарнии!) С урезанным пайком и порцией в полпинты воды в день мы продержимся двенадцать дней. (Правда, есть ром и вино, но даже *они* понимают, что от этого ещё больше захочется пить.)

Если бы было можно, то, конечно, самое разумное — взять курс на запад и двинуться к Одиноким островам, но нам понадобилось восемнадцать дней, чтобы доплыть сюда. При этом мы летели как сумасшедшие, пытаясь уйти от урагана. Даже если подует восточный ветер, обратный путь может затянуться. Сейчас восточного ветра нет и в помине — по правде говоря, вообще никакого нет. А если возвращаться на вёслах, это будет гораздо дольше, к тому же Каспиан говорит, что, выпивая полпинты воды в день, люди грести не могут. Я уверен, что он не прав. Попытался было объяснить ему, что пот охлаждает тело, поэтому тем, кто работает, нужно меньше воды, но он не обратил на мои слова никакого внимания — как, впрочем, и всегда, когда не знает, что сказать. Все остальные высказались за то, чтобы плыть *дальше* в надежде

обнаружить землю. Я считал своим долгом указать на то, что нам неизвестно, *есть ли* впереди земля, и пытался объяснить, как опасно принимать желаемое за действительное, но вместо того, чтобы придумать план получше, они имели наглость спросить у меня, каковы мои предложения. Мне пришлось спокойно объяснить, что я был похищен и принял участие в этом *дурацком* путешествии не по своей воле, так что вряд ли должен искать выход из *их* затруднительного положения.

*4 сентября*

Штиль продолжается. Очень маленькие порции на обед, и я получил меньше, чем кто-либо другой. Каспиан очень ловко раздаёт еду и думает, что я ничего не замечаю! Люси почему-то решила подлизаться ко мне, предложив часть своей порции, но Эдмунд, который всегда лезет куда его не звали, ей не позволил. Солнце буквально обжигает. Жуткая жажда весь вечер.

*5 сентября*

Всё ещё штиль и жуткая жара. Весь день чувствовал себя разбитым. Не сомневаюсь, что у меня температура. И, разумеется, у них не хватило соображения взять на корабль термометр.

*6 сентября*

Жуткий день. Проснулся среди ночи, *чувствуя*, что у меня температура и что я *должен* выпить воды. Любой доктор порекомендовал бы именно это. Бог свидетель, я последний человек, кто совершил бы нечестный поступок, но мне и в голову не приходило, что можно ограничивать в воде больного. Я бы мог разбудить кого-нибудь и попросить воды, но счёл, что это слишком эгоистично, поэтому встал, взял свою кружку и на цыпочках выбрался из этой чёрной дыры, в которой мы спим, стараясь не побеспокоить Каспиана и Эдмунда, так как они плохо спят с тех пор, как началась жара и воду стали выдавать ограниченно. Я всегда стараюсь считаться с другими независимо от того, хорошо или плохо они ко мне относятся. Благополучно добравшись до большой каюты, если её можно назвать каютой, где стоят скамьи для гребцов и сложен багаж

и находится бочка с водой, я хотел было зачерпнуть воды, но меня кто-то схватил за руку. Разумеется, этот соглядатай, Рип. Я попробовал объяснить ему, что шёл на палубу подышать (остальное его не касается), а он — вот наглец! — спросил, зачем у меня с собой кружка, и поднял такой шум, что перебудил весь корабль. Со мной обошлись возмутительно. Я спросил, потому что кто-то должен был задать этот вопрос, почему Рипичип шныряет около бочки с водой посреди ночи, а он ответил, что слишком мал, чтобы быть полезным на палубе, поэтому дежурит около воды каждую ночь, чтобы ещё один человек мог выспаться. Вот тут проявилась их отвратительная несправедливость: все поверили *ему*. Можете себе представить?

Мне пришлось извиняться или эта опасная тварь опять выхватила бы свою шпагу. А потом Каспиан проявил себя как настоящий тиран и громко сказал, чтобы все слышали: если вдруг теперь кого-нибудь застанут за кражей воды, тот получит «две дюжины». Я не понимал, что это значит, пока Эдмунд не объяснил, — сам он узнал из книг, которые читают эти Певенси.

Высказав свою трусливую угрозу, Каспиан сменил пластинку и стал вести себя покровительственно: сказал, что понимает меня, потому что все, как и я, чувствуют себя так, словно у них температура, и что мы должны держаться, и так далее и тому подобное. Отвратительный высокомерный тип. Я пролежал в постели целый день.

*7 сентября*

Дует слабый ветерок, но всё ещё с запада. Мы прошли несколько миль к востоку, используя оставшуюся часть паруса, закреплённую на том, что Дриниан называет аварийной мачтой, — то есть на бушприте, поставленном вертикально и привязанном (они говорят «принайтовленном») к обломку мачты. Чудовищно хочется пить.

*8 сентября*

Все ещё идём под парусом на восток. Я оставался целый день в койке и не видел никого, кроме Люси, пока эти два *изверга* не пришли спать. Люси поделилась со мной своей во-

дой: говорит, девочкам не так хочется пить, как мальчикам. Я и сам так часто думал, но, наверное, на море это становится заметнее.

*9 сентября*

Земля на горизонте — большая гора на юго-востоке.

*10 сентября*

Гора стала больше, видно её лучше, но до неё всё ещё далеко. Видел чаек, впервые за много дней.

*11 сентября*

Поймали несколько рыб и приготовили на обед. Бросили якорь около семи часов вечера в трёх саженях от побережья какого-то гористого острова. Этот дурак Каспиан не дал нам сойти на берег, потому что становилось темно, а он опасался дикарей и хищных животных. Сегодня дали добавочную порцию воды».

То, что путешественников ожидало на этом острове, коснулось Юстаса больше, чем кого другого, но рассказать об этом его собственными словами невозможно, потому что после 11 сентября он надолго забыл о своём дневнике.

Наступило утро. Серое небо буквально нависало над головой, стояла духота. Путешественники поняли, что находятся в заливе, окружённом скалами и утёсами, похожем на норвежский фьорд. Впереди, за заливом, виднелась равнина, густо заросшая деревьями, напоминавшими кедры, между которыми журчала речушка. Позади поднималась зубчатая горная гряда, а ещё дальше темнели сами горы, сливавшиеся с хмурыми облаками, так что вершин их было не разглядеть. Ближайшие утёсы по обе стороны залива казались прочерченными белыми полосками, в которых все узнали водопады, хотя с такого расстояния движения воды не было заметно и звука не слышно. Стояла тишина, и вода в заливе была гладкой как стекло, так что утёсы в ней отражались до мельчайших подробностей. Наверное, на картине этот вид выглядел бы красиво, но в жизни, пожалуй, действовал угнетающе. Этот край вообще трудно было назвать гостеприимным.

Весь экипаж судна отправился на берег в двух шлюпках, и каждый с удовольствием напился и умылся в реке, все поели и отдохнули, потом Каспиан послал четырёх человек назад охранять корабль, и работа началась. Предстояло сделать многое: привезти на берег бочки и отремонтировать те, которые в этом нуждаются, а потом наполнить водой; срубить дерево — желательно сосну — и превратить в новую мачту; починить паруса; собрать группу охотников, чтобы настрелять дичи, если она тут водится; выстирать и заштопать одежду; исправить множество небольших повреждений на корабле: ведь в «Покорителе зари» — это стало ещё заметнее, когда они видели его на расстоянии, — едва ли теперь можно было узнать тот величавый корабль, что покинул Узкую Гавань. Судно выглядело как разбитый тусклый остов, да и капитан с командой не лучше: худые, бледные, в лохмотьях, с красными от недосыпа глазами. Юстас, лёжа под деревом, слышал, как обсуждают всё, что предстояло сделать, и сердце у него упало: неужели без отдыха? Похоже, их первый день на долгожданной земле будет не легче, чем на море. Тут ему в голову пришла чудесная мысль. Никто на него не смотрит — все только и говорят, что о своём корабле, словно и в самом деле жить не могут без этой посудины. Что, если просто улизнуть? Можно прогуляться в глубь острова, найти прохладное местечко где-нибудь повыше в горах, хорошенько выспаться и вернуться к остальным, когда дневная работа закончится. Это пойдёт ему на пользу. Главное — всё время поглядывать на залив и корабль, чтобы не заблудиться на обратном пути: оставаться здесь вовсе не хотелось.

И Юстас тут же приступил к осуществлению своего плана. Тихонько поднявшись на ноги, он направился к деревьям, стараясь не торопиться, будто просто захотел немного размяться. Удивительно, как скоро голоса стали не слышны и каким тихим, тёплым и зелёным оказался лес.

Юстас почувствовал, что может перейти на более быстрый и решительный шаг, и вскоре вышел на опушку, оказавшись перед крутым склоном. Подниматься по сухой траве было трудно, но, действуя руками и ногами, пыхтя и то и дело ударяясь лбом о землю, он продолжал путь. Кстати, это свидетельствует о том, что новая, непривычная для него жизнь пошла ему на пользу: прежний Юстас, который во всём полагался на родителей, сдался бы через десять минут.

Медленно, с несколькими остановками, он добрался до гребня, надеясь отсюда увидеть середину острова, но облака опустились ниже, и кругом стелился густой туман. Он сел и посмотрел туда, откуда пришёл. С такой высоты лежавший внизу залив казался крошечным, а море простиралось на многие мили кругом. Потом туман с гор приблизился и окружил его, плотный, но не холодный, и он улёгся на траву поудобнее.

Уединение почему-то не принесло Юстасу радости, а если и принесло, то ненадолго. Он ощутил одиночество — наверное, впервые в жизни, — и это ощущение пришло к нему не вдруг, а постепенно, когда понял, что до него не долетает ни малейшего звука. Ему пришло в голову, что он мог пролежать так несколько часов. Вдруг все остальные уплыли! Вдруг они позволили ему уйти только для того, чтобы оставить здесь!

В панике он вскочил и стал спускаться, но поторопился, поскользнулся на сухой траве и съехал на несколько футов. Решив, что из-за этого слишком отклонился влево, снова вскарабкался наверх, как можно ближе к тому месту, откуда, как ему казалось, начался его путь вниз, и пошёл вниз по склону, стараясь держаться правее. Спуск был легче подъёма, но всё равно следовало соблюдать осторожность, потому что впереди ничего не видно дальше, чем на ярд, а кругом по-прежнему царила тишина. Мало приятного в том, чтобы идти осторожно, когда внутри тебя всё кричит: «Скорей, скорей, скорей!» С каждой минутой жуткая мысль, что его оставили на острове, всё крепла. Если бы он хорошенько подумал, то понял бы,

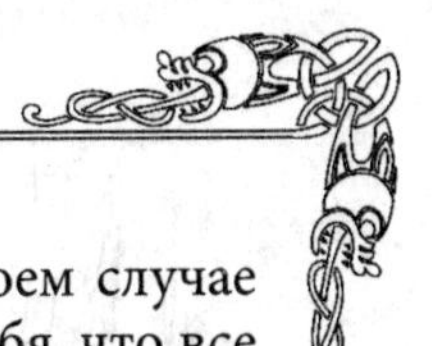

что ни Каспиан, ни брат и сестра Певенси ни в коем случае так бы не поступили, но Юстас давно уже убедил себя, что все они изверги в человеческом образе.

— Наконец-то! — воскликнул Юстас, скатившись по каменистому склону, который называют осыпью, и оказавшись в долине. — Ну и где же все эти деревья? Впереди вроде бы виднеется что-то тёмное. Хоть бы туман разошёлся поскорее.

И действительно посветлело, только радости Юстасу это не прибавило. Он оказался в совершенно незнакомом месте, а никакого моря не было и в помине.

## *Глава шестая*

# ПРИКЛЮЧЕНИЯ ЮСТАСА

В эту самую минуту все остальные умывались в реке, собираясь поужинать и отдохнуть. Три отличных лучника, которые направились к холмам, видневшимся к северу от залива, вернулись с парочкой диких коз, которых теперь жарили на костре. Каспиан приказал доставить на берег бочку вина, замечательного крепкого вина из Орландии, которое полагалось смешивать с водой и только потом пить, так что его должно было с избытком хватить на всех. Работа была сделана, и за ужином царило веселье. Только после второй порции козлятины Эдмунд спросил:

— А где же этот Юстас?

А Юстас в это время пытался понять, где оказался. Долина больше походила на огромный ров или траншею из-за крутых обрывов вокруг. Дно было покрыто растительностью, но там и сям торчали скалы, а кое-где Юстас заметил тёмные пятна выжженной травы, похожие на те, что можно увидеть в засушливое лето на железнодорожной насыпи. На расстоянии ярдов пятнадцати виднелся пруд с прозрачной неподвижной водой. На первый взгляд в долине никого не было: ни животных, ни птиц, ни насекомых. Солнце клонилось к закату, и на краю долины виднелись мрачные вершины и пики гор.

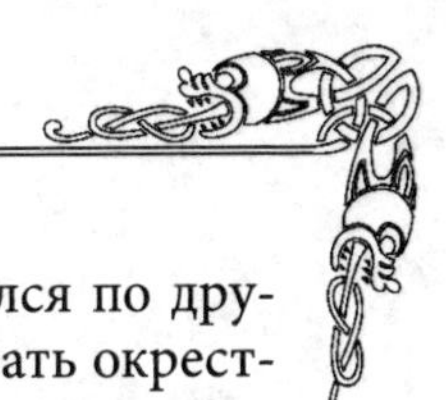

Юстас, разумеется, понял, что в тумане спустился по другому склону горы, поэтому сразу же стал осматривать окрестности, пытаясь отыскать путь назад. Похоже, ему повезло: он спустился по единственно возможному пути — длинной зелёной полоске земли, ужасно крутой и узкой, с отвесными обрывами по обеим сторонам. Другого пути выбраться отсюда не было. Юстас вздрогнул: удастся ли спуститься сейчас? — когда увидел, на что этот путь похож. При одной мысли об этом у него закружилась голова.

Он снова огляделся, решив, что по крайней мере вдоволь напьётся из пруда, но прежде чем успел сделать хоть шаг, за спиной послышался какой-то шорох. Звук был еле слышен, но в этой поистине мёртвой тишине прозвучал как гром. На секунду он замер на месте, затем потихоньку обернулся.

У подножия утёса, чуть левее того места, где стоял Юстас, виднелась тёмная нора — похоже, вход в пещеру, — и оттуда поднимались две тонкие струйки дыма. То, что он принял за камни, валявшиеся перед норой, вдруг пошевелилось (этот звук он и услышал), как будто кто-то прополз в темноте.

Он в ужасе понял, что там и правда кто-то *ползет*, даже хуже того — *выползает*. Эдмунд и Люси, а возможно, и вы, сразу узнали бы, кто это, но Юстас нужных книг не читал. То, что выползало из пещеры, ему не могло присниться даже в самом страшном сне. Это была длинная, свинцового цвета морда с тусклыми красными глазками. Ни меха, ни перьев, небольшое тельце волочится по земле, коленки торчат вверх, как у паука, крылья — как у летучей мыши, мощные когти царапают камни, хвост длиной в несколько ярдов. А струйки дыма выползали из ноздрей. Юстас не произнёс слова «дракон», а если бы и сумел, лучше ему от этого вряд ли бы стало, но, возможно, если бы он хоть что-то знал о драконах, его удивило бы поведение этого. Он не хлопал крыльями, не пускал из пасти пламя. Дым из его ноздрей напоминал дымок костра, который скоро погаснет. А кроме того, он, казалось, не обратил на Юстаса никакого внимания, а продолжил очень медленно, с частыми остановками ползти к пруду. Несмотря на охвативший его страх, Юстас понял, что перед ним дряхлое, жалкое существо, и подумал, не рискнуть ли выбраться отсюда, но побоялся привлечь к себе его внимание. Возмож-

но, сейчас оно просто притворяется, но вдруг проявит больше живости. Да и какой смысл пытаться удрать ползком от существа, способного летать?

Оно тем временем добралось до пруда и вытянуло страшную чешуйчатую морду, явно собираясь напиться, но прежде чем сделало глоток, что-то в нём захрипело или лязгнуло, по телу прошли волны, и, содрогнувшись, оно перекатилось на бок и замерло, вскинув когтистую лапу. Из широко открытой пасти струйкой вытекло что-то тёмное — похоже, кровь. Дым из ноздрей на мгновение стал чёрным, потом исчез и больше не появлялся.

Юстас долго не осмеливался шевельнуться. А вдруг эта тварь только прикидывается? Может, таким образом она подманивает путников, чтобы погубить. Но ждать вечно невозможно, поэтому он сделал шаг вперёд, затем ещё два и снова замер. Дракон по-прежнему не двигался. Юстас заметил, что красный огонёк в его глазах погас, и решился наконец подойти. Теперь было совершенно ясно: дракон мёртв. Брезгливо содрогнувшись, мальчик дотронулся до него, но ничего не произошло.

Облегчение было так велико, что Юстас чуть не расхохотался, почувствовав себя вдруг победителем дракона, а не

просто свидетелем его смерти. Он переступил через мёртвое тело, чтобы напиться из пруда: жара стояла невыносимая, — и нисколько не удивился, услышав раскат грома. Почти сразу же потемнело, и мальчик ещё пил, когда упали первые крупные капли дождя.

Климат острова нельзя было назвать приятным. За минуту Юстас промок насквозь и почти перестал что-либо видеть. Таких дождей в Европе не бывает. Пока льёт дождь, выбираться из долины было бессмысленно. Юстас бросился в единственное убежище, находившееся поблизости, — в пещеру дракона, там лёг и попытался отдышаться.

Большинство из нас знают, что можно обнаружить в логове дракона, но, как я уже говорил, Юстас не читал нужных книг. В тех, что он читал, говорилось об экспорте и импорте, о правительствах и канализации, но вряд ли было что-то о драконах, поэтому он очень удивился, когда увидел то, что валялось на полу пещеры. Эти предметы были слишком колючими, чтобы считаться камнями, но слишком твёрдыми, чтобы оказаться колючками. А кроме того, круглые и плоские, они звенели, стоило ему пошевелиться. У входа в пещеру было достаточно света, и, рассмотрев предметы, Юстас понял, что это сокровища, хотя любой из нас мог сказать ему об этом заранее. Чего здесь только не было: короны (это они кололись), монеты, перстни, браслеты, золотые слитки, бокалы, блюда, драгоценные камни…

Юстас, в отличие от большинства мальчишек, никогда не мечтал найти сокровища, но сразу же понял, какую пользу можно извлечь из этого нового мира, в который попал случайно, сквозь картину в спальне Люси.

«Здесь не может существовать никакой пошлины, — сказал он себе, — а значит, не надо отдавать сокровища государству. Даже небольшой части этого добра мне хватит, чтобы довольно прилично жить где угодно — например, в Тархистане. Эта страна кажется наименее скверной. Интересно, сколько я смогу унести? Вот этот браслет (наверное, камешки на нём — бриллианты) можно надеть на руку. Великоват, но ничего — сдвину к плечу повыше локтя. Карманы лучше набить тоже бриллиантами — они легче золота, и больше влезет. Когда же прекратится этот чёртов дождь?»

Отыскав на куче сокровищ местечко поудобнее, где были монеты и ничего не кололось, Юстас сел и принялся ждать, но страх, особенно после спуска с горы, так его утомил, что он уснул.

В то время как он крепко спал, похрапывая, все остальные закончили ужин и всерьёз обеспокоились его отсутствием. Они звали его, до хрипоты кричали: «Юстас! Ау! Юстас!» — а Каспиан даже трубил в свой рог.

— Его поблизости нет — иначе услышал бы нас, — побледнев, заметила Люси.

— Чёрт бы его побрал! — воскликнул Эдмунд. — Чего ради его куда-то понесло?

— Надо что-то делать, — сказала Люси. — Может, он заблудился, или провалился в яму, или его поймали дикари.

— Или разорвали дикие звери, — вставил Дриниан.

— Я бы сказал, счастливое избавление, — пробормотал Ринс.

— Мастер Ринс, — заметил Рипичип, — вы никогда не произносили слов, которые принижали бы вас. Хоть этот тип мне и не друг, но родственник королевы, и, поскольку мы пришли сюда вместе, для нас дело чести найти его и, если он убит, отомстить.

— Конечно, мы должны его найти, если сумеем, — устало сказал Каспиан. — Досадно, потому что это означает опять поиски и тревогу. Как же он надоел, этот Юстас.

А Юстас тем временем проснулся от боли в левой руке. В отверстие пещеры светила луна, лежать на куче сокровищ стало гораздо удобнее, почти ничего не мешало. Сначала его удивила боль, но потом он догадался, что это давит браслет, который он подтянул к плечу. Наверное, во сне рука затекла.

Он шевельнул правой рукой, чтобы спустить на левой браслет пониже, но в ужасе застыл, едва подвинув её на дюйм. Прямо перед ним, чуть справа, там, где на пол пещеры падал лунный свет, он заметил какое-то движение и в тот же миг узнал отвратительную лапу дракона. Она задвигалась, когда он шевельнул рукой, и замерла, когда застыл и он.

«Ох какой же я был идиот! — подумал Юстас. — Конечно же, здесь жили две твари, и оставшаяся сейчас лежит рядом».

Несколько минут он не решался шевельнуться, наблюдал за двумя тонкими струйками дыма, поднимавшимися у него перед глазами, казавшимися чёрными в лунном свете. Совершенно такие же выходили из ноздрей другого дракона, перед тем как он испустил дух. Это было так тревожно, что Юстас затаил дыхание. Струйки дыма исчезли, но как только он потихонечку выдохнул, тут же появились снова.

По-прежнему ни о чём не догадываясь, он решил вытянуть левую руку и попытаться выползти из пещеры. А вдруг повезёт и эта тварь спит. Впрочем, в любом случае это единственная возможность. И вот, конечно, прежде чем двинуться

в левую сторону, он туда посмотрел и едва не завопил от ужаса: там тоже виднелась драконья лапа.

Вряд ли кто-нибудь осудит Юстаса за то, что он всё-таки не выдержал и разрыдался. И слёзы его не были обычными: на сокровища, лежавшие перед ним, падали огромные и такие горячие капли, что от них поднимался пар.

Но что толку плакать — надо попытаться проползти между этими тварями. Юстас осторожно вытянул правую руку, и лапа дракона справа в точности повторила его движение. Тогда он решил попробовать вытянуть левую, и драконья лапа слева тоже двинулась. Два дракона в точности повторяли все его движения!

Нервы Юстаса не выдержали, и он рванулся вперёд. Раздался грохот и скрежет, звон монет и стук камней. Выскочив из пещеры, он не посмел даже обернуться, опасаясь, что оба дракона преследуют его, и кинулся к пруду. Скрюченное тело мёртвого дракона, освещённое луной, могло напугать любого, но Юстас едва обратил на него внимание, намереваясь броситься в воду.

Едва добравшись до берега пруда, он вдруг осознал — и это обрушилось на него словно гром, — что бежит на четвереньках, но страшнее оказалось другое: нагнувшись к воде, он увидел, что из пруда на него смотрит дракон. И в эту секунду Юстас всё понял: драконья морда в пруду — его собственное отражение, вне всяких сомнений. Морда двигалась синхронно с ним: открывала и закрывала рот, когда это делал он, моргала, хмурилась, как он.

Юстас, пока спал, превратился в дракона. Так бывает всегда, когда кто-то приближается к сокровищам, которые охраняют драконы, с жадными, драконьими мыслями.

Это всё объясняло. В пещере рядом с ним никого не было, а драконьи когтистые лапы были его собственными. Две струйки дыма поднимались теперь из его ноздрей, а что касается боли в левой руке — то есть бывшей левой руке, — то причину её он разглядел, скосив левый глаз. Браслет, который отлично сидел на мальчишеской тонкой руке, оказался слишком узок для толстой передней лапы дракона, поэтому глубоко врезался в чешуйчатую плоть, а сверху и снизу около него лапа распухла. Юстас чуть сдвинул его своими драконьими зубами, но содрать так и не сумел.

Несмотря на боль, первым его ощущением было облегчение. Теперь ему больше нечего бояться. Он сам может наводить ужас, и никто в мире, кроме рыцаря (и то не каждого), не осмелится напасть на него. Теперь он справится и с Каспианом, и с Эдмундом…

Едва эта мысль пришла ему в голову, Юстас вдруг понял, что хочет вовсе не этого, а хочет дружить, хочет вернуться к людям, болтать и смеяться, участвовать во всех делах. Он осознал, что стал чудовищем, это отделило его от людей, — и ощутил ужасное одиночество, и начал понимать, что все остальные вовсе не были извергами, и стал думать, был ли он сам так хорош, как ему всегда казалось. И так он затосковал по их голосам, что был бы благодарен за доброе слово даже из уст Рипичипа.

От этих мыслей бедный дракон, который когда-то был Юстасом, заплакал. Мощный дракон, рыдающий в голос под луной в безлюдной долине, — такое зрелище трудно себе представить, а звуки — вообразить.

Наконец он решил попытаться найти обратную дорогу. Теперь он понимал, что Каспиан не уплывёт без него, и был уверен, что тем или иным образом сумеет дать людям понять, кто он.

Как следует напившись, затем (я понимаю, для вас это ужасно, но если подумать — ничего особенного) он съел почти всего мёртвого дракона, хотя и не сразу понял, что делает, потому что разум у него остался свой, Юстаса, а вкус и пищеварение стали драконьими. А кто читал нужные книжки, тот знает, что драконы больше всего любят свежее драконье мясо, поэтому где-либо редко можно встретить больше одного дракона.

Потом, решив выбраться из долины, он начал взбираться вверх прыжками и тут же обнаружил, что умеет летать. Он совершенно забыл о своих крыльях, и это стало для него сюрпризом — первым приятным сюрпризом за долгое время.

Дракон поднялся высоко в воздух и увидел внизу множество горных вершин, освещённых луной, увидел и залив, похожий на слиток серебра, и «Покорителя зари», стоявшего на якоре, и костры, мерцавшие в лесу рядом на побережье. Вот туда он и скользнул с большой высоты.

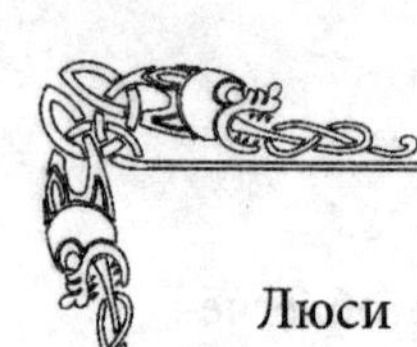



Люси крепко спала, потому что долго дожидалась, пока вернётся поисковая группа, надеясь услышать добрые вести о Юстасе. Группу возглавлял Каспиан, вернулась она поздно, все совершенно измотались, но никаких следов Юстаса не обнаружили, хотя и видели в долине мёртвого дракона. Они пытались держаться и объясняли друг другу, что вряд ли здесь есть ещё драконы, а этот в три часа дня, когда они его увидели, был уже мёртв и не сумел бы убить человека за несколько часов до собственной смерти.

— Если только он не сожрал этого паршивца и не сдох именно от этого: парень мог отравить кого угодно, — буркнул Ринс себе под нос, так что никто не услышал.

Поздно ночью Люси вдруг проснулась и увидела всю компанию: никто не спал, все сидели близко друг к другу и о чём-то перешёптывались.

— Что-то случилось? — спросила Люси.

— Нам всем нужно сохранять спокойствие, — произнёс Каспиан. — Только что над деревьями пролетел дракон и опустился на берег. Да, боюсь, что он оказался между нами и кораблём. Стрелы против дракона бесполезны, да и огня они совсем не боятся.

— Если ваше величество позволит… — начал Рипичип.

— Нет! — очень твёрдо ответил король. — Даже не пытайся драться с ним. И если ты не дашь мне слово повиноваться, я прикажу связать тебя. Мы будем пристально за ним наблюдать, а как только рассветёт, спустимся на берег и сразимся с ним. Я поведу. Король Эдмунд пойдёт справа от меня, а лорд Дриниан — слева. Другого построения не будет. Часа через два рассветёт, а через час будет подана еда и оставшееся вино. И всё должно делаться бесшумно.

— Может, он улетит, — с надеждой сказала Люси.

— Это было бы хуже всего, — ответил Эдмунд, — потому что тогда мы не будем знать, где он. Если в комнате оса, я предпочитаю её видеть.

Остаток ночи прошёл ужасно, и когда был готов завтрак, все, хоть и знали, что необходимо подкрепиться, ели без аппетита. И потянулись бесконечные минуты до рассвета, пока не начали щебетать птицы, а воздух не стал более холодным и сырым, как будто продолжалась ночь.

— Пора, друзья! — наконец скомандовал Каспиан.

Все поднялись, обнажили шпаги и построились плотной группой, причём Люси поставили в середину, а Рипичип сидел у неё на плече. Наступать было лучше, чем ждать, и каждый из них испытывал нежность ко всем остальным. Через минуту они двинулись, а когда подошли к опушке леса, стало совсем светло. На песке, словно огромная ящерица, или гибкий крокодил, или змея с ногами, лежал дракон, огромный, ужасный и сгорбленный. И вот, увидев их, дракон, вместо того чтобы подняться и дохнуть на них огнём и дымом, отступил, можно сказать, вразвалочку на мелководье залива.

— Что это он так качает головой? — удивился Эдмунд.

— А теперь кивает, — сказал Каспиан.

— И что-то течёт у него из глаз, — добавил Дриниан.

— Разве вы не видите? — воскликнула Люси. — Он плачет. Это слёзы.

— Я бы не доверял этому, госпожа, — предостерёг Дриниан. — Крокодилы тоже плачут, чтобы усыпить нашу бдительность.

— Он покачал головой, когда вы говорили это, — заметил Эдмунд. — Как будто хотел сказать «нет». Посмотрите, вот опять.

— Может, он понимает, о чём мы говорим? — предположила Люси.

Дракон бешено закивал, а Рипичип соскользнул с плеча Люси, вышел вперёд и высоким пронзительным голосом спросил:

— Дракон, ты понимаешь речь?

Дракон кивнул.

— И говорить можешь?

Он отрицательно покачал головой.

— В таком случае, — заключил Рипичип, — бессмысленно расспрашивать, что тебе нужно. Поклянись, что пришёл с дружескими намерениями, и мы тебя не тронем. Если согласен, подними над головой левую лапу.

Дракон поднял лапу, но неуклюже, потому что она была опухшей и болела из-за золотого браслета.

— Посмотрите, — заметила Люси, — у него что-то с лапой. Бедняга. Наверное, поэтому он и плачет. Может, он пришёл к нам, как лев к Андроклу, чтобы мы его вылечили?

— Осторожнее, Люси, — предупредил Каспиан. — Это очень умный дракон — может и обмануть.

Но Люси бросилась вперёд, а за ней — Рипичип, едва поспевая на своих коротких ножках, а следом за ним, разумеется, мальчики и Дриниан.

— Покажи мне свою больную лапу, — попросила Люси. — Может, я сумею тебе помочь.

Дракон, который прежде был Юстасом, с радостью протянул ей лапу, потому что помнил, как целебный бальзам Люси вылечил его от морской болезни, но его ждало разочарование. Волшебная жидкость уменьшила опухоль и слегка облегчила боль, но растворить золото не смогла.

Все столпились вокруг, наблюдая за процессом, как вдруг Каспиан, разглядывавший браслет, воскликнул:

— Смотрите!

## *Глава седьмая*

# ЧЕМ ЗАКОНЧИЛИСЬ ПРИКЛЮЧЕНИЯ ЮСТАСА

На что? — удивился Эдмунд.

— На эмблему на браслете, — пояснил Каспиан.

— Молоточек, а над ним бриллиант, словно звезда, — медленно проговорил Дриниан, словно вспоминая. — Да, я видел это раньше.

— Ещё бы не видел! — воскликнул Каспиан. — Конечно, ты видел! Это эмблема славного нарнийского рода, а браслет принадлежал лорду Октезиану.

— Злодей! — накинулся Рипичип на дракона. — Это ты сожрал нарнийского лорда?

Но дракон что есть силы тряс головой, явно не соглашаясь с обвинением.

— А может, — предположила Люси, — это и есть лорд Октезиан, обращённый в дракона — с помощью волшебства, конечно.

— Необязательно, — возразил Эдмунд. — Всем известно, что драконы повсюду собирают золото. Но я думаю, было бы правильно предположить, что Октезиан добрался не дальше этого острова.

— Ты лорд Октезиан? — с надеждой обратилась Люси к дракону, а когда он печально покачал головой, спросила: — Может, ты заколдован? То есть я хочу сказать, ты человек?

Дракон неистово закивал, и кто-то вдруг спросил (потом все спорили кто: Люси или Эдмунд):

— А ты, случайно, не Юстас?

И Юстас, кивнув своей ужасной драконьей головой, так стукнул хвостом по воде, что все отскочили (кое-кто из матросов с такими восклицаниями, которые здесь приводить как-то неловко), чтобы не ошпариться огромными кипящими слезами, что катились из его глаз.

Люси изо всех сил старалась утешить его и даже поцеловала в покрытую чешуей морду, и каждый сказал «не повезло», и некоторые уверили, что готовы поддержать, а другие сказали, что уверены: Юстаса можно расколдовать — через день-два он станет прежним. И, разумеется, всем не терпелось услышать его историю, но говорить он, к сожалению, не мог. Он не раз пытался написать о своих приключениях на песке, но и это никак не удавалось. Прежде всего, Юстас не имел представления (он же не читал нужных книг) о том, как рассказать историю, а другая причина заключалась в том, что мышцы и нервы драконьих лап не были приспособлены для письма. В результате он никогда не добирался до конца, прежде чем начинался прилив и смывал всё написанное, а часть слов он затаптывал сам или случайно стирал взмахом хвоста. И увидеть было можно только что-то наподобие (точки поставлены вместо тех слов, которые он смазал):

*«Я вшел в пеще... ракон аркон то есть дркона птому что он умер и шёл сильн ождь... проснулся и... рука болела...»*

Тем не менее никто не сомневался, что характер Юстаса, ставшего драконом, заметно улучшился. Теперь он всем готов был помочь. Облетев остров, он обнаружил, что в горах водятся дикие козы и кабаны, и стал притаскивать туши животных для путешественников и чтобы пополнить припасы на корабле. К тому же убивал он их очень гуманно, одним ударом хвоста, так что они ничего не успевали почувствовать. Разумеется, он и сам съедал несколько штук, но всегда в одиночестве: ведь теперь он дракон, а драконы предпочитают сырое мясо, — и допустить, чтобы кто-нибудь видел его

неопрятную трапезу, не мог. Однажды он даже торжественно притащил в лагерь высокую сосну, которую вырвал с корнем в отдалённой долине, чтобы матросы изготовили новую мачту. А вечерами, когда становилось прохладно, как всегда бывает после сильных дождей, он брал на себя роль тёплого одеяла для всех, потому что путешественники приходили погреться о его горячие бока и обсохнуть, а один его огненный выдох мог разжечь любой костёр. Иногда он сажал нескольких человек к себе на спину и летал с ними по острову, давая возможность полюбоваться зелёными склонами, высокими скалами, узкими, похожими на рвы, долинами и далеко в море, на востоке, пятном тёмно-синего цвета на голубом горизонте, которое могло означать землю.

Удовольствие (совсем новое для него) нравиться людям и, даже в большей степени, ощущение, что и ему нравятся люди, удерживало Юстаса от отчаяния, потому что быть драконом оказалось печально. Он вздрагивал, случайно увидев своё отражение, когда пролетал над горным озером; терпеть не мог огромные крылья на спине, похожие на те, что у летучей мыши, и свои ужасные кривые когти; боялся оставаться один, но при этом стыдился окружающих. По вечерам, если его не использовали как грелку, он потихоньку уходил из лагеря и сворачивался, словно змея, между лесом и водой. В таких случаях, что удивительно, утешать его чаще других приходил Рипичип. Благородная мышь покидала весёлую компанию, сидевшую вокруг лагерного костра, и садилась около головы дракона, с наветренной стороны, чтобы не ощущать дыма из его ноздрей. В случившемся с Юстасом Рипичип видел поразительную иллюстрацию того, как может повернуться колесо Фортуны, и говорил, что если бы принимал его в своём доме в Нарнии (вообще-то это был не дом, а нора, куда не влезла бы даже голова дракона, не говоря уже о теле), то привёл бы более сотни примеров, когда процветающие императоры, короли, герцоги, рыцари, поэты, любовники, астрономы, философы и волшебники попадали в самые неблагоприятные обстоятельства, но затем оправлялись и жили счастливо. Это, возможно, звучало не очень утешительно, но Юстас всегда помнил, что слова Рипичипа шли от самого сердца.

Разумеется, надо всеми, словно туча, висел вопрос, что делать с драконом, когда они будут готовы плыть дальше. Все старались не говорить при нём об этом, но иногда до него доносились фразы вроде: «Уместится ли он вдоль одного борта? Тогда придётся перетащить весь наш багаж в трюме к другому борту для равновесия», — или: «Нельзя ли его тянуть на буксире?» — или: «А он не сможет всё время лететь?» — но чаще всего говорили: «Как же мы его прокормим?» И бедняга Юстас всё отчётливее понимал, что, оказавшись на корабле, он с самого первого дня был явной помехой для всех, а сейчас стал ещё большей. И это въелось в его сознание, совсем как браслет в лапу. Он знал, что, если теребить его огромными зубищами, будет только хуже, но не мог сдержаться и время от времени пытался стащить его, особенно жаркими ночами.

Через шесть дней после их высадки на Драконий остров Эдмунд проснулся неожиданно рано. Едва начало светать, но уже можно было различить стволы деревьев между лагерем и заливом, но не дальше. А проснулся он потому, что вроде бы слышал какие-то шорохи, поэтому приподнялся на локте и осмотрелся. Через минуту ему почудилось, что по опушке леса двигается тёмная фигура. Он сразу подумал: «Может, неправда, что на этом острове нет аборигенов?» Затем решил, что это Каспиан — тот примерно того же роста, — хотя знал, что Каспиан рядом спит, на своём месте. Эдмунд прихватил шпагу и отправился на разведку.

Когда крадучись он подошёл к лесу, тёмная фигура всё ещё была там. Сейчас Эдмунд хорошо видел, что этот человек меньше Каспиана, но больше Люси, и вовсе не собирается убегать. Со шпагой наготове он уже готов был бросить вызов незнакомцу, но тот вдруг тихо спросил:

— Это ты, Эдмунд?

— Да. А ты кто?

— Ты не узнаёшь меня? Это я, Юстас.

— Боже! И правда ты. Как я рад…

— Тише, — прервал его Юстас и пошатнулся, словно его не держали ноги.

Эдмунд подскочил к нему и подставил плечо.

— Эй, что с тобой? Тебе плохо?

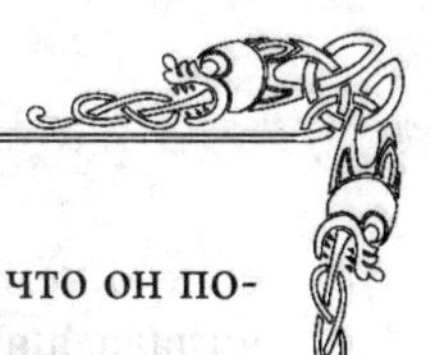

Юстас долго молчал, и Эдмунду уже показалось, что он потерял сознание, когда раздался наконец его голос:

— Это было страшно. Ты не поймёшь… но теперь всё в порядке. Мы можем куда-нибудь пойти поговорить? Мне пока не хочется встречаться с остальными.

— Да, конечно, куда угодно — да хоть вон на те скалы. И ещё хочу сказать, что очень рад тебя видеть — ну, когда ты снова выглядишь как обычно. Наверное, это было трудное для тебя время.

Они направились к скалам и уселись там, глядя на залив и постепенно светлеющее небо с исчезающими одна за другой звёздами. И только одна, яркая, лишь спустилась ниже к горизонту, но осталась светить.

— Я не стану рассказывать тебе одному, как стал… драконом, это потом, сразу всем, чтобы покончить с этим, — сказал Юстас. — Кстати, я даже не понимал, что я дракон, пока не услышал, когда вернулся сюда утром, как вы произносите это слово. А вот как снова обрёл человечье обличье — расскажу.

— Начинай.

— В прошлую ночь я чувствовал себя несчастным больше, чем обычно. Да ещё из-за этого чёртова браслета всё болело…

— А сейчас прошло?

Юстас засмеялся — совсем не так, как привык слышать Эдмунд, и браслет легко соскочил с его руки.

— Вот он, и любой, кому захочется, может забрать его себе. Я уже говорил, что лежал без сна и раздумывал, что же будет со мной дальше. И тогда… — Он помолчал, прежде чем продолжить: — Но имей в виду: это всё мог быть просто сон. Я не знаю.

— Давай дальше, — попросил Эдмунд, набираясь терпения.

— Ну что же, ладно. Я поднял взгляд и увидел то, чего совершенно не ожидал: ко мне медленно приближался огромный лев. К тому же была одна странность: ведь вчерашняя ночь выдалась безлунной, а лев казался серебристым, будто от лунного света. Он подходил всё ближе, и я ужасно испугался. Ты, может, думаешь, что я, дракон, без труда мог бы справиться с любым львом, но это был другой страх, какой-то благоговейный. Я боялся не его зубов, а *его самого* — если ты понима-

ешь, о чём я. Он подошёл ко мне совсем близко и посмотрел в глаза, а я крепко зажмурился, хотя это было ни к чему, потому что он приказал мне следовать за ним.

— То есть он говорил?

— Не знаю. Теперь, когда ты спросил, я думаю, что нет, но тем не менее приказал. И я знал, что должен повиноваться, поэтому встал и пошёл. И он повёл меня долгим путем в горы. Странно, но, где бы мы ни шли, всюду льва заливал лунный свет. И вот наконец мы оказались на вершине горы, которой я никогда раньше не видел. Там был сад — деревья, плоды и всё прочее, — а в самом центре колодец. Я понял, что это колодец, потому что было видно, как вода бьёт ключом с его дна, но этот оказался гораздо больше, чем другие, и походил на большую круглую ванну с мраморными ступенями, которые вели в его глубину. Вода была прозрачная, и я подумал, что, если окунусь в него, лапа перестанет болеть, но лев сказал, что мне нужно сначала раздеться. Не забудь: я не уверен, что он произнёс хоть слово.

Я собирался объяснить, что не могу раздеться, потому что на мне нет одежды, но вдруг подумал, что драконы в родстве со змеями, а змеи могут сбрасывать кожу. Наверняка лев именно это и имел в виду. И я принялся царапать себя, засыпал всё вокруг чешуёй. Когда она наконец исчезла, я стал царапать чуть глубже, и вслед за чешуёй с меня, словно с банана, полезла шкура. Через минуту-другую я вылез из неё совсем. Шкура лежала у моих ног и выглядела омерзительно. Чувство, которое я испытал, прежде чем направиться к колодцу, чтобы искупаться, не передать словами.

Собираясь опустить ноги в воду, я взглянул вниз и увидел, что они такие же костлявые, грубые, сморщенные и чешуйчатые, как были прежде. «Ну и ладно, — сказал я себе. — Это значит, что у меня внизу другая одёжка, поменьше размером, и мне нужно сбросить и её». Я снова принялся царапать и рвать, и эта нижняя шкура тоже сползла, я вылез из неё, оставил лежать рядом с первой и пошёл к колодцу.

И всё повторилось. Тогда я подумал: сколько же ещё шкур придётся содрать, прежде чем я смогу погрузить в воду свою лапу? Содрал и сбросил я и третью шкуру, но, взглянув на себя в воде, понял, что всё не так уж хорошо.

Тогда лев сказал (хотя я и не уверен, что он произносил эти слова): «Ты должен позволить мне раздеть тебя». Должен признаться, я жутко боялся его когтей, но поскольку был близок к отчаянию, всё же лёг на спину и приготовился терпеть адскую боль.

Первый рывок был такой глубокий, словно когти льва ухватили меня за сердце. И когда он начал сдирать с меня шкуру, от боли я едва не терял сознание. Единственное, что давало мне силы вынести это, — осознание, что кожа сдирается. Знаешь, это как сдирать корку с заживающей ранки: больно, но в то же время забавно видеть, как появляется новая нежная кожица.

— Я тебя понимаю, — сказал Эдмунд.

— Да, он содрал всю эту ужасную шкуру — так же как я сам сдирал три раза, только тогда не было больно, — и вот она лежала на траве, толще, темнее и узловатее, чем те, прежние. А я был гладкий, как ободранный прутик, и даже стал, кажется, меньше ростом, чем себя помнил. Затем он схватил меня — что мне не понравилось, потому что, лишившись шкуры, я стал очень чувствительным, — и бросил в воду. В первый момент я почувствовал жгучую боль, а потом вода стала просто восхитительной, и я плавал и плескался, и чувствовал, что боль из руки уходит, и тут увидел почему: я снова стал мальчиком. Ты не можешь представить, как я обрадовался, увидев собственные руки. Я понимал, что на них совсем нет мускулов, что они никуда не годятся по сравнению с руками Каспиана, но всё равно был так рад увидеть их! Немного погодя лев вытащил меня из воды и одел…

— Одел? Своими лапами?

— Ну, я точно не помню, но каким-то образом я оказался вот в этой новой одежде, а потом внезапно очутился здесь. Мне потому и кажется, что это мог быть сон…

— Нет, это не был сон, — возразил Эдмунд.

— Почему ты так уверен?

— Во-первых, на тебе другая одежда, а во-вторых, ты больше не дракон.

— И что это было, как ты думаешь? — спросил Юстас.

— Думаю, тебе помог Аслан,

— Аслан! — воскликнул Юстас. — Я уже не раз слышал это имя с тех пор, как мы очутились на «Покорителе зари», и почему-то терпеть его не мог. Впрочем, я тогда много чего

терпеть не мог. Кстати, хотелось бы извиниться перед всеми: боюсь, я был довольно противным.

— Всё в порядке, — успокоил его Эдмунд. — Между нами говоря, ты был не так плох, как я в своё первое путешествие в Нарнию: если ты был просто ослом, то я — предателем.

— Не хочу слышать об этом! Расскажи лучше, кто такой Аслан. Ты его знаешь?

— Скорее он меня знает. Это Великий лев, Лесной царь, сын императора страны, что за морем, который спас Нарнию и спас меня. Мы все его видели, но чаще всех Люси. И, возможно, мы сейчас плывём в его страну.

Некоторое время они оба молчали. Последняя яркая звезда исчезла. И хотя увидеть восход мешали горы, высившиеся справа, мальчики знали, что рассветает, потому что небо и залив окрасились в розовый цвет. Затем какая-то птица по-попугаячьи вскрикнула где-то в лесу, потом послышались шорохи между деревьями, и, наконец, раздался звук рога Каспиана. Лагерь просыпался.

Не передать словами, как все обрадовались, увидев Эдмунда с Юстасом, который опять стал человеком! Мальчики направлялись к костру, где остальные собирались завтракать, но сначала, конечно, все хотели услышать историю Юстаса. Оставалось неясным, убил ли старый дракон лорда Октезиана несколько лет назад или Октезиан сам превратился в дракона. Драгоценности из Драконьей пещеры, которыми Юстас набил карманы, исчезли вместе с одеждой, и никто, в том числе и он сам, не имел ни малейшего желания спускаться в долину за оставшимися сокровищами.

Через несколько дней «Покоритель зари», с новой мачтой, заново покрашенный, с полными трюмами припасов, был готов продолжить путешествие. До отплытия Каспиан дал приказ выбить на гладком утесе, обращённом к заливу, надпись:

ДРАКОНИЙ ОСТРОВ
ОТКРЫТ КАСПИАНОМ X,
КОРОЛЁМ НАРНИИ И ПР. И ПР.,
НА ЧЕТВЁРТОМ ГОДУ ЕГО ПРАВЛЕНИЯ.
ЗДЕСЬ, КАК МЫ ПОЛАГАЕМ,
ВСТРЕТИЛ СВОЮ СМЕРТЬ
ЛОРД ОКТЕЗИАН.

Приятно заметить, к тому же это чистая правда, что с тех пор Юстас сделался совершенно другим человеком. Если уж быть совсем точным, он им становился: иногда у него случались рецидивы, и порой он бывал невыносим, но окружающие старались не обращать на это внимания: пусть выздоравливает.

С браслетом лорда Октезиана случилась странная история. Юстас не хотел оставлять его у себя и предложил Каспиану, а тот, в свою очередь, решил отдать его Люси, но и она не пожелала им владеть. «Хорошо, пусть тогда достанется тому, кто его поймает», — сказал Каспиан и подбросил вещицу в воздух. В это время все разглядывали надпись на скале. Браслет взлетел вверх, блеснул на солнце и повис на небольшом выступе скалы, причём в таком месте, что ни снизу подобраться, ни сверху за ним спуститься. И насколько мне известно, браслет висит там и по сей день, а скорее всего, будет висеть до конца света.

## *Глава восьмая*

# ДВА ЧУДЕСНЫХ СПАСЕНИЯ

Все радовались, когда «Повелитель зари» отошёл от Драконьего острова. Как только судно покинуло залив, подул попутный ветер, и на следующее утро они подошли к неизвестной земле, которую кое-кто видел и раньше, когда летал над горами в бытность Юстаса драконом. Это был низменный зелёный остров, на котором обитали только кролики и несколько коз, хотя, судя по развалинам каменных хижин и подпалинам на земле, явно от костров, совсем недавно здесь жили и люди. Мореплаватели обнаружили также кости и неисправное оружие.

— Похоже, работа пиратов, — сказал Каспиан.

— Или драконов, — отозвался Эдмунд.

Ещё они нашли там, на песке, небольшую, едва ли в четыре фута длиной, рыбачью лодку с плетённой из ивняка рамой, обтянутой кожей. На дне её всё ещё лежало весло. Судя по размерам, её либо сделали для ребёнка, либо в этих краях жили гномы. Рипичип попросил отдать судёнышко ему — он единственный смог бы там поместиться, — и лодочку подняли на борт. Этот остров путешественники назвали Горелым и покинули около полудня.

Дней пять ветер гнал их на юго-восток, где не было не только никакой земли, но даже рыб и чаек. На шестой день за-

рядил дождь и лил до самого вечера. Юстас проиграл две партии в шахматы Рипичипу и сделался похож на себя прежнего, а Эдмунд посетовал, что лучше было бы поехать в Америку вместе с семьёй. Все приуныли, пока спустя какое-то время Люси не выглянула в окошко на корме.

— Эй! Хватит хандрить! По-моему, дождь перестал. Ой, а это что такое?

Все выбежали на корму. Дождь действительно кончился. Дриниан, стоявший на вахте, явно заметил что-то необычное за кормой, как и Люси. Остальные, всмотревшись повнимательнее, решили, что это гладкие, отшлифованные водой камни, уложенные в ряд с интервалом футов сорок.

— Но это никак не могут быть камни, — сказал Дриниан, — потому что ещё пять минут назад их здесь не было.

— А один только что исчез, — заметила Люси.

— Да, а вон ещё один вылезает! — воскликнул Эдмунд.

— И он ближе, — добавил Юстас.

— Чёрт возьми! — выкрикнул Каспиан. — Да они все движутся сюда.

— И гораздо быстрее, чем мы плывём, сир, — добавил Дриниан. — Через минуту они нас догонят.

Все затаили дыхание: мало приятного ощущать себя объектом охоты неизвестного существа — не важно, на земле или в море. Но действительность оказалась гораздо хуже, чем можно было ожидать. Внезапно на расстоянии крикетного броска от их левого борта из моря высунулась ужасная голова, зелёно-пунцовая, с фиолетовыми пятнами и прилипшими моллюсками, с мордой, похожей на лошадиную, только без ушей. У твари были громадные глаза, явно привыкшие смотреть из тёмных глубин океана, и огромная разинутая пасть с двойным рядом острых, как у рыб, зубов. Голова венчала, как им сначала показалось, длинную шею, но по мере того как существо высовывалось из воды, все поняли, что это не шея, а тело, и осознали, что видят огромного морского змея, на которого многие по глупости хотели бы посмотреть. Изгибы гигантского хвоста виднелись вдали, время от времени появляясь на поверхности, а голова теперь возвышалась над мачтой.

Все схватились было за оружие, но поняли, что это бесполезно: чудовищу стрелы не доставляли ни малейшего неудобства.

— Ну же, стреляйте! — кричал командир лучников, и ему повиновались, но стрелы отскакивали от шкуры морского змея, словно от брони.

Затем на мгновение все застыли с раскрытыми ртами, ожидая, куда змей бросится, но он не бросился, а вытянул шею поперёк палубы, так что голова его прошла на ярд выше мачты и теперь оказалось рядом с марсом. Змей всё тянул шею, и вот его голова уже поднялась над правым фальшбортом, а потом стала опускаться, но не на палубу, где толпились люди, а в воду, так что над кораблём будто повисла арка. Вдруг арка стала сужаться — справа морской змей почти касался борта «Покорителя зари».

Юстас, который очень старался быть хорошим, пока из-за дождя и проигрыша в шахматы не вернулся к прежнему поведению, совершил первый в жизни решительный поступок. Как только тело змея почти коснулась правого борта, он прыгнул на фальшборт и что есть сил стал наносить чудовищу удары шпагой, которую дал ему Каспиан. Правду сказать, он ничего не добился, только сломал шпагу, но для начала это был смелый шаг.

Остальные собирались последовать его примеру, но тут Рипичип закричал:

— Не колите его! Толкайте!

Было странно услышать от мышиного рыцаря призыв не колоть, и даже в такой момент все посмотрели на него. А когда он вспрыгнул на фальшборт, вплотную к змею, и стал своей маленькой меховой спинкой изо всех сил толкать огромное чешуйчатое и скользкое тело назад, многие поняли, о чём он говорил, и бросились к обоим бортам, чтобы сделать то же самое, а когда через минуту голова морского змея появилась снова, на этот раз с левого борта, затылком к ним, тут уже поняли все.

Змей петлёй обвился вокруг «Покорителя зари» и принялся её сжимать, намереваясь сдавить корабль. Как только судно развалится, змей переловит их в воде всех до одного. Единственная возможность спастись — это толкать «петлю» назад, пока не соскользнёт с кормы.

Рипичип в одиночку, разумеется, с таким же успехом мог пытаться приподнять огромный собор и уморил бы себя на-

смерть, если бы его не оттащили в сторону. Очень скоро все, кроме них с Люси, выстроились вдоль обоих фальшбортов, причём каждый вплотную к тому, кто был впереди, чтобы общими усилиями противостоять змею. Несколько жутких секунд, которые показались им часами, ничего не происходило: трещали суставы, капал пот, все дышали с трудом, — но вот они почувствовали, что корабль движется, и увидели, что петля змеиного тела отодвинулась от мачты. Но радоваться было рано: она сжалась. Угроза была реальной. Получится ли протолкнуть корму сквозь петлю, пока та не стала слишком тугой? Петля лежала на ограждении полуюта, и это было не так уж плохо. Тело морского змея нависало так низко, что они смогли выстроиться поперек полуюта и протолкнули его. Вспыхнувшая было надежда тут же погасла, когда вспомнили о высокой резной корме «Покорителя зари» в виде хвоста дракона: протолкнуть чудовище над ней невозможно.

— Топор! — прохрипел Каспиан. — И продолжайте толкать.

Люси, знавшая, где что лежит, услышала и через несколько секунд оказалась уже внизу, схватила топор и кинулась по трапу вверх, но когда почти добежала, раздался громкий треск, будто дерево упало, и корабль рванулся вперёд. Оказалось, что то ли змея толкнули слишком сильно, то ли сам он решил потуже затянуть петлю, но резная корма оторвалась, и корабль освободился.

Все остальные были слишком измучены и ничего не видели. В нескольких ярдах от корабля петля морского змея мгновенно стала меньше и с плеском исчезла. Люси всегда говорила потом (но, разумеется, в тот момент она была потрясена, и это могло быть только игрой воображения), что видела выражение дурацкого удовлетворения на морде чудовища. Определённо змей не отличался умом: вместо того чтобы преследовать корабль, повернул голову и принялся осматривать своё тело, словно надеялся обнаружить там обломки «Покорителя зари». А корабль тем временем. подхваченный свежим бризом, был уже довольно далеко. Путешественники и члены команды, пытаясь отдышаться и с трудом приходя в себя, лежали и сидели по всей палубе, а когда наконец обрели вновь дар речи, всех охватило веселье. Очень кстати оказался ром,

даже захлопали в ладоши. Все оценили доблесть Юстаса, пусть она ни к чему и не привела, и героизм Рипичипа.

Следующие три дня мореплаватели не видели ничего, кроме моря и неба, а на четвёртый похолодало, подул северный ветер, море начало волноваться, и после полудня собрался едва ли не шторм, но тогда же по левому борту показалась земля.

— С вашего позволения, сир, — сказал Дриниан, — мы попробуем подойти с подветренной стороны на вёслах и переждать шторм там.

Каспиан согласился, но из-за непогоды скорость была минимальной, так что причалили только к вечеру. В последних лучах солнца корабль вошёл в гавань и встал на якорь, но на берег никто не сошёл до утра. Когда рассвело, стало ясно, что это какой-то гористый остров со скалистой вершиной и, похоже, необитаемый. Когда спустили шлюпку с бочками для воды, Каспиан спросил, заняв своё место на корме:

— Здесь в бухту впадают два ручья. Из какого наберём?

— Разница невелика, сир, — ответил Дриниан. — Но я думаю, ближе тот, что по правому борту, восточный.

— Дождь начинается, — заметила Люси.

— Скорее усиливается, — отозвался Эдмунд, потому что дождь барабанил уже вовсю. — Давайте к другому ручью: там есть деревья, под которыми можно будет укрыться.

— Да, а то вымокнем до нитки, — поддержал его Юстас.

Но Дриниан их не слышал и продолжал править к ручью по правому борту подобно уставшему автомобилисту, который ведёт машину со скоростью сорок миль в час, в то время как вы пытаетесь ему объяснить, что это не та дорога.

— Они ведь правы, Дриниан, — вмешался тогда и Каспиан. — Почему ты не хочешь повернуть к западному ручью?

— Как пожелает ваше величество, — резковато ответил капитан. Накануне выдался неспокойный из-за непогоды день, к тому же он не любил слушать советы людей, ничего не смысливших в морском деле, но курс всё же переменил и, как потом выяснилось, правильно сделал.

К тому времени как бочки были наполнены, дождь кончился, и Каспиан, Юстас, Люси, Эдмунд и Рипичип решили подняться на вершину холма и осмотреться. Подъём по жёсткой траве и зарослям вереска не был лёгким, и по пути им никто

не попался навстречу: ни человек, ни зверь, — чаек только и видели. Поднявшись на вершину, путешественники поняли, что остров невелик, акров двадцать, не больше, а море отсюда казалось ещё более пустынным, чем с палубы или даже марса «Покорителя зари».

— Знаешь, это ведь безумие — плыть всё дальше и дальше, не имея понятия, куда, — шепнул Юстас Люси, поглядывая на восток, но совсем не так злобно, как раньше, а скорее по привычке.

Наверху было значительно холоднее, с севера по-прежнему тянуло свежим ветром.

— Давайте спустимся другой дорогой, — предложила Люси. — Пройдём немного и выйдем к тому ручью, куда хотел подплыть Дриниан.

Все согласились и минут через пятнадцать оказались у истока другого ручья. Место оказалось интереснее, чем они ожидали: это было глубокое горное озерцо, окружённое скалами, с узким протоком, по которому вода текла к морю. Тут не было ветра, и они присели отдохнуть на поросший вереском камень. Только все уселись, как Эдмунд тут же вскочил и принялся шарить по вереску.

— Какие-то тут острые камни, на этом острове! Где же это… А, вот… Эй! Да это никакой не камень, а рукоять меча. Нет, даже не рукоять, а меч целиком, только весь проржавевший. Должно быть, лежит тут целые века.

— Судя по виду, нарнийский, — заметил Каспиан, когда все столпились вокруг.

— Я тоже сижу на чём-то твёрдом, — сказала Люси.

Выяснилось, что это остатки кольчуги. Вся компания опустилась на четвереньки и принялась ощупывать заросли вереска. Один за другим нашлись шлем, кинжал и несколько монет: не тархистанские полумесяцы, а нарнийские львы и деревья, какие можно увидеть на ярмарке в Биверсдаме или Беруне.

— Похоже, это все, что осталось от одного из наших семи лордов, — вздохнул Эдмунд.

— Я тоже так считаю, — согласился Каспиан. — И всё думаю, кто бы это мог быть — на кинжале не разглядеть герба; а также пытаюсь понять, как он погиб.

— И как мы можем отомстить за него, — добавил Рипичип.

Эдмунд, единственный среди них заядлый любитель детективных историй, задумчиво произнёс:

— Что-то тут не так. Он не мог погибнуть в бою.

— Почему? — удивился Каспиан.

— Нет останков, — ответил Эдмунд. — Враг мог взять оружие и оставить тело, но вы когда-нибудь слышали, чтобы случалось наоборот: тело забирали, а оружие оставляли?

— Возможно, на него напал какой-нибудь зверь, — предположила Люси.

— Умный, однако, зверь! — хмыкнул Эдмунд. — Снять с человека кольчугу надо суметь.

— Может, дракон? — предположил Каспиан.

— Ничего подобного, — возразил Юстас. — Дракон на такое не способен — уж мне-то это известно.

— Давайте лучше уйдём отсюда.

После того как Эдмунд упомянул про останки, Люси больше не хотелось тут сидеть.

— Вы как хотите, — заметил Каспиан, поднимаясь, — но мне кажется, не сто́ит ничего отсюда уносить.

Друзья спустились вниз, обошли место, где ручей вытекал из озерца, и остановились полюбоваться зеркальной гладью в окружении скал. Если бы было жарко, кто-нибудь из них, безусловно, захотел бы искупаться, и каждый — напиться. Юстас уже нагнулся набрать воды в ладони, когда Люси и Рипичип одновременно воскликнули:

— Посмотрите!

На дне озера в окружении серовато-голубых камней, валунов, хорошо видных в совершенно прозрачной воде, лежала человеческая фигура в натуральную величину — по-видимому, золотая. Мужчина лежал лицом вниз, с закинутыми за голову руками. Как раз в этот момент облака разошлись, выглянуло солнце, и золотая фигура засияла во всей красе. Люси подумала, что это самая красивая статуя, какую она когда-либо видела.

— Вот это да! — присвистнул Каспиан. — Стоило прийти сюда, чтобы увидать это! Как думаете, мы сумеем её достать?

— Можно попробовать нырнуть, сир, — сказал Рипичип.

— Не годится, — возразил Эдмунд. — Во всяком случае, если это действительно золото — чистое золото, — то статуя слишком тяжёлая, а глубина здесь приличная: футов двенадцать-пятнадцать. Хотя погодите. Я взял с собой охотничье копьё, так что можно прикинуть глубину озера. Держи меня за руку, Каспиан, а я попробую измерить.

Каспиан крепко ухватил Эдмунда за руку, и тот, подавшись вперёд, стал погружать копьё в воду, но тут Люси заметила:

— Не думаю, что статуя из золота. Это всего лишь отблеск, твоё копьё такое же. Смотри!

И тут Эдмунд внезапно выпустил копьё.

— Что случилось? — раздались встревоженные голоса.

— Не смог удержать… Оно почему-то стало чудовищно тяжёлым.

— Теперь оно на дне, — сказал Каспиан. — А Люси права: оно совсем такое же, как статуя.

А Эдмунд почему-то, нагнувшись, разглядывал свои ботинки, но вдруг выпрямился и громко крикнул:

— Отойдите! Прочь от воды! Все. Немедленно!

В испуге все отпрянули и непонимающе уставились на него.

— Посмотрите на носки моих ботинок, — сказал Эдмунд.

— Желтоватые… — начал Юстас, но его перебил Эдмунд:

— Они золотые, из чистого золота! Можете потрогать. Кожи как не было. И они стали страшно тяжёлые.

— Клянусь Асланом! — воскликнул Каспиан. — Не хочешь ли ты сказать, что…

— Да, хочу. Эта вода всё превращает в золото. Копье стало золотым, поэтому так потяжелело. Я намочил ботинки — хорошо еще, что не ноги, — и мысы стали золотыми. А этот бедняга на дне — сами видите.

— Значит, это вовсе не статуя! — ахнула Люси.

— Да. Теперь всё ясно. Он оказался здесь в жаркий день, разделся на вершине холма — там, где мы сидели, — нырнул и… Одежда сгнила, или её растащили птицы для своих гнёзд, а оружие осталось.

— Как страшно… — всхлипнула Люси.

— Это просто чудо, что мы уцелели, — заметил Эдмунд.

— И правда чудо, — подхватил Рипичип. — Любой мог сунуть в воду палец, ногу, усы или хвост.

— Тем не менее давайте проверим, — предложил Каспиан, сорвал стебель вереска, очень осторожно встал на колени и опустил его в воду, а когда вытащил, это была точная копия вереска, только из чистого золота, тяжёлая и изящная.

— Тот, кто станет владеть этим островом, — медленно произнёс Каспиан, и щёки его вспыхнули румянцем, — будет самым богатым в мире. Я объявляю этот остров собственностью Нарнии и даю ему название «Земля Золотой Воды». Но помните: вы должны хранить эту тайну, никто никогда не узнает об этом — даже Дриниан — под страхом смерти!

— Кто ты такой, чтобы мне приказывать? — возмутился Эдмунд. — Я не твой подданный. Если на то пошло, я один из четырёх древних правителей Нарнии, а ты вассал Верховного короля, моего брата.

— Значит, так, король Эдмунд? — с угрозой проговорил Каспиан, опуская ладонь на эфес шпаги.

— Да перестаньте вы! — вмешалась Люси. — Невозможно иметь дело с мальчишками. Вы оба самодовольные задиры и дураки…

Тут она вскрикнула и замолчала, и все остальные увидели то же, что и она: по склону горы над ними — серой, потому что вереску цвести было ещё рано, — бесшумно, не глядя на них и сияя, словно его озаряли лучи солнца, которое к тому времени уже закатилось, медленно шёл лев, такой огромный, что равных ему никто никогда не видел. Впоследствии, описывая эту сцену, Люси говорила: «Он был размером со слона», — а в другой раз сказала «с ломовую лошадь». Но всё это не важно, никому ничего не надо было объяснять, все понимали: это Аслан.

Никто не заметил, куда он ушёл, — просто исчез. Друзья переглядывались, словно только что очнулись от сна, и Каспиан спросил:

— О чём мы спорили? Я нёс какую-то чушь?

— Сир, — отозвался Рипичип, — это место проклятое, давайте вернёмся на корабль. И если бы меня удостоили чести назвать этот остров, он носил бы имя острова Мёртвой Воды.

— Мне кажется, это очень верное название, Рип, — сказал Каспиан. — Хотя я не понимаю почему. Но, мне кажется,

погода установилась и دриниан, наверное, хотел бы отплыть. Сколько же мы расскажем ему!

Но на самом деле они могли рассказать не так много, потому что события последнего часа стёрлись у всех из памяти.

— Похоже, что их величества вернулись на корабль под властью чар, — сказал Дриниан Ринсу несколько часов спустя, когда «Покоритель зари» снова шёл под парусами, а остров Мёртвой Воды уже скрылся за горизонтом. — Что-то с ними там произошло. Единственное, что я понял: они думают, будто обнаружили тело одного из лордов, которых мы ищем.

— Что ж, капитан, — отозвался Ринс, — выходит, трое. Осталось всего четверо. Так мы к Новому году, глядишь, домой вернёмся, что неплохо, а то у меня табак кончается. Спокойной ночи, сэр.

## *Глава девятая*

# ОСТРОВ ГОЛОСОВ

Теперь ветер, который так долго дул с северо-запада, стал западным, и каждое утро, когда солнце поднималось из моря, резной нос «Покорителя зари» оказывался обращённым к солнцу. Некоторым казалось, что солнце стало больше, чем в Нарнии, другие с ними не соглашались. Путешественники плыли и плыли, подгоняемые не сильным, но постоянным бризом, и на глаза им не попадалась ни рыба, ни чайка, ни корабль, ни берег. Запасы уменьшались, и в души людей стала закрадываться мысль, что, возможно, они попали в море, которому не будет конца. Но в самый последний день, когда все начали сомневаться, стоит ли продолжать плыть на восток, между ними и восходящим солнцем показалась низкая земля, похожая на облако.

Около полудня корабль вошёл в широкий залив. Остров был разительно непохож на те, что им встречались раньше: когда путешественники пересекали песчаную полосу берега, он казался тихим и пустынным, словно был необитаем, но впереди расстилались ровно подстриженные лужайки, похожие на газоны хорошего английского дома, в котором держат дюжину садовников. Многочисленные деревья были явно посажены, на земле вокруг них не было ни листьев, ни кустар-

ника, ни сорняков. Иногда слышалось воркование голубей, но больше не доносилось ни единого звука.

Они вышли на длинную прямую песчаную дорожку без единой травинки, по обе стороны которой ровными рядами стояли деревья, и вдали, на другом конце, увидели в лучах полуденного солнца дом — очень длинный и безмолвный.

Едва ступив на дорожку, Люси ощутила, что ей в ботинок попал камешек. В незнакомом месте, наверное, стоило попросить остальных подождать и вытряхнуть его, но она не попросила, а просто отстала и села, чтобы снять ботинок. Шнурок затянулся в узел, и пока Люси его развязывала, остальные ушли далеко вперёд, так что, когда снова надела ботинок, больше их уже не слышала, зато услышала кое-что другое.

Это были тяжёлые удары, и раздавались они не со стороны дома. Похоже на то, как если бы десятки крепких рабочих изо всех сил ударяли по земле огромными деревянными молотками. Стук быстро приближался. Влезть на дерево Люси было не под силу, поэтому ничего не оставалось, кроме как сидеть тихо и вжиматься в ствол в надежде, что её не заметят.

«Стук-стук-стук…» Что бы это ни было, оно было совсем близко: Люси чувствовала, как дрожит земля, но ничего не видела и подумала, что это находится где-то у неё за спиной. Вдруг стук раздался на дорожке прямо перед ней, но поняла она это не только по звуку: словно от сильного удара, посыпался песок, только кто мог его нанести — было непонятно. Затем звуки отдалились футов на двадцать и внезапно прекратились, зато послышался голос.

Это было страшно, потому что она всё ещё никого не видела. Весь этот пейзаж, напоминающий парк, выглядел таким же мирным и пустынным, как в самом начале. Тем не менее всего в нескольких футах от неё раздался голос:

— Ну, друзья, это удача.

Ему вторил целый хор голосов:

— Слушайте, слушайте! Он говорит «это удача»! Верно, предводитель, так и есть.

— Надо преградить им дорогу к лодке, — продолжил тот, кто, видимо, был у них главным. — Всем приготовить оружие. Мы их перехватим, когда попытаются пройти к морю.

— Отличный план! — подхватили голоса. — Его и будем держаться.

— Тогда живее, друзья! — поторопил предводитель. — Вперёд!

— Веди нас! — откликнулись остальные.

В тот же миг снова раздался стук — сначала оглушительный, потом всё слабее и слабее, пока не замер где-то ближе к побережью.

Люси понимала, что раздумывать, кто эти невидимки, некогда, и, как только стук затих, вскочила и что есть духу понеслась предупредить остальных.

Остальные тем временем дошли до дома. Это было невысокое здание, всего в два этажа, из желтоватого старого камня и со множеством окон, полускрытое разросшимся плющом. Кругом было так тихо, что Юстас сказал:

— Похоже, здесь никого нет.

Каспиан лишь покачал головой и молча указал на дым, поднимающийся из трубы.

Широкие ворота были открыты, и вся компания вошла в мощёный двор. Тут же всем стало ясно, что на этом острове

творится что-то странное. Посреди двора стоял насос, под ним ведро: в этом ничего странного не было, — но вот рукоятка насоса двигалась вверх-вниз, хотя никого не было видно рядом.

— Чертовщина какая-то, — проговорил Каспиан.

— Механизмы! — воскликнул Юстас. — Думаю, мы наконец-то попали в цивилизованную страну.

В этот момент Люси, потная и запыхавшаяся, вбежала во двор и, понизив голос, принялась сбивчиво, перескакивая с пятого на десятое, пересказывать им то, что слышала. И когда друзья наконец поняли, в чём дело, даже самые храбрые задумались.

— Враги-невидимки, — пробормотал Каспиан. — Собираются отрезать нас от шлюпки. Это скверно.

— И ты даже не представляешь, какие они? — спросил Эдмунд.

— Я же их не видела.

— А если судить по шагам, то на людей они похожи?

— Я не слышала никаких шагов — только голоса и звук ударов, как будто молотком.

— Я вот думаю, — сказал Рипичип, — будут ли они видны, если проткнуть их шпагой?

— Похоже, придётся это выяснить, — ответил Каспиан. — Только давайте уйдём отсюда: ведь один из них, что при насосе, всё слышит.

Решив, что на дорожке будут не так заметны среди деревьев, друзья свернули туда.

— Не понимаю, — заметил Юстас, — какой смысл прятаться от тех, кого ты не видишь: они могут быть везде...

— Ну, Дриниан, — предложил Каспиан, — что, если мы пожертвуем шлюпкой, дойдем до другого края залива и дадим знак «Покорителю зари» подойти поближе и забрать нас?

— Недостаточно глубоко, сир, — ответил Дриниан.

— Можно до корабля и вплавь… — предложила Люси.

— Ваши величества, — сказал Рипичип, — послушайте. Глупо думать, что можно избежать невидимого врага, если пробираться тайком. Если эти невидимки хотят биться с нами, то наверняка станут. Ну а коли дело дойдёт до боя, я предпочёл бы встретиться с ними лицом к лицу, а не быть пойманным за хвост.

— Думаю, на этот раз Рип прав, — заметил Эдмунд.

— Конечно, — подхватила Люси, — если Ринс и остальные, те, кто на «Покорителе зари», увидят, как мы сражаемся на берегу, сумеют что-нибудь предпринять.

— Но они не увидят, как мы сражаемся, если не смогут разглядеть врагов, — печально заметил Юстас, — и решат, что шпагами машем для забавы.

Повисла тревожная тишина.

— Ну, — сказал наконец Каспиан, — решено: нужно встретиться с ними лицом к лицу. Давайте пожмём друг другу руки! Люси, готовь лук к бою. Всем остальным обнажить шпаги — и вперёд. Возможно, они начнут переговоры.

Было удивительно смотреть на такие мирные лужайки и огромные деревья, маршируя к берегу. Добравшись до места, друзья увидели шлюпку там, где её оставили, и гладкий песок, на котором не было никаких следов. Тогда некоторые усомнились в рассказе Люси, решив, что, может, ей всё это показалось, но не успели они дойти до песка, как раздался голос — вроде как ниоткуда:

— Нет, господа, ни шагу дальше! Сначала нам нужно поговорить с вами. Нас здесь больше пятидесяти, и все вооружены.

— Слушайте, слушайте его! — вторил хор голосов. — Это наш главный. Вы можете верить каждому его слову.

— Что-то я не вижу здесь пятидесяти воинов, — заметил Рипичип.

— Верно, верно, — произнес тот же голос. — Вы не можете видеть нас. Почему? Потому что мы невидимы.

— Продолжай! — подхватили остальные голоса. — Ты говоришь как по писаному — лучше не придумаешь.

— Говори потише, Рип, — предупредил Каспиан и добавил погромче: — И чего же вы, невидимки, хотите от нас? И чем мы настроили вас против себя?

— Мы хотим, чтобы маленькая девочка сделала для нас одну вещь, — сказал главный, и остальные голоса подтвердили это.

— Маленькая девочка! — воскликнул Рипичип возмущённо. — Это же королева.

— Мы ничего не знаем про королев, — сказал главный.

— И мы не знаем, не знаем тоже, — повторили остальные, — но нам нужно то, что она может сделать.

— Что же это? — удивилась Люси.

— И если это угрожает чести или безопасности её величества, — добавил Рипичип, — вам не понравится исход сражения.

— Ну, — произнес главный, — тогда, может быть, сядем?

Это предложение было с радостью принято остальными голосами, но нарнийцы остались стоять.

— Да, — начал главный, — дело было так. В незапамятные времена этим островом владел величайший волшебник. А мы все — его слуги, хотя правильнее было бы сказать — были. Ну, короче говоря, волшебник, о котором я говорю, велел нам сделать то, чего мы не хотели. И тогда он ужасно разгневался. Должен вам сказать, островом владел он и не привык, чтобы ему противоречили. Так вот: волшебник поднялся на верхний этаж (именно там держал он все свои волшебные принадлежности, в то время как все мы жили внизу) и наложил на нас заклятие, чтобы мы стали страшными. Если бы вы сейчас нас увидели — думаю, вы должны благодарить свою звезду, что это невозможно, — то не поверили бы, что мы выглядели так же, как вы, пока не стали такими страшилами. Правда-правда. Когда мы просто не могли смотреть друг на друга, знаете, что мы сделали? Сейчас я вам скажу что. Мы подождали, когда он уснёт после обеда, и, набравшись смелости, прокрались наверх, к его волшебной книге, чтобы посмотреть, можно ли как-то отделаться от своего безобразия. От страха мы потели и дрожали, поверьте, но так и не смогли отыскать заклятие, которое сняло бы прежнее. А время шло, и старый волшебник мог проснуться в любую минуту — я весь дрожал как в лихорадке, правда-правда. Ну, если в двух словах, то — в конце концов мы нашли заклятие, которое делает людей невидимыми, и решили, что лучше быть такими, чем безобразными. И моя маленькая дочь — примерно того же возраста, что и ваша девочка, очень хорошенькая до этого, — прочитала заклятие, потому что его должна была читать либо девочка, либо сам волшебник, иначе не подействует. Ничего не получится. Моя Клипси прочла заклятие — а я должен сказать, она чудесно читает, — и мы все стали невидимыми, как вы уже поняли. И, скажу я вам, было большим облегчением не видеть чужих лиц. Во всяком случае, поначалу. Но со временем мы смертельно устали от того, что стали невидимы. И ещё одно. Мы не думали, что тот волшебник станет невидимым тоже. Но с тех пор мы его не видели. И, значит, не знаем, жив он, или умер, или ушёл, или просто сидит невидимый у себя наверху, а может, спустился и ходит здесь. А прислушиваться нет никакого смысла, потому что он ходит босой. И шума от него не больше, чем от кота. И я должен вам прямо сказать, господа: это невыносимо.

Такую историю рассказал их главный, но я её изрядно сократил, опустив то, что говорили другие голоса. Ему давали произнести не больше шести-семи слов, чтобы не перебить, не выкрикнуть своё согласие и поддержку, от чего нарнийцы чуть не сошли с ума. Когда рассказ закончился, наступило долгое молчание, которое в конце концов нарушила Люси:

— Но какое всё это имеет отношение к нам?

— Как же, неужели я упустил самое главное? — удивился предводитель невидимок.

— Да сказал, сказал! — раздались взволнованные голоса. — Никто не мог бы сказать яснее и лучше. Продолжай, продолжай.

— Не рассказывать же всю историю заново...

— Нет! Конечно, нет, — хором поспешили сказать Каспиан и Эдмунд.

— Ну, тогда самую суть, — согласился предводитель. — Мы всё это время ждали, чтобы девочка из чужой страны, вроде вас, барышня, поднялась по лестнице наверх, нашла в волшебной книге заклятие, от которого мы перестали бы быть невидимыми, и произнесла его. И все мы поклялись, что первым же чужестранцам, которые причалят к этому острову (я хочу сказать, если среди них будет девочка), мы не дадим уйти живыми, пока они не сделают того, что нам нужно. Вот почему, господа, если ваша девочка откажется, нашим неприятным долгом будет перерезать вам всем горло. Не в обиду вам, но дело есть дело.

— Что-то я не вижу вашего оружия, — сказал Рипичип. — Оно тоже невидимо?

Не успел он договорить, как все услышали свист, а в следующую секунду копьё вонзилось в одно из деревьев позади них.

— Вот оно, копьё. Когда я отпускаю его, оно становится видимым.

Невидимки хором загалдели, а Люси спросила:

— Но почему вы хотите, чтобы это сделала именно я? Почему не одна из ваших?

— Мы не смеем, не смеем! — раздались голоса. — Мы больше никогда не поднимемся наверх.

— Другими словами, — подвёл итог Каспиан, — вы не хотите подвергать опасности своих сестёр и дочерей, поэтому решили использовать эту даму.

— Да, да, верно! — с готовностью подхватили голоса. — Лучше не скажешь. Да, сразу видно, что вы получили образование. Каждому понятно.

— Ну, из всех самых отвратительных… — начал было Эдмунд, но Люси перебила его:

— Когда я должна туда пойти: ночью или днём?

— Да, днём, днём, не сомневайтесь, — раздался голос их главного. — Не среди ночи. Конечно, нет! Никто не просит вас об этом. Идти наверх в темноте? Нет-нет.

— Хорошо, я согласна, — сказала Люси и обернулась к своим: — Даже не пытайтесь меня останавливать. Неужели вы не понимаете, что это бессмысленно? Их тут десятки. Мы не можем с ними сражаться. А так, во всяком случае, есть шанс.

— Но там волшебник! — воскликнул Каспиан.

— Я помню, — отозвалась Люси. — Но, возможно, он не такой плохой, как они думают. Вам не кажется, что эти люди не очень храбрые?

— Насчёт храбрости не знаю, а вот что не очень умные — без сомнения, — сказал Юстас.

— Послушай, Люси, мы не можем рисковать, — попытался отговорить сестру Эдмунд. — Спроси Рипа: я уверен, что он со мной согласен.

— Но ведь иначе всем нам грозит смерть, — возразила Люси. — Я не больше вашего хочу, чтобы мне перерезали горло невидимые монстры.

— Её величество права, — сказал Рипичип. — Будь у нас уверенность, что, вступив в бой, мы их одолеем, всё было бы предельно ясно, но, мне кажется, такой уверенности у нас нет. А то, о чём её просят, не противоречит королевской чести —

напротив: это благородное и героическое деяние. И если отважное сердце королевы велит ей пойти к волшебнику, я не стану её отговаривать.

Все знали, что Рипичип никогда ничего не боится, поэтому мог сказать это, не чувствуя неловкости, но мальчики, которые часто испытывали страх, густо покраснели. Тем не менее смысл речи Рипичипа был всем ясен, и с ним нельзя было не согласиться. Решение Люси невидимки приветствовали восторженными криками, а их предводитель (горячо поддержанный всеми остальными) пригласил нарнийцев поужинать и провести вечер вместе. Юстас был против, но Люси сказала:

— Я уверена, что это совершенно безопасно.

Все с ней согласились и, сопровождаемые ужасным топотом (который стал ещё громче, когда вся толпа вывалилась на мощёный двор), вернулись в дом.

## *Глава десятая*

## ВОЛШЕБНАЯ КНИГА

Невидимки принимали гостей по-царски. Было забавно видеть, как появляются на столе тарелки и блюда, которые как будто никто и не приносил. Было бы ещё забавнее, если бы они двигались на таком расстоянии от пола, словно их несут невидимые руки, но тарелки передвигались по длинному обеденному залу прыжками. Блюдо то взлетало до пятнадцати футов над полом, затем вдруг опускалось и останавливалось на уровне трёх футов, и если в нем было что-то жидкое, результат оказывался плачевным.

— Вот интересно, — шепнул Юстас Эдмунду, — эти невидимки люди, или что-то вроде огромных кузнечиков, или гигантские лягушки, как ты думаешь?

— Вряд ли люди, — сказал Эдмунд. — Только не делись этими соображениями с Люси: она не слишком жалует насекомых, особенно больших.

Трапеза могла быть куда приятнее, если бы не полное отсутствие какого-либо порядка и не беседа, состоявшая из одних поддакиваний. Эти невидимки только и делали, что всё одобряли. Бо́льшая часть их реплик была из тех, с чем нельзя не согласиться: «Я всегда говорю: если человек голодный, неплохо бы ему что-нибудь съесть», — или: «Становится темно — зна-

чит, ночь наступает», — или даже: «А, ты переходил через реку. Вода ужасно мокрая, правда?». А Люси, не в силах удержаться, всё поглядывала на зияющий тёмный вход и начало лестницы — с её места это было видно — и раздумывала, что увидит, когда на следующее утро поднимется по ступенькам. Угощение, однако, было выше всяческих похвал: грибной суп, варёная курица, горячий окорок, крыжовник, красная смородина, сливки, молоко, творог и мёд, который не едят, а пьют. Мёд всем понравился, а Юстас так много выпил, что потом жалел.

Люси проснулась на следующее утро с таким чувством, будто ей предстоял экзамен или визит к стоматологу. Утро выдалось чудесное: пчёлы с жужжанием влетали и вылетали в открытое окно, а от вида подстриженных лужаек так тепло становилось на душе, будто ты в Англии. Поднявшись и одевшись, Люси постаралась за завтраком вести себя как обычно. Потом, выслушав указания предводителя невидимок относительно того, что ей предстоит сделать наверху, она попрощалась со всеми, молча подошла к лестнице и стала, не оглядываясь, подниматься по ступенькам.

Хорошо, что совсем светло. На площадке после первого пролёта лестницы прямо перед ней оказалось окно. Поднимаясь по лестнице, Люси слышала, как тикают большие напольные часы в комнате внизу. Затем, пройдя площадку, она повернула налево, на следующий пролёт, и тиканья часов здесь уже не было слышно.

Добравшись до самого верха лестницы, Люси увидела длинный широкий коридор, украшенный резными панелями, в дальнем конце которого светилось окно, а на полу лежал ковёр. Слева и справа виднелись открытые двери. Люси замерла. Было так тихо, что не слышалось ни писка мыши, ни жужжания пчелы, ни шуршания шторы — ничего, кроме биения её собственного сердца.

«Последняя дверь слева», — сказала она себе. Жаль, что последняя. Чтобы добраться до неё, предстояло пройти мимо множества комнат, и в любой из них мог находиться волшебник: спящий, бодрствующий, невидимый или даже мёртвый, — но об этом не стоит думать.

«Пока бояться нечего», — сказала себе Люси и пошла вперёд. Толстый ковёр заглушал шаги. И в самом деле, в залитом солнечным светом коридоре было очень тихо — возможно, даже слишком. Лучше бы здесь не было странных знаков алой краской на дверях — извилистые переплетённые линии, которые определённо что-то значили, и явно не очень хорошее. Лучше бы на стенах не висели маски. Они не были страшными — или не казались такими уж страшными, — но пустые глазницы выглядели подозрительно, и если позволить себе, то легко можно было вообразить, что они начнут корчить рожи, как только ты повернёшься к ним спиной.

Проходя мимо шестой двери, Люси впервые по-настоящему испугалась. В первую секунду она была уверена, что на неё смотрит со стены и корчит ей гримасы чьё-то маленькое бородатое личико, поэтому заставила себя остановиться и приглядеться. Это было вовсе не лицо, а маленькое зеркало, размером и формой действительно как её собственное лицо, только с космами волос наверху и бородой внизу, отчего, если смотреться в него, волосы и борода кажутся твоими собственными. «Я просто увидела краем глаза своё отражение, проходя мимо, — сказала себе Люси. — Вот и всё. Это совершенно безопасно». Но такое вот лицо — с космами и бородой — ей не понравилось. Ещё не дойдя до последней двери слева, Люси подумала, не стал ли коридор длиннее за то время, что она по нему идёт, и нет ли в этом волшебства, но тут как раз увидела нужную дверь, гостеприимно открытую.

Это была большая комната с тремя широкими окнами, от пола до потолка уставленная книгами. Столько книг Люси никогда в жизни не видела: маленькие книжечки, толстые книги больше Библии, все в кожаных переплётах, от которых исходил аромат древности и учёности, аромат волшебства, — но она знала из полученных указаний, что ей даже и думать об этих книгах не нужно, потому что книга, волшебная книга, лежала на столе, стоявшем посреди комнаты. Люси поняла, что читать придётся стоя (здесь не было стульев), к тому же спиной к двери, поэтому пошла её закрыть, но дверь не закрывалась.

Может, кто-нибудь не согласится с Люси, но я думаю, она была совершенно права, когда сказала, что не так важно, что дверь не закрыта, просто неприятно, когда в таком месте открытая дверь как раз за твоей спиной. Я бы чувствовал то же самое, но ничего не поделаешь.

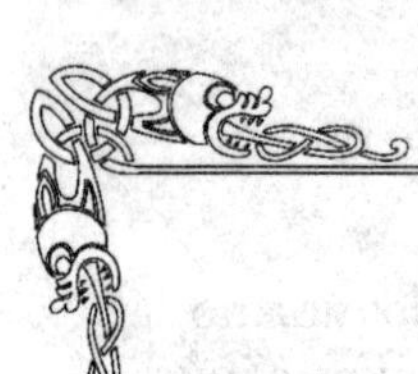

Ещё её беспокоили размеры книги. Предводитель невидимок не мог сказать, как найти в книге заклятие, которое делает людей видимыми, даже удивился её вопросу, потому что считал, что она начнёт с самого начала и дойдёт до нужного места. Понятно, что он никогда не думал, что можно искать что-то в книге по-другому. «Но это займёт у меня несколько дней, а то и недель! — мысленно воскликнула Люси, разглядывая огромный том. — Мне и так кажется, что я провела здесь целую вечность!»

Люси подошла к столу и, положив руку на книгу, почувствовала, как пальцы стало покалывать, как будто книга наэлектризована. Попытка открыть её не увенчалась успехом, но только потому, что переплёт был застёгнут на две свинцовые застёжки, а когда она расстегнула их, книга легко открылась. Ах что это была за книга!

Не напечатанная, а рукописная, с чёткими буквами, утолщавшимися книзу и тонкими вверху, крупными, легкочитаемыми и такими красивыми, что Люси на несколько минут даже забыла про чтение. От бумаги, гладкой и похрустывавшей, шёл дивный запах, перед каждым заклинанием имелась картинка, а текст начинался с изукрашенной буквицы.

Здесь не было ни титульной страницы, ни названия: заклинания начинались сразу и поначалу не содержали ничего важного: средства от бородавок (вымыть руки лунным светом в серебряном тазу); средство от зубной боли и колик, затем заклятие, с помощью которого можно снять пчелиный рой. Мужчина с больным зубом был изображён настолько живо, что при взгляде на него начинало казаться, что и у тебя болит зуб, а золотые пчёлы, нарисованные рядом с соответствующим заклинанием, казались живыми.

Люси никак не могла оторваться от первой страницы, но когда наконец перевернула её, увидела, что и вторая не менее интересна. «Мне нельзя задерживаться», — напомнила она себе... и пролистала страниц тридцать. Если бы она успела их прочитать, то знала бы, как найти клад; как вспомнить забытое; как забыть то, что хочешь забыть; как узнать, говорят ли тебе правду; как призвать (или усмирить) ветер, туман, снег или дождь; как вызвать прекрасные сновидения и как превратить человеческую голову в ослиную (как случилось с бедным ткачом Основой). И чем дальше она читала, тем удивительнее и реалистичнее становились картинки.

Наконец Люси дошла до страницы, где было такое множество великолепных рисунков, что текст читался с трудом, но она всё же разобрала: «Надёжное заклятие сделаться красавицей, каких мало в мире». Склонившись над книгой, Люси принялась рассматривать картинки, и, хотя прежде их было слишком много и не все понятные, сейчас она ясно видела, что на них нарисовано. Сначала шла картинка, на которой девочка сто-

яла с огромной книгой в руках, одетая в точности как Люси. На следующей картинке Люси (потому что та девочка действительно была Люси) стояла с открытым ртом и что-то читала или пела. На третьей картинке она стала такой красавицей, «каких мало в мире». Было удивительно, что картинки словно выросли: теперь стали величиной с настоящую Люси. Девочки несколько минут смотрели друг на друга, и настоящая Люси первой отвела взгляд, ослеплённая красотой другой Люси, хотя прекрасно видела сходство её лица со своим. Теперь картинки перед ней замелькали: вот она восседает на троне на большом турнире в Тархистане, а все короли мира сражаются за право назвать её своей Прекрасной Дамой. После этого турниры сменились настоящими войнами, и вся Нарния и Орландия, Тельмар и Тархистан, Гальма и Теревинфия были опустошены из-за яростных битв королей, герцогов и лордов, сражавшихся за её благосклонность. Затем картинки сменились, и Люси, всё ещё прекрасная, как мало кто в мире, вернулась в Англию. И Сьюзен (самая красивая в их семье) как раз приехала из Америки. Сьюзен на картинке выглядела совсем как настоящая, только попроще и со злым выражением лица. Сьюзен завидовала ослепительной красоте младшей сестры, но это не имело особого значения, потому что теперь никому не было до Сьюзен дела.

«Я *произнесу* это заклятие, — сказала себе Люси. — Мне всё равно: возьму и произнесу!»

Она не зря сказала: *«Мне всё равно!»* — чувствовала, что делать этого не следует, — но когда снова вернулась к началу заклятия, где, в чём была уверена, не было никаких картинок, то увидела большую морду льва, самого Аслана, и он в упор смотрел на неё. Рисунок был таким ярким и реалистичным, что, казалось, лев вот-вот сойдёт к ней со страницы. Позже Люси не могла сказать точно, двигался ли он, но что ей запомнилось — это выражение неудовольствия и оскаленные зубы. Она ужасно испугалась и поспешила перевернуть страницу.

Дальше она наткнулась на заклятие, которое давало возможность узнать, что о тебе думают друзья. Люси, стараясь отвлечься от того, другого, которое превращает в красавицу, каких мало, торопливо, опасаясь передумать, прочитала про друзей (что именно — не скажу, даже не просите) и стала ждать результата.

Ничего не происходило, и Люси принялась рассматривать картинки. И сразу же увидела то, чего меньше всего ожидала: вагон третьего класса, а в нём среди пассажиров — двух школьниц, которых узнала с первого взгляда: Марджори Престон и Энн Фиверстон. Только это уже была не картинка в книжке — она ожила. Сначала Люси увидела, как за окном вагона мелькают телеграфные столбы, затем постепенно (как если прибавить звук в радиоприёмнике) услышала разговор девочек.

— Так мы будем общаться в этой четверти, — спросила Энн, — или ты так и продолжишь ходить хвостиком за Люси Певенси?

— Не понимаю, что ты имеешь в виду, — ответила Марджори.

— Прекрасно понимаешь, — возразила Энн. — Ты всю прошлую четверть ходила за ней хвостиком и разве что в рот не заглядывала.

— Ничего подобного! Я что, похожа на дурочку? Кстати, она совсем не плохая, просто к концу четверти порядком мне надоела.

— Ну ничего себе! — возмутилась Люси. — Двуличная свинья!

Звук собственного голоса моментально напомнил ей, что она обращается к картинке, а Марджори далеко, в совсем другом мире. «Что ж, — тогда сказала себе Люси, — я была о ней лучшего мнения. Знала бы, что она такая, ничего бы для неё не делала, не заступалась. И кому она говорит такое: Энн Фиверстон! Неужели все мои подруги такие же? Здесь ещё полно картинок. Нет, не буду больше смотреть. Не буду, не буду!»

И она нехотя перевернула страницу, на которую успела капнуть крупная злая слеза. Взгляд её упал на заклятие «для отдохновения души». Картинок стало меньше, а то, что Люси прочла, показалось ей скорее притчей, чем заклинанием. Текст занимал три страницы, и, ещё не дочитав первую до конца, она вообще забыла, что это чтение. Она будто переместилась в другую реальность и жила в ней.

Дойдя до конца, Люси воскликнула:

— Какая чудесная история! Лучшее из всего, что я когда-нибудь читала. Такие можно читать хоть десять лет подряд. Эту, во всяком случае, можно перечитать прямо сейчас.

Вот тут-то и проявилось настоящее волшебство книги: оказалось, что вернуться на прочитанные страницы нельзя. Страницы справа, те, что ещё предстояло прочесть, можно было листать, а страницы слева — нет.

«Какая жалость! — расстроилась Люси. — Мне так хотелось это перечитать. Попробую всё же вспомнить. Сейчас… это о… о… Странно: всё как будто выцвело, а последняя страница сделалась белой. Какая необычная книга... Вроде там было о кубке и шпаге, о дереве на зелёном холме... Больше не могу вспомнить».

Хоть она больше ничего так и не вспомнила, с этого дня любой рассказ, который даже немного походил на забытую историю в книге волшебника, казался ей хорошим.

Перевернув страницу, Люси удивилась: картинок здесь совсем не было, — зато первые слова её буквально заинтриговали: «Как сделать невидимое видимым». Сначала она пробежала заклинание взглядом, потом прочла вслух и тут же поняла, что оно действует, потому что, в то время как она проговаривала текст, буквицы налились цветом, а на полях стали возникать картинки. Так происходит, если поднести к огню написанное невидимыми чернилами, — постепенно проступает текст; только вместо тусклого цвета лимонного сока (это самые ранние невидимые чернила) здесь становились видны золотые, синие и алые буквы. Это были странные картинки с множеством фигур, смотреть на которые Люси не очень нравилось. Тогда она подумала: «Похоже, видимыми сделались не только эти топтуны: в таких местах, как это, должно быть множество всяких невидимок. Не уверена, что мне хочется увидеть их всех».

В этот момент из коридора за спиной раздались мягкие тяжёлые шаги, и, разумеется, Люси сразу вспомнила про босого волшебника, который производит не больше шума, чем кот. Всегда лучше обернуться и встретить любую неожиданность лицом к лицу.

Стоило увидеть того, кто предстал её взору, как лицо её озарилось, и на какое-то время (хотя она не знала об этом) Люси стала такой же красивой, как та, другая, на картинке, и бросилась вперёд, распахнув объятия, тихонько вскрикнув от восторга. Потому что в дверях стоял сам Аслан, лев, Величайший из всех Верховных королей. Большой, плотный, тёплый, настоящий, он позволил ей уткнуться лицом в его зо-

лотистую гриву, и по низкому звуку, похожему на отдалённый гром, Люси догадалась, что он мурлычет.

— Ах, Аслан! Как хорошо, что ты пришёл.

— Я всё время был здесь, — мягко сказал лев. — Просто ты сделала меня видимым.

— Ну зачем ты смеёшься надо мной? — воскликнула Люси, и в голосе её слышался упрёк. — Разве я могу сделать что-нибудь подобное!

— Конечно. Неужели ты думаешь, я не подчиняюсь собственным правилам?

Последовала небольшая пауза, и Аслан заметил:

— Дитя моё, ты поступила нехорошо, потому что подслушивала.

— Подслушивала? — удивилась Люси.

— Да, разговор о тебе твоих одноклассниц.

— А, ты об этом... Ну какое же это подслушивание — ведь волшебство.

— Следить за кем-либо нехорошо, и не важно, каким образом. А о своей подруге ты судишь неверно. Она слабая, но очень дорожит дружбой с тобой, просто побаивается той девочки, что постарше, потому и говорит не то, что думает.

— Вряд ли я когда-нибудь смогу забыть её слова.

— Да, ты их не забудешь.

— Ой! Неужели я всё испортила? Ты хочешь сказать, что мы оставались бы подругами, если бы я этого не слышала, и дружили бы всю жизнь?

— Дитя моё, — мягко напомнил Аслан, — разве я не говорил тебе однажды, что никому не дано знать, *что произойдёт в будущем?*

— Да, я помню. Прости. Только прошу тебя, скажи: когда-нибудь смогу ли я прочесть ту притчу, что никак не могу вспомнить, ещё раз? А может, ты перескажешь мне её?

— Конечно. Я буду рассказывать её всё время. А сейчас пойдём: нужно повидать хозяина дома.

### *Глава одиннадцатая*

## КАК ПОЯВИЛИСЬ ОХЛАТОПЫ

Люси вышла вслед за Великим львом в коридор и сразу же увидела шедшего по направлению к ним старца (опиравшегося на украшенный резьбой посох, босого, в красных одеждах), на белоснежных волосах которого лежал венок из дубовых листьев, борода доходила до пояса. Увидев Аслана, он низко поклонился и сказал:

— Добро пожаловать, владыка, в скромнейший из твоих домов.

— Ты ещё не устал, Кориакин, управляться со своими глупыми подданными, которых я тебе поручил?

— Нет, — ответил волшебник, — они и правда очень глупы, но в них нет зла. Я даже полюбил их. Иногда, правда, я бываю нетерпелив, ожидая, когда же, наконец, они будут руководствоваться мудростью, а не своей грубой магией.

— Всему своё время, Кориакин, — сказал Аслан.

— Да, ты прав, владыка, — согласился волшебник. — Ты собираешься показаться им?

— Нет. — Лев чуть рыкнул, что означало, по мнению Люси, смех. — Я напугаю их до смерти. Много звёзд успеет состариться и уйти на отдых на острова, прежде чем твой народ дозреет до этого. А сегодня, ещё до захода, я должен посетить

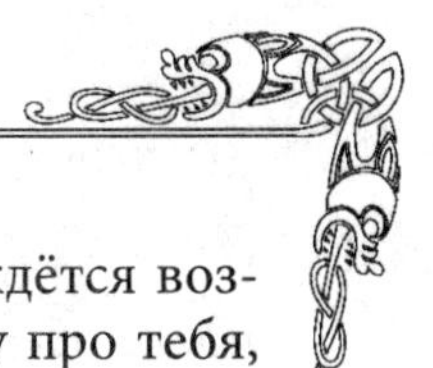

Трама в замке Кэр-Параваль, который ждёт не дождётся возвращения своего короля Каспиана. Я расскажу ему про тебя, Люси. Не грусти, мы скоро увидимся.

— Скажи, Аслан, *скоро* — это когда? — спросила Люси.

— Для меня скоро всё, — ответил Аслан и мгновенно исчез, оставив Люси наедине с волшебником.

— Ушёл! — сказал тот. — А мы с тобой расстроились. Вот так всегда: его нельзя удержать, нельзя *приручить*. Кстати, тебе понравилась моя книга?

— Да, а некоторые страницы — очень! А вы всё время знали, что я здесь?

— Конечно. С тех пор как позволил охламонам сделаться невидимыми, я знал, что ты придёшь, дабы снять заклятие, но не знал точно, в какой день. А в это утро не следил вообще: понимаешь, они сделали невидимым и меня, поэтому я стал сонным. О, видишь, опять зеваю. Ты голодна?

— Возможно, немного, — созналась Люси. — Не представляю себе, который сейчас час.

— Пойдём, — позвал волшебник. — Это для Аслана любое время — скоро, а в моём доме, если голоден, любое время обеденное.

Он провёл её по коридору и открыл дверь. Люси оказалась в чудесной комнате, залитой солнечным светом и полной цветов. Когда они вошли, на столе ничего не было, но, разумеется, недолго: по слову волшебника тут же появилась скатерть, столовое серебро, тарелки, стаканы и целое гастрономическое изобилие.

— Надеюсь, тебе понравится, — сказал волшебник. — Здесь те блюда, что принято есть в твоей стране, а не те, что ты ела в последнее время.

— Чудесно! — воскликнула Люси, окинув взглядом стол: омлет с пылу с жару, холодная баранина с зелёным горошком, клубничное мороженое, лимонад, а на десерт — чашка шоколада.

Волшебник ничего, кроме хлеба, не ел, а пил только вино и совсем не казался страшным, поэтому скоро они с Люси болтали как старые друзья.

— Когда начнёт действовать заклятие? — спросила Люси. — Охламоны станут видимы сразу?

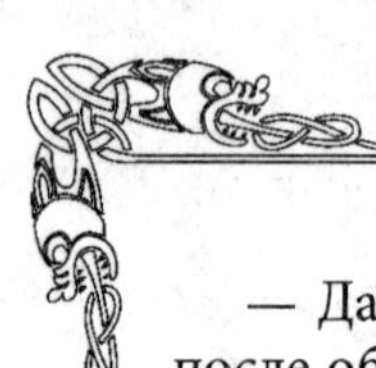



— Да они уже видимы, но, наверное, спят: любят прилечь после обеда.

— А теперь вы сделаете их не такими страшными? Они снова станут как прежде?

— Это довольно сложно, — медленно проговорил волшебник. — Понимаешь, в чём дело: ведь только они думают, что раньше были красавцами. Многие из них говорят, что превратились в страшил, а я считаю, что, напротив, изменились к лучшему.

— Они так тщеславны?

— Да. Во всяком случае, их предводитель, а они вслед за ним, потому что слепо верят каждому его слову.

— Мы это заметили, — кивнула Люси.

— Да, без него было бы в каком-то смысле легче. Разумеется, я мог бы превратить его во что-то ещё или даже наложить на него заклятие, чтобы все остальные не верили ни единому его слову, но мне не хочется. Пусть уж лучше восхищаются им, чем вообще никем.

— А вами восхищались? — спросила Люси.

— О нет, нисколько! — воскликнул волшебник.

— Почему вы превратили их в страшил… то есть в тех, кого они сами так называют?

— Ну, они не захотели выполнять свои обязанности: ухаживать за садом и огородом, выращивать фрукты и овощи — не для меня, как они считают, а для себя. Они бы вовсе ничего не делали, если бы я их не заставлял. И, разумеется, для сада и огорода нужна вода. В полумиле отсюда, на холме, есть прекрасный родник, откуда берёт начало ручей, который протекает прямо за садом. Я предложил им брать воду из ручья, а не таскаться с ведрами к роднику два-три раза в день, совершенно выматываясь и проливая половину воды на обратном пути, но они отказались.

— Они что, настолько глупы?

Волшебник вздохнул.

— Это ещё что. Не поверишь, но как-то они все принялись мыть посуду до обеда, чтобы не тратить на это время потом. Однажды застал их за посадкой варёного картофеля, чтобы выкапывать уже готовый. Как-то у них кот попал в чан с молоком, и двадцать охламонов принялись вычерпывать молоко,

вместо того чтобы вытащить кота. Но, я вижу, ты поела, так что пойдём посмотрим на охламонов теперь, когда они стали видимыми.

Они прошли в другую комнату, где было полно самых разных инструментов, непонятно для кого предназначенных: астролябии, модели планетной системы, хроноскопы, стихометры, хореямбы и теодолинды, — и там, остановившись возле окна, волшебник сказал:

— Вот они, твои охламоны.

— Я никого не вижу, — удивилась Люси. — Разве что грибы…

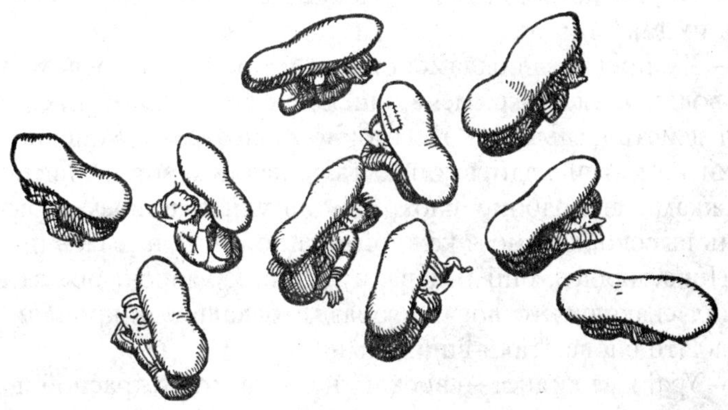

То, на что она показывала, усеяло всю подстриженную лужайку и в самом деле напоминало грибы, только гораздо крупнее, с ножками высотой около трёх футов и примерно такого же диаметра шляпками. Присмотревшись повнимательнее, Люси заметила, что ножки соединены со шляпками не в центре, а только с одного края, и возле каждой ножки на траве лежало что-то вроде небольшого узелка. По мере того как она замечала всё новые детали, «грибы» всё меньше казались похожими на грибы. «Шляпка» была вовсе не круглой, как она думала сначала, а вытянутой, расширявшейся к одному из концов. И было этих «грибов» очень много: не меньше пятидесяти, — а может, и больше.

Как только часы пробили три, с «грибами» стали происходить удивительные метаморфозы: все они вдруг перевернулись с ног на голову, и узелки, лежавшие возле каждой ножки, оказались головами и телами, а сами ножки — ногами, только не такими, как у людей. У каждого тела имелась лишь одна толстая нога посредине, которая заканчивалась огромной ступнёй с широкими пальцами, слегка заворачивающимися, так что ступня напоминала маленькое каноэ. В ту же минуту стало понятно, почему они были похожи на грибы: лежали на спине, с поднятой единственной ногой, а огромная ступня нависала сверху. Как выяснилось потом, это их обычная манера отдыхать, потому что нога прикрывает от дождя и солнца и для них лежать в её тени так же удобно, как находиться в палатке.

— Ой, какие смешные! — рассмеялась Люси. — Это вы сделали их такими?

— Да, превратил охламонов в однотопов, — с трудом выдавил волшебник, тоже смеявшийся до слёз. — Смотри, смотри!

И действительно на это стоило посмотреть. Конечно, эти крохи не могли ходить или бегать, как мы, и передвигались прыжками наподобие блох или лягушек, причём прыгали очень высоко, словно в каждой мощной ноге имелась пружина. Приземляясь, они издавали громкий хлопок. Вот эти создания скакали кто во что горазд, толкались и кричали, радуясь, что снова стали видимыми.

— Ура! Нас видно! — воскликнул однотоп в красной шапке с кисточкой, несомненно их предводитель. — То есть я хочу сказать, если мы видимы, то нас видят и другие.

— Ну да, так и есть, так и есть! — поддержали его остальные. — В самую точку. Яснее и не скажешь. Разве можно выразиться лучше?

— Эта девочка молодец: успела, пока старик спал, — похвалил Люси предводитель однотопов. — На этот раз мы его обошли.

— Мы тоже так думаем! — подхватил хор. — Ты, как всегда, молодец! Так держать!

— Да как они смеют говорить о вас в таком тоне? — возмутилась Люси. — Ещё вчера так боялись. Они что, не догадываются, что вы можете услышать?

— С охламонами всегда так, — вздохнул волшебник. — То им кажется, что я всюду, всё слышу и очень опасен, то вдруг почему-то приходит в голову, что могут обвести меня вокруг пальца, как малого ребёнка, честное слово.

— Они должны стать прежними? — спросила Люси. — А может, лучше оставить их такими? Они не очень огорчатся? Мне кажется, сейчас они вполне счастливы: посмотрите, как скачут. А раньше они какие были?

— Обычные гномы, — пожал плечами волшебник, — хотя и менее привлекательные, чем в Нарнии.

— Очень жаль превращать их в простых гномов, — сказала Люси. — Они такие смешные и к тому же прехорошенькие. Как вы думаете, если я скажу им это, они обрадуются?

— Уверен, что да, если ты сумеешь их убедить.

— Вы пойдёте со мной?

— Нет, тебе лучше пойти без меня.

— Огромное спасибо за обед! — поблагодарила Люси и побежала назад.

Уже спустившись по той самой лестнице, по которой с такой тревогой поднималась в это утро, она налетела на Эдмунда. Тут же подошли и все остальные, и Люси стало совестно, глядя на их обеспокоенные лица: она поняла, что даже ни разу не вспомнила о них.

— Со мной всё в порядке. Волшебник замечательный… и ещё я видела его… Аслана.

После этого вся компания побежала следом за ней в сад. Земля содрогалась от топота, а в воздухе звенели крики однотопов. Едва заметив Люси, они и вовсе подняли невообразимый гвалт:.

— Вот она идёт, вот она! Трижды «ура!» этой маленькой девочке! Она провела старика, да-да!

— Нам очень жаль, — заговорил предводитель однотопов, — что мы не можем доставить тебе удовольствие созерцать нас такими, какими мы были прежде. Ты даже представить себе не можешь, насколько мы были лучше! Никто не станет отрицать, что мы сейчас ужасно страшные, поверь.

— Да-да, так и есть, — поддержали его остальные, подпрыгивая, как мячики. — Ты правду сказал.

— Но мне вы вовсе не кажетесь страшными, — как можно громче, чтобы все услышали, возразила Люси. — Напротив, вы очень красивые.

— Слушайте её, слушайте! — зашумели однотопы. — Ты права, права. Мы красивые. Никого красивее не найдёшь.

В их голосах Люси не услышала удивления: казалось, они даже не заметили, что изменили свое мнение на противоположное, — но предводитель возразил:.

— Она сказала, что мы были красивые до того, как стали страшными.

— Ты прав, конечно, прав, — тут же пошли на попятную остальные. — Так она и сказала. Мы и сами это слышали.

— Нет, не так! — как можно громче выкрикнула Люси. — Я сказала, вы очень красивые *сейчас*.

— Она сказала, — стоял на своём главный однотоп, — что раньше мы были очень красивые.

— Слушайте, слушайте их обоих! — принялись вопить однотопы. — Они молодцы. Всегда правы. Лучше и не скажешь.

— Но мы говорим совершенно разное! — нетерпеливо топнула ногой Люси.

— Ну да, ну да, это точно, — подхватили однотопы. — Именно что разное, так что продолжайте оба!

— С вами с ума можно сойти, — сдалась наконец Люси и прекратила попытки в чём-либо их убедить.

Впрочем, однотопы казались очень довольными, так что она решила, что цели достигла.

А до исхода дня произошло событие, которое ещё больше порадовало однотопов и убедило, что одна нога лучше. Каспиан и другие нарнийцы поспешили к берегу, чтобы успокоить Ринса и всех остальных, кто оставался на борту «Покорителя зари». И, разумеется, однотопы отправились вместе с ними, подскакивая, как футбольные мячи, и в полный голос одобряя друг друга.

— Жаль, что волшебник не сделал их неслышимыми, — не выдержал Юстас и тут же пожалел о сказанном, потому что был вынужден объяснять, что «неслышимый» — это такой, которого нельзя услышать, а далось ему это нелегко, потому что было непонятно, что однотопы понимают, а что нет.

Особенно его рассердили их заключительные фразы: «Э-э-э, да он совсем не умеет рассказывать — не то что наш главный. Ему ещё учиться и учиться». А потом и вовсе кто-то из них имел наглость посоветовать:

— Ты, молодой человек, слушай *его*. Он покажет, как надо объяснять. Вот уж кто настоящий оратор!

К этому моменту они добрались до берега, и Рипичипу пришла в голову блестящая мысль. Спустив на воду свою маленькую лодочку, он принялся грести, привлекая тем самым внимание однотопов, затем поднялся в полный рост и воскликнул:

— Достойные и разумные однотопы, если хотите, как я, передвигаться по воде, вам не нужны лодки: у каждого из вас есть нога — просто прыгните в воду.

Предводитель не рискнул прыгать и предупредил остальных, что вода ужасно мокрая, но парочка самых молодых однотопов не испугались, а за ними ещё несколько, пока в конце концов все не оказались в воде. Все было превосходно: огромная ступня прекрасно держала на поверхности наподобие плота, а когда Рипичип показал однотопам, как вырезать грубые весла, они и вовсе устроили гонки вдоль берега и вокруг «Покорителя зари». Они были похожи на караван маленьких каноэ, в каждом из которых стоит толстенький гном. Когда однотопы подплывали к кораблю, матросы спускали им в качестве призов бутылки вина, а сами, перегнувшись через борт, хохотали до колик.

Охламоны были довольны своим новым именем — «однотопы», хотя никак не могли выговорить его правильно и называли себя кто во что горазд: «донотопы», «топодоны», «недотёпы», «нотодопы». Скоро они совсем запутались и в результате соединили прежнее название: «охламоны» — и новое: «однотопы» — и сделались охлатопами, — и так, наверное, будут зваться в веках.

В этот вечер нарнийцы ужинали наверху с волшебником Кориакином, и Люси заметила, что второй этаж теперь, когда перестала бояться, выглядит совсем иначе. Таинственные знаки на дверях так и остались таинственными, только сейчас не казались мрачными и страшными, и даже бородатое зеркало выглядело не пугающим, а забавным. За ужином каждый волшебным образом получил любимое блюдо и напиток, а после ужина волшебник совершил очень полезное чудо. Положив два листа пергамента на стол, он предложил Дриниану подробно описать всё путешествие, и по мере того как капитан рассказывал, всё, о чём он говорил, изображалось на пергаменте тонкими чёткими линиями. В конце концов получилась

великолепная карта Восточного океана, где были изображены Гальма, Теревинфия, Семь островов, Одинокие острова, Драконий остров, Горелый остров, остров Мёртвой Воды и сам остров Охламонов, все в нужных размерах и на нужных местах. Это была первая карта здешних морей, и она оказалась лучше всех тех, что выпустили потом, без помощи волшебства, потому что на ней, хоть города и горы на первый взгляд выглядели так же, как на обычной карте, когда волшебник достал волшебную лупу, стало возможным увидеть чудесные маленькие изображения и замка, и невольничьего рынка, и улиц в Узкой Гавани, причём очень ясно, как будто разглядываешь что-то в перевёрнутый телескоп. И лишь очертания береговой линии оставались неполными, потому что карта показывала только то, что Дриниан видел своими глазами. Когда они закончили, волшебник оставил одну карту себе, а другую подарил Каспиану, и она до сих пор висит в его кабинете в Кэр-Паравале. Волшебник Кориакин ничего не знал о морях и землях, лежащих дальше к востоку, но рассказал, что примерно семь лет назад в эти воды зашёл нарнийский корабль и на его борту находились англичане, лорды Ревелиан, Аргоз, Мавроморн и Руп. Так путешественники поняли, что золотой человек на острове Мёртвой Воды был лорд Рестимар.

На следующий день Кориакин с помощью магии устранил на «Покорителе зари» все повреждения, причинённые морским змеем, и преподнёс путешественникам множество полезных подарков. Расставание было самым дружеским, и когда в два часа пополудни корабль отошёл от берега, все охлатопы поплыли вслед за ним к выходу из залива, подбадривая выкриками, пока голоса их не перестали быть слышны.

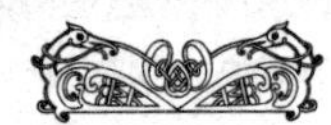

## *Глава двенадцатая*

# ТЁМНЫЙ ОСТРОВ

После этого приключения наши друзья двенадцать дней плыли на юго-восток при лёгком попутном тёплом ветре под чистым небом, не встретив ни рыбы, ни птицы, и только однажды вдалеке по правому борту заметили китов, да и то догадались лишь по фонтанам. Люси и Рипичип коротали время за шахматами. На тринадцатый день Эдмунд с марса увидел слева по борту нечто похожее на большую тёмную гору, поднимавшуюся прямо из моря.

Капитан сменил курс, и корабль, по большей части на вёслах, потому что ветер изменил направление, пошёл к этой земле. К тому времени как стемнело, а потом и всю ночь, они продолжали грести. На следующее утро погода была чудесная, но без ветра. Перед судном лежала тьма, причём это пространство приближалось и увеличивалось, будто корабль попал в полосу тумана.

Около девяти утра она вдруг оказалась так близко, что все поняли: это вовсе не земля и даже не туман в обычном понимании, а именно тьма. Описать её трудно, но представить себе, на что она похожа, вы можете, если вообразите, что смотрите в отверстие железнодорожного туннеля — очень длинного и к тому же изогнутого, так что света в другом конце не

различить. В нескольких футах вам поначалу видны в ярком свете рельсы, тормозные колодки и гравий, но они быстро оказываются в полутьме, а затем, внезапно, хотя и без резкой грани, исчезают в ровной, плотной темноте. Так было и здесь. На несколько футов впереди ещё была видна переливающаяся зеленовато-синяя вода. За ней вода уже казалась бледной, сероватой, какой обычно выглядит по вечерам, а вот ещё дальше стояла полная тьма, словно корабль оказался на краю безлунной и беззвёздной ночи.

Каспиан дал команду остановиться, и все, за исключением гребцов, кинулись к бортам смотреть, но увидеть ничего не удалось: позади них было море и солнце, впереди — тьма.

— Мы пойдём туда? — спросил наконец Каспиан.

— Я бы не советовал, — ответил Дриниан.

— Капитан прав, — поддержали его несколько матросов.

— И я думаю так же, — добавил Эдмунд.

Люси и Юстас молчали, но были рады такому повороту событий.

— А почему бы и нет? — вдруг раздался высокий голос Рипичипа. — Кто-нибудь объяснит мне почему?

Ответом ему была тишина, и храбрый Рипичип продолжил:

— Если бы я имел дело с крестьянами или рабами, то мог бы высказать предположение, что из-за трусости, но, надеюсь, в Нарнии никому даже в голову не придёт, что люди благородного происхождения и королевской крови в расцвете сил повернули назад, испугавшись тьмы.

— Но какая польза от того, что мы будем рассекать эту тьму? — воскликнул Дриниан.

— Польза? — взвизгнул Рипичип. — Польза, капитан? Если под пользой вы имеете в виду набивание животов или кошельков, то, должен вам сказать, такой пользы в этом нет. Но, насколько мне известно, мы пустились в это путешествие не для поисков чего-то полезного, а ради приключений и славы. А тут перед нами величайшее приключение из всех, о каких мне приходилось слышать, и если мы повернём назад, то поставим под сомнение свою честь.

Несколько матросов пробормотали себе под нос что-то вроде: «да провались она, эта честь», — но Каспиан сказал:

— Ох, Рипичип! Я почти жалею, что не оставил тебя дома. Хорошо! Если ты так ставишь вопрос, думаю, нам надо идти вперёд. Если только Люси не возражает.

Люси и хотела бы возразить, но всё же сказала:

— Конечно, нет. Я как все…

— Ваше величество отдаст приказ зажечь огни? — резковато спросил Дриниан.

— Разумеется, — ответил Каспиан. — Распорядитесь, капитан!

Когда три фонаря — на корме, носу и топе мачты — были зажжены, Дриниан приказал установить ещё два факела посреди судна. В ярком солнечном свете они казались бледными и слабыми. Затем всем, кроме нескольких матросов, оста-

вавшихся на вёслах, было приказано построиться на палубе полностью вооружёнными — в боевой позиции, с обнажёнными шпагами. Люси и ещё двух лучников поставили на марс с луками наготове. Ринельф занял пост сигнального на носу корабля, а Рипичип, Эдмунд, Юстас и Каспиан в блестящих кольчугах встали с ним рядом. Дриниан держал румпель.

— Ну, во имя Аслана, вперёд! — скомандовал Каспиан. — Гребите ровно, медленно, и пусть все молчат и слушают приказы.

Гребцы взялись за вёсла, и «Покоритель зари» стал медленно продвигаться вперёд. Люси сверху был отлично виден тот самый момент, когда они вошли в темноту. Нос корабля уже исчез, затем солнце покинуло и корму. Она видела, как оно уходит. Позолоченная корма, синее море и небо, залитые полуденным солнцем, моментально исчезли, и только фонарь на корме, который только что был еле виден, свидетельствовал о местонахождении корабля. Перед фонарём она могла различить тень Дриниана, сжимавшего румпель. Внизу, под ней, два факела освещали небольшую часть палубы и бросали отблески на шпаги и шлемы, и был ещё островок света впереди, на полубаке. Марс, освещённый фонарём на топе мачты, который находился как раз над головой Люси, казался маленьким освещённым мирком, который плыл в темноте сам по себе. И как всегда бывает с огнями, зажжёнными не вовремя, этот казался бледным и неестественным. Ещё Люси поняла, что очень замёрзла.

Никто не знал, сколько времени длилось это путешествие во тьме. Кроме скрипа уключин и плеска вёсел, не было никаких признаков, что корабль движется. Эдмунд с носа корабля не мог различить ничего, кроме отражения фонаря в воде перед собой. Отражение казалось тусклым, а рябь перед носом корабля была мелкой и безжизненной. Время шло, и все, кроме гребцов, начали дрожать от холода.

Вдруг откуда-то — определить направление не представлялось возможным — раздался нечеловеческий крик, или то было выражение крайнего ужаса, в котором человеческое почти исчезло.

Каспиан пытался что-то сказать, но во рту пересохло, когда раздался пронзительный голос Рипичипа, в мёртвой тишине прозвучавший пугающе громко:

— Кто это кричит? Если ты враг, мы тебя не боимся, а если друг, то пусть твои враги боятся нас.

— Спасите! — раздалось из темноты. — Даже если это всего лишь очередной сон, помогите: возьмите на корабль! Хоть убейте потом, но возьмите. Ради всего святого, не исчезайте, не оставляйте меня в этом жутком месте!

— Где вы? — крикнул Каспиан. — Подплывайте к судну, мы возьмём вас!

Опять раздался крик, то ли радости, то ли ужаса, — затем они услышали плеск воды: кто-то плыл к кораблю.

— Помогите ему, — обратился Каспиан к матросам.

— Да-да, конечно, ваше величество, — с готовностью отозвались те.

Несколько человек встали у левого фальшборта с канатами, а один, с факелом в руке, перегнулся через борт, пока не заприметил в чёрной воде бледное лицо. Не без труда дюжина дружеских рук втащила незнакомца на палубу.

Эдмунд подумал, что никогда в жизни не видел человека, который был бы так похож на дикаря. Он не выглядел стариком, но его спутанные волосы были совершенно белыми, лицо — худым и вытянутым, а вся одежда состояла из нескольких лоскутков ткани. Но что поражало больше всего, так это глаза, так широко открытые, что, казалось, век нет вовсе, а во взгляде плещется только страх. Оказавшись на палубе, незнакомец воскликнул:

— Скорее! Скорее отсюда! Разворачивайте корабль, спасайтесь! Гребите, гребите, спешите убраться из этого проклятого места!

— Успокойся наконец, — повысил голос Рипичип, — и скажи, что за опасность нам грозит. Мы не привыкли спасаться бегством.

Незнакомец в ужасе уставился на мышь и с трудом произнес:

— Но вам придётся: на этом острове сны становятся явью.

— Э, да именно такой я давно ищу! — рассмеялся один из моряков. — Думаю, что смогу наконец жениться на Нэнси, если мы здесь причалим.

— А я увижу Тома живым, — с грустью в голосе проговорил другой.

— Глупцы! — воскликнул незнакомец, в гневе топнув ногой. — Вот из-за таких разговоров я и попал сюда, а лучше бы мне утонуть или вовсе не родиться. Разве вы меня не слышали? Здесь сбываются сновидения: понимаете, сны, а не грёзы.

С полминуты стояла тишина, а потом, брякая оружием, вся команда бросилась к главному люку, заняла свои места у вёсел и принялась грести изо всех сил. Дриниан поворачивал румпель, а боцман отдавал команды со скоростью, какой не видывали на море, потому что в эти полминуты каждый припомнил какой-то свой сон — сон, из-за которого потом боишься лечь спать, — и понял, что значит причалить к земле, где сны сбываются.

Только Рипичип, оставаясь совершенно спокойным, без каких-либо эмоций поинтересовался:.

— Ваше величество, неужели вы готовы терпеть мятеж, проявление трусости? Ведь это паника, это бегство.

— Соберитесь и гребите что есть сил! — прокричал Каспиан. —Направление верное, Дриниан? Говори что хочешь, Рипичип, но существуют обстоятельства, которые человек не способен вынести.

— Что ж, значит, мне повезло, что я не человек, — усмехнулся Рипичип и отвесил шутовской поклон.

Люси сверху всё слышала. Моментально один из её собственных снов, который она тщетно пыталась забыть, вспомнился так живо, как будто она только что проснулась. Ей захотелось спуститься на палубу к Эдмунду и Каспиану, но какой смысл? Если сны становятся явью, они оба могут превратиться во что-то ужасное, едва она успеет к ним подойти. Люси вцепилась в леер и попыталась успокоиться. Они плывут назад, гребцы стараются изо всех сил: через несколько минут всё будет хорошо. Только бы поскорее!

Хоть матросы и гребли довольно шумно, эти звуки тонули в полной тишине. Все понимали, что лучше не напрягать слух при каждом звуке из тьмы, но всё равно против воли прислушивались, и поэтому скоро каждый начал что-то слышать, причём каждый — своё.

— Ты слышишь звуки, как будто щёлкают огромные ножницы… вон там? — спросил Юстас у Ринельфа.

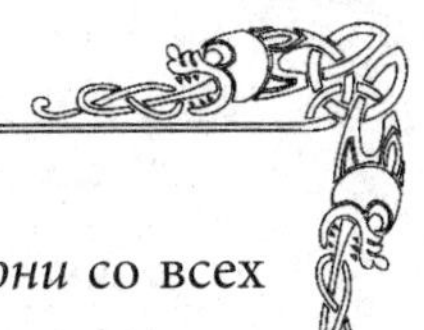

— Молчи! — оборвал его тот. — Я слышу, как *они* со всех сторон наползают на корабль.

— Смотрите: *оно* лезет на мачту! — произнес Каспиан.

— О! — воскликнул один из моряков. — Колокольный звон. Слышите? Я так и знал.

Каспиан, стараясь не смотреть по сторонам (особенно не оглядываться), прошёл на корму к Дриниану и поинтересовался:

— Капитан, сколько времени занял путь сюда? Я хочу сказать, до того места, где подобрали незнакомца?

— Минут пять, наверное. А что?

— Выбраться назад мы пытаемся гораздо дольше.

Рука Дриниана, державшая румпель, задрожала, струйка холодного пота потекла по лбу. Та же мысль пришла в голову не только его величеству...

— Мы никогда отсюда не выберемся, никогда, — послышался ропот среди гребцов. — Он неверно нас направляет, и мы ходим по кругу.

Незнакомец, который до сего момента, съёжившись, лежал на палубе, сел и вдруг разразился жутким смехом:

— Никогда не выберемся! Разумеется, не выберемся. Глупо было думать, что нам удастся так легко уйти отсюда! Нет-нет, нечего даже пытаться.

Люси перегнулась через ограждение марса и прошептала:

— Аслан, милый Аслан, если ты действительно любишь нас, помоги!

Тьма нисколько не поредела, но Люси почувствовала себя чуть-чуть лучше. «В конце концов, с нами ведь пока ничего плохого не случилось».

— Смотрите! — послышался с носа корабля хриплый голос Ринельфа.

Впереди показалась крохотная искорка света, а потом из неё на корабль упал широкий луч. Тьму он не рассеял, но весь корабль теперь был освещён, словно прожектором. Каспиан, оглянувшись, увидел своих товарищей с застывшим выражением ужаса на лицах. Все смотрели в одном направлении, и позади каждого лежала его тёмная бесформенная тень.

Взгляд Люси скользнул вдоль луча, и ей показалось, что в нём мелькнуло что-то похожее на крест, потом — вроде бы

на аэроплан, затем это стало напоминать воздушный змей, и, наконец, раздалось хлопанье крыльев, и над головой пронёсся альбатрос. Птица трижды облетела вокруг мачты и, на секунду присев на гребень позолоченного дракона на носу корабля, что-то пропела громким приятным голосом — это было похоже на слова, только смысл их был непонятен, — потом расправила крылья и медленно полетела вперёд, чуть ближе к правому борту. Дриниан ни секунды не сомневался, что альбатрос показывает верный курс. Но никто, кроме Люси, не знал, что, описывая круги вокруг мачты, он шепнул: «Смелее, дорогая!» — и голос, без сомнения, принадлежал Аслану, а вместе с голосом вокруг распространился чудесный аромат.

Через несколько минут тьма из чёрной превратилась в серую, а затем, прежде чем кто-либо осмелился поверить надежде, корабль залил солнечный свет и они снова оказались в тёплом синем мире. И все как-то сразу поняли, что бояться нечего, да и не надо было. Словно не доверяя глазам, путешественники оглядывались вокруг, удивлялись ярким цветам самого корабля: ожидалось, что тьма прилипнет к белому, зелёному и золотому в виде грязи или пены. И сначала кто-то один радостно рассмеялся, а затем и остальные.

— Какого же мы сваляли дурака! — воскликнул Ринельф.

Люси, не теряя времени, спустилась на палубу, где уже все собрались вокруг незнакомца. Долгое время его переполняли чувства, так что он не мог говорить, а только смотрел на море и солнце, ощупывал фальшборт и канаты, словно хотел убедиться, что не спит, а по щекам его катились слёзы.

— Благодарю вас, — сказал он наконец, — за то, что спасли меня от… Нет, я не хочу говорить об этом. Скажите, кто вы. Я тельмарин из Нарнии, и когда чего-то стоил, мое имя было лорд Руп.

— А я, — представился Каспиан, — король Нарнии и отправился в плавание, чтобы разыскать вас — друзей моего отца.

Лорд Руп опустился на колено и, поцеловав королю руку, с чувством произнёс:

— Сир, самым большим моим желанием было увидеть вас. Окажите же мне милость…

— Милость? Но какую?

— Никогда не отправляйте меня обратно, — кивнул он в сторону тёмного острова.

Все обернулись, но увидели лишь спокойное море и ярко-синее безоблачное небо. Тёмный остров и тьма исчезли навсегда.

— О! — воскликнул лорд Руп. — Вы уничтожили её!

— Думаю, это не мы, — заметила Люси.

— Сир, — обратился к Каспиану Дриниан, — ветер несёт нас на юго-восток. Могу я поставить паруса и приказать гребцам подняться, чтобы они смогли отдохнуть?

— Конечно, и пусть для всех принесут грог. Эх, кажется, я мог бы проспать целые сутки.

Всю вторую половину дня корабль весело летел по волнам на юго-восток под парусами, подгоняемый попутным ветром, и никто не заметил, в какой момент исчез альбатрос.

## *Глава тринадцатая*

# ТРИ СПЯЩИХ ЛОРДА

Ветер не менял своё направление, но с каждым днём становился всё слабее, так что в конце концов волны стали напоминать рябь, а корабль час за часом скользил словно по озеру. И каждую ночь путешественники видели на востоке созвездия, каких не видел никто в Нарнии, а возможно, как думала Люси, пугаясь и одновременно радуясь, вообще никто не видел. Новые звёзды были огромными и яркими, а ночи — тёплыми. Большинство членов команды и пассажиров спали на палубе, а перед этим часами беседовали или просто прогуливались вдоль бортов, любуясь танцующей светящейся пеной у носа корабля.

Одним таким восхитительным вечером, когда закат становился багровым и так широко разливался по небу, что оно казалось больше, они увидели по правому борту землю. Она медленно приближалась и в красках заката выглядела охваченной огнём. Корабль медленно шёл вдоль берега, и западный мыс, оказавшийся теперь позади него, высился на фоне красного неба чёрным силуэтом с такими чёткими контурами, словно был вырезан из картона. Теперь можно было рассмотреть эту часть суши и получше. Местность казалась холмистой и выглядела так, словно повсюду разбросали подушки.

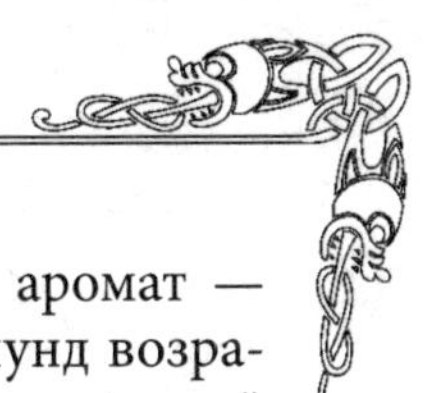

До путешественников доносился восхитительный аромат — Люси определила его как «лёгкий сиреневый», Эдмунд возразил (а Ринс подумал), что это чушь, и только Каспиан с ней согласился.

В надежде обнаружить подходящую глубокую гавань капитан долго вёл судно вдоль берега, минуя мыс за мысом, но вынужден был удовлетвориться широким мелким заливом. Хоть море и казалось спокойным, прибой обрушивался на песок, и судно нельзя было подвести ближе, как бы того хотелось. Пришлось бросить якорь довольно далеко и добираться до берега на кувыркающейся шлюпке.

Лорд Руп остался на борту «Покорителя зари», заявив, что не желает больше видеть никаких островов. Двое остались караулить шлюпку, а остальных Каспиан повел в глубь острова, но недалеко, потому что времени на осмотр не оставалось: скоро начнёт темнеть. Однако идти далеко, чтобы пережить приключение, не пришлось. На плоской равнине, отходившей от залива, не было ни дороги, ни тропинки, ни вообще каких-либо признаков обитания. Пружинистый дёрн под ногами зарос низким кустарником, который Люси и Эдмунд сочли вереском, а Юстас, сведущий в ботанике, не согласился с ними и скорее всего был прав, хотя растения были очень похожи.

Не успели путешественники отойти от берега на расстояние выстрела из лука, как Дриниан воскликнул:

— Посмотрите! Что это?

Все остановились, и Каспиан предположил:

— Может, такие огромные деревья?

— Скорее башни, — отозвался Юстас.

— А я думаю, это великаны, — сказал Эдмунд, понизив голос.

— Чтобы это выяснить, надо не гадать, а идти прямо туда, — заявил храбрый Рипичип.

Верховный главнокомандующий возглавил процессию, все двинулись следом.

— Думаю, это руины, — сказала Люси, когда они подошли ближе.

И её догадка оказалась верной. Их взору предстала широкая прямоугольная площадка, вымощенная гладкими камнями и окружённая серыми колоннами, но без крыши. Посре-

дине из конца в конец протянулся длинный стол, накрытый алой скатертью, спадавшей почти до земли. По одной стороне стола выстроились вырезанные из камня стулья с шёлковыми подушками. И стол не был пустым — здесь стояли блюда с такими яствами, каких не видывали даже при дворе Питера в бытность его Верховным королем в Кэр-Паравале. На них красовались индейки, гуси и павлины, кабаньи головы, олений бок, пироги в форме кораблей под парусами или в виде драконов и слонов, мороженое, яркие омары и блестящий лосось, орехи и виноград, ананасы, персики и гранаты, дыни и помидоры. Между блюдами возвышались кувшины из золота, серебра и цветного стекла, и от них исходил такой аромат, что кружилась голова.

— Вот это да! — воскликнула Люси.

Остальные медленно подошли ближе, и Юстас удивлённо спросил:

— Но где же гости?

— А может, мы ими и станем? — предложил Ринс.

— Ой, смотрите! — воскликнул Эдмунд.

Все, кто стоял на вымощенном дворе, посмотрели в указанном направлении. Стулья теперь не все были пусты: во главе стола и на двух соседних местах что-то лежало.

— Что это? — прошептала Люси. — Похоже, что там расположились три бобра.

— Скорее это большие птичьи гнезда, — сказал Эдмунд.

— На мой взгляд, там три копны сена, — произнёс Каспиан.

Рипичип кинулся вперёд, вскочил на стул, а оттуда на стол, пробежал по нему, ловко, словно танцор, минуя кубки, украшенные драгоценными камнями, пирамиды фруктов и солонки слоновой кости, и остановился напротив таинственных серых куч. Внимательно их осмотрев и даже потрогав, вояка крикнул:

— Думаю, сражаться они не станут!

Все подошли ближе и увидели, что на трёх стульях сидят три человека, в которых, пока не подойдёшь вплотную, и людей-то признать трудно: седые волосы отросли так, что закрывали почти всё лицо, а бороды расстилались по столу, огибая тарелки и обвиваясь вокруг кубков, словно ежевика вокруг изгороди. Где-то под столом все волосы переплетались и сте-

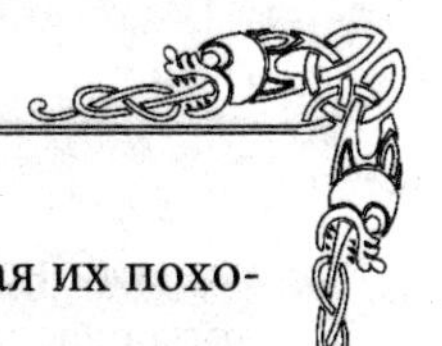

лились по полу, полностью скрывая сидящих и делая их похожими на груды шерсти.

— Мертвы? — спросил Каспиан.

— Думаю, нет, сир, — ответил Рипичип, пытаясь двумя лапами вытянуть руку одного из сидящих. — У этого рука тёплая и можно прощупать пульс.

— И эти тоже живы, — сказал Дриниан.

— Они просто спят, — заметил Юстас.

— И видимо, давненько, — сказал Эдмунд, — раз так заросли волосами.

— Наверное, они заколдованы, — предположила Люси. — Как только мы ступили на берег, я почувствовала, что здесь кругом волшебство. Как вы думаете, кто-нибудь сумеет их расколдовать?

— Для начала попробуем разбудить, — сказал Каспиан и потряс ближайшего из трёх спящих.

На мгновение всем показалось, что ему это удалось, потому что человек глубоко вздохнул и пробормотал: «Дальше на восток не поплыву. Поворачивайте в Нарнию», — но в следующее мгновение провалился в ещё более глубокий сон: тяжёлая голова склонилась на несколько дюймов ниже, и все попытки разбудить его вновь оказались бесполезны. Со вторым произошло то же самое. «Мы не будем жить как звери. Скорее на восток, пока получается, на земли за восходом солнца», — произнёс он и снова заснул. А третий и вовсе лишь буркнул: «Горчицу, пожалуйста», — и погрузился в сон.

— «Поворачивайте в Нарнию» — так? — повторил Дриниан.

— Да, — кивнул Каспиан, — ты прав. Думаю, наши поиски закончены. Посмотри на их кольца: они с гербами. Это лорд Ревелиан, это лорд Аргоз, а это — лорд Мавроморн.

— Но мы не можем их разбудить! — в отчаянии воскликнула Люси. — Что же делать?

— Прошу прощения у ваших величеств, — обратился к ним Ринс, — но почему бы обсуждение ненадолго не отложить? Не каждый день видишь такой обед.

— Ни за что в жизни! — воскликнул Каспиан.

— Верно, верно, — поддержали его несколько моряков. — Здесь слишком много непонятного. Чем скорее мы вернёмся на корабль, тем лучше.

— Конечно, — сказал Рипичип, — если от этой еды три лорда заснули на семь лет.

— Я ни за что не притронусь к ней, — отозвался Дриниан.

— Темнеет очень быстро, — заметил Ринельф.

— На корабль, скорее на корабль, — сказал кто-то из матросов.

— Я тоже так думаю, — отозвался Эдмунд. — Мы можем завтра решить, что делать со спящими лордами. А поскольку мы не рискнём это есть, нет никакого смысла оставаться здесь на ночь. Здесь повсюду пахнет волшебством… и опасностью.

— Я полностью согласен с мнением короля Эдмунда, — заявил Рипичип, — в том, что касается команды, но при всём том останусь здесь, за этим столом, до рассвета.

— Почему? — спросил Юстас.

— Потому что это превосходное приключение, а опасность не настолько велика, чтобы я вернулся в Нарнию с осознанием, что испугался разгадать тайну.

— Я остаюсь с тобой, Рип, — сказал Эдмунд.

— И я, — повторил Каспиан.

— Я тоже, — подтвердила Люси.

В такой ситуации Юстас не мог не остаться. Это был храбрый поступок, ведь он никогда не читал и даже не слышал ни о чём подобном, пока не оказался на «Покорителе зари», и ему было труднее, чем остальным.

— Я прошу ваше величество… — начал Дриниан.

— Нет, милорд, — не дослушал его Каспиан. — Твоё место на корабле, и ты весь день тяжело трудился, в то время как мы, все пятеро, бездельничали.

Спор некоторое время продолжался, но Каспиан настоял на своём. Когда команда в сгущавшемся мраке направилась к кораблю, все пятеро, за исключением, быть может, Рипичипа, ощутили холодок под ложечкой.

Какое-то время, выбирая себе места за столом, они тихонько переговаривались. Им предстоял не очень приятный выбор. Трудно было высидеть всю ночь рядом с тремя чудовищно волосатыми людьми, не мёртвыми, но и не живыми в полном смысле этого слова. С другой стороны, сидеть на дальнем конце, так что, по мере того как темнело, всё хуже и хуже различать их и не знать, движутся ли они, а то и, воз-

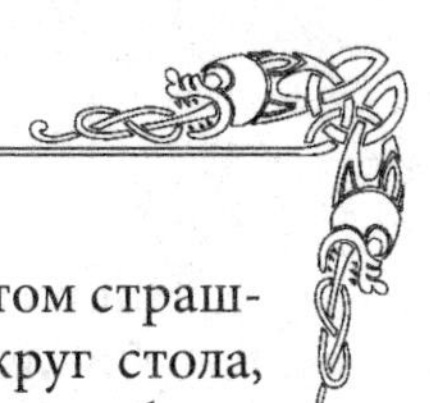

можно, вообще не разглядеть их ночью, — нет, об этом страшно было даже подумать. Поэтому они ходили вокруг стола, время от времени обменивались репликами: «Может быть, здесь?»; «Давайте чуть подальше»; «Почему бы не с этой стороны?» — пока, наконец, не уселись где-то в середине, ближе к спящим, чем к другому концу стола. К десяти вечера совсем стемнело, и Люси заметила на востоке удивительные новые созвездия, хотя предпочла бы смотреть на Леопарда, Корабль и других старых знакомых с нарнийского неба.

Поплотнее запахнув матросские куртки, путешественники сидели в тишине и ждали. Разговоры как-то сами по себе затихли, и только шум волн, разбивавшихся о берег, нарушал молчание.

Просидев так несколько часов, показавшихся вечностью, они было задремали, но буквально на мгновение. Даже за это короткое время многое изменилось: звёзды изменили своё положение, а небо стало совершенно чёрным — возможно, чуть светлее — серым — на востоке. Все замёрзли, хотели пить, руки-ноги затекли, но никто не осмелился произнести ни звука, потому что как раз в этот момент всё и началось.

В одном из склонов пологого холма, что поднимался перед ними, позади колонн, вдруг открылась дверь, на мгновение выхватив из мрака какую-то фигуру, и тут же затворилась. Пламя свечи в чьих-то руках было единственным, что все видели отчётливо, и оно приближалось, пока, в конце концов, не оказалось у стола напротив них. Теперь стало возможным разглядеть высокую девушку в длинном одеянии голубого цвета, с обнажёнными руками и золотистыми волосами, свободно спадавшими на спину. Одного взгляда на неё было достаточно, чтобы каждый понял: до этого мгновения он не знал, что такое красота.

Источником света оказалась высокая свеча в серебряном канделябре, который она поставила на стол. Если бы с моря подул даже слабый ветерок, свеча бы погасла, но сейчас пламя горело ровно, словно в комнате с закрытыми окнами и задернутыми шторами, отбрасывая отблески на золотую и серебряную посуду.

Тут Люси заметила на столе очень необычный предмет. Оказалось, что это нож, только каменный, острый, как сталь, и явно древний.

Никто не произнёс ни слова, но один за другим — первым был Рипичип, конечно, следующим — Каспиан, — все встали, поняв, что перед ними знатная дама.

— Путники, коли вы пришли к столу Аслана, почему же не едите и не пьёте? — вопросила красавица.

— Госпожа, — ответил Каспиан, — мы не решаемся прикоснуться к яствам, потому что подозреваем, что именно они повергли наших друзей в колдовской сон.

— Они ничего даже не пробовали, — возразила девушка.

— Так вы знаете, что произошло? — воскликнула Люси. — Прошу вас, расскажите, что с ними случилось.

— Семь лет назад, — начала девушка, — они прибыли сюда на корабле, явно пережившем шторм: с изодранными в клочья парусами и едва не разваливавшимся. С ними были ещё несколько матросов, и когда все оказались за столом, один предложил: «Какое замечательное место. Давайте останемся здесь и проживём остаток жизни мирно!» А другой возразил: «Нет, нужно возвращаться в Нарнию, на запад: может, Мираз умер». Но третий аж подскочил и воскликнул властно: «Нет-нет, мы мужчины! Мы тельмарины, а не звери. Что нам ещё делать, если не искать приключений? В любом случае мы долго не проживём, так что давайте проведём срок, что нам отмерен, в поисках необитаемого мира за восходом солнца». Они не могли прийти к общему решению, перессорились, а властный господин схватился за каменный нож, лежавший на сто-

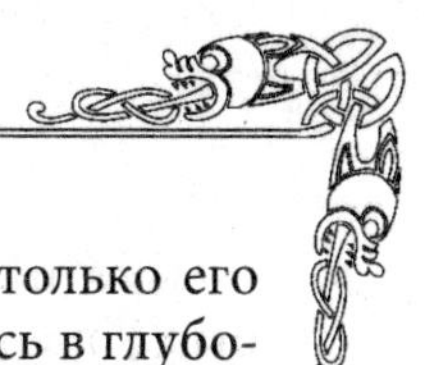

ле. Никому не следовало касаться этой вещи. Как только его пальцы сомкнулись на рукояти, все трое погрузились в глубокий сон. И пока колдовство не будет снято, они не проснутся.

— А что это за каменный нож? — спросил Юстас.

— Как, вам ничего о нём не известно? — удивилась девушка.

— Я… я думаю, — неуверенно предположила Люси, — очень давно Белая колдунья им убила Аслана на Каменном Столе… Во всяком случае, похож на тот.

— Это тот самый нож, — подтвердила красавица. — Его доставили сюда, чтобы храниться, пока существует мир.

— Послушайте, — заговорил, ощущая неловкость, Эдмунд. — Не хочу показаться трусом — я имею в виду в отношении этой еды, — как не хочу показаться бестактным, но с нами в этом путешествии произошло столько всего странного и вещи не всегда оказывались такими, как представлялись. Вот смотрю я в ваше лицо и верю всему, что вы говорите, но так же можно было бы верить и колдунье. Как мы узнаем, что вы нам друг?

— Никак, — пожала плечами девушка. — Вы можете только поверить… или не поверить.

После минутной паузы раздался тонкий голос Рипичипа, обратившегося к Каспиану:

— Сир, будьте добры, наполните мой бокал вином вон из того кувшина: он слишком велик, и мне самому его не поднять. Я хочу выпить за прекрасную даму.

Каспиан выполнил просьбу, и мышиный рыцарь, вытянувшись на столе по стойке «смирно», поднял крошечными лапками золотой бокал и провозгласил:

— За ваше здоровье, миледи!

Отшвырнув бокал в сторону, храбрый Рипичип смело принялся за холодного павлина, и вскоре его примеру последовали остальные. Все были голодны, и если набор блюд не совсем подходил для очень раннего завтрака, то позднему застолью соответствовал как нельзя лучше.

— Почему вы сказали, что это стол Аслана? — спустя некоторое время спросила Люси.

— Потому что поставлен здесь по его приказу, — ответила девушка, — для тех, кто прибыл издалека. Ещё этот остров называют Краем Света: хоть плыть дальше и можно, здесь его начало.

— А как же еда не портится? — поинтересовался практичный Юстас.

— Её не хранят, а съедают, и каждый день появляется свежая. Сами увидите.

— А как быть со спящими? В мире, откуда прибыли мои друзья, — Каспиан кивком указал на Юстаса и брата и сестру Певенси, — известна история про принца или короля, оказавшегося в замке, где все спали волшебным сном. Чтобы колдовские чары рассеялись, ему надо было поцеловать принцессу.

— В этом случае всё не так. Его величество не сможет поцеловать принцессу, пока не избавит от колдовства.

— Но, во имя Аслана, — пылко воскликнул Каспиан, — скажи, как за это взяться!

— Мой отец научит тебя, — ответила девушка.

— Ваш отец! — раздались восклицания. — Кто он? И где?

— Смотрите!

Красавица обернулась и указала на дверь в склоне холма, которую сейчас стало видно гораздо лучше: пока они разговаривали, звёзды стали бледнеть, а на фоне светлеющего на востоке неба появились белые лучи.

## *Глава четырнадцатая*

# ГДЕ НАЧИНАЕТСЯ КРАЙ СВЕТА

Снова медленно отворилась дверь, и оттуда появилась фигура, такая же высокая и прямая, как у девушки, но менее стройная. При ней не было свечи, но она, казалось, сама излучала свет. Старец, как позднее стало ясно, медленно шёл к ним. Его серебристая борода доходила до стоп, серебристые волосы спускались до пят, а одеяние казалось сотканным из серебристого овечьего руна. Он казался таким спокойным и серьёзным, что все путешественники снова встали и застыли в благоговейном молчании.

Старец подошёл и, не сказав ни слова, остановился с противоположной от дочери стороны стола. Оба вытянули перед собой руки, повернулись на восток и начали петь. Хотел бы я записать для читателя текст той песни, но ни один из присутствующих не сумел запомнить её. Люси впоследствии рассказывала, что мелодия звучала едва ли не пронзительно и была невероятно красива: «Прохладная такая песня, для раннего утра». И по мере того как они пели, серые облака поднимались с восточной стороны неба, белые лучи становились всё заметнее и заметнее, пока всё кругом не стало белым, а море не засияло серебром. Затем восток начал розоветь, и, наконец, в безоблачное небо из моря вышло солнце, его длинный луч

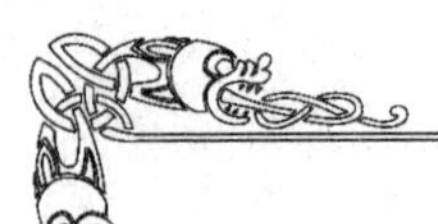



пробежал по всей длине стола, отчего вспыхнуло золото, серебро и даже каменный нож.

Нарнийцы и раньше не раз замечали, что в этих морях восходящее солнце кажется больше, чем дома, и сейчас убедились в этом. Ошибки быть не могло. Яркие лучи, игравшие на росе и на столе, намного превосходили утренний свет, какой им доводилось видеть. Эдмунд впоследствии вспоминал: «Хоть за время путешествия и случилось много удивительного, это утро было самым удивительным». А всё дело в том, что этот невероятный рассвет предельно чётко дал понять: они добрались до начала края света.

Затем как будто что-то вылетело из самого центра поднимавшегося солнца и направилось к ним, но, разумеется, никто не смог как следует разглядеть. И в тот же миг воздух наполнился голосами, которые подхватили ту же песню, только пели с большей страстью, чем старец и красавица, скорее даже неистово, и на никому не знакомом языке. Вскоре стали видны и обладатели этих голосов. Это были птицы, большие и белые: сотни их — нет, тысячи — опускались на траву, на вымощенную камнями площадку, на стол, на плечи, руки и головы присутствующих, так что всё вокруг побелело, будто после обильного снегопада. И, как снег, птицы не только сделали всё белым, но и смазали, даже стёрли, все контуры. Всё же Люси сумела разглядеть сквозь перья усевшихся на неё птиц, как одна из них подлетела к старцу с чем-то вроде небольшого плода, а может, горячего уголька в клюве — так ярко он светился, — и вложила ему в рот.

Пение прекратилось, и птицы приступили к трапезе. Когда они поднялись в воздух, всё, что можно было съесть или выпить, со стола исчезло. Кроме того, они унесли с собой всё, что было несъедобным: кости, кожуру, ракушки, — и полетели назад, к восходящему солнцу. И только теперь, когда уже не было слышно их пения, воздух наполнился шелестом крыльев. Стол остался пустым и чистым, а три лорда из Нарнии продолжали спать.

Теперь наконец старец повернулся поприветствовать наших путешественников.

— Господин мой, — обратился к нему Каспиан, — не скажете ли, как снять заклятие с этих трёх спящих нарнийских лордов?

— С радостью, сын мой, — ответил старец. — Чтобы снять заклятие, вы должны доплыть до края света или как можно ближе к нему и вернуться, оставив там по меньшей мере одного из вас.

— А что уготовано тому, кто останется? — быстро спросил Рипичип.

— Ему предстоит продолжить путь на восток, но в этот мир он никогда не вернётся.

— Так это моя сокровенная мечта! — воскликнул храбрый Рипичип.

— А далеко ли мы сейчас от края света? — спросил Каспиан. — Знакомы ли вам моря и земли, что лежат восточнее этого острова?

— Да, я их видел, но очень давно и с большой высоты, так что не смогу поведать о том, что надо бы знать морякам.

— Вы хотите сказать, что летали по воздуху? — выпалил Юстас.

— Нет, гораздо выше, сын мой. Моё имя — Раманду, но поскольку вы переглядываетесь, понимаю, что оно вам ни о чём не говорит. Впрочем, это и неудивительно: времена, когда я занимал место на небосклоне, закончилось задолго до того, как кто-либо из вас увидел этот мир, и все созвездия уже стали иными.

— Вот это да! — прошептал Эдмунд. — Звезда в отставке!

— Вы теперь больше не звезда? — решила уточнить Люси.

— Я звезда на покое, дочь моя, — ответил Раманду. — После того как сошёл с небосвода в последний раз, одряхлевший и так постаревший, что невозможно себе представить, меня перенесли на этот остров. Сейчас я не так стар, как был тогда. Каждое утро птица приносит мне огненную ягоду из долины на солнце, и каждая огненная ягода немного уменьшает мой возраст. Лишь когда стану как новорождённый младенец, я снова смогу взойти на небо (потому что мы находимся на восточном краю земли) и участвовать в этом великом танце.

— В нашем мире, — сказал Юстас, — звезда — это огромный светящийся газовый шар.

— Даже в вашем мире, сын мой, звезда не только то, из чего состоит. А в этом мире вы уже встречали звезду: я думаю, познакомиться с Кориакином успели.

— Он тоже звезда в отставке? — уточнила Люси.

— Ну не совсем так, — сказал Раманду. — Какой уж тут покой, если он должен управлять охламонами, — скорее наказание. Если бы всё шло хорошо, он мог бы сиять в южном зимнем небе ещё тысячи лет.

— А чем он провинился, мой господин? — спросил Каспиан.

— Не нужно тебе, сыну Адама, знать, какие ошибки может совершить звезда, — сказал Раманду. — Но мы зря тратим время. Так что вы решили: поплывёте ли вы восток и вернётесь, оставив там одного из вас, чтобы снять заклятие, или отправитесь на запад?

— Разумеется, господин мой, на восток, — ответил за всех Рипичип. — Здесь не может быть никаких вопросов: это наш долг — избавить лордов от заклятия.

— Я согласен с тобой, Рипичип, — отозвался Каспиан. — И даже если не говорить о них, отказ от попытки добраться до края света разбил бы мне сердце. Но я думаю о команде. Матросы нанимались искать семерых лордов, а не край света. Если мы поплывём отсюда на восток, то будем искать край, самый дальний восток, а никто не знает, как далеко он находится. Матросы храбрые ребята, но я вижу, что некоторые устали от путешествия и хотели бы вернуться домой, назад в Нарнию. Не думаю, что можно продолжить путешествие без их согласия. И ещё лорд Руп — ему будет слишком тяжело.

— Сын мой, — заметил старец, — нельзя плыть на край света с теми, кто этого не хочет: так снять заклятие не получится. Каждый должен знать, куда плывёт и зачем. Но о ком вы сказали, что ему будет тяжело?

Каспиан рассказал Раманду историю лорда Рупа, и старец заверил его:

— Я могу дать то, в чём он нуждается больше всего. На этом острове можно спать сколько хочешь, причём без намёка на сновидения. Пусть он сядет рядом с этими тремя лордами и забудется до самого вашего возвращения.

— Давай так и сделаем, Каспиан, — попросила Люси. — Я уверена: он будет рад.

В этот момент разговор был прерван звуком шагов и голосами: это приближался Дриниан с матросами, что оставались на судне. Они в изумлении остановились, увидев старца

и девушку, и тут же обнажили головы, поняв, что перед ними высокопоставленные особы. Моряки же — большей частью простые люди — успели с сожалением взглянуть на пустые тарелки и кувшины на столе.

— Милорд, — обратился Каспиан к Дриниану, — пошлите людей на корабль сообщить лорду Рупу, что его товарищи по плаванию находятся здесь и спят — сном без сновидений, — и что он может составить им компанию, если захочет.

После этого Каспиан предложил всем остальным сесть и обрисовал ситуацию, а когда закончил, наступило долгое молчание, то и дело прерываемое перешёптываниями, пока не поднялся командир лучников.

— Некоторых из нас уже давно интересует, ваше величество, как мы попадём домой, как мы повернём здесь или в каком другом месте, если всё время, не считая штилей, дуют западные или северо-западные ветры. Ведь если они не переменятся, то где гарантия, что мы когда-нибудь вновь увидим Нарнию? У нас почти не осталось запасов, чтобы весь путь назад пройти на веслах.

— Сразу видно, что ты моряк, — усмехнулся Дриниан. — В конце лета в этих морях всегда преобладают западные ветры, и направление их меняется с наступлением нового года, так что, по всем расчётам, ветер будет даже сильнее, чем нужно.

— Что верно, то верно, — вступил в разговор старый моряк родом с Гальмы. — В январе и феврале дуют жуткие ветры с востока. С вашего позволения, сир, если бы кораблём командовал я, то перезимовал бы здесь, а домой отправился в марте.

— И чем бы вы, интересно, здесь питались? — не без ехидства спросил Юстас.

— Этот стол, — напомнил Раманду, — каждый день на закате уже накрыт словно для королевского пира.

— Неужели? — недоверчиво воскликнули сразу несколько матросов.

— Ваши величества, а также остальные леди и джентльмены, — сказал Ринельф, — хочу вам кое-что напомнить. Никого из нас не принуждали к этому путешествию — каждый пошёл добровольно. Почему же сейчас некоторые, глядя на этот стол, думают о королевских пиршествах? Причём, заметьте, это те самые, кто громко кричал о приключениях, когда мы отплывали из Кэр-Параваля, и клялся, что не вернётся домой, пока мы не доберёмся до конца света. А ведь были такие, кто стоял на набережной и готов был отдать всё, что имеет, лишь бы взяли их с собой. Казалось, койка юнги на «Покорителе зари» для них куда дороже рыцарских лат. Я это к тому, что мы можем оказаться такими же глупцами, как охлатопы, если вернёмся домой и скажем, что добрались до начала края света и побоялись идти дальше.

Одни поддержали его, но другие сказали, что с них достаточно.

— Как-то невесело, — шепнул Эдмунд Каспиану. — Что будем делать, если половина команды откажется продолжить путь на восток?

— Погоди, — шепнул ему Каспиан, — у меня есть кое-что в запасе.

— Ты хочешь что-то сказать, Рип? — шепнула Люси.

— Вовсе нет! Почему ваше величество так думает? — демонстративно громко ответил Рипичип. — Мои собственные планы понятны: если я смогу, то отправлюсь на восток на «Покорителе зари», ну а если не на корабле, то на своей лодочке. Когда уж и она протечёт, продолжу путешествие вплавь — ведь у меня четыре лапы. А когда не смогу плыть дальше, если к тому времени не доберусь до страны Аслана или буду смыт с края света каким-нибудь огромным водопадом, то утону, обратив нос к восходу, а главным среди говорящих мышей Нарнии станет Пичичик.

— Верно, верно! Я скажу то же самое, кроме как про водопад, которому меня не смыть, — сказал один из моряков и тихонько добавил: — И не позволю какой-то мыши взять надо мной вверх.

В этот момент поднялся Каспиан:

— Друзья, думаю, вы не совсем понимаете, какова наша цель. Вы говорите так, словно мы, будто попрошайки, умоляем вас составить нам компанию в путешествии, но это не соответствует действительности. Мы, наши царственные брат и сестра, их родственник, сэр Рипичип, добрый рыцарь, и лорд Дриниан отправляемся к краю мира, чтобы выполнить

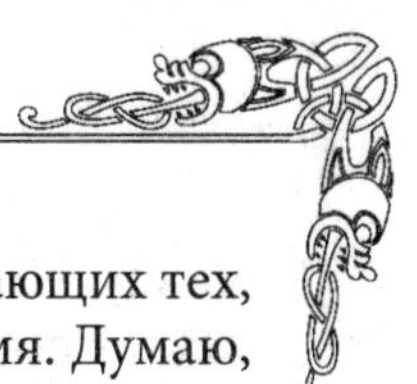

задание. Мы с удовольствием отберём из числа желающих тех, кого сочтём достойными такого смелого предприятия. Думаю, что подойдёт не каждый, — поэтому мы приказываем лорду Дриниану и мастеру Ринсу рассмотреть, кто из вас самый надёжный воин, самый умелый матрос, кто предан нам, чья жизнь безупречна, и представить нам список.

После довольно продолжительного молчания его величество воскликнул:

— Клянусь гривой Аслана! Неужели вы думаете, что каждому достаётся такая честь? Тот, кто пойдёт с нами, обретёт титул Покорителя зари, который сможет передать своим потомкам, а когда мы вернёмся в Кэр-Параваль, получит столько золота и земли, что всю жизнь не будет знать нужды. Теперь идите. Через полчаса лорд Дриниан принесёт мне список.

Члены команды молча поклонились и, разбившись на группы по несколько человек, разошлись в разные стороны.

— Теперь пойдём за лордом Рупом, — сказал Каспиан, но, обернувшись к столу, увидел, что в этом нет необходимости: лорд Руп появился, молчаливый и незаметный, пока шло обсуждение, и занял место рядом с лордом Аргозом. Дочь Ра-

манду стояла рядом — похоже, она и помогла ему сесть на стул. Сам старец встал у него за спиной и возложил обе руки на его седую голову, и даже при свете дня было заметно лёгкое серебристое свечение, от них исходившее. На измождённом лице Рупа появилась улыбка, и он протянул одну руку Люси, другую — Каспиану. Какой-то момент казалось, что он хочет что-то сказать. Затем улыбка стала ярче, словно он испытывал приятные ощущения, глубокий вздох удовлетворения сорвался с его губ, голова склонилась вперёд, и он уснул.

— Бедный Руп! — сокрушённо вздохнула Люси. —Должно быть, пережил ужасные времена.

— Не думай об этом! — сказал Юстас.

Тем временем речь Каспиана и, возможно, присущее острову волшебство возымели то действие, которого он добивался. Большинство тех, кто стремился завершить путешествие, ощутили себя совсем по-другому, лишаясь возможности в нём участвовать, и, разумеется, каждый заявил, что вовсе не собирался возвращаться, а те, что не высказывали желания плыть дальше, видели, что их становится всё меньше, и оттого испытывали неловкость. И пока эти полчаса не истекли, матросы ходили и подлизывались (так говорят школьники) к Дриниану и Ринсу, чтобы их включили в список. И вскоре не желавших продолжать плавание осталось только трое, и они изо всех сил старались убедить остальных присоединиться к ним, но потом остался только один, а под конец передумал и он.

Когда прошло полчаса, все снова собрались у стола Аслана, чтобы услышать вердикт Дриниана и Ринса, которые вместе с Каспианом обсуждали список. Его величество согласился взять всех моряков, кроме того, кто передумал в последний момент. Матроса звали Питтенкрим, и, пока остальные искали край света, он оставался на острове, а теперь сожалел, что не поехал со всеми. Питтенкрим был не из тех, кто мог бы получить удовольствие от общения с Раманду и его дочерью (как, впрочем, и они с ним). Часто шли дожди, и хотя каждый вечер на столе появлялась великолепная трапеза, это не приносило ему большой радости. Он рассказывал, что его в дрожь бросало от необходимости сидеть (в любую погоду) на одном конце стола с четырьмя спящими лордами. А когда остальные вернулись, Питтенкрим почувствовал себя настолько неловко, что

на обратном пути высадился на Одиноких островах и уехал в Тархистан, где рассказывал удивительные истории о своих приключениях на краю света, пока не поверил в них сам. Так что, можно сказать, в каком-то смысле он жил счастливо, если бы не одно обстоятельство: он терпеть не мог мышей.

В этот вечер они ели и пили все вместе за стоявшим среди колонн большим столом, на котором волшебным образом снова оказалась трапеза, а на следующее утро, в то самое время, когда прилетели и улетели большие птицы, «Покоритель зари» снова пустился в плавание.

— Госпожа моя, — сказал Каспиан перед отъездом, — я надеюсь снова побеседовать с тобой, когда сниму заклятие.

Дочь Раманду посмотрела на него и улыбнулась.

## *Глава пятнадцатая*

# ЧУДЕСА ПОСЛЕДНЕГО МОРЯ

Вскоре после того, как корабль покинул остров Раманду, стало ясно, что они вышли за пределы мира. Всё было другое. Прежде всего путешественники обнаружили, что меньше нуждаются в сне. Никому не хотелось ни спать, ни есть, ни даже говорить, разве что тихо и так, перекинуться парой слов. Ещё удивил свет. Солнце, появляясь утром, казалось в два, если не в три раза больше обычного. И каждое утро — Люси это поражало больше всего — крупные белые птицы вереницей пролетали над их головами, что-то распевая человеческими голосами на неизвестном языке, и исчезали за кормой, направляясь завтракать к столу Аслана. Через некоторое время они пролетали в обратном направлении и исчезали на востоке.

На второй день плавания, перегнувшись через левый борт, Люси обратила внимание на необыкновенно чистую воду, а ещё заметила маленький чёрный предмет размером с башмак, двигавшийся вперёд с той же скоростью, что и корабль. Какое-то время ей казалось, что предмет плывёт по поверхности, но тут кок выбросил из камбуза кусок засохшего хлеба, и тот оказался выше предмета. Люси поняла, что он не может находиться на поверхности. Вдруг на какое-то мгновение он

стал гораздо больше, а минуту спустя снова сделался прежнего размера.

Люси поняла, что уже видела нечто подобное раньше, только не могла вспомнить где. Схватившись за лоб, сморщившись, даже высунув язык от усердия в попытке воскресить в памяти те обстоятельства, через некоторое время она всё-таки вспомнила. Ну конечно! Это было похоже на то, когда видишь из окна поезда в яркий солнечный день чёрную тень твоего собственного вагона, бегущую по полям с той же скоростью. Вот поезд въезжает в овраг, и тут же тень подпрыгивает, становится больше, двигаясь по склону. Затем поезд выезжает из оврага, и — хоп! — чёрная тень снова становится обычного размера и бежит по полям.

«Это наша тень! Тень «Покорителя зари», — догадалась Люси. — Наша тень бежит по дну моря и становится больше, когда попадает на холм. Но в таком случае вода ещё чище, чем я думала! Боже, я вижу дно моря, до которого многие сажени!..» В то же мгновение она поняла, что серебристое пространство, которое видела уже некоторое время, но не обращала на него внимания, — это песок на морском дне, а более тёмные или, наоборот, светлые пятна — вовсе не свет и тени на поверхности, а реальные предметы на дне. Сейчас, например, корабль проплывал над массой лиловатой зелени с широкой извивающейся светло-серой полосой посредине. Теперь, понимая, что находится на дне, Люси старалась разглядеть получше. Заметив какие-то тёмные тени, мягко покачивавшиеся над всеми остальными, она подумала, что они похожи на деревья на ветру: настоящий подводный лес.

Когда корабль проплыл над этим лесом, а бледная полоса соединилась с другой такой же, Люси подумала: «Как было бы хорошо очутиться там! Эта полоса похожа на тропинку в лесу, а место, где она соединяется с другой, можно назвать развилкой. Но что это? Лес вроде кончается. Похоже, полоска действительно дорога! Да вот она, идёт по песку, только изменила цвет и по краям появились какие-то точки. Наверное, это камни. А теперь она становится шире.

Но на самом деле она не расширялась, а приближалась. Люси поняла это потому, что к ней приблизилась тень от корабля. Тут дорога — теперь Люси была уверена, что это дорога, — начала петлять: явно взбиралась на крутой холм. Осмотревшись, девочка увидела то, что и должна была, глядя на петляющую дорогу с вершины холма; смогла даже разглядеть лучи солнца, падающие сквозь толщу воды на лесистую долину. В отдалении всё мешалось, превращаясь в тусклую зелень, но некоторые места — куда попадает солнечный свет, подумала Люси, — были ярко-синего цвета.

Она не могла долго смотреть назад — слишком много интересного ожидало впереди. Дорога, несомненно, дошла до вершины холма и побежала дальше, а маленькие пятнышки двигались по ней взад-вперёд. И вдруг её взгляд наткнулся на нечто необычное — освещённое ярким солнцем, насколько оно может быть ярким, проникая сквозь сажени воды, — нечто зубчатое и шишковатое, цвета жемчуга или слоновой кости. Люси находилась почти над ним, так что сначала не сообразила, что это, но всё стало ясно, когда увидела тень. Солнечные лучи падали так, что тень от увиденного лежала на песке позади него, и по тени она догадалась, что это башни, шпили, минареты и купола.

— Ой! Это же город или огромный замок! — воскликнула Люси. — Интересно, почему его построили на вершине горы?

Много времени спустя, когда уже вернулись в Англию, обсуждая с Эдмундом свои приключения, они пришли к мысли, которая кажется мне верной. Чем глубже погружаешься в море, тем темнее и холоднее становится. Там, в морской пучине, обитают опасные существа — кальмар, морской змей и дракон. Долины — это дикие, неприветливые места. Морской народ относится к этим долинам так, как мы к горам, а к своим горам — как мы к долинам. В высоких местах (а мы бы сказали «на отмели») тепло и спокойно. Беспечные морские охотники и храбрые рыцари спускаются вниз ради приключений и опасностей, но возвращаются домой, на вершины, ради отдыха и покоя, ради занятий и развлечений.

Корабль прошёл над городом, а морское дно всё поднималось. Под днищем сейчас было всего несколько сот футов. Дорога исчезла, и они плыли над открытой, напоминающей парк местностью, испещрённой рощицами ярко окрашенной растительности. И здесь Люси чуть не взвизгнула от восторга, потому что увидела людей!

Их было дюжины полторы, все верхом на морских коньках, но не тех крохотных морских коньках, каких можно видеть в океанариумах, а гораздо крупнее самих всадников. Очевидно, это были знатные господа, поскольку, как заметила Люси, на голове у них блестело золото, а с плеч спускались и плыли, подхваченные течением, изумрудные и оранжевые ленты.

— Ах, эти рыбы! — с досадой воскликнула Люси, когда целый косяк прошёл совсем близко к поверхности, заслоняя от неё морской народ.

Хоть они и мешали ей смотреть, самое интересное Люси всё же увидела. Вдруг одна из рыб, которую она не заметила, хоть и небольшая, но явно сильная, схватила рыбку из косяка и быстро ушла с ней вниз. И все морские всадники тут же обратили свои взоры на происходящее. Казалось, они очень довольны, переговариваются и смеются. И тут случилось и вовсе неожиданное: рыба со своей добычей вернулась к ним, а ещё одна выпрыгнула кверху. Было похоже, что её послал или отпустил один из морских всадников, ехавший на своем коньке в центре, как будто до этого держал в руке.

«Да это, кажется, охотники, — догадалась Люси. — Похоже на соколиную охоту. Да-да. Эти сильные рыбы у них вроде соколов, с которыми мы охотились в давние времена, когда правили в Кэр-Паравале».

В этот момент сцена изменилась: морские жители заметили «Покорителя зари». Косяк рыб распался, а охотники стали подниматься на поверхность, чтобы выяснить, что это такое большое и тёмное загораживает им солнце. И они были уже так близко, что, будь над ними не вода, а воздух, Люси могла бы с ними заговорить. Тут были и мужчины, и женщины, но у всех на голове сверкали короны, а кое у кого на шее мерцало жемчужное ожерелье. Из одежды на морских жителях ничего не было, не скрывая тела цвета старой слоновой кости и тёмно-лиловые волосы. Король, что ехал в центре (ошибиться было невозможно), гордо и свирепо смотрел прямо Люси в лицо и потрясал своим копьём. Его рыцари тоже. Лица дам выражали удивление. Люси была уверена, что они до сих пор никогда не видели корабля, — да и откуда бы им его видеть в морях за краем света, куда никто никогда не доплывал?

— На что ты смотришь, Лу? — послышалось рядом.

Люси была так поглощена тем, что видела, что вздрогнула при звуках голоса, а когда стала оборачиваться, почувствовала, что рука затекла от долгого пребывания в одном положении. Позади неё стояли Эдмунд и Дриниан.

— Смотрите сами.

Они повернули головы, и Дриниан тут же быстро проговорил, понизив голос:

— Отвернитесь, ваши величества! Станьте спиной к морю и не подавайте вида, что мы говорим о чём-то важном.

Люси не стала возражать, только поинтересовалась:

— Но почему?

— Моряки не должны всё это видеть, — ответил Дриниан. — Случалось, матросы влюблялись в морских женщин или в саму подводную страну и прыгали за борт. Я слышал, что нечто подобное происходило и раньше в незнакомых морях. Видеть этих людей всегда к несчастью.

— Но ведь мы знали их, — возразила Люси. — В прежние времена в Кэр-Паравале, когда наш брат Питер был Верховным королем. Они поднимались на поверхность и пели на нашей коронации.

— Думаю, там были другие, Лу, — отозвался Эдмунд. — Те могли жить как на воздухе, так и в воде. Мне кажется, эти не могут, хотя, судя по их виду, давно уже выбрались бы на поверхность и напали на нас: уж очень свирепыми выглядят.

— В любом случае… — начал было Дриниан, но продолжить ему не дал сначала всплеск, а потом крик с марса: «Человек за бортом!»

Всё сразу пришло в движение. Несколько матросов поспешили убрать парус, другие спустились вниз взяться за вёсла, а Ринс, стоявший на вахте на корме, резко повернул руль, чтобы дать задний ход и попытаться максимально приблизиться к упавшему за борт. Вскоре всем стало понятно, что за бортом не человек в строгом смысле слова, а Рипичип.

— Пропади он пропадом! — воскликнул Дриниан. — С ним больше хлопот, чем со всей корабельной командой вместе взятой. Пролезет в любую щёлку! Заковать бы его в цепи… протащить под килем… высадить на необитаемый остров… отстричь усы! Видит кто-нибудь этого мерзавца?

Это вовсе не означало, что Дриниан терпеть не мог Рипичипа, — скорее напротив: он очень нравился капитану, по-

тому тот так испугался за него, а потом рассердился, — как рассердилась бы твоя мама, попытайся ты перебежать дорогу в неположенном месте. Никто не боялся, что Рипичип утонет, потому что все знали — он прекрасный пловец, — но те, кто видел, что происходит под водой, боялись длинных копий в руках свирепых морских жителей.

За несколько минут «Покоритель зари» развернулся, и всем стал виден Рипичип — тёмный шар в воде, — который что-то возбуждённо кричал, но никто ничего не мог понять, потому что рот его был полон воды.

— Сейчас он всё выболтает, если мы не сумеем заставить его замолчать, — воскликнул Дриниан и, чтобы предотвратить это, бросился к борту и сам стал спускать канат, покрикивая на матросов: — Всё в порядке! Возвращайтесь на места. Думаю, я смогу поднять его без вашей помощи.

Когда Рипичип начал взбираться по канату — не очень ловко, потому что шкурка его намокла и отяжелела, — капитан наклонился и прошептал:

— Не говори ни слова!

Как только главный среди мышей оказался на палубе, выяснилось, что его нисколько не интересует морской народ:

— Пресная! Она пресная!

— О чём это ты? — в недоумении спросил Дриниан сердито и добавил: — И перестань, наконец, брызгаться.

— Я говорю, что вода пресная! — пропищал Рипичип. — Пресная, свежая. Не солёная.

Какое-то время никто не осознавал важности этих слов, и тогда Рипичип повторил старое предсказание:

*Там, где небо сойдётся с землей,*
*Станет пресной в море вода,*
*Там найдёшь, мой смелый дружок,*
*То, что ищешь: далёкий восток.*

И тут все поняли.

— Принеси ведро, Ринельф! — велел Дриниан и, как только получил, зачерпнул воды, блестевшей, как стекло.

Повернувшись к Каспиану, капитан спросил:

— Наверное, ваше величество захочет попробовать первым?

Каспиан взял ведро обеими руками, поднёс к губам, сначала сделал осторожный глоток, потом вдоволь напился и поднял голову. Его лицо изменилось: не только глаза, но даже каждая чёрточка теперь стала ярче.

— Да, пресная, настоящая вода! Не знаю, возможно, я умру от неё, — но такую смерть всё равно бы выбрал.

— Что ты хочешь этим сказать? — спросил Эдмунд.

— Она похожа скорее на свет, чем на что-то другое, — ответил Каспиан.

— Вот именно, — подтвердил Рипичип. — Свет, который можно пить. Должно быть, мы совсем недалеко от края света.

В наступившей тишине Люси опустилась на колени и тоже напилась из ведра.

— Эта вода вкуснее всего, что я пробовала в жизни, к тому же… очень сытная: теперь и есть не хочется.

Все по очереди напились, а потом долго молчали. Каждый чувствовал себя как-то слишком уж хорошо, что не поддавалось объяснению, но тут все начали замечать и другие изме-

нения. Как уже говорилось, сейчас было гораздо светлее, чем на пути от острова Раманду: солнце было каким-то слишком уж большим (хотя и не особенно жарким), море — необыкновенно ярким, а воздух буквально слепил. И теперь света стало не меньше, а, напротив, больше, но они могли это вынести: могли прямо, не моргая, смотреть на солнце, могли видеть больше света, чем когда-либо раньше. И палуба, и парус, и их собственные лица и тела становились всё ярче и ярче, а каждый канат, казалось, светился. На следующее утро, когда встало солнце, которое теперь было в пять-шесть раз больше, они смотрели прямо на него и различали перья летевших оттуда белых птиц.

За весь день до обеда на палубе не было произнесено и пары слов. Есть тоже никому не хотелось — всем хватало воды. Тишину нарушил Дриниан:

— Не понимаю: ни малейшего ветра, парус повис, море гладкое, как стекло, — а мы летим, словно нас преследует шторм.

— Я тоже об этом думал, — отозвался Каспиан. — Наверное, мы попали на какое-то сильное течение.

— Это не так уж хорошо, если у света действительно есть край и мы приближаемся к нему, — хмыкнул Эдмунд

— Ты хочешь сказать, — уточнил Каспиан, — что нас может просто… смыть через него?

— Да, да! — подхватил Рипичип, хлопая в ладошки. — Я всегда так себе это и представлял: свет как большой круглый стол, а вода всех океанов беспрерывно переливается через край. Корабль наклонится, и мы сумеем заглянуть через край, а потом вниз, вниз, быстро…

— А как ты думаешь, что нас ждёт там внизу? — спросил Дриниан.

— Наверное, страна Аслана! — аж просиял Рипичип. — А возможно, никакого дна нет и спускаться можно бесконечно. Но что бы там ни было, разве не стоит хоть на мгновение заглянуть за край света?

— Не говори ерунды, — сказал Юстас. — Мир круглый — круглый, как шар, а не как стол.

— *Наш* мир, — поправил Эдмунд. — А как знать, каков этот?..

— Ты хочешь сказать, — заметил Каспиан, — что вы втроём пришли из круглого, как шар, мира, но никогда не говорили об этом! Ведь это же неправильно: у нас есть сказки, в которых говорится о круглых мирах, мне они нравятся, но я никогда не верил, что такие миры существуют в действительности. Как бы мне хотелось жить в таком! Что угодно отдал бы за это… Интересно, почему вы можете попасть в наш мир, а мы в ваш — нет? Наверное, потрясающе интересно жить на шаре. Вы были когда-нибудь там, где люди ходят вниз головой?

Эдмунд покачал головой:

— Всё совсем не так. Нет ничего потрясающего в круглом мире, когда там живёшь.

## *Глава шестнадцатая*

# САМЫЙ КРАЙ СВЕТА

На корабле Рипичип был единственным, если не считать Дриниана и брата с сестрой Певенси, кто видел морской народ. Он нырнул, заметив, что морской король потрясает копьём, поскольку посчитал это угрозой или вызовом и решил сразу же разобраться. Обнаружив, что вода пресная, он ненадолго отвлёкся от своей цели, но потом снова вспомнил о морском народе. Дриниан и Люси успели отвести его в сторонку и предупредить, чтобы никому не рассказывал о том, что видел.

При таком повороте событий им вряд ли стоило беспокоиться, потому что теперь «Покоритель зари» скользил по такой области моря, которая казалась необитаемой. Никто, кроме Люси, больше не видел морских людей, и даже перед её глазами они промелькнули очень быстро. Всё утро следующего дня корабль плыл по мелководью, а морское дно закрывали водоросли, и незадолго до полудня Люси увидела большую стаю рыб, которые там паслись. Они одновременно двигали ртами и плыли в одном направлении, так что походили на стадо овец. И вдруг посреди этого «стада» Люси заметила маленькую морскую девочку, примерно свою ровесницу, с чем-то похожим на прут в руке. Похоже, эта девочка — пастушка, а стая рыб — действительно стадо на пастбище. Морские обитатели

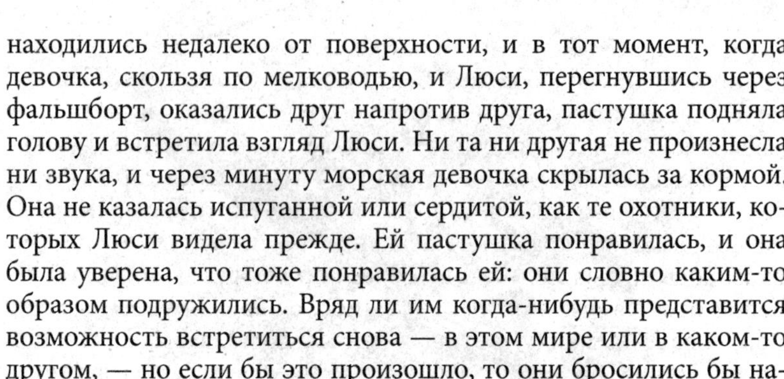



находились недалеко от поверхности, и в тот момент, когда девочка, скользя по мелководью, и Люси, перегнувшись через фальшборт, оказались друг напротив друга, пастушка подняла голову и встретила взгляд Люси. Ни та ни другая не произнесла ни звука, и через минуту морская девочка скрылась за кормой. Она не казалась испуганной или сердитой, как те охотники, которых Люси видела прежде. Ей пастушка понравилась, и она была уверена, что тоже понравилась ей: они словно каким-то образом подружились. Вряд ли им когда-нибудь представится возможность встретиться снова — в этом мире или в каком-то другом, — но если бы это произошло, то они бросились бы навстречу друг другу с распростёртыми объятиями.

Последующие недели «Покоритель зари» плавно скользил на восток по гладкому, без малейших волн, морю, хотя не было ветра, который раздувал бы паруса, как не было и пены вокруг вёсел. С каждым днём, а потом и часом, свет становился всё ярче, но путешественники спокойно выносили его. Никому не хотелось ни есть, ни спать — достаточно было ослепительно сияющей воды, которая была крепче вина и которую они вытаскивали из моря вёдрами и пили в молчании большими глотками. На судне было два довольно пожилых матроса — так вот они с каждым днём становились моложе. И команда, и пассажиры ощущали радость и возбуждение, но совсем не то, что способствует общению. Чем дальше они плыли, тем меньше разговаривали, да и то едва ли не шёпотом, словно спокойствие этого моря проникло и в них.

— Милорд, что ты видишь впереди? — обратился как-то Каспиан к Дриниану.

— Сир, по всему горизонту, от севера до юга, на сколько хватает глаз, сплошь белизна.

— Вот и я вижу то же самое, но что это — и не могу себе представить.

— Поскольку мы в высоких широтах, ваше величество, — сказал Дриниан, — я бы осмелился предположить, что это лёд, но такого просто не может быть. Тем не менее, мне кажется, стоит посадить гребцов на вёсла и развернуть корабль против течения. Что бы это ни было, не хотелось бы врезаться туда на полной скорости!

Каспиан согласился с капитаном и отдал соответствующие распоряжения, после чего судно медленно продолжило путь.

По мере приближения белизна не становилась менее таинственной. Если это была земля, то какая-то очень необычная, потому что казалась такой же гладкой, как вода, и не поднималась над ней. Когда судно подошло совсем близко, Дриниан резко повернул руль и направил «Покорителя зари» к югу, так что он оказался боком к течению и некоторое время шёл на вёслах вдоль края этой белизны. Тут их ждало открытие: оказалось, что за полосой не более сорока футов шириной течение отсутствует и море спокойное, словно пруд. Это очень обрадовало команду, которая начала было думать, что при возвращении на остров Раманду придётся всё время грести против течения. (Этим же объяснялось и то обстоятельство, что девочка-пастушка так быстро исчезла за кормой. Если бы она не была за пределами течения, то двигалась бы на восток с той же скоростью, что и корабль.)

До сих пор никто не понимал, что это за белизна, поэтому было решено спустить шлюпку. Те, кто остался на борту, видели, как разведчики продвигались вправо, в самый центр этой белизны, и слышали их голоса, возбуждённые и удивлённые, разносившиеся над тихой водой. Затем Ринельф измерил глубину, шлюпка пошла на вёслах назад, и тогда все увидели, что внутри она белая, и столпились у борта, чтобы узнать новости.

— Лилии, ваше величество! — крикнул Ринельф, поднимаясь из-за вёсел.

— Что ты сказал? — переспросил Каспиан.

— Цветущие лилии, ваше величество! Такие же, как в пруду или в саду у дома.

— Смотрите! — воскликнула Люси, сидевшая на корме шлюпки, и подняла вверх охапку влажных белых цветов с широкими плоскими листьями.

— Какова глубина, Ринельф? — спросил Дриниан.

— Забавно, капитан, но достаточно глубоко: три с половиной сажени.

— Эти цветы не могут быть настоящими, то есть теми, что мы называем лилиями, — сказал Юстас.

Возможно, это были и не лилии, но очень похожие на них цветы. А когда, после совещания, «Покоритель зари» снова оказался в струе течения и стал скользить на восток сквозь озеро Лилий, или Серебряное море (путешественники использовали оба названия, но закрепилось «Серебряное море» — так оно обозначено на карте Каспиана), началась самая удивительная часть путешествия. Очень скоро открытое море, которое они покинули, стало только тонкой полосой синевы на западном горизонте. Со всех сторон их окружала белизна с лёгким золотым отливом, только за кормой, где лилии были раздвинуты кораблём, полоса воды сверкала, как тёмно-зелёное стекло. Это последнее море было очень похоже на Арктику, и если бы глаза мореплавателей к этому времени не стали зоркими, как у орла, солнечное сияние на этой белизне — особенно ранним утром, на восходе, — было бы невыносимым. И каждый день благодаря этой белизне длился дольше обычного. Казалось, лилиям не будет конца: от всех этих миль и лиг цветов исходил аромат, который Люси затруднялась описать: сладкий — да, но нисколько не усыпляющий и не подавляющий, свежий, буйный запах, который проникал внутрь и давал каждому ощущение небывалой силы. Они с Каспианом признавались друг другу, что больше не могут этого выносить, но в то же время не хотят, чтобы это прекращалось.

Помощник капитана часто замерял глубину, но море стало мельче лишь через несколько дней, зато мелело быстро. Наконец наступил день, когда гребцы вывели судно из течения и повели вперёд на вёслах со скоростью улитки. Вскоре стало ясно, что «Покоритель зари» продолжать путешествие не может. Только благодаря умелому управлению удалось не посадить корабль на мель.

— Спустите шлюпку, — приказал Каспиан, — и соберите людей на корме! Я буду говорить.

— Что он задумал? — шёпотом спросил Юстас у Эдмунда. — Как-то странно у него блестят глаза.

— Я думаю, мы все выглядим так же, — ответил тот.

Они прошли вместе с Каспианом на полуют, где вскоре собралась вся команда.

— Друзья, — начал король, — мы выполнили задачу, которую перед собой ставили: отыскали друзей моего отца. Поскольку доблестный Рипичип поклялся не возвращаться, вы, когда достигнете острова Раманду, без сомнения, увидите, что лорды Ревилиан, Аргоз и Мавроморн проснулись. Свой корабль я доверяю капитану Дриниану и прошу возвращаться в Нарнию как можно быстрее, но ни в коем случае не причаливать к острову Мёртвой Воды. Прошу также проверить, чтобы правитель, гном Трам, выдал моим товарищам по пу-

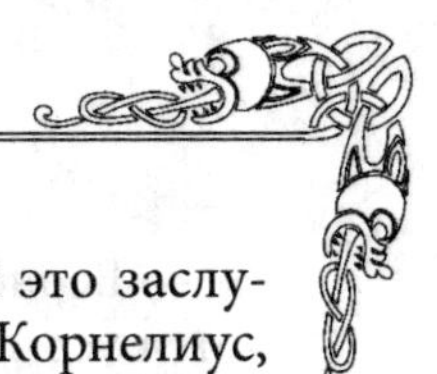

тешествию обещанное мною вознаграждение. Они это заслужили. А если я не вернусь, то пусть Трам, доктор Корнелиус, бобёр Боровик и лорд Дриниан исполнят мою волю: с общего согласия выберут короля Нарнии…

— Но, сир, — перебил его Дриниан, — вы что, отрекаетесь от трона?

— Мне хочется вместе с Рипичипом посмотреть на край света, — с загадочной улыбкой сказал Каспиан.

Моряки принялись в смятении перешёптываться.

— Мы возьмём шлюпку, — сказал Каспиан. — Она вам не понадобится в этих тихих морях, а на острове Раманду постройте новую. А теперь…

— Каспиан, — вдруг жёстко оборвал его Эдмунд, — ты не можешь так поступить!

— Совершенно верно, — подхватил Рипичип. — Его величество не может так поступить.

— И они правы, — поддержал Дриниан.

— Не могу? — резко переспросил Каспиан и на мгновение стал похожим на своего дядю Мираза.

— Прошу прощения у вашего величества, — раздался из задних рядов матросов голос Ринельфа, — но если бы кто-нибудь из нас так поступил, его сочли бы дезертиром.

— Не слишком ли много ты позволяешь себе, Ринельф! — оборвал его Каспиан.

— Нет, сир! Он совершенно прав, — вступился Дриниан за вперёдсмотрящего.

— Клянусь гривой Аслана! — воскликнул Каспиан. — Я всегда думал, что вы мои подданные, а не наставники.

— Я не твой подданный, — заявил Эдмунд, — и поэтому говорю: ты *не можешь* так поступить!

— Ну вот опять… — вздохнул Каспиан. — Что ты имеешь в виду?

— С позволения вашего величества, мы имеем в виду — не должны, — с почтительным поклоном произнёс Рипичип. — Вы король Нарнии, а значит, нарушите слово, которое дали своим подданным, в частности Траму, если не вернётесь. Вы не должны пускаться в рискованные приключения, словно частное лицо. И если ваше величество не желает слушать доводы разума, проявлением наивысшей преданности каждого на корабле будет разоружить и связать вас, пока не придёте в себя.

— Верно, — согласился Эдмунд, — как Одиссея, когда он хотел услышать пение сирен.

Рука Каспиана потянулась было к эфесу шпаги, но тут раздался голос Люси:

— И кроме того, ты обещал дочери Раманду, что вернёшься.

— Ну хорошо, пусть так. — Минуту Каспиан помолчал в нерешительности, затем крикнул на весь корабль: — Будь по-вашему. Путешествие окончено. Мы все возвращаемся. Поднимите шлюпку.

— Сир, — сказал Рипичип, — возвращаются не все: я, как уже говорил…

— Замолчи! — выкрикнул Каспиан в гневе. — Лучше не дразни меня. Кто-нибудь может утихомирить этого мышиного начальника?

— Ваше величество обещали, — стоял на своём храбрый Рипичип, — быть добрым правителем говорящих зверей Нарнии.

— Да, говорящих, но не болтающих без умолку, — буркнул Каспиан, в гневе слетел вниз по трапу и исчез в каюте, хлопнув дверью.

Когда друзья через некоторое время пришли к нему, его величество изменился до неузнаваемости: побледнел, а в глазах стояли слёзы.

— Нехорошо, — проговорил Каспиан покаянно. — Надо было держать себя в руках. Со мной говорил Аслан. Нет, его здесь не было, да он и не поместился бы в каюте, но эта золотая львиная голова на стене вдруг ожила и заговорила. Это было ужасно… Его глаза. Он не ругал меня… только сначала был суров. Но всё равно это было ужасно. И он сказал… сказал… нет, не могу… самое плохое, что он мог сказать. Вы поплывёте дальше: Рип и Эдмунд, и Люси, и Юстас, — а я должен буду возвращаться. Один. Прямо сейчас.

— Каспиан, дорогой, — сказала Люси, — ты же знал, что мы вернёмся в свой мир.

— Да, — всхлипнул Каспиан, — но я не думал, что так скоро.

— Тебе станет лучше, когда вернёшься на остров Раманду, — попыталась успокоить его величество Люси.

Спустя какое-то время он немного взбодрился, но расставание было печальным, и я не стану подробно его описывать. Около двух часов дня, снабжённые продовольствием и водой (хотя всем казалось, что ни еда, ни вода им не понадобятся),

с лодочкой Рипичипа на борту, шлюпка стала удаляться от «Покорителя зари» на вёслах по бесконечному ковру из лилий. Корабль, такой большой и уютный снизу, поднял все флаги и выставил все щиты в честь отплытия его величества короля Нарнии, потом сделал поворот и медленно, на вёслах двинулся на запад. И Люси, хоть и уронила несколько слезинок, не ощущала того, что ожидала. Свет, тишина, аромат Серебряного моря, даже (как ни удивительно) одиночество потрясали.

Грести не было необходимости: течение неуклонно несло шлюпку на восток. Опять никто не спал и не ел. Всю ночь и весь следующей день судёнышко скользило по глади моря на восток, а едва занялся рассвет третьего дня — такой яркий, что ни я, ни вы не могли бы вынести этого сияния даже в тёмных очках, — им явилось чудо. Казалось, между шлюпкой и небом встала стена, зеленовато-серая, дрожащая, мерцающая. Затем вышло солнце, и путешественники в первый раз увидели его сквозь эту стену, которая окрасилась в чудесные радужные цвета. Тут все поняли, что это вовсе не стена, а гигантская волна, бесконечно застывшая, словно водопад. Она была футов тридцати в высоту, и течение быстро несло шлюпку к ней. Можно было бы предположить, что они подумают об опасности, но нет, да и вряд ли кто-то другой стал бы думать на их месте, потому что теперь видели не только то, что позади волны, но и то, что позади солнца, и всё благодаря воде последнего моря, которая сделала их глаза более зоркими. А позади солнца, на востоке, виднелась горная гряда, и горы те были такие высокие, что никто не видел их вершин или забыл, что видел. Никто также не запомнил, что видел в той стороне небо. А горы, должно быть, действительно находились за пределами мира, потому как на их вершинах полагалось лежать снегу и льду, даже будь они в двадцать раз ниже, а эти оставались зелёными, поросшими лесами, с водопадами по всей высоте. Вдруг с востока подул бриз, разметал верх волны в пену и взволновал гладкую воду вокруг шлюпки. Это длилось всего мгновение, но и его хватило, чтобы остаться в памяти навсегда. Каждый из них ощутил благоухание и услышал звуки музыки. Эдмунд и Юстас никогда потом не говорили об этом, а Люси только и могла сказать, что у неё едва не разорвалось сердце, но вовсе не потому, что музыка была такой печальной.

Никто из сидевших в шлюпке не сомневался, что видит за концом света страну Аслана.

В этот момент они оказались на мелководье, шлюпка ткнулась в землю, и Рипичип сказал:

— Дальше я пойду один.

Никто даже не пытался его остановить, потому что всё, казалось, было предопределено заранее. Дети просто помогли спустить на воду его маленькую лодочку. Отстегнув свою шпагу («Больше она мне не нужна»), храбрый Рипичип забросил её подальше в море, покрытое лилиями, но она не утонула, а так и осталась торчать вертикально, так что над водой виднелся её эфес. Попрощавшись с друзьями, ради них пытаясь принять грустный вид, хотя на самом деле лучился радостью, мышиный король в первый и последний раз позволил Люси то, чего ей всегда хотелось: обнять его и погладить. Затем Рипичип быстро запрыгнул в лодочку и взял весло, и его тут же подхватило течение, и он поплыл — только тёмная фигурка виднелась среди лилий. Лодочка двигалась всё быстрее, и её относило в сторону волны, которая оказалась гладким зелёным склоном, где лилии не росли. На секунду лодочка с Рипичипом застыла на самой верхушке волны, затем пропала, и с тех пор никто не может утверждать, что когда-нибудь видел мышиного рыцаря, но я думаю, что он благополучно попал в страну Аслана, где и живёт по сей день.

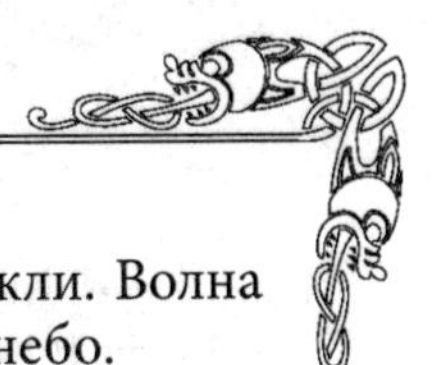

Когда встало солнце, горы за краем света поблекли. Волна осталась, но теперь за ней виднелось только синее небо.

Дети вылезли из шлюпки и пошли вброд, но не по направлению к волне, а на юг, оставив водную стену слева. Никто из них не мог бы сказать, почему так поступил, — это тоже было предрешено. И хотя каждый чувствовал, что стал взрослее на «Покорителе зари» — так и было на самом деле, — сейчас ощущал себя маленьким, поэтому среди лилий они брели, взявшись за руки. Вода была тёплой, и с каждым их шагом становилось мельче. В конце концов дети оказались на сухом песке, а потом и на огромной равнине с мягкой невысокой травой, почти того же уровня, что и Серебряное море, ровной и гладкой, без единой кочки.

И, разумеется, как всегда бывает на плоских местах, где нет деревьев, казалось, что впереди небо сходится с травой, но по мере продвижения вперёд у каждого возникло странное ощущение, что небо действительно упало и соприкоснулось с землёй: голубая стена, очень яркая, но крепкая, настоящая, больше похожая на стекло, чем на что-то другое. Вскоре ощущение переросло в уверенность: это действительно стена, причём совсем близко.

Прямо перед собой, у основания неба, на зелёной траве дети заметили что-то настолько белое, что даже их глаза слепило, а когда подошли ближе, то увидели, что это ягнёнок.

— Не хотите ли перекусить? — спросил он приятным мягким голосом.

Тут только друзья заметили, что на траве разложен костёр, где на углях печётся рыба. Впервые за многие дни дети вдруг ощутили голод и с удовольствием поели. Рыба оказалась восхитительной.

— Скажи, — обратилась к ягнёнку Люси, — это дорога в страну Аслана?

— Да, но не для вас. Вы можете попасть туда через дверь, что находится в вашем мире.

— Ты хочешь сказать, что в нашем мире тоже существует дорога в страну Аслана? — воскликнул Эдмунд.

— Дорога в мою страну существует в каждом из миров, — проговорил ягнёнок, прямо на их глазах из снежно-белого превращаясь в рыжевато-золотистого и увеличиваясь в размерах.

Вскоре над ними возвышался сам Аслан с сияющей гривой.

— Дорогой Аслан! — обрадовалась Люси. — Скажи нам, как попасть в твою страну из нашего мира.

— Я буду показывать тебе дорогу, — пообещал Великий лев, — но не скажу, долог будет путь или короток. Знай одно: лежит он через реку — но бояться не надо, поскольку там будет мост. А сейчас идём: я открою для вас дверь в свою страну.

— Аслан, — попросила Люси. — Прежде чем мы пойдём, скажи: когда мы сможем снова вернуться в Нарнию? И хорошо бы, чтобы это произошло поскорее!

— Дорогая, — мягко сказал Аслан, — вы с братом больше никогда туда не вернётесь.

— О нет, Аслан! — в отчаянии хором воскликнули Эдмунд и Люси.

— Вы выросли, дети, и пора знакомиться со своим собственным миром.

— Дело не в Нарнии, — всхлипнула Люси, — а в *тебе*. Мы же никогда тебя больше не увидим.

— Это не так, дорогое дитя, — возразил Аслан.

— Вы… вы тоже будете в нашем мире? — спросил Эдмунд.

— Да, — подтвердил Аслан, — но под другим именем, так что вам придётся научиться меня узнавать. Потому вы и попали в Нарнию, чтобы узнавать меня всюду.

— И Юстас тоже больше не вернётся? — спросила Люси.

— Дитя, я могу сказать тебе только то, что касается тебя. Пойдёмте, я открою дверь.

В это мгновение голубая стена раздвинулась, как расходится занавес, из-за неба полился ярчайший белый свет, каждый из детей ощутил прикосновение гривы льва и напутственный поцелуй на лбу — и снова очутился в задней спальне дома дяди Гарольда и тёти Альберты в Кембридже.

Хочу кое-что добавить.

Во-первых, Каспиан со своими людьми благополучно вернулся на остров Раманду, и поэтому лорды пробудились ото сна. Его величество женился на дочери Раманду, и в конце концов все они оказались в Нарнии, сделавшись прародителями целой династии.

Во-вторых, вернувшись в свой мир, Юстас так изменился к лучшему, что это вскоре заметили окружающие, и только тётя Альберта считала, что, напротив, мальчик стал совсем обыкновенным и скучным, как эти сёстры и брат Певенси.

# СЕРЕБРЯНОЕ КРЕСЛО

Карта
ДИКИХ ЗЕМЕЛЬ
СЕВЕРА
Фонарная
Пустошь
Великая река

ХАРФАНГ
Разрушенный город великанов
Гигантский мост
ЭТИНСМУР
УЩЕЛЬЕ ВЕЛИКАНОВ
река Шрибл
БОЛОТО
НАРНИЯ
МОРЕ

ПОСВЯЩАЕТСЯ
НИКЛАСУ ХАРДИ

*Перевод Натальи Виноградовой*

## *Глава первая*

# ЗА ШКОЛОЙ

Стоял унылый осенний день, и Джил Поул плакала на заднем дворе школы. А плакала она потому, что её изводили. Но эта история не про школу, поэтому я буду рассказывать о школе, в которую ходила Джил, как можно меньше — не очень это приятная тема. Мальчики и девочки здесь учились вместе, поэтому школу называли смешанной, хотя некоторые считали, что смешалось всё главным образом в головах тех, кто ею руководил. Школьное начальство придерживалось мнения, что детям нужно позволять делать всё, что им заблагорассудится. К несчастью, десять-пятнадцать старших мальчиков и девочек обожали издеваться над остальными. Весь ужас, происходивший здесь, в любой другой, самой обычной, школе был бы пресечён, едва успев начаться, но здесь дело обстояло совсем иначе. Даже если мучителей и останавливали, то об исключении из школы или наказании не могло быть и речи. Директриса заявляла, что они представляют собой интересный психологический случай, звала их к себе и часами беседовала с ними. А тот, кто умел сказать правильные слова, и вовсе становился директорским любимчиком, и никак иначе.

Вот отчего этим унылым осенним днём Джил Поул плакала, стоя на узенькой мокрой тропинке, ведущей от заднего

двора школы к зарослям кустарника. Она ещё не успела доплакать, когда из-за угла школы, насвистывая и засунув руки в карманы, появился мальчик и едва не налетел на неё.

— Смотри, куда идёшь! — проворчала Джил Поул.

— Да ладно тебе! — огрызнулся было мальчик, но, увидев её лицо, сменил тон: — Эй, Поул, что-то случилось?

Джил скривилась, как это часто бывает, когда хочешь что-то сказать, но понимаешь, что, стоит только начать, сорвёшься и заплачешь.

— Понятно: это опять *они*, — нахмурился мальчик, глубже засовывая руки в карманы.

Джил кивнула. Говорить было ни к чему — и так всё ясно.

— Послушай, — сказал мальчик, — нехорошо, если нас всех...

Он хотел сделать как лучше, но начал так, словно собирался прочесть лекцию. Джил внезапно разозлилась, как это частенько случается, если вам не дали как следует выплакаться:

— Уходи, тебя это не касается! Кто тебя просил вмешиваться? Хорошо тебе рассуждать, что нам всем нужно делать. Наверное, нужно всё время подлизываться к ним, заискивать, ходить перед ними на задних лапках, как это делаешь ты.

— О господи! — произнёс мальчик, усевшись было на траву возле кустарника, но тут же вскочив на ноги, потому что трава оказалась мокрая-премокрая.

Забавно, но его звали Юстас Вред, хотя был он очень даже неплохим парнишкой.

— Поул! Разве это справедливо? Разве в этом семестре я так делал? Ведь это я схлестнулся с Картером насчёт кролика. Ведь это я не выдал Спивинса, несмотря ни на что. Разве не я...

— Н-не знаю и знать не хочу, — зарыдала Джил.

Вред понял, что она не в себе, и благоразумно предложил ей мятную конфетку, не забыв и о себе. Очень скоро вещи предстали перед Джил в ином свете.

— Прости меня, Вред, — сказала она. — Это несправедливо. Ты и вправду делал так — в этом семестре.

— Тогда забудь прошлый семестр, если можешь, — попросил Юстас. — Я тогда был совсем другой. Боже мой, кем я был раньше! Маленьким негодяем.

— Честно говоря, так и было, — кивнула Джил.

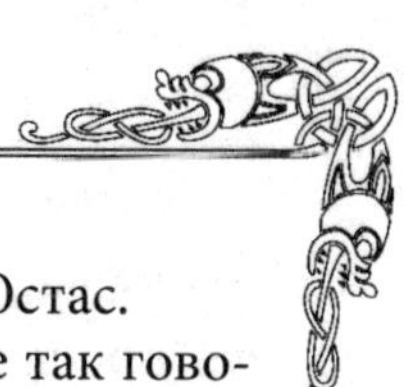

— Значит, по-твоему, я изменился? — спросил Юстас.

— Не только по-моему, — ответила Джил. — Все так говорят. *Они* это тоже заметили. Элинор Блекистон слышала, как Адела Пеннифевер вчера говорила об этом в нашей раздевалке. Она сказала: «Что-то случилось с нашим малышом Вредом. В этом семестре он стал просто неуправляем. Видимо, придётся им заняться».

Юстас вздрогнул. Все в этой школе знали, что будет, если *они* кем-нибудь займутся.

Оба замолчали, и было слышно только, как с ветвей лавра падали капли.

— А действительно, почему ты так изменился в последнем семестре? — нарушила молчание Джил.

— На каникулах со мной много чего странного произошло, — загадочно ответил Юстас.

— Что же именно? — заинтересовалась Джил.

Юстас долго молчал, но наконец заговорил:

— Послушай, Поул, мы с тобой ненавидим это место так, как только вообще можно что-нибудь ненавидеть, правда?

— Что касается меня — точно! — горячо отозвалась Джил.

— Тогда, думаю, тебе можно доверять.

— И на том спасибо, — съехидничала Джил.

— Но это на самом деле страшный секрет. Послушай, Поул, ты веришь во всякое такое... ну, в то, над чем здесь принято смеяться?

— Вообще-то не знаю, — протянула Джил, — но думаю, что верю.

— А ты поверишь, если я скажу, что побывал там, вне нашего мира, и случилось это в каникулы?

— Я просто не понимаю, о чём ты.

— Хорошо, не будем о мирах. Представь, что я побывал в таком месте, где животные разговаривают и где есть всякие чудеса — драконы там и другое такое, о чём пишут в сказках. — Вред ужасно смутился и покраснел.

— Как ты туда попал? — Джил тоже почему-то почувствовала странную неловкость.

— Единственно возможным способом — с помощью волшебства, — еле слышно отозвался Юстас. — Я был с кузеном и кузиной — им это место знакомо.

Теперь, когда они перешли на шёпот, Джил почему-то стало проще поверить во всё сказанное. Внезапно её пронзило ужасное подозрение, и она заявила (с такой свирепостью, что на мгновение стала похожа на тигрицу):

— Если я узнаю, что ты дурачишь меня, то больше никогда не стану с тобой разговаривать. Слышишь? Никогда-никогда!

— Да нет же, — заверил её Юстас. — Клянусь, что нет. Клянусь всем-всем.

(Во времена моего детства мы клялись на Библии, но в этой школе клятвы подобного рода не поощрялись.)

— Ладно, — согласилась Джил, — поверю тебе.

— И никому не скажешь?

— За кого ты меня принимаешь?

Разговор привёл обоих в волнение. Однако, когда возникла пауза, Джил оглянулась, увидела скучное осеннее небо, услышала стук капель, падающих с ветвей, подумала о беспросветном существовании в их экспериментальной школе (шла лишь вторая неделя семестра, а всего их было тринадцать) и сказала:

— Ну и что из этого? Мы не там, мы здесь. *Туда* нам никак не попасть. Или всё-таки можно?

— Я сам об этом думаю, — ответил Юстас. — Когда мы возвращались из того места, Некто сказал, что ребята Певенси (это мои двоюродные брат и сестра) никогда не смогут туда вернуться, потому что побывали там уже три раза. Наверное, больше им не положено. Но никто не сказал, что я не могу туда вернуться. Если бы было нельзя, он бы сказал... И мне кажется, что мы... могли бы...

— Сделать что-нибудь, чтобы это случилось?

Юстас кивнул.

— Ты думаешь, мы можем начертить на земле круг, написать в нём странные буквы, встать в середине и читать всякие заклинания?

Какое-то время Юстас усиленно соображал.

— Именно это мне и приходило на ум, хотя я никогда так не делал. Но сейчас, когда дошло до дела, мне кажется, что круги и всё такое прочее — чепуха. Думаю, ему это не понравится. Может показаться, что мы как будто заставляем его что-то делать. На самом деле мы только можем его просить.

— О ком ты всё время говоришь?

— В том месте его зовут Аслан.

— Какое странное имя!

— Не более странное, чем он сам, — важно заявил Юстас. — Давай попробуем. Ничего плохого не случится, если мы только попросим. Становись рядышком. Вот так. А теперь давай вытянем вперёд руки ладонями вниз, как делают на острове Раманду...

— Каком острове?

— Я расскажу тебе об этом в другой раз. Возможно, он хочет, чтобы мы встали лицом на восток. Так, где у нас восток?

— Не знаю, — призналась Джил.

— Удивительно, но девчонки никогда не знают, где какая сторона света, — заметил Юстас.

— Ты тоже не знаешь, — возмутилась Джил.

— Сейчас скажу, если не будешь мне мешать. Ну вот. Восток там, где кусты лавра. А теперь повторяй за мной.

— Что повторять? — не поняла Джил.

— Ну то, конечно, что я буду говорить, — пробормотал Юстас. — Давай...

И он начал:

— Аслан, Аслан, Аслан!

— Аслан, Аслан, Аслан, — эхом отозвалась Джил.

— Пожалуйста, пусти нас двоих...

В этот момент с другой стороны школы раздался голос:

— Поул? Я знаю, где она: вон за школой ревёт. Привести её сюда?

Джил и Юстас переглянулись, нырнули в заросли лавра и принялись карабкаться вверх по поросшему кустарником холму с завидной скоростью (такими способностями они были обязаны методам обучения, которые практиковали в их экспериментальной школе, где ученик усваивал не французский, математику или латынь, а умение быстро и незаметно исчезать, когда его начинают искать).

Минуту спустя они остановились, прислушиваясь, и по доносившемуся шуму поняли, что их преследуют.

— Только бы дверь была снова открыта! — произнёс Вред на бегу, и Джил кивнула.

Дело в том, что на вершине холма находилась высокая каменная стена с дверью, через которую можно было попасть на вересковую пустошь. Эта дверь почти всегда была закрыта, хотя иногда её всё же открывали — возможно, всего лишь раз. Но представьте себе, что даже этот единственный раз вселил в людей надежду и желание проверить, а всё потому, что, будь она открыта, со школьного двора можно было бы уйти незамеченными.

Джил и Юстас, разгорячённые и грязные, оттого что чуть ли не на четвереньках вынуждены были пробираться через кустарник, отдуваясь, бежали к стене. Впереди виднелась дверь, как всегда закрытая.

— Наверняка ничего не выйдет! — выдохнул Юстас, хватаясь за ручку двери. И вдруг... — Ух ты!

Ручка повернулась, и дверь открылась.

Только что они надеялись, что смогут мгновенно проскочить в дверь, будь она открыта, теперь же, когда дверь распахнулась, оба застыли перед ней как вкопанные. А всё потому, что увидели совсем не то, что ожидали увидеть.

Дети рассчитывали увидеть серый, поросший вереском склон, сливающийся на горизонте с серым осенним небом. Вместо этого в глаза им брызнуло солнце. Его свет лился в дверной проём, как июньским днём лился бы в гараж, если приоткрыть дверь. Он превратил в жемчужинки капли воды на траве и осветил чумазое заплаканное лицо Джил. Солнечный свет шёл явно из другого мира, насколько они могли его видеть через дверной проём. Перед ними была такая сочная и такая необыкновенно зелёная трава, какой Джил никогда прежде не приходилось видеть, и голубое небо, в котором сверкало что-то яркое: то ли драгоценные камни, то ли бабочки.

Джил, хотя и мечтала раньше о чём-то подобном, сейчас испугалась, а посмотрев на Вреда, поняла, что он тоже боится.

— Давай, Поул, — еле слышно прошептал Юстас.

— А мы сможем вернуться? Это не опасно? — заволновалась Джил.

В ту же секунду у них за спинами раздался противный тонкий голосок, который злорадно проквакал:

— Так и знай, Поул, всем известно, где ты, поэтому давай спускайся.

Голосок принадлежал Эдит Джекл, которая была не из них, но из их прилипал и доносчиц.

— Быстрее! — закричал Вред. — Вот так. Давай руку. Надо держаться вместе.

И прежде чем Джил поняла, что происходит, он схватил её за руку и втащил в дверь, прочь из школьного двора, из Англии, из всего нашего мира — в *то место*.

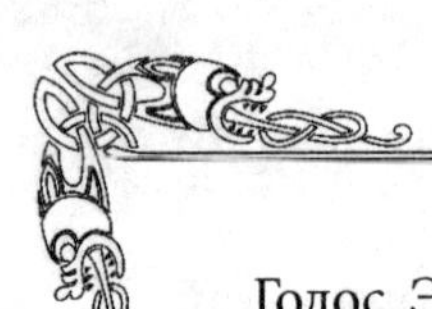



Голос Эдит Джекл внезапно смолк, будто выключили радио. В то же мгновение их окружили другие звуки: их издавали у детей над головой яркие существа, оказавшиеся птицами. Они не пели, а скорее шумели, но этот шум тем не менее больше напоминал музыку, чем птичьи трели в нашем мире. И всё же, несмотря на птичьи голоса, они ощутили себя в полнейшей тишине. Эта тишина и прохладный воздух навели Джил на мысль, что они стоят на вершине очень высокой горы.

Вред не выпускал её руку из своей, когда они пошли вперёд, озираясь по сторонам. Джил обратила внимание на огромные деревья вокруг, похожие на кедры, только гораздо больше. Поскольку росли они редко и под ними не было подлеска, лес просматривался на значительное расстояние. На сколько хватал глаз, везде было одно и то же: ровная трава, порхающие птицы с жёлтым, голубым и радужным оперением, синие тени — и ничего больше. В прохладном чистом воздухе не ощущалось ни малейшего дуновения ветра. В этом лесу было очень тоскливо.

Деревья впереди них закончились, осталось лишь голубое небо. Они молча шли, пока внезапно Джил не услышала, как Вред вскрикнул: «Осторожно!» — и не почувствовала, как её дёрнули назад. Они стояли на самом краю обрыва.

Джил принадлежала к тем счастливчикам, которые не знают страха высоты, поэтому стояла над обрывом спокойно, хотя и сердилась на Вреда за то, что тот тянет её назад, как ребёнка. Джил с возмущением выдернула руку и, увидев, как побледнел Юстас, почувствовала презрение.

— В чём дело?

Чтобы показать, какая она смелая, Джил шагнула к самому краю обрыва — даже ближе, чем хотела, — и только тут взглянула вниз.

Теперь она поняла, что у Вреда были причины побледнеть: ничто в нашем мире с этой скалой не могло сравниться. Представьте, что смотрите вниз с самого высокого утёса. А потом представьте, что вниз уходит пропасть в десять, в двадцать раз глубже. Глубоко-глубоко внизу, неразличимые с такой высоты, виднеются маленькие белые комочки, похожие на овечек. Но вовсе это не овечки, а облака, и притом не мелкие клочки тумана, а огромные белые пушистые облака величиной с ги-

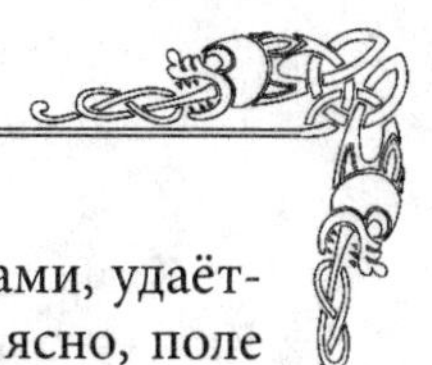

гантскую гору. И наконец, где-то там, между облаками, удаётся разглядеть дно пропасти, такое далёкое, что не ясно, поле там внизу или лес, земля или вода, — там, далеко под этими облаками, гораздо дальше, чем находитесь от них вы.

Джил неотрывно смотрела вниз, пока ей не пришло в голову, что надо бы отступить на пару шагов от края пропасти, но что тогда подумает Вред? Да пусть думает что хочет, решила Джил, но она отойдёт от этого ужасного края и никогда больше не будет смеяться над теми, кто боится высоты. Но, попытавшись сдвинуться с места, она вдруг с ужасом осознала, что не может двинуться: ноги стали словно пластилиновые, всё поплыло перед глазами.

— Что ты делаешь, Поул? Назад, идиотка! — заорал Вред.

Его голос она услышала словно откуда-то издалека, зато почувствовала, как Юстас схватил её. Но руки и ноги словно не принадлежали ей. На краю пропасти завязалась короткая борьба. Джил, испуганная и почти без сознания, не понимала, что делает, но два момента ей врежутся в память навсегда (потом даже будут часто сниться): как она вырвалась из рук Юстаса и как в ту же секунду он потерял равновесие и с жутким криком полетел в пропасть.

К счастью, у неё не было времени осознать, что произошло. Какое-то огромное яркое животное бросилось к краю обрыва, улеглось, свесившись вниз, и принялось сильно дуть: не сопеть, не фыркать, а просто ритмично выдыхать открытой пастью воздух, так же как пылесос его втягивает. Джил лежала так близко к странному существу, что ощущала вибрации его тела. Подняться она не могла, потому что была на грани обморока и даже мечтала вправду потерять сознание, да вот только обморок заказать нельзя. Наконец она заметила далеко внизу чёрное пятнышко: отделившись от скалы, оно, как казалось, стало подниматься понемногу вверх, и чем выше, тем больше удалялось. К тому моменту, когда пятнышко поравнялось с вершиной скалы, его уже невозможно было разглядеть: очевидно, удалялось оно от них с большой скоростью.

Джил не могла отделаться от мысли, что это расположившееся рядом с ней существо сдувает его, и повернулась посмотреть, кто это. Это оказался лев.

## *Глава вторая*

# ДЖИЛ ПОЛУЧАЕТ ЗАДАНИЕ

Не глядя на Джил, лев поднялся, последний раз дунул, затем, видимо довольный своей работой, повернулся и медленно побрёл к лесу.

«Это мне снится, не иначе, — убеждала себя Джил. — Сейчас проснусь, и всё станет по-прежнему».

Но это был не сон, так что о пробуждении не могло быть и речи.

«И зачем только мы пришли в это ужасное место! Хотя вряд ли Вред знал о нём больше моего. Но если всё же знал, то не имел права без предупреждения приводить меня сюда. Я не виновата в том, что он упал со скалы. Оставь он меня в покое, с нами сейчас всё было бы в порядке».

Тут Джил вспомнила, как Вред кричал, когда летел в пропасть, и зарыдала. Нет, поплакать вовсе неплохо, но только пока плачешь. Рано или поздно приходится останавливаться и решать, что же делать дальше. Вот и Джил, закончив плакать, почувствовала, что ужасно хочет пить. До этого она лежала лицом вниз, а теперь села. Птицы смолкли, стояла мёртвая тишина, если не считать еле слышного монотонного гула, доносившегося откуда-то издалека.

Джил подумала, что, скорее всего, это журчание воды, поднялась на ноги и внимательно огляделась по сторонам. Льва нигде видно не было, но её плотной стеной обступали деревья, так что он вполне мог скрываться где-то поблизости, да и не один. Жажда стала просто нестерпимой, и, собравшись с духом, она отправилась на поиски воды. Осторожно, постоянно оглядываясь, Джил на цыпочках начала передвигаться от дерева к дереву.

В лесу стояла такая тишина, что определить, откуда доносился звук, не составляло никакого труда. Журчание воды становилось всё отчётливее и отчётливее, и неожиданно скоро Джил оказалась на поляне и увидела прозрачный, как стекло, ручей, который бежал в траве совсем рядом. Хоть вид воды и усилил её жажду десятикратно, Джил не бросилась к ручью сломя голову, а застыла на месте с открытым ртом, словно каменное изваяние. И на то имелась веская причина: на берегу ручья лежал лев, с гордо поднятой головой и вытянутыми вперёд передними лапами, словно один из тех, что украшают Трафальгарскую площадь. Она тотчас поняла, что он её заметил, потому что, бросив на неё взгляд, лев отвернулся, точно давно её знал и не слишком высоко ставил.

«Если побегу, он одним прыжком настигнет меня, — подумала Джил, — а если продолжу идти куда шла, прямиком попаду ему в зубы». Но что бы там она ни думала, с места двинуться всё равно не могла, даже если бы очень захотела, как не могла и отвести взгляд от зверя. Сколько времени это продолжалось, Джил не знала, но казалось, что несколько часов. Жажда стала такой нестерпимой, что она уже согласилась бы даже быть съеденной, только бы дали сначала глоток воды.

— Если тебя мучает жажда, можешь напиться.

Это были первые слова, которые Джил услышала после возгласов Вреда на краю обрыва. Несколько секунд она непонимающе оглядывалась, пока голос не прозвучал снова:

— Если хочешь пить, подойди и напейся.

Ей вспомнились рассказы Вреда о говорящих животных в том, другом мире, и стало понятно, что эту фразу произнёс лев. Во всяком случае, Джил видела, как двигается его челюсть, да и голос не походил на человеческий: это был скорее сдерживаемый рык — глубокий, грозный, тяжёлый. Нельзя сказать, что она перестала бояться, просто теперь боялась по-другому.

— Разве ты не хочешь пить? — спросил лев.

— Умираю от жажды, — ответила Джил.

— Почему же не пьёшь? — удивился лев.

— Можно я... позвольте мне... Не могли бы вы отойти, пока я пью? — промямлила Джил.

Лев непонимающе посмотрел на неё и глухо заворчал. Окинув взглядом его неподвижное туловище, Джил поняла, что с таким же успехом можно было попросить подвинуться гору.

А тем временем призывное журчание ручья едва не сводило её с ума.

— А вы обещаете, что не... что ничего не сделаете со мной, пока пью? — с опаской произнесла Джил.

— Я не даю никаких обещаний, — отрезал лев.

Джил так хотелось пить, что, сама не заметив как, она сделала шаг вперёд и поинтересовалась:

— А вы едите девочек?

— И девочек, и мальчиков, и женщин, и мужчин, царей и королей, города и королевства, — сказал без хвастовства, сожаления или злости лев.

— Я боюсь... — призналась Джил.

— Тогда умрёшь от жажды, — заключил лев.

— О господи! — воскликнула Джил, сделав ещё шажок. — Наверное, мне лучше поискать другой ручей.

— Здесь нет другого ручья, — спокойно заметил лев.

Ей и в голову не пришло ему не поверить: уж больно суровый был у него вид. И Джил сдалась. Хотя никогда в жизни ей не приходилось испытывать такой страх, она всё-таки подбежала к ручью и, склонившись, принялась пить, ладошкой зачерпывая воду. Это была самая вкусная и освежающая вода, которую Джил доводилось когда-либо пробовать. Её не требовалось много — жажду она утоляла мгновенно. Пока бежала к ручью, Джил сказала себе, что попытается сбежать от льва, как только напьётся, но теперь поняла, что это самое рискованное, на что можно было решиться. Не успев даже вытереть губы, она выпрямилась и застыла на месте, когда услышала:

— Подойди сюда.

Джил и сама не поняла, как оказалась между его передними лапами, прямо перед огромной пастью, и, не в силах выдержать его немигающий взгляд, отвела глаза.

— Человеческое дитя, — произнёс лев. — А где мальчик?

— Упал со скалы, — ответила Джил и добавила: — Сэр...

Она не знала, так ли следует к нему обращаться, но не назвать никак ей показалось невежливым.

— Как это случилось?

— Он пытался не дать мне упасть, сэр.

— Зачем же ты подошла так близко к краю?

— Хотелось похвастаться, сэр.

— Это честный ответ, но больше так не делай. Так вот, — уже мягче заговорил лев, — мальчик в безопасности: я сдул его в Нарнию. Но теперь из-за твоей глупости ваша задача усложнится.

— Какая задача, сэр? — удивилась Джил.

— Задача, для решения которой я призвал тебя и его сюда из вашего мира.

Джил не знала, что и думать. «Он меня с кем-то спутал», — пришло ей в голову. Сказать это льву она, конечно, не осмелилась, но поняла, что всё ужасно запутается, если не скажет.

— Говори, человеческое дитя, — велел лев, будто прочитав её мысли.

— Мне кажется — то есть я думаю, — что здесь какая-то ошибка. Видите ли, нас с Вредом никто не звал, мы сами попросились сюда. Вред говорил, что мы должны попросить у кого-то — у него ещё такое странное имя — разрешения войти, что мы и сделали, и дверь оказалась открытой.

— Вы не смогли бы меня ни о чём попросить, если бы я сам не позвал вас, — сказал лев.

— Стало быть, Некто — это вы, сэр? — догадалась Джил.

— Да, это я. А теперь слушай своё задание. Далеко отсюда, в королевстве Нарния, правитель пребывает в печали из-за того, что нет у него кровного наследника. Его единственного сына похитили много лет назад, и никто в Нарнии не знает, где он и жив ли вообще. Знаю я: он жив. Тебе надлежит искать принца до тех пор, пока либо не найдёшь и не приведёшь в отцовский дом, либо не погибнешь в поисках, либо не вернёшься в свой мир.

— Но как это возможно? — растерялась Джил.

— Я расскажу тебе, дитя. Вот знаки, с помощью которых я буду направлять тебя. Первое: как только мальчик Юстас

ступит на землю Нарнии, ему встретится старый добрый друг. Его надо сразу же поприветствовать, это поможет. Второе: вы должны идти на север от Нарнии, пока не окажетесь на развалинах древнего города великанов. Третье: на одном из камней вы найдёте надпись и последуете туда, куда будет указано. Четвёртое: вы узнаете пропавшего принца (если, конечно, разыщете) по тому, что он окажется первым за всё ваше путешествие, кто попросит вас о чём-то моим именем, то есть именем Аслана.

Когда лев закончил, Джил подумала, что ей следует как-то ему ответить, и сказала:

— Большое спасибо, сэр, я поняла.

— Дитя, — произнёс Аслан куда ласковее, чем прежде, — возможно, ты не настолько хорошо всё поняла, как думаешь. Прежде тебе надо хорошенько запомнить все знаки по порядку, так что давай-ка повтори...

Джил начала было, но спуталась. Лев поправлял её и заставлял повторять снова и снова до тех пор, пока она не выучила всё наизусть. Он был так терпелив, что, когда они закончили, Джил набралась смелости спросить:

— Скажите, пожалуйста, а как я попаду в Нарнию?

— На моём дыхании, — ответил лев. — Я сдую тебя на запад, как сдул и Юстаса.

— А я успею рассказать ему о первом знаке? Впрочем, это не так важно. Ведь если он увидит старого друга, то наверняка подойдёт и заговорит с ним.

— Слишком мало времени, — сказал лев, — поэтому я должен послать тебя немедленно. Пойдём. Шагай передо мной к краю обрыва.

Джил прекрасно понимала, что виной всему она сама. «Если бы я не вела себя так глупо, мы с Вредом отправились бы туда вместе. И он, так же как и я, услышал бы все указания».

Джил всё сделала так, как было велено, хотя и очень нервничала, возвращаясь к краю скалы, особенно потому, что лев шёл не рядом с ней, а бесшумно шагал на мягких лапах следом. И ещё задолго до того, как показался край обрыва, голос сзади приказал:

— Замри. Сейчас я начну дуть. Но главное — это помнить знаки. Повторяй их про себя, когда встаёшь утром, ложишься спать вечером или просыпаешься посреди ночи. Что бы ни происходило, пусть ничто не помешает тебе продвигаться от знака к знаку. А ещё я хочу тебя предупредить: здесь, на горе, я говорю с тобой прямо, но внизу, в Нарнии, так будет нечасто. Здесь твой разум так же чист, как горный воздух, но по мере того как будешь спускаться, приближаясь к Нарнии, воздух станет гуще. Будь очень осторожна, чтобы не сбиться с пути. Там знаки, которые ты запомнила здесь, будут выглядеть не так, как ожидаешь, поэтому очень важно знать их наизусть и не обращать внимания на их вид. Помни знаки и полагайся на них. Остальное не важно. А теперь, дочь Евы, прощай...

Голос звучал всё тише и тише, пока наконец не замер вдали. Джил оглянулась и, к своему изумлению, увидела, что скала теперь удалилась от неё ярдов на сто, а лев превратился в золотистую точку над обрывом. Джил стиснула зубы и сжала кулаки, чтобы устоять под натиском ветра, поднятого дыханием льва, но его выдох оказался таким нежным, что она даже не заметила, в какой миг оторвалась от земли. Теперь под ней были лишь тысячи и тысячи футов воздуха.

Джил успела испугаться лишь на мгновение. Во-первых, мир внизу под ней находился так далеко, что, казалось, не имел к ней никакого отношения. Во-вторых, плыть на дыхании льва оказалось очень приятно. Она обнаружила, что может лежать на спине или на животе, поворачиваясь при этом в любую сторону, как это можно делать в воде, если, конечно, уметь плавать. Поскольку двигалась она с той же скоростью, что и поток воздуха, Джил не чувствовала никакого ветра, да и воздух был восхитительно тёплым. Это совсем не походило на авиаперелёт: здесь не было ни шума, ни вибрации. Если бы у Джил был опыт полёта на воздушном шаре, то она могла бы подумать, что тот и нынешний полёты очень похожи, только этот гораздо лучше.

Сейчас, оглядываясь назад, Джил сумела по-настоящему понять, какой огромной была гора, которую она покинула. Её удивило, почему при такой высоте на вершине отсутствовали снег и лёд. «Наверное, здесь всё по-другому», — решила Джил,

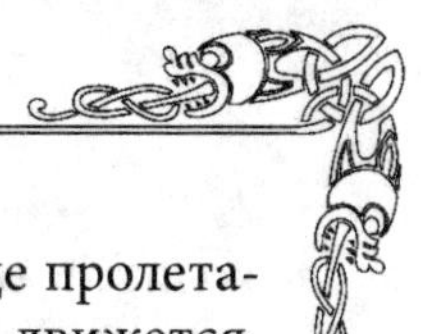

а когда посмотрела вниз, то не смогла разобрать, где пролетает, над сушей или над морем и с какой скоростью движется, потому что находилась на очень большой высоте.

«Боже мой! Знаки! — вспомнилось внезапно ей. — Надо их повторить». На пару секунд её охватила паника, но затем она убедилась, что по-прежнему может повторить их правильно. Джил удовлетворённо вздохнула и откинулась на воздух, как на диван.

«Надо же, — удивилась она спустя несколько часов, — я спала, спала в воздухе. Неужели с кем-нибудь ещё такое случалось? Вот уж не думаю. Впрочем, наверное, с Вредом случалось, когда летел так же совсем недавно. Ну-ка, что там внизу?»

А внизу простиралась бескрайняя синяя долина. Холмов на ней не было видно, но её медленно пересекали какие-то крупные белые штуковины. «Должно быть, облака, — подумала Джил, — но гораздо больше тех, что мы видели со скалы. Наверное, это потому, что они ближе. Скорее всего, я спускаюсь. Как же мешает солнце!»

Солнце, которое в начале путешествия стояло у Джил над головой, теперь светило прямо в глаза. Это означало, что оно садится прямо перед ней. Вред был прав, утверждая, что Джил не слишком интересовалась географией, иначе знала бы, что если заходящее солнце светит прямо в глаза, то движется оно на запад.

Разглядывая синюю равнину внизу, она очень скоро заметила разбросанные то тут, то там небольшие светлые пятна. «Это море, — решила Джил, — а пятна — острова». Так оно и было. И Джил позавидовала бы, если бы знала, что некоторые из этих островов Вред не только видел с палубы корабля, но и высаживался на них. Затем она заметила рябь на синей поверхности — скорее всего, огромные океанские волны, — а вслед за этим на горизонте появилась широкая тёмная полоса, которая росла прямо на глазах, расширялась и темнела. Впервые Джил почувствовала, что летит с огромной скоростью, и поняла, что эта полоса не иначе как земля.

Внезапно откуда-то слева (ветер дул с юга) появилось и понеслось прямо на неё огромное белое облако, которое на сей раз плыло на одной с Джил высоте. Не успев понять, где на-

ходится, она очутилась в самом центре холодного влажного тумана. У неё перехватило дыхание, но это длилось какой-то миг. Джил выплыла из облака, щурясь от солнечного света, мокрая до нитки, хотя была одета в пиджак, свитер, шорты, чулки и довольно тёплые ботинки, поскольку в Англии погода стояла промозглая. Выбравшись из облака на гораздо меньшей высоте, она тотчас заметила то, что вроде бы должна была ожидать, но что оказалось для неё полной неожиданностью и потрясением. Это были звуки. Если до этого путешествие проходило в полной тишине, то теперь до неё донеслись плеск волн и крики чаек, а ещё она почувствовала запах моря. Скорость полёта была теперь очевидна. Джил видела, как с грохотом разбиваются друг о друга волны, поднимая пенные брызги, — и в ту же секунду всё это оказывалось далеко позади. Земля неслась на неё с огромной скоростью: впереди она уже различала горы, а слева ещё какие-то вершины. Джил видела заливы и мысы, леса и поля, полоски песчаных пляжей. Шум прибоя становился всё громче и поглощал все другие звуки моря. Внезапно суша оказалась прямо перед ней. Джил летела к устью реки. До воды оставалось всего несколько футов. Гребень волны оказался под её мыском, а пенные брызги окатили почти до пояса. Теперь она летела всё медленнее. Вместо того чтобы направиться вверх по реке, она плавно снижалась на её левый берег. Вокруг было столько всего, что Джил не могла разом всё осмотреть: ровная зелёная лужайка, корабль, так ярко раскрашенный, что походил на огромное ювелирное украшение, башни и зубчатые стены, развевающиеся на ветру стяги, толпа в разноцветных одеждах, доспехи, золото, мечи, музыка. Всё смешалось. Затем до Джил дошло, что она уже приземлилась — в какой-то роще на речном берегу, — и всего в нескольких футах от неё стоит Вред.

Первое, что бросилось ей в глаза, — это его неряшливый и неопрятный вид. И тут же Джил подумала: «Какая же я мокрая!»

*Глава третья*

# КОРОЛЬ ОТПРАВЛЯЕТСЯ В ПЛАВАНИЕ

Вред выглядел так неприглядно (да и Джил тоже, если бы взглянула на себя со стороны) по контрасту с великолепным окружением. Лучше я всё опишу сразу.

Через расщелину в горах, которые Джил видела прямо перед собой, подлетая к земле, в лучах заходящего солнца на дальней стороне лужайки высился замок со множеством башен и башенок. Джил никогда ещё не приходилось видеть такой красоты. Ближе, у беломраморной набережной, на якоре стоял корабль: с высокими носом и кормой, золотисто-багряный, с большим флагом на мачте, множеством флажков на палубе и серебристыми щитами вдоль фальшборта. Возле корабельных сходен готовился взойти на палубу древний старик в алой мантии, под которой была надета кольчуга. Голову старца венчал тонкий золотой обруч. Белая, как вата, борода доходила ему почти до пояса. Он стоял прямо, одной рукой опираясь о плечо богато одетого господина, который хоть и выглядел моложе, но тоже был очень стар и так слаб, что, казалось, его может унести лёгким дуновением ветерка. В глазах его стояли слёзы.

Король обернулся, чтобы обратиться к своим подданным с речью, перед тем как взойти на корабль. Прямо перед ним стояло маленькое кресло-повозка на колёсах, в которую был впряжён крошечный, не больше крупной собаки, ослик. В кресле восседал толстый гном, одетый не хуже короля и обложенный к тому же подушками. Из-за своих габаритов и согбенной позы он представлял собой отнюдь не величественное зрелище, а скорее бесформенную кучу меха, шёлка и бархата. Одного возраста с королём, гном тем не менее выглядел крепче и бодрее, да и смотрел лукаво. Его голая, непомерно большая голова сверкала в закатных лучах солнца, словно гигантский бильярдный шар.

Чуть поодаль полукругом выстроились те, в ком Джил сразу угадала придворных. В своих пёстрых одеждах и доспехах они, по правде сказать, больше напоминали клумбу, чем королевскую свиту. Однако больше всего Джил потрясли сами люди, если, конечно, их можно назвать людьми. Нет, примерно каждый пятый из них действительно был человеком, зато остальные были существами, которых не встретишь в нашем мире. Фавны, сатиры, кентавры — Джил видела их на картинках, — а ещё гномы. И множество зверей, которых она тоже узнала: медведи, барсуки, кроты, леопарды, мыши и тучи самых разных птиц. Но вся эта живность была совсем не такой, как там, в её мире. Некоторые здесь были гораздо крупнее: например мыши стояли на задних лапах и ростом превосходили два фута, — но отличие заключалось не только в этом. Выражение на их мордах ясно давало понять, что они могут разговаривать и думать совсем как мы.

«Ну и ну, — подумала Джил. — Значит, это правда». И тут же задалась вопросом: «Интересно, они добрые?» С краю толпы она заметила пару великанов и каких-то существ, которые ей были совершенно незнакомы. Внезапно Джил вспомнила про Аслана и знаки. У неё совсем вылетело из головы за последние полчаса, зачем она здесь.

— Эй, Вред! — прошептала она, потянув друга за руку. — Ты знаешь кого-нибудь из них?

— Ах, это опять ты! — недовольно отозвался Вред, и разве можно было его за это упрекнуть? — Помолчи, пожалуйста: я хочу послушать.

— Не глупи, — заторопила его Джил. — Нельзя терять ни минуты. Ты должен как можно скорее отыскать здесь старого друга и немедленно с ним заговорить.

— О чём это ты? — в недоумении воззрился на неё Вред.

— Это Аслан... лев... сказал! — в отчаянии прошептала Джил. — Я его видела.

— Это правда? Что конкретно он сказал?

— Сказал, что ты сразу же встретишь в Нарнии старого друга и должен тотчас с ним заговорить.

— Да я здесь вообще никого не знаю, как не знаю, Нарния ли это.

— Ты вроде бы говорил, что уже бывал здесь?

— Ты просто не так поняла...

— Ну ничего себе! Сам говорил...

— Прошу, замолчи и дай послушать, о чём они говорят, — оборвал её Юстас.

Король беседовал с гномом, но Джил не слышала, о чём, только видела, как гном кивает и качает головой. Затем король наконец обратился к придворным, но его голос был так глух и слаб, что она мало что смогла услышать и понять, потому что упоминались имена и места, которые были ей совершенно неизвестны.

Закончив речь, король наклонился, расцеловал гнома в обе щёки, выпрямился, поднял правую руку, словно благословляя, и затем медленно и неуверенно поднялся по сходням на борт корабля. Его отбытие очень расстроило придворных. Везде мелькали носовые платки, отовсюду слышались рыдания. Сходни убрали, на корме зазвучали фанфары, и корабль медленно отошёл от пристани. (Его буксировала гребная шлюпка, но Джил этого не видела.)

— Ну... — начал было Вред, но закончить ему не удалось, потому что в этот момент что-то большое и белое — Джил на секунду показалось, что это воздушный змей, — промелькнуло в воздухе и опустилось у его ног.

Это оказалась белая сова, только очень большая, не меньше взрослого гнома.

Прищурившись и подслеповато поморгав, она склонила голову набок и, наконец, доброжелательно поинтересовалась:

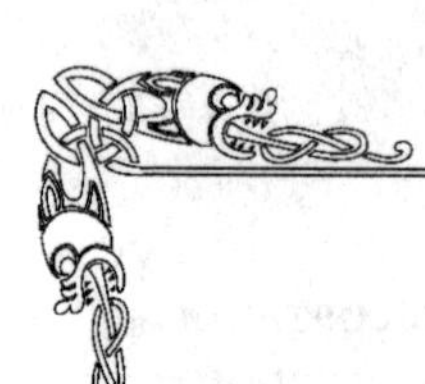

— У-ух! Кто вы такие?

— Меня зовут Вред, а это Поул, — ответил Юстас. — Не соблаговолите ли сказать, где мы находимся?

— На земле Нарнии, в королевском замке Кэр-Параваль.

— Это король только что отплыл?

— Угу, угу, — печально отозвалась сова, покачивая головой. — Но всё же кто вы такие? Вы меня удивили, не скрою: я видела, как вы летели. Все в это время наблюдали за королём и не видели, как вы приземлились. Кроме меня.

— Нас послал сюда Аслан, — шёпотом сказал Юстас.

— Ух ты! — воскликнула сова, взъерошив перья. — Вот это да! Какие новости! Да ещё в такую рань! Пока солнце не сядет, я сама не своя.

— Нас послали отыскать пропавшего принца, — вставила наконец Джил, которая с нетерпением ждала, когда можно будет вступить в разговор.

— Впервые слышу, — удивился Юстас. — Что за принц?

— Вам лучше поговорить с лордом-регентом, — посоветовала сова. — Он там, в повозке, запряжённой ослом. Его зовут Трам.

Птица повернулась и повела их за собой, бормоча себе под нос:

— Уху-хум! Что за шум? Ничего не понимаю. Ещё слишком рано.

— Как зовут короля? — спросил Юстас.

— Каспиан Десятый, — ответила сова, и Джил с удивлением заметила, что Юстас внезапно замедлил шаг и сильно побледнел.

Джил подумала, что никогда ещё не видела его таким взволнованным, но не успела спросить ни о чём: они как раз дошли до гнома, который уже взялся было за поводья, намереваясь возвратиться во дворец. Толпа придворных разбилась на мелкие группы и тоже начала расходиться, словно после футбольного матча или скачек.

— У-ух! Хм! Лорд-регент! — произнесла сова, чуть склонившись к уху гнома.

— Кха! Что? Кто? — не понял гном.

— Два гостя, мой господин, — доложила сова.

— Какие кости? Что ты мелешь? — рассердился гном. — Я вижу двух ужасно грязных человеческих детёнышей. Что им здесь надо?

— Меня зовут Джил, — выступила вперёд девочка, которой не терпелось объяснить, по какому важному делу они прибыли.

— Девочку зовут Джил! — прокричала сова гному на ухо.

— Что? — проворчал Трам. — Кто девочек убил? Что за чушь! Каких девочек? За что убил?

— Не убил! И девочка всего одна, мой господин, — крикнула сова. — Её зовут Джил.

— Что ты всё жужжишь и свистишь мне в ухо? Кого всё-таки убили?

— Никого не убили! — вышла из себя сова.

— Кого-кого?

— Никого!

— Хорошо-хорошо! Не нужно так кричать! Я же не глухой. То есть ты пришла сообщить, что никого не убили. А почему кого-то должны были убить?

— Лучше скажите ему, что меня зовут Юстас, — предложил Вред.

— Мальчика зовут Юстас, мой господин! — прокричала сова.

— Пусто? — раздражённо переспросил гном. — Оно и видно, что в голове пусто. Зачем ты привела его ко двору? А?

— Да не «пусто», а Юстас! — выкрикнула сова.

— Густо? Не понимаю, о чём ты. Знаешь, что я тебе скажу, Белокрылка? Когда я был молодым, в этой стране жили звери и птицы, которые *действительно* умели говорить. Не было всего этого шамканья, мычания и шуршания. Никто бы этого ни минуты не потерпел. Ни минуты. Урнус, подай, пожалуйста, мою слуховую трубку.

Маленький фавн, всё это время безмолвно стоявший возле гнома, протянул ему серебряную слуховую трубку, выполненную на манер старинного инструмента под названием «серпент». Пока гном прилаживал трубку вокруг шеи, Белокрылка успела прошептать детям:

— Кажется, моя голова прояснилась. Ничего не говорите о пропавшем принце — позже объясню почему. Не надо, не надо. Ух-ух-ум! Что за шум?

— А теперь, — начал гном, — если *есть* что сказать, госпожа Белокрылка, говори, только членораздельно. Вдохни побольше воздуха и не тараторь.

С помощью детей, продираясь через приступы кашля, одолевавшие гнома, Белокрылка всё же смогла объяснить, что незнакомцев прислал к нарнийскому двору Аслан. Теперь мистер Трам взглянул на них по-другому и переспросил:

— Стало быть, сам лев вас послал, да? Из этого самого другого места... которое за краем света, да?

— Да, мой господин! — прокричал в трубку Юстас.

— Значит, вы сын Адама и дочь Евы, да? — уточнил гном, но ученики экспериментальной школы ничего не знали об Адаме и Еве, поэтому промолчали.

Гном Трам не обратил на это никакого внимания и, по очереди взяв детей за руки и слегка склонив при этом голову, произнёс:

— Ну, мои дорогие, мы вам сердечно рады! Если бы наш добрый король, мой бедный господин, не удалился под парусами к Семи островам, то порадовался бы вашему приходу. Он бы на мгновение почувствовал себя опять молодым — на мгновение.

А теперь пора ужинать. О том, что привело вас сюда, расскажете завтра утром на совете. Госпожа Белокрылка, проследи, чтобы для них приготовили спальни, одежду и прочее как для самых почётных гостей. Ещё кое-что я скажу тебе на ухо...

Гном потянулся к сове, без сомнения намереваясь произнести что-то не предназначенное для чужих ушей, но, как всем глухим, ему казалось, что говорит он шёпотом, в то время как на самом деле едва не кричал, так что дети услышали:

— Проследи, чтобы их хорошенько помыли.

После этого гном стегнул ослика, и тот, будучи под стать хозяину очень толстым, неторопливо потрусил к замку, а фавн, сова и дети медленно пошли следом. Солнце к тому времени уже село, становилось свежо.

Они пересекли луг, затем сад и очутились перед северными воротами Кэр-Параваля, распахнутыми настежь. За оградой оказался поросший травой внутренний двор. В окошках огромного зала справа и сложного нагромождения строений прямо перед ними уже зажигались огни. Джил и Юстас вошли в замок вслед за совой, где их встретила очень милая девушка, которой надлежало позаботиться о Джил. Совсем взрослая, она была чуть выше девочки и гораздо стройнее, обладала изяществом тонкой ивы. Даже волосы её походили на ивовые ветви, в которых, казалось, виднелся мох.

Незнакомка привела Джил в круглую комнату в одной из башен, где в очаге пылали сладко пахнущие поленья, а в пол была вделана маленькая ванна. Со сводчатого потолка свисала на серебряной цепи лампа. Окно выходило на запад, на удивительную страну Нарнию, и Джил в распадках далёких гор увидела красные отблески заходящего за них солнца. Ей очень захотелось приключений, которые — она была в этом уверена — только-только начинались.

Приняв ванну, расчесав волосы и надев приготовленную для неё одежду, которая оказалась приятной не только на ощупь и вид, но даже пахла и шуршала приятно, Джил снова подошла к окну: её туда словно притягивало, — но тут раздался стук в дверь.

— Войдите!

В дверях возник Вред, вымытый и роскошно одетый, однако по выражению его лица никто бы не сказал, что он доволен.

— Так вот ты где, — сердито буркнул Юстас, плюхаясь в кресло. — Я тебя обыскался.

— Ну вот и нашёл, — весело ответила Джил. — Правда здесь здорово?

Сейчас у неё всё вылетело из головы: и знаки, и пропавший принц.

— Ну да, только лучше бы нам сюда никогда не попадать, — проворчал Юстас.

— Это почему же?

— Потому что видеть короля Каспиана дряхлым стариком выше моих сил. Это... это просто ужасно.

— А тебе-то что до него?

— Ты ничего не понимаешь, просто не можешь понять. Я не сказал тебе главного: в этом мире другое время.

— Как это?

— Время здесь течёт иначе. Как бы долго мы здесь ни пробыли, назад вернёмся в тот же миг, когда покинули школу.

— Тоже мне, большая радость.

— Да помолчи ты, не перебивай! Когда находишься в Англии, то есть в нашем мире, не знаешь, сколько времени прошло здесь. За один наш год в Нарнии может пройти сколько угодно лет. Люси и Эдмунд говорили мне об этом, но я, как всегда, забыл. Вот и получается, что прошло почти семьдесят лет, нарнийских лет, с тех пор как я здесь был. Понимаешь теперь? И вот Каспиан предстал перед нами глубоким стариком.

— Так значит, твоим старым другом *был* король! — воскликнула Джил, ужаснувшись своей догадке.

— Надеюсь, что так, — печально ответил Вред. — О таком друге только мечтать. Тогда он был чуть старше меня. Видеть этого старика с седой бородой и вспоминать Каспиана, каким он был в то утро, когда мы захватили Одинокие острова или сражались с морским змеем, — ужасно. Лучше бы он умер.

— Да, но это ещё не всё. Дела обстоят гораздо хуже, чем ты думаешь. Мы проворонили первый знак.

Разумеется, Вред ничего не понял, и Джил рассказала о своём разговоре с Асланом, четырёх знаках и задании найти пропавшего принца, которое им дали.

— Стало быть, ты видел старого друга, как и предсказывал Аслан, и тебе следовало тотчас подойти к нему и заговорить. Ты этого не сделал, а значит, всё с самого начала пошло не так.

— Откуда же я мог это знать? — возмутился Вред.

— Если бы ты соизволил выслушать, когда я пыталась тебе об этом сказать, всё сейчас было бы в порядке, — с упрёком заявила Джил.

— Если бы ты не строила из себя не пойми кого на краю скалы, когда чуть не убила меня — да-да, именно чуть не убила, я готов это сколько угодно повторять, — то мы прилетели бы сюда вместе и оба знали, что делать.

— А ты уверен, что самым первым увидел *его*? — не унималась Джил. — До меня ты здесь несколько часов провёл.

— Я оказался здесь всего за минуту до тебя, — возразил Юстас. — Должно быть, он дул на тебя сильнее, чтобы наверстать время, которое, между прочим, потеряла ты.

— Не будь таким врединой, Вред! — воскликнула Джил. — Ой, что это?

Это был колокол в замке, возвестивший время ужина, и назревшая было крупная ссора, к счастью, не состоялась. Оба к этому моменту уже изрядно проголодались.

Ничего великолепнее этого ужина в большом зале дети никогда не видели, и хотя Юстас уже побывал в этом мире, всё время провёл на море, так что понятия не имел о роскоши и этикете нарнийского двора.

С потолка свисали флаги, а появление каждого нового блюда возвещали фанфары и барабаны. Здесь были супы, от одного взгляда на которые текли слюнки, невероятно вкусная рыба, оленина, павлины, пироги, мороженое, желе, фрукты, орехи, различные вина и фруктовые напитки. Даже Юстас повеселел и признал, что здесь действительно здорово. Когда с едой и питьём было покончено, вперёд вышел слепой певец и исполнил старинную балладу о принце Коре, девочке Аравите и коне Игого, которая называлась «Конь и его мальчик» и рассказывала о событиях, произошедших в Нарнии и Калормене, а также землях между ними, в золотой век правления короля Питера в Кэр-Паравале. (Её стоило бы здесь привести, но на это сейчас у меня нет времени.)

Когда они поднимались по лестнице, зевая во весь рот, Джил сказала:

— Держу пари, сегодня мы будем спать как убитые.

Это был долгий-долгий день, но никому не дано знать, что ждёт его совсем скоро.

*Глава четвёртая*

# СОВИНЫЙ СОВЕТ

Это может показаться забавным, но чем больше вы хотите спать, тем дольше укладываетесь, особенно если вам повезло иметь в комнате камин. Джил казалось, что у неё и раздеться-то нет сил, если не посидеть немного перед камином, однако стоило оказаться у огня, как подниматься уже не хотелось. Она уже раз пять сказала себе: «Пора идти спать», — как вдруг вздрогнула от стука в окно.

Джил вскочила, раздвинула шторы и сначала ничего, кроме темноты за окном, не увидела, но внезапно отпрянула назад — что-то огромное ударилось в стекло. Девочка подумала с отвращением: «А вдруг у них здесь водятся гигантские ночные бабочки. Бр-р!» — но когда неведомое существо вновь появилось возле окна, заметила клюв. «Значит, птица. Может, орёл?» Даже такие гости были ей совсем ни к чему, но всё же она открыла окно и выглянула наружу. Существо тотчас с шумом опустилось на подоконник, заполнив собой весь оконный проём, так что Джил пришлось подвинуться, чтобы дать место, конечно же, сове.

— Ш-ш, ш-ш! Ух-хух, — произнесла гостья. — Только не поднимайте шум. Вы двое и вправду решили сделать то, что должны?

— Вы имеете в виду — отыскать пропавшего принца? — уточнила Джил. — Да, нам дали такое задание.

Ей тут же вспомнился голос льва и выражение на его морде, которые почти забылись за время веселья и разговоров в зале, и по телу пробежала дрожь.

— В таком случае не стоит терять время: вы должны отправляться немедленно. Я сейчас разбужу твоего компаньона, а потом вернусь за тобой. Ты же пока переоденься во что-нибудь более практичное. Ну всё, я полетела. Ух-хух!

Не дожидаясь ответа, сова исчезла.

Джил могла бы и не поверить сове, будь более искушённой в приключениях, но ей это и в голову не пришло. Мысль о ночном побеге так её взволновала, что девочка тотчас забыла про сон. Опять облачившись в свитер и шорты, на ремне которых висел складной нож, — возможно, пригодится, — Джил взяла и кое-что из вещей, оставленных для неё девушкой с ивовыми волосами. Это был короткий, до колен, плащ с капюшоном («А вдруг дождь»), несколько носовых платков и расчёска.

Джил уже начала клевать носом, когда сова вернулась и заявила:

— Ну всё, теперь мы готовы!

— Показывайте дорогу, — попросила Джил, — а то я ещё не разобралась во всех этих коридорах.

— Ух-хум! Мы не пойдём через замок — ни в коем случае! — а полетим, так что влезай мне на спину.

Джил застыла, от удивления раскрыв рот и вовсе не испытывая восторга от этой идеи.

— А я для вас не слишком тяжёлая?..

— Ух-ху-хум! Не говори глупости! Я уже перенесла твоего друга. Давай поторапливайся, но прежде погаси лампу.

Как только свет погас, темнота за окном перестала казаться непроглядной, ночь превратилась из чёрной в серую. Сова на подоконнике повернулась спиной к Джил и раскинула крылья, и она не без труда вскарабкалась на её короткое толстое туловище, плотно обхватив его коленками под крыльями. Перья на ощупь оказались восхитительно тёплыми и мягкими, но вот держаться было решительно не за что.

«Интересно, Вреду понравилось путешествие?» — едва успела подумать Джил, когда сова взлетела с подоконника.

В уши ударил трепет крыльев, а в лицо — холодный сырой ночной воздух.

Снаружи оказалось гораздо светлее, чем можно было ожидать, и хотя небо затянули тучи, сквозь них серебристым пятном просвечивала луна. Среди серых полей внизу чернели деревья. Время от времени порывами налетал ветер, предвещавший скорый дождь.

Сова описала круг, и теперь замок был перед ними как на ладони. Лишь в некоторых окнах горел свет. Они поднялись над крышей и направились на север, за реку. Похолодало, и Джил показалось, что в глади воды внизу она видит белое отражение совы. Весь северный берег реки оказался поросшим лесом.

Когда сова на лету что-то схватила, Джил в испуге воскликнула:

— Умоляю, не ныряйте больше так резко! Вы меня чуть не сбросили.

— Прошу прощения, но не могла же я пропустить летучую мышь! Всем известно, что нет ничего питательнее маленькой толстенькой летучей мышки. Хочешь, и тебе поймаю?

— Нет уж, спасибо! — содрогнулась от отвращения Джил.

Сова опустилась ниже, и теперь из темноты на них надвигалось что-то огромное и чёрное. Джил едва успела понять, что это полуразрушенная башня, поросшая плющом, как ей пришлось пригнуться, чтобы не удариться об арку окна, в которое сова вместе с ней протиснулась сквозь лианы и паутину. Из свежести ночной мглы они попали в полную темноту, куда-то под самый купол башни.

На Джил пахнуло плесенью, и, едва соскользнув с совиной спины, она каким-то шестым чувством поняла, что башня плотно населена. А когда из темноты со всех сторон понеслось «ух-ух!», она уже знала, что здешнее население — совы. К своему облегчению, она внезапно услышала совершенно другой голос:

— Это ты, Поул?

— Какое счастье: это ты, Вред!

— Ну, похоже, теперь все в сборе, — объявила Белокрылка. — Предлагаю открыть заседание совиного совета.

— Ух-тух! Всё правильно, — послышались одобрительные голоса.

— Минуточку,— прозвучал голос Вреда. — Я хотел бы прежде сказать два слова.

— Угу, угу, угу, — согласились совы, а Джил добавила:

— Мы слушаем.

— Думаю, все вы, ребята, то есть совы, — начал Вред, — знаете, что король Каспиан Десятый в дни своей юности совершил плавание к восточным границам этого мира. Так вот, в этом путешествии был и я: с Рипичипом, лордом Дринианом и остальными. Понимаю, что в это трудно поверить, но в нашем мире люди стареют не так быстро, как в вашем. И вот что я хочу сказать: будучи сторонником короля, не стану иметь никаких дел с этим совиным советом, если он затевает какой-то заговор против него.

— Ух-ух! Мы тоже все королевские совы, — загомонили собравшиеся.

— Тогда в чём дело? — спросил Вред.

— Дело лишь в том, — сказала Белокрылка, — что если лорд-регент, гном Трам, узнает о вашем задании найти про-

павшего принца, то не допустит этого: скорее посадит вас под замок.

— Вот те на! — воскликнул Вред. — Неужели Трам предатель? Раньше в плавании я слышал о нём много хорошего. Каспиан, то есть король, полностью доверял ему.

— О нет, — послышался чей-то голос, — Трам не предатель. Но более тридцати отважных воинов — рыцарей, кентавров, добрых великанов и прочих — в разное время отправлялись на поиски пропавшего принца, и ни один из них не вернулся назад. И вот в конце концов король сказал, что не хочет, чтобы самые доблестные жители Нарнии сгинули в поисках его сына, и отныне никому не позволено отправляться за ним.

— Но нам бы он наверняка позволил, — возразил Вред, — если бы узнал, кто я и кем послан.

— Кем мы оба посланы, — вставила Джил.

— Да, — согласилась Белокрылка, — вполне возможно, что позволил бы, но король в отъезде, а Трам будет придерживаться правил. Он твёрд как сталь, но глух как пень и очень вспыльчив. Вы никогда не сможете его убедить, что в этом случае нужно сделать исключение.

— Вы, наверное, думаете, что он к нам прислушивается потому, что мы совы, а всем известно, что совы мудрые, — заметила одна из участниц совета. — Но он теперь такой старый, что от него только и слышно: «Ты всего-навсего цыплёнок. Я помню, как ты ещё в яйце сидел. Не учите меня, сэр. Крабы и креветки!»

Сова настолько точно изобразила голос Трама, что остальные рассмеялись. Дети начали понимать, что нарнийцы относятся к Траму так, как ученики в школе — к ворчливому учителю, которого все немного побаиваются, потихоньку над ним подтрунивают, но тем не менее любят.

— Как долго короля не будет в Кэр-Паравале? — спросил Вред.

— Кабы знать! — ответила Белокрылка. — Дело в том, что, по слухам, самого Аслана видели на островах — кажется, в Теревинфии. Король сказал, что перед смертью хочет ещё раз встретиться с Асланом и посоветоваться, кто станет королём после него. Но мы опасаемся, что, не встретив Аслана в Теревинфии, он направится на восток, к Семи островам, и даль-

ше — к Одиноким островам, а там дальше и дальше. Хотя он никогда об этом не говорил, но всем известно, что он не мог забыть то путешествие на край света. Я знаю, что в глубине души он всегда мечтал отправиться туда ещё раз.

— Значит, нет смысла ждать его назад? — спросила Джил.

— Никакого, — отозвалась сова. — Уж поверьте! Если бы вы его узнали и сразу с ним заговорили! Он бы всё устроил и, возможно, даже дал вам армию для поисков принца.

Джил промолчала, надеясь, что у Вреда хватит великодушия не говорить совам, почему этого не случилось. У него хватило... ну или почти хватило. Перед тем как взять слово, он тихонько пробормотал себе под нос:

— Это не моя вина.

Затем, уже в полный голос, Юстас произнёс:

— Очень хорошо. Придётся обойтись без этого. Но мне бы хотелось прояснить ещё одну вещь. Если этот совиный совет, как вы его называете, честный и справедливый, если вы не замышляете ничего плохого, то почему собираетесь тайно, в каких-то развалинах, глубокой ночью?

— Ух-хум! Ух-хум! — раздалось со всех сторон. — Где же нам встречаться и когда, если не ночью?

— Видите ли, — начала Белокрылка, — большинство обитателей Нарнии именно так и живут: занимаются делами днём, при свете солнца (уф!), когда нужно спать. В результате ночью они ничего не видят и не соображают, и с ними невозможно иметь дело. Поэтому мы, совы, привыкли встречаться для обсуждения различных дел в удобное нам время.

— Понятно, — кивнул Вред. — Давайте продолжим. Расскажите нам о пропавшем принце.

И тогда одна из старых сов поведала такую историю.

Это случилось лет десять назад, когда Рилиан, сын Каспиана, тогда совсем юный рыцарь, одним майским утром отправился вместе со своей матерью, королевой, на север Нарнии. Их сопровождали множество кавалеров и дам в венках из зелёных листьев и с рогами, притороченными к поясам, но собак с ними не было, потому что они отправились собирать цветы, а не охотиться.

Тёплым полднем вышли они на красивую поляну, где из-под земли бил родник, спешились, поели-попили и принялись

веселиться. Вскоре королеве захотелось подремать, и придворные устроили для неё ложе в тени, а сами отошли подальше, чтобы не мешать ей разговорами и смехом. С ними был и принц Рилиан. И тут из чащи выползла огромная змея и ужалила королеву в руку. Услышав её крик, все устремились к ней. Первым возле матери оказался Рилиан. Заметив в траве змею, принц обнажил меч и бросился за ней. Она поначалу была хорошо видна: огромная, переливающаяся, зелёная, словно смертельная отрава, — но вдруг скользнула в заросли кустарника и исчезла, будто сквозь землю провалилась. Принц не успел её сразить, и пришлось ему вернуться к матери, вокруг которой хлопотали придворные.

Едва взглянув на её лицо, Рилиан понял, что их старания напрасны: никакие снадобья в мире ей уже не помогут. Пока жизнь в ней ещё теплилась, она словно пыталась что-то ему сказать, но получалось очень невнятно. Так она и умерла, ничего не сообщив принцу. Десяти минут не прошло с тех пор, как они услышали её крик.

Королеву отнесли в Кэр-Параваль, и там её горько оплакали Рилиан, Каспиан и вся Нарния. Она была великодушной, мудрой, красивой и счастливой. Король Каспиан привёз её с восточного конца мира, и говорили, что в её жилах течёт звёздная кровь.

Принц тяжело переживал смерть матери. Каждый день он отправлялся верхом на север Нарнии, чтобы отыскать ту ядовитую змею и убить. Никто не пытался его остановить, хотя из своих странствий принц возвращался усталым и печальным.

Когда со дня смерти королевы прошёл месяц, в Рилиане стали замечать некие странности: он больше не казался убитым горем — правда, и весёлым не был, — а его конь, хоть они и отсутствовали целый день, не выглядел усталым. Его лучший друг, лорд Дриниан, который служил ещё у короля Каспиана капитаном во время их знаменитого плавания в восточные земли, как-то вечером заметил:

— Ваше высочество, пора прекратить искать эту змею. Разве можно мстить неразумной твари так, будто это человек? Вы только напрасно изводите себя.

— Любезный лорд, да я уж и забыл про змею, — с улыбкой ответил ему принц.

Тогда Дриниан поинтересовался, зачем он продолжает ездить в северные леса.

— Я встретил там самое прекрасное создание на свете.

— Доблестный принц, позвольте мне сопровождать вас завтра? — попросил Дриниан. — Очень хочется взглянуть на это чудо.

— Охотно, — последовал ответ.

На следующий день, в условленное время, они оседлали лошадей и помчались в северные леса. Дриниану показалось странным, что спешились они у родника, возле которого умерла королева: принц выбрал именно это место. До полудня ничего не происходило, а потом его взору предстала девушка, прекраснее которой ему видеть никогда не доводилось. Она стояла с северной стороны родника и, не говоря ни слова, манила принца рукой. Высокая, статная и ослепительно красивая, девушка была закутана в зелёную воздушную ткань. Принц смотрел на неё так, будто лишился рассудка. Так же внезапно, как появилась, девушка исчезла, и друзья вернулись в Кэр-Параваль. У Дриниана почти не было сомнений, что эта женщина само воплощение зла.

Он долго колебался, не рассказать ли об этом приключении королю, но, не желая прослыть болтуном и сплетником, решил держать язык за зубами, о чём позднее горько пожалел. На следующий день принц отправился на север один и больше не вернулся, и никаких его следов — ни коня, ни шляпы, ни плаща — не было обнаружено ни в Нарнии, ни в соседних землях.

В горьком раскаянии пришёл Дриниан к королю:

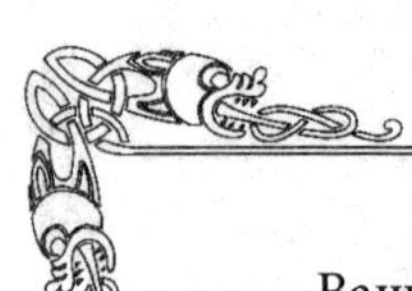



— Ваше величество, прикажите меня казнить на этом самом месте за предательство, ибо я поступил как трус и своим молчанием погубил вашего сына.

Услышав всю историю, Каспиан схватил было алебарду и бросился к Дриниану, но тот остался недвижим, как скала, и это отрезвило короля. Со слезами на глазах Каспиан отбросил оружие и воскликнул:

— Я уже потерял жену и сына! Неужели этого мало и мне предстоит лишиться друга?

Он бросился Дриниану на грудь, обнял верного друга, и они вместе зарыдали. Что бы ни уготовила им судьба, их дружба не умерла.

Такова была история Рилиана. Когда старая сова замолчала, Джил произнесла:

— Уверена, что змея и есть та девушка неземной красоты.

— Угу, угу, мы тоже так думаем, — отозвались совы.

— Но мы считаем, что она не убивала принца, — добавила Белокрылка. — Ведь никаких следов...

— Мы знаем, — быстро перебил её Вред. — Аслан сказал Поул, что принц — жив, но где находится — неизвестно.

— Что ещё хуже, — заметила старейшая из сов. — Это значит, что женщина-змея что-то замышляет против Нарнии, а принц лишь орудие в её руках. Давным-давно, в самом начале, с севера явилась Белая колдунья и сковала нашу землю снегом и льдом на сотни лет. Похоже, они из одной шайки.

— У нас с Поул задание: найти этого принца, — сказал Вред. — Вы нам поможете?

— У вас есть какие-нибудь мысли на этот счёт? — поинтересовалась Белокрылка.

— Судя по всему, нам нужно идти на север, до развалин города великанов, — предположил Вред.

Совы заухали, захлопали крыльями, распушили перья и заговорили все разом, пытаясь объяснить, как сожалеют, что не могут отправиться вместе с детьми на поиски принца.

— Всё дело в том, что вы намерены путешествовать днём, а мы можем только ночью! — раздалось со всех сторон.

Одна-две совы добавили, что даже здесь, в развалинах башни, сейчас уже не так темно и что совет затянулся. Казалось,

одно лишь упоминание о городе великанов напрочь отбило у этих птиц желание помогать детям.

Но Белокрылка сказала:

— Если они хотят лететь туда, в Этинсмур, нужно отнести их к кому-нибудь из кваклей: только они смогут помочь.

— Угу, угу. Давай, — согласно заухали совы.

— Тогда полетели, — предложила Белокрылка. — Одного возьму я. Кто возьмёт второго? Нужно сделать это сегодня ночью.

— До кваклей я смогу, — отозвалась одна из сов.

— Ты готова? — обернулась Белокрылка к Джил.

— Кажется, она спит, — ответил Юстас.

## *Глава пятая*

# ХМУР

Джил спала. С самого начала совиного совета она отчаянно зевала, а потом заснула. Её совсем не обрадовало ни то, что разбудили, ни место, где это произошло: на голых досках в какой-то заросшей паутиной башне, в совершенной темноте да ещё в окружении сов. Ещё меньше ей понравились разговоры о том, что им нужно куда-то двигаться, причём вовсе не в кровать, да ещё на спине совы.

— Давай же, Поул, встряхнись! — послышался голос Вреда. — Это же приключение.

— Довольно с меня приключений! — огрызнулась Джил, но тем не менее поднялась и взобралась на спину совы.

И вот они вылетели в ночь, почему-то неожиданно холодную — Джил даже проснулась. Луна исчезла, не было видно и звёзд. Далеко впереди маячило одно-единственное освещённое окошко — наверняка в какой-нибудь из башен Кэр-Параваля.

Как же ей захотелось оказаться сейчас там, в чудесной комнате, в тёплой постели, и полюбоваться пляшущими язычками пламени в камине.

Джил поплотнее укуталась в плащ. Было странно слышать в ночи два голоса: это Вред беседовал со своей совой. «Он-

то, похоже, совсем не устал», — подумала Джил. Ей было невдомёк, что Юстасу, пережившему увлекательные приключения в этом мире, воздух Нарнии вернул силы, которыми он напитался во время плавания по Восточным морям вместе с королём Каспианом. Джил принялась щипать себя, чтобы не заснуть, понимая, что стоит только уступить сну, как она свалится со спины Белокрылки. Когда полёт закончился, она неуклюже сползла с совиной спины и очутилась на ровной земле. Судя по пронизывающему ветру, они приземлились на открытой местности.

— Угу-хум, угу-хум! — позвала Белокрылка. — Вставай, Хмур! Это посланцы льва Аслана.

Довольно долго ничего не происходило, но вот где-то вдалеке замаячил и стал приближаться тусклый свет, а вместе с ним и голос:

— Эй, совы! В чём дело? Король умер? На Нарнию напал враг? Случилось наводнение? Нашествие драконов?

Когда свет наконец приблизился, оказалось, что он исходит от большой лампы. Джил видела лишь конечности существа, которое её держало. Казалось, оно состояло лишь из ног и рук. Совы о чём-то с ним говорили — видимо, объясняли ситуацию, — но она слишком устала, чтобы прислушиваться. Лишь когда поняла, что с ней прощаются, Джил постаралась немного приободриться. Позже она могла припомнить лишь то, как наконец они с Вредом, нагнувшись, прошли в низкий дверной проём, а затем, слава богу, лежали на чём-то тёплом и мягком, а голос говорил:

— Ну вот и всё, что мы смогли сделать. Вы будете лежать в холоде и на жёстком. Ещё и в сырости, я думаю. Наверняка не сомкнёте глаз, даже если не случится бури, наводнения и крыша не упадёт нам на головы, как это порой случается. Что ж, и на том спасибо, да, спасибо...

Больше Джил ничего не слышала, потому что провалилась в сон.

На следующее утро дети проснулись поздно и обнаружили, что лежат в тепле и сухости на соломенных кроватях. В помещении темно, но в треугольный проём пробивается дневной свет.

— Где это мы? — встревожилась Джил.

— В вигваме квакля, — ответил Юстас.

— Кого?

— Квакля. Не спрашивай, кто это, — я толком не разглядел его вчера. И пора вставать. Пойдём поищем его.

— Это ужасно — спать в одежде, — поёжилась Джил, поднимаясь.

— А по мне, так здорово, когда не нужно одеваться, — парировал Юстас.

— И умываться, — презрительно фыркнула Джил.

После того как Вред встал, зевнул, отряхнулся и вылез из вигвама, Джил последовала за ним.

То, что они увидели снаружи, совсем не походило на ту Нарнию, какой она предстала накануне. Вокруг них простиралась обширная равнина, покрытая бесчисленными островками и изрезанная водными протоками. Островки эти поросли осокой и тростником, а ещё какой-то колючей травой. Местами заросли тростника простирались едва ли не на акр, и тучи птиц — уток, бекасов, выпей и цапель — то взлетали, то садились в них. Множество вигвамов, похожих на тот, в котором

они провели ночь, было раскидано повсюду, но на изрядном расстоянии друг от друга — квакли любили уединение. Кроме небольшой рощицы далеко на юго-западе, вокруг больше не было видно ни единого деревца. На востоке болотистая равнина простиралась до песчаных дюн на горизонте, и, судя по солёному привкусу ветра, где-то за ними было море. На севере виднелись невысокие сероватые холмы, местами словно укреплённые скалами. В основном же вокруг лежало болото, которое дождливыми вечерами, должно быть, представляло собой чрезвычайно унылое место. Сейчас же, в лучах утреннего солнца, под свежим ветерком, наполненное разноголосицей птиц, болото в своей уединённости обладало своеобразным очарованием и свежестью. Настроение детей заметно улучшилось.

— Интересно, куда подевался этот… как бишь его? — спросила Джил.

— Квакль, — произнёс Вред с гордостью, оттого что запомнил это слово. — А вон, похоже, и он.

Юстас указал на сидевшее к ним спиной с удочкой в руках, ярдах в пятидесяти, существо. Почти одного цвета с болотом, неподвижное, оно было едва различимо.

— Давай подойдём к нему поговорить, — предложила Джил.

Вред кивнул, хотя оба слегка нервничали.

Когда дети приблизились, существо обернулось. Лицо у него оказалось длинным и худым, со впалыми щеками, поджатыми губами, острым носом и голым подбородком. Из-под высокой островерхой шляпы с огромными полями свисали серо-зелёные волосы, если их можно было так назвать, напоминавшие тростник. Уши казались огромными. Хмурое выражение лица и буро-зелёная кожа не оставляли ни малейшего сомнения в том, что к жизни существо относится чрезвычайно серьёзно.

— Доброе утро, гости, — приветствовало их существо. — Хотя, когда я говорю «доброе», это совсем не значит, что не хлынет дождь, не повалит снег, не опустится туман или не разразится гроза. Полагаю, вы не сомкнули глаз.

— Нет, что вы, — поспешила возразить Джил, — мы отлично выспались.

— Что ж, — покачал головой квакль, — как видно, вы делаете хорошую мину при плохой игре. И это правильно. Вы хорошо воспитаны, да. Вас научили не падать духом.

— Извините, мы не знаем вашего имени, — сказал Вред.

— Меня зовут Хмур. Впрочем, не страшно, если даже забудете: я всегда смогу подсказать.

Дети уселись по обе стороны от Хмура и теперь смогли его как следует рассмотреть. Руки и ноги у него были настолько длинными, что при туловище такой же величины, как у гнома, ростом он превосходил большинство взрослых мужчин. Между пальцами у него имелись перепонки: как на руках, так и на ногах, которыми он болтал в мутной воде. Одет Хмур был в мешковатую хламиду землистого цвета.

— Вот пытаюсь наловить угрей, чтобы приготовить на обед рагу, — пояснил Хмур. — Впрочем, не удивлюсь, если ни одного не поймаю. А если и поймаю, они вам наверняка не понравятся.

— Почему же? — удивился Вред.

— С какой стати вам должна нравиться наша пища? Впрочем, не сомневаюсь, что вы съедите её и глазом не моргнёте. А пока я тут рыбачу, вы могли бы попытаться разжечь костёр — авось получится! Дрова за вигвамом, хотя, возможно, и сырые. Если разожжёте огонь в вигваме, дым выест глаза, а если на улице — может потушить дождь. Вот возьмите трутницу, хотя, должно быть, вы не знаете, как ею пользоваться.

Но Вред знал: выучился этой премудрости во время прошлого путешествия в Нарнию. Дети вместе сбегали к вигваму, нашли дрова — кстати, оказавшиеся совершенно сухими — и без труда смогли разжечь костёр. Потом Вред остался поддерживать огонь, а Джил пошла к протоке, чтобы попробовать умыться, и это ей отчасти удалось. Потом она сменила Вреда у костра, а он отправился мыться. Оба почувствовали себя значительно лучше, но очень захотели есть.

Вскоре к ним присоединился Хмур. Несмотря на все опасения, ему удалось наловить десяток угрей и даже почистить. Поставив на огонь большой котёл и подбросив дровишек, квакль зажёг трубку. Квакли курят очень странный, тяжёлый сорт табака — говорят, обычный мешают с тиной, — и дети заметили, что дым из трубки Хмура не поднимается вверх,

а выходит тонкой струйкой и расстилается по земле, словно туман. Дым был очень чёрный, и от удушливого запаха Вред закашлялся.

— Ну вот, — изрёк Хмур, — эти угри теперь будут вариться целую вечность, а тем временем вы упадёте в голодный обморок. Знал я одну маленькую девочку... но давайте не будем о грустном. Мне бы не хотелось портить вам настроение. Чтобы заглушить голод, давайте поговорим о наших планах.

— Да, давайте, — воодушевилась Джил. — Вы поможете нам найти принца Рилиана?

Квакль втянул обе щеки так, что от них остались лишь впадины, и произнёс:

— Хм, не знал, что вы называете это помощью. Не уверен, что кто-нибудь действительно способен помочь. Вряд ли нам удастся продвинуться далеко на север, во всяком случае, в это время года, когда скоро наступит зима и прочее. И, судя по приметам, это будет ранняя зима. Но не стоит огорчаться. Со всеми этими врагами, горами, переправами через реки, голодом, стёртыми ногами нам будет совсем не до погоды. А то

ещё с пути собьёмся... Если зайдём далеко, а цели не достигнем, то выбираться оттуда будем долго.

Дети заметили, что он говорил «мы», а не «вы», и разом воскликнули:

— Вы идёте с нами?

— О, разумеется. Чего уж там. Не думаю, что мы когда-нибудь снова увидим короля в Нарнии, если он решил плыть в дальние страны, — он так кашлял, когда отправлялся в путь. А этот Трам? Он совсем старик. Вот увидите, после этой ужасной засухи летом урожай будет совсем скудным. Не удивлюсь, если на нас нападут враги. Помяните моё слово.

— И как мы начнём? — спросил Вред.

— Ну, — неторопливо принялся объяснять квакль, — все, кто отправлялся на поиски принца, начинали от того родника, где лорд Дриниан увидел зелёную красавицу. Все они двигались на север. Поскольку никто из них не вернулся, трудно сказать, было ли это направление верным.

— Сперва нам надо найти развалины города великанов, — заявила Джил. — Так сказал Аслан.

— Разве начинать следует с того, чтобы *найти*, — удивился Хмур, — а не с того, чтобы *искать*?

— Конечно-конечно, — поправилась Джил, — и когда мы найдём его...

— Вот именно: когда! — сухо отозвался Хмур.

— Может, кто-нибудь знает, где он? — с надеждой спросил Вред.

— Насчёт кого-нибудь я не знаю, но и не стану утверждать, что ничего не слышал об этом разрушенном городе. Вам надо начать не с родника, а перебраться через Этинсмур — там и находится город, если вообще существует на свете. Я ходил в том направлении — конечно, не дальше большинства людей, — но не стану от вас скрывать, что никогда не видел никаких развалин.

— Где же этот Этинсмур? — спросил Вред.

— Взгляните на север, — показал направление своей трубкой Хмур. — Видите вон те холмы и скальные выступы? Там начинается Этинсмур. Но его отделяет от нас река Шрибл. Мостов, разумеется, нет.

— Мы перейдём её вброд! — воскликнул Вред.

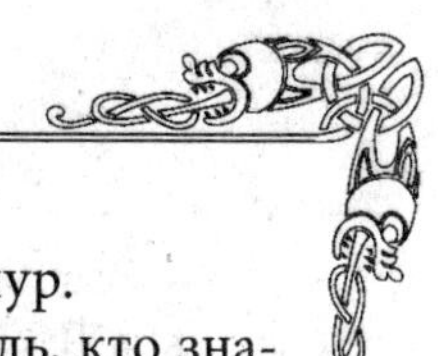

— Переходили её тут некоторые, — заметил Хмур.

— Может, в Этинсмуре мы встретим кого-нибудь, кто знает, куда идти, — предположила Джил.

— Да уж, кое-кого точно встретим, — отозвался квакль.

— Кто же там живёт?

— По мне, так они не вполне себе в порядке, — ответил Хмур, — но, может, вам и понравятся.

— Но кто всё-таки? — упорствовала Джил. — В этой стране так много странных существ. Это животные, или птицы, или гномы — кто?

Хмур присвистнул:

— Разве вы не знаете? Я думал, совы сказали. Это великаны.

Джил вздрогнула. Ей никогда не нравились великаны, даже в книгах, а один так вообще приснился ночью. Взглянув на Вреда, она увидела, что он позеленел, и подумала: «А он ещё больший трус, чем я». Это её успокоило.

— Когда-то король рассказывал мне, — начал Вред, — во время нашего плавания по морям, что победил этих великанов в войне и заставил платить ему дань.

— Что верно, то верно, — согласился Хмур. — Сейчас мы живём с ними мирно. Пока мы остаёмся на своей стороне Шрибла, они нас не трогают. На их стороне, в Муре, тоже остаётся надежда. Если не приближаться к ним, не выводить из себя и не попадаться на глаза, то, вполне возможно, и пропустят дальше.

— Послушайте! — воскликнул Вред, внезапно рассердившись, как это часто случается, когда ты напуган. — Я не верю, что всё так плохо, как вы тут рассказываете. Это так же, как с жёсткими постелями и сырыми дровами. Не мог Аслан послать нас на поиски, если так мало шансов.

Он думал, что Хмур рассердится, но тот лишь заметил:

— Молодец, Вред. Так и надо. Сохраняй лицо. Однако всем нам нужно держать себя в руках, ведь впереди трудные времена, через которые мы должны пройти вместе. Не надо ссориться. По крайней мере сразу. Такие экспедиции обычно плохо кончались: поножовщиной и прочим. Чем дольше нам удастся избегать этого...

— Если вы считаете это дело безнадёжным, — перебил его Вред, — лучше оставайтесь здесь. Мы сможем пойти одни. Правда, Поул?

— Замолчи, Вред, и не будь дураком, — поспешила вмешаться Джил, опасаясь, что Хмур поймает его на слове.

— Не волнуйся, Поул, — успокоил Хмур. — Я решил пойти окончательно и бесповоротно. Они все, то есть остальные квакли, говорят, что я взбалмошный и отношусь к жизни недостаточно серьёзно. Если бы это было сказано один раз, но они всё повторяли и повторяли: «Хмур, ты хвастун, непоседа и балагур. Пора бы тебе уже понять, что жизнь — это не фрикасе из лягушек и не пирог с угрями. Займись чем-нибудь серьёзным. Мы хотим тебе добра, Хмур». Так они говорят. Поэтому такое дельце, как путешествие на север в начале зимы, чтобы найти принца, которого, вероятно, там нет, в разрушенном городе, которого никто никогда не видел, — это как раз то, что мне надо. Если меня не исправит и это, то я уж и не знаю...

Он потёр свои лягушачьи ладони, словно предвкушая поход на вечеринку или в цирк, и добавил:

— А теперь давайте посмотрим, как там поживают угри.

Обед оказался очень вкусным, и дети два раза просили добавки. Поначалу квакль никак не мог поверить, что еда им действительно понравилась, но когда они съели так много, что сомнений не осталось, заявил, что теперь у них будут ужасно болеть животы.

— Я не удивлюсь, если еда для кваклей может оказаться ядом для людей, — заявил Хмур.

После обеда они пили чай из консервных банок (словно дорожные рабочие), а квакль не раз прикладывался к плоской чёрной бутылке. Он предлагал напиток и детям, но они нашли его очень противным.

Остаток дня прошёл в приготовлениях к раннему выходу. Хмур как самый большой сказал, что понесёт три одеяла, в которые завернёт огромный кусок ветчины. Джил поручили нести остатки угрей, печенье и трутницу. Вреду достались плащи, свой и Джил, когда не надо будет их надевать. Вред научился стрелять во время морского похода с Каспианом, поэтому взял ещё лук Хмура, но тот, что похуже, а сам квакль вооружился лучшим своим луком, хотя и заметил, что, учитывая ветер, отсыревшую тетиву, плохое освещение и замёрзшие пальцы, у них имелся один шанс из ста поразить какую-

нибудь цель. Они с Вредом взяли мечи, причём Юстас — тот, который оставили для него в его комнате в Кэр-Паравале, а Джил пришлось довольствоваться ножом. По этому поводу чуть не разразилась ссора, однако, стоило им начать препирательства, квакль потёр руки и произнёс:

— Ну вот и началось. Я так и думал. Так оно обычно и случается в экспедициях.

После этого оба замолчали.

Все трое улеглись в вигваме рано. На этот раз детям на самом деле плохо спалось, а всё потому, что Хмур, пожелав всем спокойной ночи, но в то же время уверив, что никто из них сегодня не сомкнёт глаз, сразу же так громко захрапел, что, когда Джил наконец-то уснула, ей всю ночь снились отбойные молотки, водопады и мчащиеся по туннелю скорые поезда.

*Глава шестая*

## ДИКИЕ СЕВЕРНЫЕ ПУСТОШИ

Следующим утром, около девяти часов, три путника переправлялись через Шрибл по мелководью и камням. Это был неглубокий шумливый ручей, и даже Джил, выбравшись на северный берег, замочила ноги лишь до колен. Ярдов через пятьдесят вверх поднимался довольно крутой, покрытый камнями склон, за которым начиналась вересковая пустошь.

— Нам надо идти туда! — воскликнул Вред, указывая влево, на запад, куда по неглубокому ущелью с пустоши тёк ручей.

Однако Хмур покачал головой:

— Великаны живут по краям этого ущелья. Оно для них как улица. Лучше пойдёмте прямо, хотя тут и крутовато.

Отыскав тропинку, по которой можно было взобраться, минут через десять они стояли наверху, пытаясь восстановить дыхание. Бросив прощальный взгляд на долину, где лежала Нарния, они повернули на север. На сколько хватал глаз, вокруг простиралась унылая, поросшая вереском пустошь. Слева тянулась скалистая гряда. Джил, решив, что это край ущелья, вдоль которого живут великаны, старалась туда не смотреть. Они отправились в путь.

День для путешествия выдался отменный: земля пружинила под ногами, светило неяркое зимнее солнце. Чем дальше забирались они в глубь вересковой пустоши, тем пустыннее становилось вокруг: изредка слышались крики чибисов да пролетал одинокий ястреб. Стоило им устроить привал в неглубокой лощине возле ручья и подкрепиться, как Джил почувствовала, что, несмотря ни на что, ей по вкусу приключения, и тотчас сообщила об этом друзьям.

— У нас ещё не было приключений, — заметил квакль.

Ходьба после первого привала сродни школьным занятиям после перемены или пересадке на другой поезд: никогда не бывает прежней. Снова отправившись в путь, Джил заметила, что каменная гряда на краю ущелья приблизилась к ним. Скалы теперь казались более рельефными и скорее напоминали маленькие башенки из камней. А какой причудливой формы!

«Наверняка, — размышляла Джил, — все эти истории про великанов связаны с замысловатым видом этих скал. В сумерках ничего не стоит принять их за великанов. Взять хотя бы вон того! Глыба сверху вполне похожа на голову. Конечно, для такого туловища она великовата, но вполне сойдёт для уродливого великана. А эти заросли — кажется, вересковые — и птичьи гнёзда так напоминают волосы и бороду. Вон те штуковины, что свисают по бокам, вполне сойдут за уши. Они просто огромные, но так, по-моему, и положено великанам — иметь уши как у слонов. А вот...»

И в этот момент башня из камней зашевелилась. Оказалось, это настоящий великан: она увидела, как он повернул голову, и похолодела. Джил заметила огромное тупое щекастое лицо. Все эти скалы оказались великанами. Их было штук сорок-пятьдесят, и все выстроились в ряд, положив локти на край ущелья. Так обычно стоят люди, прислонившись к стене и наслаждаясь после завтрака ясным утром и ничегонеделанием.

— Идите как шли, — прошептал Хмур, который тоже их заметил. — Не смотрите на них. И ни в коем случае не бегите: они тотчас пустятся за нами.

Так они и шли, делая вид, что не видят великанов. Так обычно проходят мимо ворот дома, где имеется злая собака, только здесь дело обстояло гораздо хуже. Великанов было несколько десятков. Они не выглядели ни злыми, ни добрыми

и вообще не проявляли никакого интереса. Ничто не говорило о том, что они заметили путников.

И вдруг что-то огромное пронеслось по воздуху, а затем булыжник с грохотом раскололся о землю шагах в двадцати перед ними. И тут же ещё один упал на том же расстоянии, только позади них.

— Они в нас хотят попасть? — спросил Вред.

— Нет, — ответил Хмур, — но лучше бы в нас — это куда безопаснее. Их цель — вон та груда камней справа, в которую они никак не попадут. Они вообще меткостью не отличаются. Обычно по утрам, если погода хорошая, они играют в «попади в мишень». Это единственная игра, на которую у них хватает ума.

Это было ужасно. Казалось, великаны никогда не перестанут метать камни, которые временами падали совсем рядом. Помимо этого, уже одни их лица и голоса могли навести ужас на любого. Джил старалась не смотреть на них.

Минут через двадцать пять они, видимо, поссорились. Метание камней закончилось, но в соседстве с повздорившими великанами тоже мало приятного. Они бушевали и оскорбляли друг друга какими-то ужасно длинными — слогов по двадцать каждое — бессмысленными словами. Они тараторили с пеной у рта, в ярости подпрыгивали, и каждый такой прыжок был подобен падению бомбы. Они лупили друг друга по головам огромными каменными молотками, но черепа их были такими твёрдыми, что молотки отскакивали, отшибая им пальцы. С диким криком великан бросал молоток на землю, но уже через минуту всё повторялось сначала. В конечном итоге к исходу часа великаны так покалечили друг друга, что уселись на землю и принялись плакать. Поскольку сидели они на дне ущелья, голов их уже не было видно. Путешественники отошли от ущелья на добрую милю, но Джил всё ещё слышала, как они, словно огромные дети, выли, ревели и стонали.

В ту ночь они встали лагерем посреди пустоши, и Хмур показал детям, как спать спина к спине, чтобы было теплее (спинами греют друг друга, а двумя одеялами накрываются сверху). Но даже так они всё равно замёрзли, а земля оказалась твёрдой и бугристой. Хмур подбадривал их тем, что предла-

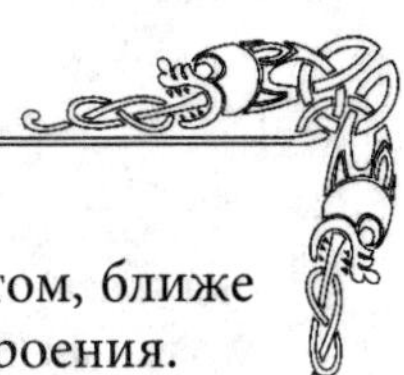

гал представить, что им будет гораздо холоднее потом, ближе к северу, но это нисколько не подняло никому настроения.

Так они путешествовали по Этинсмуру много дней, оставляя про запас ветчину и питаясь в основном птицей (разумеется, это были не говорящие птицы), которую удавалось подстрелить Юстасу и кваклю. Временами Джил даже завидовала Юстасу, который умел стрелять (научился во время плавания с королём Каспианом). Поскольку пустошь перерезали многочисленные ручьи, недостатка в воде у них не было. Джил часто думала: вот в книгах пишут, что кто-то там питается только дичью, но нигде не упоминается, как противно ощипывать и разделывать убитую птицу и как при этом мёрзнут руки. К счастью, великан им встретился всего лишь раз, да и то какой-то странный: увидев их, захохотал и потопал по своим делам.

Дней через десять пейзаж изменился. Подойдя к северной оконечности вересковой пустоши, путники увидели длинный крутой спуск к местам куда как суровым. Внизу громоздились

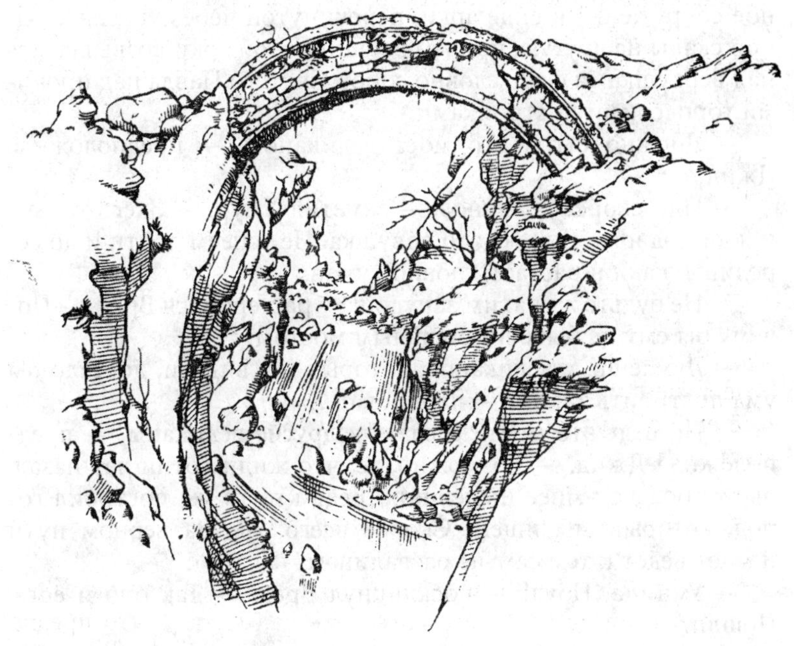

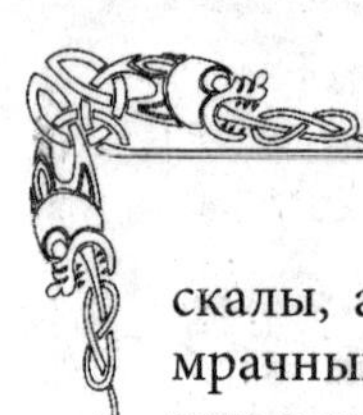



скалы, а за ними простирался край высоких гор, бездонных мрачных пропастей, каменистых равнин, каньонов, таких узких и глубоких, что внизу ничего не было видно, и рек, с рёвом вырывавшихся из ущелий, чтобы низвергнуться в тёмные глубины. Разумеется, именно Хмур обратил внимание на снежные вершины далёких гор, заметив:

— Не удивлюсь, если на северных склонах снега будет ещё больше.

Через некоторое время, спустившись вниз, они обнаружили реку, что бежала между камнями с запада на восток. Берегами ей служили отвесные стены глубокого каньона, в который не проникали солнечные лучи, отчего вода казалась зелёной. От её рёва дрожала земля — даже там, где они стояли, ощущались вибрации.

— Одно утешает, — мрачно заметил Хмур. — Если сломаем себе шею, свалившись со скалы, то уж точно не утонем.

— А что вы скажете об этом? — воскликнул вдруг Вред, показывая куда-то влево, выше по течению.

Разом повернув головы, они увидели то, что ожидали увидеть меньше всего, — мост. Да ещё какой! Это было грандиозное сооружение в виде арки, перекинутой через ущелье с одной скалы на другую, причём вершина этой арки возвышалась над верхушками скал, словно собор Святого Павла над прочими городскими постройками.

— Должно быть, это мост великанов! — предположила Джил.

— Или скорее колдунов, — заметил Хмур. — Здесь только и жди подвоха. Думаю, это ловушка. Не успеем дойти и до середины, как он растает, словно туман.

— Не будьте же таким занудой! — рассердился Вред. — Почему бы ему не быть нормальным мостом?

— Думаешь, у великанов, которых мы видели, достало бы ума построить такой? — парировал Хмур.

— Но ведь это могли сделать и другие великаны, — предположила Джил. — Возможно, те, что жили сотни лет назад, были гораздо умнее нынешних. Ведь кто-то же построил город, который мы ищем. Скорее всего, мы на верном пути и мост ведёт к тем самым развалинам!

— Умница, Поул! — воскликнул Вред. — Так оно и есть. Пошли.

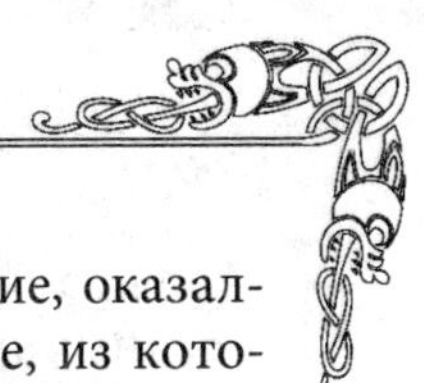

Они направились к мосту, который, на удивление, оказался достаточно прочным. Камни были похожи на те, из которых построен Стоунхендж. Обтесанные когда-то искусными мастерами, кое-где они потрескались и раскрошились. На парапете, когда-то, вероятно, покрытом богатой резьбой, сохранились отдельные фрагменты: великанов, минотавров, кальмаров, сороконожек, грозных божеств.

Хмур с огромным сомнением взирал на это сооружение, но потом всё-таки согласился по нему пройти вместе с детьми.

Подъём на вершину арки моста оказался долгим и тяжёлым. Во многих местах камни вывалились, оставив чудовищные дыры, сквозь которые далеко внизу виднелась ревущая бурлящая река. Почти у них под ногами парил орёл. Чем выше они поднимались, тем холоднее становилось, ветер усиливался, так что с трудом удавалось держаться на ногах. Казалось, что мост раскачивается.

Добравшись наконец до вершины, они увидели отходившую от моста старую дорогу, которая вела в самое сердце гор. По обе стороны дорога густо поросла травой, да и на самой её поверхности тут и там виднелись травяные заплаты. И вот по этой самой дороге им навстречу двигались два всадника, причём вовсе не великаны, а вполне нормальные взрослые люди.

— Продолжаем идти, — подсказал Хмур. — В этих краях каждый может оказаться врагом, но не стоит показывать, что мы боимся.

Когда путешественники ступили наконец на дорогу, незнакомцы были совсем близко к мосту. Один из них оказался рыцарем в полном облачении, с опущенным забралом. На коне вороной масти, в чёрных доспехах, со щитом, где отсутствовали какие-либо знаки, и без рыцарского штандарта на копье он производил неизгладимое впечатление. Другой лошадью, белой и такой красивой, что её сразу хотелось поцеловать в нос и угостить кусочком сахара, правила леди. Под ней было дамское седло, зелёные одежды развевались на ветру, и от её красоты слепило глаза.

— Приве-етствую вас, стра-анники, — певуче произнесла красавица таким нежным голосом, что, кажется, от его звуков замолкли даже птицы. — Двое из вас определённо слишком юны для здешних суровых мест.

— Ну, это как посмотреть, мадам, как посмотреть... — ответил Хмур сухо и настороженно.

— Мы ищем развалины города великанов, — сообщила Джил.

— Ра-азвалины? — протянула дама. — Как стра-ан-но... Зачем вам развалины?

— Мы должны... — начала было Джил, но тут вмешался Хмур:

— Прошу прощения, мадам, но мы не знаем ни вас, ни вашего молчаливого спутника, как, впрочем, и вы не знаете нас. Поэтому, если не возражаете, мы бы предпочли не обсуждать свои дела с посторонними. Лучше поговорим о погоде. Похоже, дождь собирается, вам не кажется?

Красавица засмеялась, и будто зазвенели сотни колокольчиков, а потом заметила:

— Ну что же, дети, у вас очень мудрый и опытный вожак, так что он сам решит, как быть, но я всё-таки вот что вам скажу. Мне доводилось слышать о городе великанов, но никто и никогда не мог указать, где он находится. Эта дорога ведёт в замок Харфанг, где тоже живут великаны, только добрые, воспитанные, скромные и приветливые, в отличие от обитателей Этинсмура, глупых, свирепых, жестоких и под-

верженных разным порокам. В Харфанге вы можете узнать — а можете и не узнать — о разрушенном городе, но в любом случае вас ожидает тёплый радушный приём. И вы поступите весьма благоразумно, если перезимуете там или, по крайней мере, проведёте несколько дней, чтобы отдохнуть и набраться сил. Там вам предложат горячую ванну, мягкую постель, ярко горящий очаг. И прекрасный стол: четыре раза в день и жареное, и пареное, и печёное, и сладкое.

— Это же здорово — снова спать в постели! — воскликнул Вред.

— Да, и принять горячую ванну, — добавила Джил. — А они захотят, чтобы мы остались? Ведь они нас совсем не знают.

— О, не беспокойтесь! — воскликнула красавица. — Просто скажите им, что дама в зелёном передаёт привет и посылает двух милых южных деток к осеннему празднику.

— Спасибо вам, большое спасибо! — в один голос поблагодарили Джил и Юстас.

— Но поторопитесь! — добавила дама. — Ворота в Харфанге закрывают до заката, и не в правилах обитателей замка их открывать до восхода, как бы громко вы ни стучали.

Дети с сияющими глазами снова принялись благодарить даму, в то время как Хмур лишь сдержанно поклонился, сняв остроконечную шляпу. Молчаливый рыцарь и дама продолжили свой путь, под звонкий цокот копыт направившись к мосту.

— М-да... — произнёс Хмур. — Дорого бы я дал, чтобы узнать, откуда взялась такая дама в столь диких местах. Как-то всё это странно и, боюсь, не к добру.

— Да брось ты! — возразил Вред. — По-моему, она добрейшая душа. Я уже не говорю о горячей еде и тёплых постелях. Хоть бы этот Харфанг был недалеко!

— А какое у неё платье! — подхватила Джил. — А лошадь!

— И всё же неплохо было бы узнать о ней побольше, — упрямился Хмур.

— Я хотела расспросить её, — заявила Джил, — но как, если вы не пожелали, чтобы она узнала что-то про нас?

— Да, кстати: а почему вы держались с ними так сухо и нелюбезно? — спросил Юстас. — Они вам не понравились?

— Они? — переспросил Хмур. — Кто *они*? Я видел только даму.

— А как же рыцарь? — удивилась Джил.

— Я видел только доспехи, — упорствовал квакль. — К тому же он молчал.

— Может, стеснялся, — предположила Джил, — или просто ему нравилось смотреть на свою спутницу и слушать её прекрасный голос. Я бы и сама так вела себя на его месте.

— Хотел бы я знать, — заметил Хмур, — что скрывалось под забралом и латами...

— А что там может быть, кроме человека? — удивился Юстас. — Это же доспехи!

— Например, скелет, — усмехнулся Хмур, — или, возможно, вообще ничего. То есть ничего из того, что мы могли видеть.

— Послушайте, Хмур, — содрогнулась Джил, — что за ужас вам приходит в голову?

— Да ну его! — рассердился Вред. — Пессимист несчастный! Лучше уж думать про добрых великанов и гостеприимный Харфанг. Интересно, далеко ещё до него?

Эта перепалка едва не переросла в первую серьёзную ссору, о которой предупреждал Хмур. Не то чтобы дети не спорили между собой и с окружающими раньше, но таких серьёзных разногласий с кем-либо у них ещё не случалось. Хмур наотрез отказывался идти в Харфанг и пытался убедить спутников, что никто не знает, что для великанов значит быть добрыми, а кроме того, знаки Аслана никоим образом не указывают на посещение жилища великанов, какими бы они ни были. Джил и Юстасу так надоели ветер и дождь, костлявая живность, поджаренная на костре, сон на холодной жёсткой земле, что никакие доводы квакля на них не действовали. В конце концов Хмур согласился с ними, но при одном условии: дети должны твёрдо пообещать, что без его разрешения ни словом не обмолвятся, откуда пришли и зачем. Получив заверение, что не расскажут великанам о Нарнии и принце Рилиане, квакль последовал за ними.

После встречи со странной парочкой дела пошли хуже. Во-первых, идти стало гораздо труднее: дорога шла через бескрайнюю долину, насквозь продуваемую ледяным северным ветром. Дров взять было негде, не было и ни единого укром-

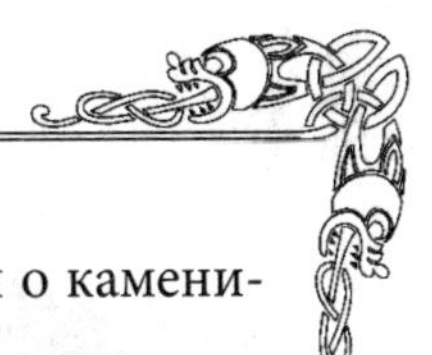

ного местечка для привала. Днём они сбивали ноги о каменистую почву, а ночью от неё болело всё тело.

Во-вторых, каковы бы ни были намерения дамы, её рассказ о Харфанге привёл к печальным результатам. Теперь дети не могли думать ни о чём другом, кроме тёплой постели, ванны, горячей еды и крыши над головой. Теперь они не вспоминали ни об Аслане, ни о пропавшем принце. Джил больше утром и вечером не повторяла знаки, как обычно делала, поначалу оправдывая это тем, что слишком устала, а потом и вовсе о них забыв. Казалось бы, мысль об отдыхе в Харфанге должна была их взбодрить, но на деле всё вышло наоборот: дети принялись себя жалеть, раздражаться по каждому поводу, срываться друг на друга и на Хмура.

Наконец путешественники заметили, что ущелье, по которому они шли, стало расширяться, а потом по обеим его сторонам появились мрачные леса. Теперь перед ними лежала каменистая равнина, а за ней, вдалеке, горы со снежными шапками. Но чуть ближе этих гор возвышался холм с необычной, плоской как стол, вершиной.

— Смотрите! Смотрите! — воскликнула Джил, указывая куда-то вдаль, туда, где в сгущающихся сумерках за плоским холмом виднелись огоньки.

Огоньки! Не лунное сияние, не отблеск костра, а приветливый уютный свет в окошках. Тому, кто никогда не проводил долгие недели под открытым небом, в диких пустынных местах, не понять, что почувствовали путники.

— Харфанг! — радостно завопили Юстас и Джил.

— Харфанг... — угрюмо повторил за ними квакль, но тотчас добавил: — Ого, никак дикие гуси!

Через мгновение он уже держал в руках лук, а в следующее к его ногам упала жирная птица. О том, чтобы добраться до Харфанга в тот же день, не могло быть и речи. Горячая еда, костёр, а главное — надежда поначалу сделали ночь теплее, но когда огонь погас, опять стало нестерпимо холодно. Поутру путешественники обнаружили, что всё вокруг покрыто инеем, а одеяла примёрзли к земле.

— Ничего! — воскликнула Джил, притопывая, чтобы согреться. — Сегодня наконец можно будет принять горячую ванну!

*Глава седьмая*

# ХОЛМ СО СТРАННЫМИ РВАМИ

День выдался ужасный. Небо затянули тяжёлые снеговые тучи, под ногами хрустел чёрный замёрзший наст, а ветер, похоже, решил содрать с них кожу. На равнине старая дорога была в ещё более плачевном состоянии, чем та, по которой они шли раньше. Путникам приходилось пробираться через обломки скал, обходить валуны, утопать по щиколотку в гальке, что было испытанием для натруженных и сбитых в кровь ног. Но что бы они ни чувствовали, холод гнал вперёд.

Часов в десять в воздухе закружились первые снежинки, а через несколько минут снег валил уже вовсю. Прошло не более получаса, как всё вокруг побелело, а через некоторое время разразилась настоящая снежная буря. Огромные снежные хлопья слепили глаза, и путники не только дорогу, но и вообще ничего не видели.

Это обстоятельство сыграло свою роковую роль. Сбившись с дороги, путники оказались перед невысоким холмом, который скрыл от них замок с освещёнными окнами. То и дело протирая глаза, чтобы хоть что-нибудь рассмотреть, они пытались отыскать дорогу, и, конечно, им было не до разговоров.

Оказавшись у подножия холма, путешественники увидели по обеим его сторонам некое подобие скал. Если приглядеться, то стало бы понятно, что они имеют странную форму — кубы, — но, разумеется, приглядеться никому не пришло в голову. Всех больше заботил уступ, преградивший путь, высотой около четырёх футов. Длинноногому кваклю не составило труда на него вспрыгнуть и помочь забраться остальным. Снег здесь оказался гораздо глубже, и подъём дался детям нелегко: Джил даже раз упала. Преодолев почти сотню ярдов, они оказались перед вторым уступом. Всего их было четыре, и располагались они на разных расстояниях друг от друга.

Вскарабкавшись на четвёртый уступ, путники убедились, что достигли вершины плоского холма. Если до сих пор склон худо-бедно защищал их от ветра, то теперь они ощутили его в полной мере. Наверху холм оказался действительно плоским, как это и виделось издалека, и здесь, как на равнине, беспрепятственно бушевала буря. Местами снег не успевал даже опуститься на землю — ветер срывал его и швырял путникам в лицо. Вокруг ног образовывались маленькие снежные вихри, как это иногда бывает на льду, что немудрено: поверхность мало чем отличалась от льда. Но хуже всего было, что ноги то и дело натыкались на какие-то странные холмы, которые разделяли равнину на разнокалиберные четырёхугольники и через которые надо было перелезать. Высотой они были от двух до пяти футов, а шириной — ярда два. С северной стороны этих валов успели образоваться высокие сугробы, и путники каждый раз в них проваливались и промокали.

Надвинув на лоб капюшон, опустив голову и спрятав окоченевшие руки под плащ, Джил пробиралась вперёд. Она заметила ещё кое-что странное на этом ужасном плато: справа торчали какие-то сооружения наподобие фабричных труб, а слева высилась удивительно правильной формы скала. Но она не стала об этом задумыватся. Джил занимали лишь мысли о замёрзших руках — а также носе, подбородке и ушах, — горячей ванне и тёплой постели в Харфанге.

Внезапно она поскользнулась, пролетела футов пять и, к своему ужасу, стала скатываться вниз, в тёмную узкую расщелину, которая, казалось, в ту же секунду образовалась перед ней. Через мгновение она уже рухнула на дно. Это был то ли ров, то ли канава фута три шириной. Джил хоть и испугалась, но тем не менее почувствовала облегчение: здесь не было ветра, потому что стены рва поднимались высоко над головой. Следующее, что она увидела, были испуганные лица Вреда и Хмура, заглядывающих сверху в ров.

— Ты не ушиблась, Поул? — раздалось сверху.

— Наверняка сломала *обе* ноги! — прокричал пессимист Хмур.

Джил встала на ноги и успокоила их: всё в порядке, но самой ей отсюда не выбраться.

— Куда ты свалилась-то? — поинтересовался Юстас.

— Какой-то ров или, может, осевшая тропа, — пояснила Джил. — Довольно прямая.

— И ведёт прямо на север! — воскликнул Вред. — Может, это и есть дорога? Если так, то хоть от этого адского ветра укроемся. Там, на дне, много снега?

— Почти нет. Похоже, ветер не даёт ему долететь вниз.

— Не видно, что там дальше?

— Подождите. Сейчас пойду посмотрю, — ответила Джил и направилась вдоль рва, но сразу же остановилась, потому что он резко повернул направо.

— А за углом что? — спросил Вред, когда она поставила их в известность об этом.

Оказалось, что Джил так же пугают извилистые переходы и тёмные подземелья, как Вреда — край обрыва. Ни малейшего желания идти одной выяснять, что там, за углом, у неё не было, тем более под аккомпанемент истошных воплей квакля сверху:

— Осторожно, Поул! В этих местах дорога может вести куда угодно — даже в логово дракона. Кроме того, тебе могут встретиться гигантские черви или жуки.

— Думаю, она ведёт недалеко, — пролепетала Джил, поспешно отступая от угла.

— Что значит «недалеко»? Сейчас посмотрю сам, — заявил Вред.

Он уселся на край рва (все они уже так вымокли, что больше не обращали на снег внимания) и спрыгнул вниз. Когда Юстас молча отодвинул её в сторону, Джил поняла, что он догадался: она струсила, — но всё же двинулась за ним, стараясь не обгонять.

Результат быстро разочаровал. Дети прошли немного, повернули направо, потом сделали несколько шагов вперёд и оказались на развилке: одна дорога вела по-прежнему прямо, а другая резко поворачивала направо.

— Так дело не пойдёт, — сказал Вред, глядя на правое ответвление, — она приведёт нас назад, на юг.

Он направился прямо, но через несколько шагов дорога опять под прямым углом повернула направо. На этот раз выбора не было — тупик.

— Всё без толку, — проворчал Вред.

Джил тут же развернулась и первой пошла обратно. Когда они вернулись к тому месту, где она упала в ров, Хмур своими длинными руками без труда вытянул обоих наверх.

Снова оказаться наверху было ужасно. Там, в узком рву, где не было ветра, их уши почти оттаяли. Там они всё ясно видели, легко дышали и слышали друг друга, не надрывая голос. Возвращаться на такой зверский холод было сродни катастрофе, а тут ещё Хмур выбрал момент, чтобы спросить:

— Ты ещё помнишь знаки, Джил? Какой нужно искать теперь?

— Какие ещё знаки! Да ну их совсем! — отмахнулась та, но потом всё же ответила: — Кажется, кто-то должен упомянуть Аслана. Не помню точно.

Как видите, она перепутала порядок, а всё потому, что не повторяла знаки дважды в день, как раньше. Конечно, если бы Джил напряглась, то вспомнила бы, но у неё не было прежнего усердия, поэтому с ходу назвать все знаки в правильном порядке не получалось. Вопрос Хмура рассердил её потому, что в глубине души Джил понимала: в том, что урок льва не усвоен так твёрдо, как требовалось, её вина. Именно это раздражение вместе с холодом и усталостью и заставило её сказать: «Да ну их совсем!» Возможно, она погорячилась.

— Вроде это был следующий? — усомнился Хмур. — Ты правильно назвала? По-моему, ты их перепутала. Мне кажется, на этом холме, на этом плоском месте, мы должны остановиться и осмотреться. Вы заметили...

— О господи! — простонал Вред. — Самое время любоваться красотами. Пойдёмте лучше дальше.

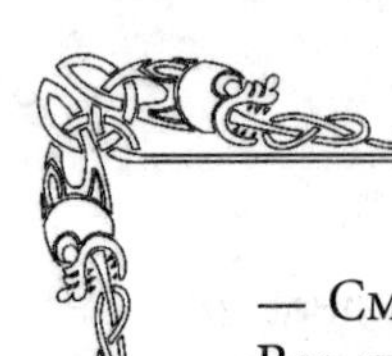



— Смотрите! — вдруг воскликнула Джил, указывая вперёд.

Все повернулись и увидели на севере, на некотором расстоянии от них, гораздо выше плато, на котором они стояли, огоньки. На этот раз они ясно различили свет в окнах: в небольших, наводивших на мысли об уютных спальнях, и в тех, что побольше, заставлявших представить себе огромный зал, где в камине потрескивает огонь, а на столе исходит паром горячий суп или вкуснейшее жаркое.

— Харфанг! — воскликнул Вред.

— Всё это, конечно, хорошо, — пробубнил Хмур, — но я хотел сказать...

— Да хватит вам! — рассердилась Джил. — Нельзя терять ни минуты. Помните, что сказала дама? Ворота запирают рано. Мы должны попасть туда до закрытия. Во что бы то ни стало! Мы умрём, если останемся на улице в такую ночь.

— Ну, пока ещё не ночь... — начал было Хмур, но дети хором закричали «вперёд!» и замахали руками.

И они поковыляли по скользкому плато, стараясь двигаться как можно быстрее. Хмур поплёлся за ними, продолжая говорить, но ветер так завывал, что его никто не слышал и не услышал бы, даже если бы хотел, но они и не хотели. Все мысли детей были там, в Харфанге, где ванна, постель, горячий чай, и даже на минуту представить, что они опоздали, казалось невыносимым.

Они спешили, но переход через плоскую вершину холма всё равно занял очень много времени. Даже после того как путешественники пересекли плато, на спуске им пришлось преодолеть несколько уступов. Но вот наконец они оказались у подножия, и перед ними открылся Харфанг.

Замок стоял на высоком утёсе и, несмотря на многочисленные башенки, больше походил на огромный дом. По всей видимости, добрые великаны не боялись набегов неприятеля. Окна на фасаде располагались слишком низко, что в настоящем замке считалось немыслимым. Тут и там виднелись маленькие двери, через которые можно было попасть внутрь или выйти наружу, минуя внутренний двор. Дети приободрились: место вовсе не выглядело страшным — напротив, казалось вполне дружелюбным.

Поначалу высота и крутизна утёса привели в отчаяние, но очень скоро они заметили, что слева склон более пологий

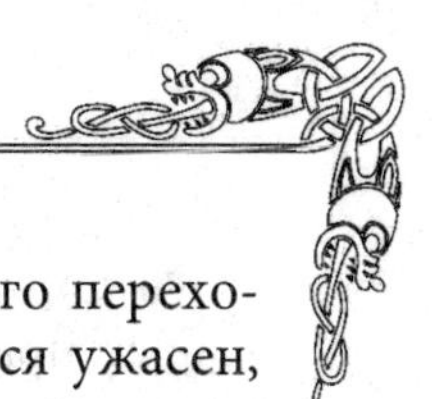

и дорога ведёт как раз к нему. После многотрудного перехода, который они совершили, и этот подъём оказался ужасен, и в какой-то момент Джил почти сдалась. Последние сто ярдов Вреду и Хмуру пришлось её едва ли не тащить, но в конце концов они оказались перед воротами замка с поднятой решёткой.

Как бы ни устали путники, входить в пристанище великанов всё равно страшновато. Несмотря на свои опасения по поводу Харфанга, Хмур оказался самым смелым и скомандовал:

— Спокойно! Не показывайте, что боитесь. Мы совершили самую большую глупость на свете, явившись сюда, но теперь извольте сохранять лицо.

И квакль храбро прошагал прямо в ворота, остановился под аркой, где эхо делало его голос громче, и закричал что есть мочи:

— Эй, привратник! Гости ищут ночлег!

Дожидаясь, что за этим последует, Хмур снял шляпу и стряхнул с широких полей целую кучу снега.

— Знаешь, — прошептал Юстас Джил, — он хоть и зануда, но зато смелый и дерзкий.

Дверь отворилась, мелькнул манящий свет очага, и появился привратник. Джил закусила губу, чтобы не вскрикнуть, хотя он вовсе не был таким уж гигантом — так, повыше яблони, но пониже телеграфного столба. С торчащими в разные стороны рыжими волосами, в кожаном камзоле, усеянном металлическими пластинками, отчего он походил на кольчугу, и голыми волосатыми коленями, торчавшими над неким подобием краг на ногах, он производил неизгладимое впечатление.

— Это кто же тут такой? — произнёс привратник, нагнувшись и вытаращив глаза.

Джил собрала всё своё мужество и что есть мочи прокричала:

— Дама в зелёном передаёт привет добрым великанам и посылает двух южных деток и этого квакля — по имени Хмур — к осеннему празднику. Конечно, если вы не против нас принять.

— Ого, — обрадовался привратник, — это совсем другое дело! Заходите, малютки, заходите в комнату, а я доложу его величеству.

Помешкав, он с любопытством взглянул на детей и удивлённо спросил:

— А почему у вас синие лица? Впрочем, мне-то что за дело: друг дружке вы, наверное, нравитесь. Как говорится, жучок жучка хвалит.

— Это мы просто от холода посинели, — объяснила Джил. — Вообще-то мы нормального цвета.

— Тогда идите вот к очагу грейтесь, козявки.

Вслед за привратником они вошли в дом. Хоть грохот огромной двери, закрывшейся за ними, и был страшен, дети тут же забыли о ней, стоило увидеть то, о чём мечтали со вчерашнего вечера, — огонь. И какой огонь! Казалось, в очаге горело сразу несколько деревьев, а жар от него исходил такой, что ощущался наверняка за несколько ярдов. Всё равно измученные путешественники плюхнулись на кирпичный пол так близко к огню, как только можно, и наконец с облегчением выдохнули.

— Давай, юноша, — обратился привратник к великану, сидевшему в глубине комнаты и таращившемуся на путников так, что, казалось, глаза того и гляди вылезут из орбит, — беги в дом и передай, что сказала эта козявка.

И пересказал посыльному то, что услышал от Джил. Парень наконец оторвал от них взгляд и, почему-то громко хохотнув, вышел из комнаты.

— Послушай, лягушонок, — обратился привратник к Хмуру, — похоже, тебе надо взбодриться.

Он вытащил чёрную бутылку, очень похожую на ту, что была у Хмура, только раз в двадцать больше.

— Нет, чашка тебе не подойдёт — утонешь ещё, — а вот солонка будет в самый раз. Только смотри никому не говори там, в доме. Столовое серебро тут появляется само по себе, я тут ни при чём.

Солонка была более узкой и прямой, чем у людей, и из неё получилась отличная чашка для Хмура. Когда великан поставил её на пол возле квакля, дети подумали, что тот откажется, потому что не доверяет великанам, даже добрым, но он пробормотал:

— Поздно думать о предосторожностях, когда мы здесь, а дверь захлопнулась.

Понюхав жидкость, квакль заключил:

— Пахнет неплохо, но это ничего не значит. Лучше попробовать. — Сделав глоток, он причмокнул: — На вкус тоже ничего, но вдруг это только сначала? Посмотрим, как оно дальше пойдёт.

Хмур глотнул побольше, потом ещё.

— А она вся такая? Не удивлюсь, если на дне какая-нибудь гадость.

С этими словами он прикончил напиток, облизнул губы и посмотрел на ребят:

— Это была проверка. Если я сморщусь, или взорвусь, или превращусь в ящерицу или ещё в кого, знайте, что тут ничего нельзя пробовать.

Великан, слишком высокий, чтобы слышать то, что Хмур бормотал себе под нос, расхохотался:

— Ну, лягушонок, ты и ухарь. Смотрите, ни капли не оставил.

— Я не ухарь, я Хмур, — заплетающимся языком возразил Хмур, — и не лягушонок, а квакль.

В это время дверь отворилась и вошёл юный великан:

— Их немедленно требуют в тронный зал.

Дети вскочили, но Хмур продолжал сидеть и бормотать:

— Квакль. Да, квакль. Очень уважаемый квакль. Уважакль.

— Проводи-ка их, — приказал привратник юному великану. — Лягушонка придётся нести — последняя капля оказалась, видимо, лишней.

— Я в порядке, — пробормотал Хмур, — и вовсе не лягушка. Ничего общего. Я ужава... уважакль.

Юный великан схватил его за пояс и жестом приказал детям следовать за ним. В таком не слишком достойном виде они прошли через внутренний двор. Хмур, зажатый в кулаке великана, брыкался в воздухе и действительно очень походил на лягушку, но дети этого почти не замечали, поскольку вскоре оказались перед огромной дверью главного замка. Почти бегом, чтобы успеть за великаном, они миновали несколько коридоров, а затем вошли, щурясь от яркого света, в огромный зал, где горели лампы, пылал огонь в очаге, и всё это отражалось в позолоченном потолке и карнизах. Множество великанов в роскошных одеждах стояли вдоль стен справа и слева, а в дальнем конце зала на двух тронах сидели две огромные фигуры — король и королева.

Их провожатый остановился футах в двадцати от тронов. Юстас и Джил неловко поклонились (в экспериментальной школе девочек не учат делать реверанс), а Хмура юный великан осторожно опустил на пол, где тот и уселся. Растопырив длинные руки и ноги, квакль сейчас был очень похож на большого паука.

*Глава восьмая*

# ЗАМОК ХАРФАНГ

— Давай, Поул, говори, — зашептал Вред.

Джил почувствовала, что во рту пересохло и она не в состоянии и слова сказать, поэтому сердито кивнула Юстасу.

Решив про себя, что никогда в жизни её не простит, а заодно и Хмура, Вред облизнул губы и крикнул королю великанов:

— Ваше величество, дама в зелёном просила передать привет и сказать, что посылает нас вам к осеннему празднику.

Король и королева переглянулись, кивнули друг другу и обменялись улыбками, которые совершенно Джил не понравились. Король был приятнее королевы. С окладистой курчавой бородой и орлиным носом, для великана он казался почти красивым. Королева же выглядела безобразно: чудовищно толстая, с двойным подбородком и сильно напудренным лицом — такие и у людей-то не особенно приятны, а уж увеличенные в десять раз и того хуже. Король плотоядно облизнулся: разумеется, это может сделать каждый, — но от вида его огромного красного языка, появившегося так неожиданно, Джил содрогнулась.

— Какие славные детишки! — сладким голосом произнесла королева, а Джил подумала: «Может, я ошибаюсь и она тоже ничего?»

— Да, — согласился король, — детишки просто отличные. Добро пожаловать ко двору! Давайте ваши ручки.

Он протянул огромную правую руку, очень гладкую, всю в кольцах, но с ужасно острыми, словно когти, ногтями. Для того чтобы пожать протянутые детские ладошки, он был слишком велик, поэтому пожал обе руки до плеча.

— А *это* что? — осведомился король, указывая на Хмура.

— Ужава... важа... уважакль! — представился тот.

— О! — воскликнула королева, подбирая юбки. — Жуть какая! Она живая!

— Он совершенно нормальный, ваше величество, правда, — торопливо объяснил Вред. — Вы его полюбите, когда узнаете получше, уверяю вас.

Надеюсь, вы не утратите интереса к Джил, если я скажу, что в этот момент она заплакала. Но её можно простить: ноги, руки и уши у неё едва оттаяли, вода стекала и с одежды, с утра она ничего не ела, а ноги болели так, что отказывались держать. Как ни странно, слёзы оказались самым действенным средством, поскольку королева заволновалась:

— Бедное дитя! Милорд, мы напрасно держим наших гостей на ногах. Эй, вы там! Сейчас же накормить, напоить, искупать! Малышку успокоить! Дайте ей леденцов, кукол, микстуры — дайте всё, что можете: молока, цукатов, кексов, колыбельную, игрушки. Не плачь, малышка, а то на празднике будешь ни на что не годна.

Джил вознегодовала, как это сделал бы любой при упоминании об игрушках и куклах, и хотя от леденцов и цукатов можно было бы и не отказываться, всё же надеялась, что ей дадут что-нибудь поосновательнее. Глупая речь королевы, однако, возымела благоприятный эффект: гиганты камергеры тотчас подхватили Вреда и Хмура, а великанша фрейлина — Джил, и вышли из зала.

Комната, куда доставили Джил, оказалась размером с собор и выглядела бы довольно мрачной, если бы не огонь, гудящий в очаге, и не толстенный ковёр малинового цвета на полу.

С этого момента началась восхитительная жизнь. Джил передали на руки кормилице королевы, которая по великанским меркам была маленькой согбенной старушкой, а по человеческим — не особенно большой великаншей, потому что могла бы ходить по обычной комнате, не задевая головой потолка. Старушка оказалась очень ловкой, хотя Джил раздражало её сюсюканье: «Вот и ладненько! Вот мы и встали. Ах ты голубушка! Всё хорошо, моя куколка».

Старушка наполнила горячей водой ножную ванну великанов и помогла Джил в неё влезть. Для тех, кто умеет плавать (а Джил умела), эта ванна — замечательная вещь, а полотенца, хотя и жестковатые, похожи на ковровые дорожки. Ими даже вытираться не надо — просто укутайся и грейся у очага. Когда

с мытьём было покончено, Джил дали чистую тёплую одежду, которая хотя и оказалась немного великовата, всё-таки явно была предназначена для людей, а не для великанов. «Наверное, если дама в зелёном сюда приезжает, её гостям дают одежду нашего размера», — подумала Джил и вскоре убедилась в своей правоте: её усадили на нормальный человеческий стул, за нормальный стол, да и приборы — ножи, вилки и ложки — тоже подали обычные.

Как же приятно было наконец оказаться в тепле и чистоте! А удовольствие ступать босыми ногами по мягкому ковру вообще ни с чем не сравнимо. Ворс доходил почти до колена, и для сбитых в кровь ног это было именно то, что надо. На обед — думаю, его можно так назвать, хотя время больше подходило для полдника, — подали густой куриный суп, жаркое из индейки, паровой пудинг, жареные каштаны и множество фруктов.

Единственное, что раздражало, это няня, которая без конца куда-то ходила и каждый раз возвращалась с новой огромной игрушкой: куклой, больше, чем сама Джил, деревянной лошадкой на колёсиках, размером со слона, барабаном, напоминавшим новенькую цистерну, и пушистым барашком. Игрушки были уродливые, плохо сделанные, раскрашенные в неестественно яркие цвета, и Джил смотреть на них не мо-

гла. Как ни просила она няню не приносить никаких игрушек, та твердила своё:

— Ну-ну-ну. Отдохнёшь чуток и захочешь, уж мне ли не знать. А сейчас давай баиньки, дорогуша ты моя!

Кровать была не гигантская, а просто очень большая, с пологом на четырёх столбиках, какие встречаются в старомодных отелях, и в огромной комнате казалась даже маленькой. Джил с удовольствием нырнула под одеяло и, уже засыпая, спросила:

— Снег ещё идёт, няня?

— Нет, там дождик, милая! — ответила великанша. — Дождик смоет весь грязный снег, и драгоценная куколка сможет играть завтра во дворе!

Старуха подоткнула Джил одеяло и, поцеловав в лоб, пожелала спокойной ночи.

На мой взгляд, нет ничего противнее поцелуя великанши. Джил подумала то же самое, но через пять минут уже спала.

Дождь непрестанно лил весь вечер и всю ночь, барабаня в окна замка, но Джил ничего не слышала, потому что крепко спала. Прошёл ужин, миновала полночь, и в самое глухое время, когда в доме всё замерло и еле слышна была лишь мышиная возня, Джил приснился сон. Будто проснулась она в той же комнате и увидела невысокие красные языки пламени, а в них — огромного деревянного коня. Конь сам поехал на колёсиках по ковру и остановился у её изголовья. И вот возле неё стоит уже не конь, а лев размером с лошадь. Теперь это уже настоящий лев — тот самый, которого она видела на горе за краем света. Комната сразу же наполнилась всевозможными приятными запахами, но на душе у Джил было тяжело, хотя она сама не понимала почему, и слёзы потекли по лицу, намочив подушку. Лев потребовал повторить знаки, но оказалось, что она всё забыла. Джил охватил ужас. Аслан схватил её, но очень осторожно, не зубами, и поднёс к окну. Ярко светила луна, и за окном, то ли на земле, то ли на небе (Джил не поняла, где именно), огромными буквами было написано: «НИЖЕ МЕНЯ». Потом сон ушёл, и, проснувшись поздним утром, она ничего не помнила.

Она уже встала, оделась и заканчивала завтракать у камина, когда няня отворила дверь:

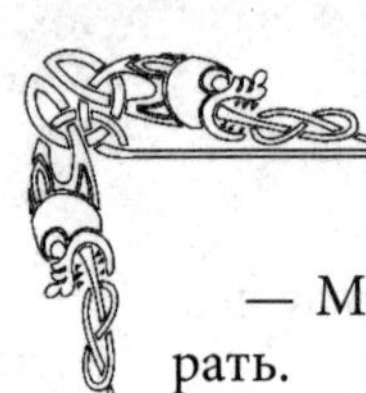



— Маленькие друзья нашей куколки пришли с ней поиграть.

В комнату вошли Вред и Хмур.

— Привет! Доброе утро! — поздоровалась Джил. — Правда здорово? Я проспала, наверное, часов пятнадцать. Теперь мне намного лучше, а вам?

— Мне тоже, — ответил Вред, — а вот у Хмура голова болит. Ого! У тебя есть подоконник. Если встать на него, можно увидеть, что там, за окном.

Так они все разом и сделали, и, выглянув, Джил воскликнула:

— Как страшно!

Светило солнце, и, за исключением нескольких мест, снег смыло дождём. Сверху им было хорошо видно, словно на карте, плоское плато на вершине холма, которое они с такими мучениями преодолевали вчера днём и которое, как теперь стало ясно, было не чем иным, как развалинами гигантского города. А плоским оно было потому, как сейчас поняла Джил, что вымощено плитами, хотя кое-где они не сохранились. Пересекавшие плато валы оказались остатками стен огромных зданий, некогда служивших великанам дворцами и храмами. Сохранившийся фрагмент стены высотой около пятисот футов Джил тогда приняла за скалу необычно правильной формы. То, что напоминало фабричные трубы, оказалось полуразрушенными сверху, на недосягаемой высоте, гигантскими колоннами, обломки которых валялись у оснований и напоминали срубленные каменные деревья. Уступы, по которым они спускались на северном склоне, и такие же, по которым поднимались на южном, без сомнения, представляли собой остатки ступеней огромной лестницы. И в довершение всего на каменных плитах посередине была хорошо видна надпись огромными тёмными буквами: «НИЖЕ МЕНЯ».

Путешественники в смятении переглянулись, а Вред, легонько присвистнув, произнёс то, что было у всех на уме:

— Второй и третий знаки мы прошляпили.

В тот же миг Джил вспомнила свой сон и в отчаянии воскликнула:

— Это я виновата! Это я перестала повторять знаки. Если бы я о них думала, то увидела бы город даже под снегом.

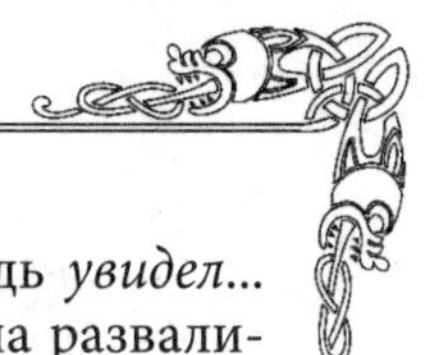

— Скорее уж я! — вмешался Хмур. — Я-то ведь *увидел*... Ну то есть мне показалось, что это очень похоже на развалины, но...

— Вы единственный, кого не в чем винить, — возразил Вред, — потому что пытались нас остановить.

— Значит, недостаточно пытался, — вздохнул Хмур. — Я не имел права идти у вас на поводу. Надо было во что бы то ни стало остановить вас: одной рукой тебя, другой — тебя.

— Надо признать, — грустно сказал Юстас, — мы были одержимы желанием попасть сюда и ни на что больше не обращали внимания. По крайней мере я. Встретив ту даму с безмолвным рыцарем, мы совсем забыли о принце Рилиане.

— Не удивлюсь, — заметил Хмур, — если именно этого она и добивалась.

— Чего я не могу понять, — размышляла Джил, — это как мы не заметили буквы. А может, они появились там только прошлой ночью? Мог их написать Аслан? Я видела такой странный сон...

После того как Джил пересказала друзьям свой сон, Юстас воскликнул:

— Ты балда! Мы же их видели! Как раз в букву Е мы и провалились, но приняли её за траншею и пошли по нижней палочке Е на север, повернули направо, то есть пошли по длинной палочке буквы, затем вышли к ещё одному повороту направо, это средняя палочка, и пошли прямо, в верхний левый угол или, если хочешь, в северо-восточный угол буквы, а затем вернулись. Какие же мы идиоты!

Вред пнул ногой подоконник и продолжил:

— Так не пойдёт, Поул. Я знаю, о чём ты думаешь, потому что сам думаю о том же: как было бы хорошо, если бы Аслан написал эти слова на развалинах после того, как мы их прошли. Тогда был бы виноват он, а не мы. Правда? Но нет. Надо признать свою вину. У нас было всего четыре знака, и первые три мы прошляпили.

— Ты хочешь сказать — я прошляпила, — заметила Джил. — Совершенно верно. Я всё всегда порчу и понимаю, что ужасно виновата, но всё же: что он имел в виду? «НИЖЕ МЕНЯ», по-моему, какая-то абракадабра.

— Нет, всё не так, — вмешался Хмур. — Эти слова указывают на то, что принца надо искать под развалинами.

— Как это возможно? — непонимающе спросила Джил.

— Это вопрос, но я бы его сформулировал иначе: как это возможно сейчас? — потирая большие перепончатые ладони, ответил квакль. — Наверняка, если бы помнили о деле, когда бродили по развалинам, мы получили бы подсказку: нашли какую-нибудь дверцу, или пещеру, или туннель, — а может, встретили бы кого-нибудь... например самого Аслана. Почему нет? И проникли бы под каменные плиты, так или иначе. Подсказки Аслана всегда помогают, всегда. Но как сделать это *сейчас*?..

— А если просто вернуться? — предложила Джил.

— Просто? — усмехнулся Хмур. — Для начала надо суметь открыть эту дверь.

Они разом обернулись к двери и поняли, что никто из них не сможет даже дотянуться до ручки, не говоря уже о том, чтобы повернуть.

— Вы думаете, они не выпустят нас? — произнесла Джил то, о чём подумал каждый.

Никто не ответил, да этого и не требовалось. Хмур продолжал настаивать на том, что они не должны говорить великанам, откуда и зачем пришли, и просить отпустить их, и дети не могли ослушаться, потому что дали слово. Все трое сошлись на том, что совершить побег из замка ночью нереально. Оказавшись запертыми в своих комнатах, они оставались пленниками до утра. Конечно, можно попросить не закрывать двери, но это вызвало бы подозрения.

— Наш единственный шанс, — заявил Вред, — попытаться улизнуть днём. Выбрать часок, когда великаны ложатся вздремнуть, и, если удастся, пробраться на кухню — там может быть открыт чёрный ход.

— Ну, шансом я бы это не называл, — возразил Хмур, — но попробовать можно.

Собственно говоря, план Вреда не был таким уж безнадёжным, как может показаться. Если нужно выйти из дома незамеченным, то полдень подходит для этого куда больше, чем полночь. Окна и двери, как правило, днём открыты, и если вас даже поймают, всегда можно сказать, что просто хотели прогуляться и не имели ничего дурного даже в мыслях. А вот если кто-то увидит, как вы выбираетесь из спальни в час ночи, то заставить поверить в то же самое будет значительно труднее.

— Нужно усыпить их бдительность, — предложил Вред. — Притвориться, например, что нам здесь очень нравится и мы ждём не дождёмся осеннего праздника.

— Он будет завтра вечером — сообщил Хмур. — Я слышал, как кто-то из них говорил.

— А давайте начнём всех расспрашивать про этот праздник! — воодушевилась Джил. — Они считают нас младенцами, и нам это на руку.

— Главное — выглядеть весёлыми, — с глубоким вздохом произнёс Хмур. — Весёлыми. Как будто нас ничто не волнует. Беззаботными. А вы, молодые люди, как я заметил, не всегда на высоте. Смотрите на меня и делайте так же.

Неожиданно квакль растянул губы в зловещей ухмылке и со скорбным видом подпрыгнул.

— Вот какой я весёлый. И беззаботный. Вы тоже скоро научитесь, если будете внимательно наблюдать за мной. Они считают меня дурачком, да и вы, наверное, тоже думаете, что я вчера был хорошо навеселе, но, уверяю вас, по большей части я притворялся. Я подумал, что это может оказаться полезным.

Когда впоследствии дети вспоминали свои приключения, то так и не могли понять, было ли это заявление правдой, но с уверенностью сказали бы: сам Хмур свято верил в то, что говорил.

— Хорошо, веселиться так веселиться, — согласился Вред. — Вот бы ещё дверь кто-нибудь открыл. Пока будем валять дурака и веселиться, надо бы узнать всё, что можно, об этом замке.

По счастливой случайности, как раз в этот момент дверь отворилась и в комнату едва ли не вбежала няня-великанша:

— Ну, куколки мои, хотите посмотреть, как король и весь двор выезжают на охоту? Зрелище, надо сказать, восхитительное!

Не мешкая, друзья бросились мимо неё к открытой двери и к лестнице. Снизу раздавался лай собак, звуки рожков и возбуждённые голоса великанов. Через несколько минут троица уже была во дворе замка. Великаны охотились пешими, поскольку подходящих для них лошадей в этой части света ещё не вывели, и с гончими нормального размера, как в Англии.

Увидев, что охотники без лошадей, Джил поначалу страшно расстроилась, будучи уверенной, что ужасающе толстая королева вряд ли станет гоняться за собаками и скорее останется дома, но затем шестеро молодых гигантов вынесли во двор что-то наподобие паланкина, на котором восседала королева. Глупая толстуха вырядилась во всё зелёное и прицепила сбоку к необъятной талии рожок. Десятка два-три великанов, и среди них король, толпились во дворе в полной готовности к забаве, оглушительно хохотали и болтали о том о сём. А внизу, на уровне Джил, повсюду мелькали виляющие хвосты и слюнявые пасти, слышался лай, а мокрые собачьи носы тыкались в руки.

Хмур начал было изображать веселье и беззаботность на свой манер — и мог всё испортить, если бы кто-нибудь обра-

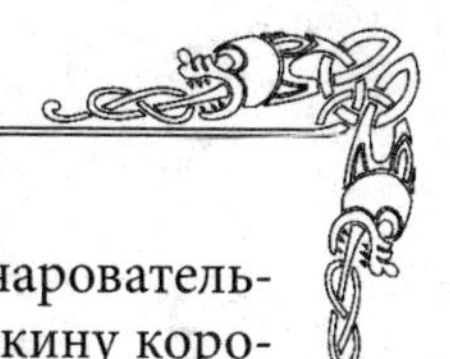

тил на него внимание, — но тут Джил, состроив очаровательно-наивную детскую улыбочку, подбежала к паланкину королевы и воскликнула:

— О, ваше величество, вы *уезжаете*? Надеюсь, не насовсем? Когда же вернётесь?

— Не расстраивайся, моя дорогая, — улыбнулась королева, — сегодня вечером уже буду дома.

— Ну и хорошо! Прекрасно! — продолжала валять дурака Джил. — Можно мы придём завтра на праздник? Ждём не дождёмся, когда же он состоится! Нам здесь так нравится! Пока вас не будет, можно нам побегать по замку, посмотреть? Умоляю вас, скажите «да»!

Королева милостиво кивнула и, конечно же, сказала «да», но её ответ потонул в хохоте придворных.

*Глава девятая*

# ДРУЗЬЯ УЗНАЛИ НЕЧТО ВАЖНОЕ

Позднее все признавали, что в этот день Джил превзошла самоё себя. Стоило королю и королеве со свитой отбыть на охоту, она принялась носиться по всему замку, спрашивать ни о чём и обо всём, причём с таким невинным, даже глуповатым видом, что никому и в голову не пришло заподозрить её в каком-то тайном умысле. Она ни на секунду не закрывала рот: щебетала и хихикала. Ей удалось поболтать с конюхами, привратниками, горничными, фрейлинами и престарелыми лордами-великанами, для которых выезды на охоту остались в далёком прошлом. Она стоически вытерпела поцелуи и объятия огромного количества великанш, причём многие из них горестно вздыхали и почему-то называли её бедняжкой. Успела Джил и подружиться с поваром и обнаружила, что дверь из судомойни ведёт прямо на улицу, минуя двор и ворота. На кухне, притворившись ужасно голодной, она съела всё, что с радостью предложили ей повар и кухарки.

Вернувшись в покои, она засыпала придворных дам вопросами, как следует одеваться на этот праздник, разрешат ли им оставаться там допоздна и есть ли у них какой-нибудь самый маленький великан, с которым она сможет станцевать.

Затем — воспоминания об этом бросали Джил в дрожь — с идиотским видом она наклоняла голову набок, что взрослые, великаны и прочие находили особенно очаровательным, и мечтательно произносила:

— Как хочется, чтобы завтрашний вечер наступил поскорее, правда? Надеюсь, время пролетит быстро.

Все великанши называли её прелестной малышкой, а некоторые прикладывали к глазам носовые платки размером со скатерть, словно собирались пустить слезу.

— Они очень хорошенькие в такую пору, — сказала одна великанша другой. — Как жаль, что...

Вред и Хмур тоже не бездельничали, но у девочек это получается гораздо лучше, чем у мальчиков, а у тех лучше, чем у кваклей.

За обедом произошло событие, которое многократно усилило желание друзей поскорее покинуть замок добрых великанов. Наши путники обедали в общем зале за маленьким столом возле камина. Ярдах в двадцати от них за большим столом сидели старые великаны — видимо, глуховатые — и так громко разговаривали, что скоро дети перестали прислушиваться и не замечали их, как перестаёшь замечать гудки и шум транспорта за окном. На обед подавали холодную оленину. Джил до этого никогда её не пробовала, и мясо очень ей понравилось.

Внезапно Хмур повернулся к ним, и дети увидели, что он побледнел, да так, что не спасал даже природный зеленоватый цвет кожи:

— Не прикасайтесь больше к мясу!

— Что случилось? — прошептали дети.

— Вы слышали, о чем они говорили? «Какое нежное мясо!» — похвалил один из них. «Значит, этот олень нам солгал», — ответил второй. «Почему?» — «О, говорят, он просил его не убивать, объяснив это тем, что нам не понравится его жёсткое мясо».

Джил не сразу поняла, в чём дело, но до неё дошло, когда Вред с ужасом произнёс:

— Значит, мы ели говорящего оленя?!

Это открытие произвело на каждого из них разное впечатление. Джил, впервые попавшая в этот мир, жалела бедного

оленя и считала, что убивать его было мерзостью. Вред, уже побывавший здесь и подружившийся по меньшей мере с одним говорящим животным, ощущал ужас, будто узнал про убийство, а Хмур, родившийся в Нарнии, пребывал на грани обморока и чувствовал себя так, как чувствовал бы себя любой из нас, узнав, что съел младенца.

— Мы навлекли на себя гнев Аслана, — обречённо проговорил квакль. — Вот что бывает, когда игнорируешь знаки. Нас прокляли, и если бы было возможно, то лучшее, что мы могли бы сделать, — это взять со стола ножи и вонзить себе в сердце.

Постепенно и Джил почувствовала то же, что и он. Никто не мог больше проглотить ни крошки, и друзья, улучив подходящий момент, выскользнули из зала.

Приближалось время, на которое они наметили побег, и все трое заметно нервничали, поэтому слонялись по коридорам в ожидании, пока все разойдутся. После обеда великаны ещё сидели целую вечность за столом и слушали рассказ лысого приятеля. Когда история наконец закончилась и в зале стало пусто, друзья отправились на кухню, но и там было многолюдно, особенно в судомойне, где предстояло перемыть горы посуды. Сущим мучением было наблюдать, как все по очереди вытирали руки и уходили. Наконец в кухне осталась лишь одна старая судомойка, которая всё возилась и, как с ужасом поняли друзья, вообще не собиралась уходить.

— Ну вот, дорогуши, теперь, кажется, всё. Давайте-ка поставим чайник, потом попьём чайку, — предложила она детям. — Я пока немного отдохну, а вы, будьте умничками, загляните в судомойню и скажите, открыт ли чёрный ход.

Юстас выполнил просьбу и, вернувшись, сказал, что открыт.

— Вот и хорошо. Я всегда оставляю его открытым, чтобы киска могла войти и выйти, бедняжка.

Затем старуха взгромоздилась на стул, положила ноги на другой и, зевнув, проговорила:

— Может, хоть немножко вздремну, пока эти проклятые охотники не вернулись.

Друзья возликовали было, но тотчас пали духом при упоминании об охотниках.

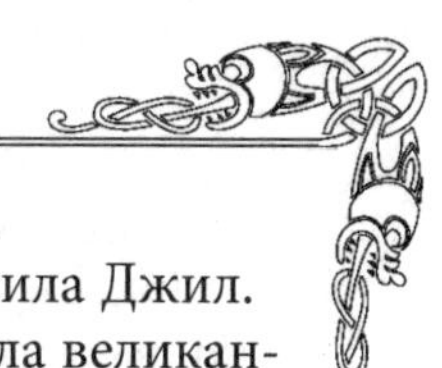

— А когда они обычно возвращаются? — спросила Джил.

— Да кто их знает, — уже засыпая, пробормотала великанша. — А пока ступайте или посидите тихо, дорогуши.

Они прокрались в дальний угол кухни и уже было собрались проскользнуть в судомойню, как вдруг великанша уселась, открыла глаза и принялась огромной ладонью отгонять муху.

— Давайте ничего не предпринимать, пока не будем знать наверняка, что она заснула, — прошептал Вред. — Иначе всё испортим.

Съёжившись в углу кухни, друзья принялись наблюдать за старухой. Их ужасала мысль, что в любой момент охотники могут вернуться, а великанша всё никак не могла угомониться. Стоило им подумать, что всё, наконец заснула, — как она шевелилась.

Джил начала терять терпение и, чтобы отвлечься, решила оглядеться по сторонам. Прямо перед ней стоял широкий, хорошо выскобленный стол с двумя чистыми формами для пирогов и раскрытой книгой. Формы, разумеется, были величиной с таз, и девочка подумала, что вполне сможет удобно улечься в одной из них. Вскарабкавшись на спинку скамейки, стоявшей возле стола, Джил заглянула в книгу и прочла:

*«ЧИРОК (мелкая речная утка). Эту птицу можно приготовить разными способами...»*

«Поваренная книга», — поняла Джил. Чтение не представляло особого интереса, и она оглянулась через плечо. Глаза великанши хоть и были закрыты, но всё же оставались сомнения, что она спит по-настоящему. Джил снова уткнулась в книгу. Названия блюд в книге располагались по алфавиту. Взгляд её скользнул по странице вверх, и от того, что она прочла, у неё едва не остановилось сердце:

*«ЧЕЛОВЕК. Это изящное двуногое существо издавна ценилось как деликатес. Составляет неотъемлемую часть Осеннего праздника и подаётся на стол после рыбы. Каждая особь...»*

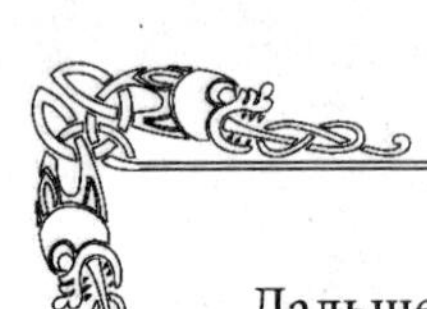



Дальше читать Джил не смогла и, оглянувшись, увидела, что великанша проснулась и закашляла. Жестом подозвав друзей, девочка указала на книгу. Вред прочёл, как готовить человека, и смертельно побледнел, а Хмур, перевернув несколько страниц назад, наткнулся вот на что:

*«КВАКЛЬ. Некоторые авторитеты считают эту дичь совершенно непригодной в пищу из-за жилистого мяса и болотного привкуса, однако этот привкус можно нейтрализовать, если...»*

Джил жестом привлекла к себе внимание совершенно ошарашенных друзей, и все трое оглянулись на великаншу. Рот её был слегка приоткрыт, и по комнате разлились звуки, которые в этот момент показались им слаще любой музыки, — богатырский храп. Теперь нужно было на цыпочках, осторожно, задержав дыхание, чтобы миновать судомойню, которые у великанов ужасно воняют, выйти наконец под бледное зимнее солнце.

Наши путешественники оказались перед узкой каменистой тропинкой, круто спускавшейся вниз. К счастью, справа от замка были хорошо видны древние развалины, и уже через несколько минут они вышли на широкую дорогу, которая вела вниз от главных ворот замка. Здесь они были видны из всех его окон как на ладони. Будь окон два, три, даже пять, ещё оставалась бы надежда, что их никто не заметит, но окон было не пять, а все пятьдесят. Друзья поняли, что на дороге, по которой они шагали, да и по её сторонам, не смогла бы спрятаться даже лисица: кругом виднелись лишь грязные пятна чахлой травы, чёрная галька и плоские камешки. Но хуже всего оказалось то, что на всех, кроме Хмура, которому ничего не подошло, была одежда, которой их накануне вечером снабдили великаны. Джил шагала в слишком длинном для неё ярко-зелёном платье, поверх которого развевалась алая мантия, подбитая белым мехом. Юстас щеголял в алых чулках, синей тунике и плаще, а сбоку у него висел меч с золотой рукоятью. Довершала маскарад шляпа с пером.

— Ну и одежонка у вас! — пробормотал Хмур. — Видна на всю округу, особенно зимним днём. Самый никудышный на све-

те лучник и тот не промахнётся. Кстати, о луках: не видать их нам как своих ушей. Похоже, наряды-то ваши не особо греют?

— Да, у меня уже зуб на зуб не попадает, — отозвалась Джил.

Всего несколько минут назад, там, на кухне, ей казалось, что главное — выбраться из замка на свободу, и только сейчас стало понятно, что все опасности ещё впереди.

— Спокойно, спокойно, — скомандовал Хмур. — Не оглядывайтесь и не торопитесь. Ни в коем случае не бегите. Идите как на прогулке, и тогда, если нас увидят, мы, может быть, и не вызовем подозрений. Иначе нам конец.

Расстояние до развалин оказалось значительно больше, чем предполагала Джил, но шаг за шагом друзья преодолевали его. Внезапно до них донёсся шум. Хмур и Юстас затаили дыхание, а Джил спросила:

— Что это?

— Охотничий рог, — прошептал Вред.

— Не бегите! — предупредил Хмур. — Я скажу, когда пора.

На этот раз Джил, не удержавшись, оглянулась и слева, на расстоянии примерно полумили, увидела возвращавшихся с охоты великанов.

Они двигались шагом, не торопясь, но вдруг среди них поднялся шум, раздались крики.

— Всё, пора! Нас заметили. Бежим! — скомандовал Хмур.

Джил, подобрав подол длинной юбки — ужасная одежда! — со всех ног бросилась бежать. Опасность тем не менее приближалась: она услышала собачий лай, а потом и вопли короля:

— Держите, держите их, а то завтра у нас не будет пирогов с человечиной!

Джил отставала, путаясь в длинном подоле, соскальзывая с шатких камней, задыхаясь, оттого что волосы забились в рот. Собаки приближались. Она неслась в гору, вверх по каменистому склону, туда, где начиналась гигантская лестница, хотя не имела ни малейшего понятия, что они будут делать дальше, когда добегут до лестницы и даже если смогут добраться до вершины. По правде сказать, она об этом и не думала. Словно загнанный зверь, Джил понимала лишь одно — когда за тобой гонятся, надо бежать, пока хватает сил.

Хмур, который нёсся впереди, оказавшись на первой ступени, остановился, скосил глаза вправо и внезапно ринулся в небольшое отверстие, расщелину под нижней ступенью лестницы, — только мелькнули и тут же исчезли в дыре длинные паучьи ноги. Вред, отстав от него лишь на мгновение, тоже исчез. Джил, задыхаясь и едва не падая, оказалась у ступени минутой позже. Отверстие в земле выглядело крайне непривлекательно: просто щель между камнями шириной фута три и не больше фута высотой. Чтобы протиснуться в неё, пришлось лечь на землю и ползти, причём быстро. Джил казалось, что вот-вот собачьи зубы вцепятся ей в пятки и она так и не успеет влезть в спасительную щель.

— Скорее, скорее! Давайте камнями заложим вход! — послышался откуда-то сбоку в темноте голос Хмура.

Внутри была тьма кромешная, и только серый свет едва пробивался через отверстие, откуда они вползли. Юстас и Хмур трудились изо всех сил. В тусклом свете Джил видела, как мелькают маленькие ладошки Юстаса и большие перепончатые руки Хмура, отчаянно заваливая камнями отверстие. Немного придя в себя, девочка тоже взялась за работу, понимая, что это сейчас самое важное, — находила большие камни и передавала друзьям.

Когда собаки добрались до входа в убежище и начали лаять и скулить, он был уже надёжно забаррикадирован, но теперь в расщелине воцарилась полная темнота.

— Быстрее вглубь! — скомандовал Хмур.

— Давайте возьмёмся за руки, — предложила Джил.

— Отличная идея! — одобрил Юстас, но им понадобилось время, чтобы найти руки друг друга в темноте.

Собаки тем временем шумно сопели и принюхивались снаружи.

— Попробуем встать во весь рост, — предложил Хмур.

И у них получилось! Тогда квакль, вытянув назад свою длинную руку, ухватил ладошку Вреда, а тот в свою очередь — Джил, хотя она многое бы отдала, чтобы оказаться в середине цепочки, а не в конце. Спотыкаясь, на ощупь друзья двинулись в темноту. Камни под ногами отчаянно шатались, туннель то и дело менял направление, и Хмур упирался в каменную стену. Тогда они брали чуть в сторону и продолжали движение. На пути им пришлось не раз поворачивать, пока Джил не перестала понимать, куда они идут и где остался вход в пещеру.

— Ещё вопрос, что лучше: вернуться назад — если, конечно, сможем, — и стать начинкой для пирога на празднике великанов, — раздался впереди из темноты голос Хмура, — или заблудиться в утробе этого холма, где, ставлю десять против одного, водятся драконы, тут и там глубокие ямы с водой и ядовитыми подземными газами... А-а! Отпустите! Спасайтесь! Я...

Всё произошло молниеносно. Послышался истошный крик, свист, глухой рокот падающих камней, и Джил покатилась, набирая скорость, по склону, который с каждой секундой становился всё круче и круче. Это был не просто гладкий твёрдый склон, а каменистая насыпь. Даже вставать на ноги здесь не имело смысла: камни под ногами тотчас начинали движение вниз, увлекая за собой. Джил летела вниз лёжа, и чем стремительнее, тем больше камней и земли увлекала за собой. Поток, в котором их несло, с каждым мгновением становился всё шире и грязнее. По тому, как вскрикивали и бранились её друзья, Джил догадалась, что тучи камней, которые сыпались из-под неё, попадали в Хмура и Юстаса. Поделать она ничего

не могла: скорость была бешеной — поэтому не сомневалась, что разобьётся.

Однако не разбилась. Сплошь в синяках, с окровавленным лицом, заваленная комьями земли, галькой и булыжниками так, что не подняться, Джил всё-таки осталась жива. Темнота была совершенно непроницаемой, так что лежи хоть с открытыми глазами, хоть с закрытыми. Стояла полная тишина. Так страшно Джил ещё никогда в жизни не было. А что, если выжила только она одна, что, если остальные... Вдруг рядом послышалась какая-то возня, а через минуту все трое дрожащими голосами сообщали друг другу, что, кажется, кости целы.

— Наверх мы уже никогда не выберемся, — послышался голос Вреда.

— А вы заметили, как здесь тепло? — раздался голос Хмура. — Это значит, что мы на большой глубине: что-то около мили.

Никто не ответил, и после паузы Хмур мрачно изрёк:

— Я потерял трутницу.

Опять воцарилась тишина, потом Джил пожаловалась:

— Ужасно хочется пить.

Никто ничего предложить не мог. Да и что тут поделаешь? В тот момент они ещё не осознавали всего ужаса произошедшего — так были измучены.

Сколько прошло времени, никто не смог бы сказать — но явно немало, — когда вдруг раздался совершенно незнакомый голос. Друзья сразу поняли, что это совсем не тот, единственный на свете, который каждый из них втайне надеялся услышать, — голос Аслана. Обладатель этого — глухого и монотонного, лишающего всякой надежды, — произнёс:

— Что вы здесь делаете, жители Наземья?

## *Глава десятая*

# ТАМ, ГДЕ НЕТ СОЛНЦА

— Это кто? — в один голос выкрикнули путешественники.

— Я страж границ Земных Недр, и со мной сотня вооружённых воинов, — последовал ответ. — Быстро отвечайте, кто вы и зачем пожаловали в Глубинное королевство!

— Мы случайно сюда попали, — честно признался Хмур.

— Многие падают, но очень немногие возвращаются туда, где светит солнце, — изрёк голос. — Приготовьтесь следовать за мной к королеве.

— А зачем мы ей нужны? — осторожно поинтересовался Вред.

— Не знаю, — последовал ответ. — Её волю не обсуждают, а исполняют.

Пока он говорил, раздался негромкий хлопок, и тотчас пещеру наполнил холодный, серовато-голубой свет. А с ним умерла всякая надежда путешественников на то, что говоривший соврал насчёт сотни вооружённых охранников.

Джил, щурясь, рассматривала плотную толпу, состоявшую из самых невероятных существ. Все они были разного роста: от крошечных, не выше фута, гномов до здоровяков, что повыше любого взрослого мужчины будут. Общим для всех были мертвенно-бледные лица и совершенная неподвижность, как у статуй. Все сжимали в руках трезубцы. На этом сходство заканчивалось, потому что в остальном все они разительно отличались друг от друга: у одних имелись хвосты, у других — бороды, лица третьих были круглы и гладки, словно тыквы. Носы у подземных жителей также отличались разнообразием: длинные и острые, как у птиц, или длинные и мягкие, как хоботки, или большие, точно увесистые груши. У некоторых из середины лба торчал рог. Однако в одном отношении все они были похожи: печальнее лиц, чем у этой вооружённой сотни, вряд ли кто видел. И настолько они были скорбные, что Джил почти забыла о страхе: ей очень захотелось их как-то развеселить.

— Ну, — потёр руки Хмур, — это как раз то, что мне нужно. Уж если эти ребята не научат меня относиться к жизни серьёзно, то никто не научит. Посмотрите вон на того парнишку с усами, как у моржа, или вон на того...

— Вставайте! — приказал командир стражей Земных Недр.

Делать нечего. Трое путешественников с трудом поднялись на ноги и взялись за руки — в такие мгновения хочется почувствовать руку друга, — тут же оказавшись в окружении местных жителей, которые подошли совершенно бесшумно благодаря своим большим мягким ступням с десятью — а у некоторых даже двенадцатью — пальцами, в то время как у кого-то их не было вообще.

— Шагом марш! — скомандовал главный страж, и они двинулись в путь.

Холодный свет лился из большого шара на длинной палке, которую нёс самый высокий гном, шагавший во главе процессии. В его мертвящем свете они смогли разглядеть, что находятся в естественной пещере с причудливо изогнутыми, вдавленными, приплюснутыми и выпяченными на разный манер потолком и стенами и каменным полом, имевшим пологий наклон. Джил страдала больше остальных, потому что терпеть не могла как темноту, так и подземелья. Пока они шли, пещера становилась всё уже и ниже. Наконец фонарщик остановился, и воины по очереди, согнувшись, стали исчезать в небольшом тёмном отверстии.

Джил не выдержала и выкрикнула:

— Я не могу туда лезть, не могу! Не полезу!

Стражники промолчали, но наставили на Джил свои трезубцы.

— Спокойно, Поул, — сказал Хмур. — Эти здоровые ребята не полезли бы туда, если бы проход дальше не расширялся. И заметь, здесь есть один плюс — дождь нам уж точно не грозит.

— Вы не понимаете. Я не могу, — простонала Джил.

— А теперь подумай о том, что я чувствовал там, на скале, Поул, — вмешался Вред. — Идите вперёд, Хмур, а я пойду за ней.

— Правильно, — заключил квакль, опускаясь на четвереньки. — Держись за мои пятки, Поул, а Вред будет держаться за твои. Так нам всем будет удобно.

— Ничего себе удобно! — воскликнула Джил, но тем не менее опустилась на колени, и они поползли по проходу, работая локтями.

Место было отвратительное. Им пришлось так ползти целых полчаса, хотя, возможно, так им просто казалось. Было жарко, и Джил начала задыхаться, когда наконец впереди замаячил тусклый свет, проход сделался шире и выше, и путешественники, вспотевшие, грязные, с дрожащими руками и ногами, оказались в пещере, да такой огромной, что с трудом верилось в существование подобных глубоко под землёй.

По ней разливалось неяркое, навевающее сон сияние, и больше в странной лампе на шесте не было нужды. Пол устилал какой-то мягкий мох, из которого росли многочисленные затейливые растения, похожие на деревья, но дряблые, как грибы. Они стояли довольно далеко друг от друга, образуя не лес, а скорее парк. Свет исходил и от них, и от мха, но был недостаточно ярок, чтобы осветить потолок пещеры, находившийся где-то очень высоко. Через это безмолвное, сонное место им предстояло пройти. Было очень грустно, хотя печаль их была светла, как от нежной музыки.

Они миновали десятки странных животных, лежавших на земле — то ли мёртвых, то ли спящих, Джил так и не поняла, — которые напоминали драконов или летучих мышей и были незнакомы даже Хмуру.

— Они всегда здесь жили? — поинтересовался Вред у стража.

Тот, казалось, страшно удивился, что с ним заговорили, но ответил:

— Нет. Эти звери попали из Наземья в Глубинное королевство через воронки и пещеры. Многие падают сюда, но не многие возвращаются на землю, где светит солнце. Говорят, они оживут, когда наступит конец света.

Его рот захлопнулся, словно сундук, и в обступившей их тишине огромной пещеры дети почувствовали, что не осмелятся заговорить снова. Гномы ступали неслышно, утопая босыми ногами во мхе. Не было слышно ни ветра, ни птиц, ни журчания воды, ни дыхания странных животных.

Преодолев несколько миль, они подошли к каменной стене с низкой аркой — переходу в другую пещеру. Эта была не такая низкая, как предыдущая, и Джил даже не пришлось пригибаться. Путешественники оказались в пещере поменьше, вытянутой и узкой, наподобие храма, и всё её пространство занимал огромный, крепко спавший человек. Этот богатырь был гораздо больше любого великана, а лицо его, в отличие от их лиц, оказалось благородным и красивым. Грудь его мерно вздымалась и опускалась под белоснежной бородой, доходившей до пояса. Его освещало чистое серебристое сияние, неизвестно откуда исходившее.

— Кто это? — спросил Хмур.

До этого так долго никто не произносил ни слова, что Джил удивилась, как он отважился.

— Это старый Отец Время, бывший король Наземья, — ответил страж. — Он опустился в Глубинное королевство и заснул. Вот теперь лежит здесь и видит во сне всё, что происходит наверху. Многие падают сюда, но не многие возвращаются на землю, где светит солнце. Говорят, он проснётся, когда наступит конец света.

Из этой пещеры они перешли в следующую, затем ещё в одну, и так переходили из одной в другую, спускаясь всё ниже и ниже, пока сама мысль о толще земли над ними не стала вызывать удушье. Наконец достигли места, где страж приказал вновь зажечь мрачный светильник. Следующей оказалась такая просторная и тёмная пещера, что различить в ней что-либо, кроме тускло мерцающей впереди полоски песка, тянувшейся к неподвижной воде, было невозможно. Там, возле небольшой пристани, стоял корабль без мачты и парусов, но с множеством вёсел. Они поднялись на палубу и прошли к носу, где перед скамьями гребцов имелось свободное место и сиденья вдоль всего фальшборта.

— Хотел бы я знать, — произнёс Хмур, — приходилось ли кому-нибудь из нашего мира, то есть сверху, совершать подобные путешествия.

— Многие садились на корабль у этих тусклых берегов, — верный себе, ответил страж, — но...

— Знаю, знаю, — перебил его Хмур, — «но не многие возвращаются на землю, где светит солнце». Нет необходимости снова повторять. Похоже, это у тебя навязчивая идея, а?

Дети жались к нему с обеих сторон. Там, наверху, на земле, они считали квакля занудой, а здесь он оказался их единственной поддержкой. Бледный светильник поместили посреди корабля, жители Земных Недр взялись за вёсла, и корабль двинулся. Фонарь отбрасывал тусклый свет на небольшой кусочек палубы, а впереди виднелась лишь гладкая тёмная поверхность воды, исчезающая во мгле.

— Что с нами будет? — в отчаянии произнесла Джил.

— Не надо падать духом, Поул, — подбодрил её квакль. — Помни лишь одно: мы на верном пути. Нам нужно было попасть под развалины города великанов, и мы туда попали, а значит, сделали так, как было указано.

Вскоре им дали еды: плоские сыроватые кексы, притом совершенно безвкусные, — и после их потянуло ко сну. Выспавшись, путешественники увидели, что ничего не изменилось: гномы по-прежнему работали вёслами, корабль скользил по воде, впереди простиралась знакомая мёртвая темнота. Никто из них уже не мог вспомнить, сколько раз они так просыпались, ели, вновь засыпали. Но самое скверное заключалось в том, что при таком времяпрепровождении очень скоро каждому начинало казаться, что он всю жизнь провёл на этом

корабле и в этой темноте, а солнце, голубое небо, ветер и птицы всего лишь приснились.

Друзья уже ни на что не надеялись и ничего не боялись, как вдруг впереди показались тоскливые огни, очень напоминавшие их корабельный светильник. Совершенно неожиданно один из этих огней приблизился, и они увидели, что проплывают мимо подобного судна. После этого им встретилось ещё несколько кораблей. И вот, вглядываясь в темноту до рези в глазах, путешественники увидели, что горевшие впереди огни находились на едва различимых набережных, стенах, башнях и в толпах на улицах. Однако вокруг стояла полная тишина.

— Ого! — воскликнул Вред. — Какой-то город.

Вскоре они убедились, что он прав: да, это был город, но очень странный город. Огней оказалось так мало, и они так далеко отстояли друг от друга, что у нас их бы не хватило, чтобы осветить отдельно стоящие домики. По тем тусклым пятнам, которые они выхватывали из тьмы, можно было заключить, что перед путешественниками лежал огромный морской порт. То тут, то там удавалось мельком увидеть корабли под погрузкой или разгрузкой, груды товаров, склады, а ещё стены и колонны то ли дворцов, то ли храмов, и повсюду, куда падал свет, бесчисленные толпы — сотни жителей Земных Недр, ступающих мягкими ногами по узким улицам, широким площадям и крутым лестницам, торопясь по своим делам. Их ни на секунду не прекращавшееся движение создавало негромкий монотонный шум, который начинал доноситься до корабля по мере его приближения, однако до путешественников не долетали ни песни, ни крики, ни звон колокола или скрип колеса. В городе было тихо и темно, словно в глубине муравейника.

Наконец корабль встал у причала. Троих друзей высадили на берег и повели в город. На улицах, переполненных местными жителями, среди которых не было двух одинаковых, они с трудом продирались сквозь плотную толпу существ с печальными и гротескными лицами, на которые падал такой же тусклый и безрадостный свет. Никто не проявил к ним ни малейшего интереса. Все гномы казались столь же занятыми, сколь печальными, хотя для Джил так и осталось загадкой, что же они делали. Но они всё шли и шли, проталкивались и проталкивались, торопились и торопились, еле слышно шурша по земле мягкими ступнями.

Но вот путешественники вышли к замку, и, видимо, огромному, хотя в нём светилось всего несколько окошек. Их провели через внутренний двор и затем вверх по длинной лестнице. Оттуда они попали в просторную, плохо освещённую комнату.

Там в углу — о радость! — они заметили сводчатый проход, наполненный совсем другим светом: настоящим, желтоватым, тёплым светом ламп, к которым привыкли люди.

А дальше начиналась винтовая лестница, которая вела вверх между каменными стенами. Казалось, что свет падает откуда-то сверху. По обеим сторонам арки застыли, как часовые или лакеи, два местных жителя.

Страж подошёл к ним и произнёс, словно пароль:

— Многие падают в Земные Недра.

— Не многие возвращаются на землю, где светит солнце, — сказали те в ответ.

Затем все трое нагнулись друг к другу и принялись что-то обсуждать. Наконец один из гномов-лакеев заявил:

— Я же вам сказал: её королевское величество уехала отсюда по каким-то важным делам. Лучше до её возвращения подержать этих пришельцев наверху, в тюрьме. Не многие возвращаются на землю, где светит солнце.

В этот момент разговор прервался из-за самого, как показалось Джил, восхитительного шума на свете. Он раздался откуда-то сверху, где кончалась лестница, и это был чистый, звонкий, совершенно человеческий голос, принадлежавший юноше.

— По какому поводу шум, Муллугут? — крикнул юноша. — А, гости из Наземья! Быстрее ведите их ко мне.

— Не угодно ли вашему высочеству вспомнить... — начал было Муллугут, но его быстро оборвали:

— Моему высочеству угодно, чтобы ему беспрекословно повиновались, старый ворчун! Веди их!

Покачав головой, Муллугут сделал знак путешественникам следовать за ним и начал взбираться по винтовой лестнице. С каждым шагом становилось светлее. Стены украшали ро-

скошные гобелены. Наверху через тонкие занавески лился золотистый свет лампы. Лакеи раздвинули занавески и остались стоять по бокам, а трое друзей вошли в комнату. Она оказалась великолепной: с украшенными гобеленами стенами, ярким пламенем в чистом очаге, красным вином в сверкающих хрустальных стаканах на столе. Им навстречу поднялся светловолосый молодой человек. Он был красив и выглядел одновременно дерзким и добрым, но в лице его проглядывало что-то странное. Одетый в чёрное, он слегка походил на принца Гамлета.

— Добро пожаловать, гости из Наземья! Хотя постойте. Прошу прощения! Я уже где-то видел вас, милые дети, и вашего странного гувернёра. Не у моста ли на границе Этинсмура, когда ехал со своей дамой?

— А... так это вы тот чёрный рыцарь, что не произнёс ни слова? — вырвалось у Джил.

— А та дама — королева Земных Недр? — спросил Хмур почти враждебно.

А Вред, которому в голову пришло то же самое, воскликнул:

— Если это так, то с её стороны было очень подло послать нас в замок на съедение великанам. Что плохого мы ей сделали?

— Что? — нахмурился чёрный рыцарь. — Если бы ты не был столь юным, мальчик, я сразился бы с тобой насмерть. Я не потерплю ничего порочащего честь моей дамы. А что касается этого случая, то можешь быть уверен: что бы она ни делала, всё это из добрых побуждений. Вы её не знаете. Она просто кладезь всевозможных добродетелей: искренности, милосердия, верности, доброты, мужества и множества других. Я говорю то, что знаю. Её доброта ко мне, хоть я и не могу вознаградить её за это, не поддаётся описанию. Когда узнаете получше, вы её полюбите. А пока расскажите, что привело вас в подземный мир.

И прежде чем Хмур смог её остановить, Джил всё выболтала:

— Нам надо отыскать принца Рилиана из Нарнии.

В ту же секунду до неё дошло, какой опасности она их подвергла: эти люди могут оказаться врагами, — однако принц не

проявил особого интереса, а спросил исключительно из вежливости:

— Рилиан? Нарния? Что это за страна? Никогда о ней не слышал. Должно быть, она лежит за тысячу лье от тех мест в Наземье, которые мне знакомы. Однако что за странная фантазия искать во владениях моей дамы этого... как вы его называете — Билиан, Трилиан? Я точно знаю, что человека с таким именем здесь нет.

Он громко расхохотался, а Джил подумала: «Вот что, наверное, не так с его лицом: оно кажется глуповатым».

— Нам было велено искать послание на развалинах древнего города великанов, — объяснил Вред, — и мы увидели надпись «НИЖЕ МЕНЯ».

Рыцарь развеселился пуще прежнего и объявил:

— Вас обманули! Эти слова не имеют к вашей цели никакого отношения. Надо было спросить у моей дамы, и она дала бы вам полезный совет. Дело в том, что эти слова — всё, что осталось от длинной надписи, которую она прекрасно помнит, сделанной ещё в древние времена и гласившей:

*Умру и лягу под землёй без трона и коня,*
*Но жив пока я, вся земля лежит ниже меня.*

Ясно, что какой-то король древних великанов, похороненный там, велел вырезать эти хвастливые слова на своём надгробии, но из-за того, что часть камня разрушилась, а другую либо использовали для новых построек, либо занесло песком и щебёнкой, от надписи осталось лишь два этих слова. Ну не забавно ли, что вы решили, будто это написано для вас?

Вреда и Джил словно окатили ушатом холодной воды: они решили, что и в самом деле эти слова не имеют никакого отношения к их поискам и попались на глаза совершенно случайно.

— Не слушайте его! — стал убеждать детей Хмур. — Это не случайность. Нас ведёт Аслан, потому что он был там, когда король великанов приказал вырезать эти буквы, зная наперёд, что с ними случится, в том числе и это.

— Этот ваш предводитель, похоже, долгожитель, — расхохотался рыцарь.

Джил этот напыщенный индюк понемногу начинал раздражать.

— В таком случае, сэр, — заметил Хмур, — ваша дама тоже весьма почтенного возраста, если помнит эти стихи в их первоначальном виде.

— Ты весьма проницателен, лягушачья морда, — похлопал рыцарь Хмура по плечу и снова засмеялся. — И попал в точку. Она из той божественной расы, что не знает ни возраста, ни смерти. И я тем более благодарен ей за ту безмерную доброту, с которой она относится ко мне, ничтожному смертному. Ибо вы должны знать, господа, что я страдаю довольно странным недугом, и только у её величества королевы хватает для меня терпения. Я сказал «терпения»? Нет, несравненно большего, чем терпение. Она обещала мне огромное королевство в Наземье, а когда я стану королём, то получу и её руку. Но это слишком длинная история, чтобы слушать её на голодный желудок и стоя. Эй, кто-нибудь там! Принесите вина и наземных кушаний моим гостям. Рассаживайтесь, джентльмены. Юная дева пусть сядет в это кресло. Вы услышите мою историю целиком.

## *Глава одиннадцатая*

# В ТЁМНОМ ЗАМКЕ

Когда принесли еду — пирог с голубятиной, холодную ветчину, салат и кексы — и проголодавшиеся путники придвинули стулья к столу, рыцарь продолжил:

— Поймите, друзья, я не знаю, кем был раньше и откуда попал в Земные Недра, как жил до того, как очутился здесь, в замке божественной королевы, но мне кажется, что она спасла меня от каких-то злых чар и в силу своей неслыханной доброты привела сюда. Это кажется мне наиболее правдоподобным, потому что и сейчас я подвержен припадкам, от которых меня может освободить только моя прекрасная дама.

Заметив, что бокал квакля опустел, рыцарь его наполнил и продолжил:

— Каждую ночь наступает час, когда мой рассудок ужасным образом меняется, а вслед за ним и тело. Меня охватывает безудержное бешенство и ярость, и если бы меня не привязывали, то последствия могли быть самыми ужасными. Я превращаюсь в голодное злобное беспощадное существо наподобие огромного змея. Мне говорили об этом, так что сомнений нет, поскольку и моя дама сие подтверждает. Сам я ничего об этом не знаю, потому что, когда этот час проходит, просыпаюсь, но в памяти моей об этом отвратительном

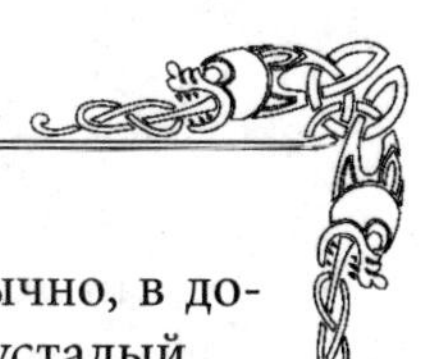

припадке ничего не остаётся. Я пребываю, как обычно, в добром здравии и трезвом рассудке, только немного усталый.

Свою речь рыцарь несколько раз прерывал замечаниями вроде: «Ах, любезный Жабоног, не желаете ли ещё вина?»; «Сэр, сделайте милость, отведайте ещё голубятины, я положу вам кусочек»; «Юная леди, попробуйте медовый кекс, который мне доставили из какой-то южной варварской страны».

— Так на чём я остановился? Ах да! Её величество королева уверяет, что я освобожусь от этого проклятия, как только она сделает меня королём в Наземье. Страна уже выбрана, как и место, где мы выйдем на поверхность. Её подданные рыли землю день и ночь, и сейчас продвинулись так далеко и высоко, что туннель заканчивается футах в двадцати от травы, по которой ходят жители Наземья. Очень скоро их судьба будет решена. Сегодня королева выехала туда, где идут подземные работы, а я жду команды присоединиться к ней. Тогда тонкая корка земли, отделяющая меня от королевства, будет разломана, и под предводительством госпожи, с сотней воинов Глубинного королевства за спиной, я неожиданно, в полном вооружении, появлюсь на поверхности, освобожу причитающиеся мне территории от врагов, убью их вожаков, разрушу укрепления и через двадцать четыре часа стану королём.

— Да, им не позавидуешь, — заметил Вред.

— А ты, парень, соображаешь! — воскликнул рыцарь. — Признаюсь, я как-то об этом не думал, но понимаю, что ты имеешь в виду.

На какое-то мгновение лицо его приняло слегка озабоченное выражение, но тут же вновь сделалось безмятежным, и он, как обычно, громко расхохотался.

— Не будем усложнять. Разве не смешно, если представить, как все они заняты своими делами и совсем не подозревают, что под их мирными полями и лесами, всего в какой-нибудь сажени, стоит огромная армия, готовая выскочить из-под земли, словно фонтан! Да они сами, когда очухаются, будут над собой смеяться!

— По мне, так ничего смешного, — заметила Джил. — Наверняка вы будете ужасным тираном.

— Что? — Рыцарь, расхохотавшись, погладил её по голове, и Джил это просто взбесило. — Наша юная дева, оказывается,

тонкий политик? Не бойся, милая. Я буду править этой страной так, как пожелает моя госпожа, которая станет королевой. Её слово будет законом для меня, а моё — для подданных.

— Там, откуда я пришла, — заявила Джил, которой с каждой минутой он нравился всё меньше и меньше, — не очень-то жалуют мужчин-подкаблучников.

— Уверяю, твоё мнение на этот счёт изменится, когда выйдешь замуж, — ответил рыцарь, которого это явно позабавило. — Что же касается меня, я согласен всегда жить так, как скажет та, что уже оградила меня от тысячи опасностей и не раз спасала. Ни одна мать не заботится так нежно о своём ребёнке, как её королевское величество — обо мне. Заметьте, несмотря на то что у неё полным-полно забот и дел, она находит время для верховых прогулок со мной по Наземью, чтобы мои глаза привыкали к солнечному свету. Единственное её условие — передвигаться в полном рыцарском облачении, с опущенным забралом, чтобы никто не увидел моего лица, и ни с кем не разговаривать. Провидческий дар подсказал моей даме, что в противном случае это помешает мне избавиться от злых чар. Разве такая женщина не заслужила поклонения?

— Что ж, судя по вашим словам, эта дама сама добродетель, — проговорил Хмур тоном, который предполагал прямо противоположное.

Ужин ещё не подошёл к концу, а их уже утомили дифирамбы рыцаря своей даме. Хмур размышлял: «Интересно, что за игру затеяла эта ведьма с юным дуралеем?» У Вреда сложилось своё мнение о рыцаре: «Большой ребёнок, привязанный к подолу этой женщины, простофиля». Джил была куда категоричнее: «Глупее, самодовольнее и эгоистичнее мне ещё не приходилось встречать».

По мере того как ужин подходил к концу, менялось и настроение рыцаря. Он стал необычайно серьёзен, а потом признался:

— Друзья, мой час близится. Мне очень стыдно, но я боюсь оставаться один. Скоро они придут и привяжут меня за руки и за ноги вон к тому креслу. Увы, это неизбежно: они говорят, что в ярости я способен уничтожить всё, что попадёт под руку.

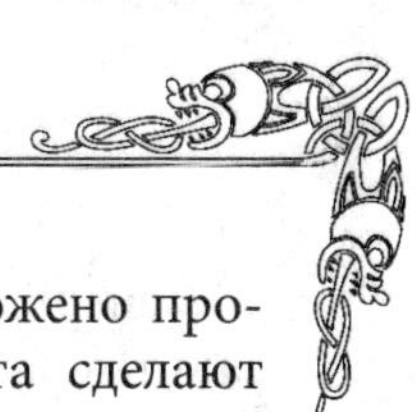

— Мне, конечно, ужасно жаль, что на вас наложено проклятие, — заметил Юстас, — но что эти ребята сделают с нами, когда придут привязывать вас? Нас собирались посадить в тюрьму, но что-то нам не нравятся все эти тёмные места. Лучше уж мы подождём здесь, пока вам... не станет лучше. Если можно.

— Так уж заведено, — ответил рыцарь, — что только королева остаётся со мной в такие страшные часы. Так она оберегает моё самолюбие: мало ли что изрыгают уста безумца. А убедить гномов-помощников позволить вам остаться со мной мне будет трудно. Кстати, они уже идут — слышите тихие шаги по лестнице? Вот что: видите дверь? Она ведёт в мои покои. Можете подождать моего прихода там, после того как меня развяжут, либо, если хотите, возвращайтесь сюда и слушайте мой бред.

Они отправились в указанном направлении и покинули комнату через открытую дверь, которая раньше была закрыта. К счастью, за ней оказалась не темнота, а освещённый коридор. Заглянув в несколько комнат по обе его стороны, они обнаружили то, в чём очень нуждались: воду для умывания и даже зеркало.

— Он даже не предложил нам вымыть руки перед ужином, — возмутилась Джил — Эгоистичная себялюбивая свинья.

— Мы вернёмся или останемся здесь? — спросил Вред.

— Я бы осталась, — отозвалась Джил. — Мне не хочется наблюдать приступ безумия.

Хоть ей и не нравился рыцарь, однако любопытство всё-таки слегка мучило.

— Мне кажется, нужно вернуться, — сказал Хмур. — Возможно, удастся что-нибудь узнать — сейчас всё пригодится. Я уверен, что эта королева — ведьма и наш враг. А все эти подземные жители при первом же удобном случае прикончат нас не задумываясь. Я нигде ещё так сильно не чувствовал запах опасности, лжи, колдовства и предательства, как сейчас. Здесь нужно держать ухо востро.

Они прошли назад по коридору и тихонько чуть приоткрыли дверь.

— Всё в порядке, уже никого, — сообщил Вред, и тогда друзья вернулись в комнату, где недавно ужинали.

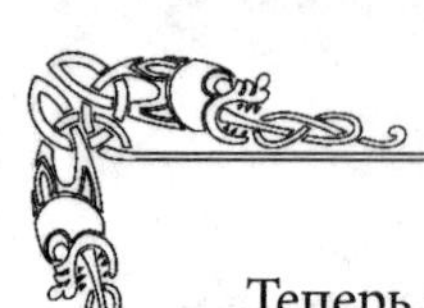



Теперь входная дверь была закрыта, а рыцарь сидел, привязанный за щиколотки, колени, локти, запястья и талию к какому-то странному серебряному креслу. На лбу у него проступил пот, лицо исказила гримаса страдания.

— Входите-входите, — пригласил он, бросив на них взгляд. — Припадок ещё не начался. Только сидите тихо, потому что я сказал излишне любопытному камергеру, что вы отправились спать. Ну вот, кажется, начинается — я чувствую. Слушайте внимательно, пока я ещё владею собой. Охваченный безумием, я буду просить, угрожать, умолять вас развязать меня — так мне рассказывали. Буду заклинать вас самым для вас дорогим и самым ужасным. Не слушайте меня. Станьте бесчувственными и заткните уши. Пока я привязан, вы в безопасности, но стоит мне встать из этого кресла, сначала я сокрушу всё вокруг, а затем, — он содрогнулся, — как уже говорил, превращусь в омерзительного змея.

— Не бойтесь, не развяжем, — заверил его Хмур, — у нас нет ни малейшего желания иметь дело с безумцем и тем более змеем.

— Нет, точно нет! — хором подтвердили Юстас и Джил.

— И тем не менее, — добавил Хмур шёпотом, — не следует расслабляться. Надо держаться начеку. Мы уже и так дров наломали. Не удивлюсь, если он пустит в ход всю свою хитрость. Можем мы обещать друг другу, что не дотронемся до этих верёвок, что бы он ни говорил?

— Конечно! — воскликнул Вред.

— Что бы он ни говорил и ни делал, это не изменит моего решения! — заверила Джил.

— Тс-с! Кажется, началось, — прошептал Хмур.

Рыцарь застонал. Лицо его побелело как мел, он рвался освободиться от пут. То ли из-за того, что было его жалко, то ли по иной причине, но рыцарь уже не казался Джил таким противным.

— А-а... Чары, чары... тяжёлая, спутанная, холодная, липкая паутина злого колдовства. Похоронен заживо. Втянут под землю, в эту прокопчённую темноту... Сколько лет прошло? Сколько я живу в этой могиле — десять лет, тысячу? Вокруг меня люди-личинки. Сжальтесь. Отпустите меня, дайте мне вернуться. Почувствовать ветер, увидеть небо... Там был маленький пруд. Когда смотришь в него, все деревья в воде вверх ногами, зелёные, а под ними — глубоко-глубоко — голубое небо.

Он говорил тихо, но вдруг сфокусировал свой взгляд на них и неожиданно громко и отчётливо приказал:

— Скорее! Я сейчас в здравом уме. Ночью я всегда в здравом уме. Если бы мог встать с этого заколдованного кресла, то таким бы и остался, снова стал бы человеком. Они не дают мне шанса и каждую ночь привязывают, но вы же не враги, я не ваш пленник. Помогите же мне — разрежьте верёвки! Скорее!

— Не двигайтесь! Спокойно! — скомандовал Хмур детям.

— Умоляю, услышьте меня! — старался говорить спокойнее рыцарь. — Они сказали вам, что, стоит мне встать с этого кресла, я убью вас и стану змеем? Вижу по вашим лицам, что это так. Это ложь. Только в этот час я и пребываю в здравом уме, а во всё остальное время действуют колдовские чары. Вы

же не жители Земных Недр и не колдуны, так почему же на их стороне? Сжальтесь, освободите меня!

— Спокойно! Только спокойно! Ни с места! — в унисон воскликнули друзья.

— Ваши сердца из камня! — воскликнул рыцарь. — Поверьте, перед вами всего лишь несчастный, который страдает неизвестно за что. В чём моя вина перед вами — почему вы приняли сторону моих врагов и отказываетесь прекратить мои несчастья? Время уходит. Сейчас вы ещё можете спасти меня, но когда этот час истечёт, я снова стану безумным: игрушкой, комнатной собачкой... нет, скорее пешкой и орудием в руках самой жестокой ведьмы, которая люто ненавидит людей. Как раз сегодня ночью её нет! Вы лишаете меня шанса, а другой может и не представиться.

— Это ужасно! Лучше бы мы не возвращались до тех пор, пока это не кончится! — не выдержала Джил.

— Спокойно! — приказал Хмур.

Рыцарь тем временем перешёл на крик:

— Отпустите меня. Дайте меч! Мой меч! На свободе я так отомщу этим подземным червям, что они тысячу лет будут вспоминать об этом!

— Он впадает в бешенство! — в испуге воскликнул Юстас. — Надеюсь, узлы надёжные.

— Да уж, — согласился Хмур. — Стоит ему освободиться, и силы его удвоятся. А я не так хорошо владею мечом, как может понадобиться. Если он сомнёт нас обоих, Джил останется против змея одна.

Пленник так натянул верёвки, что они врезались ему в запястья и колени, и предостерёг:

— Берегитесь! Однажды мне удалось их разорвать, но тогда здесь была ведьма. Сегодня же вам никто не поможет. Освободите меня, и я стану вашим другом. Иначе наживёте смертельного врага.

— Хитрец! — заметил Хмур.

— В последний раз прошу, умоляю: помогите, освободите меня! Страхом и любовью, светлым небом Наземья, Великим львом, самим Асланом заклинаю...

Путники разом ахнули, словно получили удар под дых.

— Это же знак! — подтвердил Хмур.

— Это *слова* знака, — осторожно заметил Вред.

— И как с этим быть? — разволновалась Джил.

Ужасное положение. Что толку было обещать друг другу ни под каким видом не поддаваться уговорам рыцаря, если при одном лишь упоминании священного для них имени они готовы сделать что угодно? С другой стороны, что толку было учить знаки, если не собираешься им следовать? Хотел ли Аслан на самом деле, чтобы они освободили первого встречного, пусть даже сумасшедшего, если тот попросит об этом его именем? Может, это просто совпадение? А что, если владычица Глубинного королевства знала о знаках и заставила рыцаря выучить нужные слова, чтобы заманить их в ловушку? А может, это всё-таки знак? Три они уже прошляпили, больше рисковать нельзя.

— Если бы знать! — воскликнула Джил.

— По-моему, мы знаем, — сказал Хмур.

— По-вашему, ничего, если мы его развяжем? — с сомнением спросил Вред.

— Этого я не знаю, — заявил квакль. — Видишь ли, Аслан не сказал Поул, что произойдёт в этом случае, так что не удивлюсь, если этот красавчик всех нас поубивает. Но что бы там ни было — мы должны следовать знаку.

Не сговариваясь все трое вскочили. Настал решающий момент.

— Ладно! — заявила Джил. — Давайте наконец покончим с этим. На всякий случай — прощайте, друзья!

Рыцарь уже кричал, на губах у него выступила пена.

— Давай, Вред! — скомандовал Хмур.

Они обнажили мечи и, шагнув к пленнику, воскликнули:

— Именем Аслана!

И принялись методично резать верёвки.

Едва освободившись, рыцарь одним прыжком пересёк комнату, схватил свой меч и бросился к серебряному креслу.

— Получай, исчадие ада!

Должно быть, меч изготовил отменный мастер: клинок рубил серебро, словно бумагу, и через мгновение от кресла осталась лишь кучка сверкающих на полу обрубков. В следующий миг раздался раскат грома, остатки кресла ярко вспыхнули, и в воздухе разлился отвратительный запах.

— Поделом тебе, подлое орудие колдовства! — воскликнул рыцарь. — Больше эта ведьма никому не сможет с твоей помощью причинить вред.

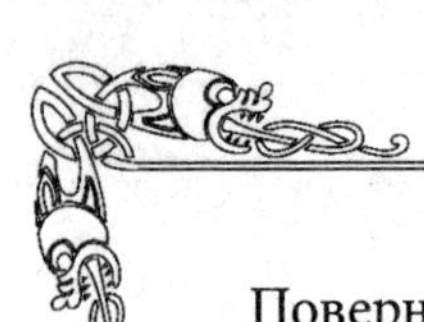



Повернувшись к своим освободителям лицом, с которого исчезло то неприятное выражение, что так не понравилось Джил, рыцарь обрадованно спросил:

— Как? Неужели передо мной квакль, настоящий, живой, доблестный нарнийский квакль?

— Так вам известно про Нарнию? — удивилась Джил.

— Неужели я забыл её, когда был заколдован? Теперь со всей этой дьявольщиной покончено. Итак, позвольте представиться: Рилиан, принц Нарнии, сын великого короля Каспиана.

— Ваше высочество, — почтительно заговорил Хмур, опускаясь на одно колено (дети сделали то же самое), — мы пришли сюда с единственной целью: найти и освободить вас.

— А кто вы такие, мои освободители? — повернулся принц к Юстасу и Джил.

— Сам Аслан послал нас из другого мира найти ваше высочество, — ответил Вред. — Я Юстас, который плавал с вашим отцом на остров Раманду.

— Я стольким вам обязан, что вряд ли смогу расплатиться, — растрогался принц Рилиан. — Но что с моим отцом? Он жив?

— Когда мы покидали Нарнию, его величество снова отправился в плавание на восток, — ответил Хмур. — Но король очень стар и слаб. Десять против одного, что это плавание он не переживёт.

— Ты говоришь — стар... Сколько же в таком случае я был под колдовскими чарами?

— Прошло более десяти лет с тех пор, как вы исчезли в лесах на севере Нарнии.

— Десять лет! — воскликнул принц, проводя руками по лицу, словно стараясь стереть с него прошлое. — Не поверите, но теперь, снова став самим собой, я вспомнил, как жил, когда был заколдован, но тогда себя настоящего не помнил. А сейчас, милые мои друзья... Нет, постойте! Я слышу шаги на лестнице, это они. Запри дверь, мальчик. Впрочем, нет. Я придумал кое-что получше. Я их попробую одурачить, если Аслан вернёт мне разум. Подыграйте мне.

Он решительно направился к двери и распахнул её настежь.

## *Глава двенадцатая*

# КОРОЛЕВА ЗЕМНЫХ НЕДР

Вошли два воина, но, вместо того чтобы пройти в комнату, остановились по обе стороны двери и склонились в поклоне. Вслед за ними стремительно вошла та, кого они меньше всего ожидали или хотели увидеть, — дама в зелёном, владычица Глубинного королевства. Резко остановившись в дверях, переводя взгляд с незнакомцев на изрубленное серебряное кресло и на принца, сжимавшего в руке меч, королева пыталась оценить ситуацию, потом вдруг смертельно побледнела. Но Джил решила, что это как раз такой случай, когда бледнеют не от страха, а от гнева. Какое-то мгновение её величество смотрела на принца, и в глазах её читался смертный приговор, но потом, видимо, передумала.

— Оставьте нас! — приказала королева воинам. — И проследите, чтобы никто не входил, пока я не позову.

Гномы послушно зашаркали прочь, а королева захлопнула дверь, заперла на ключ и повернулась к принцу:

— Итак, мой господин, что здесь произошло? Ночной припадок ещё не начинался или уже прошёл? Почему ты стоишь, а не сидишь в кресле привязанный? Кто эти чужестранцы? Это они сломали кресло — твоё единственное спасение?

Принца Рилиана сотрясала дрожь при звуках её голоса. Ничего удивительного: трудно в одночасье освободиться от чар,

которые десять лет превращали тебя в раба. Пусть и с трудом, но он всё же заговорил:

— Мадам, это кресло больше не понадобится. А вы, кто сотни раз мне говорил, как сожалеет, что я заколдован, теперь, несомненно, обрадуетесь, узнав, что злым чарам пришёл конец. Вы, видимо, слегка ошибались, пытаясь покончить с ними. Вот мои настоящие друзья, которые меня освободили. Теперь я обрёл рассудок и вот что хочу вам сказать. Во-первых, и это касается вашего плана осуществить захват королевства в Наземье и силой подчинить себе народ, который не причинил мне никакого зла, я объявляю то, что вы задумали, неслыханным злодейством и отвергаю. Во-вторых, я, Рилиан, единственный сын короля Нарнии, Каспиана Десятого, покидаю Глубинное королевство и прошу выпустить нас из своих владений, обеспечить охранной грамотой и проводником.

Колдунья, не говоря ни слова и не спуская глаз с принца, бесшумно пересекла комнату, подошла к небольшому тайнику в стене рядом с камином и вынула оттуда горсть зелёного порошка. После того как она бросила его в огонь, порошок неярко вспыхнул, и в воздухе поплыл сладкий дурманящий аромат. По мере того как они говорили, аромат становился всё сильнее, заполнял собой комнату, затуманивая мозг, путая мысли. Затем колдунья достала музыкальный инструмент наподобие мандолины и принялась перебирать пальцами струны, извлекая ровные монотонные звуки, которые через несколько минут перестаёшь замечать. Но чем меньше обращаешь на них внимания, тем увереннее они проникают в мозг и кровь, лишая способности думать. Помузицировав некоторое время, королева отложила инструмент и начала говорить — вкрадчиво и тихо:

— Нарния? Что за Нарния? Я часто слышала, как ваша светлость произносит это название во время припадков. Дорогой принц, вы очень больны. Никакой Нарнии не существует.

— Вы не правы, мадам, существует, — возразил Хмур. — Скажу вам больше: я прожил там всю жизнь.

— Неужели? — изобразила удивление колдунья. — Умоляю, расскажите, где она находится!

— Там, наверху, — решительно вытянув руку над головой, заявил Хмур. — Я, правда, не знаю, где именно.

— Как же это может быть? — Королева негромко и мелодично рассмеялась. — Наверху, среди камней, в толще земли?

— Нет, — чувствуя, что задыхается, произнёс Хмур, — она в Наземье.

— А что это такое — Наземье? И где это?

— Что вы притворяетесь? — воскликнул Вред, с трудом справляясь с дурнотой от сладкого аромата и сонливостью от монотонной мелодии. — Как будто не знаете! Это наверху, где небо, солнце и звёзды. Вы же там были. Помните, мы там, у моста, с вами встретились?

— Помилуйте, юноша, — засмеялась колдунья, и восхитительнее смеха Юстас не слышал, — я ничего такого не помню. Но порой случается, мы встречаем своих друзей в необычных местах во сне. А сны у всех разные, поэтому нет смысла спрашивать, кто что помнит.

— Мадам, — твёрдо произнёс принц, — хочу напомнить вашему величеству, что я сын короля Нарнии.

— Ну разумеется, мой дорогой, — примирительно сказала королева, словно перед ней ребёнок. — Ты принц, и не только этой страны, но и множества других воображаемых.

— Мы тоже там были, — огрызнулась Джил.

Понимая, что с каждой минутой поддаётся чарам, она сердилась на себя, но ничего не могла поделать. Хотя если ещё что-то соображает, значит, колдовство не победило её окончательно.

— А ты, конечно, королева Нарнии, милашка? — усмехнулась колдунья.

— Ничего подобного! — разозлилась Джил и топнула ногой. — Мы пришли из другого мира.

— Ах как интересно! — всплеснула руками колдунья. — Расскажи нам, юная дева, где же он, этот другой мир, какие корабли и колесницы курсируют между нашими мирами?

Конечно, Джил много чего пришло на ум: экспериментальная школа, Адела Пеннифевер, родной дом, радио, кино, автомобили, самолёты, продуктовые карточки, очереди, — однако всё это казалось сейчас таким далёким. А в мозгу всё звучало: «Трень-трень-трень», — и теперь Джил не могла даже вспомнить, как что называется в её мире. Теперь ей уже не приходило в голову, что она во власти чар, потому что чем больше вы околдованы, тем меньше это понимаете. Не-

ожиданно для себя она призналась, почувствовав при этом огромное облегчение:

— Наверное, тот другой мир — просто сон.

— Конечно, сон, вне всякого сомнения, — ласково произнесла колдунья, перебирая струны.

— Да-да, сон... это был сон, — согласилась Джил.

— Того мира нет и никогда не было, — добавила, растягивая слова, колдунья.

— Да, — эхом откликнулись Джил и Вред, — никогда не было.

— Никогда не было никакого другого мира, кроме моего, — продолжала королева.

— Никогда не было другого мира, кроме вашего, — вторили дети.

По-прежнему сопротивлялся один лишь Хмур.

— Не понимаю, что вы имеете в виду под словом «мир», — начал он так, словно ему не хватало воздуха, — и вы можете бренчать на этой скрипке, пока пальцы не отвалятся, но всё равно не заставите меня забыть ни Нарнию, ни всё Наземье. Не удивлюсь, если мы её никогда больше не увидим. Вы могли наслать на неё тьму и сделать такой же, как ваше королевство. Весьма вероятно. Но я знаю, что был там и видел небо, усеянное звёздами, видел, как утром из моря поднимается солнце, а вечером скрывается за горами, видел и в полдень, когда оно сияло так, что трудно было смотреть.

Слова Хмура, казалось, оживили остальных. Все трое свободно вздохнули и переглянулись, словно внезапно проснувшись.

— Правильно! — воскликнул принц. — Конечно! Да благословит тебя Аслан, благородный квакль! Мы словно спали эти несколько минут. Как же мы могли забыть? Мы же все видели солнце.

— Клянусь, мы видели! — подхватил Вред. — Молодец, Хмур. Ты среди нас единственный, кто сохранил разум.

И тут раздался голос колдуньи, нежный, словно воркование голубки в навевающий сон жаркий летний полдень:

— Что же представляет собой это самое солнце, о котором все вы толкуете? Это слово что-нибудь значит?

— Ещё как значит! — ответил Вред.

— На что оно похоже? — поинтересовалась королева («длинь-длинь-длинь»).

— Позвольте мне, ваше величество, — начал принц холод-

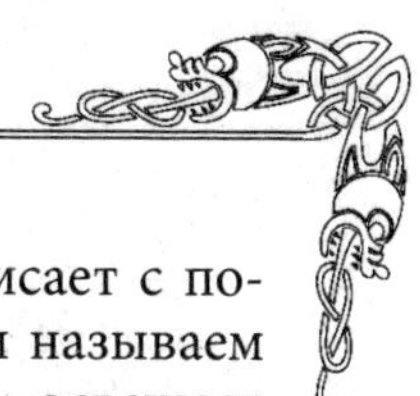

но и вежливо. — Вот лампа, круглая и жёлтая, свисает с потолка и освещает всю комнату. Так вот: то, что мы называем солнцем, похоже на лампу, только больше и ярче, освещает всё Наземье и висит в небе.

— Висит на чём, мой господин? — переспросила колдунья, и пока все усиленно соображали, что же ответить, раздался её нежный серебристый смех: — Видите? Стоит только начать серьёзно размышлять над тем, что же это такое — солнце, и вы ничего не можете сказать, кроме того, что оно похоже на лампу. Ваше солнце просто сон: вы приняли за него всего лишь лампу. Лампа действительно существует, а вот солнце — детская выдумка.

— Да, теперь понятно, — словно через силу, безразлично согласилась Джил. — Должно быть, так и есть. — И это казалось разумным.

Размеренно и сурово колдунья повторила:

— Никакого солнца нет.

Никто не ответил. Тогда она вновь произнесла, но уже мягче и проникновеннее:

— Никакого солнца нет.

Слегка помедлив, преодолев внутреннее сопротивление, все четверо откликнулись хором:

— Вы правы: никакого *солнца* нет.

Как сразу стало легко, оттого что не нужно было больше спорить.

— И никогда не было, — настойчиво произнесла колдунья.

— Да, нет и никогда не было, — повторили за ней эхом принц, квакль и дети.

Джил чувствовала, что нужно во что бы то ни стало о чём-то вспомнить. И вспомнила, но произнести это было ужасно тяжело. Ей казалось, что губы у неё сделались пудовыми. Наконец ценой неимоверных усилий ей удалось выдавить:

— Зато есть Аслан.

— Аслан? — переспросила колдунья и снова взялась за инструмент. — Какое славное имя! Оно чьё?

— Так зовут Великого льва, который призвал нас из нашего мира, — ответил Вред, — и послал разыскать принца Рилиана.

— Что такое «лев»? — спросила колдунья.

— Да будет вам! — рассердился Юстас. — Неужели не знаете? Как бы вам объяснить... Когда-нибудь видели кошку?

— Конечно, я люблю кошек.

— Так вот: лев немножко — но совсем немножко, имейте в виду — похож на огромную кошку, только с гривой. Но это не конская грива, а такая, как парик у судьи. И лев жёлтый, а ещё ужасно сильный.

Колдунья скептически хмыкнула и покачала головой:

— Похоже, со львом дела обстоят не лучше, чем с солнцем. Сначала выдумали большую красивую лампу под названием «солнце», а теперь хотите обычную кошку, пусть и сильную, назвать львом. Всё это, по правде говоря, выдумки, более уместные для маленьких детей. Есть только один настоящий мир — мой, других не существует. И все свои выдумки вы копируете с него. Хоть вы и дети, но уже достаточно большие для подобных игр. А вам, мой милый принц, и вовсе должно быть неловко: вы ведь взрослый. Не стыдно развлекаться как дитя? Послушайте меня: оставьте эти детские забавы. Для вас есть дело в реальном мире. Нет ни Нарнии, ни Наземья, ни неба, ни солнца, ни Аслана. А теперь всем спать, на мягкие подушки, и без глупых снов. Завтра мы начнём новую, серьёзную жизнь.

Принц и дети стояли с опущенными головами, пылающими щеками, слипающимися глазами и почти без сил — колдовские чары полностью овладели ими. Хмур же, собрав остатки воли для отчаянного поступка, направился к очагу. Он знал, что ему будет не так больно, как человеку, потому что ступни у него были перепончатые, с жёсткой кожей, и кровь в них текла холодная, как у лягушки. Вместе с тем он понимал, что больно всё-таки будет, но несмотря ни на что пошёл на это. Хмур принялся затаптывать босой ногой пламя в плоском очаге, и по мере того как оно с шипением превращалось в пепел, тяжёлый сладкий запах ослабевал. Хмуру не удалось погасить очаг до конца, но то, что от него осталось, уже не имело ничего общего с колдовским ароматом: запахло горелым. В голове у всех быстро прояснилось, принц и дети снова вернулись к нормальному состоянию.

Колдунья вдруг вскрикнула, да так пронзительно, что у всей компании заложило уши. И куда только девался нежный мелодичный голосок, похожий на колокольчик?

— Ты, тварь болотная! Только попробуй ещё раз прикоснуться к моему огню, и я подожгу кровь в твоих жилах!

Тем временем боль на мгновение просветлила сознание Хмура, и он понял, о чём думал на самом деле. Болевой шок, как ничто другое, способствует избавлению от колдовских чар. Прихрамывая, квакль отошёл от очага и попросил:

— Два слова, мадам, всего два слова. Возможно, всё, что вы сказали, истинная правда. Я один из тех, кто всегда ожидает худшего, чтобы встретить его с достоинством, поэтому не буду ничего отрицать. Тем не менее на кое-какие важные моменты мне хотелось бы обратить ваше внимание. Пусть мы и правда всё это видели во сне или выдумали: и деревья, и траву, и солнце, и луну, и звёзды, и самого Аслана, — пусть так. В таком случае для меня придуманный мир гораздо важнее реального. Пусть эта мрачная яма, которую вы называете Глубинным королевством, и есть единственный настоящий мир, но он ужасает меня своей убогостью. Это забавно, если вдуматься. Если верить вам, все мы выдумщики, дети. Но если четверо детей могут создать игрушечный мир, который во сто крат лучше вашего замогильного, то я выбираю этот мир, игрушечный. Я иду за Асланом, даже если его и не существует, и буду считать себя нарнийцем, даже если никакой Нарнии нет. Благодарим вас за ужин, и если эти два джентльмена и юная леди готовы, мы покидаем ваш двор и погружаемся в темноту, чтобы посвятить остаток жизни поиску дороги в Наземье. Не думаю, что нам отведено так уж много времени, но это не слишком большая беда, если мир так убог, как вы его описали.

— Ура! Браво, старина Хмур! — хором воскликнули Вред и Джил.

Внезапно встрепенулся и принц:

— Берегитесь! Это ведьма!

Все трое воззрились на королеву, и от страха волосы у них встали дыбом. Музыкальный инструмент у неё выпал, руки словно приросли к телу, ноги переплелись, а ступни и вовсе исчезли. Длинный зелёный шлейф платья затвердел и стал одним целым со змеевидным зеленоватым туловищем. Всё это длинное, словно столб, существо извивалось и колыхалось, будто не имело суставов или, наоборот, состояло из них одних. Голова колдуньи откинулась назад, нос становился всё длиннее и длиннее, а все остальные черты лица, кроме глаз, исчезали, пока не остались лишь одни огромные горящие глаза без бровей и ресниц. Эти превращения можно долго опи-

сывать, но всё произошло так быстро, что все присутствующие онемели от ужаса. Прежде чем кто-то успел что-нибудь сделать, превращение завершилось и огромная змея, толщиной с талию Джил, обвилась своим отвратительным туловищем вокруг ног принца. Молниеносным движением она попыталась ещё одной петлёй прижать руку юноши, в которой был меч, но принц опередил её — поднял руки, — и живой узел сдавил ему грудь, чуть не сломав рёбра, словно щепки.

Принц схватил левой рукой змею за шею, явно намереваясь задушить. Морда отвратительного существа находилась в пяти дюймах от его лица, и раздвоенный язык, высунувшийся из пасти, едва не доставал до него. Правой рукой юноша поднял меч для решительного удара, и в то же время ему на помощь бросились Хмур и Вред с оружием в руках. Все трое ударили одновременно: Вред по туловищу змеи ниже руки Рилиана, но меч лишь скользнул по змеиной коже, а Хмур и принц — в шею чудовища. Но змея оставалась жива даже после этого — лишь ослабила кольца на ногах и груди юноши. Ударив второй раз, они отсекли ей голову. Ужасное создание даже после смерти продолжало какое-то время двигаться и извиваться, словно кусок провода, и на пол, как нетрудно представить, было страшно смотреть.

Вновь обретя дыхание, принц воскликнул:

— Благодарю вас, джентльмены!

Довольно долго трое победителей стояли, не в силах произнести ни слова, а Джил, усевшись на пол, благоразумно хранила молчание, мысленно повторяя: «Только не падать в обморок, не реветь и не вести себя по-идиотски».

— Моя мать отомщена, — наконец произнёс Рилиан. — Несомненно, это та самая тварь, которую я упустил в нарнийском лесу много лет назад. Выходит, все эти годы я служил убийце своей матери. Но я рад, джентльмены, что ведьма превратилась в змею. Ни сердце, ни честь не позволили бы мне убить женщину. А что там с нашей маленькой леди?

— Я в порядке, спасибо, — ответила Джил.

— Славная дева, — поклонился ей принц, — вы так отважны, что, несомненно, принадлежите к знатному роду в вашем мире. Пойдёмте, друзья. Там осталось немного вина. Давайте подкрепимся и поднимем бокалы друг за друга, а после обсудим наши планы.

— Прекрасная идея, сэр, — согласился Юстас.

## *Глава тринадцатая*

# ЗЕМНЫЕ НЕДРА БЕЗ КОРОЛЕВЫ

Все чувствовали, что им нужен, как выразился Вред, передых. Поскольку колдунья заперла дверь и приказала своим подданным её не беспокоить, пока друзьям ничто не угрожало. Прежде всего следовало заняться обожжённой ступнёй Хмура. Из пары чистых рубашек принца, разорванных на полоски и смазанных маслом со стола, получилась отличная повязка. Покончив с этим, они уселись за стол перекусить и обсудить возможности выбраться из Глубинного королевства.

Рилиан объяснил, что существует множество выходов на поверхность, но не знал, где именно, потому что никогда не ходил туда один, только вместе с колдуньей, и добираться до них нужно было по Мрачному морю. Что скажут обитатели Земных Недр, явись он в гавань без их королевы и с тремя чужестранцами да ещё потребуй корабль, никто не мог предугадать. Вероятнее всего, потребуют объяснений. Вместе с тем новый выход, предназначавшийся для вторжения в Наземье, был вырыт по эту сторону от моря и находился всего в нескольких милях. Принц знал, что он почти закончен: всего несколько футов отделяло туннель от поверхности земли, а сейчас, может, работы уже доведены до конца. Вполне веро-

ятно, что ведьма как раз затем и вернулась, чтобы сообщить ему об этом и приступить к осуществлению своих планов. Даже если и не всё готово, они и сами могли бы за несколько часов закончить туннель при условии, что сумеют туда добраться и что там не будет стражи. В этом и состояла главная проблема.

— Если хотите знать моё мнение... — начал было Хмур, но Вред не дал ему договорить:

— Слышите? Что это за шум?

— Вот и я думаю: что это может быть? — заметила Джил.

Шум слышали все, но раздавался он откуда-то издалека, где возник — не ясно, и нарастал очень медленно. Сначала донёсся едва уловимый шелест, словно дул лёгкий ветерок или где-то шумел транспорт, затем он перерос в шёпот моря, потом — в грохот и удары, а теперь в нём явственно различались голоса и какой-то глухой равномерный рёв.

— Клянусь львом, — сказал принц Рилиан, — похоже, эта молчаливая страна наконец обрела дар речи.

Он встал, подошёл к окну и раздвинул занавески. Остальные столпились вокруг него, выглядывая в окно, за которым полыхало огромное красное зарево. Его отблески падали на потолок Земных Недр, освещая каменистые своды, погружённые в темноту, возможно, со времени их создания. Зарево виднелось в дальней части города, и на его фоне зловеще чернели огромные мрачные дома жителей Земных Недр, а также многочисленные улицы, ведущие к замку. На улицах тем временем происходило нечто странное. Плотные молчаливые толпы куда-то делись, и вместо них взад-вперёд носились группки из двух-трёх гномов, которые, словно скрываясь от кого-то, короткими перебежками передвигались из одного укромного тенистого места в другое. Но самым удивительным для всякого, кто знал повадки гномов, конечно же, был шум. Со всех сторон раздавались крики, а с моря доносился грохот, усиливавшийся с каждой секундой и уже начинавший сотрясать город.

— Что случилось? — спросил Вред. — Неужели это местные жители так кричат?

— Едва ли, — с сомнением ответил принц. — За все мрачные годы своего заточения я ни разу не слышал, чтобы хоть

кто-то из этих негодяев повысил голос. Не сомневаюсь, что здесь какое-то новое колдовство.

— Откуда этот красный свет? — разволновалась Джил. — Что-то горит?

— Если интересно моё мнение, — заметил Хмур, — то скорее это подземный огонь рвётся наружу: может, вулкан проснулся, и прямо в нём мы и окажемся.

— Смотрите! — закричал Вред. — Почему так быстро плывёт корабль? На нём же нет гребцов!

— К тому же плывёт он по улице, — воскликнул принц. — Смотрите! Все корабли уже в городе! Море поднимается! Это наводнение, причём вода прибывает очень быстро. Хвала Аслану, этот замок стоит на такой высоте.

— Что это может быть? — в испуге воскликнула Джил. — Огонь, вода, все эти гномы?

— А я вам скажу, — начал Хмур. — Ведьма позаботилась, чтобы в случае её смерти от королевства не осталось и следа. Она из тех, кто умрёт без сожаления, зная, что тот, кто её погубил, через пять минут сгорит, сгинет под землёй или утонет.

— Прямо в точку, дружище квакль, — согласился принц. — Когда мы отсекли ей голову, колдовству пришёл конец, и теперь Глубинное королевство рушится.

— Да, сэр, — кивнул Хмур. — Хорошо бы только вместе с ним не наступил конец света.

— И мы останемся здесь и будем ждать? — воскликнула Джил.

— Ни в коем случае! — успокоил её принц. — Я выведу со двора замка своего коня Уголька и ведьмину Снежинку — это благородное животное заслуживало лучшей хозяйки, — и попробуем пробраться наверх. Каждая лошадь может нести двух всадников, так что мы опередим наступающую воду.

— Ваше высочество наденет доспехи? — поинтересовался Вред, а потом добавил, кивнув в сторону улицы, где десятки местных существ торопились покинуть порт: — А то что-то не нравится мне их вид.

По улицам шли жители Земных Недр, но это не было похоже на стихийное движение толпы. Они скорее напоминали солдат перед атакой: короткими перебежками приближаясь к замку, явно стараясь, чтобы их не заметили из окон.

— Видеть не могу эти доспехи: в них я был словно в передвижной тюрьме, от них так и несёт колдовством и рабством, — но щит возьму.

Принц вышел из комнаты, но тотчас вернулся с сияющими глазами и протянул друзьям щит:

— Смотрите: час назад он был просто чёрным и без всякой эмблемы.

Теперь же щит сверкал серебром, и на нём ярче крови и вишен алело изображение льва.

— Не сомневаюсь, — воскликнул принц, — что теперь нас поведёт Аслан. К жизни ли, к смерти — не важно! Мы едины на любом пути. Давайте же преклоним колени и поцелуем его изображение, а затем пожмём друг другу руки, как добрые друзья, которых вскоре может ожидать разлука. А потом отправимся в город и встретим всё, что пошлёт нам судьба, с открытым забралом.

Так они и сделали. Пожимая подруге руку, Вред произнёс:

— Пока, Джил. Прости, что трусил и сердился на тебя. Надеюсь, всё закончится благополучно и ты вернёшься домой.

— Пока, Юстас, — ответила Джил. — Прости, что была такой свиньёй.

Они впервые назвали друг друга по имени, а не по фамилии, как это было принято в школе.

Принц отпер дверь, и они спустились по лестнице: трое с мечами наготове, а Джил — с ножом. Стража исчезла, и большая комната перед лестницей, ведущей в покои принца, была пуста. Тусклые мрачные лампы ещё горели, и их света было достаточно, чтобы путешественники без труда проходили галерею за галереей и лестницу за лестницей. Сюда, в отличие от верхних комнат, почти не доносился шум с улицы. Внутри замка стояла мёртвая тишина. Лишь повернув за угол большого зала на первом этаже, увидели они первого местного — жирное, мучнистого цвета существо с поросячьей мордой, которое с чавканьем поедало остатки пищи на столе. Взвизгнув (совсем по-поросячьи), оно метнулось под скамью, в одно мгновение поджав длинный хвост, за который его чуть было не схватил Хмур, а затем бросилось к дальней двери и исчезло.

Из зала они вышли во внутренний двор замка. Джил, во время каникул посещавшая школу верховой езды, тотчас по-

чувствовала запах конюшни: чудесный и такой знакомый запах, казавшийся совершенно неуместным в этом месте, — но тут Юстас воскликнул:

— Ого! Смотрите, что это?

Огромная ракета взмыла над стенами замка и рассыпалась на несколько зелёных звёздочек.

— Похоже, фейерверк, — удивилась Джил.

— Да, — согласился Юстас, — но вряд ли жители Земных Недр устроили его ради забавы: должно быть, это сигнал.

— Который, без сомнения, не сулит нам ничего хорошего, — вставил Хмур.

— Друзья, — произнёс принц, — если уж мы решились на такое приключение, то придётся проститься с надеждами и опасениями, иначе ни смерть, ни спасение не уберегут нам ни честь, ни рассудок.

Распахивая ворота конюшни, его высочество крикнул:

— Но-о, мои хорошие. Эй, ребятки! Спокойно, Уголёк! Тихо, Снежинка! Мы про вас не забыли.

Лошади испугались яркого света и шума, и Джил, которая так боялась пещер, теперь смело шагнула к храпящим и бьющим копытами животным, и они с принцем за несколько минут их взнуздали и оседлали. Под звонкий цокот копыт весьма эффектно выехали они на улицу: Джил с кваклем за спиной верхом на Снежинке, а принц и Юстас — на Угольке.

— Хоть не сгорим, что само по себе неплохо, — заметил Хмур, показывая направо, где меньше чем в сотне ярдов от них о стены домов плескалась вода.

— Смелее! — подбодрил принц. — Дорога здесь идёт круто вниз, а вода дошла лишь до половины самого высокого холма, и очень быстро, но, может, выше и не поднимется. Меня больше беспокоит вот этот.

Принц указал мечом на прямо-таки гигантское существо с кабаньими клыками, которое во главе шестёрки местных всех форм и мастей выбежало из переулка и нырнуло в тень зданий, стараясь оставаться незамеченным.

Принц взял чуть левее того места, где виднелось зарево, в надежде обойти огонь (если это был он), чтобы попасть на возвышенность, а там уже отыскать дорогу к недавно вырытому туннелю. Не в пример нашей троице, он, казалось, пребывал в превосходном настроении и, покачиваясь в седле, насвистывал и распевал старинные куплеты про принца Корина из Арченландии. Принц так радовался освобождению от злых чар, что все прочие опасности казались ему пустяками, чего не скажешь, конечно, про остальных — им это путешествие виделось ужасным.

Позади них, судя по грохоту, сталкивались корабли и рушились здания. Над головой багровел отсвет пламени на своде Земных Недр. Впереди виднелись таинственные сполохи, слышались крики, визг, свист, смех, вой и рёв, а в тёмное небо взмывали фейерверки всех сортов. Никто не понимал, что всё это значит. Кое-где город освещало красное зарево и тусклые фонарики гномов, однако во многие места никакой свет не доходил, и там было черным-черно. Как раз в этих тёмных углах гномы и мельтешили, не спуская глаз с путешественников, но в то же время стараясь оставаться незамеченными. Кругом мелькали самые разные лица: с глазами, выпученными, как у рыб, и, напротив, маленькими, как у медведей, перья, щетина, рога, клыки, носы — как бечёвка, и подбородки — длинные, словно бороды. Когда то тут, то там они сбивались в толпы или оказывались слишком близко, принц начинал угрожающе размахивать мечом, делая вид, что намерен их разогнать. Гномы с криком, визгом и кудахтаньем убегали прочь, в темноту.

Когда наконец многочисленные крутые улочки остались позади и путешественникам перестала угрожать вода, на окраине города, вдали от моря, положение стало ещё более серьёзным. Даже приблизившись к красному зареву настолько, что оказались почти на одном с ним уровне, они не могли понять, что же это такое, зато в его свете хорошо разглядели своих врагов. Сотни, а может, и тысячи обитателей Земных Недр двигались к зареву, но как-то странно, короткими перебежками, — и каждый раз, останавливаясь, оглядывались на всадников.

— Если интересно моё мнение, — произнёс Хмур, — я бы сказал, что эти ребята намерены перерезать нам путь.

— Я тоже так думаю, — согласился с кваклем принц. — И мы не сможем пробиться через такую толпу. Знать бы, что они задумали... Давайте подъедем вон к тому дому, где тень, а там ты спрыгнешь и спрячешься. Мы с юной леди проедем немного вперёд, чтобы отвлечь на себя кого-нибудь из этих дьяволов. Руки у тебя длинные, вот ты и схватишь одного из них, когда будет проходить мимо. От него мы и узнаем, что происходит и что они замышляют.

— А остальные не бросятся его спасать? — с опаской спросила Джил.

— Тогда, мадам, — храбро ответил принц, — вы увидите, как мы умрём в бою, а свою судьбу вверите благородному льву. Итак, вперёд, мой добрый Хмур!

Квакль скользнул в тень с быстротой кошки, в то время как остальные мучительно долго, как им казалось, хоть прошло не больше пары минут, ехали шагом вперёд. Внезапно позади раздались леденящие кровь крики, а следом знакомый голос:

— Чего орать-то? Пока ведь и пальцем не тронул. Ещё подумают, что тут свинью режут!

— Отличная работа! — воскликнул принц, тотчас поворачивая Уголька назад и направляясь к углу дома. — Юстас, будь добр, возьми поводья.

Принц спешился, и все трое молча уставились на пленника. Добычей Хмура оказался гном-замухрышка, ростом фута три, с гребнем наподобие петушиного, только твёрже, на голове, и с маленькими розовыми глазками. Толстая круглая мордочка с большим подбородком делала его похожим на карликового бегемота. В другом месте и в другое время его вид вызвал бы у любого хохот.

— А теперь, дружище, — приказал принц, приблизив острие меча к шее пленника, — всё в твоих руках. Говори всё как есть, и тогда мы отпустим тебя, а если попытаешься хитрить, будешь мёртвым гномом. Старина Хмур, вряд ли он сможет говорить, пока ты зажимаешь ему рот.

— Он кусается! — возмутился Хмур. — Имей я такие же слабые мягкие руки, как вы, был бы сейчас весь в крови. Даже кваклю может надоесть, когда его жуют.

— Вот что, братец, — обратился принц к гному, — попробуешь хоть раз куснуть, тут же умрёшь. Отпусти его, Хмур.

— Ой-ё-ёй! — завизжал гном. — Отпустите меня! Это не я! Я этого не делал!

— Не делал чего? — не понял Хмур.

— Того, в чём ваша светлость меня обвиняет!

— Для начала скажи, как к тебе обращаться, — предложил принц, — и давай выкладывай, что вы там задумали.

— Умоляю вас, ваша светлость, добрые джентльмены, — захныкал гном, — обещайте, что ничего не скажете её величеству!

— Королева мертва, — твёрдо произнёс принц. — Я сам её убил.

— Мертва? Колдунья убита? Рукой вашей светлости? — воскликнул гном и с глубоким вздохом облегчения добавил: — В таком случае мы ваши преданные друзья!

Принц опустил меч, а Хмур позволил пленнику сесть. Гном обвёл всех четверых взглядом подслеповатых глазок, откашлялся и начал свой рассказ.

## *Глава четырнадцатая*

# САМОЕ ДНО МИРА

— Меня зовут Гогл, и я расскажу вашей светлости всё, что знаю. Около часа назад все мы были заняты своей обычной работой, точнее — *её* работой, в печали и молчании, как это продолжалось изо дня в день из года в год. Когда раздался ужасный грохот, каждый спросил себя, почему так давно не пел, не плясал, не запускал петарды, и каждый подумал: «Должно быть, это колдовство. Почему я несу это бремя? Не желаю больше, и всё!» И мы побросали свои мешки, котомки и инструменты, а когда обернулись, увидели это огромное красное зарево в той стороне. И каждый спросил себя: «Что это?» И сам себе ответил: «Это разверзлась бездна, и прекрасное тёплое сияние исходит с самого дна мира, который ещё ниже нас».

— Ничего себе! — воскликнул Юстас. — Неужели есть места ниже ваших?

— Да, милорд, — ответил Гогл. — Чудесные места, надо сказать. Мы называем их землёй Бисм. Этот колдовской мир слишком уж близко к поверхности. Уф! Да жить здесь — это же всё равно что наверху! А мы — бедные гномы из Бисма, которых ведьма колдовством заманила сюда и заставила работать на неё. Но мы не помнили об этом, пока не раздался

этот грохот и чары не рассеялись; не знали, кто мы и откуда родом. Мы механически выполняли лишь то, что она вложила в наши головы, и ничего больше. Все эти годы были наполнены печалью. Я почти забыл, что можно улыбаться, веселиться или танцевать джигу. Но в тот момент, когда раздался взрыв, разверзлась бездна и море стало подниматься, всё опять вернулось ко мне. И конечно, все мы бросились собираться, чтобы через разлом вернуться на родину. И вы видите, как гномы едва не стоят на головах от радости и запускают ракеты. И я был бы очень признателен вашей светлости, если бы вы отпустили меня к ним.

— По-моему, это просто здорово! — восхитилась Джил. — Я так рада, что мы не только спаслись сами, но и освободили гномов. Оказывается, не такие уж они ужасные и мрачные. Совсем как принц, который поначалу мне очень не понравился.

— Всё это очень хорошо, Поул, — осторожно заметил Хмур, — но эти гномы, на мой взгляд, слишком уж похожи на военных. Посмотри мне в глаза, Гогл, и скажи, не готовились ли вы к бою.

— Конечно, готовились, ваша честь, — ответил гном. — Ведь мы не знали, что ведьма мертва, и думали, что она как обычно, наблюдает за нами из замка. Вот и старались улизнуть незаметно. А когда вы четверо появились с мечами и на лошадях, каждый, не подозревая, разумеется, что ваша честь не на стороне ведьмы, сказал себе: «Ну вот, началось». И мы решили, что скорее умрём, чем расстанемся с надеждой вернуться в Бисм.

— Клянусь честью, гном говорит правду! — воскликнул принц. — Давай отпустим его, дружище Хмур. Знаешь, добрый Гогл, ведь я тоже был заколдован, как все вы, и теперь заново вспоминаю себя прежнего. Теперь ещё один вопрос. Знаешь ли ты дорогу к новому туннелю, которым колдунья собиралась вести армию против Наземья?

— И-и-и! — взвизгнул Гогл. — Да, я знаю эту страшную дорогу и готов показать, где она начинается, только не просите меня, ваша честь, быть провожатым: я скорее умру.

— Почему? — забеспокоился Юстас. — Что в ней такого ужасного?

— Слишком близко к поверхности, к внешнему миру, — с содроганием произнёс Гогл. — Это самое ужасное, что собиралась сделать с нами ведьма: вывести наружу, во внешний мир. Говорят, там совсем нет крыши — только ужасная огромная пустота, которая называется «небо». Туннель подошёл так близко к поверхности, что достаточно пару раз ударить киркой, и окажешься наверху. Мне страшно туда даже приближаться.

— Ура! Ну дела! — воскликнул Юстас, а Джил сказала:

— Там вовсе не страшно. Нам нравится. Мы там живём.

— Да, я знаю, — кивнул Гогл. — Но я думал, это потому, что вы не могли найти дорогу вниз. Кому это может нравиться — ползать, как мухи, по верхушке мира.

— Лучше покажи нам дорогу, — предложил Хмур.

— В добрый час! — воскликнул принц.

Все приготовились трогаться в путь. Принц вскочил на коня, Хмур уселся позади Джил, а Гогл пошёл впереди, указывая путь и попутно выкрикивая радостные новости о том, что ведьма мертва и что четверо чужестранцев не представляют опасности. Те, кто его слышал, в свою очередь передавали новость другим, и через несколько минут все Земные Недра звенели от криков и смеха, а гномы сотнями и даже тысячами становились на головы, играли в чехарду, запускали огромные петарды и выписывали вензеля вокруг Уголька и Снежинки. Принцу пришлось раз десять повторять свою историю, и каждый раз слушатели кричали «ура!».

Вот так и дошли они до края разлома примерно тысячу футов длиной и около двухсот — шириной. Спешившись, путники заглянули вниз, и в лица им повеяло нестерпимым жаром, а в воздухе разлился необыкновенный, доселе незнакомый запах. Насыщенный, резкий и волнующий, он щекотал ноздри. Из глубины пропасти шло такое сияние, что поначалу, ослеплённые, они ничего не увидели. Постепенно, когда глаза привыкли, им показалось, что внизу течёт огненная река, а по берегам можно различить поля и перелески, издававшие нестерпимо яркое сияние, хоть и были темнее реки. Здесь перемешалось синее, красное, зелёное и белое, словно в витражном стекле, сквозь которое в полдень бьют лучи тропического солнца. На этом ослепительно ярком фоне сотни бывших оби-

тателей Земных Недр, карабкающихся по неровным стенам обрыва вниз, казались чёрными мухами.

— Ваши светлости, — раздался голос Гогла.

Обернувшись, поначалу друзья какое-то время видели перед глазами лишь темноту.

— Почему бы и вам не спуститься в Бисм? Там вы будете счастливее, чем в холодной, открытой всем ветрам, голой стране наверху. Вы можете хотя бы ознакомиться с нашим миром.

Джил была уверена, что никто и думать об этом не станет, но, к своему ужасу, услышала голос принца Рилиана:

— Пожалуй, дружище Гогл, я действительно спущусь вместе с тобой. Это же так здорово! Может статься, ни одному смертному никогда не представится случай заглянуть в Бисм. Как же я смогу дальше жить с мыслью, что мог проникнуть на самое дно мира и не сделал этого? Но можно ли там существовать человеку? А сами вы что, плаваете в огненной реке?

— О нет, ваша честь. Конечно, нет. В огне живут только саламандры.

— Что за зверь эта ваша саламандра? — спросил принц.

— Трудно определить, ваша светлость, — сказал Гогл. — Они раскалены добела, и на них трудно смотреть, но больше всего напоминают дракончиков. Они говорят с нами прямо из огня, и слушать их — одно удовольствие.

Джил бросила взгляд на Юстаса, не сомневаясь, что ему идея спуститься в преисподнюю понравится ещё меньше, чем ей, но при виде его лица у неё упало сердце. Сейчас он был больше похож на принца, чем на прежнего Вреда из экспериментальной школы. Он словно вернулся в те дни, когда совершал плавание с королём Каспианом.

— Ваше высочество, если бы здесь был мой старый друг, мышь Рипичип, то сказал бы, что, откажись мы от этого приключения, нас не за что было бы уважать.

— Там, внизу, я смогу показать вам настоящее золото, настоящее серебро и настоящие алмазы, — пообещал Гогл.

— Вздор! — грубо обрезала его Джил. — Будто мы не знаем, что сейчас находимся ниже самых глубоких шахт.

— Да, — как ни в чём не бывало продолжил Гогл, — я слышал о небольших царапинах на земной коре, которые вы назы-

ваете шахтами. Но там вы добываете мёртвое золото, мёртвое серебро и мёртвые драгоценные камни. В Бисме они живые и к тому же растут. Я угощу вас спелыми рубинами и соком, выжатым из алмазов. Попробовав живые сокровища Бисма, вы не захотите больше смотреть на холодные мёртвые сокровища ваших мелких шахт.

— Мой отец достиг края мира, — задумчиво произнёс Рилиан. — Как будет здорово, если я смогу побывать на его дне.

— Если ваше высочество хочет застать своего отца в живых, — вмешался Хмур, — нам пора трогаться в путь, к тунелю.

— Я тоже не намерена лезть в эту дыру, кто бы что ни говорил, — поддержала квакля Джил.

— Если вы действительно решили вернуться в свой мир, — сказал Гогл, — есть участок дороги чуть ниже. И если вода ещё поднимается...

— Пойдёмте же, скорее! — взмолилась Джил.

— Боюсь, нам и в самом деле пора, — вздохнул принц. — Но часть моего сердца останется там, в Бисме.

— Идём же! — не унималась Джил.

— Где же дорога? — спросил Хмур.

— Вдоль неё стоят фонари, — объяснил Гогл, — а начало дороги вы увидите на дальнем конце разлома.

— Сколько времени они будут гореть? — уточнил Хмур.

Внезапно из самых недр Бисма раздалось резкое шипение, словно заговорило само пламя (впоследствии друзья гадали, не был ли это голос самой саламандры):

— Быстрее! Быстрее! Быстрее! К скалам, к скалам, к скалам! Разлом закрывается, закрывается! Спешите!

И тут с ужасающим грохотом и треском скалы пришли в движение. Прямо на глазах щель становилась уже, и со всех сторон к ней спешили отставшие гномы, но теперь уже не спускались по стенам обрыва, а бросались вниз головой. То ли потому, что поток горячего воздуха снизу был очень силён, то ли по какой-то иной причине, но они не падали, а медленно опускались вниз, словно листья с деревьев. Их становилось всё больше и больше, и постепенно они почти закрыли собой огненную реку и рощи живых драгоценных камней.

— Прощайте, я ухожу! — крикнул Гогл и нырнул вниз.

Несколько оставшихся на поверхности гномов последовали за ним. Пропасть сделалась шириной с ручей, затем — со щель в почтовом ящике, а через мгновение стала яркой нитью. И вот с грохотом, словно тысяча грузовых поездов сцепились буферами, разлом захлопнулся. Горячий, сводивший с ума запах исчез. Путешественники остались одни в Земных Недрах, которые теперь стали, казалось, ещё темнее, и только тусклый и мрачный свет фонарей указывал путь.

— Ну, — произнёс Хмур, — ставлю десять против одного, что мы потеряли слишком много времени, но всё же попробовать стоит. Не удивлюсь, если эти фонари через пять минут погаснут.

Пустив лошадей галопом, друзья под звонкое цоканье копыт направились к слабо освещённой дороге, которая почти сразу почему-то пошла под уклон. Они подумали было, что Гогл указал им неверный путь, но вскоре увидели на другой стороне долины, на сколько хватало глаз, фонари, постепенно поднимавшиеся всё выше. А вот другое едва ли не повергло всех в ужас: в самом низу долины фонари отражались в текущей воде.

— Поторопимся! — воскликнул принц, и они галопом поскакали по склону холма.

Промедли путники хоть пять минут, и им пришлось бы совсем худо, потому что вода прибывала с бешеной скоростью, и, если бы пришлось пуститься вплавь, лошади едва ли смогли бы справиться с течением. К счастью, пока вода поднялась всего на пару футов, и хоть и бурлила угрожающе вокруг лошадиных ног, друзья смогли благополучно перейти долину.

А потом начался утомительный подъём, когда впереди были только бледные фонари, а позади — вода. Холмы Земных Недр превратились в острова, и лишь на них теперь остались фонари. Каждую минуту какой-нибудь фонарь впереди гас. Скоро везде, кроме дороги, по которой они ехали, наступит полная темнота. Позади них, на самом низком участке, фонари хоть ещё и не погасли, но уже светили почти на уровне воды.

Надо было поторапливаться, но лошади нуждались в отдыхе, так что путникам пришлось спешиться. Окружающую тишину нарушал лишь плеск воды, и Джил вдруг спросила:

— Интересно, а этот, как его, Отец Время, утонул? А все те странные спящие животные?

— Я думаю, мы находимся ниже них, — отозвался Юстас. — Помнишь, как мы спускались к Мрачному морю? Вряд ли вода дошла до его пещеры.

— Всё может быть, — озабоченно произнёс Хмур. — Меня больше интересуют фонари на дороге. Не находите, что они как-то бледноваты?

— Они такими и были, — возразила Джил.

— Но сейчас свет явно зеленее, — не желал соглашаться Хмур.

— Вы хотите сказать, что они гаснут? — воскликнул Юстас.

— Как бы то ни было, светить вечно они не будут, — стоял на своём квакль. — Но не всё так плохо: я слежу за водой, и, кажется, она поднимается уже не так быстро, как раньше.

— Небольшое утешение, дружище, — заметил принц, — если мы не сможем найти дорогу наверх. Должен просить у вас прощения: из-за моей гордыни и фантазий мы слишком задержались у разлома. Давайте продолжим путь.

Примерно за час пути Джил то казалось, что Хмур был прав насчёт фонарей, то приходило в голову, что всему виной её собственное воображение. Тем временем ландшафт менялся. Верхний свод Земных Недр был уже так близок, что они могли отчётливо рассмотреть его даже в тусклом свете фонарей. Неровные огромные стены подступали всё ближе и ближе. Дорога вела в круто уходивший вверх туннель. Путешественники то и дело натыкались на кирки, лопаты, тачки и другие признаки недавних работ землекопов. Всё это выглядело бы обнадёживающе, будь они уверены, что смогут выбраться на поверхность. Вместе с тем мысль, что они попадут в нору, которая будет сужаться всё больше и больше, и уже не смогут повернуть назад, не доставляла никакого удовольствия.

Наконец свод сделался таким низким, что Хмур и принц стали задевать о него головами. Пришлось спешиться и дальше вести лошадей под уздцы. Дорога была очень неровной, и каждый шаг приходилось делать с большой осторожностью. Вот тут-то Джил и заметила, что становится темнее. Теперь в этом не приходилось сомневаться. В зеленоватом свете лица

друзей выглядели странно и жутковато. Внезапно Джил, не в силах удержаться, вскрикнула: ближайшие к ним два фонаря одновременно погасли, а через мгновение погас и следующий. Они оказались в абсолютной темноте.

— Мужайтесь, друзья! — раздался голос принца Рилиана. — Спасёмся мы или погибнем, Аслан нас не оставит.

— Совершенно верно, сэр, — отозвался Хмур. — Ну а если уж мы отсюда не выберемся, родственникам хоть тратиться на похороны не понадобится.

Джил промолчала. (Это лучший способ скрыть свой страх, если не хотите, чтобы другие о нём узнали.)

— Лучше всё-таки идти, чем стоять здесь, — проговорил Юстас, а Джил, услышав дрожь в его голосе, подумала, что поступила мудро, промолчав.

Хмур и Юстас двинулись вперёд, выставив перед собой руки, чтобы ни на что не наткнуться, а Джил и принц пошли следом с лошадьми в поводу.

— Или у меня что-то с глазами, или там, впереди, какой-то свет, — через некоторое время произнёс Юстас.

Прежде чем ему успели ответить, Хмур воскликнул:

— Стоп! Здесь тупик. И это земля, а не камень. Что ты сказал, Вред?

— Клянусь львом, — воскликнул принц, — Юстас прав: здесь действительно какой-то...

— Это не дневной свет, — перебила его Джил. — Он какой-то слишком холодный и голубой.

— Всё лучше, чем ничего, — проворчал Юстас. — Мы можем до него добраться?

— Он не совсем над нами, — пояснил Хмур, — а скорее над той стеной, на которую я наткнулся. Поул, не могла бы ты взобраться мне на плечи и посмотреть, что там такое?

## *Глава пятнадцатая*

# ИСЧЕЗНОВЕНИЕ ДЖИЛ

Свет, как это ни странно, места, где они стояли, не достигал. Друзья только слышали, но не видели, как Джил пытается забраться кваклю на спину. До них то и дело доносилось: «Совсем не обязательно совать палец мне в глаз», — или: «И твоей ноге не место у меня во рту», — или: «Ну вот, уже лучше»... Наконец послышалось: «Давай подержу за ноги, а руками сможешь опереться».

Подняв глаза, друзья различили чёрный силуэт головы Джил на фоне пятна света и в нетерпении воскликнули в один голос:

— Ну что там?

— Это дыра, — прозвучало в ответ. — Я могу пролезть в неё, если подняться повыше.

— Там что-нибудь видно? — спросил Юстас.

— Пока ничего, — ответила Джил. — Послушайте, Хмур, давайте-ка я попробую встать вам на плечи, а то сидя не достаю до края дыры.

Они услышали шорох, а затем увидели силуэт Джил по пояс на сером фоне отверстия.

— Послушайте, — начала было Джил и вдруг вскрикнула, но как-то сдавленно, словно ей зажали рот.

Затем она сразу обрела голос и вроде бы закричала что есть мочи, но никто не услышал ни слова. И тут на мгновение пятно света исчезло, словно его заслонили, друзья услышали какую-то возню, а следом — голос квакля:

— Скорее! На помощь! Держите её за ноги. Кто-то тащит её вверх. Да не здесь! Поздно!

Дыра наверху вновь засияла холодным светом. Джил исчезла.

— Джил! Джил! — завопили все в один голос, но ответа не последовало.

— Вы что, не могли схватить её за ноги? — набросился на Хмура Юстас.

— Не знаю, Вред, — простонал квакль. — Я неудачник. Это судьба. Видно, мне суждено стать виновником гибели Поул, как суждено было есть говорящего оленя в Харфанге, но это не снимает с меня вины.

— Это величайший позор и горе для нас, — произнёс принц. — Мы спрятались за смелую леди, и теперь в безопасности, а она в лапах врагов.

— Не сгущайте краски, сэр, — заметил Хмур. — Мы все ещё можем умереть здесь от голода.

— Интересно, а я смогу протиснуться в то отверстие, куда пролезла Джил? — спросил Юстас.

А с Джил случилось вот что. Высунув голову наружу, она обнаружила, что смотрит вниз словно бы из окна второго этажа, а не из отверстия в земле. Из-за того, что провела много времени в темноте, поначалу она ничего не могла различить, кроме того, что попала не в солнечный мир дневного света, который так жаждала увидеть. Здесь было ужасно холодно и вокруг разливалось бледно-голубое сияние. Откуда-то доносился странный шум, а в воздухе то и дело пролетали белые предметы. Как раз в этот момент она и крикнула Хмуру, что хотела бы встать ему на плечи.

Оказавшись повыше, Джил увидела и услышала гораздо больше. Шум, который она уловила, состоял из ритмичного топота и музыки, исполняемой четырьмя скрипками, тремя флейтами и барабаном. А ещё она поняла, где находится. Джил выглядывала из дыры в обрывистом берегу, который спускался вниз примерно на четырнадцать футов. Вокруг

было белым-бело. Внизу двигались какие-то существа, и когда Джил присмотрелась, у неё перехватило дыхание. Это были нарядные маленькие фавны и дриады с венками из листьев в развевающихся волосах. На мгновение ей показалось, что их движения хаотичны, но затем стало понятно, что они исполняют танец, причём замысловатый, со множеством переходов и фигур, так что сразу и не поймёшь. Тут Джил осенило, что бледный голубоватый свет исходил от луны, а всё вокруг покрыто белым снегом. Ну конечно! В чёрном морозном небе сияли звёзды, а то, что отбрасывало тень на танцующих, оказалось деревьями. Мало того, что они всё-таки добрались наконец до наземного мира, так ещё и оказались в самом сердце Нарнии. Джил почувствовала, что от радости того и гляди лишится чувств, а музыка, страстная, сладкая, словно исполненная волшебства, но доброго, в отличие от бренчания ведьмы, ещё больше усилила её восторг.

Всё это долго описывать, но увидеть можно было сразу. Джил быстренько обернулась, чтобы крикнуть друзьям: «Послушайте! Всё в порядке. Мы на поверхности, дома!» — однако вслух произнесла только «Послушайте!» — и вот по какой причине. Вокруг танцующих вертелись гномы, одетые в праздничные наряды. Их головы украшали алые, отороченные мехом капюшоны с золотыми кисточками, а ноги — высокие сапоги с пушистыми отворотами. Они кидали снежки (именно их и увидела поначалу Джил), но в танцоров не метили, как бы поступали на их месте глупые мальчишки в Англии. Они просто бросали снежки в такт музыке, и если все танцоры находились там, где им и полагалось в данный момент быть, то снежки ни в кого не попадали. Это был Большой снежный танец, который исполняли в Нарнии каждый год в первую лунную ночь, как только снег покроет землю. Конечно, это был танец-игра, потому что, стоило кому-нибудь из танцоров сбиться с такта или зазеваться, как он под общий смех получал снежком по носу. У хороших танцоров, гномов и музыкантов ни единый снежок часами не попадал в цель. Ясными ночами, когда холод, барабанный бой, уханье сов и лунный свет разогревали кровь вольных лесных жителей, они могли танцевать до самого рассвета. Если бы вы только видели этот танец!

А остановил Джил после слова «послушайте» всего лишь крупный снежок, пущенный каким-то гномом с противоположной стороны, благополучно миновавший танцующих и попавший ей прямо в раскрытый рот. Но она нисколько не расстроилась — сейчас и двадцать снежков не смогли бы испортить ей настроение. Между тем говорить, если рот забит снегом, всё-таки невозможно. Обретя наконец способность издавать звуки, Джил оказалась так взволнована, что совсем забыла об остальных путешественниках, которые остались там, в темноте, и в полном неведении. Она не придумала ничего лучше, как просто высунуться из дыры как можно дальше и крикнуть танцующим:

— Помогите! Помогите! Мы там, под землёй, в холме. Откопайте нас.

Нарнийцы, раньше и не замечавшие дыру в обрывистом берегу, какое-то время вертели головами в разные стороны, пока не поняли, откуда раздаётся крик. Увидев наконец Джил, все бросились к ней и принялись карабкаться вверх по склону. Схватившись за протянутые руки, Джил вылезла из норы и тотчас рыбкой заскользила вниз по обрыву, но внизу вскочила на ноги и закричала:

— Пожалуйста, откопайте остальных. Там ещё трое, не считая лошадей, и среди них принц Рилиан.

Пока она говорила, её окружила толпа, и множество нарнийцев, которые смотрели танец и которых она поначалу не заметила, поспешили наверх. Белки стаями прыгали с деревьев, а совы взлетали. Ежи семенили по снегу короткими лапками. Медведи и барсуки степенно шли за ними. Замыкала процессию большая пантера, от волнения подёргивая хвостом.

Но стоило им понять, о чём говорит Джил, как они тотчас засуетились и принялись кричать:

— Кирки и лопаты, ребята, и поторопитесь! Тащите инструменты!

— Разбудите кротов, пусть копают. Они это умеют не хуже гномов, — предложил кто-то.

— Что она там говорила о принце Рилиане? — спросил чей-то голос.

— Тс-с! — отозвалась пантера. — Бедное дитя повредилось рассудком, что неудивительно, после такого-то... Сама не знает, что говорит.

— Верно, — согласился старый медведь. — Подумать только! Она назвала принца Рилиана лошадью!

— Да не называла она! — запальчиво возразила белка.

— Нет, называла! — упорно настаивала на своём другая.

— Это п-правда. Что ж в-вы такие г-глупые! — пролепетала Джил, у которой от холода зуб на зуб не попадал.

Тотчас дриада накинула ей на плечи меховой плащ, который кто-то из гномов уронил, поспешив за инструментами, а услужливый фавн поскакал между деревьями в пещеру, где виднелся огонь, чтобы принести Джил горячего питья. Не успел он вернуться, как появились гномы с лопатами и мотыгами и принялись копать склон. Внезапно Джил услышала крики: «Эй! Полегче! Опусти меч!» — потом: «Эй, юнец, давай без этого», — и наконец: «Смотрите, ну и нрав у него». Поспешив к месту происшествия, она не знала, плакать или смеяться при виде Юстаса с измазанным и бледным на фоне чёрной норы лицом, который размахивал мечом и так и норовил ударить каждого, кто пытался к нему приблизиться.

Юстас провёл последние несколько минут совсем не так, как Джил: услышав, как она вскрикнула, и увидев, как куда-то исчезла, вместе с остальными решил, что её похитили враги. Из туннеля ему было не видно, что бледный голубой свет — это лунное сияние, и Юстас решил, что отверстие в земле ведёт в очередную пещеру, где обитают какие-нибудь неведомые злые создания. Следует признать, что, убедив Хмура подставить ему спину, обнажив меч и высунувшись из дыры, он повёл себя очень мужественно. Конечно, остальные на его месте сделали бы то же самое, но отверстие в земле было для них слишком узким. Юстас хоть и был повыше Джил, но не отличался ловкостью и, вылезая, задел головой кромку отверстия, в результате чего на него обрушилась небольшая снежная лавина. Неудивительно, что, вновь обретя способность видеть, он заметил, как к нему со всех сторон бегут десятки каких-то существ, и принялся защищаться.

— Постой, Юстас, постой! — закричала Джил. — Это друзья. Посмотри! Мы в Нарнии. Всё в порядке.

Юстас наконец всё понял и принёс извинения гномам, после чего десятки коротких волосатых рук помогли ему выбраться на поверхность, как несколькими минутами раньше было

с Джил. Она подползла к отверстию и, просунув внутрь голову, сообщила радостные вести остававшимся пока под землёй друзьям. В ответ она услышала, как Хмур пробормотал:

— Бедная Поул! Видно, произошедшее стало для неё последней каплей: повредилась рассудком, у неё начались видения. Впрочем, чему удивляться...

Джил и Юстас схватились за руки и с наслаждением, полной грудью вдохнули морозный ночной воздух. Юстасу тоже принесли меховой плащ, а ещё тёплое питьё для обоих. Пока они медленно пили, гномы успели расчистить от снега и даже дёрна отверстие в земле и теперь весело стучали кирками и лопатами, как буквально десять минут назад стучали ногами, отбивая такт в танце, фавны и дриады. Прошло всего десять минут, а Джил и Юстасу уже казались сном все те опасности, которые грозили им в тёмных, жарких и удушливых Земных Недрах. Здесь, на холоде, под ясной луной и крупными звёздами (в Нарнии они ближе к земле, чем у нас), в окружении добрых весёлых лиц, вообще с трудом верилось в существование этого мрачного мира.

Не успели они покончить с питьём, как появились кроты, явно только что разбуженные, всё ещё сонные и недовольные. Однако когда им объяснили, зачем позвали, кроты горячо взялись за работу. Даже фавны вносили свой вклад — отвозили в маленьких тачках землю: возбуждённо носились взад-вперёд белки, но Джил так и не могла взять в толк, что они, по их мнению, делают полезного. Медведи и совы довольствовались тем, что давали советы и без конца спрашивали у детей,

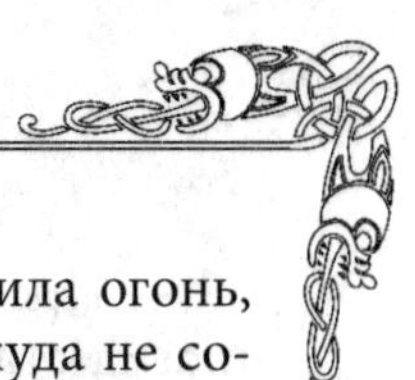

не хотят ли они пройти в пещеру, где Джил заметила огонь, согреться и поужинать. Но ни Джил, ни Юстас никуда не соглашались идти, пока не увидят своих друзей на поверхности.

Никто на свете не умеет копать так, как гномы и говорящие кроты в Нарнии, но они, разумеется, совсем не считают это работой, потому что обожают копать. Прошло совсем немного времени, и они выкопали в обрывистом берегу огромную чёрную яму. И вот из темноты на лунный свет появился — кто не был с ним знаком, вполне мог и испугаться — сначала тонкий длинноногий квакль в остроконечной шляпе, а затем принц Рилиан собственной персоной с двумя огромными конями в поводу.

При появлении Хмура со всех сторон раздались крики:

— Да это же квакль!

— Это старина Хмур!

— Старина Хмур с Восточных болот!

— Где ты пропадал, Хмур?

— Тебя повсюду искали.

— Лорд Трам разослал грамоты с обещанием награды нашедшему!

Внезапно, как по команде, возгласы стихли и воцарилась мёртвая тишина, как это бывает в шумном классе, когда на пороге появляется директор. Все увидели принца.

Никаких сомнений по поводу того, кто перед ними, ни у кого не было. Многие звери, дриады, гномы и фавны помнили принца до того, как его околдовали. Представители старшего поколения нарнийцев не забыли, как выглядел его отец, король Каспиан, в молодости, и увидели в принце разительное с ним сходство. Но я думаю, они бы узнали его в любом случае. Несмотря на то что принц был бледен от долгого пребывания в Глубинном королевстве, одет в чёрное, растрёпан и измучен, во всём его облике было то, что ни с чем не спутаешь, то, что объединяло всех королей Нарнии, правивших волей Аслана, сидевших на троне Верховного короля Питера в Кэр-Паравале. В одно мгновение все головы обнажились, колени преклонились, но уже в следующую минуту окрестности огласили приветственные крики, все принялись прыгать от радости, водить хороводы, пожимать друг другу руки, обниматься и целоваться. Джил тоже прослезилась, растроганная всеобщим ликованием. Этот миг стоил всех пережитых опасностей.

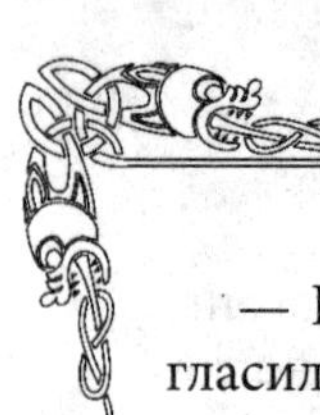



— Прошу, ваше высочество, присоединиться к нам, — пригласил старейший гном, — для скромной трапезы по случаю окончания Большого снежного танца...

— Охотно, отец! — улыбнулся принц. — Наверное, ни один принц, рыцарь, дворянин или медведь не был так голоден, как мы, четверо путешественников, сегодня.

Все двинулись между деревьями к пещере. Джил слышала, как Хмур говорит своим спутникам:

— Нет-нет, моя история может подождать. Ничего особенного со мной не произошло, так что мне самому хотелось бы услышать новости. И, пожалуйста, не щадите меня, говорите всё как есть. Корабль короля потонул? Лесной пожар? Война на границе? Нашествие драконов?

Его слова вызвали дружный хохот и восклицания:

— Узнаём нашего квакля!

Дети валились с ног от усталости и голода, но тёплая пещера с отблесками огня, пляшущими на стенах, полочках с посудой, чашках, блюдцах и тарелках, а также на ровном каменном полу, точь-в-точь как на деревенской кухне, поначалу слегка их оживили. И всё же, пока готовился ужин, они задремали, а пока спали, принц Рилиан рассказал о своих приключениях самым старым и мудрым зверям и гномам. Теперь всем стало ясно: злая колдунья, несомненно, была из той же породы, что и та, которая некогда заморозила Нарнию. Она всё подстроила: сперва убила королеву, а затем заколдовала и самого принца. Поведал принц и о том, как ведьма готовила подкоп под Нарнию, намереваясь захватить её и там править, превратив его в короля-раба, да ещё в его собственной стране.

Из рассказа о приключениях детей стало ясно, что колдунья была в сговоре с людоедами из Харфанга.

— А урок из всего этого можно вынести такой, ваше высочество, — подытожил старейший гном. — Эти ведьмы всегда замышляют одно и то же, только в разные времена методы у них меняются.

## *Глава шестнадцатая*

# ИЗБАВЛЕНИЕ ОТ БЕД

На следующее утро, проснувшись в пещере, Джил на какое-то ужасное мгновение подумала, что опять оказалась в Земных Недрах, однако заметив, что лежит не на голой земле, а в постели из вереска под меховой накидкой, в каменном очаге весело потрескивает огонь, словно его только что разожгли, и в пещеру заглядывает утреннее солнце, вернулась в счастливую действительность. Джил вспомнила, как со всеми вместе они замечательно поужинали, несмотря на то что очень хотели спать. В голове у неё плыли смутные воспоминания о гномах, собравшихся у очага с огромными, больше их самих, сковородками, на которых аппетитно скворчали и пахли колбаски, много-много колбасок, и не жалкие школьные сосиски, где сои больше, чем мяса, а настоящие, со специями, сочные и румяные. А ещё были большие кувшины с горячим пенистым шоколадом, жареная картошка и каштаны, печёные яблоки, начинённые изюмом, и, наконец, мороженое, чтобы освежиться после всех этих горячих блюд.

Джил села и, заметив Хмура и Юстаса, спавших неподалёку, возмутилась:

— Эй вы, двое! Вставать когда-нибудь собираетесь?

— Фух-фух-ух! — раздался чей-то сонный голос у неё над головой. — Ну что ты никак не угомонишься? Нельзя так громко кричать! Ух-ух!

— Кого я вижу! — ещё громче воскликнула Джил, повнимательнее вглядевшись в пушистый комок белых перьев, расположившийся на старинных часах в углу пещеры. — Это же наша многоуважаемая Белокрылка!

— Верно, верно, — заворчала сова, высовывая голову из-под крыла и открывая один глаз. — В два часа прилетела с письмом для принца. Белки принесли хорошие новости. Принц уехал. Вам надо следовать за ним. Хорошего дня...

Совиная голова исчезла, а Джил, не надеясь узнать что-нибудь ещё, встала и отправилась искать, где бы умыться и позавтракать. Почти тотчас в пещеру, постукивая маленькими копытцами по каменному полу, вошёл фавн.

— Наконец-то ты проснулась, дочь Евы! Не могла бы ты разбудить сына Адама? Через несколько минут вам необходимо отправляться в путь: два кентавра были так любезны, что согласились довезти вас на своих спинах до Кэр-Параваля. — Уже шёпотом он добавил: — Надеюсь, вы понимаете, какая это особая, неслыханная честь — ехать верхом на кентавре. Никогда не слышал, чтобы прежде кому-нибудь это дозволялось, так что не стоит заставлять их ждать.

— А где принц? — едва продрав глаза, в один голос поинтересовались Юстас и Хмур.

— Он уехал встречать короля, своего отца, в Кэр-Параваль, — сообщил фавн, которого звали Оррунс. — Корабль его величества ожидают там буквально с минуты на минуту. Вроде бы король не успел уплыть далеко, как встретил Аслана — уж не знаю, видение это было или наяву, — и лев велел ему возвращаться в Нарнию, где его ждёт давно пропавший сын.

Юстас встал, и они с Джил помогли Оррунсу приготовить завтрак. Хмуру велели оставаться в постели: к нему пригласили кентавра по имени Облакон, знаменитого целителя, или, как называл его Оррунс, знахаря, чтобы тот взглянул на обожжённую ступню.

— Так, похоже, он собирается отрезать мне ногу по колено! — едва ли не с воодушевлением заявил Хмур, однако в постели с удовольствием остался.

Завтрак состоял из яичницы и тостов. Юстас набросился на еду так, словно и не наедался до отвала накануне, посреди ночи.

— Послушай, сын Адама, — с некоторым страхом наблюдая, как он набивает рот, сказал Оррунс, — зачем же так уж торопиться? Я думаю, кентавры ещё и сами не закончили завтракать.

— Тогда, должно быть, они очень поздно встали, — предположил Юстас. — Уверен, уже больше десяти.

— О нет, — возразил фавн. — Они поднялись ещё до рассвета.

— Значит, они долго ждали завтрака, — не унимался Юстас.

— Вовсе нет, — парировал фавн. — Они начали завтракать, как только встали.

— Ну и ну! — воскликнул Юстас. — Они что, так много едят?

— Как же ты не понимаешь, сын Адама! — начал понемногу выходить из себя фавн. — У кентавра два желудка, человеческий и лошадиный, и обоим нужен завтрак. Сначала они едят кашу, рыбу, почки, омлет с беконом, холодную ветчину, тосты с джемом, кофе и пиво. Затем приступают к насыщению лошадиного желудка: часок щиплют траву, а потом лакомятся пропаренными отрубями и овсом. В качестве десерта у них мешок сахара. Вот почему весьма и весьма хлопотно приглашать кентавра в гости на выходные.

В этот момент снаружи раздался стук копыт, и дети повернулись ко входу в пещеру. Два кентавра, один с чёрной бородой, другой — с золотистой, спадавшей аж на грудь, ждали у входа, чуть нагнув головы, чтобы заглянуть внутрь. Дети тут же вспомнили про вежливость и поспешили закончить завтрак. Ни у кого, кто хоть раз видел кентавра, язык не повернулся бы назвать его забавным. Они серьёзны и величавы, преисполнены древней мудрости, которой обучаются у звёзд, не отличаются весёлым нравом, но и не гневаются по пустякам, а уж если рассердятся, сметут всё на своём пути, как цунами.

— До свидания, дорогой Хмур, — сказала Джил, подходя к постели квакля, — и простите, что называла вас занудой.

— И меня тоже простите, — попросил Юстас. — Вы были самым лучшим другом на свете.

— Надеюсь, ещё увидимся, — добавила Джил.

— Вряд ли, — вздохнул Хмур. — Думаю, я и свой старый вигвам больше не увижу. А этот принц... Нет, он, конечно, славный малый, но много ли у него сил? Здоровье подорвано жизнью под землёй. Не удивлюсь, если он, не ровён час, помрёт.

— Хмур! — воскликнула Джил. — Неисправимый притворщик! Вечно причитаете, словно на похоронах, но в душе наверняка совершенно счастливы. Послушать вас, так трус из трусов, хотя на самом деле храбрый, как... лев.

— Кстати, о похоронах, — начал было Хмур, но Джил, услышав стук копыт у входа, немало удивила квакля, когда обняла за тощую шею и поцеловала в бледно-зелёную щёку.

Юстас ограничился рукопожатием.

Как только дети выбежали наружу к кентаврам, Хмур повалился в постель и с удовольствием подумал: «Ну надо же! Я, конечно, весьма недурён, но такое проявление чувств, однако...»

Ехать верхом на кентавре, возможно, и большая честь (кроме Джил и Юстаса, вероятно, никто из ныне живущих в мире её не удостаивался), но очень уж неудобно. Если вам дорога жизнь, то вряд ли вы отважитесь оседлать кентавра, да и сидеть на его голой спине — удовольствие небольшое, особенно если вы, как Юстас, никогда не учились верховой езде. Кентавры — очень вежливые, серьёзные и обстоятельные, — пробегая галопом по нарнийским лесам, не поворачивая головы, рассказывали детям о свойствах растений, влиянии планет, девяти именах Аслана и их значениях и много ещё о чём. Как бы больно их ни встряхивало и ни подбрасывало, позднее дети многое бы отдали за то, чтобы ещё раз совершить это путешествие: увидеть поляны и холмы, сверкающие от выпавшего прошлой ночью снега, встретиться с кроликами, белками и птицами, которые желали им доброго утра, ещё раз вдохнуть воздух Нарнии и услышать, как говорят деревья.

Они спустились к реке, сверкающей синевой под зимним солнцем, гораздо ниже последнего моста, который находится в уютном маленьком городке Беруна с красными крышами.

Там их на плоской барже перевёз на другой берег паромщик-квакль, потому что именно квакли выполняли в Нарнии все работы, связанные с водой и рыболовством. Переправившись через реку, путники двинулись по её южному берегу и очень скоро оказались в Кэр-Паравале. Въезжая в город, дети заметили, как по реке, словно огромная птица, плавно скользит тот же самый яркий корабль, который они видели, впервые ступив на землю Нарнии. Весь двор опять собрался на лужайке между дворцом и пристанью, чтобы приветствовать короля Каспиана. Рилиан, сменив чёрные одежды на алый плащ и серебряную кольчугу, стоял у самой воды с обнажённой головой, встречая отца. Рядом с ним в своей запряжённой осликом повозке сидел гном Трам. Дети поняли, что нет никакой возможности пробиться к принцу сквозь толпу, к тому же внезапно почувствовали робость, поэтому попросили кентавров позволить им чуть дольше посидеть на их спинах, чтобы наблюдать за происходящим поверх голов придворных. Кентавры любезно разрешили.

Над водой с палубы корабля раздался торжественный сигнал серебряных фанфар, матросы бросили канат, крысы (разумеется, говорящие) и квакли закрепили его на берегу, и корабль пришвартовался. Музыканты, скрывавшиеся где-то в толпе, заиграли торжественную мелодию, а когда королевский галеон неподвижно встал у причала, крысы перекинули сходни на палубу.

Джил ждала, что с корабля сойдёт старый король, но, видимо, произошла какая-то заминка, и на берегу появился некий лорд с бледным лицом и тут же опустился перед принцем и гномом на колени. Склонив головы друг к другу, они несколько минут о чём-то совещались, но никто не слышал, о чём. Музыканты продолжали играть, но присутствующим явно стало не по себе. Затем на палубе показались четыре рыцаря, которые шли очень медленно и что-то несли, а когда ступили на сходни, все увидели, что это кровать, а на ней — старый король, бледный и неподвижный. Рыцари опустили ложе короля на землю, принц упал на колени и обнял отца. Король Каспиан, подняв дрожащую руку, благословил сына, и все закричали «ура!», но явно с тяжёлым сердцем, понимая, что всё как-то не так. Внезапно голова короля откинулась на

подушки, музыка оборвалась, и воцарилась мёртвая тишина. Принц, стоя на коленях у постели отца, опустил голову и зарыдал.

По толпе прокатился рокот, ряды верноподданных короля всколыхнулись, и Джил увидела, как все, на ком были шапки, чепцы, шлемы и капюшоны, принялись их снимать. Юстас тоже. Со стороны замка раздались звуки хлопающих на ветру стягов, и, оглянувшись, Джил увидела, как на самой высокой башне приспускают огромный стяг с золотым львом. После этого музыка зазвучала вновь: медленная, беспощадная, со стоном скрипок и безутешными всхлипами духовых инструментов, — и от неё разрывалось сердце.

Дети соскользнули со спин кентавров, а те даже не обратили на это никакого внимания.

— Хотела бы я сейчас оказаться дома, — сказала Джил.

Юстас молча кивнул, закусив губу.

— Я пришёл, — раздался позади них глубокий голос.

Обернувшись, они увидели льва, такого яркого, настоящего и сильного, что всё остальное рядом с ним померкло. В ту же секунду Джил забыла о мёртвом короле Нарнии, а помнила лишь о том, как по её вине Юстас упал со скалы, как она проворонила почти все знаки, как они ссорились и пререкались. Ей хотелось сказать: «Простите меня», — но она не могла произнести ни звука. Лев взглядом подозвал поближе, в знак приветствия лизнул их бледные лица и сказал:

— Не думайте больше об этом: я не собираюсь вас ругать, потому что всё, ради чего были посланы в Нарнию, вы сделали.

— Всемогущий Аслан, — сказала Джил, — нельзя ли нам вернуться домой?

— Да, за этим я и пришёл: вернуть вас домой.

Аслан, широко открыв пасть, принялся дуть, но на сей раз у них не было чувства, что они летят по воздуху. Сейчас им показалось, что они остались на месте, а мощный выдох Аслана унёс корабль, мёртвого короля, замок, снег и зимнее небо. Всё это растворилось в воздухе, словно кольца дыма, и вот они уже стоят на мягкой траве под ярким летним солнцем, среди могучих деревьев, возле прозрачного чистого ручья. Они увидели, что опять оказались на горе Аслана, выше и за границей того

мира, где лежит Нарния. Странным было то, что по-прежнему звучала траурная музыка, хотя непонятно, откуда доносилась. Они шли вдоль ручья, и лев шагал впереди, и то ли оттого, что был он так великолепен, то ли оттого, что музыка звучала так безысходно, но глаза Джил наполнились слезами.

Затем лев остановился, и дети заглянули в ручей. Там, на золотистом песке, на дне лежал мёртвый король Каспиан, а вода текла над ним, прозрачная как стекло. Его длинная белая борода колыхалась, словно водоросли. Все трое остановились и заплакали, даже лев, а слёзы его драгоценнее, чем была бы вся наша Земля, если бы стала чистым бриллиантом. Джил вдруг заметила, что Юстас плачет вовсе не так, как ребёнок или подросток, скрывая слёзы, а так, как плачут взрослые. Более определённо сказать она не могла, потому что на этой горе у людей не было возраста.

— Сын Адама, — проговорил Аслан, — сходи в чащу, сорви там колючку и принеси мне.

Юстас повиновался. Колючка оказалась длиной в фут и острая, как рапира.

— Воткни её мне в лапу, сын Адама, — велел Аслан, протягивая правую переднюю лапу с гигантской подушечкой.

— Это обязательно? — спросил Юстас.

— Да, — подтвердил лев.

Тогда, сжав зубы, Юстас воткнул колючку ему в лапу. Тут же на ней выступила огромная капля крови, краснее самой красной краски, которую кому-либо приходилось видеть, и упала в ручей на мёртвого короля. В тот же миг печальная музыка смолкла, а король стал меняться на глазах. Его белая борода превратилась в серую, затем — в жёлтую, а потом сделалась короче и вовсе исчезла. Впалые щёки округлились и посвежели, морщины разгладились, глаза открылись. Король вдруг засмеялся и, внезапно подпрыгнув, оказался перед ними — то ли юноша, то ли мальчик. (Джил не могла сказать, кто именно, потому что в стране Аслана у людей не было определённого возраста. Даже в нашем мире только самые глупые дети ведут себя по-детски, а самые глупые взрослые — по-взрослому.)

Бросившись к Аслану, он обнял его за могучую шею, на сколько хватило рук, и поцеловал — по-королевски. Аслан ответил ему львиным поцелуем.

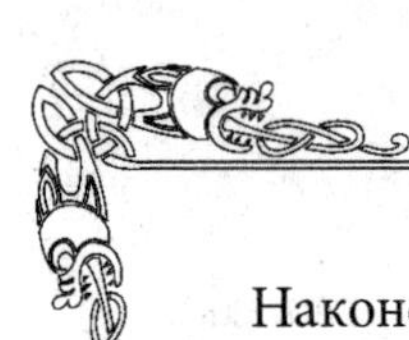



Наконец Каспиан повернулся к остальным и засмеялся — удивлённо и радостно:

— Неужели Юстас! Юстас! Значит, ты всё-таки достиг конца мира. А помнишь мою прекрасную шпагу, которую ты сломал о морского дракона?

Юстас, шагнувший было к нему с распростёртыми объятиями, внезапно испуганно отшатнулся и пролепетал:

— Всё это, конечно, прекрасно, но ты не... то есть ты не...

— Не будь таким ослом! — заявил Каспиан.

— Но, — Юстас взглянул на Аслана, — разве он не... умер?

— Да, — ответил лев очень спокойно, словно даже, как показалось Джил, смеясь. — Он умер. Как большинство людей. Даже я. Осталось в живых гораздо меньше.

— О! — воскликнул Каспиан. — Я вижу, что тебя беспокоит. Ты думаешь, я призрак или что-то в этом роде? Как ты не понимаешь: я был бы им, появись сейчас в Нарнии, которой больше не принадлежу, — но в своей собственной стране призраком быть невозможно. Наверное, я был бы призраком в твоём мире. Не знаю. Хотя думаю, что он и не твой, раз ты сейчас здесь.

В сердцах детей появилась надежда, однако Аслан покачал косматой головой:

— Нет, мои дорогие. Когда вы встретитесь со мной в следующий раз, вам придётся здесь остаться. Но сейчас вы должны вернуться в свой собственный мир, хотя бы на некоторое время.

— Сэр, — попросил Каспиан, — мне всегда хотелось взглянуть на их мир. Это неправильно?

— Ты больше не можешь желать чего-то неправильного теперь, когда умер, сын мой, — ответил Аслан. — Ты посмотришь на их мир всего пять минут, причём их времени, — этого тебе будет вполне достаточно.

Затем Аслан объяснил Каспиану, куда Джил и Юстас собираются вернуться, в том числе и насчёт их экспериментальной школы. Оказалось, он был осведомлён о ней не хуже их самих.

— Дочь моя, — обратился Аслан к Джил, — сорви ветку с этого куста.

Джил выполнила приказание, и ветка тотчас превратилась в новенький хлыст.

— А теперь, сыны Адама, обнажите свои мечи, — приказал Аслан, — но бейте ими только плашмя, потому что я посылаю вас не против воинов, а против трусов и детей.

— Вы пойдёте с нами, Аслан? — спросила Джил.

— Они увидят лишь мою спину, — ответил лев.

Он быстро провёл их через лес к школьной ограде и зарычал — да так, что солнце закачалось в небе, а стена перед ними рухнула. Заглянув в образовавшийся пролом, они увидели обсаженную кустарником аллею и крышу школы под тем же унылым осенним небом, как в тот день, когда они убежали оттуда. Повернувшись к Джил и Юстасу, Аслан дунул на них, коснулся лбов языком, а затем улёгся в проломе стены: золотистой спиной к Англии, а царственной головой — к своим собственным землям. В ту же секунду Джил увидела, как из лавровых зарослей к ним бегут те, кого она очень хорошо знала. Здесь была вся компания: Адела Пеннифевер, Чолмли-старший, Эдит Уинтерблат, прыщавый Сорнер, верзила Баннистер, ненавистные близнецы Гаррет. Внезапно они остановились, и выражение их лиц мгновенно изменилось: на смену ненависти, зазнайству, жестокости и хитрости пришёл ужас. Они увидели, что стена рухнула, в провале лежит огромный, размером с молодого слона, лев, а на них летят три фигуры в сверкающих одеждах, с мечами наготове. Джил угостила девчонок хлыстом, а Каспиан и Юстас отлупили мальчишек мечами плашмя, да так успешно, что через две минуты враги с дикими воплями обратились в бегство. Директриса тут же примчалась посмотреть, что случилось, а увидев льва, сломанную стену, а также Каспиана, Джил и Юстаса, которых, конечно, не узнала, впала в истерику и побежала обратно звонить в полицию, что из цирка сбежал лев, а из тюрьмы — преступники: сломали стену и напали на школу с мечами. Среди всей этой кутерьмы Джил и Юстас незаметно проскользнули внутрь здания и сменили блестящие одежды на обычные, а Каспиан вернулся в свой мир. Аслан произнёс лишь одно слово, и стена встала на прежнее место. Приехавшая полиция не обнаружила ни льва, ни сломанной стены, ни преступников, зато застала директрису, которая вела себя как душевнобольная. Полиция провела расследование, в результате которого многие факты, касающиеся экспериментальной школы,

выплыли наружу, и человек десять были исключены. После этого друзья директрисы увидели, что как руководитель школы она совершенно бесполезна, и устроили её инспектором по надзору за другими директорами. А когда и на этом поприще дама не преуспела, её выдвинули в парламент, где она прекрасно и устроилась.

Юстас тайно ночью закопал свои блестящие одежды в школьном дворе, а Джил переправила свои домой и надела на маскарад в ближайший праздник. С того дня многое изменилось в лучшую сторону в экспериментальной школе, и она стала вполне успешной. Джил и Юстас навсегда остались друзьями.

А в далёкой Нарнии король Рилиан похоронил и оплакал своего отца, Каспиана X Мореплавателя. Сам он правил страной справедливо, и его подданные были счастливы, хотя Хмур (чья ступня через три недели стала как новенькая) часто ворчал, что если утро ясное, то днём пойдёт дождь, и что хорошие времена не могут длиться вечно. Яму в береговом обрыве не стали закапывать, и жаркими летними днями нарнийцы часто спускаются в неё с лодками и лампами, добираются до воды и плавают по прохладному тёмному подземному морю, распевая песни и рассказывая друг другу истории о городах, которые лежат глубоко под землёй. Если вам доведётся когда-нибудь побывать в Нарнии, не забудьте заглянуть в эти пещеры.

# ПОСЛЕДНЯЯ БИТВА

*Перевод Е. Доброхотовой-Майковой*

## *Глава первая*

# У КАМЕННОГО КОТЛА

В последние дни Нарнии далеко к западу, за Фонарной пустошью, у самого Великого водопада, жил макак из семейства обезьян. Лет ему было столько, что никто уже не помнил, когда он поселился в этих местах, и был он умнейшим, безобразнейшим, самым морщинистым макаком, какого только можно себе вообразить. Носил он странное имя Хитр и жил в развилке большого дуба в деревянном, крытом листьями домике. В этой части леса редко встречались говорящие звери, люди, гномы или какой-нибудь иной народ, однако у Хитра был сосед и друг, осёл по имени Лопух. По крайней мере, они называли себя друзьями, но со стороны вам показалось бы, что Лопух скорее слуга Хитра, чем друг, — ведь любая работа доставалась ему. Когда они вместе ходили на реку, Хитр наполнял водой большие кожаные бурдюки, но обратно их тащил Лопух. Когда им нужно было что-нибудь в городе, ниже по течению, именно Лопух спускался вниз с пустыми корзинами на спине и возвращался с полными. А все те лакомства, которые он привозил, съедал Хитр, ещё и приговаривая: «Ты ведь знаешь, я не могу есть траву и колючки, значит, справедливо вознаградить себя чем-нибудь другим». Лопух всегда отвечал: «Конечно, Хитр, конечно, я знаю». Лопух никогда не жаловался, потому что считал большой честью уже то, что умнейший из обезьян дружит с таким глупым ослом. Если Лопух и пытался порой возражать, Хитр говорил: «Я лучше тебя знаю, что надо делать. Ты ведь неумён». И Лопух всегда отвечал: «Да, Хитр, это совершенно верно, я неумён», — вздыхал и делал, что ему велели.

Как-то утром в начале года оба они гуляли по берегу Каменного Котла — так называется глубокая котловина сразу под обрывами на западном краю Нарнии. Огромный водопад низвергается в озеро с непрерывным грохотом; с другой стороны вытекает Великая река, вода под водопадом беспрестанно бурлит и пенится, словно её кипятят, — отсюда и пошло название «Каменный Котёл». Ранней весной, когда в горах к западу от Нарнии тает снег, водопад вздувается и становится особенно бурным. Когда друзья смотрели на Каменный Котёл, Хитр вдруг воскликнул, указав на что-то чёрным лоснящимся пальцем:

— Смотри! Что это?

— О чём вы? — не понял Лопух.

— Что-то жёлтое только что проплыло по водопаду и упало в Котёл. Смотри, вот оно опять плывёт. Мы должны узнать, что это.

— Должны? — переспросил Лопух.

— Конечно, должны! Может, это что-нибудь полезное. Будь другом, вытащи эту штуку, чтобы мы могли её как следует рассмотреть.

— Лезть в Котёл? — испугался Лопух, прядая длинными ушами.

— А как же иначе мы её достанем? — удивился Хитр.

— Да, но... — замялся Лопух. — Может, вам лучше это сделать самому? Видите ли, ведь это вам интересно, что это, а не мне. И потом, у вас есть руки, вы можете что-нибудь ухватить не хуже человека или гнома, а у меня только копыта...

— Да, Лопух, не ожидал от тебя... Я о тебе был лучшего мнения.

— Что я такого сказал? — робко попытался оправдаться осёл, поскольку Хитр казался глубоко оскорблённым. — Я хотел только...

— ...чтобы я полез в воду, — закончил за него Хитр. — Как будто не знаешь, какие у обезьян слабые лёгкие и как легко мы

простужаемся! Прекрасно. Я полезу. Я уже продрог на этом ужасном ветру. Но я полезу. Возможно, я умру. Тогда ты пожалеешь. — Голос Хитра задрожал, словно от едва сдерживаемых слёз.

— Пожалуйста, не надо, пожалуйста, не надо! — не то проговорил, не то прокричал по-ослиному Лопух. — Я не хотел сказать ничего такого, Хитр, правда. Вы ведь знаете, я ужасно бестолковый и не могу думать о двух вещах сразу. Я забыл про ваши слабые лёгкие. Конечно, я всё сделаю. Вы не должны сами лезть в воду. Обещайте, что не полезете!

Хитр обещал, и Лопух зацокал копытами по каменистому берегу, пытаясь отыскать спуск. Не говоря уже о холоде, совсем не шутка лезть в бурлящую и пенящуюся воду. Лопух целую минуту стоял, поёживаясь и набираясь решимости, но тут Хитр окликнул его:

— Может, всё-таки лучше мне?

— Нет-нет. Вы обещали. Я сейчас, — поспешил ответить осёл и вошёл в воду.

Волна с силой ударила его в морду, попала в горло, ослепила. Потом он на несколько минут ушёл под воду, а вынырнув, оказался совсем в другой части Котла. Тут водоворот подхватил его, закружил всё быстрей и быстрей, отнёс под самый водопад и потянул вниз. Оказавшись почти на дне, Лопух подумал, что больше не вынырнет, а когда всё же вынырнул, увидел, что загадочный предмет тоже понесло к водопаду и тоже утянуло на дно, а всплыл он ещё дальше, чем прежде. В конце концов, смертельно уставший, продрогший, весь в синяках, Лопух схватил-таки его зубами и вылез. Эту штуку осёл тащил перед собой, путаясь в ней передними ногами, так как была она размером с хороший ковёр, очень тяжёлая, холодная и склизкая.

Уронив её перед Хитром, Лопух остановился, дрожа, отряхиваясь и пытаясь отдышаться, но макак даже не спросил, как он себя чувствует, даже не посмотрел на него: слишком был занят — ходил вокруг лежащего на земле предмета, расправляя, поглаживая и обнюхивая.

— Это львиная шкура, — сказал он наконец с алчным блеском в глазах.

— Э-о-о-о-х, неужели? — с трудом выговорил Лопух.

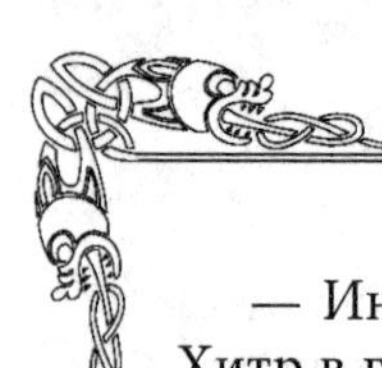



— Интересно... интересно... интересно... — пробормотал Хитр в глубокой задумчивости.

— Интересно, кто убил бедного льва? — подхватил Лопух. — Надо его похоронить.

— О, это не был говорящий лев, — возразил Хитр, — об этом можешь не беспокоиться. Выше водопадов в Западных дебрях говорящих зверей нет. Эту шкуру носил дикий, бессловесный лев.

Кстати, так оно и было. Человек-охотник убил и освежевал этого льва в Западных дебрях несколькими месяцами раньше, но это не имеет отношения к нашей истории.

— И всё же, Хитр, — заупрямился Лопух, — даже если эта шкура принадлежала дикому, бессловесному льву, приличней было бы устроить похороны, хотя бы скромные. Я хочу сказать, что львы — это вообще довольно... довольно серьёзно. Сами знаете, из-за кого. Понимаете?

— Кончай рассуждать, Лопух. Ты в этом не силён. Из этой шкуры мы сделаем тебе шубу.

— Я не хочу, — отказался осёл. — Это будет... я хотел сказать, другие звери могут подумать... ну, в общем, я не хотел бы...

— О чём это ты? — раздражённо перебил Хитр.

— Я думаю, будет неуважением к Великому льву, если такой осёл, как я, начнет расхаживать в львиной шкуре.

— Перестань, пожалуйста, спорить! Что такой осёл, как ты, в этом понимает? Если не умеешь думать, Лопух, так предоставь это мне. Почему ты не хочешь относиться ко мне так же, как я к тебе? Я знаю твои сильные стороны и ценю их. Я позволил тебе лезть в Котёл, потому что знал — ты сделаешь это лучше меня. Но почему ты не даёшь мне делать то, что я умею, а ты — нет? Позволят мне хоть что-нибудь делать? Будь же справедлив.

— Ну конечно, раз так... — согласился Лопух.

— Вот и я говорю, — подхватил Хитр. — Чем рассуждать, лучше бы пробежался до Чипингфорда и посмотрел, нет ли там апельсинов и бананов.

— Я так устал, Хитр! — взмолился Лопух.

— Конечно, — кивнул Хитр, — а ещё промок и замёрз, так что бег рысцой — лучший способ согреться. Кроме того, сегодня в Чипингфорде базарный день.

Лопух не стал спорить.

Оставшись один, Хитр тут же заковылял к своему дереву то на двух, то на четырёх лапах. Перемахивая с ветки на ветку, он забрался наверх, что-то бормоча себе под нос и скаля зубы. В своём доме он нашёл нитку, иголку и большие ножницы — шить его научили гномы. Засунув в рот моток ниток (это была очень толстая нитка, скорее даже бечёвка), отчего щека у него оттопырилась, словно он сосал огромную ириску, Хитр взял иглу в зубы, а ножницы в левую лапу и спустился с дерева. Приковыляв к львиной шкуре, он присел на корточки и принялся за работу.

Сразу прикинув, что туловище шкуры великовато для Лопуха, а шея коротковата, он отрезал большой кусок от туловища и смастерил из него длинный воротник для ослиной шеи, затем отрезал голову и пришил воротник между головой и плечами. С обеих сторон шкуры он продел бечёвку так, чтобы завязывалась у осла на брюхе. То и дело над ним пролетали птицы, и Хитр останавливался, озабоченно поглядывая наверх. Он не хотел, чтобы кто-нибудь видел его работу, но все эти птицы были самые обычные, не говорящие, так что можно было не волноваться.

Лопух вернулся поздно вечером и не бежал, а устало трусил.

— Апельсинов нет. И бананов тоже. И я очень устал, — пробубнил осёл и улёгся на землю.

— Примерь-ка лучше свою новую львиную шубу.

— Не до неё мне сейчас, — ответил Лопух. — Утром примерю. Сегодня я слишком устал.

— Какой же ты неблагодарный, — попенял ему Хитр. — Если уж ты устал, то что же говорить обо мне? Пока ты разгуливал по долине, я не покладая рук трудился над твоей новой шубой. Мои лапы так устали, что еле держали ножницы. А ты даже спасибо не сказал, даже не взглянул, и... и...

— Дорогой Хитр, — мгновенно поднялся Лопух, — простите меня, негодного! Конечно, я хочу её примерить. Она просто потрясающая. Давайте скорее её сюда!

— Ладно, стой здесь, — сменил гнев на милость Хитр.

Шкура была слишком тяжела для него, но наконец, пыхтя и отдуваясь, он напялил её на осла, завязал бечёвку под его

брюхом, привязал ноги к ногам, а хвост к хвосту. Тот, кто видел настоящего льва, не ошибся бы и на секунду, но тот, кто льва не видел, глядя на Лопуха в львиной шкуре, мог бы принять его за льва, если, конечно, не подходить слишком близко или при слабом свете, и если Лопух не стал бы кричать послиному или стучать копытами.

— Ты выглядишь замечательно, просто замечательно! — воскликнул Хитр. — Если кто-нибудь увидит тебя сейчас, то подумает, что перед ним сам Аслан, Великий лев.

— Это было бы ужасно, — испугался Лопух.

— Нет, напротив, — возразил Хитр. — Все бы делали то, что ты прикажешь.

— Да я не хочу ничего приказывать.

— Подумай только, сколько добра мы могли бы сделать! — сказал Хитр. — Я бы тебе советовал, конечно. Я бы придумывал мудрые указы. И все подчинялись бы нам, даже король. Мы навели бы в Нарнии полный порядок.

— Мне казалось, что в Нарнии и так полный порядок, — сказал Лопух. — Разве нет?

— Как! — вскричал Хитр. — Полный порядок?! Притом что нет ни апельсинов, ни бананов?

— Ну, знаете, — возразил Лопух, — не так уж многим... Я думаю, вряд ли они нужны кому-нибудь, кроме вас.

— И сахара тоже, — добавил Хитр.

— М-да, — промолвил осёл. — Его бы хорошо побольше.

— Итак, решено: ты выдаёшь себя за Аслана, а я буду подсказывать, что говорить.

— Нет, нет, нет, — замотал головой Лопух. — Не говорите так! Это неправильно. Пусть я и глуп, но это знаю. Что с нами будет, если вернётся настоящий Аслан?

— Надеюсь, он будет очень рад, — сказал Хитр. — Возможно, он послал нам львиную шкуру специально, чтоб мы навели порядок. Как бы то ни было, пока он ещё не вернулся.

В этот самый момент прямо над ними раздался страшный удар грома, и земля задрожала под ногами. Оба зверя потеряли равновесие и повалились на землю.

— Вот, — с трудом выговорил Лопух, когда к нему вернулся дар речи. — Это знамение. Мы сделали что-то чудовищное. Сейчас же снимите с меня эту ужасную шкуру.

— Нет-нет, — возразил Хитр, голова у этого представителя обезьян работала очень быстро. — Это совсем другое знамение. Я только что хотел сказать, что настоящий Аслан, раз уж ты его помянул, пошлёт нам землетрясение и гром, чтобы высказать своё одобрение. Я почти уже начал, но знамение произошло раньше, чем успел произнести хоть слово. Теперь ты просто не можешь отказаться. И пожалуйста, не будем больше спорить. Ты прекрасно знаешь, что не разбираешься в таких вещах. Что может осёл понимать в знамениях?

## *Глава вторая*

# ОПРОМЕТЧИВОСТЬ КОРОЛЯ

Тремя неделями позже последний король Нарнии сидел под могучим дубом, который рос перед дверью охотничьего домика, где его величество нередко проводил неделю-другую славной весенней порой. Домик был невысокий, крытый соломой и стоял недалеко от восточного края Фонарной пустоши, несколько выше слияния рек. Король любил пожить здесь по-простому, подальше от суеты и пышности Кэр-Параваля, королевского города. Звали его Тириан, был он широкоплеч, крепок и мускулист, с голубыми глазами и бесстрашным честным лицом, на котором едва начинала пробиваться борода в силу молодости.

Никого не было с ним этим весенним утром, кроме лучшего друга, единорога по имени Алмаз. Они любили друг друга как братья, и каждый был обязан другому жизнью. Благородный зверь стоял возле королевского кресла и, изогнув шею, потирал голубым рогом белый, как сметана, бок.

— Знаешь, Алмаз, сегодня я просто не нахожу себе места, — сказал король. — Не могу ни о чём думать, кроме этих удивительных новостей. Как ты думаешь, услышим мы сегодня что-нибудь ещё?

— Поистине удивительные вести, государь. Ни в наши дни,

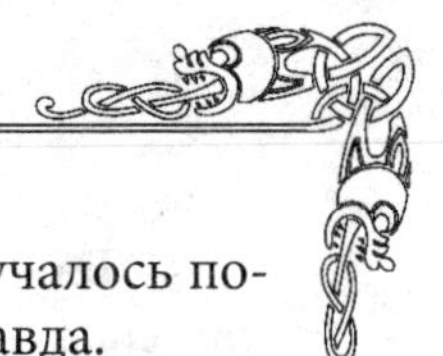

ни в дни наших отцов, ни в дни наших дедов не случалось подобного, — сказал Алмаз. — Если, конечно, это правда.

— Как это может быть неправдой? Больше недели назад первой нас известила об этом птица, прокричав, что Аслан здесь, Аслан снова вернулся в Нарнию. Потом были белки. Сами они его не видели, но сказали, что он, несомненно, в наших лесах. Потом прискакал олень и сообщил, что видел его собственными глазами, издалека, при лунном свете, на Фонарной пустоши. Потом о его появлении как о чём-то несомненном сообщил темнолицый бородатый человек, торговец из Тархистана, хотя до Аслана ему нет дела. И, наконец, прошлой ночью приходил барсук — говорит, тоже видел Аслана.

— Да, я верю. Если по мне этого не видно, то лишь оттого, что великая радость не даёт мне увериться окончательно. Это слишком хорошо, чтобы быть правдой.

— Да, — с благоговением и дрожью в голосе вымолвил король. — Я не смел и мечтать об этом.

— Слушайте! — вдруг напрягся Алмаз, склонив голову набок и насторожив уши.

— Что такое?

— Стук копыт, государь. Скачет лошадь, причём очень тяжёлая. Должно быть, кентавр. Да, это он.

Огромный златобородый кентавр стремительно приближался к королю. Человеческий пот выступил у него на лбу, конский — на боках. Остановившись, он склонился в глубоком поклоне и произнёс низким, как у быка, голосом:

— Приветствую вас.

— Эй, мальчик! — крикнул король, оборачиваясь через плечо к двери охотничьего домика. — Чашу вина доблестному кентавру! Добро пожаловать, Руномудр. Отдышись и поскорее поделись с нами своими вестями.

Из домика вышел паж с большой, причудливо вырезанной деревянной чашей и поднес её кентавру. Тот поднял чашу и сказал:

— Я пью сперва за Аслана и за истину, государь, потом за ваше величество.

Одним глотком выпив вино, которого хватило бы на шестерых крепких мужчин, Руномудр вернул пустую чашу пажу.

— Теперь поведай нам новые вести об Аслане, — попросил король.

Кентавр нахмурил брови и начал издалека:

— Государь, вам известно, как долго живу и как долго изучаю я звёзды: мы, кентавры, живём дольше людей и даже дольше племени единорогов, — но ни разу за эти долгие годы не появлялись на небесах столь страшные знаки, как те, что я вижу каждую ночь с начала этого года. Звёзды ничего не говорят ни о приходе Аслана, ни о мире, ни о радости. Благодаря моему искусству я знаю, что такого ужасного сочетания планет не было много столетий. Я хотел уже отправиться к вашему величеству и предупредить, что великое зло приближается к Нарнии, но прошлой ночью меня достиг слух, что в Нарнию прибыл Аслан. Государь, не верьте этому. Этого быть не может. Звёзды не лгут, но лгут люди и звери. Если бы Аслан и впрямь прибыл в Нарнию, небеса предсказали бы это, а благоприятнейшие из звёзд собрались бы в его честь. Все слухи — ложь.

— Ложь! — с горячностью воскликнул король, схватившись за рукоять меча. — Кто в Нарнии, да и во всём мире, осмелится на такую ложь?

— Я этого не знаю, ваше величество, но знаю, что есть лжецы на земле, а среди звёзд их нет.

— Я думаю, — заметил Алмаз, — Аслан может прийти, даже если все звёзды на небе предскажут обратное. Он не раб звёзд, но их создатель. Разве не говорится в древних сказаниях, что он не ручной лев?

— Прекрасно, Алмаз! — воскликнул король. — Это те самые слова: «не ручной лев». Так говорится во многих сказаниях.

Руномудр поднял руку, собираясь сказать королю что-то важное, но неожиданно из леса послышались вопли и причитания, и раздавались они всё ближе, но лес на западе был такой густой, что кто это — не разглядеть.

— О горе, горе, горе, — кричал кто-то, — горе моим братьям и сестрам! Горе священным деревьям! Леса пустеют. На нас идут топоры. Нас рубят. О горе, горе, горе!..

С последним возгласом на опушке появилась женщина, такая высокая, что голова её приходилась вровень с головой

кентавра, и похожая на дерево. Если вы никогда не видели дриаду, её очень трудно описать, но, хоть раз увидев, узнавать будете безошибочно — по каким-то особенностям цвета, голоса, волос. Король Тириан и его друзья сразу поняли, что перед ними дух сосны.

— Правосудия, государь! — воскликнула дриада. — Я призываю вас на помощь! Будьте опорой своему народу! Они вырубают нас на Фонарной пустоши. Сорок огромных стволов моих братьев и сестёр уже лежат на земле.

— Как, леди? Вырубают Фонарную пустошь? Убивают говорящие деревья?! — вскочил король, выхватывая меч. — Как они посмели? И кто посмел? Во имя Аслана...

— А-а-а, — взвыла дриада, вздрогнув вдруг, словно от сильной боли.

Её бросало в дрожь раз за разом через небольшие промежутки времени, словно от повторяющихся ударов, а потом — будто ей неожиданно перерезали обе ноги — она и вовсе упала в траву. Ещё мгновение — и она мертва, другое — и исчезла. Все понимали, что это значит: за много миль отсюда срубили её дерево.

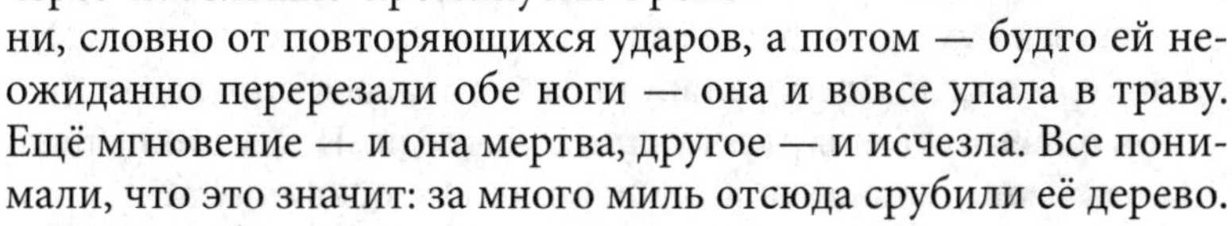

От скорби и гнева король на минуту потерял дар речи, но потом проговорил:

— Вперёд, друзья. Мы должны, не теряя ни минуты, поспешить вверх по реке и найти негодяев, поднявших руку на деревья. Пощады им не будет.

— Со всей моей охотой, государь, — промолвил Алмаз, но Руномудр предупредил:

— Государь, даже в гневе не следует терять осторожность. Назревают странные события. Если бунтовщики в долине вооружены, нам троим с ними не справиться. Согласились бы вы подождать, пока...

— Я не желаю ждать и доли секунды! — отрезал король. — Мы с Алмазом отправимся вперёд, а ты скачи во весь опор в Кэр-Параваль. Вот тебе опознавательный знак — моё коль-

цо. Возьми два десятка конных латников, и два десятка говорящих псов, и десяток гномов, искусных в стрельбе из лука, и одного-двух леопардов, и великана Многопуда. Веди их вслед за нами, не теряя времени.

— Как прикажете, государь, — поклонился Руномудр и в следующую минуту уже скакал галопом вниз по долине.

Король шёл большими шагами, то сжимая кулаки, то что-то бормоча себе под нос. Алмаз молча шагал рядом. Тишину нарушало лишь звяканье золотой цепи на шее единорога да мерная поступь чёрных копыт и двух ног.

Вскоре показалась река, и они пошли по заросшей травой тропинке вдоль берега. Справа от них стеной стоял лес, и спустя некоторое время они оказались на каменистой отмели, где лес подходил к самой воде. Дальше дорога шла по южному берегу. Тут был брод. Вода доходила Тириану до подмышек, но Алмаз (на своих четырёх ногах ему было куда легче держаться) шёл справа от него, ослабляя силу течения. Тириан сильной рукой обхватил шею единорога, и оба благополучно переправились на другой берег. Король все ещё был в таком гневе, что не замечал холода, и, выйдя на берег, первым делом, конечно, вытер воротником плаща — единственное место, что оставалось сухим, — свой меч.

Теперь они шли на запад: река оставалась справа от них, а Фонарная пустошь расстилалась впереди. После мили пути оба вдруг остановились и одновременно воскликнули:

— Смотрите! Что это?

Это оказался плот. Полдюжины великолепных стволов, свежесрубленных и очищенных от ветвей, плотно связанных,

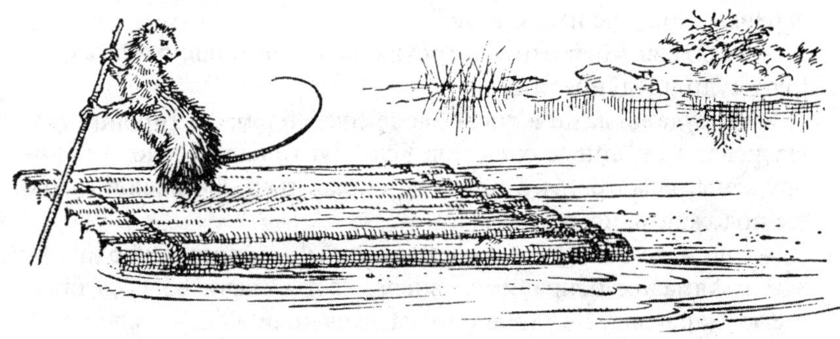

быстро плыли по реке. Управляла плотом с помощью шеста водяная крыса.

— Эй! Куда это ты направляешься? — крикнул ей король.

— Везу в Тархистан брёвна на продажу, государь, — ответила та и вежливо приподняла ухо, как могла бы приподнять шляпу, если бы, конечно, таковая была.

— В Тархистан?! — прогремел Тириан. — О чём ты говоришь?! Кто позволил рубить эти деревья?

В это время года течение очень сильное, и плот уже миновал короля и Алмаза, но крыса успела выкрикнуть через плечо:

— Приказ льва, государь, самого Аслана.

Она прибавила что-то ещё, но король и единорог уже не могли разобрать и уставились друг на друга. Ни в одном самом опасном бою они бы так не испугались.

— Аслан, — очень тихо произнёс наконец король, — Аслан... Может ли такое быть? Способен ли он вырубать священные деревья и убивать дриад?

— Если только на их совести какой-нибудь чудовищный поступок, — прошептал Алмаз.

— Но продавать их в Тархистан... Возможно ли это?

— Не знаю, — печально ответил Алмаз. — Он же не ручной лев.

— Ну что ж, в таком случае мы должны отправиться вперёд и принять ниспосланное нам испытание, — принял решение король.

— Это единственное, что нам остаётся, государь, — согласился с ним единорог.

К сожалению, Алмаз не подумал, как глупо отправляться вдвоём; не подумал об этом и король — гнев затуманил их мысли. Однако опрометчивость эта имела самые гибельные последствия.

Внезапно король тяжело оперся о шею друга и склонил голову.

— Алмаз, что-то ужас переполняет моё сердце. Если бы мы умерли днём раньше, то были бы счастливы.

— Да, — согласился с другом единорог. — Наступают не самые лучшие времена.

Они постояли с минуту и продолжили путь.

Спустя некоторое время откуда-то послышалось «тук-тук-тук» — явно стук топоров по бревну. Впереди ничего ещё не было видно, потому что склон круто уходил вверх. Когда друзья достигли вершины, вся Фонарная пустошь предстала как на ладони, и от увиденного король побледнел.

Прямо в сердце древнего леса — где росли золотые и серебряные деревья и где ребёнок из нашего мира посадил некогда Древо Защиты — шла широкая просека. Это была страшная

просека, тянувшаяся, как свежая рана, изборождённая колеями от деревьев, которые тащили к реке. Кругом толпились рабочие, хлопали бичи, с усилием тащили брёвна лошади. Сначала королю бросилось в глаза, что больше половины толпы — не говорящие звери, а люди. Ещё страшнее было то, что это не белокурые обитатели Нарнии, а темнолицые и бородатые жители Тархистана, мощной и жестокой державы, лежащей к югу от Орландии, за Великой пустыней. Не то чтобы в Нарнии нельзя было встретить одного-двух тархистанцев — торговцев или послов, тем более что между Нарнией и Тархистаном в то время был мир, — но Тириан не мог понять, отчего их так много и почему они рубят нарнийский лес.

Король крепче сжал меч, обернул плащом левую руку, и они быстро спустились.

Двое тархистанцев вели лошадь, тащившую бревно, и в тот момент, когда Тириан подошёл к ним, бревно попало в рытвину.

— Что встал? Тащи, ленивая свинья! — выругался тархистанец, щёлкнув бичом.

Конь и без того старался изо всех сил: глаза его налились кровью, круп покрылся пеной.

— Работай, скотина! — выкрикнул второй и при этом жестоко стегнул лошадь.

И тут произошло поистине ужасное. До сих пор Тириан не сомневался, что тархистанцы привели своих собственных лошадей, бессловесных и неразумных, подобных лошадям нашего мира. И хоть издевательство над бессловесной скотиной было ему отвратительно, он, естественно, больше думал об уничтожении деревьев. Ему и в голову не приходило, что кто-нибудь посмеет запрячь свободную нарнийскую лошадь и уж тем более подгонять бичом. Когда обрушился зверский удар, конь поднялся на дыбы и воскликнул:

— Глупец и тиран! Не видишь — я делаю всё, что могу?!

Едва Тириан понял, что перед ним нарнийский конь, как их с Алмазом охватил такой гнев, что оба уже не понимали, что делают. Король поднял меч, единорог опустил голову, оба стремительно бросились вперёд. Через несколько минут тархистанцы лежали мёртвыми: один — обезглавленный мечом короля, другой — пронзённый в самое сердце рогом Алмаза.

## *Глава третья*

# ХИТР ВО СЛАВЕ

— Почтенный конь, скажите мне, — проговорил король, поспешно перерезая постромки, — как удалось чужестранцам поработить вас? Разве Нарния завоёвана? Разве была битва?

— Нет, государь, — едва дыша, ответил конь. — Аслан здесь. Всё это по его приказу. Он велел...

— Берегитесь, государь! — не дал договорить Алмаз.

Тириан поднял глаза и увидел, что со всех сторон бегут тархистанцы, а с ними несколько говорящих зверей. Двое убитых без единого звука рухнули на землю, и прошло несколько секунд, прежде чем остальные поняли, что происходит. Но теперь, когда поняли, схватились за ятаганы.

— Скорее! Садитесь на меня! — крикнул Алмаз.

Король вскочил на спину старому другу, и тот поскакал прочь. Когда они оставили врагов далеко позади, единорог дважды или трижды сменил направление, пересёк ручей и крикнул, не замедляя шаг:

— Куда теперь, государь? В Кэр-Параваль?

— Остановись, друг мой, дай мне спешиться.

Тириан соскользнул со спины единорога и повернулся к нему.

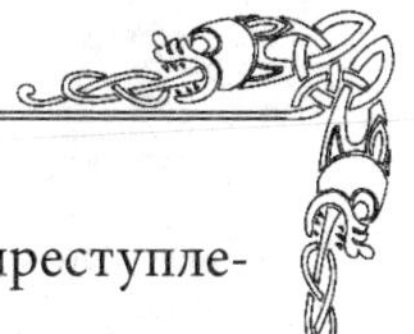

— Алмаз, мы только что совершили тягчайшее преступление.

— Они нас вынудили, — ответил Алмаз.

— Но напасть на них врасплох, не вызвав на бой, на безоружных! Я навсегда опозорен.

Алмаз понурил голову. Ему тоже было стыдно.

— И потом, — добавил король, — конь сказал, что это всё по приказу Аслана, да и крыса тоже. Все говорят, что лев здесь. Что, если это правда?

— Государь, как же мог Аслан отдать столь ужасный приказ?

— Он не ручной лев, — напомнил Тириан. — Откуда нам знать, что может и что не может Аслан, нам, убийцам? Алмаз, я вернусь, отдам свой меч, предам себя в руки тархистанцев и попрошу отвести меня к Великому льву — пусть судит.

— Это верная смерть, — сказал Алмаз.

— Неужели, по-твоему, меня волнует, приговорит меня Аслан к смерти или нет? Не лучше ль умереть, чем жить и знать, что Аслан совершенно непохож на того Аслана, в которого мы верили и которого ждали? Как будто взошло солнце, и солнце это чёрное.

— Я понимаю: как будто пьёшь воду, а вода сухая. Вы правы, государь: лучше сдадимся сами.

— Нет надобности идти нам обоим.

— О, если вы любите своего друга, дозвольте идти с вами! — горячо воскликнул единорог. — Если вы умрёте, а Аслан — не Аслан, зачем мне жить?

Горько рыдая, они повернули назад, но как только дошли до просеки, тархистанцы подняли крик и бросились на них с оружием. Тириан протянул им меч рукоятью вперёд и сказал:

— Я, бывший король Нарнии, ныне — бесславный рыцарь, сам предаю себя правосудию Аслана. Ведите меня к нему.

— И меня тоже, — сказал Алмаз.

Темнолицые люди, пахнущие чесноком и луком, с угрожающе сверкающими белками глаз окружили их плотной толпой, потом набросили верёвочную петлю единорогу на шею, забрали у короля меч и связали руки за спиной. Один из тархистанцев, походивший на начальника (у него вместо тюрбана

был шлем), сорвал золотой обруч с головы Тириана и поспешно спрятал в складках своей одежды.

Под конвоем пленники поднялись по широкой вырубке на холм, и их взору предстала небольшая хижина, крытая соломой и больше походившая на хлев. Дверь её была заперта. На траве перед входом сидел макак. Тириан и Алмаз, ожидавшие увидеть Аслана и ничего не слыхавшие про обезьяну, остановились в недоумении. Это, конечно, был Хитр собственной персоной, только раз в десять безобразней, чем в бытность свою у Каменного Котла, потому что теперь вырядился в ярко-алый кафтан, сшитый на гнома и потому плохо на нём сидевший, а голову его венчало что-то вроде бумажной короны. На задних лапах, никогда не стоящих как следует (ведь, как вы знаете, задние лапы у обезьян больше похожи на руки), были туфли, расшитые драгоценными камнями. Рядом лежала куча орехов, и макак грыз их, сплёвывал шелуху и к тому же постоянно задирал кафтан, чтобы почесаться. Перед ним стояли говорящие звери — их было много, — и почти все выглядели озабоченными и обескураженными. При виде пленников раздались вздохи и всхлипывания.

— О, господин Хитр, глашатай Аслана! — сказал главный тархистанец. — Мы привели ваших пленников. Благодаря нашей ловкости, а также по милости великой богини Таш, мы взяли живьём этих отъявленных убийц.

— Дайте мне меч этого человека, — потребовал Хитр.

Когда ему вручили королевский меч, с ножнами и перевязью, он нацепил его себе на шею, стал выглядеть ещё глупее.

Сплёвывая шелуху в сторону пленников, Хитр заявил:

— С этими двумя разберёмся потом. Пока у меня есть дела поважнее. Первое — это орехи. Где предводитель белок?

— Здесь, господин, — сказала рыжая белка, выходя вперёд и нервно кланяясь.

— Ах вот ты где! Я хочу... то есть Аслан хочет ещё орехов. Того, что вы принесли, недостаточно. Вы должны принести ещё, ясно? Вдвое больше, нет — ещё больше. Чтобы завтра на рассвете были здесь, и смотрите: чтоб ни мелких, ни порченых!

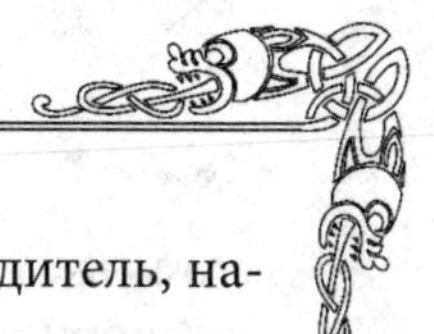

Среди белок пронёсся шёпот отчаяния, а предводитель, набравшись решимости, попросил:

— Пожалуйста, может быть, сам Аслан поговорит об этом с нами. Если б нам позволили его увидеть...

— Нет, вам не позволят! — отрезал Хитр. — Может, он будет так добр (хоть вы того не заслужили) и покажется этой ночью, но толпиться вокруг и приставать со своими вопросами не позволит! Все ваши просьбы передавайте через меня — так они доставляют ему меньше беспокойства. А вы, белки, живо за орехами! И чтоб завтра утром были здесь! А то пожалеете.

Бедные белки помчались прочь, словно за ними гналась собака. Новый приказ застал их врасплох — почти все орехи, заботливо припасённые на зиму, были съедены, а всё остальное они уже отдали обезьяне.

Тут из толпы раздался глубокий голос, принадлежавший косматому клыкастому вепрю:

— Но почему мы не можем видеть Аслана, говорить с ним? Когда в старые времена он появлялся в Нарнии, каждый мог с ним побеседовать лицом к лицу.

— Не верьте! Даже если это и было, времена меняются. Аслан считает, что был слишком мягок с вами, и в результате вы стали думать, будто он ручной лев.

Среди зверей прокатился стон, потом воцарилась мёртвая тишина.

— Теперь запомните вот что, — добавил Хитр. — Я слышал, некоторые считают меня обезьяной. Это ложь. Я человек. Да, похож на обезьяну, но лишь потому, что очень стар — мне сотни и сотни лет. Я стар и мудр, и именно поэтому со мной одним говорит Аслан. Ему некогда разводить разговоры со всякими бестолковыми зверями. Он говорит мне, что вы должны делать, а я передаю его приказы вам. И советую выполнять их побыстрее — он шутить не любит.

Тишина стояла гробовая, только плакал маленький барсучонок, а мать никак не могла его успокоить.

— Теперь ещё, — продолжил Хитр, засовывая за щёку очередной орех. — Я тут слышал среди лошадей такие толки: дескать, поторопимся, закончим поскорей работу с брёвнами и опять будем свободны. Выкиньте это из головы. Все, кто может работать, будут работать и впредь. Аслан обо всём договорился с повелителем Тархистана Тисроком, как зовут его наши темнолицые друзья. Всех лошадей, быков, ослов — слышите? Всех! — пожизненно отправят в Тархистан, где они будут возить тяжести, как это принято во всех странах. Все роющие звери: кроты, кролики, гномы — будут трудиться на рудниках Тисрока. И...

— Нет, нет, нет, — завыли звери. — Этого не может быть. Аслан не продал бы нас в рабство!

— Тихо! Молчать! — рявкнул Хитр. — Кто говорит про рабство? Вы не будете рабами: вам станут платить, и очень неплохо, но эти деньги пойдут в казну Аслана, на общее благо.

Он метнул взгляд — почти подмигнул — главному тархистанцу. Тот поклонился и произнёс в напыщенной тархистанской манере:

— Мудрейший глашатай Аслана, Тисрок (да живёт он вечно), полностью одобряет превосходнейший план вашей светлости.

— Вот видите, — сказал Хитр. — Всё улажено. И всё для вашего блага. На ваши деньги мы устроим в Нарнии настоящую жизнь. Рекой польются бананы и апельсины, дороги и большие города, школы и учреждения, конуры и намордники, сёдла и клетки, кнуты и тюрьмы — словом, всё!

— Да не хотим мы всего этого! — сказал старый медведь. — Мы хотим быть свободными. И хотим, чтобы Аслан сам говорил с нами.

— Немедленно прекрати спорить! — повысил голос Хитр. — Это невыносимо! Я человек, а ты — толстый глупый старый медведь. Что ты понимаешь в свободе? Вы все думаете, свобода — это делать что заблагорассудится. Нет. Это не настоящая свобода. Настоящая свобода — делать то, что вам велят.

— О-хо-хо, — проворчал медведь, почёсывая за ухом: понять такое действительно трудновато.

— Простите, — раздался вдруг тоненький голосок.

Когда все увидели, кому он принадлежал — ягнёнку, совсем крошечному и пушистому, — то очень удивились, как он вообще осмелился заговорить.

— Что ещё? — недовольно буркнул Хитр. — Быстрее.

— Простите, — повторил ягнёнок. — Я никак не пойму: какие могут у нас быть дела с Тархистаном? Мы принадлежим Аслану, а они Таш (так зовут их богиню), и у неё четыре руки и голова грифа. Они убивают людей на её алтаре. Я не верю в Таш, но если она есть, как может Аслан с ней дружить?

Хитр вскочил, шлёпнул ягнёнка и прошипел:

— Детка, отправляйся к мамочке сосать молочко. Что ты в этом смыслишь? А вы, остальные, слушайте. Таш — другое имя Аслана. Все эти старые взгляды, будто мы правы, а тархистанцы — нет, просто глупы, поэтому мы можем больше не ссориться. Усвойте как следует, тупые скоты: Таш — это Аслан, Аслан — это Таш.

Вы знаете, какой несчастной иногда выглядит ваша собака. Вспомните это и попытайтесь представить всех этих говорящих зверей: честных, покорных, сбитых с толку птиц, медведей, барсуков, кроликов, кротов, мышей, — только ещё более грустных. Хвосты их опустились, уши обвисли. У вас сердце бы разбилось от жалости, если бы вы их увидели.

И только один зверь не выглядел несчастным. Это был кот — огромный рыжий котище в самом расцвете сил. Он сидел как сфинкс, обернув хвостом задние лапы, в первом ряду и так пристально смотрел на обезьяну и тархистанского военачальника, что ни разу не моргнул, а потом спросил:

— Прошу прощения... Вот меня заинтересовало, согласен ли с этим ваш тархистанский друг.

— Несомненно, — ответил тархистанец. — Превосходнейший шимпан... я хотел сказать «человек»... совершенно прав. Аслан — это Таш, не более и не менее.

— Главным образом не более? — уточнил кот.

— Ничуть не более, — произнес тархистанец, глядя прямо ему в глаза.

— Ну что, удовлетворён, рыжий? — усмехнулся Хитр.

— О да, вполне, — холодно ответил кот. — Благодарю вас. Просто хотел удостовериться, что начинаю кое-что понимать.

До сих пор король и Алмаз хранили молчание и ждали, когда им прикажут говорить, потому что думали: вмешиваться бесполезно, — но теперь, увидев несчастные лица нарнийцев, Тириан понял, что они поверили, будто Аслан и Таш одно и то же, и, не выдержав, воскликнул могучим голосом:

— Обезьяна! Ты лжёшь. Это гнусная ложь!

Он хотел продолжить и спросить, как жестокая Таш, которая питается кровью своих людей, могла оказаться добрым львом, чьей кровью была спасена Нарния. Если бы он сумел это сказать, то правление Хитра могло кончиться в этот самый день: звери узнали бы правду и свергли обезьяну, — но прежде чем он произнёс ещё хоть слово, двое тархистанцев заткнули ему рот, а третий сбил с ног. Как только король упал, Хитр провизжал испуганно и злобно:

— Уберите его! Уберите! Уберите туда, где ни мы его не услышим, ни он — нас. Привяжите его к дереву. Я... то есть Аслан будет судить его позже.

## *Глава четвёртая*

# ЧТО СЛУЧИЛОСЬ ЭТОЙ НОЧЬЮ

Король был настолько ошеломлён неожиданным ударом, что с трудом понимал происходящее, пока тархистанцы развязывали ему руки и, вытянув их вдоль тела, приматывали верёвками его к ясеню за лодыжки, колени, пояс и грудь. Наконец его оставили одного. Часто труднее всего переносить мелочи — и вот его больше всего мучило, что, падая, он разбил губу, а вытереть тонкую струйку крови, щекотавшую подбородок, не мог.

Отсюда был виден маленький хлев на вершине холма и сидящая перед ним обезьяна. Тириан слышал, что она всё говорит и говорит, время от времени ей что-то отвечают из толпы, но слов было не разобрать. «Хотел бы я знать, что они сделали с Алмазом».

Постепенно звери начали расходиться, и те, что видели пленника, смотрели на него, связанного, со страхом и жалостью, но ни один не заговорил. Час проходил за часом. Сначала Тириану захотелось пить, потом есть, а с наступлением вечера стал донимать ещё и холод. Сильно болела спина.

Скоро совсем стемнело. И вдруг Тириан услышал чьи-то лёгкие шажки — явно каких-то маленьких зверьков. Вскоре его предположения подтвердились: к нему приближались три мыш-

ки, кролик и два крота, причём последние несли на спинах мешки. Зверьки в темноте выглядели весьма причудливо, и король не сразу понял, кто это. Затем звери, все сразу, встали на задние лапы, положили озябшие передние ему на колени и покрыли их шумными поцелуями, как это было принято в Нарнии. (Они смогли дотянуться до колен, потому что нарнийские говорящие звери выше своих бессловесных английских собратьев.)

— Господин наш король, дорогой господин наш король! — раздались тихие пронзительные голоса. — Мы так сочувствуем вам, но развязать не решаемся — а вдруг Аслан рассердится, — зато принесли ужин.

Тут же первая мышь проворно вскарабкалась к Тириану на грудь и уселась на верёвке, так что её носик оказался прямо напротив его лица. Следом за ней поднялась вторая мышь и устроилась пониже первой. Остальные зверьки остались внизу передавать еду.

— Пейте, государь, а потом сможете и поесть, — сказала мышь, и Тириан обнаружил у своих губ маленькую деревянную чашку, не больше рюмочки для яиц, так что вкус вина едва ощутил.

Потом мышь спустила чашку вниз, где её наполнили и вновь передали наверх. Так продолжалось до тех пор, пока он не напился (всем известно, что жажду лучше утолять множеством маленьких глотков, чем одним большим).

— Вот сыр, государь, — сказала первая мышь. — Не слишком много, а то вам снова захочется пить.

За сыром последовала овсяная лепёшка со свежим маслом, за ней — ещё немного вина.

— Теперь передайте воду, — велела мышь. — Я умою короля. Тут кровь.

Почувствовав, как что-то вроде маленькой губки освежило лицо, Тириан сказал:

— Маленькие друзья, чем я могу отблагодарить вас?

— Что вы, что вы! — запищали все разом. — Что ещё мы могли сделать? Нам не нужен другой король. Мы ваш народ. Если бы против вас был только Хитр и тархистанцы, мы скорее дали бы изрубить себя в куски, чем позволили вас связать, но идти против Аслана мы не можем.

— Вы думаете, это и впрямь Аслан? — спросил король.

— О да, да! — заверил его кролик. — Он выходил из хлева прошлой ночью. Мы все его видели.

— На кого же он похож?

— На огромного страшного льва, разумеется, — удивлённо сказала одна из мышей.

— Вы полагаете, что Аслан способен убивать лесных нимф и продавать вас в рабство тархистанцам?

— Это дурно, я согласна, — заметила вторая мышь. — Лучше бы мы умерли раньше, чем всё это началось. Но сомнений нет. Все говорят, что так приказал Аслан. И мы его видели. Вот уж не думали, что Аслан будет таким, когда хотели, чтобы

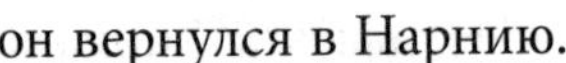



он вернулся в Нарнию.

— Похоже, что-то его рассердило, — добавила первая мышь. — Видимо, мы, сами того не зная, совершили нечто ужасное, вот он и наказывает нас. Но, мне кажется, можно было бы сказать, за что!

— А вдруг мы и сейчас поступаем неверно? — с сомнением произнёс кролик.

— Мне всё равно, — сказал крот. — Даже если это так, я бы ничего не стал менять.

Остальные на него зашикали, а потом обратились к королю:

— Простите нас, ваше величество, но нам пора возвращаться: нельзя, чтобы нас застали здесь.

— Идите, мои добрые звери, — улыбнулся Тириан. — Ради всей Нарнии я не стал бы подвергать вас опасности.

— Доброй ночи, доброй ночи! — пожелали зверюшки и потёрлись носами о его колени. — Мы вернёмся, как только сможем.

Они засеменили прочь, и лес сразу же сделался ещё более тёмным, холодным и неприютным, чем до их прихода.

Появились звёзды, но ох как медленно текло время, пока последний король Нарнии, измученный, окоченевший, стоял навытяжку, привязанный к дереву.

Наконец что-то произошло.

Вдалеке зажёгся красноватый свет, потом на мгновение исчез и вновь появился, но уже куда ярче. Король увидел тёмные силуэты, сновавшие туда-сюда: что-то приносили и сбрасывали на землю. Скорее всего, это разожгли костёр, подумал Тириан. Ему хорошо был виден хлев, освещённый красным заревом, толпа людей и зверей и ссутулившаяся фигура. Это, наверное, обезьяна. Хитр, как всегда, что-то говорил толпе, но слов было не разобрать. Вот он трижды склонился до земли перед дверью хлева, потом поднялся и открыл дверь. Что-то на четырёх ногах скованно и неуклюже вышло из хлева и повернулось к толпе.

Не то стон, не то рёв поднялся над собравшимися, да такой мощный, что стали слышны отдельные слова.

— Аслан! Аслан! Аслан! — кричали звери. — Поговори с нами. Утешь нас. Не сердись на нас больше.

Тириан мало что мог разглядеть с такого расстояния: у хле-

ва стояло что-то жёлтое и мохнатое, — а поскольку никогда не видел Великого льва, как, впрочем, и обычного, не мог бы поручиться, что это не Аслан. И всё же очень неожиданно, что Аслан окажется столь неуклюжим, безмолвным существом. Но кто его знает? На мгновение ужасная мысль пронзила его разум, но, вспомнив вздор, что Аслан и Таш — одно и то же лицо, он понял, что это обман.

Тем временем Хитр наклонился к голове жёлтого существа, словно прислушиваясь, обернулся и заговорил с толпой. Вновь раздался жалобный вой. Потом жёлтое существо, потоптавшись, развернулось и вошло — можно сказать, ввалилось — обратно в хлев, и обезьяна закрыла за ним дверь. Огонь начал меркнуть, погас совсем, и Тириан снова остался один среди холода и мрака.

Ему вдруг подумалось, что среди множества королей, что жили и умерли в Нарнии в древние времена, он самый несчастный. Вспомнился прадед его прадеда, король Рилиан, которого ещё принцем похитила колдунья и многие годы прятала под землёй северных великанов. Но в конце концов и у него всё устроилось благодаря двум детям, которые неожиданно появились из страны за краем света и освободили его. Он вернулся в Нарнию, где и правил долго и счастливо.

«А со мной совсем не так», — горестно вздохнул Тириан и мысленно отправился в далёкие времена отца Рилиана, Каспиана Мореплавателя, которого пытался убить его дядя, коварный Мираз. Принц бежал в леса, спрятался у гномов, и его история закончилась хорошо. Каспиану тоже помогли дети, только тогда их было четверо, появились они откуда-то извне мира, выиграли великую битву и вернули ему престол. Потом Тириан вспомнил (в детстве король хорошо учил историю), как те же четверо ребят, что помогли Каспиану, были в Нарнии более чем за тысячу лет до того и тогда смогли одолеть страшную Белую колдунью и положить конец вечной зиме. Потом (все четверо) правили в Кэр-Паравале, пока не выросли и не стали великими королями и прекрасными королевами, и правление их было золотым веком Нарнии. Аслан в этой истории, как и в других, появлялся часто, припомнилось Тириану. «Аслан и дети из другого мира всегда приходили, когда кому-то плохо, — подумал король. — Ах, если бы это про-

изошло и сейчас!»

И тогда он воскликнул:

— Аслан! Приди же, помоги нам сейчас!

Ответом ему были холод, мрак и тишина.

— Пусть меня убьют! Я ничего не прошу для себя. Приди и спаси Нарнию.

И хотя лес и ночь остались прежними, что-то изменилось в самом Тириане — необъяснимая, ничем не оправданная надежда придала ему сил.

— О Аслан! — прошептал он горячо. — Если не можешь прийти, пошли мне кого-нибудь на помощь или позволь моему голосу проникнуть за пределы мира, и я сделаю это сам.

И вдруг, совершенно неожиданно для себя, вряд ли осознавая, что делает, он закричал что есть мочи:

— Дети! Друзья Нарнии! Быстрее! На помощь! Через миры зову вас я, Тириан, король Нарнии, владетель Кэр-Параваля и император Одиноких островов!

И тотчас он погрузился в сон (если то был сон), ярче и реальнее которого никогда не видел.

Вот он в светлой комнате, а перед ним за столом сидят семь человек, которые, по-видимому, только что закончили трапезу. Двое из них были весьма преклонного возраста: белый как лунь старик с бородой и старушка с мудрыми весёлыми лучистыми глазами. По правую руку от старика сидел юноша, ещё не совсем взрослый, явно моложе Тириана, но с лицом короля и воина. То же можно было сказать и о другом юноше, сидевшем по правую руку от старой леди. Напротив Тириана сидела белокурая девочка, помладше юношей, а с другой стороны от неё — совсем юные мальчик и девочка. Одеты они были, как показалось Тириану, ужасно нелепо.

Но у него не было времени думать о таких мелочах, потому что младший мальчик и обе девочки тут же вскочили и одна из них вскрикнула. Старая леди тоже вздрогнула и приложила руку к груди. Старик, должно быть, сделал какое-то резкое движение, задел стакан с вином, и тот упал и разбился: явственно слышался звон.

Тут Тириан понял, что его видят — все уставились на него словно на привидение, — и заметил, как юноша королевского вида побледнел, но не шевельнулся, только крепко сжал кула-

ки, а потом произнёс:

— Говори, если ты не призрак и не сон. Ты похож на нарнийца, а мы — семеро друзей Нарнии.

Тириан хотел было заговорить, пытался выкрикнуть, что он, король Нарнии, в великой нужде, но обнаружил (как случается во сне), что его не слышат. Юноша, который говорил с ним, поднялся из-за стола и произнёс, в упор глядя на Тириана:

— Тень, или дух, или кто иной, если ты из Нарнии, именем Аслана заклинаю тебя: говори. Я Верховный король Питер.

Комната поплыла перед глазами Тириана, все семеро вдруг стали прозрачными и заговорили разом, что-то вроде: «Смотрите! Он исчезает, тает, пропадает...»

Через минуту он очнулся, по-прежнему привязанный к дереву, совсем замёрзший и одеревеневший. Лес заполнял бледный, печальный свет, как перед восходом солнца, и король насквозь промок от росы. Утро вступало в свои права.

Это пробуждение было худшим в его жизни.

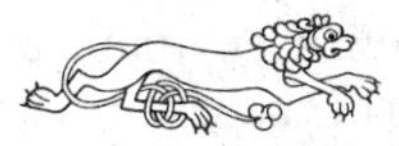

*Глава пятая*

# К КОРОЛЮ ПРИШЛА ПОМОЩЬ

Но отчаяние длилось недолго. Послышался глухой удар, почти сразу за ним второй, и перед Тирианом оказались двое детей. Секундой раньше лес впереди был совершенно пуст, и он был уверен, что дети не вышли из-за дерева за спиной, иначе слышал бы их шаги. Они просто появились ниоткуда. В глаза сразу бросились их нелепые блёклые одежды — именно такие он видел во сне. Но что поразило больше всего — это были те самые мальчик и девочка, младшие из семерых.

— Ух ты! — воскликнул мальчик. — Обалдеть! Я думал...

— Скорей отвяжи его! — перебила девочка. — Поговорить можно и после.

Уже обращаясь к Тириану, она добавила:

— Простите, что задержались: мы прибыли, как только смогли.

Пока она говорила, мальчик вытащил из кармана ножик и быстро перерезал верёвки — слишком быстро, ибо король так окоченел и онемел от холода, что рухнул на четвереньки, как только лопнула последняя верёвка, и не смог подняться, пока не растёр как следует ноги.

— Вот, — сказала девочка. — Ведь это вы явились нам той ночью, около недели назад?

— Около недели, прекрасная девица? — удивился Тириан. — Сон привёл меня в ваш мир всего минут десять как...

— Обычная неразбериха со временем! — произнёс мальчик.

— Теперь я вспоминаю, — сказал Тириан. — Об этом тоже говорилось во многих историях. Время в вашей удивительной стране течёт иначе. Но раз мы заговорили о времени, то пора отсюда уходить, ибо враги мои близко. Пойдёте ли вы со мной?

— Конечно, — сказала девочка. — Ведь мы здесь, чтобы вам помогать.

Тириан поднялся на ноги и быстро повёл их вниз по склону холма, на юг, подальше от хлева. Он не знал точно, куда идёт, но хотел поскорее выйти на каменистое плато, где бы не оставалось следов, а затем пересечь воду, чтобы их нельзя было учуять. Почти час они карабкались по скалам и переходили вброд ручьи, и, конечно, было не до разговоров. Тириан украдкой разглядывал своих спутников, не в силах поверить, что они из другого мира: древние легенды превращались в реальность, а значит, могло произойти всё что угодно.

— Итак, — сказал Тириан, когда они достигли небольшой лощины, полого спускавшейся перед ними среди молодых ясеней, — мы достаточно далеко от этих негодяев и можем идти помедленней.

Солнце встало, на каждой ветке сверкали капли росы, пели птицы.

— Как насчёт чего-нибудь стрескать? Это я про вас, государь, мы-то позавтракали, — сказал мальчик.

Тириан не понял, что значит «стрескать», но когда мальчик открыл набитый ранец, который нёс с собой, и вытащил замасленный сплющенный пакет, всё стало ясно. Король страшно изголодался, хотя совсем не думал об этом. В пакете были сэндвичи: два с крутыми яйцами, два с сыром и два с чем-то вроде мармелада. Король непременно расспросил бы, что это, если б не был так голоден, — ведь такого в Нарнии никто не пробовал. Они достигли устья лощины, когда король доедал последний сэндвич. Здесь, под мшистым обрывом, бил родничок. Все трое попили и сполоснули разгорячённые лица.

— А теперь, — сказала девочка, убирая со лба мокрую прядь, — не расскажете ли нам, почему были привязаны и что всё это значит?

— Со всей моей охотой, сударыня, — ответил Тириан. — Но нам нельзя останавливаться.

Они пошли дальше, и по дороге король рассказал своим помощникам, кто он и что с ним произошло, и в заключение добавил:

— А теперь мы идём к одной из трёх башен, построенных моим пращуром для охраны Фонарной пустоши от каких-то опасных разбойников, обитавших здесь в то далёкое время. Благодарение Аслану, у меня не отняли ключи. В башне хранится запас оружия, кольчуги и кое-какой провиант — впрочем, лучше сухарей там ничего нет. Кроме того, мы сможем в безопасности обсудить наши планы. Да, совсем вылетело из головы: вы-то кто?

— Я Юстас Вред, а это Джил Поул, — сказал мальчик. — Мы однажды уже были здесь, много лет назад, то есть больше года по нашему времени. Здесь был ещё парень, принц Рилиан, они его держали под землёй, пока квакль Хмур не сунул ногу...

— О! — воскликнул Тириан. — Вы те самые Юстас и Джил, что спасли короля Рилиана от колдовских чар?

— Да, это мы, — сказала Джил. — Так Рилиан теперь король? Ой, конечно, так и должно быть. Я забыла...

— О нет, — вздохнул Тириан. — Он умер больше двухсот лет назад. Я его потомок в седьмом колене.

Джил изменилась в лице:

— Вот чем плохо возвращаться в Нарнию...

— Теперь вы знаете, кто мы, государь, — сказал Юстас. — А было так: профессор и тётя Полли собрали всех друзей Нарнии вместе...

— Я не знаю, о ком ты говоришь, — перебил его Тириан.

— Они попали в Нарнию в самом начале, в тот день, когда звери научились говорить.

— Клянусь львиной гривой! — воскликнул Тириан. — Те двое! Лорд Дигори и леди Полли! С самой зари времён! И они ещё живы в вашем мире? Удивительные и славные дела! Но продолжай, продолжай!

— Знаете, она вообще-то мисс Пламмер, но мы её зовём тётей Полли, — сказал Юстас. — Так вот: они собрали нас вместе — отчасти чтобы вспомнить про Нарнию (ведь ни с кем другим об этом не поговоришь), но ещё и потому, что

у профессора появилось ощущение, будто мы кому-то нужны. Ну, потом явились вы, как привидение или незнамо что, перепугав нас до полусмерти, и, ни слова не сказав, исчезли. Мы сразу усекли, что у вас тут что-то не так. Ладно, но как сюда попасть? Одного желания мало. Мы все думали, и наконец профессор сказал, что единственный способ — это волшебные кольца. Те самые кольца, при помощи которых они с тётей Полли давным-давно, ещё детьми, были здесь, ещё до нашего рождения. Они тогда закопали кольца в саду, в лондонском доме (Лондон — это самый главный наш город, государь), а дом этот потом продали. Так что надо было сообразить, как их достать. Ни за что не угадаете, что мы придумали! Питер и Эдмунд — Верховный король Питер, это он говорил с вами — отправились в Лондон и забрались в сад рано утром, пока никто не встал. Они оделись рабочими, чтобы, если кто увидит, решил, что они чинят канализацию. Жаль, меня не было: вот бы повеселились. Видимо, они всё нашли, потому что на следующий день Питер отбил нам телеграмму — это такое известие, государь, я объясню в другой раз, — где говорилось, что кольца у них. А нам с Джил надо было обратно в школу (только мы двое ещё ходим в школу, причём в одну и ту же), поэтому Питер и Эдмунд решили встретить нас по дороге и отдать кольца. Видите ли, в Нарнию должны были отправиться мы двое — старшие не могут сюда вернуться. Мы сели в поезд (это такая штука, на которой люди путешествуют в нашем мире: много вагонов, сцепленных вместе), а профессор, тётя Полли и Люси отправились с нами. Мы хотели быть вместе как можно дольше. Так вот: мы ехали в поезде, и когда уже подъехали к станции, где остальные нас встречали, и я уже высматривал их в окошко, нас ужасно тряхануло, раздался грохот — и вот мы в Нарнии. И как раз там, где ваше величество были привязаны к дереву.

— И вы не воспользовались кольцами? — спросил Тириан.

— Нет, — ответил Юстас, — даже не видели их. Аслан всё сделал сам, без всяких колец.

— Но у Верховного короля Питера они есть, — заметил Тириан.

— Да, — кивнула Джил, — но не думаю, что от этого будет прок. Когда двое других Певенси — король Эдмунд и короле-

ва Люси — были здесь в последний раз, Аслан сказал, что они больше не вернутся в Нарнию, как сказал что-то в этом роде и Верховному королю, только раньше. Хотя, можете не сомневаться, Питер тут же явится, если ему позволят.

— Что-то жарковато становится, — сказал Юстас. — Далеко ещё, государь?

— Смотрите! — указал вперёд Тириан.

Над верхушками деревьев виднелись мрачные зубчатые стены, и через несколько минут они вышли на большую поляну, которую пересекал ручей. На другом его берегу стояла приземистая квадратная башня с узкими окнами и тяжёлой дверью.

Внимательно оглядевшись и убедившись, что врагов поблизости нет, Тириан подошёл к башне и постоял с минуту, вынимая из-под охотничьих одежд связку ключей, которую носил на шее на тонкой серебряной цепочке. Два ключа были золотые, другие — богато изукрашенные: сразу видно, что от потайных комнат во дворце или от сундуков и шкатулок благоуханного дерева с королевскими сокровищами, — но ключ, который он сейчас вставлял в замок, был самый обычный: большой, грубой работы. Замок заржавел, и Тириан испу-

гался, что не сможет его открыть. Наконец ему это удалось, и дверь распахнулась с мрачным скрипом.

— Прошу вас, друзья. Боюсь, это лучший дворец, куда король Нарнии может пригласить сейчас своих гостей.

Тириан с радостью отметил, что чужестранцы прекрасно воспитаны, поскольку тотчас же стали уверять его, что всё превосходно, хотя это было далеко от действительности. В мрачной башне пахло сыростью. В единственной комнате, заваленной какими-то тюками, стояло несколько грубо сколоченных скамей для сна и множество сундуков. Деревянная лестница в углу вела к небольшому люку на крыше. Был и очаг, но такой запущенный, словно в нём много-много лет не разводили огня.

— Может, нам стоит набрать дров? — предложила Джил.

— Не сейчас, мой друг.

Тириан объяснил, что выходить безоружными опасно, и начал открывать сундуки, с благодарностью вспоминая, что не забывал раз в год заботливо объезжать оборонительные башни и проверять, есть ли там всё необходимое. Тетивы луков были в чехлах из промасленного шёлка, мечи и копья смазаны — ничто не заржавело от долгого хранения. Тщательно завёрнутые доспехи блестели, как новые, но было здесь и кое-что поинтереснее.

— Смотрите! — сказал Тириан, вытаскивая длинную кольчугу странного фасона и разворачивая перед ребятами.

— Очень смешная кольчуга, государь! — заметил Юстас.

— Ты прав, юноша: её ковали не нарнийские гномы. Это чужеземная, тархистанская кольчуга. У меня всегда хранится несколько наготове — ведь неизвестно, когда мне или моим друзьям понадобится незамеченными проникнуть в страну Тисрока. А теперь посмотрите на этот каменный сосуд. В нём экстракт: если им натереть лицо и руки, то мы станем коричневыми, как тархистанцы.

— Ура! — воскликнула Джил. — Обожаю маскарад!

Тириан показал детям, как налить в ладони немного экстракта и тщательно втереть его в лицо, шею и плечи до локтей, потом проделал это сам.

— Как только высохнет, смыть водой его будет невозможно. Ничто, кроме масла, смешанного с пеплом, не сделает нас

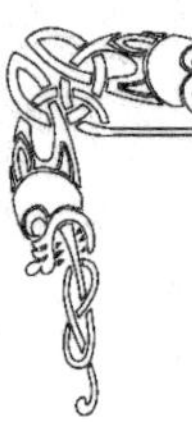



вновь белокожими нарнийцами. А теперь, прелестная Джил, разрешите примерить на вас эту кольчугу... Немного длинновата, но не так уж велика, как я боялся. Несомненно, она принадлежала пажу какого-нибудь тархана.

Все надели тархистанские шлемы, маленькие и круглые, плотно прилегающие к голове, с острой верхушкой. Затем Тириан вынул из сундука рулон белой материи и обмотал её вокруг шлемов, так что те превратились в тюрбаны, только

с маленькими острыми кончиками в центре. Они с Юстасом взяли кривые тархистанские сабли и маленькие круглые щиты. Лёгкой сабли для Джил не нашлось, и ей дали длинный прямой охотничий нож, который при необходимости мог сойти за меч.

— Обучена ли дама обращению с луком? — спросил Тириан.

— Хуже некуда, — буркнула Джил, краснея. — Вот Вред стреляет неплохо.

— Не верьте ей, государь, — сказал Юстас. — Мы тренировались с тех самых пор, как вернулись из Нарнии, и она обращается с луком не хуже меня. Впрочем, оба мы стреляем так себе.

Тириан передал Джил лук и полный колчан стрел, и наконец-то они занялись очагом. Башня внутри больше напоминала пещеру, чем жилое помещение, и все уже начали дрожать от холода. Пока собирали дрова, немного согрелись — солнце стояло в зените, — а когда огонь зашумел в трубе, комната показалась даже уютной. Обед был, правда, не ахти: найденные в одном из мешков сухари раскрошили, залили кипятком и посолили, так что получилось что-то вроде каши, а пить, кроме воды, было нечего.

— Жаль, мы не догадались взять с собой пачку чая, — сказала Джил.

— Или банку какао, — добавил Юстас.

— Не мешало бы держать в каждой башне по паре бочонков вина, — мечтательно произнёс Тириан.

## *Глава шестая*

# СЛАВНАЯ НОЧНАЯ РАБОТА

Часа через четыре Тириан прилёг на скамью немного вздремнуть. Ребята уже давно спали — он постелил им заранее, потому что подняться надо было среди ночи, а в их годы это непросто, если не выспишься. Весь день он не давал им ни минуты отдыха: сначала преподал Джил урок стрельбы и нашёл, что дело обстоит не так плохо, хотя и слабовато по нарнийским меркам. Она даже подстрелила кролика (не говорящего, конечно: вокруг Фонарной пустоши во множестве водятся обычные), и он был тут же освежёван. Тириан удивился, что ребятам прекрасно знакома эта противная работа: научились во время великого путешествия с принцем Рилианом. Юстасу понадобилась тренировка по овладению щитом и саблей. Во время своих прошлых приключений в Нарнии он немало упражнялся в этом искусстве, но имел дело с прямым нарнийским мечом, а кривой тархистанский ятаган никогда не держал в руках, что сильно затрудняло дело, так как многие приёмы приходилось учить заново. Однако он был точен и быстр в движениях, и это успокоило Тириана. Король удивлялся перемене в детях: оба казались взрослее, выше и сильнее, чем буквально несколько часов назад. Так действует воздух Нарнии на пришельцев из нашего мира.

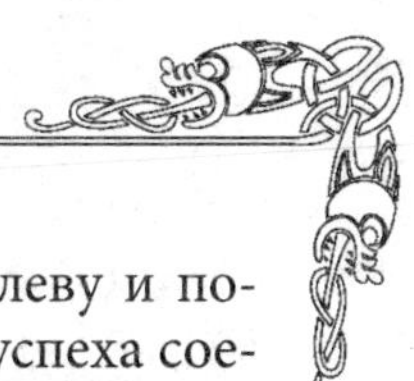

Все трое решили прежде всего отправиться к хлеву и попытаться освободить единорога Алмаза, а в случае успеха соединиться на востоке с небольшой армией, за которой кентавр Руномудр отправился в Кэр-Параваль.

Опытный воин и охотник, Тириан мог проснуться в любое время, поэтому просто сказал себе: в девять вечера — и, отбросив все заботы, мгновенно заснул. Ему показалось, что проспал он не больше минуты, но, посмотрев на небо, понял: уже время. Тириан поднялся, надел шлем-тюрбан (спал он в кольчуге) и принялся трясти ребят. Честно говоря, когда они, зевая во весь рот, слезали со скамей, вид у них был довольно унылый.

— Пойдём прямо на север: ночь, на удачу, звёздная, — так будет короче, чем утром, когда мы кружили. Если нас заметят, вы оба храните молчание, а я постараюсь говорить как проклятый, жестокий, надменный тархистанский вельможа. Если ты, Юстас, увидишь, что я положил руку на рукоять меча, делай то же самое: надо дать возможность Джил отскочить и взять лук на изготовку. Но если я крикну: «Назад!» — мчитесь к башне. И пусть никто не лезет в драку: ни одного удара после того, как я прикажу отступать, — неразумная отвага не раз губила даже гениальные военные планы. А теперь, друзья, во имя Аслана, вперёд!

Они вышли в ночной холод. Все великие звёзды севера сияли над вершинами деревьев. Северная звезда в этом мире зовётся Остриём Копья, и она много ярче нашей Полярной.

Некоторое время удавалось идти прямо на Остриё Копья, но вскоре начались густые заросли, и когда, все исцарапанные, они выбрались оттуда, снова отыскать правильное направление оказалось непросто. Спасла положение Джил, которая в Англии, в школьных походах, была прекрасным проводником и, конечно, превосходно знала нарнийский небосвод после путешествия в дикие северные страны, так что могла найти путь по другим звёздам, когда Остриё Копья спряталось. Тириан понял, что она ориентируется лучше всех, и пропустил её вперёд.

— Клянусь гривой! — шепнул он Юстасу, изумляясь, как бесшумно и почти незаметно скользит впереди Джил. — Эта девочка просто создана для леса, будто в её жилах течёт кровь дриад.

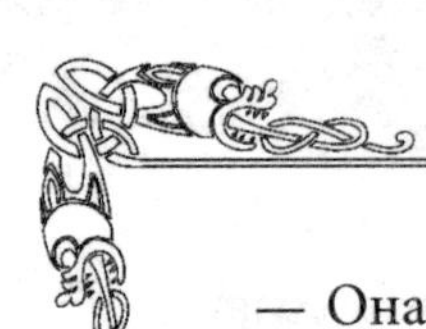



— Она такая маленькая, поэтому... — прошептал в ответ Юстас, но тут Джил шикнула на них, и оба замолчали.

Лес вокруг них был совершенно тих. Даже слишком тих. Обычно в Нарнии ночью шумно: то ёж желает кому-то доброй ночи, то сова кричит над головой, то далёкий звук флейты сообщает о плясках фавнов, то гномы стучат под землёй молоточками. Теперь всё стихло: уныние и страх воцарились в Нарнии.

Через некоторое время начался крутой склон, где деревья росли реже. Тириан смутно различал хорошо знакомую вершину холма и хлев. Джил шла теперь всё осторожнее и знаками показывала спутникам следовать её примеру, но вдруг резко остановилась. Тириан успел заметить, как она юркнула в траву и исчезла, но уже через минуту появилась и, прижавшись губами к его уху, как можно тише прошептала:

— Ложитешь, шмотрите лучше.

Она сказала «ложитешь», «*шмотрите*» не потому, что шепелявила, а потому, что знала: свистящий звук «с» в шёпоте слышнее всего. Тириан тотчас лёг, почти так же тихо, как Джил, хотя и не совсем, потому что был старше и тяжелее. А как только лёг, понял, что отсюда отчётливо видна вершина холма на фоне усеянного звёздами неба. Две тёмные тени маячили наверху: одна была хлевом, другая, в нескольких футах от него, — тархистанским часовым. Службу он нёс плохо: не ходил и даже не стоял, а сидел, положив копьё на плечо и опустив голову на грудь. «Молодец, — мысленно похвалил Тириан Джил, — показала именно то, что нужно».

Они поднялись, и теперь впереди шёл Тириан. Медленно, сдерживая дыхание, они пробирались к небольшой рощице футах в сорока от часового.

— Ждите меня здесь, — прошептал он наконец своим спутникам. — Если что-то пойдёт не так, бегите.

Король смело и спокойно пошёл вперёд, прямо на глазах у врага. Часовой уставился на него и собрался было вскочить на ноги, испугавшись, что это начальник стражи и сейчас ему попадёт за то, что сидит, но Тириан опустился на колено рядом с ним и сказал:

— Неужели предо мною воин Тисрока (да живёт он вечно)? Сердце моё наполняется радостью, когда я вижу тебя среди зверей и демонов Нарнии. Дай мне твою руку, друг.

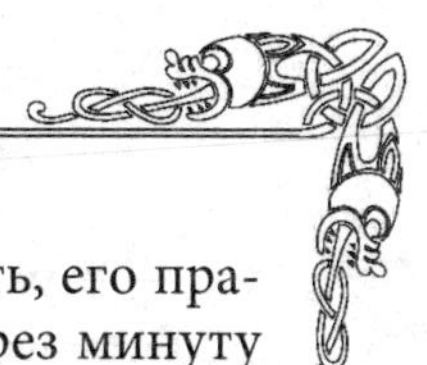

И прежде чем тархистанец успел что-либо понять, его правая рука оказалась словно в железных тисках, а через минуту он стоял на коленях, а к шее его был приставлен кинжал.

— Один звук, и ты умрёшь, — прошипел Тириан ему на ухо. — Скажи, где единорог, и останешься жив.

— З-за хлевом, мой господин, — запинаясь, пробормотал несчастный.

— Хорошо. Медленно встань и веди меня к нему.

Часовой поднялся, но лезвие кинжала по-прежнему касалось его шеи, только переместилось назад, пощекотав горло. Тириан шёл сзади и держал кинжал под ухом тархистанца. Дрожа, тот обошёл хлев.

Тириан сразу разглядел в темноте белый силуэт Алмаза и быстро проговорил:

— Тс-с! Молчи! Да, Алмаз, это я. Как они связали тебя?

— Стреножили и привязали уздечкой к кольцу в стене, — послышался голос верного друга.

— Стой здесь, спиной к стене! — приказал король часовому. — Так... Теперь, Алмаз, приставь рог к его груди.

— Со всей моей охотой, — отозвался тот.

— Если шевельнётся, пронзи ему сердце.

В считаные мгновения Тириан перерезал путы, а обрывками связал часовому руки и ноги, потом напихал ему в рот травы, завязал верёвкой от затылка до подбородка и усадил бедолагу к стене.

— Прости, что неучтиво обошёлся с тобой, солдат, но это было необходимо. Если встретимся когда-нибудь, я, быть может, смогу отблагодарить тебя. Ну а нам, Алмаз, надо торопиться.

Левой рукой король обвил шею друга, поцеловал его в нос, и, преисполнившись великой радостью, ступая как можно тише, они вернулись туда, где их ждали дети.

— Всё в порядке, — прошептал Тириан. — Славная ночная работа выполнена, а теперь — домой.

Они прошли всего несколько шагов, когда Юстас спохватился:

— Где ты, Поул?

Ответа не последовало, и он обратился к королю:

— Джил не с вами, ваше величество?

— А разве она не с тобой?

Всем стало страшно. Кричать было нельзя, и они звали её шёпотом, но ответа не было.

— Она отходила от тебя, пока меня не было? — спросил Тириан.

— Нет, я не слышал и не видел, чтобы уходила, — сказал Юстас. — Но она могла уйти и незаметно: умеет быть тихой, как мышка, сами видели.

В этот момент вдалеке раздался барабанный бой, и Алмаз насторожил уши.

— Гномы, похоже.

— И вполне возможно, вероломные, враги, — пробормотал Тириан.

— А теперь ещё и звук копыт, гораздо ближе, — заметил чуткий Алмаз.

Все трое замерли. На них столько всего сразу обрушилось, что они просто не знали, как поступить. Стук копыт приближался, и вдруг совсем рядом послышалось:

— Привет! Вы ещё здесь?

Благодарение небесам, это была Джил.

— Куда тебя черти носили? — спросил Юстас зловещим шёпотом.

— В хлев, — с трудом сдерживая смех, выдавила Джил.

— И по-твоему, это смешно? Знаешь, что я тебе скажу...

— Вы выручили Алмаза, государь? — оборвала его гневную тираду Джил.

— Да. Он здесь. А кто это с тобой?

— Это он, — почему-то хихикнула Джил. — Скорей уйдём отсюда, пока никто не проснулся.

Никто не стал спорить: и так слишком задержались в этом опасном месте, да и барабаны гномов звучали всё ближе, — и лишь когда отошли на приличное расстояние, Юстас спросил:

— Кто он? О чём ты?

— Тот, кого выдавали за Аслана, — рассмеялась Джил.

— Что? — воскликнул Тириан. — Где ты была?

— Ну, государь, — начала она извиняющимся тоном, — когда вы сняли часового, я решила, что неплохо бы заглянуть в хлев и узнать, что же там на самом деле, и поползла вперёд.

Войти было легче лёгкого — просто откинуть засов. Конечно, там было темно, хоть глаз выколи, а пахло... как во всяком хлеву. Я зажгла спичку, и — представьте себе! — там не было никого, кроме старого осла в львиной шкуре, привязанной верёвочками по бокам. Я вынула нож и велела ему идти за мной. Собственно, ему и угрожать-то не имело смысла: он был по горло сыт хлевом и сам пошёл бы куда угодно. Правда, Лопух?

— Вот это да! — воскликнул Юстас. — Провалиться мне на этом месте! Я так рассердился на тебя, даже думал, что ты потихонечку от нас смылась, но, должен признать, ты молодчина. Будь она мальчиком, её следовало бы посвятить в рыцари, не правда ли, ваше величество?

— Будь она мальчиком, — сказал Тириан, — её следовало бы высечь за неповиновение приказу.

Лица его в темноте никто не видел, и было непонятно, в шутку он это сказал или всерьёз, — а в следующую минуту раздался скрежет металла.

— Что вы задумали, государь? — быстро спросил Алмаз.

— Собираюсь отсечь проклятому ослу голову, — произнёс Тириан страшным голосом. — Отойди, девочка.

— О нет, пожалуйста! — взмолилась Джил. — Правда, не надо. Он не виноват. Это всё проделки обезьяны. Он милейший ослик, его зовут Лопух.

— Джил, ты хоть и храбрейшая из всех моих подданных, но уж больно дерзкая и непокорная. Ладно, пусть живёт. Что сам-то скажешь, осёл?

— Что скажу? — послышался голос осла. — Я, право же, сожалею, что вёл себя неправильно. Хитр сказал: Аслан хочет, чтобы я так нарядился — а он лучше знает. Я гораздо глупее его и делаю только то, что мне скажут. Мне не было никакой радости жить в хлеву. Меня выводили только на минутку-другую, и то ночью, а иногда даже воды принести забывали.

— Государь, — проговорил с тревогой в голосе Алмаз, — эти гномы всё ближе. Хотим ли мы с ними встретиться?

Тириан на мгновение задумался, потом вдруг громко расхохотался и заговорил, уже в полный голос:

— Клянусь львом, я стал тугодумом! Встретиться с ними? Конечно, и не только с ними — со всеми. Пусть все увидят этого осла. Пусть увидят, чего они боялись и чему поклонялись. Мы расскажем им правду о подлом заговоре. Тайна раскрыта. Завтра мы повесим этого плута Хитра на самом высоком дереве Нарнии. Довольно шептать, прятаться, переодеваться! Где эти достойные гномы? Мы принесём им добрую весть.

Если вы часами шептались, звук обычного голоса производит удивительное действие. Все сразу заговорили и засмеялись, даже Лопух поднял голову и издал громкое «иа-иа-иа», чего Хитр не позволял ему много дней подряд. Затем вся компания направилась туда, откуда раздавался барабанный бой, который становился всё громче и громче. На просёлочной дороге (хотя в Англии её едва вообще назвали бы дорогой), что тянулась через Фонарную пустошь, они увидели свет факелов. Около тридцати гномов бодро шагали вперёд, и каждый нёс на плече крохотную лопату или кирку. Двое вооружённых тархистанцев возглавляли колонну, и двое — замыкали.

— Стойте! — загремел Тириан, преграждая им путь. — Стойте, солдаты. По чьему приказу и куда ведёте вы этих нарнийских гномов?

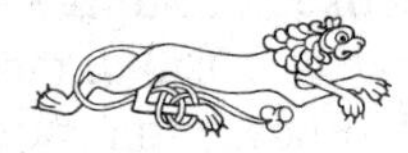

*Глава седьмая*

# В ОСНОВНОМ О ГНОМАХ

Солдаты, возглавлявшие колонну, решили, что перед ними знатный вельможа или тархан с двумя вооружёнными пажами, поэтому вытянулись и отсалютовали копьями.

— О, наш господин, — сказал один, — мы ведём этих карликов в Тархистан, в рудники Тисрока (да живёт он вечно).

— Клянусь великой Таш, они весьма послушны, — сказал Тириан и обернулся к гномам. Каждый шестой нёс фонарь, и в мерцающем свете король увидел бородатые лица, смотревшие на него исподлобья. — Быть может, Тисрок выиграл великую битву, гномы, и завоевал вашу страну, что вы так покорно идёте умирать в соляные копи Паграхана?

Солдаты уставились на него свирепо и удивлённо, однако гномы ответили хором:

— Приказ Аслана, приказ Аслана. Он продал нас. Что можем мы против него?

— Тисрок! Ещё чего! — прибавил один и сплюнул. — Посмотрел бы я, как ему это удалось!

— Молчать, собака! — прикрикнул старший солдат.

— Глядите, — сказал Тириан, выталкивая на свет Лопуха. — Аслан не возвращался в Нарнию. Всех вас обманули.

Вот кого выводил Хитр из хлева и показывал вам. Смотрите же!

Конечно, увидев Лопуха вблизи, гномы поразились, как вообще можно было ошибиться. За последние недели в хлеву шкура приобрела довольно неопрятный вид и сильно сбилась набок. К тому же голова сползла далеко назад и немного на ухо, и теперь каждый мог видеть глупую, кроткую ослиную морду. Изо рта свисали стебельки, потому что он тихонько пощипывал траву по дороге. Осел пробормотал:

— Я не виноват. Я не умён. И никогда не был.

На мгновение все гномы уставились на Лопуха, широко раскрыв рты. Потом один из солдат резко спросил:

— Не сошли ли вы с ума, мой господин? Что вы делаете с рабами?

— Кто вы такой? — грозно вопросил другой, и копья, поднятые было в приветственном жесте, опустились, готовые к бою.

— Назовите пароль, — сказал старший.

— Вот мой пароль! — выхватил меч король. — Воссияла заря, ложь повержена. А теперь защищайся, неверный, ибо я Тириан Нарнийский.

И он молнией бросился на старшего солдата. Юстас выхватил меч следом за королём и кинулся на другого. Лицо его залила смертельная бледность, но я не стал бы его упрекать. И ему повезло, как иногда случается с новичками. Всё, чему Тириан пытался научить его накануне, вылетело из головы. Он бешено размахивал саблей (я даже не уверен, не зажмурил ли глаза), как вдруг обнаружил, к своему величайшему удивлению, что тархистанец лежит мёртвый у его ног. Опасность миновала, но в первый момент это было скорее страшно. Поединок короля закончился минутой позже — он тоже убил своего противника и крикнул Юстасу:

— Берегись двух других!

Но врагов больше не было: с ними уже управились гномы.

— Славный удар, Юстас! — воскликнул Тириан, хлопая мальчика по спине. — Теперь, гномы, вы свободны, а завтра я поведу вас освобождать Нарнию. Да здравствует Аслан!

Его слова, однако, произвели довольно жалкое впечатление: робко попытались его поддержать всего несколько гномов, но

и те сразу смолкли, некоторые угрюмо заворчали, а остальные и вовсе не сказали ни слова.

— Вы что, не поняли? — нетерпеливо спросила Джил. — Что с вами, гномы? Вы не слышали, что сказал король?! Обезьяна больше не будет править Нарнией. Все вернутся к нормальной жизни. Вы снова можете радоваться. Разве вы не довольны?

После долгой паузы неприятный с виду гном с чёрными как сажа бородой и волосами сказал:

— А вы-то, барышня, кто такая?

— Я Джил, та самая Джил, которая спасла короля Рилиана от чар. А это Юстас, мы были вместе, а теперь вернулись из другого мира спустя сотни лет. Нас послал Аслан.

Гномы переглянулись, усмехаясь, но не весело, а зло.

— Да-а, — сказал чёрный гном (его звали Гриффл). — Не знаю, как вы, я лично по горло сыт рассказами об Аслане.

— Верно, верно, — проворчали другие гномы. — Всё тут надувательство, сплошное надувательство.

— Что? — Тириан не побледнел во время боя, но побледнел сейчас. Как ждал он этой минуты! И вот всё обернулось дурным сном.

— Вы, верно, думаете, мы совсем придурки, — сказал Гриффл. — Нас один раз уже провели, а вы хотите тут же провести нас снова. Хватит с нас историй про Аслана! Посмотрите-ка на него! Старый длинноухий осёл!

— О небо, да вы помешались! — воскликнул Тириан. — Кто из нас сказал, что это Аслан? Это обезьянья подделка! Как вы не понимаете?

— А вы сделаете получше, да? — ехидно спросил Гриффл. — Нет уж, спасибо. Один раз мы дали себя одурачить, больше не хотим.

— Да опомнитесь вы! — рассердился Тириан. — Я служу настоящему Аслану.

— Где он? Кто он? Покажи нам его! — загалдели гномы.

— Что я, по-вашему, ношу его в кармане, глупцы? Кто я такой, чтобы приказывать Аслану? Он же не ручной лев.

Как только эти слова слетели с губ, Тириан понял, что сделал неверный ход. Гномы тут же начали, передразнивая его, нараспев повторять:

— «Не ручной лев, не ручной лев». Именно так он нам и твердил.

— Вы что, хотите сказать, что не верите в настоящего Аслана? — удивилась Джил. — Да я его видела. Это он послал нас двоих из другого мира.

— Ага, — широко ухмыльнулся Гриффл. — Так я и поверил. Здорово тебя научили. Повторяешь урок, э?

— Грубиян! — вскричал король. — Как ты смеешь обвинять леди во лжи?

— Полегче, мистер, — усмехнулся гном. — Не думаю, чтобы мы так уж нуждались в короле, но даже если вы и король, что-то не больно на него похожи. Мы не нуждаемся больше ни в каких Асланах: сами о себе позаботимся и ни перед кем не будем снимать шляпу. Ясно?

— Верно, — поддержали его остальные гномы. — Мы теперь сами по себе. Никаких Асланов, никаких королей, никаких дурацких историй про другие миры. Гномы за гномов.

Они собрались было продолжить путь, но Юстас выкрикнул:

— Маленькие упрямцы! Неужели даже «спасибо» не скажете за то, что вас спасли от соляных копей?

— Не надо, с этим тоже всё ясно, — бросил Гриффл через плечо. — Вы хотели нас использовать, потому и освободили. Тоже свою игру затеяли. Пошли, ребята!

Гномы затянули мрачную походную песню и под барабанный бой побрели в темноту.

Тириан и друзья смотрели им вслед, потом король сказал единственное слово «идём», и они продолжили путь.

Шли они молча. Лопух чувствовал себя в немилости, к тому же так толком и не понял, что произошло. Джил возмущалась поведением гномов. Кроме того, её так впечатлила победа Юстаса, что она даже несколько оробела. Что до самого Юстаса, то его сердце всё ещё колотилось как бешеное. Тириан и Алмаз грустно замыкали шествие. Король держал руку на шее единорога, а тот время от времени тёрся мягким носом о его щёку. Они не пытались утешить друг друга словами, да и слова такие нелегко придумать. Тириану раньше и в голову не приходило, что из-за козней какой-то обезьяны кто-то может потерять веру в настоящего льва. Он ни на минуту не сомневался, что гномы обрадуются и дружно станут на его сторону. Следующей ночью они бы вместе пошли на холм, к хлеву, и показали Лопуха всем нарнийцам, и тогда Хитр был бы разоблачён. Возможно, произошла бы стычка с тархистанцами, но на этом история бы и кончилась. Теперь, похоже, на это рассчитывать не приходится. Сколько ещё нарнийцев поведут себя так, как гномы?

— Мне кажется, кто-то идёт за нами, — неожиданно сказал Лопух.

Друзья остановились и прислушались. Сзади отчётливо слышался топот маленьких ног.

— Кто идёт? — крикнул король.

— Всего лишь я, государь, — послышался голос, — я, гном Поггин. Мне только сейчас удалось сбежать от остальных. Я с вами, государь, я на стороне Аслана. Если у вас найдётся для меня подходящий меч, то с радостью буду биться за правое дело.

Все столпились вокруг него, и приветствовали его, и восхищались им, и хлопали его по спине. Конечно, один-единственный гном не сильно менял дело, но все же, и только Джил и Юстас уже зевали вовсю. Веселье весельем, но дети слишком устали, чтобы думать о чём-нибудь, кроме постели.

В башню вернулись перед рассветом. Если б их ждал здесь ужин, они бы с радостью поели, но сейчас никто и не подумал с этим возиться. Попили из ручья, умылись и повалились на скамьи — все, кроме Лопуха и Алмаза: те заявили, что им удобнее снаружи. Оно, может, и к лучшему, а то от единорога и толстого взрослого осла в помещении стало бы тесновато.

Нарнийские гномы, хоть росту в них не больше четырёх футов, на поверку оказываются едва ли не самыми сильными и выносливыми среди собратьев, и потому Поггин, несмотря на долгий тяжёлый день, проснулся раньше всех совершенно бодрый, тут же взял у Джил лук и подстрелил пару лесных голубей. Потом уселся на пороге и ощипал их, болтая с Алмазом и Лопухом о том о сём. Осёл к утру выглядел значительно лучше. Единорог, создание благороднейшее и деликатнейшее, был к нему очень добр и говорил о вещах, понятных обоим: о траве и сахаре, об уходе за копытами. Юстас и Джил вышли из башни почти в половине одиннадцатого, позёвывая и потирая глаза. Гном показал им, где можно набрать дикого фрасника, нарнийского сорняка вроде нашего щавеля, хотя вкуснее (вообще-то готовят его с маслом и перцем, но пришлось обойтись без них). Так, одно за другим, они собрали всё необходимое для сытной похлебки на завтрак — или обед, называйте как хотите. Немного позже Тириан нарубил в лесу веток для костра. Пока готовилась еда — запах становился всё чудеснее, — король подобрал Поггину полное вооружение: кольчугу, шлем, щит, меч, перевязь и кинжал, — затем проверил саблю Юстаса и обнаружил, что тот сунул её в ножны, не стерев кровь тархистанца. Тириан отчитал его и велел почистить саблю. Всё это время Джил слонялась туда-сюда, то внимательно разглядывая котелок, то с завистью наблюдая за единорогом и ослом, которые мирно паслись рядом. Сколько раз за это утро она пожалела, что не может есть траву!

Когда еда наконец подоспела, каждый почувствовал, что ждать стоило, и все до единого попросили добавки. Наевшись, трое людей и гном уселись на пороге, а четвероногие улеглись перед ними. Гном (с разрешения Джил и Тириана) закурил трубку, и король сказал:

— Итак, друг Поггин, ты, вероятно, знаешь о врагах больше, чем мы. Расскажи нам. И прежде всего — какую сказку они сочинили про мой побег?

— Самую коварную сказку, государь. Это всё кот, рыжий кот: он её, похоже, и придумал. Этот рыжий кот, государь, ловкий плут, как все коты. Он сказал, что проходил мимо

дерева, к которому эти мерзавцы привязали ваше величество. А ещё (не при вас будь сказано), что вы выли, и ругались, и проклинали Аслана «словами, которые мне не хотелось бы повторять», — так он выразился, и напустил на себя такой чопорный и строгий вид, как, вы знаете, коты умеют. И тут, сказал рыжий, в блеске молнии неожиданно появился сам Аслан и проглотил ваше величество. Все звери задрожали, многие попадали в обморок. Следом, конечно, выступил Хитр. Так, сказал он, будет со всяким, кто не почитает Аслана, пусть это послужит всем предостережением. Бедняги завыли, запричитали и согласились, что да, послужит, конечно, послужит. Так что побег вашего величества совсем не вдохновил их идти вам на помощь, а только запугал и сделал ещё покорней мерзкой обезьяне.

— Какая гнусная хитрость! — сказал Тириан. — Наверное, этот рыжий был посвящён в её планы.

— Скорее, государь, он обезьяну использует, — ответил гном. — Видите ли, Хитр начал выпивать. Я так полагаю, всю интригу сейчас ведут рыжий кот и Ришда, тархистанский начальник. И гномам что-то этот рыжий наговорил, потому они так подло и отвернулись от вас. Я расскажу, как было дело. Позапрошлой ночью как раз закончилось одно из этих кошмарных сборищ, я уже шёл домой, но обнаружил, что забыл там свою трубку. Это была добрая трубка, старая любимица, и я отправился назад поискать её. Иду я к тому месту, где сидел (а темно было, хоть глаз выколи), и вдруг слышу вроде кошачье «мяу», а потом голос тархистанца: «Говорите тише». Я замер как вкопанный. Это были рыжий и Ришда-тархан — они его так зовут. «Благородный тархан, — вкрадчиво заговорил кот, — я хотел бы знать точно, что мы оба подразумевали сегодня, когда всех уверяли, что Аслан значит не больше, чем Таш». — «Без сомнения, о проницательнейший из котов, — ответил Ришда, — ты постиг смысл моих слов». — «Вы имели в виду, что его нет вовсе». — «Это известно всем просвещённым людям». — «Тогда мы можем друг друга понять, — промурлыкал кот. — Вероятно, вас, как и меня, несколько утомил Хитр». — «Глупая жадная скотина, — сказал тархан, — но пока он нам пригодится. Мы сохраним всё в тайне и заставим обезьяну нам подчиняться». — «И есть смысл, — сказал напо-

следок рыжий, — посвятить в наши планы нескольких наиболее просвещённых нарнийцев, которых сочтём годными. Ибо звери, которые действительно верят в Аслана, могут изменить в любой момент, что они и сделают, лишь только безрассудство обезьяны выдаст его. Полагаться можно только на тех, кого не интересуют ни Аслан, ни Таш, а только собственная выгода и та награда, которую даст им Тисрок, когда Нарния станет тархистанской провинцией!» — «Превосходнейший кот, — сказал начальник, — отбирай их тщательно».

Пока гном рассказывал, погода изменилась. Было солнечно, когда они усаживались. Теперь Лопух дрожал. Алмаз тревожно осматривался.

— Тучи собираются, — сказала Джил, взглянув на небо.

— И так холодно, — добавил Лопух.

— Слишком холодно, клянусь львом! — произнёс Тириан, дуя на руки. — Тьфу, что за мерзкий запах!

— Будто падалью воняет, — задохнулся Юстас. — Может, тут где-нибудь дохлая птица? Почему мы раньше ничего не чувствовали?

Резко повернувшись, Алмаз вскочил и, указав на что-то рогом, воскликнул:

— Смотрите! Смотрите туда!

И все увидели. И глубочайшее отчаяние сковало их.

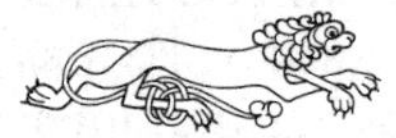

## *Глава восьмая*

# КАКИЕ ВЕСТИ ПРИНЁС ОРЁЛ

В тени деревьев на противоположной стороне поляны что-то очень медленно двигалось к северу. Оно было серым и прозрачным, как дым, но пахло отвратительно и, кроме того, сохраняло форму, а не клубилось. Очертаниями оно напоминало человека, но с головой птицы, хищной птицы с жёстким изогнутым клювом. У него было четыре руки, оно держало их над головой, протягивая к северу, словно желало обхватить всю Нарнию, и на всех двадцати пальцах, изогнутых, как и клюв, вместо ногтей были длинные острые птичьи когти. Оно не шло, а плыло по траве, и трава словно вяла под ним.

Едва взглянув на него, Лопух пронзительно завопил и стремглав бросился в башню, а Джил (которая, как всем известно, отнюдь не была трусихой) закрыла лицо руками. Остальные смотрели, пока через минуту чудовище не скрылось в густых деревьях справа от них.

Снова вышло солнце и запели птицы.

Все свободно вздохнули и зашевелились, потому что всё это время стояли как статуи.

— Что это было? — прошептал Юстас.

— Я видел её раньше, — сказал Тириан, — но тогда она была вырезана из камня и покрыта золотом, а в глаза были

вставлены алмазы. Я был тогда не старше тебя и гостил при дворе Тисрока в Ташбаане. Он повёл меня в главный храм Таш. И я её видел над алтарем, высеченную из камня.

— Так это... это была Таш? — спросил Юстас.

Вместо ответа Тириан взял Джил за плечи и спросил:

— Что с вами, леди?

— В-в-всё в порядке, — сказала Джил, отнимая руки от бледного лица и пытаясь улыбнуться. — Что-то немного замутило.

— Итак, — заметил единорог, — по-видимому, это действительно Таш.

— Да, — подтвердил гном, — и этот дурак Хитр получит то, что звал, да не ждал. Позвал Таш — Таш и явилась.

— Куда оно... она... это двигалось? — спросила Джил.

— К северу, в самое сердце Нарнии, — сказал Тириан, — чтобы поселиться у нас. Они её звали, и она пришла.

— Хо-хо. — Гном, посмеиваясь, потер тёмные руки. — Вот так сюрприз для обезьяны! Поменьше поминали бы демонов, если б знали, чем всё закончится.

— Не знаете, будет ли Таш видима обезьяне? — спросил Алмаз.

— А где Лопух? — вклинился в их беседу Юстас.

Все стали звать осла, а Джил даже обошла башню посмотреть, нет ли его сзади. Они уже устали от поисков, когда в дверь просунулась большая голова и спросила:

— Ну что, ушла?

Лопуха едва уговорили выйти: он трясся, как собака перед грозой.

— Я вижу, что и впрямь был очень плохим ослом. Мне не следовало слушать Хитра, но разве мог я подумать, что такое случится!

— Если б ты тратил меньше времени на разговоры о своей глупости и больше на то, чтобы в меру своих сил попытаться поумнеть... — начал Юстас, но Джил перебила его:

— Ох, оставьте бедного Лопуха в покое! Он это не нарочно, правда, Лопух, дорогой? — И поцеловала осла в нос.

Всё ещё возбуждённая, компания вновь расселась по местам и продолжила беседу. Алмаз почти ничего рассказать не мог: стоял привязанный за хлевом и, конечно, вражеских планов не слышал. Его пинали (иногда ему удавалось дать сдачи), и били, и угрожали смертью, если он откажется признать, что это Аслана выводят и показывают по ночам. И казнили бы этим утром, если б его не спасли. Что сделали с ягнёнком, он не знал.

Первым делом надо было решить, стоит ли идти к хлеву этой же ночью, чтоб показать осла всем нарнийцам, или же двигаться к востоку, навстречу войску, которое кентавр Руномудр ведёт из Кэр-Параваля, и напасть на обезьяну Хитра и тархистанцев. Тириан больше склонялся к первому плану: ему претила сама мысль, что обезьяна будет морочить его народ хоть минутой дольше. С другой стороны, после встречи с гномами он уже не был уверен, что появление Лопуха раскроет глаза народу. Да и нельзя забывать, сколько там тархистанских солдат. Поггин говорил, около тридцати. Тириан не сомневался, что если все нарнийцы встанут на его сторону, то он, Алмаз, дети и Поггин (на Лопуха они не слишком полагались) могут рассчитывать на победу. Но что, если половина нарнийцев вроде вчерашних гномов сядут и будут просто наблюдать, а то и драться против них? Рисковать страшно. Кроме того, там сейчас это чудище — Таш. Чего ждать от неё?

Поггин считал, что обезьяну не вредно на денёк-другой оставить наедине с проблемами. Выводить и показывать те-

перь некого. Пусть попробует объяснить зверям, которые будут ночь за ночью ждать Аслана, почему его нет. Тогда даже у самых легковерных появятся сомнения.

В конце концов все согласились, что лучше всего идти навстречу Руномудру. И только они так решили, как сразу удивительно повеселели. Я вовсе не думаю, что кто-нибудь из них боялся драки (исключая, может быть, Джил или Юстаса). Мне кажется, каждый из них в глубине души предпочитал не приближаться, по крайней мере пока, к ужасному птицеголовому существу, видимому или невидимому, обитавшему теперь, наверное, в хлеву на холме. В любом случае, когда примешь решение, на душе становится легче.

Тириан сказал, что теперь их маскарад может только навредить: если верные нарнийцы примут их за тархистанцев, то могут ведь и напасть. Гном приготовил неприятную на вид смесь, смешав золу из очага с жиром для смазки мечей и наконечников копий, которая пенилась, как мягкое мыло. Потом они сняли тархистанские доспехи и спустились к воде. Было очень забавно видеть, как Тириан и дети, стоя на коленях у воды, трут шеи, пыхтя и отдуваясь, смывают пену. В башню они вернулись с красными сияющими лицами, словно старательно вымылись к празднику, потом выбрали себе настоящее нарнийское оружие — прямые мечи и треугольные шлемы.

— Так-то лучше, — сказал Тириан. — Я снова чувствую себя человеком.

Лопух умолял снять с него львиную шкуру, ссылаясь на то, что ему в ней жарко, она очень неудобно собралась на спине и что выглядит он в ней глупо. Его уговорили поносить её ещё денёк-другой, чтобы показаться в таком наряде другим зверям, после того как они соединятся с Руномудром.

Остатки утренней трапезы не имело смысла брать с собой, и они прихватили только немного сухарей. Потом Тириан запер башню, и больше они в неё не возвращались.

Было чуть больше двух часов пополудни, когда вся компания тронулась в путь. Солнце сияло сквозь ветви деревьев, согревая, и молодые листочки уже смело пробивались к свету, и подснежники сменились первоцветами, и пели птицы, и откуда-то доносился плеск воды. Был первый по-настоящему тёплый весенний день. Как-то не хотелось думать обо всяких

ужасах вроде Таш. Дети думали: «Вот наконец настоящая Нарния». Даже у Тириана полегчало на сердце. Он шёл впереди, напевая про себя старинный нарнийский марш. Там был припев:

*Это гром, гром, гром,*
*Громкий барабанный бой.*

За королём шли Юстас и Поггин. Гном показывал новому другу те нарнийские деревья, травы и птиц, чьи названия тот прежде не знал, а Юстас рассказывал про английские растения.

Следом шёл Лопух, а за ним, рядышком, Джил и Алмаз. Девочка просто влюбилась в единорога и теперь считала его (и не ошибалась) самым прекрасным, самым грациозным животным из всех, кого доводилось встречать. Он был столь учтив и обходителен, что никто бы не поверил в его неистовость в бою.

— До чего же хорошо просто идти вот так, как сейчас, — сказала Джил. — Побольше бы таких приключений. Как жалко, что в Нарнии всегда что-нибудь случается!

Единорог объяснил ей, что она не права: просто сыновья и дочери Адама и Евы попадают в Нарнию из своего удивительного мира, лишь когда здесь непорядок или беда, но не следует думать, будто это всегда так. Между такими посещениями проходят тысячи и тысячи лет, мирные короли сменяют друг друга, и даже имена их теряются, и кто из них какой по счёту, и почти нечего заносить в исторические книги. Алмаз поведал Джил множество историй о древних королях и героях, рассказал о королеве Лилиане Белая Лебедь, жившей до Белой колдуньи и вечной зимы. Красота её была столь совершенна, что, когда она гляделась в лесное озеро как в зеркало, воды его хранили её отражение год и один день. Услышала Джил и про зайца Луниана Лесного Месяца, который обладал такими чуткими ушами, что, сидя близ Каменного Котла, мог сквозь грохот водопада слышать, о чём шепчутся в Кэр-Паравале, а ещё о том, как король Ветер, потомок первого короля Франциска в девятом колене, плавал в Восточные моря и освободил Одинокие острова от дракона и как местные жители навечно отдали их под покровительство нарнийской короны. Его истории описывали целые столетия, когда Нарния была так счастлива, что в памяти оставались лишь пышные пиры,

пляски, а главным образом — турниры, и каждый день был лучше предыдущего.

Джил слушала его, забыв обо всём, и представляла картины счастливых тысячелетий, год за годом, пока ей не показалось, что она смотрит с высокого холма на прекрасную плодородную долину, покрытую лесами, полями и реками, простирающуюся вдаль, насколько хватает глаз, и теряющуюся в дымке у горизонта.

— Ах, как было бы хорошо поскорее разделаться с этой мерзкой обезьяной, чтобы вернулась обычная жизнь! И пусть так будет всегда-всегда-всегда. Наш мир должен когда-то кончиться, а этот, может, и нет. О Алмаз, если бы в Нарнии никогда ничего не случалось! — воскликнула в порыве чувств Джил.

— Увы, сестра, к концу подходят все миры, кроме страны Аслана.

— Ну что ж, — вздохнула Джил, — остаётся надеяться, что этот мир, прежде чем исчезнуть, просуществует ещё миллионы и миллионы лет... А почему мы остановились?

Король, Юстас и гном тем временем напряжённо всматривались в небо, и Джил вздрогнула, вспомнив недавно пережитый ужас. Но это было что-то совсем другое — маленькое, чёрное на синем фоне.

— Судя по полёту, — сказал единорог, — это говорящая птица.

— Я тоже так думаю, — согласился с ним король. — Но вопрос в другом: это друг или обезьяний соглядатай?

— Похоже, государь, — сказал гном, — это орёл Дальнозор.

— Всё же давайте спрячемся под деревьями, — предложил Юстас.

— Нет-нет! — возразил Тириан. — Надо, напротив, замереть на месте. Едва мы начнём двигаться, он нас заметит.

— Похоже, уже заметил, — сказал Алмаз. — Вон, спускается большими кругами.

— Стрелу на тетиву, леди, — скомандовал Тириан, — но ни в коем случае не стрелять без моего приказа! Возможно, это друг.

Каким удовольствием было бы в мирное спокойное время наблюдать за изяществом и лёгкостью снижавшейся огромной птицы. Орёл опустился на каменный утёс в нескольких футах от Тириана, склонил увенчанную гребнем голову и произнёс своим странным голосом:

— Приветствую короля.

— Привет и тебе, Дальнозор, — поздоровался Тириан. — Поскольку назвал меня королём, я заключаю, что ты не принял сторону обезьяны и лже-Аслана, чему очень рад.

— Государь, — промолвил орёл, — когда вы услышите вести, что я принес, появление моё будет для вас горше всех скорбей.

Сердце Тириана едва не остановилось, но, скрипнув зубами, он сказал:

— Говори!

— Скажу о том, что видел, — начал орёл. — А видел я Кэр-Параваль, усеянный телами нарнийцев и полный живых тархистанцев. Знамя Тисрока развевается над королевскими стенами. Ваши подданные бежали в леса. Кэр-Параваль взят с моря. Двадцать больших судов подошли к нему под покровом тьмы позапрошлой ночью.

Никто не проронил ни слова.

— И ещё я видел: в пяти лигах от Кэр-Параваля лежит кентавр Руномудр, бездыханный, с тархистанской стрелой в боку. Я был с ним в последние часы. Он отправил меня к вашему величеству с таким посланием: «Помните: все миры приходят к концу, и доблестная смерть — драгоценное сокровище, доступное даже беднейшему из бедных».

— Итак, — подвёл итог король после долгого молчания, — Нарнии больше нет.

## *Глава девятая*

# ВЕЛИКОЕ СОБРАНИЕ У ХЛЕВА НА ХОЛМЕ

Никто не мог ни говорить, ни даже плакать. В конце концов единорог ударил копытом оземь, тряхнул гривой и воскликнул:

— Государь, теперь в разработке планов и совещаниях нет нужды. Замыслы вероломной обезьяны простираются гораздо дальше, чем нам казалось. Без сомнения, Хитр давно был в тайных сношениях с Тисроком, а как только нашёл львиную шкуру, дал ему знать, чтобы готовился напасть на Нарнию. Нам семерым остаётся отправиться к хлеву, объявить правду и принять испытание, посылаемое Асланом. А если случится великое чудо и мы победим, то вернёмся и покроем себя славой или умрём в битве с несметным воинством, которое придёт из Кэр-Параваля.

Тириан, кивнув, повернулся к детям:

— Что ж, друзья, вам пора вернуться в свой собственный мир. Вы сделали всё, для чего были посланы.

— Н-но мы ничего не сделали, — с дрожью в голосе возразила Джил.

— Это не так, — мягко поправил король. — Ты освободила меня, ты помогла нам выбрать верный путь прошлой ночью

в лесу, ты привела Лопуха. А ты, Юстас, убил своего противника. Вы слишком молоды, чтобы разделить наш кровавый конец: может, сегодня ночью, а может, тремя днями позже, поэтому умоляю — нет, приказываю: возвращайтесь! Я буду опозорен, если позволю столь юным воинам пасть за меня в битве.

— Нет-нет! — заявила Джил, то бледнея, то краснея. — Мы ни за что не вернёмся и будем с вами, что бы ни случилось. Ведь так, Юстас?

— Да. И не надо столько об этом говорить. — Юстас засунул руки в карманы, совершенно забыв, как смешно это выглядит, когда на тебе кольчуга. — У нас ведь нет выбора. Что значит «пора вернуться»? Как? Мы же не умеем колдовать.

Хоть он и был прав, такие слова разозлили Джил: как можно быть прозаичным, в то время как все взволнованы!

Тириан понял, что чужестранцы не смогут вернуться домой (если только их не унесёт Аслан), и решил отправить их через горы в Орландию, где не так опасно. Но они не знали дороги, и отправить с ними было некого. К тому же, как сказал Поггин, раз уж тархистанцы захватили Нарнию, то через неделю-другую захватят и Орландию: Тисрок давно мечтал об этих северных землях. Юстас и Джил так умоляли Тириана никуда их не отправлять, что в конце концов он сдался и позволил детям идти с ним и испытать судьбу.

Сначала король не хотел до темноты возвращаться к хлеву (их уже тошнило от одного этого слова), но гном сказал, что при дневном свете они, возможно, найдут холм пустым, исключая разве тархистанского часового. Зверей слишком напугали рассказы Хитра (или рыжего кота) про то, как разгневан теперь Аслан (или Ташлан), так что никто и близко не подойдёт к холму, пока их насильно не сгонят туда ночью на эту гнусную сходку. А тархистанцы плохо знают лес. Поггин думал, что именно днём можно пробраться незамеченными и спрятаться за хлевом. Как раз ночью это сделать труднее, поскольку Хитр обычно именно в это время собирает зверей, да и тархистанцы будут начеку. План был неплохой, к тому же фактор внезапности оставался на их стороне.

На том и сошлись. Отряд повернул на северо-запад, к ненавистному холму. Орёл то летал над ними, то усаживался

Лопуху на спину. Никто, даже король (разве что в случае величайшей нужды), не посмел бы и в мечтах *ехать* верхом на единороге.

Юстас и Джил шли вместе и уже не чувствовали себя такими смелыми, какими себе казались, когда умоляли разрешить им остаться.

— Поул, — прошептал Юстас, — честно говоря, у меня душа в пятки уходит.

— Ну с тобой-то порядок, Вред, — заметила Джил. — Ты можешь сражаться. А я... меня, если хочешь знать, всю трясёт.

— Это ещё ничего, — сказал Юстас. — Меня вот мутит.

— Об этом лучше не говори, прошу тебя!

С минуту они шли молча, наконец Юстас мрачно произнёс:

— Поул, что будет, если нас тут убьют?

— Скорее всего, умрём.

— Да нет, я имею в виду — что случится в нашем мире? Может, мы проснёмся и окажемся в поезде? Или исчезнем и никто о нас больше не услышит? Или мы умрём и в Англии?

— Фу ты! Я об этом не подумала.

— Вот Питер и остальные обалдеют: они уже видели, как мы машем из окна, а поезд подойдёт — и никого нет. Или найдут два... я имею в виду, если мы умрём и в Англии.

— Кошмар какой!

— Для *нас* не такой уж кошмар, — «успокоил» подругу Юстас, — нас-то там не будет.

— Я... хотя нет...

— Нет уж, договаривай.

— Я *хотела* сказать, что лучше бы мы не пошли. Но нет, нет. Даже если нас убьют. Лучше погибнуть, сражаясь за Нарнию, чем стать старой и скучной, и, может, ездить в инвалидном кресле, и в конце концов всё равно умереть.

— Или чтоб тебя сплюснуло в лепёшку на Британской железной дороге!

— Почему ты так сказал?

— Знаешь, когда раздался этот жуткий скрежет, ну, перед тем как нас забросило в Нарнию, мне показалось, что это крушение. Так что я здорово обрадовался, когда мы очутились здесь.

Пока они шептались, остальные подробно обсудили дальнейшие действия и немного приободрились. Они перестали думать, чем может кончиться сегодняшняя ночь, и мысль о том,

что слава и радость Нарнии остались в прошлом, отошла на задний план. Нужно было всё время говорить и говорить, чтоб эта мысль не вернулась и они не впали в отчаяние. Поггин горячо всех убеждал, что ночное предприятие непременно кончится удачно, что и кабан, и медведь, и, вероятно, все псы примут их сторону, и не могут все гномы думать, как Гриффл. Если придётся сражаться при огне, среди деревьев, это будет на руку слабейшей стороне, то есть им. А если они победят, так ли уж необходимо ввязываться в смертельную битву с главной тархистанской армией через несколько дней? Можно спрятаться в лесах или даже в Западных дебрях и жить там вне закона. Каждый день к ним будут присоединяться говорящие звери и жители Орландии. Набрав силы, они наконец выйдут из убежища, уничтожат тархистанцев (которые к тому времени потеряют бдительность), и Нарния возродится. В конце концов, случилось же такое во времена Мираза!

Тириан слушал его и думал: «А как же Таш?» В душе он был совершенно уверен, что ничего этого не будет, однако вслух ничего не сказал.

Ближе к холму все, конечно, замолчали. Начиналось самое сложное. Путь до задней стены хлева занял более двух часов, и если его описывать, потребуется несколько страниц. Путешествие от каждого крохотного прикрытия к следующему было отдельным приключением, а в промежутках долго ждали и часто понапрасну пугались. Если вы играли в разведчиков, то знаете, что это такое. Лишь на закате, целые и невредимые, друзья добрались до рощицы остролиста ярдах в пятнадцати от хлева, пожевали сухарей и легли.

Началось самое худшее: ожидание. К счастью, детям удалось поспать пару часов, до того как основательно похолодало. Что хуже всего — ужасно хотелось пить, а раздобыть воду было совершенно негде. Лопуха трясло от волнения, и он ничего не говорил. И только Тириан спал сном праведника под боком у Алмаза, словно в королевской кровати в Кэр-Паравале, пока звук гонга не разбудил его. Он сел, увидел костёр по другую сторону хлева и понял, что час пробил.

— Простимся, друг мой Алмаз, ибо это наша последняя ночь на земле. Если я в чём-нибудь, большом или малом, провинился перед тобой, не держи зла.

— Государь мой, — с чувством произнёс единорог, — я почти желаю, чтоб вы были хоть в чём-то виноваты и я мог простить вас. Попрощаемся. Мы знали вместе немало радостей. Если б Аслан предложил мне выбор, я не хотел бы ни другой жизни, кроме той, что прожил, ни другой смерти, кроме той, что нас ждёт.

Разбудив Дальнозора (тот спал, сунув голову под крыло, отчего казалось, что у него совсем нет головы), дальше они отправились ползком. Лопуха оставили за хлевом (конечно, не без добрых слов, потому что никто на него больше не сердился), велели никуда не уходить, пока за ним не придут, и заняли позицию справа от хлева.

Перед хлевом, всего в нескольких футах от них, только что разожгли костёр. Множество нарнийцев всех видов и мастей толпилось по другую сторону, и Тириан сперва не мог разглядеть ничего, кроме десятков глаз, как нам бывают видны только глаза кролика или кошки, если их осветят фары. Звук гонга стих. Откуда-то слева появились трое. Первым шёл Ришда-тархан, тархистанский военачальник, и держал за лапу Хитра, который всю дорогу ныл и бормотал что-то вроде: «Не так быстро! Я себя плохо чувствую! О, моя бедная голова! Эти полночные собрания меня доконали. Обезьяны не привыкли вставать по ночам. Я не летучая мышь. Ох, моя бедная голова». Последним, мягко и важно, высоко подняв хвост, шествовал рыжий кот. Троица направлялась к костру и прошла так близко от Тириана, что могла бы даже увидеть. К счастью, все трое смотрели в другую сторону. Тириан зато услышал, как Ришда-тархан сказал рыжему:

— Теперь, о мудрейший из котов, займи своё место. И смотри сыграй свою роль как следует.

— М-мяу, можете рассчитывать на меня!

Рыжий обогнул костёр и уселся среди зверей в первом ряду, так сказать — в партере.

Происходящее действительно очень походило на театр. Ряды нарнийцев напоминали зрительный зал, небольшая поляна перед хлевом, где горел костёр и куда тархан с Хитром вышли говорить с толпой, — сцену, а сам хлев — декорацию. Тириан и все остальные чувствовали себя так, словно выглядывали из-за кулис. Позиция была великолепная: если они

вылезут из засады, то окажутся в кругу света у всех на виду, а так, в тени, заметить их почти невозможно.

Ришда-тархан подтащил обезьяну к огню, и оба оказались спиной к небольшому отряду Тириана.

— Теперь, Хитр, — тихо сказал Ришда-тархан, слегка пнув его мыском туфли, — произнеси речь, которую вложили в твой рот мудрые головы.

— Сам знаю! — буркнул тот, однако выпрямился и громко начал: — Слушайте, вы все. Случилось ужасное. Гнусное. Гнуснейшее из всего, что когда-либо происходило в Нарнии. Аслан...

— Ташлан, дурак! — прошипел Ришда.

— То есть Ташлан, конечно, — поправился Хитр, — в гневе, даже в ярости.

В страшной тишине звери ждали, что за новые испытания им готовят. Шестеро в укрытии затаили дыхание.

— Да, — продолжил Хитр, — вы и представить себе не могли, что кто-то осмелится на такое, пусть даже и за тысячу миль отсюда, да ещё в то самое время, когда сам лев среди нас — здесь, в хлеву, позади меня. Какой-то гнусный зверь нарядился в львиную шкуру и бродит здесь, неподалёку, выдавая себя за Аслана!

Джил подумала, что обезьяна сошла с ума: неужели собирается рассказать всю правду? Послышалось злобное рычание, из толпы раздались гневные возгласы: «Кто это? Где он? Попадись он мне в зубы!»

— Его видели прошлой ночью, — провизжал Хитр, — но он удрал. Это осёл! Обычный жалкий осёл! Если вы увидите этого осла...

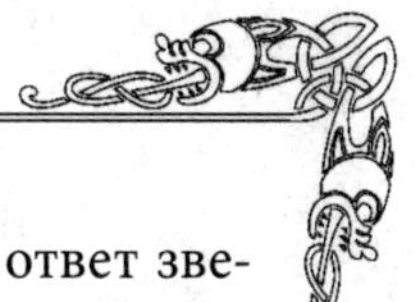

— Лучше ему нам не попадаться!.. — раздался в ответ звериный рык.

Взглянув на короля: открытый в безмолвном крике рот, лицо, искажённое ужасом, — Джил поняла всю дьявольскую хитрость врагов. Небольшая примесь правды только укрепила ложь, и бесполезно теперь говорить зверям, что осла обрядили в львиную шкуру, чтобы обмануть их. Обезьяна заявит: «Вот об этом я вам и говорил». Что толку показывать Лопуха? Они разорвут его в клочья.

— У нас выбили из рук оружие, — прошептал Юстас.

— У нас выбили из-под ног землю, — произнёс Тириан.

— Проклятые умники! — сказал Поггин. — Готов поклясться, эта новая ложь — дело рыжего беса!

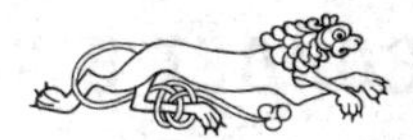

## *Глава десятая*

# КТО ВОЙДЁТ В ХЛЕВ?

Джил почувствовала, как кто-то щекочет ей ухо. Это единорог Алмаз пытался что-то прошептать своими мягкими лошадиными губами. Как только она поняла, что именно, кивнула, на цыпочках вернулась к Лопуху и быстро и бесшумно разрезала последние верёвки, удерживавшие на нём львиную шкуру. Ослу нельзя было оставаться в таком виде после того, что сказал Хитр. Джил попыталась спрятать шкуру куда-нибудь подальше, но удалось лишь запихать поглубже в густые кусты. Жестами поманив Лопуха за собой, она присоединилась к остальным.

Хитр тем временем продолжал:

— После этого безобразия Аслан... то есть Ташлан рассердился ещё сильнее и сказал, что был слишком добр к вам, выходя каждую ночь. Так что больше не выйдет.

Вой, мяуканье, хрюканье и визг раздались в ответ, но неожиданно сквозь эту какофонию прорвался громкий смех и совершенно иной голос:

— Только послушайте, что говорит эта обезьяна! Мы-то знаем, почему они не будут выводить своего драгоценного Аслана. Скажу это и вам: потому что его у них нет. У них не было ничегошеньки, кроме старого осла в львиной шкуре. Теперь они потеряли и это, поэтому не знают, как быть.

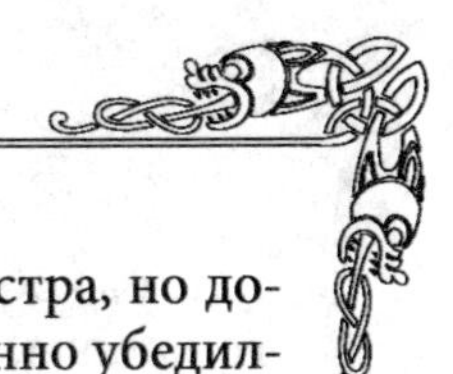

Тириан не мог разглядеть лиц по ту сторону костра, но догадался, что это Гриффл, главный гном. И совершенно убедился в этом, когда множество гномьих голосов подхватили:

— Не знают, как быть! Не знают, как быть! Не знают, как бы-ы-ыть!

— Молчать! — загремел Ришда-тархан. — Молчать, дети грязных псов! Слушайте меня, вы, нарнийцы, или я прикажу своим воинам успокоить вас саблями. Досточтимый Хитр уже сказал вам про гнусного осла. И вы решили, глупцы, что в хлеву нет настоящего Ташлана, да? Берегитесь!

— Нет! Нет! — закричали почти все, кроме гномов.

— Верно, черномазый, верно. Давай, обезьяна, показывай, что там у тебя в хлеву. Увидим — поверим, — ответили те.

Когда стало чуть тише, Хитр воскликнул:

— Вы, гномы, считаете себя самыми умными! Не торопитесь. Я не говорил, что вы не можете видеть Ташлана. Каждый, кто захочет, может его увидеть.

Собрание на минуту затихло, а потом заговорил медведь, медленно и смущённо:

— Я вот не понимаю... Я думал, вы сказали...

— Он думал! — передразнил Хитр. — Как будто то, что творится в твоей башке, можно назвать думаньем. Слушайте, вы. Каждый может видеть Ташлана, но сам он не выйдет, так что придётся вам сойти к нему.

— О, спасибо, огромное спасибо! — послышалось со всех сторон. — Мы этого и хотели: войти и поговорить с ним лицом к лицу! Он такой же добрый, и теперь всё будет как в старые времена!

Птицы защебетали, собаки оживлённо залаяли, началась суматоха. Звери хлынули вперёд, пытаясь все разом войти в хлев, но Хитр закричал:

— Назад! Тихо! Не так скоро!

Звери замерли на ходу: у кого лапа застыла в воздухе, у кого замер хвост, которым он начал было от радости вилять, — и все повернули головы в одну сторону.

— Я думал, вы сказали... — начал медведь, но Хитр перебил его:

— Каждый может войти, но только по одному. Кто первый? Между прочим, он не сказал, что настроен по-доброму, и не раз облизнулся с тех пор, как проглотил ночью проклятого короля, а потом всё утро ворчал. Самому-то мне не очень хочется входить. А вам — как угодно. Кто пойдёт первым? Не пеняйте на меня, если он проглотит вас или испепелит взглядом. Это ваши трудности. Итак! Кто первый? Может, кто из вас, а, гномы?

— Дили-дили, чтоб нас там убили! — презрительно усмехнулся Гриффл. — Откуда мы знаем, кто у вас там?

— Хо! — воскликнул Хитр. — Ты уже готов признать, что там кто-то есть? А вы, звери, только что тут шумели, буянили. Что это вы вдруг онемели? Ну, кто первый?

Звери принялись в нерешительности переглядываться, а потом медленно попятились от хлева. Хвостом почти никто уже не махал.

— Хо-хо! Я думал, вы рвётесь увидеть Ташлана! — довольно хихикнул Хитр, вразвалку пройдясь вдоль первого ряда. — Передумали, а?

— Как вы думаете, кто в хлеву на самом деле? — прошептала Джил на ухо Тириану.

— Кто его знает? Скорее всего, два тархистанца с саблями по обе стороны двери.

— А вам не кажется... Может, это... та ужасная, которую мы видели?

— Сама Таш? — прошептал Тириан. — Неизвестно. Но мужайся, дитя, все мы меж лап настоящего Аслана.

Тут случилось нечто совершенно неожиданное: рыжий кот чистым холодным голосом без тени волнения произнёс:

— Я войду, если хотите.

Все уставились на него, а Поггин шепнул королю:

— Заметьте, какая хитрость, государь! Этот проклятый кот с ними заодно — можно сказать, в самой серёдке заговора. Готов поспорить: что бы там, в хлеву, ни было, он выйдет целёхонький и соврёт, будто видел какое-нибудь чудо.

Тириан не успел ответить, потому что Хитр велел коту выйти вперёд и сказал:

— Хо-хо! Значит, ты, нахальная киска, хочешь взглянуть на него лицом к лицу? Что ж, вперёд! Я открою тебе дверь. Если он напугает тебя до смерти, я ни при чём. Сам напросился.

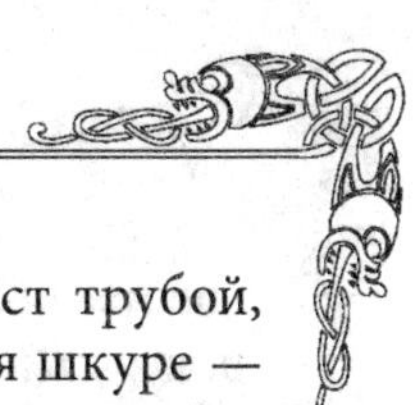

Кот чопорно и важно покинул свое место: хвост трубой, ни один волосок не шевельнулся на его лоснящейся шкуре — и прошёл так близко от костра, что Тириан, прижавшийся спиной к стене хлева, мог взглянуть ему прямо в глаза. Большие, зелёные, они ни разу не моргнули. («И в ус не дует, — подумал Юстас. — Знает, что бояться нечего».) Тем временем Хитр, ухмыляясь и гримасничая, прошаркал к хлеву вместе с котом, поднял лапу, откинул засов и открыл дверь. Тириану показалось, что кот мурлычет, входя в тёмный проём.

— Ай-яи-ауии!

Дикий кошачий вопль заставил всех подскочить. Вам, наверное, случалось просыпаться ночью оттого, что коты дерутся на крыше; тогда вы знаете, как они вопят.

Этот вопль был хуже. Со страшной скоростью кот выскочил из хлева, сбив обезьяну с ног. Если бы вы не знали, что это кот, то решили бы, что это рыжая молния. Он мчался обратно в толпу. Звери шарахались от него во все стороны — кому охота встретиться с обезумевшим котом? Он взлетел на ближайшее дерево, юркнул на ветку и свесил голову вниз. Хвост его распушился, глаза горели зелёным огнём, шерсть встала дыбом.

— Я отдал бы свою бороду, — прошептал Поггин, — чтобы узнать, притворяется эта скотина или впрямь увидела внутри что-то страшное.

— Тише, друг, — попросил Тириан, прислушиваясь, о чём шепчутся тархистанец и Хитр, но до него донеслось только хныканье: «Моя голова, ох, моя голова», — однако по интонациям он понял, что эти двое почти так же удивлены, как и он сам.

— Довольно, рыжий, шуметь, — сказал Ришда. — Говори, что ты видел.

— Ай-ай-яу! — провизжал кот.

— Разве ты не зовёшься *говорящим* зверем? — удивился тархан. — Прекрати этот мерзкий визг и говори.

То, что за этим последовало, было поистине ужасно. Тириан, как и все остальные, совершенно отчётливо видел, что кот пытается заговорить, но изо рта у него вырывались лишь безобразные кошачьи крики, какие мы слышим где-нибудь на заднем дворе. Чем дольше он вопил, тем меньше походил на

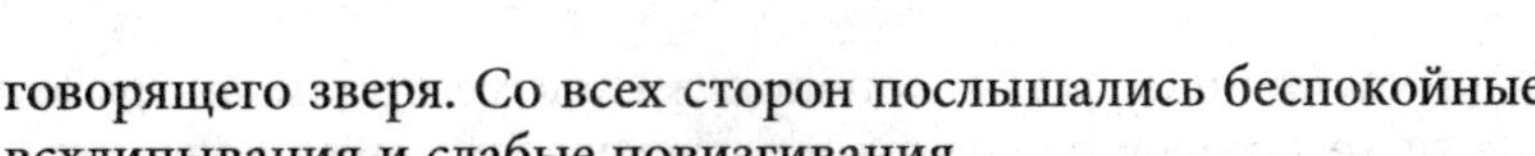


говорящего зверя. Со всех сторон послышались беспокойные всхлипывания и слабые повизгивания.

— Ой, смотрите! — раздался голос кабана. — Он не может говорить: забыл, как это делается! Он стал бессловесным! А уж морда-то, морда!

И все увидели, что это правда. Величайший ужас охватил нарнийцев. Каждого из них учили — в бытность птенцом, или щенком, или медвежонком, — как Аслан в начале мира превратил нарнийских зверей в зверей говорящих и предупредил, что если они не будут хорошими, то опять станут бедными бессловесными зверьми, как в других странах.

— Неужели это случилось! — раздались отовсюду стенания.

— Помилуй, помилуй! — запричитали звери. — Пощади нас, господин Хитр, будь между нами и Асланом, сам входи и говори с ним вместо нас. Мы не смеем, не смеем!

Рыжий исчез в кроне дерева, и больше его никто не видел.

Тириан, совершенно ошеломлённый, так и застыл, сжав рукоять меча и склонив голову. То ему казалось, что пора обнажить меч и броситься на тархистанцев, то он думал, что лучше подождать. И вот события приняли новый оборот.

— Отец мой! — раздался чистый звенящий голос откуда-то слева.

Тириан сразу понял, что говорит один из тархистанцев: в армии Тисрока простые солдаты называют офицеров «господин мой», а офицеры старших по званию — «отец мой». Джил

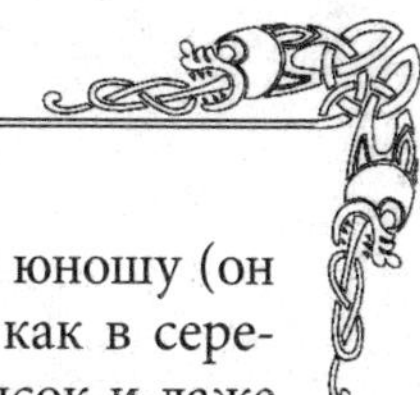

и Юстас этого не знали, но, всмотревшись, увидели юношу (он стоял на краю, и его разглядеть было легче, тогда как в середине, за костром, всё казалось чёрным). Он был высок и даже довольно красив — на тёмный, надменный тархистанский лад.

— Отец мой, — сказал он тархану. — Я желаю войти.

— Успокойся, Эмет, — сказал тархан. — Кто звал тебя? Приличествует ли отроку говорить?

— Отец мой, истинно я моложе тебя, однако и в моих жилах течёт кровь тарханов и я тоже слуга Таш. И потому...

— Молчи, — оборвал его Ришда-тархан. — Или я не твой начальник? Тебе нечего делать в хлеву. Это для нарнийцев.

— О нет, отец мой, — не согласился с ним Эмет. — Ты говорил, что их Аслан и великая Таш — одно и то же лицо. Если это правда, там сама Таш. И как говоришь ты, что мне нет дела до неё? Ибо я с радостью приму тысячу смертей, чтобы хоть раз взглянуть в лицо Таш.

— Ты глупец и ничего не смыслишь! — рассердился Ришда-тархан. — Это выше твоего разумения.

Лицо Эмета стало строже.

— Так значит, это неправда, про Аслана и Таш? Обезьяна лжёт?

— Ничего я не лгу! — возмутился Хитр.

— Поклянись! — потребовал Эмет.

— Ну что ты ко мне привязался? — пробормотал Хитр. — У меня голова болит. Да-да, я клянусь.

— Итак, отец мой, — стоял на своём Эмет, — я твёрдо решил войти.

— Безумец... — начал Ришда, но тут гномы закричали:

— Эй, черномазый! Чего ты его не пускаешь? Почему нарнийцам туда можно, а вашим — нет? Что ты там такое спрятал, что не хочешь пускать своего?

Наши друзья видели только спину Ришды-тархана и не видели лица, когда он пожал плечами и сказал:

— Будьте свидетелями, я не виновен в крови этого юного глупца. Входи, наглец, и побыстрее.

Эмет, как и рыжий кот до него, вышел на узкую полоску травы между костром и хлевом. Глаза его сияли, лицо было очень серьёзно, рука лежала на рукояти сабли, голова вскинута. Джил чуть не вскрикнула, когда увидела его лицо, а единорог прошептал на ухо королю:

— Клянусь львиной гривой! Я почти люблю этого юного воина, хоть он и тархистанец. Он достоин лучшего бога, чем Таш.

— Если б мы знали, что там на самом деле... — сказал Юстас.

Эмет вошёл в чёрную пасть хлева и закрыл за собой дверь. Прошло всего несколько мгновений — казалось, таких долгих, — прежде чем дверь снова открылась. В проёме показалась фигура в тархистанских доспехах, качнулась, выпала

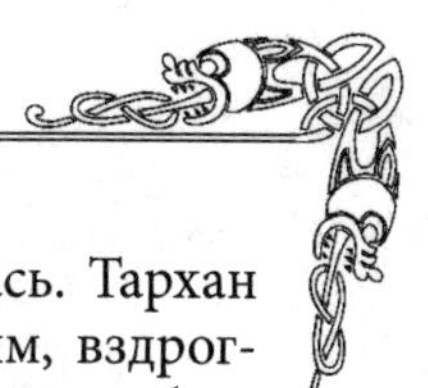

наружу и осталась недвижимой. Дверь захлопнулась. Тархан подбежал к поверженному и, склонившись над ним, вздрогнул от удивления. Потом овладел собой и воскликнул, обращаясь к толпе:

— Нахальный мальчишка получил что хотел: взглянул на Таш и умер. Это урок вам всем!

— Да, увы, увы! — поддакнули ему бедные звери.

И только Тириан и его друзья, посмотрев на мёртвого тархистанца, в недоумении переглянулись. Дело в том, что они оказались гораздо ближе к хлеву, к тому же перед костром, поэтому видели то, чего не видели звери. Это был не Эмет, а кто-то другой: старше и толще, ниже ростом и к тому же с большой бородой.

— Хо-хо, — усмехнулся Хитр. — Продолжим? Кто ещё хочет войти? Какие-то вы нерешительные. Что ж, я сам выберу следующего. Скажем, ты, кабан. Выходи! Тащите его, тархистанцы! Он *увидит* Ташлана лично.

— У-уф, — проворчал кабан, тяжело поднимаясь. — Что ж, давайте испробуйте мои клыки.

Когда Тириан увидел, что храбрый зверь готов сражаться за свою жизнь, а тархистанские солдаты приближаются к нему с обнажёнными ятаганами и никто не собирается помочь, что-то в нём взорвалось. Уже не заботясь о том, подходящий ли сейчас момент, король тихо скомандовал:

— Мечи наголо! Луки на изготовку! За мной!

В следующую минуту перед изумлёнными нарнийцами выступили из-за хлева семь фигур, причём четыре — в сияющих кольчугах. Король взмахнул над головой мечом, так что он блеснул в свете костра, и воскликнул:

— Это я, Тириан Нарнийский! Во имя Аслана, жизнью своей ручаюсь, что Таш — гнусный демон, Хитр — бесчестный предатель, а эти тархистанцы достойны смерти. Ко мне, все истинные нарнийцы, ко мне! Неужели вы хотите, чтобы новые хозяева перебили вас одного за другим?!

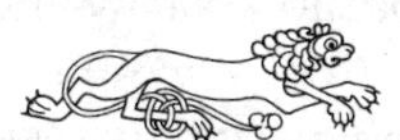

## *Глава одиннадцатая*

# СОБЫТИЯ УСКОРЯЮТСЯ

С быстротой молнии Ришда-тархан отскочил назад — туда, где меч короля не мог его достать. Он не был трусом: мог при необходимости сразиться и с королём, и с гномом, — но одновременно защищаться и от орла, и от единорога не мог. Тархистанец знал, как орлы бросаются в лицо врагу, выклёвывают глаза и ослепляют крыльями, и слышал от отца (который встречался с нарнийцами в битве), что лишь человек, вооружённый луком или длинным копьём, может противостоять единорогу, когда тот встает на дыбы и обрушивается разом и копытами, и зубами, и рогом.

— Ко мне, ко мне, все воины Тисрока, да живёт он вечно! Ко мне, все верноподданные нарнийцы, дабы гнев Ташлана не обрушился на вас! — призвал тархан, отскочив в сторону.

Тут произошли, одно за другим, два события. Хитр, который соображал медленнее тархана, не сразу понял опасность и секунду-другую сидел на корточках перед огнём, уставившись на пришельцев. Тириан схватил гадкое создание за шкирку и бросился обратно к хлеву, выкрикнув:

— Откройте дверь!

Когда Поггин быстро распахнул дверь, Тириан швырнул обезьяну в темноту и добавил:

— Испробуй своей собственной стряпни!

Как только гном с грохотом захлопнул дверь, ослепительный сине-зелёный свет вспыхнул в хлеву, земля содрогнулась, и раздался странный клокочущий звук — словно бы хриплый голос какой-то чудовищной птицы. Звери завыли, застенали, закричали:

— Это Ташлан! Спрячьте нас от него!

Многие попадали на землю, защищая головы крыльями или лапами. Никто, кроме орла Дальнозора, чьи глаза были самыми зоркими, не заметил в этот момент выражения лица Ришды-тархана. Орёл же обнаружил, что тархистанец поражён и почти так же напуган, как и все остальные. «Вот что бывает с теми, — подумал Дальнозор, — кто призывает богов, в которых не верит. Радости мало, когда они и впрямь являются».

В тот же самый момент случилось третье событие — единственно приятное в эту ночь. Все до одного говорящие псы (их было пятнадцать) — огромные, с крепкими лопатками и тяжёлыми челюстями — с радостным лаем бросились к королю. Они хлынули, словно могучая волна на морской берег, едва не сбивая с ног, и хоть и были говорящими, однако оставались псами: все встали на задние лапы, положили передние людям на плечи и принялись лизать им лица, в один голос повторяя:

— Ура! Ур-ра! Ур-рау-ау-ау! Мы поможем вам-вам-вау-вау! Приказывай-вау-вау-вау!

Это было так чудесно, что просто хотелось плакать. В конце концов, только на это они и надеялись. А когда ещё через минуту несколько мелких зверушек (мыши, кроты, пара белок) засеменили к ним, радостно приговаривая: «Вот и мы, вот и мы!» — и следом за ними подошли медведь и кабан, Юстас подумал было, что, может, всё и устроится. Тириан же, оглянувшись и увидев, сколько зверей не двинулось с места, закричал:

— Ко мне! Ко мне! Неужели вы успели стать трусами, пока не видели своего короля?!

— Мы не смеем... — заныли десятки голосов. — Ташлан может рассердиться. Укрой нас от Ташлана!

— Где говорящие кони? — спросил Тириан.

— Мы видели, видели их, — пропищала мышь. — Хитр заставлял их работать. Они привязаны там, у подножия холма.

— Скорее, — приказал Тириан, — все вы, кто поменьше, кто грызёт, копает и щёлкает орехи! Как можно быстрее бегите вниз и узнайте, на чьей они стороне. Если на нашей — перегрызите зубами верёвки, освободите лошадей и ведите сюда.

— С превеликой охотой, государь! — раздались тоненькие голоса, и, взмахнув хвостиками, остроглазый и острозубый народец исчез.

Тириан с нежностью улыбнулся им вслед. Однако терять время было нельзя: Ришда-тархан отдавал приказы:

— Вперёд! Хватайте их живьём, бросайте или сгоняйте в хлев! Когда всех соберём, подожжём его и принесём жертву великой Таш.

«Гм! — сказал себе Дальнозор. — Вот как он надеется вымолить прощение у Таш за свое неверие».

Строй врагов — почти половина сил Ришды — двинулся на Тириана, и тот едва успевал отдавать свои приказы:

— Встань слева, Джил, и постарайся стрелять метко. Кабан и медведь — рядом с ней. Поггин — по левую руку от меня, Юстас — по правую. Держись на правом фланге, Алмаз. Лопух, ты рядом с ним, дерись копытами. Ты, Дальнозор, бей их с воздуха. Вы, псы, прикроете нас сзади и броситесь, когда начнётся сражение. Да поможет нам Аслан!

Сердце у Юстаса бешено колотилось, но он всей душой надеялся быть храбрым. Никогда не испытывал он такого ужаса (хотя видел и дракона, и морского змея), а сейчас у него кровь стыла в жилах при виде ровного строя тёмных лиц с горящими глазами. Здесь было пятнадцать тархистанцев, говорящий нарнийский бык, лис Слинки и сатир Враггл.

Над левым его ухом просвистела стрела, и один тархистанец упал; просвистело справа — и упал сатир.

— Молодец, дочка! — раздался голос Тириана.

И тут враги обрушились на них.

Юстас не мог потом вспомнить, что же произошло дальше: всё было как во сне (такие обычно снятся, когда температура под сорок), — пока не услышал издалека голос Ришды-тархана:

— Назад! Отступить и перестроиться!

Он очнулся и увидел спины тархистанцев, но далеко не всех. Двое лежали, пронзённые рогом Алмаза, один — мечом Тириана. Лис лежал мёртвым у его собственных ног, и Юстас не мог понять, кто его убил: неужели он? Рядом лежал бык, из глаза которого торчала стрела Джил, а в боку зияла рана от клыков кабана. Но были потери и у своих. Погибли три пса, а четвертый прыгал на трёх лапах и выл. Медведь лежал на земле и беспомощно дёргался, потом пробормотал что-то хриплым голосом, опустил большую голову на траву, словно ребёнок, отходящий ко сну, и больше не шевелился.

И всё-таки первую атаку они отбили, но у Юстаса даже не было сил радоваться — так хотелось пить и болела рука.

Разбитые тархистанцы вернулись к своему командиру, а гномы принялись издеваться над ними:

— Получили, черномазые? Довольны? Что ж ваш хвалёный Ташлан не выходит вам помочь? Ах вы, бедненькие!

— Гномы! — воскликнул тогда Тириан. — Идите сюда и пустите в дело свои мечи вместо языков. Ваше время, гномы Нарнии! Вы умеете сражаться, я знаю! Будьте же снова верными и преданными!

— Ну уж нет! — ухмыльнулись гномы. — Ты такой же обманщик, как и другие. Нам не нужны короли. Гномы за гномов. Вот!

Тут загремел барабан, но вовсе не у гномов. Это был большой тархистанский барабан из бычьей кожи, звук которого — «бум-бум-ба-ба-бум» — детям сразу не понравился. Если бы они знали, что он означает, возненавидели бы его. Тириан знал: где-то поблизости есть другие тархистанские отряды, и Ришда-тархан зовёт их на помощь. Король и Алмаз печально переглянулись: забрезжившая было надежда одержать победу этой ночью теперь рухнула.

Тириан в отчаянии огляделся и увидел новых нарнийцев в стане врагов. Они присоединились к ним то ли из трусости, то ли от страха перед Ташланом (за который их и не осудишь). Другие сидели, тупо уставившись в одну точку, и вряд ли были способны сражаться. Вообще зверей стало гораздо меньше, толпа сильно поредела. Наверное, многие тихонько разбежались во время боя.

«Бум-бум-ба-ба-бум», — зловеще гремел барабан, но вскоре к нему присоединились новые звуки.

— Слушайте! — сказал Алмаз.

— Смотрите! — воскликнул Дальнозор.

Сомнений не было: это громко стучали копыта как минимум двух десятков говорящих нарнийских коней. Вскидывая головы и раздувая ноздри, они шли в атаку на холм, и гривы их стлались по ветру. Грызуны сделали своё дело.

Гном Поггин и дети уже готовы были закричать от радости, но крик замер у них на губах. Резкие звуки спускаемой тетивы внезапно наполнили воздух. Это гномы — Джил не верила своим глазам! — стреляли в коней. Гномы — превосходные лучники, и благородные животные падали один за другим как подкошенные. Ни один конь не достиг вершины, где стоял король.

— Маленькие свиньи! — чуть не зарыдал Юстас, тряся кулаками от гнева. — Гадкие, гнусные, мерзкие маленькие предатели!

Даже Алмаз не выдержал:

— Государь, позвольте мне насадить на рог хотя бы десяток этих негодяев.

Но Тириан лишь заскрежетал зубами и твёрдым как камень голосом произнёс:

— Утишь свой гнев, Алмаз! А ты, если не можешь сдержать слёз, милая, — повернулся он к Джил, — отвернись, чтобы не намочить тетиву. Успокойся, Юстас: не пристало воину браниться как кухарка. Учтивые слова и тяжёлые удары — вот его язык.

А гномы принялись издеваться над Юстасом:

— Удивился, малыш, а? Думал, мы будем за вас? Это едва ли. Нам не нужны говорящие кони, нас в это дело не втравите. Гномы за гномов.

Ришда-тархан что-то говорил своим людям: без сомнения, готовился к следующей атаке и, видимо, жалел, что не послал все свои силы сразу. Барабаны не смолкали. И вдруг, к ужасу наших друзей, где-то далеко-далеко ответил другой барабан. Ещё один тархистанский отряд, услышав сигнал Ришды, шёл на помощь! Но никто не догадался бы по лицу Тириана, что только сейчас король потерял последнюю надежду, когда совершенно будничным голосом прошептал:

— Слушайте, мы должны атаковать сейчас, прежде чем негодяи соединятся.

— Государь, — возразил Поггин, — покуда за нами деревянная стена, мы надёжно прикрыты с тыла, но если выступим вперёд, нас тут же окружат и перебьют.

— Всё верно, гном, — согласился король, — но в этой стене есть дверь, куда нас хотят загнать, и чем дальше мы от неё будем, тем лучше.

— Король прав, — подтвердил Дальнозор. — Прочь, прочь от проклятого хлева, какая бы нечисть в нём ни жила.

— Да, и поскорей, — сказал Юстас. — Мне ненавистен самый его вид.

— Хорошо, — кивнул король. — Посмотрите вон туда. Видите слева большой белый камень? Он при свете костра блестит, как мраморный. Запомните его. Сначала мы нападём на этих тархистанцев. Ты, Джил, осыпь градом стрел их левый фланг, а ты, орёл, ослепи им глаза справа. Мы ударим по остальным и либо сразу обратим их в бегство, либо это нам вообще не удастся: нас слишком мало. Если стрелять из лука не получится, не рискуя попасть в своих, придётся отступать к белому камню. Помните: даже в бою нужно видеть ясно и слышать чутко. Как только я крикну «назад», бегите, как и Джил, к белому камню. Там, под прикрытием, мы сможем перевести дыхание. Ступай, девочка.

Как только отбежала шагов на двадцать, Джил почувствовала себя ужасно одинокой. Как ей хотелось, чтобы руки не дрожали так сильно! Она твёрдо встала, выставила вперёд правую ногу, отставила назад левую и положила стрелу на тетиву. «Первый выстрел потеряла», — сказала она себе, когда её стрела просвистела над головами врагов, и быстро положила на тетиву следующую. Она знала, что всё решает скорость. Что-то большое и чёрное металось перед лицами тархистанцев. Она догадалась, что это Дальнозор. Один за другим солдаты бросали мечи и закрывали лица руками, защищая глаза. Следующая её стрела поразила солдата, другая — нарнийского волка, который сражался за врагов, однако через несколько минут стрельбу пришлось прекратить: впереди блеснули мечи, клыки кабана и рог Алмаза, и под громкий лай собак отряд Тириана стремительно бросился на противника, слов-

но бегуны на короткой дистанции. Джил поразилась, какой неожиданностью это оказалось для тархистанцев, даже не подозревая, что это их с Дальнозором заслуга. Не всякий отряд может как следует наблюдать за происходящим, если с одной стороны его осыпают стрелами, а с другой — того и гляди повыклюет глаза орёл.

— Молодцы! Отлично! — воскликнула Джил.

Королевский отряд прокладывал путь сквозь ряды врагов. Единорог расшвыривал людей, будто вилами сено. Джил, поскольку она всё-таки не слишком разбиралась в фехтовальном искусстве, казалось, что даже Юстас сражается превосходно. Собаки хватали тархистанцев за горло. Всё шло великолепно! Это была победа!..

И вдруг Джил с ужасом заметила некую странность. Хоть тархистанцы и падали при каждом взмахе нарнийского меча, их почему-то не становилось меньше. Хуже того: казалось, их было даже больше, чем в начале боя, по меньшей мере вдвое. Они бежали со всех сторон. Это были новые тархистанцы, вооружённые копьями! Их было столько, что Джил уже почти не видела своих друзей. И тут раздался голос Тириана:

— Назад! К камню!

Всё стало ясно — враги получили подкрепление. Барабан сделал своё дело.

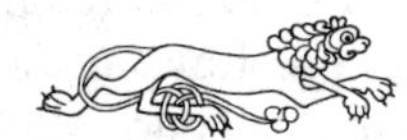

## *Глава двенадцатая*

# ЧЕРЕЗ ДВЕРЬ В ХЛЕВ

Джил давно следовало отступить к белому камню, но, возбуждённая зрелищем битвы, она совершенно забыла про этот приказ. Теперь же, вспомнив, побежала и успела как раз за минуту до остальных. И так вышло, что на минуту все оказались к врагу спиной, а когда повернулись, ужасное зрелище предстало их глазам.

Один из тархистанцев тащил кого-то, кто дрался и брыкался, к хлеву. Когда оба оказались на освещённой поляне перед костром, их силуэты чётко вырисовались на фоне огня, и стало ясно, что тащили Юстаса.

Едва увидев его, Тириан и единорог бросились на выручку, но не пробежали и половины пути, когда тархистанец оказался уже у хлева, а в следующее мгновение швырнул туда Юстаса и захлопнул дверь. Следом подбежали ещё несколько тархистанцев и выстроились шеренгой перед хлевом. Теперь к нему было не подступиться.

Джил уткнулась лицом в плечо и прошептала:

— Очень надеюсь, что тетива не намокнет, если я всё-таки разревусь.

— Берегитесь! Стрелы! — крикнул Поггин.

Все быстро пригнулись и поглубже надвинули шлемы. Собаки припали к земле. Несколько стрел просвистело рядом,

но вскоре стало ясно, что стреляют не в них. Это снова был Гриффл со своими гномами. Теперь они спокойно стреляли в тархистанцев.

— Давайте, ребята! — послышался его голос. — Все вместе, дружно! Нам не нужны черномазые, как не нужны обезьяны, и львы, и короли. Гномы за гномов!

Что бы там ни говорили о гномах, в храбрости им не откажешь. Они могли попросту убраться куда-нибудь в безопасное место, но предпочли остаться и теперь стреляли то в тех, то в других, делая перерыв, когда те и другие любезно избавляли их от хлопот и убивали друг друга сами.

Однако они не учли, что тархистанцы были в кольчугах, тогда как кони — беззащитны, а кроме того, у тархистанцев имелся вожак, чей громкий голос как раз и раздался:

— Тридцать воинов остаются стеречь глупцов у белого камня. Остальные — за мной, проучим этих обитателей подземелий!

Тириан и его друзья не успели отдышаться после боя, поэтому обрадовались передышке, а заодно возможности понаблюдать, как тархан ведёт своих людей на гномов. Это была странная сцена. Костёр теперь не горел, а скорее тлел, и трудно было понять, что происходит. На месте собрания никого не было видно, кроме гномов и тархистанцев. Судя по звукам, гномы отчаянно сопротивлялись. Тириан слышал, как страшно ругается Гриффл; время от времени доносились возгласы тархана: «Живьём! Живьём хватайте!» Каким бы ни был этот бой, длился он недолго. Когда шум стих, Джил увидела, что тархан возвращается к хлеву, а за ним одиннадцать человек тащат одиннадцать связанных гномов (убили остальных или те разбежались, осталось неясным).

— Бросьте их в святилище Таш! — приказал Ришда-тархан.

И вот одиннадцать гномов, одного за другим, кого швырнули, кого запихали в тёмный проём. Дверь снова заперли, и Ришда, низко склонившись перед ней, провозгласил:

— Этих карликов, о владычица моя Таш, также приношу тебе в жертву всесожжения!

И тут тархистанцы принялись колотить саблями по щитам и взывать:

— Таш! Таш! Великая Таш! О неумолимая Таш!

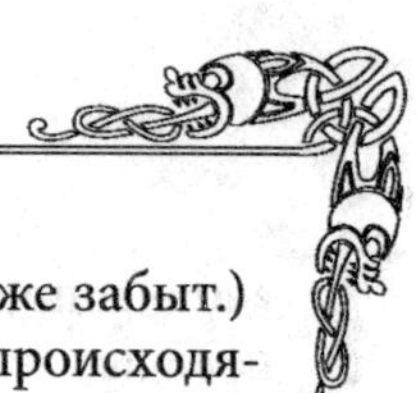

(Весь вздор про Ташлана к этому времени был уже забыт.)

Небольшой отряд у белого камня наблюдал за происходящим, тихо перешёптываясь между собой. Обнаружив ручеёк, тонкой струйкой стекавший из-под камня, все наконец с жадностью напились: Джил, Поггин и король — с ладони, а четвероногие — из небольшой лужицы у подножия. Казалось, что никогда в жизни они не пили такой вкусной воды! Они пили и радовались и не могли думать ни о чём другом.

— Нутром чую, — сказал Поггин, — утро не наступит, как все мы, один за другим, будем за этой чёрной дверью. Я могу придумать сотню смертей, и все лучше этой.

— Эта дверь и в самом деле ужасна, — сказал Тириан. — Она больше похожа на пасть.

— Неужели мы ничего не можем сделать? — спросила Джил дрожащим голосом.

— Не горюй, мой славный друг, — сказал Алмаз, ласково касаясь её носом. — Возможно, для нас это дверь в страну Аслана и мы уже сегодня будем пировать за его столом.

...Ришда-тархан медленно вышел вперёд и, повернувшись к белому камню, крикнул:

— Слушайте меня! Если кабан, собаки и единорог сдадутся на мою милость, я сохраню им жизнь. Кабана отправят в сады Тисрока и посадят в клетку, собак — на псарню Тисрока, а единорогу я отпилю рог, и он будет трудиться, как лошадь. Но орёл, дети и тот, кто называет себя королём, будут принесены в жертву Таш этой ночью.

Лишь грозное рычание раздалось в ответ.

— Вперёд, воины! — воскликнул тархан. — Зверей убить, двуногих взять живьём.

Началась последняя битва последнего короля Нарнии.

Надежды на победу не осталось, и не только потому, что врагов было неизмеримо больше, но, главное, из-за их копий. У первых тархистанцев, тех, что сговорились с Хитром вначале, копий не было: они проникали в Нарнию по одному, по двое, выдавали себя за мирных торговцев и, конечно, не могли взять с собой копий — ведь их нелегко спрятать. Эти же тархистанцы явились позже, когда Хитр уже вошёл в силу, и могли идти открыто. Копья всё меняли. Если быть проворным и не терять самообладания, длинным копьём можно убить

кабана прежде, чем он достанет вас клыками, и единорога прежде, чем он пронзит вас рогом. И вот теперь ровный ряд копий надвигался на Тириана и его последних друзей. Через мгновение они уже бились за свою жизнь.

В некотором смысле это совсем не так плохо, как можно вообразить. Когда каждый ваш мускул в напряжении, когда вы то пригибаетесь, чтобы увернуться от копья, то прыгаете через него, ныряете вперёд, отскакиваете назад, крутитесь на месте, у вас просто не остаётся времени на страх или отчаяние. Тириан знал, что теперь никому не сумеет помочь, — все они обречены. Он мельком видел то поверженного кабана, то яростного Алмаза, а потом краем глаза заметил, что огромный тархистанец куда-то тащит Джил за волосы. Но всё это теперь стало неважным; главное — подороже продать свою жизнь.

Хуже всего было то, что он никак не мог сохранить свою позицию у белого камня. Когда сражаешься с полудюжиной врагов разом, то используешь любую возможность поразить противника и стремительно бросаешься вперёд всякий раз, когда видишь незащищённую грудь или шею. Несколько ударов — и ты уже очень далеко от прежнего места. Тириан вскоре обнаружил, что всё время отступает вправо, то есть к хлеву. Мелькнула мысль, что очень важно держаться от него подальше, но не удавалось вспомнить почему. И ничего поделать с этим не мог.

Неожиданно картина прояснилась. Он увидел, что сражается с самим тарханом. Костёр — скорее уже уголья — был прямо перед ним, а за спиной — открытая дверь. Два тархистанца стояли наготове, чтобы захлопнуть её, как только он окажется внутри. Внезапно он всё вспомнил и понял, что враги специально теснили его к хлеву, а поняв, стал биться с тарханом с удвоенной силой.

Тут новая мысль пришла ему в голову. Он бросил меч, нырнул вперёд (ятаган просвистел у него над головой), схватил тархана за пояс и прыгнул в хлев с криком:

— Иди же и встреться с Таш сам!

Раздался оглушительный грохот. Как в тот раз, когда в хлев кинули обезьяну, земля задрожала, и что-то ослепительно вспыхнуло. Тархистанские солдаты с дикими воплями: «Таш! Таш!» — в ужасе захлопнули дверь: если богиня пожелала по-

лучить самого командира, так тому и быть. Они-то уж во всяком случае с Таш встречаться не хотели.

В первый момент Тириан не понимал, где он и даже кто он, потом взял себя в руки и огляделся, стараясь проморгаться. В хлеву вовсе не было темно — наоборот: там было столько света, что слепило глаза.

Он повернулся к противнику, но тот на него не смотрел. Вперившись во что-то взглядом, Ришда вдруг дико закричал, потом закрыл лицо руками и пал ниц, лицом в землю. Тириан повернулся в ту сторону, куда смотрел тархан, и всё понял.

Ужасное существо с головой грифа и четырьмя руками приближалось к ним. Оно было меньше, чем тот призрак, который они видели у башни, хотя гораздо больше человека. Мертвящее карканье вырвалось из его клюва:

— Ты звал меня в Нарнию, Ришда-тархан. Я здесь. Что хочешь ты сказать?

Но тархан так и не поднял лица и не промолвил ни слова. Его трясло, словно от икоты. Он был храбрым воином, но половину своей храбрости потерял этой ночью, когда заподозрил, что в хлеву действительно Таш. Вторая половина покинула его теперь.

Вдруг Таш нагнулась и, как курица хватает червяка, схватила в когти несчастного Ришду, зажала под мышками двух правых рук, затем повернула голову и уставилась на Тириана своим ужасным глазом: при птичьей голове она, конечно, не могла смотреть прямо.

И в этот момент за её спиной раздался голос, сильный и спокойный, как летнее море.

— Убирайся, чудовище, туда, где твоё место, и забери свою законную добычу. Во имя Аслана и его великого отца, заморского императора!

Отвратительное создание мгновенно исчезло с тарханом под мышкой. Тириан обернулся посмотреть на своего спасителя, и сердце его забилось так, как никогда не билось даже в бою.

Семь королей и королев стояли перед ним в коронах и блистающих одеждах, а на королях были ещё и отливающие серебром кольчуги, а в руках они держали обнажённые мечи.

Тириан учтиво поклонился и собрался было их поприветствовать, когда младшая из королев засмеялась. Он вгляделся в её лицо и онемел от изумления: это была Джил, но не та Джил, которую он видел в последний раз — с грязным заплаканным лицом, в старом полотняном платьице, наполовину сползшем с одного плеча. Теперь это была спокойная и свежая, такая свежая, словно только что вылезла из ванны, дама.

Сперва он подумал, что она стала старше, потом решил, что нет, но так и не смог до конца разобраться. Потом он увидел, что младший из королей — Юстас — изменился не меньше Джил.

Тириану вдруг стало неловко: вот стоит он перед их величествами весь в крови, пыли и поту битвы, — и тут он обнаружил, что тоже преобразился. В праздничных одеждах, словно для большого пира в Кэр-Паравале (к слову, в Нарнии лучшая одежда совсем не обязательно самая неудобная — там её умеют делать столь же удобной, сколь и красивой, — а о таких вещах, как крахмал, фланель или резинки, здесь и вовсе не слышали, хоть обойди всю страну от края до края), Тириан почувствовал себя таким же посвежевшим и успокоенным.

— Государь, — сказала Джил, выходя вперёд и делая изящный реверанс, — позвольте представить вас Питеру, Верховному королю всех королей Нарнии.

Тириану не нужно было спрашивать, кто из них Верховный король: он помнил лицо, которое видел во сне (хотя теперь оно было гораздо благороднее), — поэтому просто сделал шаг вперёд, преклонил колена и, поцеловав Питеру руку, сказал:

— Рад приветствовать вас, ваше величество.

И Верховный король поднял его и поцеловал в обе щеки, как и положено Верховному королю, потом подвёл к старшей из королев — и даже она не была старой, ни одного седого волоска и ни одной морщинки на щеках — и сказал:

— Государь, это леди Полли, та, что была в Нарнии в первый день, когда по воле Аслана выросли деревья и заговорили звери.

Потом подвёл его к человеку, чья золотая борода ниспадала на грудь и чьё лицо было преисполнено мудрости.

— А это лорд Дигори, что был в Нарнии вместе с леди Полли. Рядом с ним мой брат, король Эдмунд, и моя сестра, королева Люси.

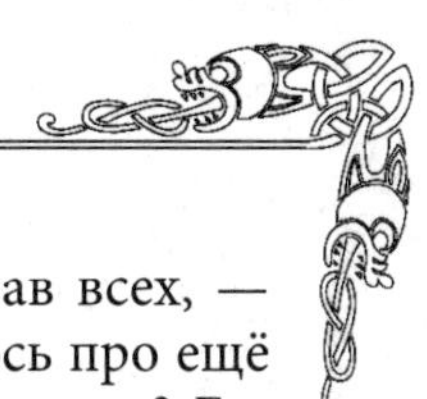

— Государь, — заметил Тириан, поприветствовав всех, — если мне не изменяет память, в хрониках говорилось про ещё одну королеву. Разве у вашего величества не две сестры? Где же королева Сьюзен?

— Моя старшая сестра, — с грустью проговорил Питер, — больше и слышать не хочет о Нарнии.

— Да, — добавил Юстас. — А когда пытаешься поговорить с ней о Нарнии или просишь сделать что-нибудь для неё, Сьюзен говорит: «Какая у вас удивительная память! Неужели вы до сих пор помните наши смешные детские игры?»

— Ох уж эта Сьюзен! — воскликнула Люси. — Её ничто не интересует, кроме нейлона, губной помады и приглашений на вечеринки. Она всегда была такая смешная, так старалась поскорей вырасти.

— Если бы вырасти! — заметила леди Полли. — Хотела бы я, чтобы она *действительно* выросла. Все школьные годы она мечтала стать такой, как сейчас, а всю остальную жизнь будет делать всё, чтобы такой и остаться. Она хотела как можно быстрее достичь самого глупого возраста и оставаться в нём как можно дольше.

— Впрочем, довольно об этом, — заключил Питер. — Смотрите, какие прекрасные плоды на деревьях! Давайте попробуем их.

Тириан в первый раз огляделся, и увиденное его поразило: до чего же удивительным было это приключение!

*Глава тринадцатая*

# КАК ГНОМЫ НЕ ДАЛИ СЕБЯ ПРОВЕСТИ

Тириан думал — или мог думать, если б у него было на это время, — что они в маленьком, футов двенадцать длиной и шесть шириной, крытом соломой хлеву. На самом деле под ногами зеленела трава, над головами было высокое синее небо, и ветер ласково овевал их лица, как в начале лета. В небольшой рощице неподалёку шелестели листьями деревья, и из-под каждого листочка выглядывало золото, нежная желтизна, пурпур или багрянец плодов, подобных которым никто не видывал в нашем мире. Тириан решил, что наступила осень, но в воздухе разливался такой особенный аромат, какой бывает не позднее июня.

Они направились к деревьям, потянулись было к плодам, но, словно по команде, на секунду вдруг замерли, и каждый подумал: «Это не для меня... Плоды слишком прекрасны, чтобы их рвать».

— Всё в порядке, — сказал Питер. — Я знаю, о чём все мы сейчас думаем, но уверен, совершенно уверен, что мы не должны так думать. У меня такое чувство, что мы попали в страну, где всё можно.

— Что ж, начнём! — предложил Юстас.

На что походили эти плоды? К сожалению, описать их я не мог бы. Скажу только, что в сравнении с ними самый свежий грейпфрут — вялый, самый сочный апельсин — сухой, самый нежный персик — как деревянный, а самая сладкая земляника — кислая. И нет в них ни зернышек, ни косточек, осы не вьются над ними. Попробуй вы хоть раз этот плод, и самая лучшая в мире еда покажется вам безвкусной. Как ещё рассказать о них? Вы поймёте, если попадёте в эту страну и попробуете сами.

Пока все лакомились плодами, Юстас обратился к королю Питеру:

— Вы так и не сказали, как сюда попали. Ты как раз начал, но тут появился король Тириан.

— Рассказывать, собственно, нечего. Мы с Эдмундом стояли на платформе и видели, как подходит ваш поезд. Я, помню, ещё подумал, что наши, наверное, в этом же поезде, хотя Люси не знает...

— Кого вы имеете в виду, Верховный король? — спросил Тириан.

— Наших родителей — Эдмунда, Люси и моих.

— А почему они тоже ехали? — удивилась Джил. — Ты хочешь сказать, они знают про Нарнию?

— Да нет, Нарния тут ни при чём. Они ехали в Бристоль. Я просто слышал, что они собираются ехать сегодня утром, а Эдмунд сказал, что тогда они поедут этим же поездом (он знает всё расписание).

— И что же случилось? — спросила Джил.

— М-м, это нелегко описать, правда, Эдмунд? — сказал Верховный король.

— Да уж... — согласился тот. — Совсем непохоже на прошлые разы. Тогда мы исчезали из нашего мира волшебством, а на этот раз что-то страшно заревело, что-то меня ударило, но при этом не было больно. Я не то чтобы испугался — разволновался, что ли. И ещё что странно. У меня здорово болела коленка — ссадина после регби. И вдруг всё прошло. Так мне легко стало! И вот — мы здесь.

— И с нами было то же, в вагоне, — сказал лорд Дигори, стирая сок с золотой бороды. — Ты чувствуешь, Полли, как стало легко, прибавилось сил, будто мы и не старики? Молодёжи этого не понять.

— Ну да, молодёжи! — воскликнула Джил. — Можно подумать, вы здесь старше нас!

— Именно здесь словно и не старше, но раньше-то были! — ответила леди Полли.

— А что произошло, когда вы тут очутились? — спросил Юстас.

— Довольно долго ничего не происходило, — сказал Питер, — по крайней мере мне показалось, что долго. Потом дверь открылась...

— Дверь? — переспросил Тириан.

— Да, дверь, в которую вы вошли... или вышли? Вы уже забыли?

— Где же она?

— Да вот же, смотрите!..

Тириан взглянул в указанном направлении и увидел самую странную и смешную вещь, какую только можно себе представить. Всего в нескольких шагах от него в ярком солнечном свете стояла грубая деревянная дверь… и больше ничего — ни стен, ни крыши.

В полной растерянности он подошёл к ней — остальные последовали за ним, — обошёл, но с другой стороны было то же самое — свежее летнее утро. Дверь просто стояла сама по себе, словно выросла здесь, как дерево.

— Это какое-то чудо, — сказал Тириан Верховному королю.

— Это та дверь, через которую пять минут назад вы вошли с тархистанцем, — ответил, улыбаясь, Питер.

— Разве я вошёл в хлев не из леса? Похоже, эта дверь из ниоткуда в никуда.

— Она так выглядит, если ходить вокруг. Загляните в щёлку между досками, посмотрите сквозь неё.

Тириан заглянул в отверстие, но ничего, кроме темноты, не увидел, а когда глаза привыкли, различил бледный свет потухающего костра и над ним, на чёрном небе, звёзды. Между костром и дверью темнели неясные очертания каких-то людей, он слышал их голоса — говорили по-тархистански. Тириан смотрел через дверь хлева в темноту Фонарной пустоши, туда, где разыгралась его последняя битва. Эти люди спорили, идти ли в хлев искать Ришду-тархана (этого никому не хотелось) или просто поджечь хлев.

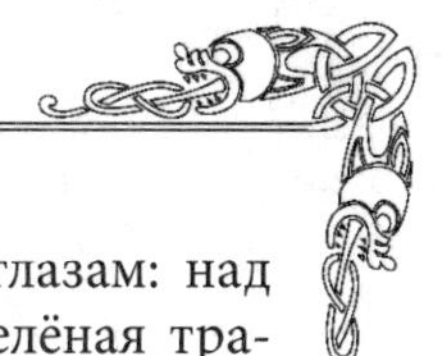

Тириан оглянулся и с трудом поверил своим глазам: над ним было синее небо, под ногами расстилалась зелёная трава — а его новые друзья стояли вокруг и смеялись.

— Похоже, — улыбнулся Тириан, — что хлев изнутри и хлев снаружи — два разных места.

— Да, — согласился с ним лорд Дигори. — Причём изнутри он явно больше, чем снаружи.

— Да, — вспомнила королева Люси. — Однажды и в нашем мире хлев вместил то, что больше целого мира.

До сих пор она молчала, и, оттого что голос её дрожал, Тириан понял почему. Она впитывала окружающее гораздо глубже остальных. Она была слишком счастлива, чтобы говорить. Ему хотелось ещё раз услышать её, и он попросил:

— Сделайте милость, сударыня, продолжайте. Поведайте нам о тех приключениях.

— После грохота и удара мы оказались здесь, — начала Люси. — Мы заглянули в дверь, как и вы. За ней было темно. Потом дверь открылась в первый раз, вошёл высокий человек с обнажённой саблей, в доспехах тархистанца, и встал у двери, готовый зарубить всякого, кто войдет. Мы подошли к нему и заговорили, но он нас не увидел и не услышал. И он не смотрел вокруг — на небо, солнечный свет, траву. Я думаю, ничего этого он тоже не видел. Долго ничего не происходило. Потом мы услышали, как с другой стороны отодвигают засов, однако тархистанец не двигался и внимательно смотрел, кто заходит в дверь. Мы предположили, что ему велено убивать одних и щадить других. Дверь отворилась. В ту же секунду явилась Таш, с нашей стороны, хотя никто из нас не видел, откуда она взялась. В дверь вошёл большой кот, лишь разок взглянул на Таш и опрометью бросился прочь. И как раз вовремя — та уже пригнулась к нему, так что дверь, захлопываясь, стукнула её по клюву. Тархистанец тоже увидел Таш, побледнел и склонился перед чудовищем в поклоне, но оно исчезло.

Потом мы опять долго ждали. Наконец дверь открылась в третий раз, и вошёл молодой тархистанец, который мне понравился. Страж у двери очень удивился: я думаю, он ждал кого-то совсем другого...

— Я всё понял! — воскликнул Юстас, верный своей дурной привычке всех перебивать. — Кот должен был войти первым,

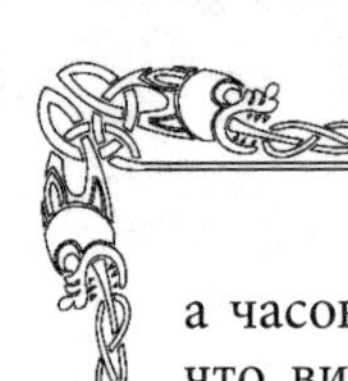



а часовой — его пропустить. Потом бы кот вышел и сказал, что видел их гнусного Ташлана, и притворялся бы страшно испуганным, чтобы окончательно запугать остальных. Хитру и в голову не приходило, что явится настоящая Таш! Рыжий-то и вправду перепугался. Хитр намеревался засылать внутрь самых неугодных, часовой бы их убивал, и...

— Друг мой, — мягко прервал его Тириан, — позволь продолжить даме.

— Так вот: часовой очень удивился, поэтому второй успел приготовиться к бою. Они сразились. Юноша убил часового и бросил за дверь, потом медленно пошёл в нашу сторону. Он видел и нас, и всё остальное. Мы заговорили с ним, но он был как во сне и всё твердил: «Таш, Таш, где Таш? Я иду к ней». Мы не стали к нему приставать, и он ушёл куда-то туда, а потом...

Люси изменилась в лице, и заговорил Эдмунд:

— Потом кто-то швырнул в дверь обезьяну. Снова появилась Таш. Простите, у моей сестры нежное сердце, и ей больно рассказывать, как Таш клюнула всего разок и от обезьяны ничего не осталось!

— Поделом! — воскликнул Юстас. — Надеюсь, Таш ею подавилась.

— В следующие полчаса, — продолжил Эдмунд, — в дверь один за другим влетели гномы, потом Юстас и Джил и, наконец, вы сами.

— Надеюсь, Таш сожрала и гномов, — сказал Юстас. — Маленькие свиньи.

— Не будь таким жестоким, — укорила Люси. — Они здесь. Кстати, их отсюда видно. Я всё старалась с ними подружиться, но не получается.

— Подружиться с ними! — воскликнул Юстас. — Ты бы видела, что эти гномы вытворяли!

— Ой, перестань! — сказала Люси. — Пойдём лучше к ним. Король Тириан, может, у вас получится?

— Сегодня мне трудно питать к гномам любовь, — произнёс Тириан, — но если просит леди, я готов и на большее.

Люси повела их вниз, и вскоре они увидели гномов. Вид у тех был престранный. Они не прогуливались, и не веселились (хотя вовсе не были связаны — верёвки куда-то исчезли), и не отдыхали, лёжа на траве, а сидели тесным кружком,

лицом друг к другу, не смотрели по сторонам и не обращали внимания на людей, пока Люси и Тириан не подошли совсем близко и не коснулись их. Тогда все гномы наклонили головы, словно ничего не видят, но внимательно прислушиваются, пытаясь понять по звукам, что происходит.

— Осторожно, — проворчал один из них. — Соображайте, куда идёте. Ходят тут чуть не по головам.

— Ничего себе! — возмутился Юстас. — Мы не слепые. У нас глаза есть.

— Уж больно острые у вас глаза, если вы тут что-нибудь видите, — раздался голос того же гнома по имени Диггл.

— Где «тут»? — уточнил Эдмунд.

— Да здесь же, тупица, конечно, здесь, в этом тёмном, тесном, вонючем хлеву.

— Вы что, слепые? — удивился Тириан.

— В темноте все слепые! — огрызнулся Диггл.

— Здесь не темно, бедные глупые гномы, — заметила Люси. — Разве вы не видите? Оглядитесь! Вот небо, и деревья, и цветы! А меня вы что, тоже не видите?

— Как, во имя всех обманов, могу я видеть то, чего здесь нет? Или видеть вас, или вы — меня, в такой темноте?

— Но я вас вижу, — сказала Люси, — и могу это доказать. Сейчас, например, вы поднесли ко рту трубку.

— Любой понюхает и догадается, — ответил Диггл.

— Ох, бедняжки! Это ведь ужасно... — начала Люси, но тут кое-что пришло ей в голову.

Нагнувшись, она сорвала несколько фиалок и сказала:

— Слушайте, гномы, если у вас что-то с глазами, может, носы в порядке. Вы чувствуете запах?

Она поднесла свежие, влажные цветы к шишковатому носу Диггла и тут же отпрыгнула, чтобы не получить по рукам маленьким крепким кулачком.

— Как ты смеешь! — завопил гном. — Чего ты суёшь мне в нос вонючую подстилку? Да тут ещё чертополох! Что за наглость! Кто вы такие?

— Сын подземелий, — сурово сказал Тириан, — это королева Люси, которую Аслан послал сюда из далёкой древности. Только ради неё я до сих пор не снёс вам головы, вероломные, причём дважды вероломные, предатели!

— Это уж слишком! — воскликнул Диггл. — Неужели не надоело молоть вздор! Ваш замечательный лев не пришёл и не помог, так? Думаю, так. И теперь, даже теперь, когда вас разбили, засунули в эту дыру, как всех нас, вы опять за старое! Опять враньё! Теперь мы должны поверить, что не в плену, не в темноте, и ещё невесть во что.

— Здесь нет темноты, она только в твоём воображении, глупец! — воскликнул Тириан. — Выйди же из неё!

Нагнувшись, он схватил Диггла за пояс и капюшон и вытащил из круга гномов, но как только отпустил, гном бросился на прежнее место, потирая нос и вопя:

— Ох-ох! Что вы такое делаете! Ударили меня о стенку, чуть нос не сломали.

— Ой-ё-ёй! — воскликнула Люси. — Мы как-то можем им помочь?

— Лучше просто оставим их, — заметил Юстас.

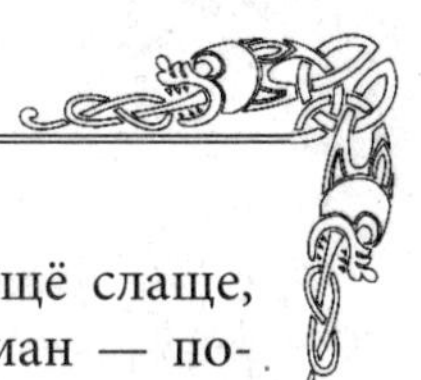

И тут задрожала земля. Сладкий воздух стал ещё слаще, позади вспыхнул яркий свет. Все обернулись. Тириан — последним, потому что боялся. Огромный, настоящий, золотой лев, сам Аслан, упование его сердца, стоял перед ним, и все остальные уже преклонили колена вкруг его передних лап и зарылись лицами в его гриву, а он склонил большую голову и лизнул каждого, после чего посмотрел на Тириана:

— Благо тебе, последний король Нарнии, ты стоял твёрдо в самый чёрный час.

— Аслан, — проговорила Люси сквозь слёзы, когда Тириан упал к ногам льва, — ты можешь... ты сделаешь что-нибудь для этих бедных гномов?

— Лучше я покажу, что могу и чего не могу.

Лев подошёл к гномам и протяжно зарычал — негромко, но от его рыка задрожал воздух. А гномы сказали один другому:

— Слышали? Опять эта шайка, с того конца хлева. Напугать нас решили. Они это делают какой-нибудь машиной. Не обращайте внимания. Нас больше не проведёшь!

Аслан поднял голову и тряхнул гривой. В то же мгновение на коленях у гномов оказались роскошные кушанья: пироги, мясо и птица, пирожные и мороженое, — и у каждого гнома в правой руке — кубок доброго вина. Увы, и это не помогло. Гномы жадно накинулись на еду, но совершенно не почувствовали её вкуса. Они ведь думали, что нашли её в хлеву, поэтому

один сказал, что пытается есть сено, другой — что нашёл старую редьку, третий — сухой капустный лист. Они подносили к губам золотые кубки с красным вином и говорили:

— Фу, пить грязную воду из ослиной поилки! Кто думал, что мы до такого докатимся.

Очень скоро каждый гном заподозрил, что другой нашёл что-нибудь получше, и кинулся отнимать. В результате все перессорились и передрались, размазали прекрасную еду по лицам, по одежде, растоптали ногами, а когда наконец расселись по местам, потирая синяки и разбитые носы, сказали:

— Ничего, по крайней мере тут всё без обмана. Мы не дали себя провести. Гномы за гномов.

— Вот видите, — подвёл итог Аслан, — они не желают принимать помощь. Они выбрали выдумку вместо веры. Их тюрьма — в их воображении, но они — в тюрьме. Я не могу вывести их наружу, потому что они слишком много думают о том, чтоб не дать себя провести. Что ж, идёмте, дети. Меня ждёт другая работа.

Он подошёл к двери — и все за ним следом, — поднял голову и прорычал:

— Пришло время!

Потом громче:

— Время!

И так громко, что задрожали звёзды:

— ВРЕМЯ!

Дверь распахнулась.

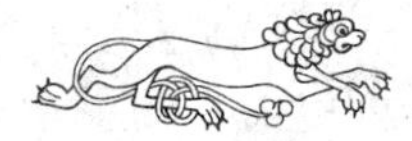

*Глава четырнадцатая*

## В НАРНИИ НАСТУПАЕТ НОЧЬ

Они стояли рядом с Асланом, справа от него, и смотрели в открытую дверь.

Костёр потух, землю окутал мрак. Никто не догадался бы, что впереди — лес, если бы верхушки деревьев не вырисовывались чёрными силуэтами на фоне звёздного неба. Когда Аслан зарычал снова, они увидели чёрную тень. С левого края небес она покрыла звёзды и росла, росла, пока не приняла очертания огромного человека, величайшего из великанов. Дети хорошо знали Нарнию, поэтому поняли, где он стоит: на вересковой пустоши, которая простиралась к северу за рекой Шрибл. Джил и Юстас вспомнили, как в давние времена в глубоких пещерах под этой пустошью видели спящего великана и слышали, что его зовут Отец Время и он проснётся в тот день, когда кончится мир.

— Да, — сказал Аслан, хотя они не проронили ни слова. — Пока спал, его звали так, Отец Время, но теперь, когда проснулся, у него будет новое имя.

Тёмный силуэт на фоне звёзд изменился: великан поднёс к губам рог, — и чуть позже (звук распространяется медленней) они услышали голос рога, пугающий и высокий, полный странной и страшной красоты.

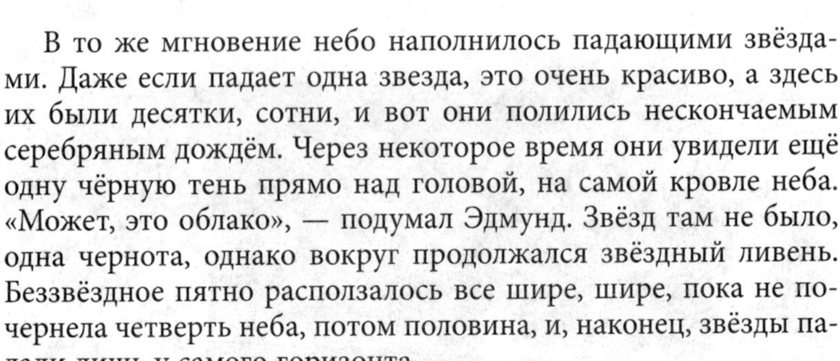

В то же мгновение небо наполнилось падающими звёздами. Даже если падает одна звезда, это очень красиво, а здесь их были десятки, сотни, и вот они полились нескончаемым серебряным дождём. Через некоторое время они увидели ещё одну чёрную тень прямо над головой, на самой кровле неба. «Может, это облако», — подумал Эдмунд. Звёзд там не было, одна чернота, однако вокруг продолжался звёздный ливень. Беззвёздное пятно расползалось все шире, шире, пока не почернела четверть неба, потом половина, и, наконец, звёзды падали лишь у самого горизонта.

Дрожа от удивления (и немного от страха), они вдруг поняли, что произошло. Это вовсе не облако росло над ними, это была пустота. На чёрном небе больше не было звёзд. Все звёзды упали, Аслан позвал их домой.

Поразительнее всего были последние минуты, когда звёзды стали падать рядом с ними. Это не были огромные раскалённые шары, как в нашем мире. Тяжёлыми каплями падали блистающие люди (Эдмунд и Люси когда-то уже встречали человека-звезду). Их длинные волосы были подобны расплавленному серебру, копья — раскалённому добела металлу. Они стремительно летели вниз из чёрного воздуха, быстрее брошенного камня, и приземлялись с громким шипением, и трава загоралась под их ногами. Звёзды плавно обходили детей и вставали где-то сзади, немного правее.

Теперь, когда на небе не осталось звёзд, наступила бы полная темнота, но этого не случилось — толпа звёзд изливала ослепительный белый свет. Бескрайние нарнийские леса, расстилавшиеся на много миль, словно осветил прожектор. Каждое деревце, чуть не каждый кустик травы отбрасывали чёткую чёрную тень. Каждый листочек был очерчен так резко, что, казалось, им можно порезаться.

А на траве перед ними лежали их тени, и самая большая, огромная, страшная — тень Аслана. Она стлалась далеко влево, под небом, на котором никогда больше не будет звёзд.

Звёзды стояли позади и сияли так ярко, что осветили даже склоны северных земель. Оттуда в Нарнию ползли огромные существа: драконы, гигантские ящеры и беспёрые птицы с крыльями летучих мышей. Когда они исчезли в лесах, на несколько минут воцарилась тишина, потом — сначала

очень далеко — раздались стенания и вопли, и вот — со всех сторон — шорох, топот, шум крыльев, всё ближе, ближе, уже можно было различить топот маленьких ножек и шлёпанье больших лап, цокот маленьких копыт и грохот огромных копытищ: показались тысячи мерцающих глаз. И наконец, из-под деревьев опрометью выбежали тысячи, миллионы всевозможных созданий: говорящие звери, гномы, фавны, сатиры, великаны, тархистанцы, жители Орландии, охлатопы и странные, сверхъестественные существа с далёких островов и неизвестных западных земель. Все они бежали в дверь, к Аслану.

Эта часть приключения походила на сон, и её потом трудно было восстановить в памяти. Например, никто не мог потом сказать, как долго это продолжалось — то ли несколько минут, то ли прошли годы. Наверное, если бы дверь не выросла во много раз или звери не уменьшились до размера насекомых, такой огромной толпе ни за что бы в неё не войти, но в тот момент никто не думал о таких вещах.

Существа бежали быстро, и чем ближе подбегали к звёздам, тем ярче горели их глаза. Но, оказавшись перед Асланом, каждый замирал и глядел прямо на него (и я не думаю, что они могли бы не смотреть, даже если хотели), и с каждым происходило одно из двух. У некоторых лица менялись поразительно: их искажали страх и ненависть, но — лишь на долю секунды. Внезапно они, прямо на глазах, переставали быть *говорящими* и становились просто обычными животными. И все, кто так глядел на Аслана, шли направо (влево от него) и исчезали в его огромной чёрной тени (она, как вы помните, простиралась слева от двери). Больше дети их не видели. Другие же глядели в лицо Аслану с любовью, хотя многие при этом ужасно боялись, и проходили в дверь справа от него. Между ними попадались странные существа: Юстас даже заметил одного из тех гномов, которые стреляли в коней, — но удивляться было некогда (впрочем, это его и не касалось), потому что великая радость вытеснила всё остальное. Между счастливыми созданиями, толпившимися теперь вокруг Тириана и его друзей, были все, кого они считали погибшими: кентавр Руномудр и единорог Алмаз, славный медведь и славный кабан, и орёл Дальнозор, и славные собаки, и кони, и гном Поггин.

— Дальше вглубь, дальше вверх! — воскликнул Руномудр, и его копыта загрохотали на запад. Остальные не поняли его, но очень разволновались. Кабан приветствовал друзей хрюканьем. Медведь проворчал было, что ничего не понимает, как вдруг заметил позади фруктовые деревья и торопливо заковылял к ним. Здесь, без сомнения, он нашёл кое-что совершенно понятное. Псы остались, виляя хвостами, и Поггин остался, и пожимал всем руки, и улыбался во весь свой честный рот. Алмаз склонил королю на плечо белоснежную голову, а тот что-то шептал ему на ухо. Потом все снова обратили взоры за дверь.

В Нарнии теперь хозяйничали одни драконы и ящеры: бродили туда-сюда, вырывали с корнями деревья и ломали их, словно стебли ревеня. В считаные минуты лес исчез, страна сделалась голой, стали видны все неровности, все эти пригорки и лощинки, незаметные прежде. Трава исчезла. Тириан с удивлением смотрел на мир голых скал, голой земли. Трудно было поверить, что когда-либо здесь что-то жило и росло. А чудища старились, ложились на землю, умирали; мясо их высыхало, съёживалось. Вскоре остались лишь огромные скелеты среди мёртвых скал, словно всё это произошло тысячи лет назад. Долго всё оставалось в безмолвии.

И вдруг что-то белое — длинная ровная белая полоса, блеснувшая в свете звёзд, — двинулось к ним с восточного края земли. Неведомый звук широкой волной разорвал тишину: сначала будто шёпот, потом шум, потом рёв. Это была стена бурлящей воды. Поднялось море. На открытой, как пустыня, земле всё было хорошо видно: как разливаются реки, как озёра становятся шире, сливаются в одно, долины превращаются в новые озёра, а холмы — в острова, и острова эти исчезают. И вересковые пустоши слева от них, и высочайшие горы справа с грохотом и плеском осыпались, сползли в бушующие волны; вода, бурля, подошла к самому порогу двери, но не проникла за него и теперь пенилась у самых передних лап Аслана. И вот от порога, где они стояли, насколько хватал глаз, простёрлась ровная гладь воды до самого горизонта, где сливалась с небом.

Вдруг там блеснула полоска печальной и зловещей зари; она росла над водой, становилась ярче и светлее, и вот они уже перестали различать свет стоящих за ними звёзд. Наконец взошло солнце. Увидев его, лорд Дигори и леди Полли тихонько кивнули друг другу. Однажды, в другом мире, у них на глазах умерло солнце, поэтому они сразу поняли, что и это солнце умирает. Оно было втрое... нет, в двадцать раз больше обычного и тёмно-тёмно-красное. Лучи его упали на гиганта Время, и он тоже сделался красным, и всё пространство безбрежных вод сделалось как кровь.

Взошла луна, совсем не там, где положено, очень близко от солнца, и тоже казалась красной. Языки пламени потянулись к ней от солнца, словно змеи или усы багрового огня. Солнце

было как спрут, оно будто пыталось притянуть к себе луну огненными щупальцами. Наверное, оно и притянуло: луна двинулась, сначала медленно, потом всё быстрее, быстрее, пока языки пламени не сомкнулись вокруг неё и не стали огромным шаром, подобным горящему углю. Громадный кусок огня отвалился от него и упал в море, а облако пара поднялось вверх.

И Аслан сказал:

— Пусть наступит конец.

Гигант бросил рог в море, потом протянул руку — она казалась совсем чёрной и тянулась на тысячи миль, через всё небо, пока не дотянулась до солнца, — взял солнце и сжал его, как апельсин. И тут же наступила полная тьма.

Все, кроме Аслана, отпрыгнули назад, словно ошпаренные резким студёным ветром. Края двери покрылись льдом.

— Питер, Верховный король Нарнии, — сказал Аслан, — закрой дверь.

Дрожа от холода, Питер наклонился в темноту и потянул дверь, отчего она заскрипела по льду, потом довольно неловко (потому что за несколько секунд руки его посинели и онемели) вынул золотой ключ и запер её.

Всё, что они видели за дверью, было удивительным, но ещё удивительнее было увидеть тёплый дневной свет, голубое небо, цветы под ногами и смех в глазах Аслана.

Он быстро обернулся, припал к земле, хлестнул себя хвостом и бросился вперёд, на запад, как золотая стрела, крикнув через плечо:

— Дальше вверх и дальше вглубь!

Но разве мог кто-то за ним угнаться? И они потихоньку направились следом.

— Итак, — сказал Питер, — ночь пала на Нарнию. Люси, ты *плачешь*? Когда мы все здесь и Аслан ведёт нас?

— Не останавливай меня, Питер, — ответила Люси. — Аслан не стал бы. Я знаю, я уверена, тут нет ничего дурного — оплакивать Нарнию. Подумай обо всех, кто остался — мёртвый, замёрзший — там, за этой дверью.

— Я надеялась всей душой, — сказала Джил, — что она будет всегда. *Наш* мир не может. Я думала, Нарния может.

— Я видел её рождение, — промолвил лорд Дигори. — Не думал, что доживу и увижу её смерть.

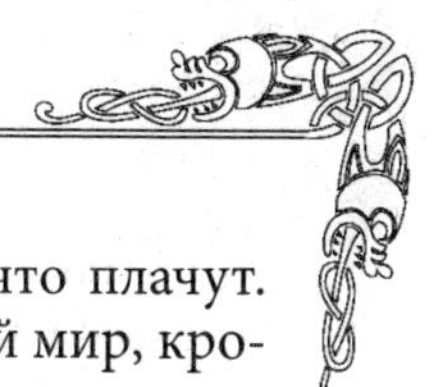

— Государи, — сказал Тириан, — леди правы, что плачут. Я плачу и сам. Я видел, как умирала моя мать. Какой мир, кроме Нарнии, я знал? Не стойкостью, но великой неучтивостью было бы не оплакать её.

Они пошли прочь от двери, от гномов, всё ещё сидевших кружком в своем воображаемом хлеву. Они шли, говорили о старых войнах, о днях мира, о древних королях и всей славе Нарнии.

Псы бежали рядом, но говорили мало — нужно было всё обнюхать. Они бегали кругами взад-вперёд и нюхали, нюхали, пока не начали чихать. Вдруг что-то их взволновало и они заспорили:

— Да, это он.

— Нет, не он.

— Я об этом и говорил — каждый почует.

— Убери-ка нос, дай я понюхаю.

— Что там, двоюродные братья мои? — спросил Питер.

— Тархистанец, государь, — в один голос пролаяли псы.

— Где же? Покажите! Как бы он ни встретил нас, мы будем ему рады.

Псы бросились вперёд, потом примчались назад, причём так быстро, будто от этого зависела их жизнь, и с громким лаем сообщили, что это действительно тархистанец. (Говорящие псы, совсем как обычные, ведут себя так, словно всё, что делают, невероятно значительно.)

Друзья последовали за псами. Молодой тархистанец, сидевший под каштанами у чистого ручья — это был Эмет, — тут же встал и, церемонно поклонившись, сказал Питеру:

— Сударь, я не знаю, друг вы мне или враг, но и то и другое — честь для меня. Разве не сказал поэт, что доблестный друг — величайший дар, а доблестный враг — дар не меньший?

— Сударь, — ответил Питер, — есть ли нужда нам враждовать?

— Расскажите, кто вы и что с вами случилось, — попросила Люси.

— Наверное, это долгий рассказ. Давайте попьём и присядем, — пролаяли псы. — Мы совершенно выдохлись.

— Ещё бы, мчались всю дорогу сломя голову, — сказал Юстас.

Итак, люди уселись на землю, собаки с шумом напились из ручья и тоже уселись, часто дыша и свесив языки, и только Алмаз остался стоять, полируя рог о белую шкуру.

*Глава пятнадцатая*

## ДАЛЬШЕ ВВЕРХ И ДАЛЬШЕ ВГЛУБЬ!

— Знайте, о доблестные короли, — начал тархистанец, — и вы, о леди, чья красота озаряет Вселенную: я Эмет, седьмой сын Харфы-тархана из города Ташбаана, что к западу от пустыни. Я пришёл в Нарнию позже многих, отряд наш в двунадесять и девять копий вёл Ришда-тархан. Услышав впервые, что поход наш на Нарнию, я возликовал, ибо много слышал о вашей стране и жаждал встретиться с вами в битве, но едва узнал, что мы должны вырядиться торговцами (какой позор воину и сыну тархана!), что мы должны лгать и хитрить, радость покинула меня. Только худшее было впереди — нам велели прислуживать обезьяне. Обезьяна же объявила, что Аслан и Таш — это одно, и мир потемнел в моих очах, ибо с детства я служил богине с великим желанием познать её глубже и, быть может, когда-нибудь взглянуть ей в лицо. Но имя Аслана было мне ненавистно.

Вы видели, нас собирали перед лачугой с соломенной крышей, ночь за ночью, и разжигали огонь, потом обезьяна выводила из лачуги кого-то на четырёх ногах, но разглядеть его я не мог. Все люди и все звери кланялись ему и воздавали почести. Мне казалось, что обезьяна обманывает Ришду, ибо

то, что выходило из хлева, не было ни Таш, ни каким другим богом. Я стал внимательно наблюдать за тарханом и слушать каждое его слово и понял, что он тоже не верит. Он верил в Таш не больше обезьяны, ибо, если бы верил, как посмел бы насмехаться над ней?

Когда глаза мои открылись, великий гнев обуял меня. Я дивился, почему истинная Таш не поразит нечестивцев небесным огнём. Собрав свою волю, спрятав свой гнев и сдержав свой язык, я ждал, чем всё это кончится, однако прошлой ночью обезьяна не вывела жёлтое существо, заявив: кто хочет взглянуть на Ташлана (они соединили два имени, будто это одно), те должны по одному войти в лачугу. И я сказал себе: «Несомненно, это новый обман». Когда кот зашёл и выскочил, безумный от страха, я снова сказал себе: «Воистину Таш явилась. Они позвали её без ведения и веры, и вот она среди нас и отомстит за себя». И хотя сердце моё от ужаса перед величием Таш ослабело, желание моё было превыше страха, и я унял дрожь, сжал зубы и решился взглянуть в лицо Таш, хотя бы это и стоило мне жизни. Я вызвался войти в хлев, и тархан, хоть и против воли, пустил меня.

О чудо! Ступив за дверь, я увидел ясный солнечный свет, как сейчас, хотя снаружи всё казалось черно. Но дивился я не более мгновения, ибо тут же пришлось защищаться. Едва я увидел одного из наших людей, замысел тархана и обезьяны стал мне ясен: его поставили здесь убивать всякого, кто войдёт, если это будет не посвящённый в их тайну. Значит, человек этот тоже лжец и насмешник и не слуга Таш, и я с великой охотой сразил негодяя и выбросил его тело за дверь.

Потом, оглядевшись, я увидел небо и просторные земли. Сладостное благоухание коснулось меня, и я сказал: «Клянусь богами, это дивное место. Наверное, я в стране Таш». И я пошёл искать её в этом удивительном краю.

Так я шёл среди трав, цветов и благоуханных деревьев, как вдруг на узкой тропинке меж скал навстречу мне выпрыгнул огромный лев, быстротою подобный страусу. Он был велик, как слон, с гривой, как чистое золото, и, как золото, расплавленное в печи, сверкали его глаза. Он был страшнее, чем огнедышащая гора Лагур, и красота его превосходила всё в этом мире, как роза превосходит прах пустыни. Я пал к его ногам с единственной мыслью: «Пришёл мой последний час, ибо лев, достойный всяческих почестей, узнает, что я всю жизнь служил Таш, а не ему. И всё-таки лучше видеть льва и умереть, чем быть Тисроком всего мира и не видеть его». Но Славный коснулся языком моего лба, склонив золотую голову, и сказал: «Радуйся, сын». Я же ответил: «Увы, повелитель, я не сын тебе, но слуга Таш». И он сказал мне: «Дитя, всё, что ты сделал для Таш, я зачту в службу мне». Тогда ради моей великой мечты о мудрости и знании я преодолел свой страх и спросил Славного, и сказал: «Владыка, правду ли говорила обезьяна, что ты и Таш — одно?» Лев зарычал так, что земля содрогнулась, но гневался он не на меня. «Это ложь. И не потому я принял твоё служение, что мы одно, а потому, что мы противоположны; я и она столь различны, что, если служение мерзко, оно не может быть мне, а если служение не мерзко — не может быть ей. Итак, если кто-то клянётся именем Таш и держит клятву правды ради, мной он клянётся не ведая, и я вознагражу его. Если же кто совершит злое во имя моё, пусть и говорит он: «Аслан», — Таш он служит, и Таш примет его служение. Понял ли ты, дитя?» И я ответил: «Владыка, тебе ведомо, сколько я понял». И ещё я сказал, как побуждала меня истина: «Я ведь искал Таш во все дни мои». — «Возлюбленный сын мой, — сказал мне Славный, — если б не ко мне ты стремился, то не искал бы так долго и верно. Каждый находит то, что ищет *на самом деле*».

И он дохнул на меня, и снял дрожь с моего тела, и принудил меня подняться на ноги. А потом сказал, что скоро мы встретимся, велел идти дальше вверх и дальше вглубь и как вихрь, как золотой ураган умчался прочь. С тех пор, о короли и леди, я бреду в поисках его, и блаженство моё так велико, что ослабляет меня подобно ране. Это величайшее чудо, что он назвал возлюбленным меня, который был как пёс...

— А? Что? — встрепенулся один из псов.

— Сударь, — ответил Эмет, — это оборот речи, принятый у нас в Тархистане.

— Что-то мне не нравится такой оборот, — заметил пёс.

— Он не хотел сказать ничего плохого, — вмешался старший пёс. — В конце концов, мы зовём своих щенков мальчишками, когда они плохо себя ведут.

— Точно, — согласился первый пёс, — или девчонками.

— Ш-ш, — сказал старший пёс. — Это нехорошее слово; не забывай, где находишься.

— Смотрите! — неожиданно воскликнула Джил.

К ним робко приближалось приятное четвероногое создание серебристо-серого цвета. Они секунд десять смотрели на него, прежде чем пять или шесть голосов разом воскликнули: «Да это же старина Лопух!» Они никогда не видели его при дневном свете, без львиной шкуры, и узнать его было трудно. Он стал самим собой — замечательным осликом с мягкой серой шёрсткой и милой и честной мордой, и если б вы его увидели, то сделали бы то же, что Люси и Джил: бросились к нему, обняли, поцеловали в нос и погладили уши.

Они спросили, где он был, и Лопух рассказал, как вошёл в дверь вместе со всеми, но держался поодаль, а главное — подальше от Аслана. Увидев настоящего льва, он так устыдился всей этой чепухи с переодеванием, что не смел в глаза никому взглянуть, но когда все его друзья отправились на запад, пощипал травки («В жизни не пробовал такой вкусной травки»), набрался смелости и пошёл за ними.

— Что же делать, если я и вправду встречусь с Асланом? Честное слово, не знаю! — сказал Лопух в заключение.

— Когда вправду встретишься, всё будет хорошо, вот увидишь, — заверила его Люси.

И все пошли вперёд, к западу, потому что им казалось, что именно туда позвал Аслан, когда крикнул: «Дальше вверх и дальше вглубь!» Множество других существ шли потихоньку туда же, и никому не было тесно на широкой равнине среди трав.

По-прежнему казалось, что очень рано и воздух по-утреннему свеж. Иногда они останавливались, смотрели вокруг — и потому, что было уж очень красиво, и потому ещё, что чего-то никак не могли понять.

— Питер, — спросила Люси, — как ты думаешь, где мы?

— Не знаю, — сказал Верховный король. — Что-то мне это напоминает, только название забыл. Может, мы тут были на каникулах, совсем маленькими?

— Отличные, наверное, были каникулы, — заметил Юстас. — Готов поспорить, такой страны в нашем мире нет. Смотрите, какие цвета! Такой синевы у нас не бывает.

— А это не страна Аслана? — спросил Тириан.

— Та, что на вершине горы за восточным краем света? Не похоже, — сказала Джил. — Там я была.

— Мне лично кажется, — заметил Эдмунд, — она похожа на что-то в Нарнии. Поглядите на эти горы впереди и снежные вершины за ними — правда, похожи на те, что мы видели из Нарнии?

— Похожи, — согласился Питер, — только больше.

— А по-моему, не очень, всё-таки не как в Нарнии... — усомнилась Люси. — Хотя... смотрите!

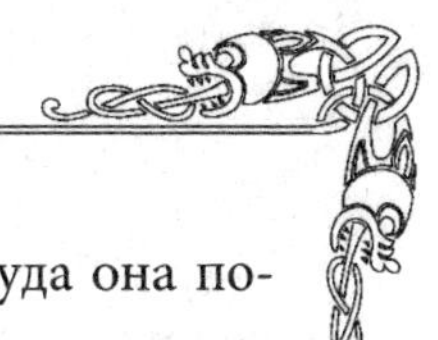

Все остановились и посмотрели в ту сторону, куда она показывает.

— Эти холмы, зелёные, а за ними голубые — совсем как на юге Нарнии.

— Точно! — воскликнул Эдмунд. — Удивительно похожи. Смотрите, это гора с двойной вершиной, а вон там — перевал в Орландию.

— Нет, всё-таки не похожи, — сказала Люси. — Они ярче, дальше и больше походят... ой, не знаю.

— Больше походят на настоящие, — мягко подсказал лорд Дигори.

Неожиданно орёл Дальнозор расправил крылья, взмыл в воздух и, сделав круг, опустился на землю.

— Ваши величества! Мы все ослепли. Только сейчас начинаем понимать, где находимся. Сверху я видел всё — Этинсмур, Биверсдам у Бобровой плотины, Великую реку. И Кэр-Параваль, как прежде, сияет на берегу Восточного моря. Нарния не умирала. Это Нарния.

— Как же так? — удивился Питер. — Аслан сказал, что мы никогда не вернёмся в Нарнию.

— Мы ведь сами видели — она умерла, и солнце погасло, — сказал Юстас.

— И всё здесь не такое, — добавила Люси.

— Орёл прав, — сказал лорд Дигори. — Знаешь, Питер, когда Аслан сказал, что вы не вернётесь в Нарнию, речь шла про ту Нарнию, а она была не настоящая. Понимаешь, та Нарния имела начало и конец, была лишь тенью, лишь оттиском настоящей Нарнии, этой, вечной. Ведь и наш мир — Англия и всё остальное — тоже тень или оттиск чего-то в настоящем мире. Тебе не было нужды оплакивать Нарнию, Люси. Всё самое важное в старой Нарнии, все дорогие создания — всё перешло через дверь в Нарнию насто-

ящую. Они, конечно, стали немножко иными: ведь настоящая вещь отличается от своей тени, как жизнь — от сна.

Эти слова и сам его голос потрясли как звук трубы, а потом он тихо прибавил, как бы про себя:

— Всё это есть у Платона, всё у Платона... Боже мой, чему их только учат в этих школах!

Старшие дети рассмеялись. В другом мире, давным-давно, когда борода его была не золотой, а седой, они слышали от него эти самые слова. Лорд Дигори понял, отчего они смеются, и рассмеялся сам, но скоро все вновь стали серьёзными, потому что, вы знаете, от такого удивительного счастья делаешься серьёзным. Оно слишком прекрасно, даже для шутки.

Трудно объяснить, как сильно отличалась от Нарнии эта залитая солнцем страна, так же как трудно было описать вкус плодов. Попробую объяснить. Представьте себе, что вы в комнате, окно которой выходит на чудесный морской залив или на зелёную речную долину, а на противоположной стене висит зеркало. Когда отворачиваетесь от окна, вы видите в зеркале и море, и долину; в каком-то смысле они те же самые и в то же время другие — глубже, удивительнее, словно отрывок из повести, которую вы никогда не читали, но очень хотите узнать. Вот так отличалась старая Нарния от новой. Новая была гораздо весомей: каждый камень, цветок или кустик травы казался как-то значительнее. Я не могу описать это лучше; если вы окажетесь там, то поймёте, что я имею в виду.

Единорог выразил то, что чувствовали все: ударил копытом оземь, заржал и воскликнул:

— Наконец-то я дома! Вот моя настоящая родина! Эту страну я искал всю жизнь, хоть и не знал о ней прежде! Мы любили нашу Нарнию только за то, что иногда она походила на эту. Го-го-го! Дальше вверх, дальше вглубь!

Он тряхнул гривой и понёсся вперёд — галопом единорога, и в нашем мире мгновенно скрылся бы из глаз. А тут случилось нечто очень странное: все побежали за ним и с изумлением обнаружили, что не отстают. Да-да! И не только люди и псы, но даже маленький толстый Лопух и коротконогий гном Поггин. Ветер бил в лицо, словно они мчались в открытой машине; земля убегала назад, как за окном скорого поезда. Они бежали всё быстрее и быстрее, но никто не устал и никто не задохся.

*Глава шестнадцатая*

# ПРОЩАЙ, СТРАНА ТЕНЕЙ!

Если бы вы могли бежать без устали, не думаю, чтобы вам захотелось чего-нибудь иного, разве что какая-то особая причина вас бы остановила. Особая причина и понудила Юстаса воскликнуть:

— Эй! Стойте! Смотрите, куда мы бежим!

Перед ними лежал Каменный Котёл, за Котлом — высокие неприступные обрывы, и с обрывов, сверкая на солнце, словно поток алмазов, тёмно-зелёные в тени, непрерывно низвергались тысячами тонн воды Великого водопада, и грохот его уже достигал ушей.

— Не останавливайтесь! Дальше вверх, дальше вглубь! — крикнул Дальнозор, взмывая ввысь.

— Ему-то хорошо, — буркнул Юстас, но Алмаз тоже воскликнул:

— Не останавливайтесь! Дальше вверх и дальше вглубь! Это совсем легко!

Его голос ещё был слышен в рёве водопада, когда он нырнул в Котёл. Следом за ним и остальные один за другим с громкими всплесками попрыгали в приятную пенистую прохладу. Вода оказалась вовсе не такой холодной, как все (особенно Лопух) ожидали, и каждый обнаружил, что плывёт прямо к водопаду.

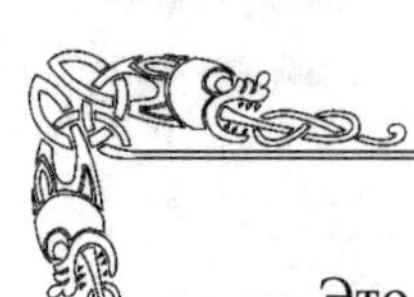



— Это полное безумие, — сказал Юстас Эдмунду.

— Конечно. И всё же... — с некоторым сомнением согласился Эдмунд.

— Разве не удивительно? — воскликнула Люси. — Вы заметили — совсем невозможно испугаться, даже если хочется!

Юстас попытался.

— Ну и дела! И впрямь не получается!

Алмаз первым подплыл к подножию водопада, Тириан не намного отставал от него, а Джил плыла последней, и потому ей всё было видно. Прямо по поверхности водопада поднималось что-то белое, и, приглядевшись, она поняла, что это единорог. Трудно сказать, плыл он или карабкался вверх, всё выше и выше. Остриём рога он рассекал воду над головой, и она радужными струями падала ему на лопатки. Следом король Тириан размахивал руками и ногами, будто плыл, но плыл прямо вверх, как если бы можно было плыть по стене.

Смешнее всего выглядели псы. Они совсем не задохлись, пока бежали, а теперь, карабкаясь вверх, беспрерывно фыркали и отплёвывались, потому что не могли удержаться и не лаять, но стоило им залаять, как в пасть тут же заливалась вода. Джил не успела опомниться, как сама уже взбиралась по водопаду, что совершенно невозможно проделать в нашем мире: даже если не захлебнёшься, могучий поток разобьёт тебя в лепёшку об острые камни. А в этом мире — можно, здесь вы могли бы взбираться всё выше и выше, лучи света блистали бы на воде всеми цветами радуги, разноцветные камни сверкали сквозь поток, пока вам не показалось бы, что вы взлетаете по лучам света так высоко, что можно испугаться, но испугаться невозможно — здесь нет ничего, кроме радости и восторга. И наконец, достигнув плавного зелёного перегиба, где вода переливалась через уступ, вы оказываетесь в реке над водопадом. Течение такое сильное, просто сметает, но вы, как отличный пловец, легко плывёте наперерез.

Вскоре все были на берегу, мокрые, но счастливые. Широкая долина открылась впереди, и снежные горы стали теперь гораздо ближе.

— Дальше вверх и дальше вглубь! — воскликнул Алмаз, и все тут же понеслись дальше.

Покинув пределы Нарнии, друзья оказались в Западных дебрях, где ни Тириан, ни Питер, ни даже орёл раньше не бывали, в отличие от лорда Дигори и леди Полли. «Ты помнишь? — то и дело спрашивали они друг друга. — Помнишь?..» — и голоса их звучали ровно, как в молодости, без всякой одышки, хотя неслись они теперь быстрее пущенной из лука стрелы.

— Как, милорд? — удивился Тириан. — Неужели правду говорят легенды и вы двое были здесь в тот самый день, когда мир был создан?

— Да, — ответил Дигори, — и мне кажется, это было только вчера.

— И про летающую лошадь тоже правда?

— Конечно. — Дигори хотел сказать что-то ещё, но псы залаяли:

— Быстрей! Быстрей!

Они и так мчались что есть духу, а потом уже почти летели, так что даже орёл над их головами их не обгонял. Друзья пробегали долину за долиной, буквально взлетали по крутым склонам холмов и ещё быстрее спускались вниз, проносились вдоль речек, иногда пересекали их, переплывали горные озёра, словно живые гоночные лодки, пока за голубым, как бирюза, продолговатым озером не увидели зелёный холм. Склоны его были крутыми, как у пирамиды, вокруг вершины тянулась зелёная стена, а за стеной раскинули ветви деревья, листья которых казались серебряными, а плоды — золотыми.

— Дальше вверх и дальше вглубь! — взревел единорог, и они помчались к холму и взмыли по нему, как волна в заливе взмывает на скалы.

Хоть склоны и были крутыми, словно скат крыши, а трава гладкая, как на крикетном поле, никто не поскользнулся. Лишь на вершине они замедлили бег перед большими золотыми воротами, но в первые минуты никто не ощутил в себе храбрости их открыть. Каждый чувствовал себя как тогда, при виде плодов: «Смеем ли мы? Дозволено ли? Нас ли здесь ждут?»

И пока они так стояли, звук огромного рога, удивительно громкий и приятный, раздался в саду за стеной. Ворота распахнулись.

Тириан, затаив дыхание, ждал, кто же выйдет. И вот вышел тот, кого он меньше всего предполагал увидеть: маленькая гладкая остроглазая говорящая мышь с обручем, украшенным алым пером на голове, и длинной шпагой, на рукояти которой лежала левая лапка. Поклонившись — да как грациозно! — мышь произнесли тоненьким голоском:

— Во имя льва, радуйтесь! Дальше вверх и дальше вглубь!

Тириан увидел, как король Питер, и король Эдмунд, и королева Люси бросились вперёд с криками «Рипичип!» и пали на колени. У Тириана перехватило дыхание: он понял, что перед ним один из величайших героев Нарнии, мышиный военачальник Рипичип, что сражался в великой битве при Беруне, а потом ходил на край света с королём Каспианом Мореплавателем.

Так он и стоял, поражённый, и тут почувствовал, как чьи-то крепкие руки обняли его, щеки коснулась мягкая борода, и знакомый голос произнёс:

— Ну как ты, сынок? Вырос и похудел с тех пор, как мы расстались.

Это был его собственный отец, славный король Эрлиан, но не такой, каким видел его Тириан в последний раз дома — бледный и израненный после боя с великаном, — и даже не тот седовласый воитель, каким помнил. Это был молодой и весёлый король, которого он знал в раннем детстве, когда маленьким мальчиком играл с ним летними вечерами перед сном в дворцовом саду в Кэр-Паравале. Тириан вспомнил даже запах хлеба и молока, что ему давали на ужин.

Алмаз сказал себе: «Пусть они поговорят, а потом и я подойду поприветствовать славного короля Эрлиана. Немало сочных яблок получил от него, будучи жеребёнком», — но в следующую минуту все мысли вылетели из головы из-за представшего его взору зрелища. Из ворот вышла лошадь, могучая и благородная, и даже единорог оробел бы в её присутствии, — огромная крылатая лошадь. Взглянув на лорда Дигори и леди Полли, она радостно заржала, и те с криком «Стрела! Стрела!» бросились ей навстречу.

Благородный Рипичип снова поторопил их. Миновав золотые ворота, вся компания оказалась в сладостном благоухании под деревьями, где мешались свет и тени и земля пружи-

нила под ногами, а шли они по белым цветам и дивились, что внутри гораздо просторнее, чем казалось снаружи. Никто из друзей не успел это обдумать, потому что со всех сторон их шли встречать самые разные существа.

Кажется, здесь были все ваши старые знакомые (если вы помните историю Нарнии): и сова Белокрылка, и квакль Хмур, и король Рилиан, спасенный от чар, и его мать, дочь звезды, и его великий отец, король Каспиан. А рядом с ними — лорд Дриниан, лорд Берн, гном Трам, и Боровик, славный барсук, с кентавром Громобоем и сотней других героев Великой войны за освобождение. С другой стороны вышел Кор, славный король Орландии, и король Лум, его отец, и королева Аравита, и храбрый принц Корин Железный Кулак, брат его, а с ними конь Игого и кобыла Уинни. А потом — Тириан растерялся от изумления — из совсем далёкого прошлого вышла чета славных бобров и мистер Тумнус, фавн. Сколько было приветствий, поцелуев, рукопожатий! Сколько вспомнилось старых шуток (вы и представить себе не можете, как здорово звучит старая шутка, когда её вспоминаешь через пять-шесть сотен лет!). Затем все направились в середину сада, где на дереве сидела птица-феникс и глядела на них сверху, а среди корней стояли два трона, на которых восседали король и королева, столь величественные и прекрасные, что каждый низко склонился перед ними. И неудивительно, ведь то были король Франциск и королева Елена, от которых произошли почти все древние короли Нарнии и Орландии. Тириан чувствовал себя так, как вы бы почувствовали себя перед Адамом и Евой во всей их славе.

Спустя полчаса — а может, спустя полсотни лет, время там не измерить — Люси стояла рядом со своим самым старым нарнийским другом, фавном Тумнусом, у садовой стены, глядя на расстилавшуюся внизу Нарнию. Отсюда, сверху, казалось, что холм гораздо выше, чем она думала: он опускался вниз сверкающими обрывами на тысячи футов, и деревья в нижнем мире казались не больше зелёных песчинок.

Снова повернувшись спиной к стене и посмотрев в сад, она задумчиво сказала:

— Я поняла, теперь поняла. Этот сад, как и хлев, гораздо больше внутри, чем снаружи.

— Конечно, дочь Евы, — подтвердил фавн. — Чем дальше вверх и дальше вглубь идёшь, тем больше всё становится. Изнутри всё больше, чем снаружи.

Люси присмотрелась повнимательнее и увидела, что вокруг вовсе и не сад, а целый мир, с реками, лесами, морями и горами, и всё это ей прекрасно знакомо.

— Да, это тоже Нарния, и ещё более прекрасная и настоящая, чем та, внизу, — совсем как та, более настоящая и прекрасная, чем Нарния за дверью! Понятно... мир в мире... Нарния в Нарнии...

— Совершенно верно, — согласился с Люси мистер Тумнус. — Как луковица, только наоборот: чем глубже, тем больше каждый следующий слой.

И Люси, теперь вглядевшись как следует, обнаружила вокруг новые чудеса. На что бы она ни смотрела, даже если в самую даль, всё становилось совершенно чётким и близким, словно в подзорной трубе. Она видела Южную пустыню и за ней великий город Ташбаан; на востоке, на морском берегу, — Кэр-Параваль, и даже окно той самой комнаты, где когда-то жила. А далеко в море она различала острова и за ними — другие острова, до самого края света, а за краем света — высочайшие горы, которые они называли страной Аслана. Теперь она видела, что это лишь часть огромной горной цепи, окружающей весь мир, и эти горы тоже казались совсем близкими. Потом Люси взглянула налево и увидела то, что сначала приняла за гряду ярких облаков за ущельем: настоящую землю, а на ней... на ней...

— Питер! Эдмунд! Сюда! Смотрите! Скорей!

Дети подбежали к ней, и глаза у них округлились, как и у неё.

— О-о-о! — воскликнул Питер. — Это же Англия! Это дом профессора Кёрка в деревне, где начались наши приключения!

— Я думал, его снесли, — сказал Эдмунд.

— Да, его снесли, — подтвердил фавн, — но вы сейчас смотрите на Англию внутри Англии, настоящую Англию, как это — настоящая Нарния. И в этой внутренней Англии ничто хорошее не пропадает.

Они перевели взгляд и застыли в изумлении, а потом Питер, Эдмунд и Люси закричали и стали махать руками — там

стояли их собственные мама и папа и тоже махали им руками через широкую и глубокую долину. Помните, как машут с палубы большого корабля, который вы встречаете на пристани?

— А как туда попасть? — спросила Люси.

— Очень просто, — сказал мистер Тумнус. — Эта страна и та страна — все настоящие страны — лишь отроги Великих гор Аслана. Надо просто идти по хребту, вверх и вглубь, пока мы с ними не встретимся... Слышите? Это большой рог короля Франциска. Нам нужно идти.

И вот они обнаружили, что идут все вместе, огромной яркой процессией, всё выше и выше по склонам высоченных гор, каких и нет в нашем мире, к вершинам, где не лежит снег, где искрятся водопады и зеленеют сады. Дорога их меж глубоких ущелий становилась всё уже и уже, и настоящая Англия за ущельем — всё ближе.

Ярче сиял свет впереди. Люси смотрела на ряды разноцветных уступов, ведущих вперёд, словно гигантская лестница, а потом позабыла про всё на свете, потому что увидела... самого Аслана, который перескакивал с уступа на уступ лавиной силы и могущества.

Самым первым Аслан подозвал к себе ослика по имени Лопух. Я уверен, вы никогда не видели такого жалкого и глупого осла. Он казался совсем маленьким рядом со львом — так выглядел бы котёнок рядом с сенбернаром. Лев склонил голову и что-то шепнул Лопуху, отчего у того обвисли длинные уши, потом сказал что-то ещё, и уши поднялись торчком. Никто ничего не слышал.

Потом Аслан повернулся и сказал всем:

— Вы ещё не такие счастливые, какими я хотел бы вас видеть.

— Мы так боимся, что ты отошлёшь нас обратно, Аслан: ты ведь так часто возвращал нас в наш мир, — сказала за всех Люси.

— Не бойтесь. Разве вы не догадались?

Сердца у детей подпрыгнули, в них вспыхнула надежда.

— Это была *настоящая* железнодорожная катастрофа, — тихо и мягко сказал Аслан. — Ваши родители и вы сами мертвы, как называют это в стране теней. Учебный год позади, начались каникулы. Сон кончился, и наступило утро.

И пока говорил, он всё меньше и меньше походил на льва. А то, что случилось дальше, было настолько прекрасно, что писать об этом я не могу. Для нас это завершение всех историй, и мы честно можем сказать, что жили они долго и счастливо, в то время как для них настоящая история только началась. Вся их жизнь в нашем мире, все приключения в Нарнии были только обложкой и титульным листом, а теперь наконец началась глава первая Великой Истории, которую не читал ни один человек на земле; Истории, которая длится вечно; Истории, в которой каждая глава лучше предыдущей.

# ОГЛАВЛЕНИЕ

## Племянник чародея

## Лев, колдунья и платяной шкаф

## Конь и его мальчик

## Принц Каспиан

## «Покоритель зари», или Плавание на край света

## Серебряное кресло

## Последняя битва

Литературно-художественное издание
әдеби-көркемдік баспа

ХРОНИКИ НАРНИИ
писатели христианского запада

**Клайв Стейплз Льюис**

**ХРОНИКИ НАРНИИ**
(орыс тілінде)

Иллюстрации *Паулин Бэйнс*

Руководитель проекта *Л. Кондрашова*
Литературный редактор *Н. Хасаия.* Художественный редактор *Б. Волков*
Компьютерная графика *А. Кашлев, А. Алексеев.* Технический редактор *Л. Зотова*
Компьютерная верстка *А. Москаленко.* Корректор *И. Анина*

**ООО «Издательство «Эксмо»**
123308, Россия, Москва, ул. Зорге, д. 1. Тел.: 8 (495) 411-68-86.
Home page: www.eksmo.ru E-mail: info@eksmo.ru
Өндіруші: «ЭКСМО» АҚБ Баспасы, 123308, Мәскеу, Ресей, Зорге көшесі, 1 үй.
Тел.: 8 (495) 411-68-86.
Home page: www.eksmo.ru E-mail: info@eksmo.ru.
Тауар белгісі: «Эксмо»
**Интернет-магазин** : www.book24.ru

**Интернет-магазин** : www.book24.kz
**Интернет-дукен** : www.book24.kz
Импортёр в Республику Казахстан ТОО «РДЦ-Алматы».
Қазақстан Республикасындағы импорттаушы «РДЦ-Алматы» ЖШС.
Дистрибьютор и представитель по приему претензий на продукцию,
в Республике Казахстан: ТОО «РДЦ-Алматы»
Қазақстан Республикасында дистрибьютор және өнім бойынша арыз-талаптарды
қабылдаушының өкілі «РДЦ-Алматы» ЖШС,
Алматы қ., Домбровский көш., 3«а», литер Б, офис 1.
Тел.: 8 (727) 251-59-90/91/92; E-mail: RDC-Almaty@eksmo.kz
Өнімнің жарамдылық мерзімі шектелмеген.
Сертификация туралы ақпарат сайтта: www.eksmo.ru/certification

Сведения о подтверждении соответствия издания согласно законодательству РФ
о техническом регулировании можно получить на сайте Издательства «Эксмо»
www.eksmo.ru/certification

Өндірген мемлекет: Ресей. Сертификация қарастырылмаған

Дата изготовления / Подписано в печать 30.07.2019. Формат 60x90 $^{1}/_{16}$.
Гарнитура «Миньон Про». Печать офсетная. Усл. печ. л. 57,0.
Доп. тираж 10 000 экз. Заказ 5664/19.

Отпечатано в соответствии с предоставленными материалами
в ООО "ИПК Парето-Принт", 170546, Россия, Тверская область
Промышленная зона Боровлево-1, комплекс №3А
www.pareto-print.ru

ISBN 978-5-699-92300-7

**Клайв Стейплз Льюис**
(*1898–1963*)

*Фото: Burt Glinn/Magnum Photos/Agency. Photographer.ru*

Выдающийся английский писатель, ученый и богослов, известный филологам своими академическими трудами по средневековой литературе и христианской апологетике. Льюис был одним из видных представителей Оксфордской литературной группы «Инклингов» (участниками группы также стали Ч. Уильямс, У. Льюис, Дж. Р. Р. Толкин и др.), на собраниях которой нередко читались рукописи книг, которые затем становились вехами в истории литературы. И легендарная эпопея «Хроники Нарнии», прославившая писателя на весь мир, появилась не случайно.

С творчеством Льюиса знакомы взрослые и дети во многих частях света. Наполненные чудесными библейскими символами, значениями и созвучиями, его книги несут добро и веру в справедливость. Волшебные повести «Племянник чародея», «Лев, колдунья и платяной шкаф», «Конь и его мальчик», «Принц Каспиан», «Покоритель зари», или Плавание на край света», «Серебряное кресло» и «Последняя битва», которые вошли в цикл под общим названием «Хроники Нарнии», станут первыми мудрыми проводниками к сложному, большому миру, расположенному уже за пределами самих книг.

Льюис являлся доктором литературы Квебекского (1952) и Манчестерского (1959) университетов, почетным доктором литературы Университетов Дижона (1962) и Лиона (1963), почетным членом советов оксфордского колледжа Св. Магдалины (1955) и кембриджского Университетского колледжа (1958). Он был избран членом Королевского литературного общества (1948); награжден почетной медалью Фонда Карнеги (1957).

**Паулин Диана Бэйнс**

(*1922–2008*)

Английский художник, автор иллюстраций к более чем 100 книгам, среди которых французские и британские народные сказки, истории Беатрис Поттер, К. С. Льюиса и Д. Р. Р. Толкина, Коран и Библия.

В сердце миллионов читателей эпопеи «Хроники Нарнии» Клайва С. Льюиса запечатлелся образ хрупкой девочки Люси, уходящей под руку с фавном по тонкой заснеженной тропе в безмятежный белый лес. Эта знаменитая иллюстрация к повести «Лев, колдунья и платяной шкаф» принадлежит перу великолепного графика Паулин Бэйнс, которой удалось вместе с писателем приоткрыть заветную дверцу шкафа, увидеть и изобразить волшебную страну Нарнию в мельчайших подробностях с картографической точностью. Более 70 лет своей жизни она посвятила созданию уникальных книжных иллюстраций, тонких, изящных, полных энергии движения и живительного света, который и по сей день согревает нас со страниц книг.

**Клиф Нильсен**

Талантливый успешный американский художник, дизайнер, художественный редактор и иллюстратор книг для детей и взрослых. Один из мировых ТОР100 цифровых художников, Клиф Нильсен в совершенстве владеет приемами создания традиционной станковой живописи и цифровых иллюстраций – в 1994 г. он признан лучшим выпускником Художественного колледжа дизайна (Калифорния, США). С тех пор его заказчиками становились самые крупные издательства мира, а на сделанных художником обложках можно увидеть знаменитые имена классиков литературы разных жанров и времен: Стивен Кинг, Джон Гришем, Вашингтон Ирвинг, Клайв С. Льюис, Эдгар А. По и др.

Самые значимые книжные проекты с участием Клифа Нильсена: «Секретные материалы» (The X-Files), «Звездные войны» (Star Wars), «Ворон» (the Crow) и многие др. Его работа представляет собой сочетание оригинальной фотографии, книжной иллюстрации и цифрового искусства. И каждое творение художника – это восхитительное превращение привычного и традиционного в современное и исключительное.

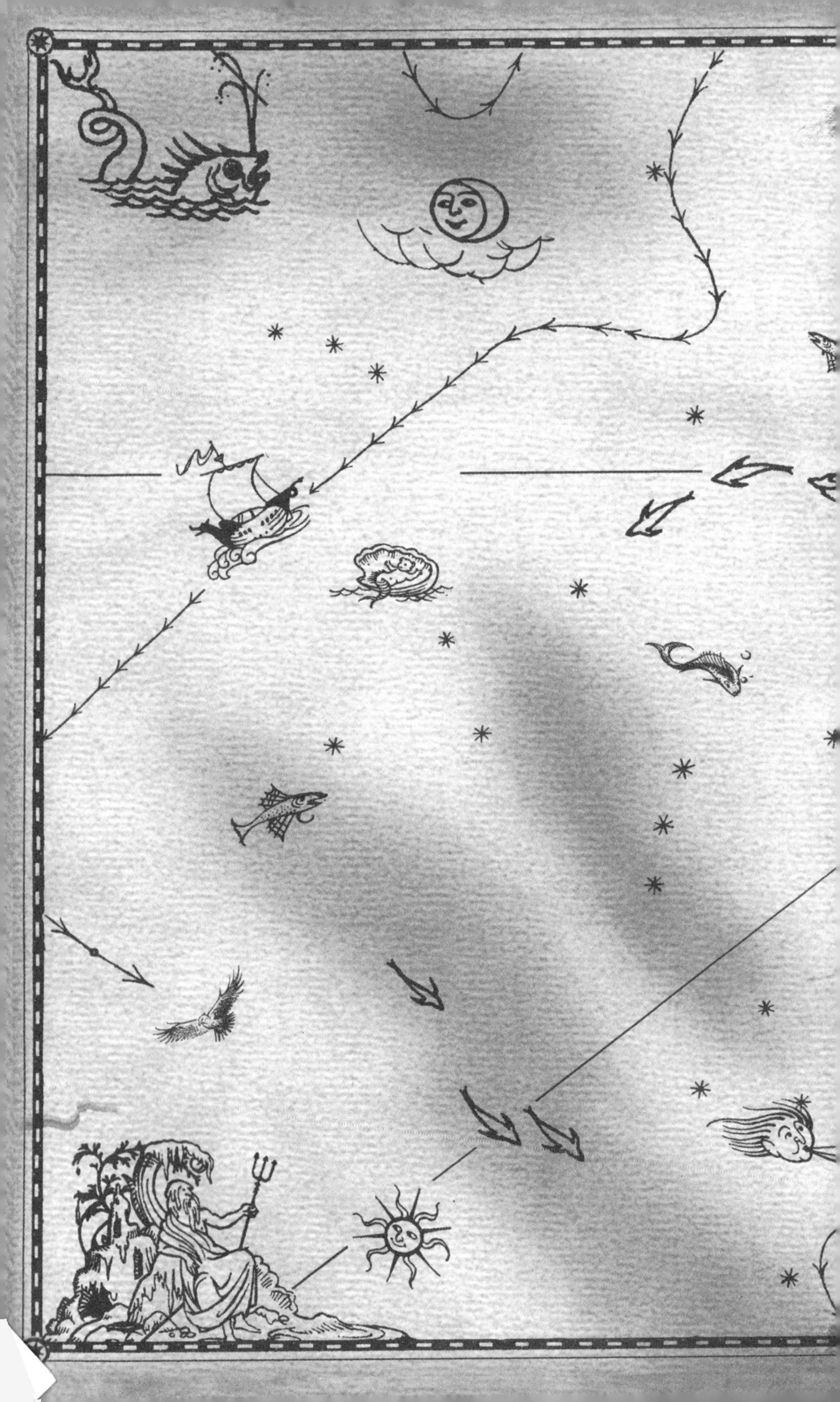